KB160744

개정판

정신건강 간호학

Psychiatric Nursing

공성숙 김근면 김명희 노인숙 박정화 양승희 우미영 정순영 최 진 외 공역

7th EDITION

Norman L. Keltner, EdD, RN, CRNP
Professor, School of Nursing
University of Alabama at Birmingham
Birmingham, Alabama

Debbie Steele, PhD, RN, LMFT
Associate Professor
Christian Counseling
Golden Gate Baptist Theological Seminary
Mill Valley, California

ELSEVIER

군자출판사

개정판 7th EDITION

정신건강간호학

첫째판 1쇄 인쇄 | 2019년 1월 31일
첫째판 1쇄 발행 | 2019년 2월 20일
첫째판 2쇄 발행 | 2020년 3월 16일
개정판 1쇄 발행 | 2021년 2월 24일

저 자 | Norman L. Keltner, Debbie Steele
역 자 | 공성숙, 김근면, 김명희, 노인숙, 박정화, 양승희, 우미영, 정순영, 최 진 외

발 행 인 장주연
출 판 기 획 한인수
디 자 인 양란희
발 행 처 군자출판사
등록 제 4-139호(1991. 6. 24)
본사 (10881) **파주출판단지** 경기도 파주시 회동길 338(서패동 474-1)
전화 (031) 943-1888 팩스 (031) 955-9545
홈페이지 | www.koonja.co.kr

ISBN 979-11-5955-383-7

ELSEVIER

Psychiatric Nursing, 7th Edition

ISBN: 978-0-323-18579-0

This translation of Psychiatric Nursing, 7th Edition by Norman L. Keltner, Debbie Steele was undertaken by Koonja Publishing, Co. and is published by arrangement with Elsevier Inc. and Elsevier Korea L.L.C.

정신건강간호학, 공성숙 외 59명

Korean ISBN 979-11-5955-383-7

*Psychiatric Nursing, 7th Edition by Norman L. Keltner, Debbie Steele*의 번역서는
Elsevier Inc. 와 Elsevier Korea L.L.C. 와의 계약을 통해 (주)군자출판사에서 출간되었습니다.

Notice

Knowledge and best practice in this field are constantly changing. As new research and experience broaden our understanding, changes in research methods, professional practices, or medical treatment may become necessary.

Practitioners and researchers must always rely on their own experience and knowledge in evaluating and using any information, methods, compounds, or experiments described herein. In using such information or methods they should be mindful of their own safety and the safety of others, including parties for whom they have a professional responsibility.

With respect to any drug or pharmaceutical products identified, readers are advised to check the most current information provided (i) on procedures featured or (ii) by the manufacturer of each product to be administered, to verify the recommended dose or formula, the method and duration of administration, and contraindications. It is the responsibility of practitioners, relying on their own experience and knowledge of their patients, to make diagnoses, to determine dosages and the best treatment for each individual patient, and to take all appropriate safety precautions.

To the fullest extent of the law, neither the Publisher nor the authors, contributors, or editors, assume any liability for any injury and/or damage to persons or property as a matter of products liability, negligence or otherwise, or from any use or operation of any methods, products, instructions, or ideas contained in the material herein

Printed in Korea

역자 소개

대표역자

주임대표 공성숙

대표저자 김근면 김명희 노인숙 박정화 양승희 우미영 정순영 최진

편집위원

강균영 고현남 금 란 김연실 김진주 김한나 김현례 김혜경 박민희 박혜인
송예헌 송지현 신경아 오금숙 유성자 이영신 최남영 최미영 한달롱 허 정 홍주은

집필진

강균영	경동대학교	김희경	상지대학교	우정희	건양대학교
강미경	청운대학교	노인숙	세한대학교	유시연	영진전문대학교
고현남	진주보건대학교	박민희	동서대학교	유소연	경일대학교
공성숙	순천향대학교	박정화	배재대학교	이영신	극동대학교
권은진	부천대학교	박혜인	대경대학교	이윤주	인천재능대학교
금 란	백석문화대학교	백수연	공주대학교	전은주	강원관광대학교
김근면	강릉원주대학교	서동희	서영대학교	정귀남	경북전문대학교
김명희	강릉영동대학교	성은옥	호원대학교	정미란	백석대학교
김미자	대전과학기술대학교	소성섭	한일장신대학교	정순영	경동대학교
김미진	대전과학기술대학교	손미라	신성대학교	정유미	건양대학교
김 민	동아보건대학교	송예헌	대전보건대학교	조선희	목포대학교
김성은	우석대학교	송지현	제주한라대학교	최남영	강릉영동대학교
김연실	두원공과대학교	신경아	전남과학대학교	최미영	서정대학교
김윤영	안동대학교	신선화	삼육대학교	최 진	선린대학교
김정윤	대구보건대학교	신은선	동아보건대학교	추현심	한림성심대학교
김정회	순천제일대학교	신해진	전남과학대학교	하태희	대구대학교
김진주	경동대학교	안효자	동신대학교	한달롱	청주대학교
김한나	수원여자대학교	양승희	신한대학교	허 정	김천대학교
김현례	조선대학교	오금숙	충북보건대학교	현은희	동아보건대학교
김혜경	중원대학교	우미영	호산대학교	홍주은	강남구 정신건강복지센터

〈가나다순〉

저자 서문

1년이 훌쩍 넘는 기간 동안 여러 교수님들의 각고의 노력으로 "정신건강간호학" 초판을 출간하게 되었습니다. 이 책은 미국 ELSEVIER에서 출판한 "Psychiatric Nursing" 제7판을 편역한 것입니다. 미국 ELSEVIER에서는 1991년 제1판을 시작으로 하여, 많은 경험과 노하우를 바탕으로 정신건강과 정신질환에 대한 이론 및 실무에 명확한 도움을 줄 수 있는 정신간호학 교과서를 현재 제7판까지 출간해 왔습니다. 이 책은 원서를 번역하는 데 그치지 않고, 정신간호학회에서 제시한 모든 학습목표를 아우를 수 있도록 세심하게 편집하는 과정을 거쳤습니다.

우리나라에서 정신간호가 본격적으로 시작된 이래 60여 년간 정신간호의 내용과 질에서 많은 변화가 있었습니다. 초기에는 환자의 안전관리와 보호 위주의 업무가 대부분을 차지하였으나, 이후에 신체적 간호 외에도 다양한 정신건강 모델에 기초하여 심리적, 행동적, 생물학적 간호가 간호과정을 통하여 시행되어 왔습니다. "정신건강간호학"은 간호학부 학생은 물론 정신건강간호사에 이르기까지 많은 분들이 교과서로 사용할 수 있도록 최신의 임상적 지식과 중재 방법들을 포함하였습니다. 또한, 독자가 이 책을 즐겨 읽을 수 있게 써 내려가고자 노력했으며, 정신간호학에서 정통한 접근법이라고 믿는 내용들을 최대한 명확하고 간결하게 전달하는 데 초점을 두었습니다.

이 책은 정신질환 진단분류체계인 DSM-5에 근거하여 총 3개의 Unit과 27장으로 구성되어 있습니다. 1장에서 밝히고 있는 바와 같이, 이 책은 치료적 관계, 약물, 환경(Me, Meds, Milieu)을 치료 및 중재에 관한 중요한 축으로 보고 정신치료적 중재 모델(psychotherapeutic management model)을 제시하고 있습니다. 즉, 환자와 어떻게 관계를 맺고, 어떤 약물치료를 시행할 것인지, 그리고 보다 치료적인 환경을 제공하기 위해 어떻게 도울 것인지에 초점을 두고 있습니다. 전체 교과서는 이러한 맥락을 일관성 있게 유지했으며, 특히 Unit 3 '정신질환별 간호'에서는 치료 및 간호중재로서 간호사-환자 관계와 정신약물치료, 치료적 환경관리를 중심으로 기술하였습니다.

그동안 이 책이 집필될 수 있도록 헌신의 노력을 아끼지 않으신 대표역자와 편집위원, 집필진 교수님들, 그리고 마지막으로 감수를 맡아주신 두 분 교수님께 고개 숙여 감사의 마음을 전합니다. 여러 단계의 회의와 편집 작업으로 많은 어려움이 있었지만, 서로 소통하며 교과서를 완성해주신 노고는 앞으로 간호학도들에게 좋은 밑거름이 될 것이라 생각합니다. 또한, 이 책이 출판될 수 있도록 도와주신 군자출판사 장주연 대표님, 기획과 편집에 열정과 성심을 다한 나상욱 부장님, 한수인 팀장님, 신지원 디자이너님께도 감사의 마음을 표합니다.

2019년 2월

역자 대표　공 성숙

CONTENTS

전체 차례

차 례

UNIT 1 정신건강간호의 이해

UNIT 2 치료와 환경

UNIT 1

정신건강간호의 이해

CHAPTER

1

치료적 관계, 약물, 환경

Me, Meds, Milieu

http://evolve.elsevier.com/Keltner

학습목표

- 정신건강, 정신질환, 정신간호의 개념을 이해한다.
- 최적의 치료적 돌봄 모델을 형성하는 데 있어서 정신치료적 중재 구성요소 간 균형의 필요성을 설명한다.
- 간호의 연속선과 정신치료적 중재 모델 간의 관계를 인식한다.
- 돌봄의 연속선 내에서의 다양한 간호의 수준을 확인한다.

이 장에서는 돌봄의 연속선상에서의 정신건강간호의 개념과 개요를 설명한다. 세계보건기구(World Health Organization, WHO)의 정의에 따르면, 건강이란 '단순히 질병이나 허약함이 없는 상태가 아니라 신체적, 정신적, 사회적인 안녕 상태'를 의미한다. 정신건강(mental health)의 개념에는 지각된 자기효능감, 자율성, 세대간의 의존성, 지적·정서적 잠재력을 실현하는 능력에 대한 인식이 포함된다. 또한 개인이 자신의 능력을 인식하고 일상생활 스트레스에 대처하여, 생산적이고 유익한 업무능력으로 지역사회에 기여할 수 있는 상태를 정신건강으로 정의하고 있다.

정신건강은 문화적·사회적 가치에 따라 형성되고, 문화적 규범, 사회적 기대 및 정치적 상황 등이 반영되어 변화한다. 즉, 정신적으로 건강하다는 것은 생각하고, 느끼고, 의사소통하는 방식에서 불편함이 없는 편안한 상태로, 상호작용에 있어 안전함을 의미한다.

돌봄의 연속선상에서 정신건강과 정신질환을 완전하게 구별하기는 어렵다. 건강한 사람의 기준을 제시한 마리 야호다(Marie Jahoda)는 단일 기준이나 특정 상황에서 개인의 정신건강 기능을 평가하기보다 비교적 지속되는 속성을 평가하는 것이 바람직하다고 하였다. 다음은 마리 야호다가 제시한 정신적으로 건강한 사람의 기준이다.

- **자신에 대한 긍정적 태도**: 건강한 사람은 자신에 대해 긍정적 태도를 가지고 있다. 자신을 인식하고 수용하며, 객관성을 유지하고, 총체적으로 안정감을 보인다.
- **성장, 발달, 자아실현**: 건강한 사람은 자신의 잠재력을 개발하여 실현하며, 새로운 성장과 발달, 도전을 할 수 있다. 예를 들어, 매슬로우(Maslow)와 로저스(Rogers)는 인간의 적응에 초점을 둔 인간 잠재력 개발과 실현에 관한 이론을 개발하였다. 매슬로우는 자아를 실현하는 사람의 성격특성을, 로저스는 자기 성장과 성취를 하며 충분히 기능하는 사람의 성격특성을 제시하였다(표 1–1).
- **통합력**: 건강한 사람은 자신의 내·외적인 갈등과 충동, 기분과 정서조절 간의 균형을 이루며, 정서적으로 잘 반응하고 조절하며, 통합된 삶의 철학을 가지고 있

다. 따라서 개인은 강하고 융통성 있는 자아를 이용해 변화에 대처하고, 그로부터 성장할 수 있다.

- **자율성**: 건강한 사람은 스스로 결정을 내리고 이로 인한 결과에 대해 책임지며, 독립성을 유지하고, 자신의 행위로 인한 결과를 수용한다. 자율성을 지닌 사람은 타인의 자율성과 선택의 자유도 존중한다.
- **현실지각**: 건강한 사람은 새로운 상황에서 자신의 지각을 변경할 수 있다. 현실지각에는 공감능력, 사회적인 민감성, 타인의 감정과 태도 존중이 포함된다.
- **환경지배**: 건강한 사람은 사회적으로 안정된 역할을 성공적으로 수행할 수 있고, 대처능력이 있으며, 자신의 문제를 해결하고, 삶에 만족한다. 또한 다른 사람과 사랑을 주고받을 수 있으며, 새로운 대인관계를 맺고, 만족스럽게 집단생활을 하면서 자신이 환경을 지배한다.

표 1-1 인간잠재력 개발과 실현에 관한 이론

매슬로우(Maslow): 자아를 실현하는 사람

1. 효율적인 현실 지각
2. 자발적이고 솔직하고 자연스러움
3. 집중력 및 문제해결 능력
4. 자신과 타인에 대한 수용
5. 열정적인 정서 반응
6. 절정 경험
7. 창의성 및 윤리감
8. 대인관계
9. 자율성과 독립성
10. 인류와의 동일시
11. 인식의 신선함
12. 민주적 성격
13. 사생활 보호
14. 유머 감각
15. 환경과 문화에 영향을 받지 않음

로저스(Rogers): 충분히 기능하는 사람

1. 자기 경험에 개방적이며, 자신의 감정을 민감하게 인식한다.
2. 생활의 모든 순간을 풍부하게 경험하며, 실존적인 삶을 유지한다.
3. 자율적이고 자기 지향적이며, 책임감이 높다.
4. 자기의 잠재력을 개발하고, 변화에 개방적이다.
5. 자신을 신뢰하고 존중하며, 창조적이다.

정신장애(mental disorder)는 뇌의 기능부전으로 인해 발생하는 사고, 기분, 행동 및 지각의 변화로서, 개인이 속한 문화에서 정상으로 볼 수 없는 임상적으로 의미 있는 행동 문제를 수반하는 심리적 상태이다. DSM-5(Diagnostic and Statistical Manual of Mental Disorders)(American Psychiatric Association, 2013)에서는 정신장애를 '대상자가 현재 고통을 겪고 있거나, 능력부족 상태이거나, 죽음, 고통, 능력 부족 또는 자유의 상실 등을 겪을 위험이 있는 임상적으로 유의한 행동이나 심리적 양상을 보이는 것'으로 정의하였으며, 하지만 이러한 증상이 어떤 사건에 대하여 문화적으로 허용되는 반응이어서는 안 된다는 단서를 제시하고 있다. 또한 정신질환의 증상이 없어진 이후에도 만성 정신장애나 사회적 기능이 질병 이전의 상태로 회복되지 않아 사회적응이 곤란한 경우까지 정신장애에 포함된다.

정신장애의 개념을 하나의 조작적인 단어로 정의하기에는 많은 요소가 작용하므로, 정신장애를 정확히 구분하여 진단하는 것은 주의를 요한다. 신체질환과는 달리 정신장애에서는 정상과 비정상 간의 뚜렷한 경계선이 없다. 다만, 어느 시점에서 대상자의 미성숙하고, 비합리적·비효과적이며, 바람직하지 못한 행동이 있는가의 정도의 차이로 평가할 수 있다. 정신장애를 겪는 것은 제시된 증상보다 복잡하므로 정신장애를 앓고 그 진단을 받았다 할지라도 대상자를 정신질환자로 낙인을 찍는 것은 금해야 하며, 정신건강간호사는 대상자의 사고와 행동 및 반응을 정신장애의 결과라고 인식해야 한다. 일반적으로 정신장애인은 위험하고 난폭하며 공격적인 존재로 인식되고 있지만, 실제로 이들은 매우 위축되어 있고 수동적이며 고립되어 있다.

미국간호협회(2000)는 「정신건강간호 실무의 범주와 표준(The Scope and Standard of Psychiatric Mental Health Nursing Practice)」에서 정신건강간호(psychiatric mental health nursing)를 '실재적, 잠재적 정신건강 문제에 대한 인간의 반응을 진단하고 치료하는 것'으로 정의하였다.

정신건강간호는 건강한 사람과 위기에 처한 대상자의 정신질환을 예방하고, 초기증상이 있는 대상자에게 즉각적인 간호를 제공한다. 정신 문제와 정신장애에 대한 인간의 반응을 사정하고 사회가 최적의 건강을 유지하고 증진하도록 이에 관여한다. 또한 총체적인 서비스로서 정신질환 예방, 정신건강 유지 및 증진, 정신적·신체적 건강문제의 관리와 협진, 정신질환의 간호 및 재활에 초점을 둔다.

정신간호의 기본개념은 대상자의 건강을 돌보고 정신질환을 앓고 있는 사람들의 삶의 질을 향상시키는 것이다. 정신장애인이 인간적인 삶을 영위할 수 있도록 간호하고, 일반인과 정신장애인이 건강을 유지하여 다 함께 건강한 사회를 건설하는 것을 목표로 한다.

정신간호사는 정신건강을 증진시키고 유지하며, 정신질환을 예방하기 위해 1차 예방 중재를 계획한다. 또한 정신장애를 조기에 발견하고, 조기에 치료하기 위해 2차 예방에 초점을 두며, 마지막 단계로 퇴원 후 지역사회 내 재활과 사회적응을 도와 정신건강문제를 최소화하도록 3차 예방사업을 실시한다(그림 1-1).

과거에는 대상자에게 문제가 발생하면 입원과 퇴원을 반복하였으나 최근 3차 예방사업으로 병원과 가족단위뿐 아니라 지역사회를 연계하여 간호가 제공되고 있다(그림 1-2).

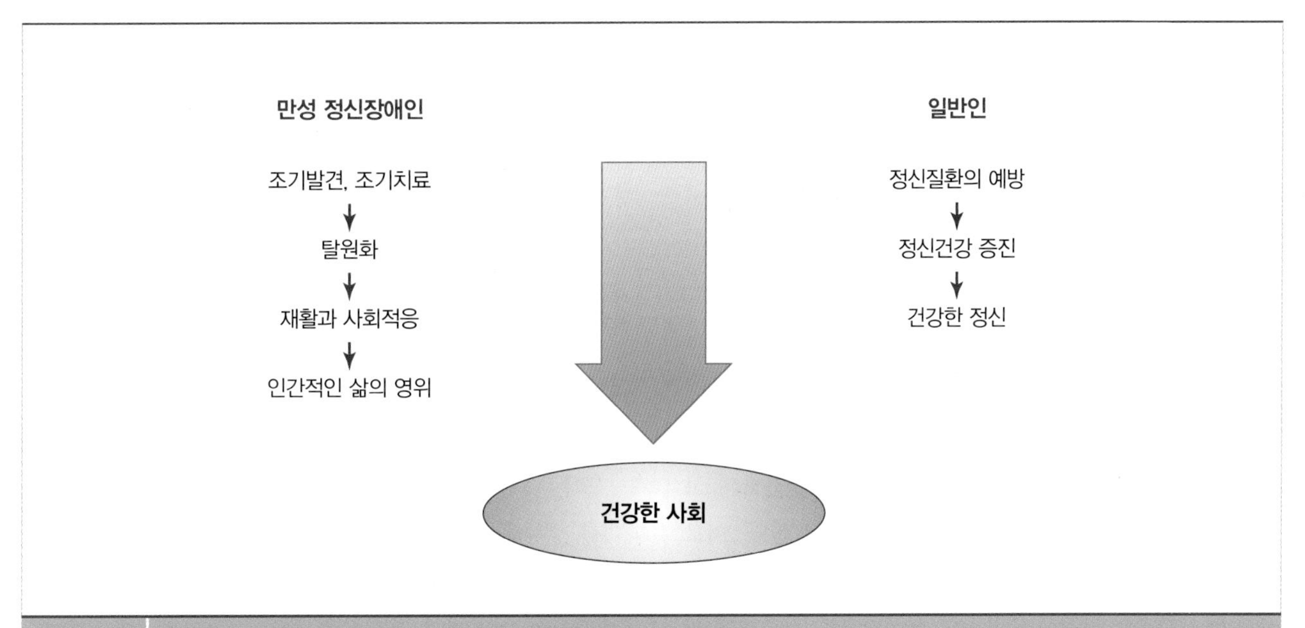

그림 1-1 정신건강사업의 이념

▶ 정신건강사업은 우선 일반인에서 정신건강을 유지 및 증진하고, 정신질환을 예방하도록 1차 예방사업을 포함한다. 그리고 정신장애인에서 정신장애를 조기발견, 조기치료하기 위해 2차 예방사업을 하며, 퇴원 후 지역사회에서 재활과 사회적응을 돕기 위해 3차 예방사업을 한다. 간호사는 정신장애인이 인간적인 삶을 영위할 수 있도록 간호를 제공한다. 이와 같이 일반인과 정신장애인이 건강을 유지하여 다 함께 건강한 사회를 건설하는 것이 정신건강사업의 목표이다. 정신건강사업은 다학제 간의 팀 접근에 의해 시행되고 있으며, 정신간호사, 정신과 의사, 임상심리사, 사회복지사, 그 외 여러 전문가들이 참여한다.

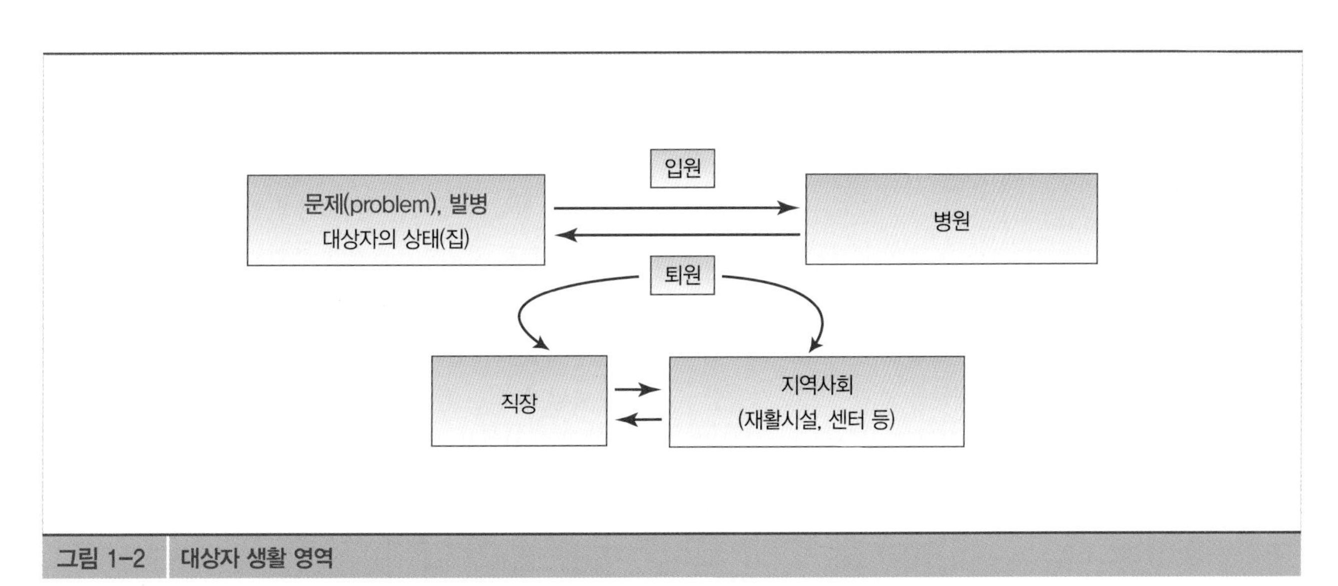

그림 1-2 대상자 생활 영역

▶ 과거에 대상자에게 문제가 발생하면 대상자는 입원과 퇴원을 거듭하였다. 그러나 최근에는 지역사회에서의 재활시설이 활성화되어 대상자가 회복하거나 증상 완화를 경험할 경우 재입원을 가능한 한 최소화하고, 재활과 더불어 사회로 적응시켜 직업적·사회적·교육적으로 다양한 영역에서 병전 기능을 회복하고 직장으로 복귀할 수 있도록 대상자의 생활영역 깊숙이 간호를 제공하고 있다.

간호사는 정신건강 문제가 있는 대상자를 간호할 때 기본적인 도구가 필요하다. 간호사가 지녀야 할 3가지 치료적 도구는 다음과 같다. (1) 치료적 관계, (2) 약물, (3) 환경.

즉, 정신간호사는 병동에서 환자를 간호할 때 대인관계 기술, 투약 관리, 안전하고 치료적인 환경의 조성 및 강화 등의 방법을 사용해야 한다. 따라서 간호사는 대상자와의 원활한 소통을 위해 치료적 의사소통 기술을 꾸준히 배우고 익혀야 한다. 그리고 정신과 약물에 대한 이해가 필요한데 이것은 해부학 · 생리학 · 약리학의 기본 지식뿐만 아니라 간호사의 현장근무경험이 중요하다. 유능한 간호사는 자신이 투약하는 약물에 대한 정보를 이해하고 있어야 하며, 안전하고 치료적인 환경을 조성하고 유지시키는 뛰어난 기술과 일관성이 필요하다.

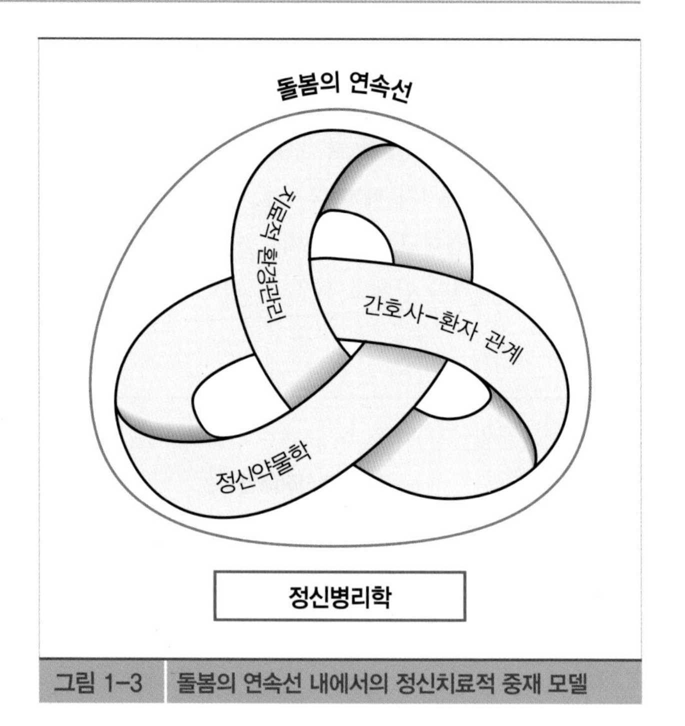

그림 1-3 돌봄의 연속선 내에서의 정신치료적 중재 모델

1. 정신치료적 중재 모델

정신간호는 대상자 간호에 효과적이면서 정신간호의 고유성을 활용할 수 있는 간호전달 모델을 필요로 한다. 치료 및 간호중재 시 정신건강 전문 분야의 상호의존성을 인식하고 정신간호의 강점을 활용하여 현실적으로 접근해야 한다. 그렇다면 정신간호사는 사회복지사, 정신과 의사, 심리사 등 다른 정신건강 전문가들과 어떻게 다른가? 정신과에서의 치료는 보통 5가지로 분류할 수 있다.

(1) 간호사-환자 관계를 발전시킬 수 있는 의사소통 능력
(2) 약물치료
(3) 환경치료
(4) 신체적 치료
(5) 행동치료

정신치료적 중재 모델에서는 이 중 처음 3가지를 중요하게 여긴다. 무엇보다도 간호사가 정신병리에 대한 올바른 이해를 하고 있을 때 이러한 중재들을 효과적으로 적용할 수 있다(그림 1-3).

1) 모든 대상자에게 딱 맞는 한 가지 간호중재는 없다

'모든 대상자에게 딱 맞는 한 가지 간호중재는 없다'는 의미를 생각해 보자. 간호사는 환자를 대할 때 정신치료적 중재 모델에 포함된 3가지 요소를 항상 염두에 두어야 한다. '대상자와 어떻게 의사소통을 해야 하는가?', '대상자에게 어떤 종류의 약물을 투여해야 하는가?', '건강과 안전을 증진시킬 수 있는 환경적 쟁점은 무엇인가?'

상황에 따라서 하나의 중재가 다른 중재보다 우선할 수 있으며, 대상자의 진단이나 기능수준에 따라 접근 방법이 달라질 수 있다. 예를 들어, 간호사는 조현병 환자와 대화할 때와 우울증 환자와 대화할 때 각각 다른 단어들을 사용한다. 환자와 어떻게 의사소통하며 상호작용할 것인가? 또한 환자에게는 어떤 약물이 필요한가? 조현병 환자는 항정신병 약물이 우선적으로 필요하고 우울증 환자는 항우울제가 기본적으로 필요하다. 이처럼 투약간호 역시 다르다. 환경은 대상자에게 어떤 영향을 미치는가? 조현병 환자는 스트레스 요인을 줄일 수 있는 환경이 필요하고, 우울장애나 양극성장애 환자에게는 안전한 환경이 필요하다. 즉 장애의 특성에 맞는 약물관리나 환경조성이 필요하다. 그러므로 환자를 위한 치료 및 간호 시 모든 사람에게 딱 맞는 한 가지 간호중재는 없다는 것을 인식해야 한다.

2) 정신치료적 중재의 적용

정신병리학적 지식을 기반으로 정신치료적 중재의 적용은 병실 환경뿐만 아니라 외래환자 프로그램, 주거서비스 및 재가관리와 같은 다양한 확대된 간호환경에서 이루어질 수 있다. 개인의 욕구를 충족시키기 위한 간호는 돌봄의 연속선 내에서 제공되는 치료 및 간호중재의 각 구성요소에 영향을 미친다(그림 1-4).

우울장애로 입원한 환자에게는 간호사-환자 간 치료적 관계, 항우울제, 환경관리가 중요하다. 만약 하나의 구성요소라도 누락된다면 치료는 제대로 되지 않을 것이다. 예를 들어, 정신과 의사가 환자에게 알맞은 항우울제를 처방하였다 하더라도, 간호사가 자살 가능성이 있는 환자를 제대로 관찰하지 못한다면 무슨 일이 일어나겠는가? 그 결과는 참담할 수도 있다. 따라서 환자를 위한 정신치료적 중재 모델의 모든 구성요소는 환자간호를 극대화할 수 있을 만큼 현실화 되어야 할 것이다.

2. 정신치료적 중재 모델: 3가지 중재

1) 간호사-환자 간 치료적 관계

간호사-환자 간의 관계에서 치료적, 비치료적이라는 것을 구분하는 것은 정신간호를 배우는 학생에게 중요한 문제이다. 간호사-환자 간의 치료적 관계를 위한 기술을 잘 익혀두면 이는 유능한 간호사로 성장할 수 있는 기반이 될 것이다. UNIT 1에서는 일반적인 의사소통 기술, 간호사-환자 관계의 양상, 환자나 환자 가족과의 협력, 그리고 이와 관련된 다른 개념들을 다룰 것이다.

2) 약물치료

UNIT 2에서는 정신간호에서 약물의 중요성, 약물에 대한 간호사의 책임, 그리고 약물의 필수적인 정보를 다룬다. 정신과 치료약물은 대상자의 독립적인 삶을 가능하게 하므로, 간호중재에서 중요한 분야이다. 약물중재가 항상 바람

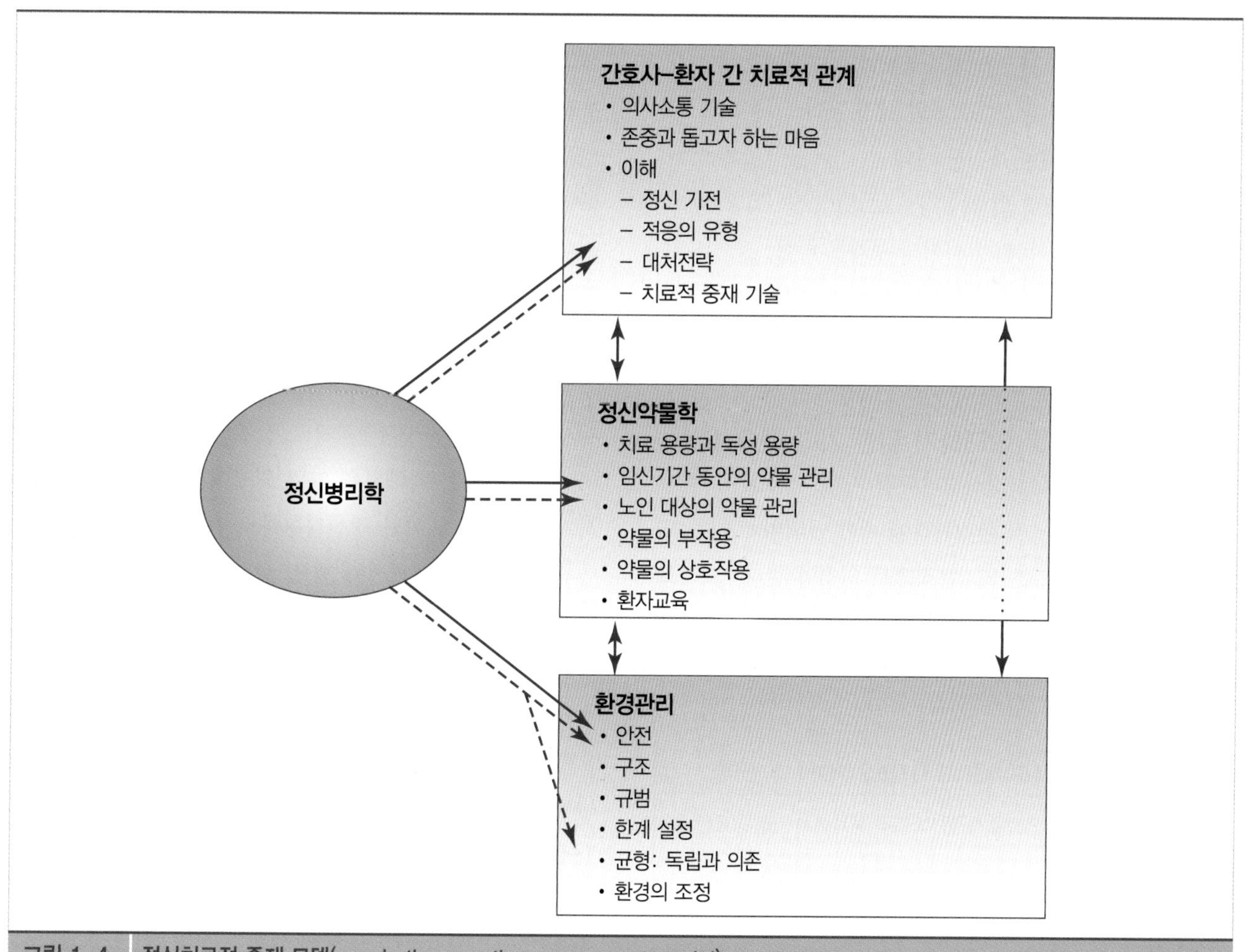

그림 1-4 정신치료적 중재 모델(psychotherapeutic management model)

직하거나 적절한 방법이 아닐 수도 있지만, 약물치료를 받을 때 대상자가 더 빨리 호전된다는 것은 이미 알려진 사실이다.

간호사는 간호과정을 적용하여 약물에 대한 환자의 반응을 사정하고, 약물의 부작용 관리에 대한 계획을 세워 수행하며, 결과를 평가한다. 특히 심각한 약물 부작용이 발생하기 전에 간호중재를 수행하는 것이 중요하다.

또한 간호사는 약물을 관리하고 대상자에게 약물교육을 시행하여야 한다. 그러므로 간호사는 정신약물학에 대한 기본적인 지식뿐 아니라 새로운 약물에 대한 정보를 빨리 파악하고 받아들여야 한다.

3) 치료적 환경관리

환경관리는 대상자의 환경(입원병동, 외래, 가정환경 등)을 치료적 관리를 통하여 효과를 높이기 위한 적극적인 접근이다. 간호사가 치료적 환경을 조성하는 데 있어서 고려해야 하는 6가지 환경적 요소는 다음과 같으며, UNIT 2에서 환경관리에 대한 다양한 측면들을 다룰 것이다.

- **안전**: 위험이나 해로운 것으로부터의 대상자 보호
- **구조**: 물리적인 환경, 규정 및 일정 관리
- **규범**: 행동에 대한 특정한 기대
  (예: 수용, 비폭력성, 개인정보 보호)
- **균형**: 의존성과 독립성 사이의 경계를 타협
- **환경 조정**: 정신건강 증진을 위한 환경 변화
- **한계 설정**: 행동에 대한 명확하고 시행 가능한 제한 설정

4) 정신건강간호를 이해하기 위한 기타 중요 요소

UNIT 3에서 다루는 정신병리학적 지식은 간호사-환자 관계, 약물치료, 치료적 환경관리에 대한 이해의 토대가 되므로 간호사는 이 부분을 기본적으로 익혀야 한다. 그리고 특정집단에서 발생할 수 있는 문제와 쟁점들, 즉 폭력으로부터의 피해자, 아동, 청소년, 노인에 관한 내용도 중요한 부분이다.

CRITICAL THINKING QUESTION

1. 정신건강 문제가 발생했을 때 정신치료적 중재에서 가장 중요한 측면은 무엇인가?
2. 임상적 상황에 근거하여 간호사가 관찰한 정신치료적 중재 모델의 구성요소에 대한 평가 결과는 무엇인가?

3. 돌봄의 연속선

'돌봄의 연속선'에 대한 개념은 중요하다. 대상자를 돌봄에 있어서 대상자 개인마다 간호요구 수준이 다르다. 정신장애인은 스스로를 효과적으로 돌보지 못하므로, 대상자에게 가능한 한 가장 필요한 방법이 제공될 수 있도록 다양한 시스템이 존재해야 하며, 대상자를 어떤 프로그램에 강제로 적용시키거나 제외시켜서는 안 된다.

돌봄의 연속선상에서 대상자는 주어진 시점에 특정한 욕구에 근거한 서비스를 안내받고 개인에게 광범위한 치료적 환경이 제공되어야 한다. 모든 사람들이 입원을 해야 하는 것은 아니며, 정신건강에 문제가 있는 모든 사람들을 돌봐줄 만큼 재정적으로 충분히 뒷받침 되고 있는 상황도 아니다. 가장 바람직한 방법은 연속선상에서 가장 적절한 간호를 제공할 수 있는 통합 접근법을 찾는 것이다. **그림 1-5**는 돌봄의 연속선에 대한 의사결정 흐름도를 제시한 것이다. 정신건강 문제가 발생했을 때 첫 번째 단계에서 '정말 이 사람에게 문제가 있는가?'라는 질문을 통해 문제의 존재 여부에 대해서 확인하는 과정이 필요하다. 다음 단계에서는 '이 사람에게 입원치료가 필요한가?'의 질문이 이어져야 한다.

만일 입원치료가 필요하다고 판단되면, 비용이 부담된다 하더라도 입원을 시켜야 한다. 그러나 종종 입원이 거부되는 경우 입원에 관한 규정이 까다롭지는 않은지 고려해야 할 것이다. 환자의 상태가 심각하여 환자의 의사와 관계없이 환자가 입원해야 하는 상황임에도 법규정으로 인해 입원이 쉽지 않을 수 있다. 그리고 대중매체는 끔찍한 범죄를 저지른 가해자를 정신질환자로 간주하여 기사화하기도 한다. 또한 가족은 가해자를 그의 의사에 따라 입원시키려고 하지만(범죄자가 아닌 정신질환자로 은닉하기 위해), 개인을 구속하는 것을 꺼리는 법률 시스템에 의해 거부당하기도 한다. 이러한 다양한 이유로 인해 현재 정신병동 입원에 대한 장벽은 높은 상황이며, 미래에도 변화가 있을지는 아직 미지수이다.

따라서 까다로운 환자관리 및 입원 규정이 변경되지 않는다면 몇 가지 대안적인 치료방법을 생각해 볼 수 있다. **그림 1-5**에 제시된 주거서비스, 전통적인 외래환자 서비스, 주간재활 프로그램, 자조집단 등과 그 외 몇 가지 다른 방법이 존재한다. 입원할 때부터 퇴원 계획을 세워, 퇴원 후에도 개

별적이며 연속적인 치료가 되도록 고려해야 한다.

돌봄의 연속선상에서 간호사 및 기타 전문가의 역할은 대상자의 현재 기능 상태를 사정하고 대상자가 이용할 수 있는 적절한 자원들을 안내하는 것이다. 대상자를 위한 서비스의 조정에는 여러 분야에서의 통합적 협력이 필요하다. 이러한 협력이 없다면 돌봄의 연속선은 이루어질 수 없고, 도움 또한 방해를 받을 수 있다. 다학제적인 돌봄은 전문가뿐만 아니라 비전문가인 부모, 가족, 친구, 그리고 다양한 비정신과적인 자원들(예: 요양원, 주거시설, 이용시설, 병원 등)로 확장시켜 생각해 볼 수 있다.

그림 1-5의 의사결정 흐름도를 파악하는 것은 중요하다. 개인적인 욕구는 안전의 요구, 적절한 감독의 강도, 증상의 심각성, 기능 상태, 필요한 치료유형 등에 기반을 두고 적절한 서비스를 제공할 수 있다. 다음은 미국에서 시행되고 있는 몇 가지 좋은 예이다.

- 자신의 아기를 '죽이라'는 환청이 있는 환자는 안전한 환경에서의 24시간 간호와 감독이 가능한 입원치료가 필요하다.
- 자살사고가 있는 대상자에게 효과적인 관리를 하기 위해 주 5일씩, 2주 동안 치료 프로그램에 참석하도록 한다.
- 정신과 치료약물을 제대로 복용하지 않고 거주할 장소가 필요한 조현병 환자는 24시간 관리하는 주거시설에 입주시킨다.
- 급성 해독기간이 끝난 알코올 중독자는 외래 상담이나 익명의 알코올중독자 모임(Alcoholics Anonymous, AA)에 연계를 의뢰할 수 있다.

대상자의 변화되는 요구도에 따라, 그리고 돌봄의 연속선상에 따라 추가로 의뢰할 수 있다. 대상자는 가정의, 성직자, 경찰관, 가족구성원, 친구 등 연속적인 치료 프로그램 안의 모든 사람들의 제안에 따라 정신건강서비스에 의뢰될 수 있다. 대상자 역시 스스로 정신건강시스템에 들어와 치료를 받고자 하기도 한다.

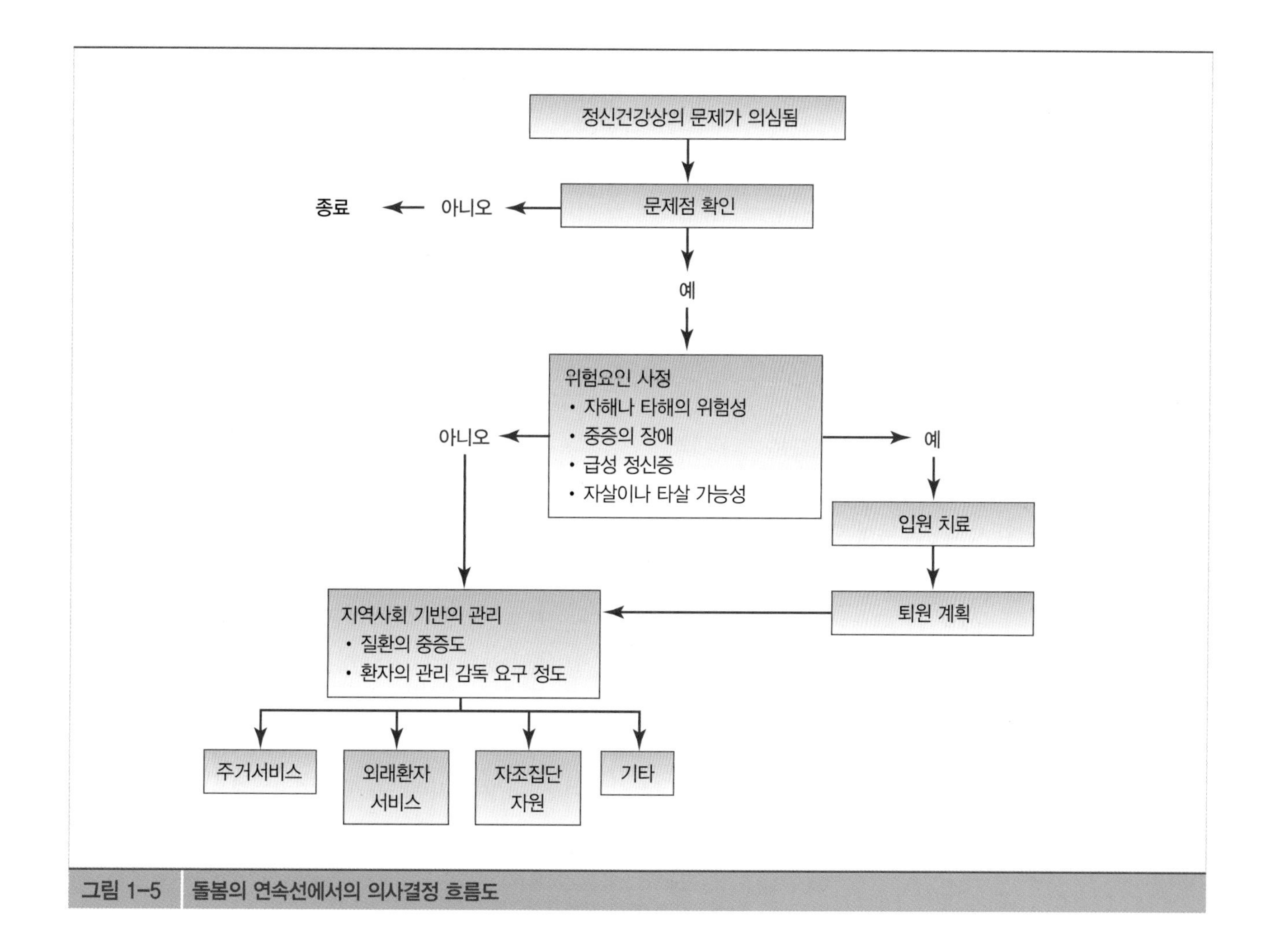

그림 1-5 돌봄의 연속선에서의 의사결정 흐름도

1) 병원 중심의 돌봄

역사적으로 병원이 건강관리시스템의 시발점 역할을 해왔으며, 돌봄의 연속선상에서 현대의 건강관리는 어디에서든 가능하다. 과거 대형병원에서는 환자가 수년간 입원하기도 했다. 그러나 요즘 우리나라 정신과 환자들의 입원기간은 급성기 위주의 입원으로 보통 4~6주 정도이며, 평균 35일 정도이다(국립정신건강센터, 서울은평병원 등).

미국의 경우 입원 기간은 3~5일 정도로, 이는 주로 경제적인 원칙에 의한 것이다. 이렇듯 치료 목표, 인력 배치, 입원에 따른 퇴원계획, 환자 중증도 등도 빠르게 변화하고 있다. 병원 입원 시 고려해야 할 사항은 다음과 같다.

- 치료 목표는 위기중재와 안전이다.
- 인력 배치는 환자 관리의 질을 유지하는 범위 내에서 비용 효율적이어야 한다.
- 퇴원 계획은 입원 시부터 시작되어야 한다.

입원 시 간호의 최우선 순위는 자신과 타인의 안전이다. 응급실에서 흔히 볼 수 있는 자해나 타해의 위험이 있는 환자는 안전한 환경에서 24시간 보호 감독이 필요하다. 또한 중증 장애인과 같이 우발적인 해를 입을 위험이 있는 환자는 정신증적 증상이나 혼돈 정도가 심해 기본적인 욕구인 음식, 의복, 보호 및 의료, 안전에 대한 욕구를 스스로 해결할 수 없으며, 이 경우 역시 입원이 필요하다.

안전과 보호 이외에도 입원하는 환자의 철저한 신체적·정신적 평가 및 검사를 통하여 현재 증상의 근본적인 원인을 규명해 낼 수 있다. 그리고 약물이나 물질로 인한 독성 반응 및 금단 증상이 있을 때 또한 생명을 위협하는 상황이므로 입원이 필요하다. 그 외 검사를 받기 위해 입원하거나 내과적인 질환 때문에 이차적으로 정신과적 질환을 유발하여 입원을 하기도 한다. 입원 시 돌봄의 유형은 다음과 같다.

- 폐쇄병동(환자는 열쇠나 카드 없이는 출입할 수 없음)
- 개방병동
- 중증 환자를 위한 정신과 집중치료실
- 특수병동(예: 성인, 노인, 아동, 청소년, 약물남용)

> **CRITICAL THINKING QUESTION**
>
> 3. 15세 소년인 김OO 님은 알코올 및 마리화나 남용, 위험한 성행위, 학업성적 저하로 입원하였다. 이러한 행동은 3개월 전 그의 아버지가 말기 암 판정을 받은 뒤부터 지속되었다. 간호사가 입원 중 해결해야 할 문제는 무엇인가?

2) 지역사회에서의 돌봄

항정신병 약물이 개발된 이후 입원기간은 현저하게 단축되었다. 그러나 환자는 지역사회에 적응할 충분한 준비를 하지 못한 채 퇴원을 하게 되었고, 이러한 '조기 탈원화'로 인하여 지역사회에서 대상자들이 스스로 자기관리를 하는 것은 어려운 일이었다. 따라서 다시 입원을 반복해야 하는 현상으로이것을 '회전문 현상'이라 명명한다. 주거시설 등 여러 서비스 제도를 활용하여 대상자의 회복을 돕고, 이들을 사회적으로 재통합할 수 있도록 적절한 관리가 이루어져야 한다.

(1) 정신사회재활시설의 종류

정신사회재활시설은 임시 또는 장기간의 주거공간이 필요한 사람들이 이용할 수 있다. 우리나라는 가정에서 생활하기 어려운 정신장애인에게 주거, 생활지도, 교육 등의 서비스를 제공하며, 가정으로의 복귀, 재활, 자립 및 사회적응을 지원한다. 우리나라의 주거시설은 다음의 형태가 있다.

- **생활시설**: 가정에서 생활하기 어려운 정신장애인에게 주거공간을 제공하고 가정과 사회로 복귀할 수 있도록 생활지도, 교육, 직업훈련 등의 서비스를 제공한다.
- **재활훈련시설**
  - 주간 재활시설: 어느 정도의 자기관리 능력을 갖추고 있으나, 아직 가정에서 생활하기 어려운 정신장애인에게 주거공간을 제공하고, 직업·기술지도, 생활지도와 교육 등의 서비스를 통해 사회 적응훈련, 취업지원 등 서비스제공으로 가정과 사회로의 복귀를 돕는다.
  - 공동생활가정: 독립적인 생활이 어려운 정신장애인이 함께 모여 생활하며, 심리적인 안정을 찾고 생활안내 등의 서비스를 통해 자립능력을 키운다.
  - 지역사회 전환 시설: 지역 내 정신질환자에게 일시보호 서비스 또는 단기 보호서비스를 제공하고, 퇴

원을 했거나 퇴원계획이 있는 정신질환자의 안정적인 사회복귀를 위한 기능을 수행하며, 이를 위한 주거제공, 생활훈련, 사회 적응훈련 등의 서비스를 제공하는 시설

- 직업재활시설: 정신질환자가 특별히 준비된 작업환경에서 직업적응, 직무 기능향상 등 직업재활훈련을 받거나 직업생활을 할 수 있도록 지원하며, 일정한 기간이 지난 후 직업능력을 갖추면 고용시장에 참여할 수 있도록 지원하는 시설
- 아동 · 청소년 정신건강 지원 시설: 정신질환 아동 · 청소년을 대상으로 한 상담, 교육 및 정보제공 등을 지원하는 시설

- **중독자 재활시설**: 알코올, 약물중독 또는 게임 중독 등으로 정신질환자 등을 치유하거나 재활을 돕는 시설
- **생산품 판매시설**: 정신질환자가 생산하는 생산품을 판매하거나 유통을 대행하고, 정신질환자가 생산하는 생산품이나 서비스에 관한 정보제공 등을 지원하는 시설
- **종합시설**: 생활시설부터 생산품 판매시설까지의 정신사회 재활시설 중 2개 이상이 결합되어 정신질환자에게 생활지원, 주거지원, 재활훈련 등의 기능을 복합적, 종합적으로 제공하는 시설

미국의 대부분의 주에서는 24시간 관리가 필요한 개인을 위해 장기요양보호시설을 갖추고 있고 체류 기간은 3~6개월 혹은 그 이상이 될 수 있다. 미국의 주거시설은 다음과 같다.

- **요양원**: 확장된 요양시설로 24시간 관리와 의료적 돌봄서비스가 제공되는데, 심한 발달장애, 치매, 급성 또는 만성 신체적 질환이 있는 대상자에게 유용하다.
- **그룹 홈**: 만성 정신장애인에게 임시 또는 영구적인 거주지를 제공한다. 그룹 홈에 따라 집단치료, 구조화된 활동 등을 제공하기도 하지만 음식, 잠자리, 세탁 시설만을 제공하는 경우도 있다.
- **중간거주시설(halfway house)**: 전통적으로 약물 의존자가 회복할 때 이용하는 시설이다. 대상자는 직업을 가지고, 요리 및 집안일을 함께 한다. 또한 AA 모임과 같은 자조그룹에 참석할 수 있다. 현재 일부 중간거주시설은 다른 정신건강 문제가 있는 대상자에게도 개방되어 있다.
- **아파트 생활 프로그램**: 다양한 수준의 감독과 프로그램을 제공한다. 관리자는 매일 현장에서 회기별 그룹활동을 제공하거나, 투약 지원 및 다양한 프로그램 참석에 대한 지원을 위해 정기적인 방문을 한다.
- **위탁 보호(foster care), 기숙사(boarding home)**: 일반적으로 전문적인 인력 배치는 없으나, 필요시에는 전문적인 관리 감독을 받을 수는 있다.
- **보호소(shelter)**: 노숙자에게 숙소를 제공한다. 일부 가정에서 학대당한 여성과 폭력의 희생자, 중독자 등의 특정 집단에 서비스를 제공한다.

(2) 전통적 외래서비스

전통적으로 외래서비스는 정신건강 클리닉과 개인의원에서 담당해 왔는데, 정신과 의사, 심리사, 사회복지사, 정신전문간호사, 일반 간호사, 기타 전문가들이 상담을 진행하였다. 방문 횟수는 개인의 상황에 따라 다르다. 보통 만성 정신장애인은 한 달에 한 번, 사례관리자와 함께 외래 방문을 하고 정신과 의사에게 진료를 받고 약물을 처방받는다. 외래방문 시 대상자는 입원 등 집중적인 치료가 필요한지, 다른 유형의 치료가 필요한지를 결정하기 위한 추가적인 사정이 이루어진다.

Clinical example

'자가간호능력 결핍' 간호진단을 받은 만성 조현병을 앓고 있는 31세 남자 이OO 님에게 간호사는 지역사회 지지프로그램에 참석하도록 안내한다. 그는 2주에 한 번 할로페리돌 데카노에이트(haloperidol decanoate) 주사를 맞고 사례관리자를 만난다. 간호사는 약물의 효과와 부작용을 사정한다. 또한 주 2회 점심식사와 자조집단 활동 프로그램에 참석하도록 하여 재발되지 않도록 돕는다.

(3) 주간재활 프로그램

최소한의 감독, 구조화된 활동 및 지속적인 치료가 필요한 대상자는 주간재활 프로그램을 이용할 수 있다. 회복과 일상생활로의 복귀를 위한 다양한 프로그램이 하루 4~8시간, 주당 1~5일 정도 낮 동안 이루어진다. 지역에 따라 아동, 청소년, 성인, 노인 등 특정 연령층과 중독, 만성 정신질환 등 특정 문제를 지닌 환자에게 주간재활 프로그램이 제공된다.

Clinical example

아내의 갑작스러운 죽음 때문에 심한 우울증을 경험하여 입원 후 퇴원한 52세의 나OO 님은 업무에 즉시 복귀할 수 없었다. 주간재활 프로그램을 이용한 그는 오전 10시부터 오후 3시까지, 2주일 동안 월요일에서 금요일까지 운동, 영성, 상실에 대한 대처, 자존감 문제에 중점을 둔 집단 프로그램에 참석하고, 점심식사 시간에 프로그램 회원과의 사교적인 모임을 가진다. 이로써 서서히 재활을 도모하고 있다.

(4) 자조그룹

자조그룹은 돌봄의 연속선 상에서 또 다른 자원이 될 수 있다(표 1-2). 자조그룹은 전문가가 아닌 회원들이 운영하며, 일반적으로 매주 진행된다.

표 1-2 자조그룹

그룹의 유형	예
중독 (addiction-based)	• 알코올 중독 자조모임 • 마약 중독 자조모임 • 과식 중독 자조모임
생존자 (survivor-based)	• 자살 생존자 • 근친상간 생존자 자조모임 • 알코올 의존자 성인아이 자조모임
정신질환 (disorder-based)	• 섭식장애 • 양극성장애 • 가족 및 간병인 지지그룹 • 정신장애인 가족협회
상실 (loss-based)	애도, 이혼, 사별자 지지그룹
내외과 질환 (medically-based)	루푸스, 암, 만성피로증후군, AIDS 지지그룹
예방 (prevention-based)	자녀 양육 및 기타

(5) 기타 외래환자 프로그램

질환이나 장애로 인해 집안에서만 생활하고 있는 대상자의 재가간호 역시 제공되어야 한다. 즉 의료 및 사회 서비스가 부족한 지역사회 대상자에게 서비스를 적용하는 것이다. 이러한 프로그램은 이동식 위기대응팀, 즉 간호사, 의사, 사회복지사 등 전문가 팀이 언제든지 24시간 서비스를 제공하는 것으로, 노숙자 등 정신건강서비스가 필요한 대상자를 찾기 위한 적극적인 지역사회 치료(assertive community treatment, ACT) 모형이다. 이 팀은 정신건강 서비스뿐 아니라, 장보기, 세탁 또는 이동을 돕는 등의 일상적인 서비스를 제공할 수 있다.

Clinical example

인지기능을 상실하는 알츠하이머병을 앓고 있는 80세 이OO 님은 집에서 아내와 함께 살고 있다. 간호사는 이OO 님의 정신상태와 기능수준을 사정하였고, 환자의 배회 행동을 확인하였다. 따라서 환자가 집 안에서 안전을 유지할 수 있도록 아내인 할머니를 지원하며, 임시위탁 간호를 통하여 할머니가 장보기를 하거나 돌봄제공자 지지모임에 참석할 수 있도록 돕는다.

4. 일차 의료

정신건강 문제가 있는 환자를 치료할 때 정신과 의사와 정신전문간호사의 일차 의료는 매우 중요하다. 정신과 전문의가 아닌 일반 의사가 항불안제의 65%, 항우울제의 60%, 각성제의 50%, 항정신병 약물의 30%를 처방한다(Mark, 2010; Mark et al., 2009). 불안, 우울 및 기타 정신건강상의 문제가 있는 환자는 주로 일차 의료기관에서 도움을 구한다. 그 이유는 다음과 같다.

(1) 정신과 치료에 대한 낙인
(2) 어디서, 누구에게 도움을 청해야 하는가에 대한 지식부족
(3) 정신과 치료의 필요성에 대한 무지

때때로 환자의 종합적인 병력 조사 및 평가 없이 일차 의료 일반의들이 정신과 약물을 처방하기도 하는데, 이러한 처방은 환자의 증상을 즉시 완화시킬 수는 있으나, 환자에게 유익한 다른 치료방법들이 제공될 기회를 막을 수 있다. 그러므로 일차 의료기관에서 근무하고 있는 간호사는 환자의 정신건강 요구에 도움이 될 수 있는 중재(치료적 관계, 정신약물치료, 치료적 환경)를 제공하여 환자 중심의 간호가 이루어질 수 있도록 한다. 이처럼 정신치료적 중재는 일차 의료세팅에서도 유효하다.

CRITICAL THINKING QUESTION

4. 간호사는 노숙자 보호소에서 2개월 동안 기거한 19세의 노OO 님을 만났다. 그녀는 5개월 전에 '양극성장애' 진단을 받았으며 발병 직후 아르바이트 자리를 잃어 임대료와 생활비가 없었고, 돈이 없어 약을 복용할 수 없었다. 그녀는 일을 하고 싶었으나 일자리와 거처를 마련하는 방법을 알지 못한다. 간호사는 어떤 지역사회 자원을 통해 도움을 줄 수 있을까?

1) 사례관리에서의 간호과정 적용

간호사는 사례관리를 할 때 간호과정을 효율적으로 적용하여 정신장애인에게 정신재활, 위기중재, 재가관리, 치료, 의뢰 및 상담, 자원 연계, 환자 옹호 등의 서비스를 향상시킬 수 있다(그림 1-6). 간호사는 이런 정신간호 중재요소들을 능숙하게 조합하여 환자에게 이해하기 쉽고 유용한 방식으로 접근하도록 도와야 한다. 간호과정과 정신치료적 중재 모델은 정신과 외래환자 관리에 쉽게 적용된다.

그림 1-6 사례관리의 구성요소

STUDY NOTES

1. 정신간호사의 치료적 도구는 치료적 관계, 약물, 그리고 환경이다.
2. 정신치료적 중재 모델은 정신간호의 고유성을 명확하게 하고, 다른 분야와 정신간호 교육을 구별하는 간호모델이다.
3. 정신치료적 중재 모델은 정신병리학적 지식의 기본적인 이해를 바탕으로 하며, 간호사-환자 간 치료적 관계, 약물치료, 치료적 환경관리를 포함한다.
4. 정신약물학적 이해를 기반으로 간호사는 약물을 관리하고, 처방에 따라 필요한 약물을 제공하며, 약물의 작용, 부작용 등을 평가한다.
5. 대상자는 환경과 상호작용을 하기 때문에, 환경관리는 중요한 간호 쟁점이다. 간호사는 환자의 치료적 환경 개선에 특별히 책임이 있다.
6. 정신병리학적 지식은 간호사-환자 관계를 용이하게 하고, 약물치료의 근본이 되며, 환경관리의 구조화를 제공한다.
7. 돌봄의 연속선상에서 대상자는 주어진 시점에 특정한 욕구에 근거한 서비스를 안내받는다.
8. 병원 중심의 간호를 받을 것인지 또는 지역사회 중심의 간호를 받을지 여부는 개인의 욕구와 기능수준 사정, 개인의 간호감독 정도에 의해 결정된다.
9. 대부분의 병원 중심 간호는 위기중재 및 안전을 목표로 단기간 내에 제공된다.
10. 퇴원 계획은 입원할 때부터 시작하며, 이는 복잡하고 다양할 수 있다.
11. 정신치료적 중재 모델은 단기 입원을 위한 가장 적절한 접근법이다.
12. 돌봄의 연속선은 입원, 외래환자 서비스, 재가간호, 자조그룹 활동 및 다른 자원들을 포함한다.
13. 간호과정 및 정신치료적 중재는 돌봄의 연속선 내에서 적용되어야 한다.

참고문헌 REFERENCES

Mark, T. L. (2010). For what diagnoses are psychotropic medications being prescribed? A nationally representative survey of physicians. CNS Drugs, 24, 319-326.

Mark, T. L., Levit, K. R., & Buck, J. A. (2009). Datapoints: Psychotropic drug prescriptions by medical specialty. Psychiatric Services, 60, 1167.

양수 등(2016). 정신건강간호학. 현문사.

보건복지부(2020). 정신건강사업안내, 보건복지부 정신건강정책과 (http//www.mohw.or.kr)

CHAPTER

2

정신간호의 역사와 법

History and Laws in Psychiatric Nursing

evolve WEBSITE

http://evolve.elsevier.com/Keltner

학습목표

- 현대 정신간호 실무의 기초가 되는 정신의학의 역사를 파악한다.
- 돌봄의 연속선에서 효율적인 간호를 제공함에 있어 정신간호사가 가진 강점을 파악한다.
- 정신질환 치료 및 간호의 변천 과정을 설명한다.
- 국내 정신간호의 발전과정을 설명한다.
- 정신건강간호에서 법적 문제를 다루는 용어를 정의하고 적용한다.
- 정신간호에서 윤리의 중요성을 설명한다.
- 정신질환자의 인권을 설명한다.
- 정신보건법의 제정 및 개정, 정신건강복지법에 대해 이해한다.

1. 정신간호의 역사

역사는 당시의 상황을 알게 해줌으로써 현재를 바로 이해하게 해주며, 우리가 지금 어디에 있고, 또 어디로 가야 하는지에 대해 알려준다. 따라서 정신간호학의 역사를 안다는 것은 정신간호학의 기초로서 매우 중요하다.

미국의 경우, 일년 유병률에 대한 정신장애 기준에 부합하는 성인(만 17세 이상)이 25%나 되며, 그중 50%는 평생 동안 정신질환을 앓는 것으로 나타났다(Kessler & Wang, 2008). 그러나 대부분의 환자는 정신질환을 경미한 것으로 보고 치료를 받지 않고 있다. 만성 정신질환의 증가로 가까운 미래에는 이로 인한 막대한 비용이 소요될 것이며, 정신건강간호사를 포함한 많은 정신건강전문가들의 필요성 또한 제고될 것이다. **표 2-1**은 미국 사회 내 정신장애 일년 유병률을 제시하고 있다.

1) 정신의학사의 기준

현대의 정신과 치료는 18세기 말 영국과 프랑스에서 일어났던 계몽주의 시기부터 시작되었다. 이전의 정신질환자는 동물보다 못한 존재로 여겨졌으며, 환자들이 감기에 걸리거나 굶주리더라도 누구도 이들의 고통을 중요하게 생각하지 않았다. 정신질환자의 치료는 감금하거나 쇠사슬에 묶는 등 매우 구속적인 방법을 통해 이루어졌다. 1770년까지 영국의 성 베들렘병원(St. Mary of Bethlem)에서는 정신질환자를 전시하여 방문객에게 돈을 받고 관람하게 하여 정신질환자를 단순 흥밋거리로 전락시켰으며, 프랑스의 비세트르병원(Bicêtre)에서는 서커스 조련사가 환자에게 채찍을 휘두르기도 하였다. 이렇듯 정신질환자 수용시설은 환자를 괴롭히면서 이들이 절대로 세상 밖으로 나갈 수 없도록 그들의 용기까지 빼앗아 버렸다. 1700년 후반에 들어서 정신질환자에 대한 계몽운동이 시작되었고, 환자들을 보호할 수 있는 시설이 생겨났다. 현대의 정신치료를 이해하기

표 2-1 미국의 정신장애 일년 유병률		
정신장애	**17세 이상에서의 대략적 비율(%)**	**성별 우위**
불안장애	18.1(전체)	
광장공포증	1.7	여성
공황장애	2.4	여성
공황발작	11.2	여성
사회불안장애(사회공포증)	7	여성
특정공포증	7~9	여성
분리불안장애	1.2	동일
범불안장애	2	여성
외상후 스트레스장애	3.4	여성
강박장애	1.2	동등
주요우울장애	8.6	여성
제I형, 제II형 양극성장애	1.8	제I형 양극성장애: 동일 제II형 양극성장애: 여성
자폐스펙트럼장애	1(아동)	남성
파괴적, 충동조절 및 품행 장애	8.9(전체)	
품행장애	4(아동)	남성
주의력결핍 과잉행동장애	5(아동), 2.5(성인)	남성
물질사용장애	8.9(전체)	
알코올사용장애	8.5(성인), 2.5(12~17세)	남성
약물사용장애	1.4	남성
조현병	1.1	동일

출처: Kessler, R.C., et al. (2012). Twelvemonth and lifetime prevalence and lifetime morbid risk of anxiety and mood disorders in the United States. International Journal of Methods of Psychiatric Research, 21, 169; Substance Abuse and Mental Health Services Administration (2009). Results from the 2008 national survey on drug use and health: national findings. 〈http://www.samhsa.gov/data/nsduh/2k8nsduh/2k8Results.htm〉 Accessed November 13, 2013; American Psychiatric Association (2013). Diagnostic and statistical manual of mental disorders (5th ed.). Arlington, VA: APA.

위해서는 **표 2-2**에 제시된 5가지 시대를 주목해야 하며, 이 기간을 거치는 동안 정신질환에 대한 사고방식은 중대한 변화를 겪게 되었다.

(1) 계몽주의 시대

정신과의 현대적 치료는 프랑스의 필립 피넬(Philippe Pinel, 1745~1826)과 영국의 윌리엄 튜크(William Tuke, 1732~1822)에 의해 시작되었다. 피넬은 도덕적 치료의 대표적인 인물로 프랑스 혁명 기간에 비세트르(Bicêtre) 남자 환자 수용소와 살페트리에르(Salpêtrière) 여자환자 수용소의 원장으로 부임하여 쇠사슬과 수갑에 묶여 매를 맞는 환자를 해방시켜 자유롭게 해주었다. 또한 처벌 대신 환자들에게 깨끗한 환경을 제공하고, 작업요법과 산책을 시켰으며, 친절과 이해로 환자를 치료하는 인도주의적 치료를 도입하였다. 피넬의 도덕적 치료의 영향으로 이탈리아의 치아루지(V. Chiarugi)가 보나파시오(Bonafacio) 수용소에서 환자의 감금을 철폐시켰고, 영국의 튜크가 요크(York) 수용소를 설립하여 인도주의적 치료를 하였다.

이후 기존의 비인도적 수용소와 구분하여 피넬과 튜크의 인본주의적 노력으로 만들어진 것이 어사일럼(asylum; 보호시설)이다. 어사일럼이란 인본주의적 치료의 동기를 부여하는 최초의 용어로, 보호와 사회적 지지, 그리고 생활 스트레스로부터의 안식처 개념을 포함한다. 인본주의적 관점의 치료자들은 비참한 환경 때문에 정신질환이 악화되었다

표 2-2 정신의학사에서의 주요 사건

시대	핵심 인물 또는 사건	중요한 변화	결과
계몽주의 (~1790년대)	피넬(Pinel, 1745~1826) 튜크(Tuke, 1732~1822)	인간의 존엄성 존중	어사일럼(asylum; 보호시설)의 발달
과학적 연구 (~1870년대)	프로이트(Freud, 1856~1939): 초기 인생 경험의 중요성 강조 크레펠린(Kraepelin, 1856~1926): 뇌 연구	정신질환은 연구될 수 있음	정신상태와 정신질환에 대한 치료적 접근에 대한 연구 활발
향정신성 약물 (~1950년대)	1949년: 리튬(lithium) • 1950년: 클로르프로마진(chlorpromazine) • 1952년: MAOI • 1958년: TCA • 1960년: 벤조디아제핀(benzo-diazepines)	일부 정신장애가 생화학적 불균형으로 인해 발병하고, 생화학적 물질이 균형을 이룰 수 있도록 약물을 투여하면 회복될 수 있음. 환자를 더 이상 병원에 가둘 필요가 없음	정신질환자의 탈원화(deinstitutionalization)
지역사회 정신건강 (1960년대)	지역사회 정신건강센터법(1963)	정신질환자는 자신의 지역사회에서 치료받을 권리가 있음	• 이점: 익숙한 환경에서의 개입은 정신질환자에게 도움이 되었으며 비용도 절감됨 • 단점: 탈원화로 인해 노숙자 증가 문제 발생, 여전히 많은 환자들이 혜택을 누리지 못했음
뇌 중심의 10년 (1990년대)	미국 의회의 노력	뇌의 신경생물학적 기전을 이해하면, 정신질환을 앓고 있는 수백만 명의 정신질환자를 치료할 수 있음	뇌 연구를 위한 예산이 투입되고 새로운 치료방법이 제시됨

MAOI, monoamine oxidase inhibitor; TCA, tricyclic antidepressant.

고 믿으며, 버림받은 정신질환자를 위한 안식처를 제공하고자 노력하였다.

미국의 도로시아 딕스(Dorothea Dix, 1802~1887)도 어사일럼이라는 개념을 발달시키는 데 큰 도움이 되었다. 딕스는 감옥 내 일요학교 교사로 자원봉사를 하면서 이곳에 갇혀 있는 대다수의 사람들이 정신질환자라는 것과 감옥 내 비인간적 시설과 대우에 충격을 받았다. 딕스가 남긴 환자의 정보는 그 당시 정신질환자의 끔찍한 처지를 알려주고 있다.

- Concord: 사설 구빈원의 새장 같은 곳에 갇혀 있던 우스터 병원 출신의 여자
- Lincoln: 새장 안에 갇혀있는 여자
- Medford: 좁은 마구간에서 17년 동안 쇠사슬에 묶여 있던 바보 같은 사람
- Granville: 너무 좁은 곳에 갇혀 운동부족으로 사지가 절단된 사람

이후 그녀는 지역사회 지도자와 의회의 여론을 환기시켜 병원 건립을 위한 정부의 예산을 늘렸고, 정신질환자의 인도적 접근에 대한 사회적 관심을 증대시켰다.

그러나 계몽의 시기는 상대적으로 짧았다. 어사일럼, 즉 보호시설이라고 정의된 시설들은 대부분 도심에서 떨어진 곳에 위치했기 때문에 환자는 지리적·사회적으로 격리되었고, 퇴원 후에는 추후관리가 어려웠다. 또한 인본주의적 치료자들의 생각이 환자를 직접 돌보는 사람들에게까지 공유되지 못함으로써 보호시설의 의미는 안식처에서 고통의 장소로 변질되었다. Wasow는 "정신적으로 아픈 사람들의 다양한 요구를 반영하여 완전히 자유로운 치료에서부터 입원치료까지 돌봄의 연속체가 필요하다"고 주장하였다.

CRITICAL THINKING QUESTION

1. 보호시설에 대한 2가지 정의 중 오늘날 정신건강간호학에서 더 많이 받아들여지고 있는 것은 무엇인가?
2. 당신이 목격했거나 직접적으로 관여한 입원치료의 부정적인 결과는 어떤 것들이 있는가?

(2) 과학적 연구시대

정신의학에서 주목해야 할 두 번째 시기는 정신과 치료가 안식처의 개념에서 치료의 개념으로 전환된 시점으로, 지그문트 프로이트(Sigmund Freud, 1856~1939)에 의해 구체화되었다. 프로이트의 역동정신의학은 정신질환에 대한 관점의 변화를 가져왔으며, 이후 치료에 많은 영향을 미쳤다. 즉, 정신질환으로 인해 더 이상 고통받을 필요가 없으며, 이는 완화될 수 있다는 것이다. 이러한 변화는 정신치료가 대중화될 수 있는 계기가 되었다. 크레펠린(Emil Kraepelin, 1856~1926)은 정신장애의 분류에 큰 공헌을 했다. 크레펠린은 임상 증상의 관찰을 중요시하고, 관찰을 기초로 여러 증상을 범주화하여 정신질환을 13가지로 분류하였다. 그의 가장 큰 업적은 당시 '미쳤다'고만 치부하던 정신질환을 정서적 유무에 따라 크게 2가지 영역으로 나누어 현대의 조현병에 대한 고전적인 설명을 제공했다는 것이다. 블로일러(Eugen Bleuler, 1857~1939)는 '조발성 치매'를 '정신분열증(schizophrenia)'으로 개칭하여 명명했고, 이는 오늘날의 조현병이라는 용어로 사용된다. 이 외의 많은 과학자들이 프로이트의 동료이거나 제자였고, 새로운 정신의학 분야에 많은 공헌을 하였다.

프로이트는 자유연상(free association)과 꿈 해석으로 정신분석 치료법을 개발하여 정신질환 치료에 획기적인 전환을 가져왔다. 그는 정신기능에는 의식 외에도 자신이 알지 못하는 광범위한 정신활동을 하는 무의식의 영역이 있음을 발견하고, 인간의 행동을 심리적인 측면에서 묘사하였다. 또한 인간의 성격은 이드(id), 자아(ego), 초자아(superego)로 구성되며, 성격의 발달은 정신 성적(psychosexual) 발달을 중심으로 단계적으로 진행된다고 하였다. 프로이트는 또한 각 발달단계의 과업성취가 좌절되면 그 시기에 성격이 고착되거나 발달이 지연되며, 어린 시절 심각한 정신적 상처는 억압되어 갈등을 일으켜 후기 인생에 정신장애로 발병될 가능성이 높다고 주장하였다. 즉, 신체적인 질환과 마찬가지로 정신질환에도 원인이 있으며, 그 원인은 초기 인생의 억압된 내적 경험에 있음을 강조하고, 정신 에너지의 이동, 무의식의 억압된 갈등을 파헤침으로써 현대 역동정신의학 발전을 위한 기초를 확립하였다. 알프레드 아들러(A. Adler), 칼 융(C. Jung), 앨프리드 존스(A. Jones), 오토 랑크(O. Rank), 헬렌 도이치(H. Deutsch), 카렌 호나이(K. Horney), 안나 프로이트(A. Freud)는 모두 프로이트로부터 영향을 받은 과학자들로 역동정신의학 분야에 주요한 기여를 하였다.

(3) 항정신성 약물시대

이론과 과학적 사고의 중요성이 강조된 1950년대에 향정신성 약물의 발견으로 세 번째 시대가 시작되었다. 1952년 클로르프로마진(chlorpromazine)의 발명을 비롯하여 다양한 약물들의 개발은 정신질환 치료에 획기적인 전환기를 가져왔다. 이후 항조증제인 리튬(lithium), 항우울제인 이미프라민(imipramine)이 출시되었다. 약물의 출현은 고양된 환자들을 안정시켜 주었고, 환각과 망상을 감소시켜 정신치료가 가능하게 하였다. 또한 조기 퇴원율을 증가시키고, 외래치료를 가능하게 하여 환자의 가정과 지역사회 등 환경의 제한을 최소화한 상태에서 치료를 가능하게 했다.

(4) 지역사회 정신건강 시대

제1차 세계대전과 제2차 세계대전을 거치면서 미국의 약 43%의 종군군인들은 전쟁 후 정신건강상의 문제를 겪었으며, 그 가족들 또한 이전보다 더 많은 문제를 겪게 되었다. 그러나 이들을 돌볼 정신건강 전문치료자들이 절대적으로 부족함에 따라 정신질환에 대한 국가적 관심은 커져갔다. 영화 'The Snake Pit(1948)'에서는 정신병원 내 이루어졌던 냉담하고 비효율적이며 때로는 잔인한 돌봄을 묘사하였고, 앨버트 도이치(1948)의 저서 「미국의 수치(The Shame of the States)」에서는 미국의 몇몇 대형 정신병원의 비참한 상황을 생생하게 표현하며 사진까지 보여주었다. 이에 1946년 정신건강법(The National Mental Health Act)이 제정되었고, 1949년에 국립정신건강연구소(The National Institute of Mental Health)가 설립되었다. 그리하여 매년 정부예산으로 정신건강전문가를 위한 훈련이 실시되었고, 정신건강 관련 연구 지원, 그리고 정신건강사업 계획 및 개발을 위한 보조금이 지원되었다. 정신건강법 제정으로 미국에서는 현재까지 많은 수의 정신건강간호사 및 정신건강전문가가 배출되었으며, 정신건강 분야의 연구가 활발히 진행되었다.

1963년에 지역사회 정신건강센터법이 제정되었고, 정신건강의 증진 및 예방, 개방병동 정책, 재활 활동, 조기 발견 및 치료 등이 중점적으로 시행되면서 대상자의 병원 시스템의 탈원화를 목표로 하였다. 지리적으로 고립된 경우, 지역사회에서 생활할 준비를 시키는 지역사회 치료센터를 설립하고, 정신질환자를 가족과 함께 지내게 함으로써 문제를 해결하였다. 추후 관리의 어려움은 지역사회에서 다양한 수준의 치료를 제공하면서 해결되었다. 궁극적으로 지역사회 정신건강 프로그램은 지정된 지역 내 거주하는 모든 사람의 필요를 충족시키기 위해 개발되었다.

탈원화의 움직임에 따라 정신질환자들의 권리에 대한 관심 또한 높아졌다. 개인을 비자발적으로 강제입원 시키기 위해서는 대상자가 자신과 타인에게 명백한 위험을 주어 입원이 불가피함이 입증되어야 했다. 이러한 변화는 그동안 본인의 의지와 다르게 강제입원으로 희생되었던 정신질환자들의 불의에 대한 움직임이었다. 로젠한(Rosenhan, 1973)의 연구는 정신병원에서 정상적인 사람이 퇴원하는 것이 얼마나 어려운지를 보여주고 있다(표 2-3).

탈원화로 인하여 정신병원과 환자 수가 감소하였다. 1955년에는 미국인 300명당 1명에 해당하는 약 60만 명의 환자가 정신병원에 입원했다. 그러나 탈원화 운동 이후 1975년까지 약 66%가 감소된 20만 명, 오늘날은 미국인 3,000명당 1명에 해당하는 7만 명으로, 1955년 대비 약 85% 이상 입원환자 수가 감소하였다. 만약 1955년과 같은 상황이라면 오늘날 100만 명 이상이 정신병원에 입원해 있을 것이다. 이 예측대로라면, 현재 정신병원에 입원해 있어야 할 90만 명이 병원 밖에 살고 있는 것이다. 입원환자의 감소로 대부분의 주립 병원은 문을 닫았다. 현재 입원하는 환자는 정신병적 증상이 심하고 사회적 관계가 거의 없어 높은 수준의 돌봄이 필요한 전형적인 급성기의 환자들이다.

탈원화의 효과는 지역사회에서도 분명하게 나타났다. 예를 들어, 정신병원에서는 입·퇴원 업무로 매우 바빠졌으며, 급성기 정신질환자들은 응급실을 빈번하게 이용하게 됨에 따라 응급 정신의학 서비스는 또 다른 부담을 갖게 되었다.

정신질환자의 인권에 대한 자각과 더불어, 의료경비 절감의

표 2-3 | 정상인과 정신질환자의 구별

로젠한(Rosenhan)은 정상인과 정신질환자가 구별될 수 있는지에 의문을 가졌다. 그는 미국의 5개 주, 12개 병원을 대상으로 8명의 가짜 정신질환자를 입원시켰는데, 그 일은 예상했던 것보다 훨씬 쉬웠다. 가짜 정신질환자는 로젠한 자신을 비롯해 3명의 심리학자, 대학원생, 소아과 의사, 정신과 의사, 화가 및 주부로 구성되었다. 3명은 여자였고 5명은 남자였다. 병원은 아무도 이 비밀을 알지 못했다. 8명의 가짜 정신질환자는 다음과 같은 훈련을 받았다.

1. 병원에 전화하여 약속을 잡는다.
2. 병원에 도착했을 때 정신과 의사에게 그들이 어떤 목소리를 들었다고 말한다.
3. 그 목소리에 대해 물어보면, 확실하지는 않다고 말하면서 빈 방에서 목소리가 들리며, 신음소리, 쿵 소리가 난다고 말한다.
4. 이 허위 정보와 그들의 이름과 직업에 관한 거짓 정보를 제공하는 것 이외에는 그 시점부터는 진실하고 '정상적'이어야 한다.
5. 입원 즉시 그들은 비정상적인 행동을 멈추고 '정상적으로' 행동한다.
6. 입원 중 의료진으로부터 어떻게 지내고 있는지에 대한 질문에 잘 지내고 있으며, 더 이상 그 소리가 들리지 않는다고 말한다.

8명의 가짜 정신질환자들은 정상적으로 행동했음에도 불구하고 의사들은 가짜 환자를 발견하지 못했다. 그러나 다른 정신질환자의 약 25%는 가짜 환자의 '정신 상태'에 대해 의문을 표시했으며, 일부 환자는 가짜 환자가 잠복근무하고 있다고 추측했다. 로젠한은 의료진이 환자의 정신건강을 인지하기를 주저한다고 기록했다. 그는 '이미 조현병이라고 분류되었기 때문에, 가짜 환자가 조현병이라는 꼬리표를 극복하기 위해 할 수 있는 것은 아무것도 없다'고 말했다. 진단을 내리기 위해 가짜 병력과 진단 기록을 뒷받침하기 위한 의사의 기록이 작성되었다. 즉, 정신과 의사들은 결코 존재하지 않았던 그들의 문제만을 볼 뿐이었다.

가짜 환자들은 입원 중 관찰 일지를 썼는데, 처음에는 관찰 일지를 작성할 때 주위 시선을 피해 조심스레 작성하였다. 그러나 그들은 곧 직원 앞에서 관찰 일지를 적었다. 왜냐하면 아무도 가짜 환자에게 관심을 기울이지 않았기 때문이다.

실험의 또 다른 부분은 의료진이 환자와 시간을 얼마나 보내는지에 대해 관찰하였다. 간호사가 가장 높은 비율을 보였으며(11.3%), 정신과 의사들은 닫힌 사무실 문 밖으로 나오지 않았다. 적어도 환자는 간호사를 볼 수 있었다. 로젠한은 '권력이 있는 사람일수록 환자와는 관련이 없으며, 가장 힘 없는 사람들이 환자가 된다'고 결론지었다.

또한 로젠한은 의사들에 의해 경험된 무력감과 비인간화를 비판했다. 그는 잠을 자는 도중에도 치료진이 수시로 자신을 깨웠다고 했다. 가짜 환자는 퇴원하기에 충분하다고 간주되기 전까지 평균 19일 동안 입원 치료를 받았다. 입원 기간은 7~52일 사이였다.

출처: Rosenhan, D.L. (1973). On being sane in insane places. Science, 179, 250.

경제적 흐름도가 탈원화를 가속화하였으나, 횡수용화라는 또 다른 문제점이 발생하였다. 횡수용화(transinstitutionalization)란 퇴원 이후 정신질환자에 대한 치료나 관리가 적절히 이루어지지 않아 지역사회에 정착하지 못하고 병원과 시설을 옮겨다니는 것을 뜻하는 것으로, 오늘날의 현실을 보다 적절하게 묘사한다.

(5) 뇌의 생물학적 변화에 중점을 둔 시대

1990년대를 '뇌 중심의 10년(Decade of the Brain)'이라고 한다. 이 10년 동안 정신질환의 생물학적 근거에 대한 관심이 높아졌으며, 동시에 뇌에 관한 많은 연구가 진행되었다. 20세기 후반에는 컴퓨터 단층촬영(CT), 뇌파검사(EEG), 양전자방출 단층촬영(PET), 단일광자방출 단층촬영(SPECT) 등 새로운 뇌 영상 촬영술이 발전하였다. 그 결과, 뇌의 구조와 기능에 대한 정밀한 관찰이 가능해졌으며, 이러한 과학기술의 발전은 정신질환의 생물학적 원인 규명에 큰 기여를 하였다.

뇌 중심의 10년은 많은 도전을 가져 왔고, 대중의 인식을 크게 바꿔놓았을 뿐 아니라 정신의학과 정신간호를 보다 실용적인 분야로 만들었다. 즉, 이상 행동들은 생물학적인 불균형에 의해 야기된 것이며, 이로 인해 개인을 비난하지 않는 것에 초점을 두고 나아갈 수 있게 하였다. 뇌 중심의 10년은 정신간호사의 역할을 정신질환 치료의 주류로 되돌렸다. 1990년 이전에 발간된 정신간호학 교과서는 정신생물학 및 정신약리학에 관한 내용이 거의 없었으나, 지금은 모든 교과서에서 이러한 내용을 중요하게 다루고 있다.

2) 정신간호에 영향을 미치는 주요 쟁점

정신간호에 영향을 미치는 몇 가지 주요 쟁점들은 다음과 같다.

- 정신질환을 치료하는 방식은 정신질환을 어떻게 바라보는가에 관한 패러다임 전환이 매우 중요하다. 전문가들이 장애를 개념화하는 방식에 따라 그 질환과 관련된 모든 정보를 사정하는 영역이 결정된다.
- 노숙자는 정신간호에 있어서 중요한 이슈가 된다. 많은 수의 노숙자들이 거리에서 구걸하고 있으며, 연구 결과에 따르면 이 중 대다수가 정신질환을 앓고 있는 것으로 확인되었다.
- 지역사회에 기반한 치료가 필요하다는 사실은 인정되었지만, 지역사회 정신건강의 현실은 많은 문제를 안고 있다. 치료의 연속체를 강화하기 위한 메커니즘은 무엇인가?
- 증상과 징후를 주의깊게 사정한 자료에 근거한 치료 시스템이 개발되었다. 이러한 진단의 개념(DSM)은 정신질환 치료시스템에서 꼭 필요한 것이다.

(1) 정신간호에서 패러다임의 변화

1930~1940년대 유행하던 정신분석으로 인해 정신의학에서 중증 정신질환에 대한 관심은 비교적 적었다(Miller, 1984). 프로이트의 정신분석 치료는 신경증 등의 비교적 경한 정신질환자에게는 도움이 되었으나, 심한 정신증 환자에게는 특별한 도움이 되지 못했다. 그 결과, 프로이트의 영향을 받은 정신과 의사나 간호사들은 정신의학의 주류였던 중증 정신질환 치료에 대한 관심을 덜 가졌고, 자아존중감이 떨어진 환자나 스스로 잠재력에 도달하기 위해 노력하고 있는 환자 등 정신분석 치료에 적합한 경증 정신질환에 더 관심을 보였다(Detre, 1987). 또한 중증 정신질환 치료보다는 빈곤, 인종 차별, 성 차별 등의 사회문제에 더욱 관심을 갖기 시작했다. 이에 따라 어사일럼 정신의학과 그 기반이 되는 크레펠린 모델은 상대적으로 쇠퇴하게 되었다. 즉, 정신의학의 방향이 중증 정신질환자를 위한 치료적 연속체와는 전혀 다른 쪽으로 수십 년에 걸쳐 변화되었고, 치료를 가장 필요로 하는 중증 정신질환자들을 비주류로 밀어내었다.

정신의학은 1980년 DSM-III 발표와 함께 그 근원으로 돌아왔다. 윌슨(Wilson, 1993)은 DSM-III를 '정신의학의 귀환'이라고 언급하기도 하였다. 정신간호에서는 근거 중심의 진단과 중증 정신질환자들의 생물학적 근거에 관심을 갖고 되돌아오는 상황을 수용하는 과정이 더욱 더뎠다. 그러나 1990년대 들어 뇌 중심의 10년의 시기 동안 정신간호와 정신간호학 교과서는 이러한 새로운 변화를 수용하였다.

(2) 노숙자

많은 정신전문가들은 노숙자(homelessness)가 '지역사회 정신건강 시대'와 직접적인 관련이 있다고 생각한다. 30년 전까지 노숙자는 부랑자, 알코올 중독자, 집이 없는 뜨내기

노동자로 여겨졌다. 하지만 최근의 연구들은 노숙자를 사회정책의 실패를 단적으로 보여주는 결과로 여기며, 과거의 인식들을 변화시켰다.

노숙자에 대한 정신질환 추정치는 다양하다. 성인 노숙자의 20~25%가 중증 정신질환을 앓고 있고, 약 54%(여성)에서 84%(남성)의 노숙자가 알코올 남용 상태였다(Gerber, 2013). 또한 많은 이들이 약물 남용으로 고통받고 있다.

노숙자와 정신질환자는 대부분 이혼했거나 혼자 사는 등 사회적 지지체계가 약한 사람들로, 미국의 정신건강시스템과 정치에 많은 문제점을 제시하였다. 중증 정신질환을 가진 노숙자는 경제적 어려움으로 인해 공원이나 공항 터미널, 식당, 감옥 및 일반 병원에서 주로 생활하며, 때로는 생존을 위한 공격적인 구걸부터 길거리 배설까지 사회 규범을 지키지 않는 이상 행동들을 함으로써 타인에게 불쾌감을 주기도 한다. 이러한 딜레마의 해결책을 찾기 위해 정신전문가들이 노력하고 있다.

만성 정신질환자들은 결론적으로 노숙자가 되기 쉽고, 노숙은 정신질환을 더욱 악화시킬 수 있다. 많은 만성 정신질환자들은 경쟁에서 도태되어 거리로 내몰리고, 거리에서의 노숙생활은 또다시 스트레스가 되어 여러 정신건강 문제를 유발시킨다. 탈원화를 주장하는 사람들은 이러한 문제가 본질적으로 입원환자의 감소와 관련이 있는 것이 아니라, 지역사회에 적절한 재정적인 지원을 하지 않은 결과이며, 노숙자와 사회적 불균형 상태에 있는 일부 소수집단들을 위해 우리 사회가 변화해야 한다고 주장한다. 또한 노숙자를 위한 쉼터가 부족한 상황을 지적하면서, 기존의 공립정신병원 시스템에서는 활용할 수 있는 자원이 부족하다고 주장한다.

(3) 지역사회에 기반한 간호

정신과적 돌봄과 정신간호의 미래는 정신건강 문제를 예방하고, 기존 질환을 보다 효과적으로 치료하기 위한 지속적인 노력과 관련된다. 특히 지역사회에 기반한 정신간호는 경제적 효율성과 관련해서 치료적 연속체로서 중요한 개념이다. 그러나 지역사회 정신건강과 관련하여 중증 정신질환자의 치료가 어렵다는 점과 환자의 비밀유지 권리로 인해 환자를 돌보는 가족과 치료 관련 문제를 논의하는 것이 법적인 문제로 이어질 수 있다. 지역사회 정신건강 체계가 적절하게 유지되기 위해서 다양한 치료자원의 활용을 조정하고, 시설 간 이동을 용이하게 하는 완전한 치료의 연속체가 필요하다. **표 2-4**는 이 완전한 치료의 연속체를 개발하기 위해 시스템이 어떻게 변화하고 있는지를 보여준다. **표 2-5**는 가장 제한적인 환경에서부터 제한이 적은 환경으로의 환자의 이동 범위를 보여준다.

표 2-4 시스템적 변화

지역사회 정신건강은 일부 관행에서 벗어나 시스템으로 개념화되는 새로운 방법으로 빠르게 변화되어야 한다.

과거	미래
증상의 안정화	회복과 재통합
전문가만이 모든 권한을 지님	환자(소비자)와 가족을 포함시킴
약물치료	총체적 접근(주거, 재정을 포함)

표 2-5 중증 정신질환자의 돌봄에서 연속적인 치료의 예

- 국립병원에 위탁
- 주거시설에 살면서 일주일에 5회 낮병원 치료
- 구직 중이거나 취직된 상태에서 일주일에 1~3일 낮병원 치료
- 지역사회 내 거주하면서 스케줄에 맞추어 계속 추후관리를 하는 것

(4) 정신과 진단의 바이블

정신질환 진단 및 통계편람(Diagnostic and Statistical Manual of Mental Disorders, DSM)은 미국정신의학회(American Psychiatric Association, APA)에서 출간하는 정신질환 진단체계로, 환자에게 특정한 진단을 내리는 데 필요한 징후와 증상에 대해 설명한다. DSM은 1952년 창간 이래 제7판으로 출간되었다.

DSM-I	1952	106개 진단
DSM-II	1968	185개 진단
DSM-III	1980	265개 진단
DSM-III-R	1987	292개 진단
DSM-IV	1994	361개 진단
DSM-IV-TR	2000	361개 진단
DSM-5	2013	~376개 진단

초판은 1952년에 편찬되어 106개의 진단이 기술되었으며, 당시 유행하던 학문적 풍토인 프로이트나 정신분석적 사고의 영향을 많이 받았다. 그롭(Grob)은 "DSM은 정신건

강과 정신질환을 전통적으로 구분하는 것을 거부하고, 정신질환의 경계를 확장시켰으며, 정신질환자에서 일반 대중에게까지 대상을 확장시킨 것은 놀라운 지적 도약이다"라고 언급했다.

제3판의 개발에서 주도적인 역할을 담당한 정신과 의사인 스피처(R. Spitzer)는 새로운 매뉴얼을 위해 6년 동안 작업한 결과 정신과적 진단의 신뢰성을 향상시킨 DSM-Ⅲ를 출간하였다. 제3판에서는 기존과 달리 행동학적·생물학적·의학적인 풍토가 자리 잡으면서 의학적 모형에 의거한 접근법이 주를 이루었다. 프로이트 학파의 정신과 의사들은 '생물학자들이 우리의 정신과 영역을 훔쳐갔다'고 주장하였다.

지난 2013년에 발표된 DSM-5에서는 사고방식에 큰 변화가 있었다. 가장 눈에 띄는 변화는 로마 숫자(IV)에서 아라비아 숫자(5)로 전환된 것이며, 다축진단체계를 없앤 점이다. 130명이 넘는 사람들이 400개의 자문그룹의 자문을 받아 작업한 DSM-5는 정신의학적 장애의 '이상 병태생리학적' 분류를 향한 패러다임 전환이었으며, 임상적으로도 더 많이 유용해졌다. 그럼에도 불구하고 많은 정신과 의사들은 새로운 사고를 완전히 받아들이지 못하고 있다.

(5) 정신간호 교육: 3대 최초의 인물

① 첫 번째 정신간호사

미국의 정신간호는 120년 이상의 역사를 가진다. 1873년 뉴잉글랜드 여성병원을 졸업한 리차드(L. Richards)가 미국의 첫 번째 정신간호사이다. 리차드는 정신병원에서 간호를 하면서 전문적인 경력을 쌓았고, 1880년에 매사추세츠주에 있는 맥린(McLean) 보호시설에 정신간호사 교육을 위한 학교를 설립하였다. 이러한 노력으로 1890년까지 30개 이상의 보호시설에 정신간호학교가 건립되었다.

② 첫 번째 정신간호학 교과서

1913년 존스 홉킨스 병원의 간호학교는 정신간호학을 정규 교육과정에 처음으로 포함시켰다. 1920년 베일리(H. Bailey)는 최초의 정신간호학 교과서인 「정신질환 간호(Nursing Mental Diseases)」를 저술했다. 1937년에 이르러서는 정신간호의 중요성을 인식하게 되면서 처음으로 간호학 표준 교육과정에 정신간호학을 포함시켰다.

③ 첫 번째 정신간호 이론가

1950년대에는 페플라우(Hildegard E. Peplau)가 정신간호 실무의 모델을 개발하여 정신간호학의 방향을 제시하며, 보다 전문적인 분위기 조성에 기여하였다. 특히 페플라우는 설리반(Harry S. Sullivan)의 영향을 받아 실무에서의 대인관계 영역을 강조하였다. 1952년에 발간된 「간호에서의 대인관계(Interpersonal Relations in Nursing)」는 현재까지도 정신간호 실무에 영향을 미치고 있다. 또한 페플라우는 정신 전문영역의 전개를 신중하게 추적하여 「정신간호 역사」를 저술하기도 하였다.

3) 우리나라 정신간호의 역사

우리나라의 정신간호는 서양의학이 들어오면서 시작되었으며, 일제하에 총독부 의원이 정신과 병동을 신설하면서 처음으로 병동에서 정신과 환자를 간호하였다. 당시는 환자의 안전관리와 보호 위주의 간호가 주로 시행되었으며, 1953년 항정신병 약물이 개발되면서 보호관리에서 인슐린 혼수요법이나 전기경련요법에 대한 간호, 일반적 신체간호, 환자관찰, 투약 등으로 세분화되었다.

1960년대 중반 이후 미국 정신의학의 영향으로 환경치료와 활동요법을 도입하게 되었고, 간호과정을 적용하면서 간호사가 치료자 역할을 담당하게 되었다. 1995년에 정신보건법이 제정되면서 이론 150시간, 실습 850시간의 정신보건간호사 수련과정이 신설되어 정신보건간호사 자격증을 취득할 수 있게 되었다. 2004년에는 제도 개정으로 정신과 분야에서 3년 이상 근무한 경력이 있는 간호사가 대학원에 입학하여 33학점 이상을 이수한 후 정신전문간호사 시험에 합격하면 정신전문간호사 자격을 취득할 수 있게 되었다. 2017년 정신보건법이 정신건강복지법으로 개정되면서 정신건강간호사로 그 명칭이 개칭되었다. 정신보건법이 제정된 이후 우리나라는 입원 위주의 정신질환 치료에서 지역사회 정신보건의 개념으로 획기적인 변화가 시작되었다.

4) 요약

현대를 살아가면서 정신건강에 대한 관심에서 벗어나기는 어렵다. 매일 보는 뉴스는 정신질환자의 범죄에 대해 무관심하게 만들고, 항우울제는 보편화되어 사용되고 있다. 한편, 적지 않은 사람들이 마약을 복용하고 있기도 하다.

인도주의적 정신치료는 1700년대 후반에 시작되어 계몽주의 시대와 과학적 연구시대, 항정신성 약물시대, 지역사회 정신건강시대, 그리고 뇌 중심의 10년의 시기를 거쳐 발전하였다. 정신질환의 생물학적 측면이 받아들여졌고, 프로이트에 대한 추종과 정신분석학자들의 관점에서 벗어나 증상 뒤에 숨겨진 원인을 밝히는 데 집중했다. 정신질환자가 어린 시절부터 고통받는 삶을 살아왔다고 보는 정신분석학적 접근을 대신하여, 환자가 현재 생물학적인 불균형으로 인해 고통받는다는 견해가 받아들여진 것이다. 마침내 1980년대 이후 정신의학과 정신간호는 그들의 근원으로 돌아왔고, 많은 정신건강 문제가 생물학적 이상 때문에 발생한다는 것을 인정했다. 정신질환 진단에 있어서 바이블인 DSM은 국제적인 통용어로, 정신간호사는 DSM의 기본 개념에 대한 이해를 지니고 있어야 한다.

2. 정신간호의 법

정신질환자의 인도적 치료의 발전은 법학 체계의 발전과 거의 유사하다. 역사적으로 정신질환자는 악령이 깃들고 의지가 약한 사람이라고 여기는 관점이었으나, 현대에 이르러 합법적인 정신건강 관리 문제를 가진 개인으로 보는 변화의 움직임이 진행되었다. 법과 정신의학의 차이를 비교하면, 정신의학은 환자 개인의 행위의 의미와 삶의 질에 관심을 갖는 반면, 법은 개인 행위의 결과와 사회적 기능에 더 초점을 맞춘다. 따라서 개인의 권리와 사회 전체의 권리 사이의 균형을 이루는 것은 중요하다. 정신건강간호에서의 법적인 내용은 다소 지루하게 느껴지겠지만, 이미 우리는 각종 매스컴을 통해서 정신질환자와 관련된 뉴스를 쉽게 접하고 있다.

그들의 권리는 어떠한가? 정신질환자의 권리에 대한 이해는 지난 수세기에 걸쳐 발전해 왔으며, 선례가 있는 법적 결정 및 법률에 기초하여 정신질환자의 권리보호는 수립되어 왔다.

정신적으로 문제가 있는 사람들 역시 중요한 기본적인 권리를 가진다. 따라서 정신간호사가 해야 할 중요한 일은 정신건강에 문제가 있는 환자와 가족의 권리를 이해하는 것이다. 이 장은 정신간호에서의 윤리와 법적 원칙 그리고 정신질환자의 권리를 파악하고 이에 따른 정신간호사의 역할을 제시하고자 한다.

1) 정신간호사의 윤리적 원칙

(1) 자율성의 원칙

자율성은 개인이 지니는 자유의 한 형태를 의미하며, 인간이 자유를 지닌다는 말은 결국 인간은 자율적으로 자기 결정권을 가진다는 의미이다. 그러므로 자율성의 원칙은 외부의 압력을 받지 않고 스스로 결정할 수 있는 권리로, 속박, 강요, 강제로부터 자유로운 개인의 선택과 의사결정의 자유를 뜻한다. 하지만 자신의 결정에 따른 개인의 행위는 타인에게 피해를 주지 않는 범위에서 이루어져야 하므로 '자율성의 원리'에는 타인의 자율적인 자기결정을 존중하라는 의미 또한 포함된다. 자율성의 기본적인 요소인 충분한 설명에 근거하여 동의를 구한 후 간호를 수행한다. 이때 진정한 동의를 구하기 위해서는 동의자 자신의 능력으로 의사소통, 이해력, 자발성 등이 있어야 한다. 그러나 급성 정신질환자, 자살사고를 가지거나 자살시도를 한 대상자, 망상이 있는 대상자의 경우, 동의자의 능력을 갖추지 못하여 자율적 의사를 제대로 표현할 수가 없다. 따라서 진정한 동의 형성이 곤란하기 때문에 자율성의 원칙에서는 여러 면을 고려해야 한다.

(2) 선행의 원칙

선행의 원칙은 악행금지의 원칙을 넘어서 해악을 예방하거나 제거하고, 적극적인 선의 실행을 요구하는 것을 의미한다. 즉, 타인에게 해를 입히지 않기 위해 타인을 배려하며, 타인을 돕고 이익을 주는 행위를 하도록 요구하는 것이다. 온정적 간섭주의에 근거를 둔 선행의 원칙이란 적극적인 선을 실행하기 위해 대상자의 자율성을 무시하는 경우이다. 선을 실행하기 위해 대상자의 의사 표현 능력과 관계없이 대상자의 자율성을 무시하고 간섭하는 경우가 온정적 간섭주의라고 할 수 있다. 예를 들어, 자살 가능성이 있는 대상자의 경우 자살 의지에 반하여 자살을 막아야 하므로 온정적 간섭주의가 필요하다. 대상자가 자기결정권을 행사할 수 없는 경우, 즉 스스로 결정할 수 없고 무능력하거나 의사소통이 안 될 경우에는 선행의 원칙을 적용하여 대상자를 보호하는 간호를 수행해야 할 것이다.

(3) 진실성의 원칙

항상 진실해야 한다는 원칙이다. 이는 간호사가 대상자

에게 진실을 말하고 의도적으로 속이거나 잘못 인도하지 않는 것을 의미한다(Ailken, 2004). 대상자는 자신의 진단, 치료 및 예후를 알 권리가 있다. 그러나 정직함이 해로운 결과를 초래하거나 회복을 방해할 경우에는 가끔 한계 또한 필요하다. 항상 정직할 필요는 없으나 거짓말하는 것 역시 정당화되어서도 안 된다.

(4) 정의의 원칙

대상자를 간호하는 데 있어 해악을 피하고 선행을 제공하는 것이 항상 가능한 것은 아니다. 정의의 원칙은 해악과 선행이 공존하는 상황이 발생하였을 때 공정하고 평등하게 적절히 행하는 것을 의미한다. 대상자에게 간호를 제공할 때 이는 정의의 원칙에 근거해야 한다.

2) 정신건강복지법

정신건강복지법은 정신질환의 예방 및 치료와 더불어 정신질환자의 재활·복지·권리보장과 정신건강 친화적인 환경 조성에 필요한 사항을 규정하여 국민의 정신건강증진과 정신질환자의 인간다운 삶을 영위하는 데 이바지하고자 시행된 법이다(법률 제12224호). 1995년 12월 정신보건법이 제정되어 1996년 12월 31일부터 시행되었으며, 이후 17차례의 개정을 거친 뒤, 2016년에 정신건강복지법이라는 명칭으로 전면 개정되어 2017년 5월 30일부터 시행되고 있다. 정신건강복지법의 기본이념은 모든 정신질환자는 인간의 존엄과 가치를 보장받고, 최적의 치료를 받을 권리가 있으며, 정신질환이 있다는 이유로 부당한 차별대우를 받지 않아야 한다는 것이다. 또한 정신질환자의 입원을 최소화하여 지역사회 중심의 치료가 우선적으로 고려되어야 하며, 입원이 필요한 경우에는 자의입원이 권장되어야 하고, 입원 중인 정신질환자는 가능한 한 자유로운 환경을 누릴 권리와 다른 사람들과 자유로이 의견을 교환할 수 있는 권리가 보장되어야 한다.

3) 정신건강의학과의 입원

환자는 정서적인 안정을 위해 자발적 혹은 타인에 의해 입원을 하게 된다. 그러나 입원하는 과정 그 자체가 환자에게 불안과 우울을 유발하기도 한다. 따라서 정신병원에서의 입원은 신중히 결정되어야 할 문제이며, 정신간호사는 이러한 측면과 더불어 환자의 법적 지위에 대해 알고 있어야 한다. 입원에는 자의입원, 동의입원, 보호의무자에 의한 입원, 시장·군수·구청장에 의한 입원, 응급입원이 있다.

(1) 자발적인 환자

① 자의입원

정신건강 문제를 가진 대부분의 사람들은 자발적으로 도움을 요청한다. 정신질환자나 그 밖에 정신건강상 문제가 있는 사람은 입원신청서를 포함한 적절한 서류를 제출하여 입원을 하고, 어느 정도 증상이 호전되었을 때 자신의 의지대로 언제든지 퇴원할 수 있다. 또한 정신의료기관의 장은 2개월마다 환자가 퇴원 의사가 있는지 확인하고 기록해야 한다.

② 동의입원

동의입원 제도는 정신건강복지법으로 개정된 후 신설된 입원제도로, 정신질환자 본인의 자발적인 입원 신청과 보호의무자 1인의 동의를 받아 입원을 신청하고, 정신건강의학과 전문의의 입원 진단 하에 입원할 수 있다. 환자가 퇴원을 원할 때는 보호의무자의 동의를 받을 때 퇴원이 가능하다. 다만 환자가 보호의무자의 동의를 받지 않고 퇴원을 신청한 경우에는 정신건강의학과 전문의 진단결과가 중요하다. 즉, 환자 치료와 보호가 필요하다고 인정되는 경우에는 퇴원을 신청받은 때로부터 72시간까지 퇴원을 거부할 수 있다. 퇴원이 거부되는 기간에는 보호의무자에 의한 입원이나 시장·군수·구청장에 의한 입원으로 전환할 수 있으며, 정신의료기관의 장은 2개월마다 환자가 퇴원 의사가 있는지 확인하고 기록해야 한다.

(2) 비자발적인 환자

비자발적인 치료는 정신건강 치료에 동의할 법적 능력이 없는 개인이 정신건강 치료를 거부하는 것을 의미한다. 정신장애로 인해 자신의 건강 또는 안전이나 다른 사람에게 해를 끼칠 위험이 있다고 판단된 개인은 비자발적인 치료를 받을 수 있다. 입원치료가 필요한 정신질환을 앓고 있으면서, 본인이나 타인의 건강 또는 안전에 중대하거나 직접적인 위해를 가한 경우나 가할 개연성이 인정되는 경우, 혹은 상습적인 위해를 가했거나 급박한 위험이 있는 경우라고 명확하게 확신할 근거가 있을 때 정신건강의학과 전문의 진단 하에 입원을 결정할 수 있다. 이 지침을 준수하지 않는 입원은 불법이다.

비자발적인 치료는 대부분의 법적 문제가 발생할 수 있는 정신과 치료의 영역이다. 보통 비자발적인 입원이 입원치료를 의미하지만, 외래치료에도 적용할 수 있다.

① 보호의무자에 의한 입원(보호입원)

보호의무자에 의한 입원은 정신질환자의 보호의무자 2명 이상(보호의무자가 1명만 있는 경우에는 1인의 동의로 함)이 입원을 신청한 경우로, 정신건강의학과 전문의가 입원이 필요하다고 진단한 경우에만 해당 정신질환자를 입원시킬 수 있다. 이때 정신질환자는 입원치료가 필요한 정도의 정신질환이 있으면서, 자해나 타해의 위험이 있는 경우로, 2주 범위의 기간을 정하여 입원시킬 수 있다. 이후 계속 입원이 필요할 경우 2주 이내에 서로 다른 정신의료기관의 정신건강의학과 전문의 2인의 일치된 소견이 있는 경우에만 해당 정신질환자에 대하여 치료를 위한 입원을 시킬 수 있다. 입원 기간은 최초 입원일로부터 3개월 이내로 정하며, 3개월이 경과한 후에도 계속 입원이 필요한 경우 정신건강심사위원회의 심사를 거쳐 6개월마다 연장할 수 있다.

② 시장·군수·구청장에 의한 입원(행정입원)

정신건강의학과 전문의 또는 정신건강전문요원은 정신질환으로 인해 자신이나 타인에게 해를 끼칠 위험이 있다고 의심되는 환자를 발견하였을 때, 시장·군수·구청장에게 그 환자에 대한 진단과 보호를 신청할 수 있다. 또한 경찰관이 정신건강전문요원 또는 전문의에게 입원을 위한 진단과 보호를 요청할 수 있다. 자·타해 위험이 있어 증상의 정확한 진단이 필요하다고 전문의가 인정한 경우 지자체장은 2주의 범위에서 입원을 시킬 수 있다. 계속 입원이 필요한 경우 2명 이상의 정신건강의학과 전문의의 일치된 소견이 있는 경우에만 치료를 위한 입원이 계속될 수 있다.

③ 응급입원

정신질환자로 추정되는 대상자로 자신의 건강 또는 안전이나 다른 사람에게 해를 끼칠 위험이 큰 사람은 그 상황이 매우 급박하여 규정에 따른 입원을 시킬 시간적 여유가 없을 때 의사와 경찰관의 동의를 받아 정신의료기관에 응급입원을 의뢰할 수 있다. 입원을 의뢰할 때에는 이에 동의한 경찰관 또는 구급대원이 정신의료기관까지 대상자를 호송한다. 정신의료기관의 장은 응급입원 대상자를 공휴일을 제외한 3일 이내의(72시간) 기간 동안 응급입원을 시킬 수 있다. 정신건강의학과 전문의의 진단 결과, 계속 입원이 필요하다고 인정된 경우에는 보호입원, 행정입원 등 다른 유형의 입원으로 전환하여야 입원을 유지할 수 있으며, 입원을 계속할 필요가 없다고 인정된 경우에는 즉시 퇴원시켜야 한다.

Clinical example: 응급입원

52세 남성 김OO 님은 30년 동안 근무했던 직장에서 해고당했다. 대대적인 인원 감축이 원인이었음에도 불구하고, 그는 자신의 해고에 대해 심한 상처를 받았다. 그 이후 목욕이나 면도를 하지 않았고, 옷도 갈아입지 않는 등의 변화를 보였다. 실직 2주일 되던 날, 그는 자신이 근무했던 직장으로 출근하였고, 그의 자리에는 다른 사람이 근무하고 있었다. 그는 그 직원이 자신의 공간을 무단으로 점거하고 있다고 화를 내며 그를 위협했다. 또한 인사과에 있는 모든 사람들을 죽일 것이라고 소리를 질러 보안요원과 경찰이 왔고, 그는 저지되었다. 그는 응급실로 이송된 후 72시간 동안 응급입원을 하게 되었다.

(3) 후견인과 보호자

후견인(conservator) 또는 보호자(guardian)의 지정은 중요한 법적 문제이며, 피후견인인 정신질환자는 충분한 법적 보호가 제공되어야 한다. 피후견인은 변호사를 대리인으로 지정하여, 이의를 제기할 권리가 있다. 지정된 후견인 또는 보호자는 피후견인에게 정신과 치료를 받을 것을 명령할 권리를 포함하여 광범위한 권한을 부여받을 수 있다. 현실적으로 대상자가 그들의 의지에 반하여 치료를 받는다 하더라도 후견인이 현재 환자를 대변하고 있다는 것을 기본 전제로 하고 있다. 그러므로 치료는 비자발적인 것이 아니며, 후견인은 피후견인의 최대 이익을 위해 행동할 법적 의무가 있다.

후견인은 피후견인을 대변하기 때문에 간호사는 환자가 결정한 사항에 대해 후견인으로부터 동의를 얻어야 한다. 후견인으로부터의 승인을 받지 않았을 경우 간호사는 법적 문제를 겪을 수도 있다.

Clinical example: 누군가의 도움

지역사회 정신간호사는 바퀴벌레가 득실대고 고양이 분변으로 악취가 심한 오래되고 지저분한 집에 살고 있는 73세 강OO 님을 발견하였다. 몇 달 동안 그녀를 보지 못했던 이웃 주민은 그녀가 초인종을 눌러도 대답이 없자 주민센터에 신고하였다. 5년 전 남편의 사망 후, 혼자 생활한 그녀는 발견 당시 쇠약하고 지리멸렬하며, 편집증적인 증상을 보이고 있었다. 간호사는 그녀의 정신적·신체적 상태를 평가하고, 후견인에 대한 그녀의 필요를 사정하기 위해 비자발적 입원을 시행하기로 결정했다.

4) 환자의 권리

(1) 제한을 최소화한 환경 내에서 치료받을 권리

제한을 최소화한 환경에 대한 핵심 개념은 탈원화와 관련된다. 정신건강 문제가 있는 대상자는 제한을 최소화한 환경 내에서 그들의 문제를 치료받을 권리를 갖기 때문에 반드시 필요한 것이 아니라면 억제와 격리를 적용하지 않아야 한다.

그러나 간호사는 치료에 대한 의무가 있고, 환자가 적절한 치료를 받지 못하면 이에 대한 책임을 질 수 있다. 다음의 사례는 제한을 최소화한 환경에서 치료받을 권리와 적절한 치료의 필요성에 대해 생각해 볼 수 있도록 쟁점을 제시하고 있다.

Clinical example: 제한을 최소화한 환경에서의 치료

66세 박OO 님은 베트남 참전 군인으로, 플래시백(flashback)과 우울을 주 증상으로 하는 외상후 스트레스장애를 앓고 있다. 플래시백 이후, 그는 자주 혼란스러워하며 전쟁에서 전사한 동료들을 찾기 위해 며칠 동안 길을 헤맸으며, 자해나 타해의 위험은 없었다. 그의 가족은 모두 먼저 사망하여 현재 혼자 살고 있다. 그가 배회하는 동안 경찰에게 발견되어 사회복지사에 의해 평가를 받았는데, 그는 집에 가기를 고집했다. 정신건강의학과 전문의의 진단 결과, 정신병원에 입원할 필요는 없으나 구조화된 환경에서 보호받을 필요가 있다고 하였다. 사회복지사는 그의 동의 하에 재향군인병원에 입원을 시켰다.

(2) 비밀 유지에 대한 권리

환자의 정보는 접근 권한이 필요한 자료이며 기밀로 처리되어야 한다. 모든 환자는 이 법적 고려사항을 부여받는데, 기밀 유지는 생각만큼 쉬운 문제가 아니므로 전문적인 판단이 요구된다. 표 2-6은 의무적인 기밀 유지의 틀을 제공한다. 그러나 비밀 유지의 규칙은 절대적이지 않다. 예를 들어, 자해의 위험성이 있는 환자에 관한 정보는 적절한 개인에게 제공되어야 한다. 이러한 유형의 정보를 기밀로 유지하는 것은 전문적인 의료과실로 간주된다.

표 2-6 기밀 유지를 위한 팁

- 모든 환자 기록을 안전하게 보관한다.
- 모든 서면 항목의 내용을 신중하게 고려한다.
- 서면 동의가 있는 경우에만 정보를 공개한다.
- 교육적 목적을 위해 사용할 경우에는 임상자료의 개인정보를 감춘다.
- 공공장소가 아닌 곳에서 반드시 정보가 필요한 사람에게만 정보를 공유한다.
- 임상영역 외부에서 가져온 서면자료는 안전하게 보관한다.
- 호기심으로 서면 혹은 전자 정보에 접근하지 않는다.
- 수신 오류 가능성이 있는, 보안되지 않는 영역으로의 팩스 전송은 금지될 수 있다.
- 전화로 환자정보를 말할 때 통화하고 있는 상대방의 신원을 확인한다. 특히 '가족'이라고 주장하는 사람은 상사, 혹은 보험 대리인일 가능성이 있다.

간호사는 공개된 날짜 및 상황, 정보를 받는 개인 혹은 기관의 이름 및 환자와의 관계, 공개된 특정 정보를 포함하여 모든 기밀정보를 문서화해서 간호기록으로 남긴다. 환자에 대한 정보를 공개하기 위해서는 먼저 동의서에 서명을 받아야 한다.

병원 직원은 환자와 대화할 때 타인이 그들의 대화를 들을 수 있는 환경에서는 대화하지 않아야 한다. 몇몇 실습학생들이 점심시간에 한 환자에 대해 이야기를 나눴는데, 때마침 인접하게 있었던 환자의 가족이 실습학생들의 대화를 듣고 이를 병원에 항의한 경우가 있다.

Clinical example: 당신은 나에게 특별한 존재

학생들은 실습 때 다음과 같은 상황을 자주 접한다. 환자와 신뢰를 쌓은 학생은 환자로부터 "당신에게만 내 얘기를 하고 싶어요. 다른 사람들에게는 비밀로 하고요"라는 말을 들을 수 있다. 적절한 반응은 무엇인가? 환자가 말한 내용을 타인에게 발설하거나 환자의 차트에 기록하는 것은 비밀 유지에 대한 환자의 권리를 침해한 것인가? 학생은 간호사-환자 관계의 맥락에서 말한 모든 것이 다른 팀원들과 공유될 수 있음을 환자에게 알려야 한다.

(3) 억제와 격리로부터의 자유에 대한 권리

역사적으로 물리적 억제와 격리는 일부 정신질환자의 통제 불능 행동을 관리하는 데 사용되어왔다. 억제(restraint)

는 개인의 움직임을 제한하는 광범위한 용어이다. 이러한 억제의 방법에는 환자를 안거나 혹은 눌러서 꼼짝하지 못하게 하거나, 침대 난간이나 억제 장치를 사용하거나, 진정제 투여까지 다양한 방법으로 존재한다. 격리(seclusion)란 환자를 병실에 고립시키는 과정이다. 억제와 격리가 적절히 사용될 경우 환자의 안전과 보호에 있어서 유용할 수 있으나, 부적절하게 사용될 경우 부상과 사망을 초래하여 이에 대한 평가가 절하되기도 한다. 미국식품의약국(Food and Drug Administration, FDA)에서는 억제와 관련하여 매년 적어도 100여 명의 사망자가 미국에서 발생한다고 보고하였다.

Clinical example: 부적절한 억제 사용의 결과

75세 이OO 님은 치매가 의심되어 관찰 및 치료를 위해 노인 정신병동에 입원하였다. 그는 때로는 혼란스러워했으나, 입원 시 스스로 식사를 하고, 도움 없이 목욕하며, 대소변 처리를 스스로 할 수 있었다. 한편, 환자에게는 60세 이상의 많은 남성에게서 나타나는 야간뇨 현상이 있었다. 병원 직원은 낙상으로 인한 골절 위험성이 높다고 판단하여 그에게 합법적으로 억제대를 적용하였다. 그 이후 그는 소변을 조절하지 못하고 침대에 소변을 보았다. 2주 이후에 그는 혼자 먹을 수도 목욕할 수도 없으며, 실금을 하기 시작하였다.

환자의 낙상 위험을 줄이기 위해 억제대를 적용하는 것이 더 안전하다고 믿는다면, 억제대 사용을 줄이기는 쉽지 않다. 억제 및 격리와 관련된 잠재적이고 부정적인 신체적·심리적·법적 결과를 알고 있는 간호사는 다른 대안을 찾을 수 있어야 한다. 무엇보다도 중요한 것은 환자의 통제력 상실 상태를 예방하는 것이다. 간호사-환자 관계, 약물치료 및 치료적 환경의 원칙에 입각하여 억제 및 격리와 같은 제한적 처치에 대한 필요성을 줄일 수 있다. 정신건강의학과에서 제한적 처치를 사용하기 위한 일반적인 지침에는 다음과 같은 중요한 여러 요소가 포함된다.

- 직원들은 억제 또는 격리에 대한 의사결정에 참여해야 하고, 억제대의 적용 혹은 제거하는 직원은 특수 교육을 받아야 하며, 역량이 입증되어야 한다.
- 억제와 격리의 사용 전에 다른 대안이 고려되어야 한다.
- 간호사는 응급상황에서 억제 또는 격리를 시행할 수 있지만, 1시간 이내에 의사의 지시가 필요하다.
- 가능한 한 최소한의 제한 방법 혹은 장치가 선택되어야만 한다.
- 간호사는 정당한 간호중재로 사용하게 되었음을 신중하게 기록해야 한다.
- 억제 및 격리에 대한 처방은 억제의 유형, 사용에 대한 합리적 근거, 시간제한이 포함되어야 한다.
- 대상자의 위험한 상황을 근거로 억제 및 격리가 시행되어야 하므로 '필요시 처방(prn)'은 허용되지 않는다.
- 가능한 한 최단 시간 동안 억제 및 격리를 적용한다. 간호사는 억제 및 격리가 지속적으로 필요한지를 파악하기 위하여 최소한 2시간마다 환자를 재평가해야 한다.
- 억제와 격리 동안 환자를 계속 모니터링해야 하며, 최소한 15분마다 안전 및 안위 중재에 대한 기록을 해야 한다.
- 억제 및 격리를 시행한 후에는 의료진이 환자에게 그 과정을 설명해야 한다.
- 환자는 억제 또는 격리된 경우, 가족 혹은 보호자에게 통보하도록 요청할 권리를 가진다.
- 억제 상태에 있는 동안 환자가 사망한 경우, 심지어는 건강관리 제공자의 판단에 따라 억제가 사망에 기여한 바가 없는 경우일지라도 의료기관 평가 인증원에 보고해야 한다.

CRITICAL THINKING QUESTION

3. 일부 정신건강의학과 전문의는 법원이 환자의 권리보호라는 명목하에 너무 과도한 법률을 강요하고 있으며, 효과적인 정신건강 치료를 제한하는 장벽과도 같다고 생각한다. 이에 대한 당신의 생각은 어떠한가?

Clinical example: 환자와 타인을 보호하기 위한 억제 사용

28세 김OO 님은 똑똑하고 재능이 있으며 열정적으로 지역사회와 교회에서 자원봉사활동을 해왔다. 그러나 어느 날부터 그녀의 자원봉사 시간은 과도하게 늘어났고, 술집과 주점에서도 설교를 하였으며, 앞뒤가 맞지 않는 말을 하였다. 술집 주인은 그녀에게 가게에서 나가라고 말하였으나 그녀는 나가지 않았고, 결국 술집 주인은 경찰을 부르기까지 하였다. 그때, 그녀는 주인에게 고함을 치고 맥주병을 던졌다. 다행히 제때 도착한 경찰은 그녀의 행동을 제지할 수 있었고, 그녀는 정신과 병동에 강제입원을 하게 되었다. 입원 후 그녀는 병동 간호사에게 침을 뱉고 화를 내며 공격했으며, 여러 번 공격적인 행동을 보여 결국 사지 억제대 적용 처방이 내려졌다. 진행과정과 억제 및 격리에 대한 간호기록(표 2-7)은 그녀의 행동뿐 아니라 그 행동에 대한 간호사의 반응도 포함하고 있다.

(4) 치료에 동의하거나 거부할 권리

치료를 거부하는 환자의 권리는 오랜 기간에 걸쳐 서서히 인정되었다. 환자는 자신이 받은 치료가 도움이 되었다고 생각하면 치료를 받아들일 수 있지만, 치료가 도움이 되지 않는다고 생각한다면 치료를 거부할 수 있다. 반면에, 강제입원된 환자는 치료를 거부할 수 있는 권리가 똑같이 있다고 인정되지 않았다. 지난 수년간, 강제입원된 환자는 본인의 의지와 달리 약물을 복용해야 했다. 그러나 법적으로 강제입원된 환자 역시 향정신성 약물에 대해 정보를 안내받은 후 동의 여부를 결정할 수 있는 권리를 가지고 있다. 중요한 논점은 환자가 이러한 약물 투여에 대해 동의할 수 있는 능력을 가지고 있는가 하는 것이다. 만약 어떤 대상자가 치료의 필요성을 이해할 능력이 없다고 정신과 의사가 판단한 경우나 정신과적 응급상황의 경우에는 환자의 동의 없이 약물을 투여할 수 있다.

간호사는 약물을 투여할 때 환자가 투약을 거부하여 환자에게 약을 복용하도록 설득하는 일은 흔한 일이다. 하지만 간호사의 설득 정도가 환자에게 약물을 강요하는 지점까지 가지 않도록 해야만 한다. 환자가 거부할 때, 음식물이나 음료 속에 슬쩍 약물을 숨겨 투약하고 싶은 유혹이 들 수도 있지만, 이러한 행동은 강압이 된다. 이러한 속임수는 간호사-환자의 치료적 관계 정립에 역효과를 가져온다.

(5) 환자 권리의 제한

때때로 환자와 타인을 보호하고, 치료목적을 달성하기 위해 환자 권리의 제한이 필요하다. 예를 들어, 전화를 무제한으로 사용할 수 있도록 환자에게 권리를 부여하는 경우는 거의 없다. 전화기의 무분별한 사용은 대부분 환자에게 비치료적이기 때문이다.

간호사는 환자의 권리 제한에 대해 명확하게 문서화해야만 한다. 환자가 특정 권리를 계속 행사하도록 허용하면 환자 혹은 타인에게 해를 입힐 수 있기 때문이다. 예를 들어, 자살시도 환자는 개인 소지품에 대한 접근 권한이 제한될 수 있다. 자기 자신에게 해를 가할 수 있기 때문이다. 간호사는 간호기록지에 이러한 우려와 권리 제한을 문서화해야 한다.

표 2-7 김OO 님의 간호과정 기록(사례 예시)

시간	
02:10	• 환자는 계속해서 복도와 주간 프로그램실, 병실을 서성임 • 새벽 2시 35분에 수면제를 요구함 • 환자는 걷는 것이 회복하기 위한 최선의 방법이라고 이야기함
03:15	• 환자는 병실로 가는 것을 기부하며 저항함 • 주간 프로그램실에서 천천히 걷기도 하다가 기도하는 것처럼 무릎을 꿇고 있기도 함
04:30	• 환자가 옷을 벗은 채 침대 위에서 잠들어 있으며 문은 열려 있음
08:30	• 환자가 오전 정규투약을 거부하며, 매우 흥분한 모습을 보임
09:30	• 환자가 매우 흥분한 상태임 • 다른 환자의 책을 찢고 쓰레기통에 던짐 • 담당의사의 처방에 따라 환자를 격리실로 이동시킴
09:45	• 환자는 큰 소리로 기도하면서 격리실에서 돌아다님
10:00	• 환자는 빠르게 걸으며 벽을 침
10:15	• 환자의 흥분이 고조되었고, 그녀의 상태를 체크하는 간호사에게 덤비며 물려고 시도함 • 4명의 여자 직원과 2명의 남자 직원들이 환자에게 사지 억제대를 착용시킴 • 환자는 자신이 강간당하고 있고, "그리스도가 내 안에 거하신다"고 말함 • 담당의사의 처방에 따라 Haldol 5mg/IM, Cogentin 2mg/IM 투여됨

5) 정신과 사전의료의향서(Psychiatric Advance Directive, PAD)

사전의료의향서는 현재 미국 27개주에서 시행되고 있는 것으로, 의학적 결정에 관하여 의사결정능력이 있을 때 자신의 의사를 서면으로 미리 표시하기 위해 작성되는 공적 문서이다. 특히 정신질환으로 인해 의사결정 능력이 불안정한 환자의 경우, 사전의료의향서는 환자의 자율성을 유지시켜 주며, 본인의 건강을 스스로 관리하는 권한을 부여할 수 있다. 치료진의 모든 구성원은 사전의료의향서에 대해 숙지해야 하며, 환자의 치료계획 수립 시 이를 고려해야 한다. 그러나 우리나라에서는 아직 정신질환자에게 사전의료의향서 제도를 시행하지 않은 상태이다. 사전의료의향서는 다음과 같은 사항들을 고려하여 작성된다(Srebnik & LaFond, 1999).

- 약물 용량과 경로 등이 명시된 특정 약물의 사용
- 전기경련요법과 같은 특정 치료 선택
- 억제대 사용, 격리, 진정제를 포함한 행동 관리의 적용
- 방문이 허용된 사람들의 목록
- 의료서비스 제공자가 접촉하고, 치료기록을 얻기 위한 동의
- 연구의 참여 의향

CRITICAL THINKING QUESTION

4. 개인 면담을 진행하는 가운데, 간호사는 '환자가 운영하는 회사의 주식 가치가 치솟을 새 제품이 출시 전에 있다'는 사실을 환자로부터 알게 되었다. 어떻게 할 것인가? 간호사의 재테크를 위해 이 정보를 윤리적으로 활용할 수 있는가?

STUDY NOTES

1. 인구의 약 25%에게 영향을 미치고 있는 정신건강 문제를 해결하기 위해서는 정신간호의 원리를 이해하는 것이 중요하다.
2. 현대 정신의학은 계몽주의, 과학적 연구, 항정신병 약물, 지역사회 정신건강, 뇌 중심의 10년의 시대 등 5개 시대를 통해 추적할 수 있다.
3. 계몽주의 시대로 인해 정신질환자들은 인도적인 대우를 받게 되었다.
4. 과학적 연구의 시대 동안 프로이트(Freud), 크레펠린(Kraepelin), 블로일러(Bleuler) 등은 정신질환을 객관적으로 연구했다. 이 노력으로 정신역학에 대한 심리역학 및 생물학적 이해가 이루어졌다.
5. 항정신성 약물의 시대 동안 정신질환 치료제(1950년대 초반), 항우울제(1950년대 후반) 및 기타 약물이 개발되어 특정 정신질환의 치료에 크게 기여하였다.
6. 정신질환의 치료가 병원에서 지역사회로 치료의 장소를 바꾼 탈원화는 지역사회 정신건강운동의 산물이다.
7. 상당 비율의 노숙자는 진단 가능한 정신장애가 있다. 탈원화는 노숙자를 양산하였으며, 지역사회 정신건강운동을 유발시켰다.
8. 지역사회 정신간호사는 환자간호, 종합서비스, 환자교육, 사례관리에 대한 전문교육 등 간호 연속체에서 중요한 역할을 한다.
9. 정신과 치료와 정신간호는 20세기 동안 진화해 왔다. 한때 정신간호는 중증 정신질환자의 보살핌과 밀접하게 관련되었지만, 현장의 간호사들은 정신과 의사와 마찬가지로 다른 부분에 관심을 갖게 되었다. 뇌 중심의 10년 시대를 시작으로 많은 정신간호사들은 정신장애 환자에게 영향을 미치는 생물학적 요인을 이해하는 데 관심을 다시 갖게 되었다.
10. DSM은 정신과 진단의 바이블이다. 최선의 치료를 제공하고 환자 옹호를 하는 간호사는 이러한 개념을 효과적으로 학습해야 한다.
11. 정신질환자의 권리에 대한 이해는 지난 수세기에 걸쳐 발전해 왔다. 오늘날 선례가 있는 몇 가지의 법적 결정 및 법률에 기초하여 정신질환자의 권리 보호는 수립되어 왔다. 사회적으로 지대한 영향을 미친 사건들로 인해 미국은 정신병원의 부적절한 무기한의 강제입원을 종료하는 법을 제정하게 되었다.
12. 입원의 3가지 범주는 다음을 포함한다.
    a. 자발적인 환자: 대상자는 입원을 요청하고 자발적으로 입원하는 데 동의한다.
    b. 비자발적인 입원: 동의할 수 있는 법적 능력을 가진 대상자가 입원하는 것을 거부함에도 불구하고 그의 의지에 반하여 입원치료가 이루어진다.
    c. 무능력자의 입원: 치료에 동의할 수 있는 법적 능력을 갖지 않는 대상자를 입원치료 한다.
13. 정신과 치료를 받는 대상자는 최근 제정된 정신건강복지법에 따라 많은 권리가 보장된다.
14. 억제와 격리는 공격적이고 위험한 환자를 다루기 위한 특별한 절차이다. 환자 자신과 타인 혹은 직원에게 해를 입히는 것을 예방하기 위해 격리되거나 물리적으로 억제될 수 있다.
15. 정신과 환자는 항정신병 약물을 투여받기 전에 정보에 입각한 동의서를 제공받아야 하며, 약물을 거부할 수 있는 권리를 가지고 있다. 강제입원 환자에게는 사법적 승인 없이 그들의 의지에 반하는 약물을 투여할 수 없지만, 응급상황은 예외이다.
16. 정신과 환자는 가장 제한이 적은 환경에서 치료를 받을 권리를 갖는다. 즉, 환자가 집에서 가까운 지역사회 기관에서 적절한 치료를 받을 수 있다면, 가족이나 친구와 멀리 떨어져 있는 정신병원에 가도록 강요받을 수 없다.

참고문헌 REFERENCES

American Psychiatric Association. (2013). Diagnostic and statistical manual of mental disorders (5th ed.). Arlington, VA: APA.

Charland, L. C. (2007). Benevolent theory: Moral treatment at the York retreat. History of Psychiatry, 18, 61.

Detre, T. (1987). The future of psychiatry. The American Journal of Psychiatry, 144, 621.

Deutsch, A. (1948). The shame of the states. New York: Harcourt Brace.

Frances, A. J., & Egger, H. L. (1999). Whither psychiatric diagnosis. The Australian and New Zealand Journal of Psychiatry, 33, 161.

Gerber, L. (2013). Bringing home effective nursing care for the homeless. Nursing, 43, 32.

Gollaher, D. (1995). Voice for the mad: The life of Dorothea Dix. New York: Free Press.

Grob, G. (1987). The forging of mental health policy in America: World War II to the new frontier. Journal of the History of Medicine and Allied Sciences, 42, 410.

Keltner, N. L., & Vance, D. E. (2008). Incarcerated care and quetiapine abuse. Perspectives in Psychiatric Care, 44, 202.

Kessler, R. C., et al. (2012). Twelve-month and lifetime prevalence and lifetime morbid risk of anxiety and mood disorders in the United States. International Journal of Methods of Psychiatric Research, 21, 169. Substance Abuse and Mental Health Services Administration. (2009).

Kessler, R. C., et al. (2007). Age of onset of mental disorders: A review of recent literature. Current Opinion in Psychiatry, 20, 359.

Kessler, R. C., & Wang, P. S. (2008). The descriptive epidemiology of commonly occurring mental disorders in the United States. Annual Review of Public Health, 29, 115.

Makari, G. (2009). On the shifting boundaries of medicine. The Lancet, 373, 206.

McMillan, I. (1997). Insight into bedlam: One hospital's history. Journal of Psychosocial Nursing and Mental Health Services, 35, 28.

Miller, R. D. (1984). Public mental hospital work: Pros and cons for psychiatrists. Hospital & Community Psychiatry, 35, 928.

Nasrallah, H. (2012a). The hazards of serendipity. Current Psychiatry, 11, 14.

Nasrallah, H. (2012b). Psychiatry and the politics of incarceration. Current Psychiatry, 11, 4.

Peplau, H. (1952). Interpersonal relations in nursing. New York: Putnam.

Peplau, H. (1959). American handbook of psychiatry, principles of psychiatric nursing (Vol. 2). In S. Arieti (Ed.), (pp. 1840-1856). New York: Basic Books.

Puffenberger, G. (2007). Pharmacy orientation (slide presentation for new pharmacists). MHM Services, used with permission.

Rosenblatt, A. (1984). Concepts of the asylum in the care of the mentally ill. Hospital & Community Psychiatry, 35, 244.

Rosenhan, D. L. (1973). On being sane in insane places. Science, 179, 250.

Rosenheck, R. (1997). Disability payments and chemical dependence: Conflicting values and uncertain effects. Psychiatric Services (Washington, D.C.), 48, 789.

Shen, H. (2013). Brain storm. Nature, 503, 26.

Spiegel, A. (2005). The dictionary of disorder. The New Yorker, 56, 56.

Substance Abuse and Mental Health Services Administration (SAMHSA). (2009). http://www.samsha.gov Accessed 18.04.05.

Tandon, R. (2012). Getting ready for DSM-5: Part 1. Current Psychiatry, 11, 33.

Torrey, E. F., et al. (2010). More mentally ill persons are in jails and prisons than hospitals: A survey of the states. Arlington, VA: Treatment Advisory Center.

Torrey, E. F. (1997). The release of the mentally ill from institutions: A well-intentioned disaster. The Chronicle of Higher Education, 43, B4.

U.S. Department of Health and Human Services. (2000). Healthy people 2010. Washington, D.C.: USDHHS.

U.S. Surgeon General. (1999). Mental health: A report from the surgeon general. Washington, D.C.: USDHHS.

Wasow, M. (1993). The need for asylum revisited. Hospital & Community Psychiatry, 44, 207.

Weiner, D. B. (1992). Philippe Pinel's "memoir on madness" of December 11, 1794: A fundamental text of modern psychiatry. American Journal of Psychiatry, 149, 725.

Wilson, M. (1993). DSM-III and the transformation of American psychiatry: A history. American Journal of Psychiatry, 150, 399.

Appelbaum, P. S. (2002). Privacy in psychiatric treatment: Threats and responses. American Journal of Psychiatry,

159, 1809.
Highway assailant heard voices. Birmingham News, 3A. (2005, May 3).
Hussain, M. Z., Waheed, W., & Hussain, W. (2005). Intravenous quetiapine abuse. American Journal of Psychiatry, 162, 1755.
James, D. J., & Glaze, L. E. (September 2006). Mental health problems of prison and jail inmates. Bureau of Justice Statistics Special Report. 32 Chapter 3 Legal Issues
Luddington, N. S., & Mossman, D. (2012). Psychiatric advance directives: May you disregard them? Current Psychiatry, 11, 31.
Medicare and Medicaid Programs. (1999). Hospital conditions of participation: Patients' Rights; interim final rule. Federal Register, 64, 36069.
Moran, M. (2002). Insanity standards may vary, but plea rarely succeeds. Psychiatric News, 37, 24.
Mossman, D. L. (2013). Psychiatric 'holds' for nonpsychiatric patients. Current Psychiatry, 12, 34.
Srebnik, D., & LaFond, J. (1999). Advance directives for mental health treatment. Psychiatric Services, 50, 919.
von Staden, H. (1996). "In a pure and holy way": Personal and professional conduct in the Hippocratic oath. Journal of the History of Medicine and Allied Sciences, 51, a404.

CHAPTER

3

생물학적 이해

Psychobiological Bases of Behavior

http://evolve.elsevier.com/Keltner

학습목표

- 뇌의 생물학적 이해의 중요성을 파악한다.
- 뇌의 기본구조를 확인하고 설명한다.
- 정신질환과 신경전달물질과의 관련성을 설명한다.
- 뇌신경계 검사의 목적과 필요성을 설명한다.
- 기저핵 기능과 운동장애와의 관계를 설명할 수 있다.
- 정신생물학적 사정의 주요 사항을 논의할 수 있다.
- 유전자와 환경 간 상호작용의 중요성을 설명할 수 있다.
- 뇌신경계 검사의 각 종류 및 장·단점을 설명할 수 있다.

중추신경계(central nervous system, CNS)는 뇌와 척수로 구성되어 있으며, 뇌는 대뇌, 뇌간 및 소뇌로 구분된다. 뇌는 약 1,000억 개의 뉴런을 포함하는 매우 복잡한 기관으로 무게는 약 1,500g이며, 뇌의 기능과 관련된 상당 부분은 아직 밝혀지지 않은 채 남아있다. 이전에는 정신장애의 원인이 정신사회적 스트레스 요인이나 어린 시절의 외상 경험 등이라고 생각되었으나, 현재는 대부분의 정신질환이 뇌의 생물학적 변화의 결과라고 알려져 있다. 최근 정신간호학은 생물학적 개념을 포함한 총체적 접근으로 실무를 수행하고 있다. 따라서 오늘날 실무의 기초를 위해서는 기본적으로 신경해부학 및 신경생리학에 대한 이해가 필요하다. 간호사는 뇌의 신경해부학, 뉴런과 신경전달물질, 자율신경계, 뇌실계 등 정신생물학 개념을 이해하여 대상자의 행동을 사정하고 적절한 간호중재를 계획하여 적용할 수 있어야 한다.

1. 뇌의 신경해부학

신경계는 중추신경계와 말초신경계로 구분된다. 중추신경계(그림 3-1)는 뇌와 척수로 구성되며, 뇌는 대뇌, 뇌간 및 소뇌의 3개 영역으로 이루어져 있다.

1) 대뇌

신경계의 대부분을 구성하고 있는 대뇌(cerebrum)는 2개의 대뇌반구로 나누어진다. 대뇌반구는 대뇌피질, 변연계의 일부, 기저신경절 및 뇌간으로 구성된다.

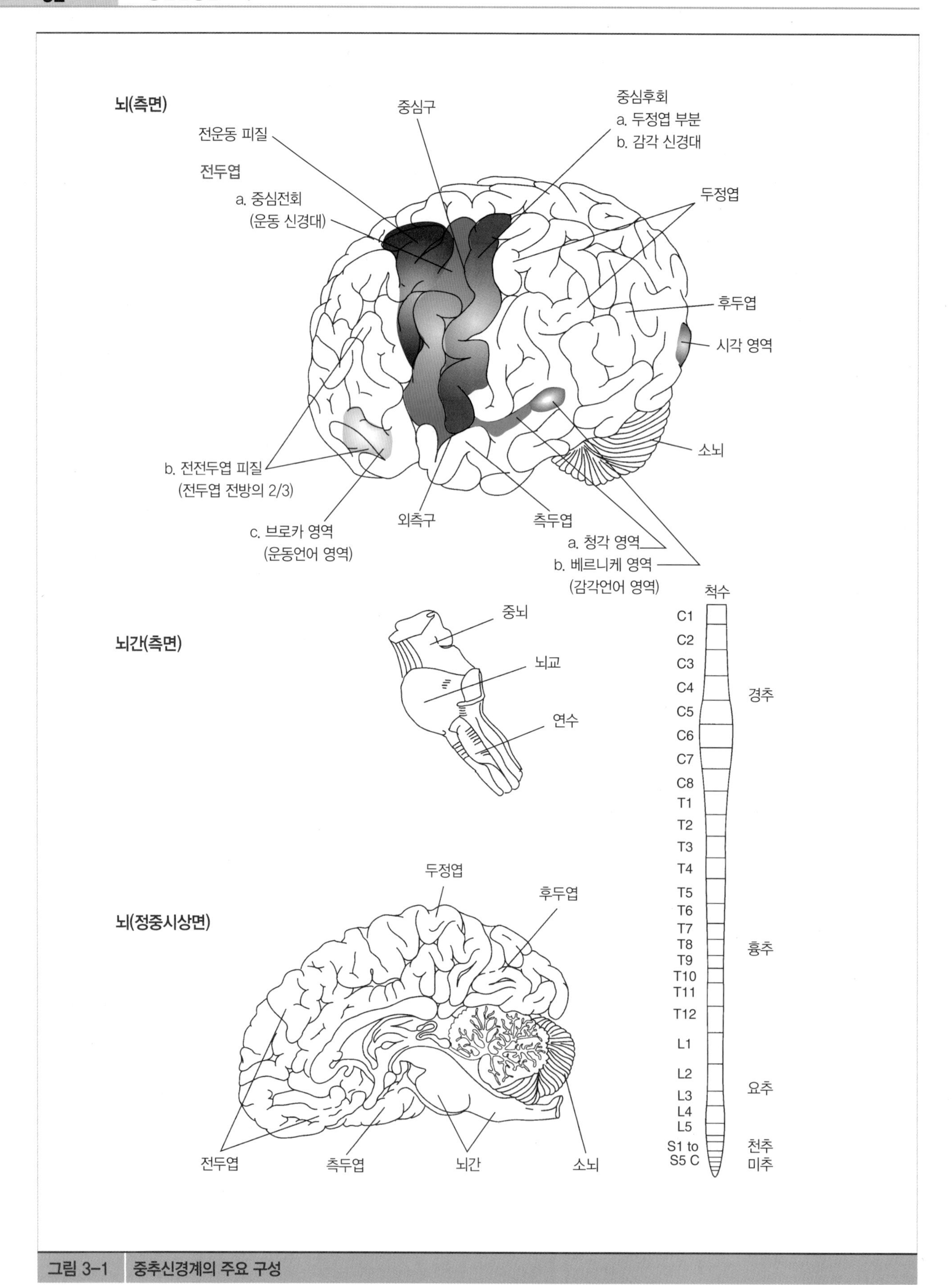

그림 3-1 중추신경계의 주요 구성

출처: Sugerman, R.A., Edmundson, M.J., & Robinson, S. [1979]. Human anatomy. Edina, Minnesota: Burgess.

2) 대뇌피질

대뇌피질(cerebral cortex)은 회백질로 구성된 뇌의 가장 바깥쪽 부분이다. 회백질은 신경세포의 세포체, 수상돌기 및 시냅스로 이루어져 있으며, 수초를 가지고 있지 않다. 백질은 수초로 둘러싸인 축삭돌기로 구성되어 있으며, 정보를 전달하는 역할을 한다. 대뇌피질은 전두엽, 측두엽, 두정엽, 후두엽의 4개의 엽으로 나누어진다(**그림 3-1, 3-2, 3-4 & 3-5**).

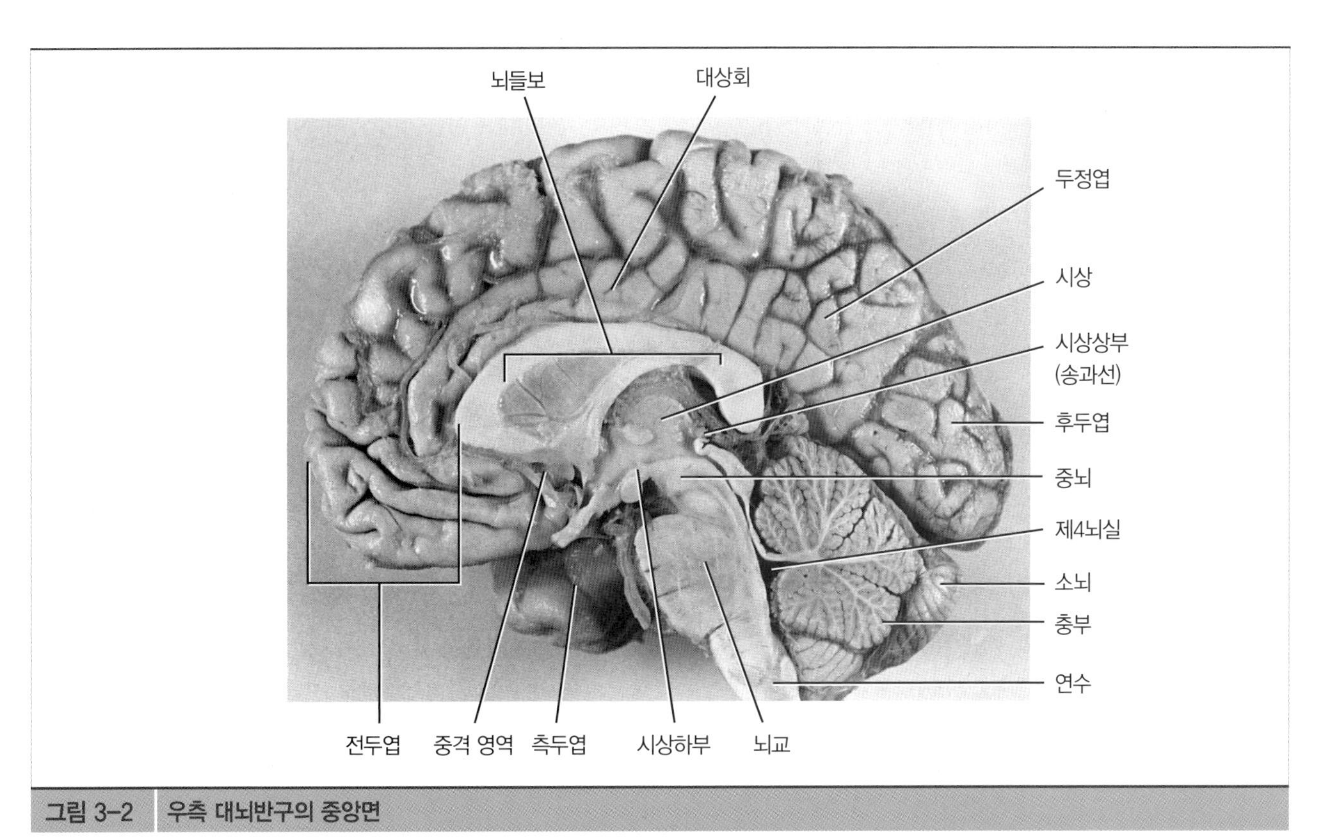

그림 3-2 우측 대뇌반구의 중앙면

출처: Berto Tarin, Multimedia Department, Western University of Health Sciences, Pomona, California.

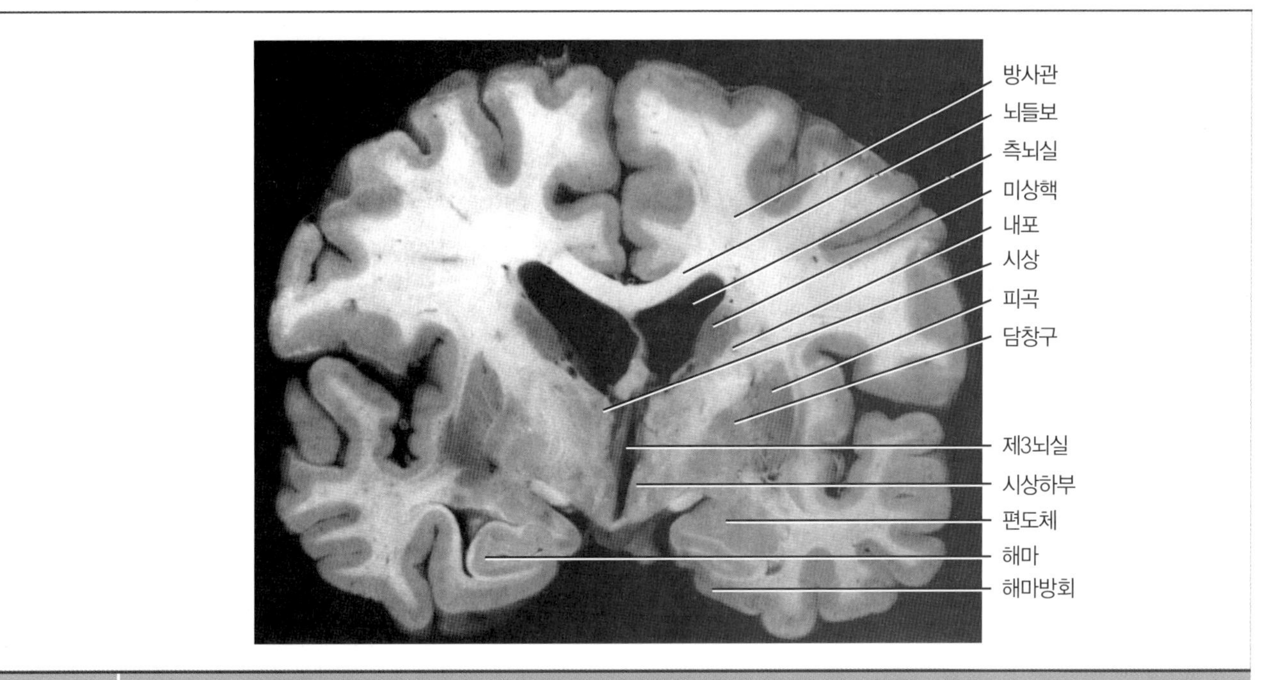

그림 3-3 대뇌의 관상면(시상하부 수준 포함)

출처: Courtesy of Richard E. Powers, MD, Brain Resource Program, University of Alabama, Birmingham, Alabama.

(1) 전두엽

전두엽(frontal lobes)은 인간 고유의 정신기능, 수의운동에 관여한다. 전두엽은 운동 피질, 전운동 피질, 전전두엽 피질 및 브로카 영역(Broca's area)으로 구분된다. 운동 피질과 전운동 피질은 근육운동 및 협응에 관여하고, 전전두엽 피질 가운데 안와 전전두엽 영역은 변연계와 연계되어 정서, 동기와 욕구를 사회적 상황에 맞게 조절하도록 한다. 안와 내측 영역에 병변이 생기면 음성증상과 유사한 증상을 나타낸다. 내측 전두엽은 행동을 시작하는 곳으로 장애 시 무감동이 나타나며, 자연스러운 자세와 행동 및 언어가 제한된다. 배(dorsal)외측 전두엽은 목표지향적 행동을 수행하는 중추로, 장애 시 동기, 계획, 관찰, 융통성 발휘에 문제가 생긴다. 전두엽이 손상되면 전두엽증후군이라는 성격 변화, 즉 의지, 창의적 문제해결 능력에 손상이 나타나며, 손상 위치에 따라 공포, 공격성, 우울, 분노, 불안정, 무감동 등을 나타내기도 한다.

대뇌피질의 전전두엽 영역은 인지와 의사소통 기능을 수행할 뿐만 아니라 특히 전략적 기획, 의사결정, 동시에 여러 가지를 처리하는 기능을 담당한다. 전두극(frontal poles)은 성격을 담당하며, 이 영역의 손상으로 성격이 바뀔 수 있다. 일반적으로 좌측 전두엽에 위치한 브로카 영역(Broca's area)은 운동언어를 담당하므로, 이 부위가 손상되면 언어의 표현에 문제가 발생한다(**그림 3-1**).

(2) 측두엽

각 측두엽(temporal lobe)은 후각 영역, 1차 청각 수용 영역, 2차 청각 연관 영역 및 시각적 연관 영역으로 나누어진다(Bear et al., 2007). 좌측은 언어의 해석, 우측은 언어의 이해에 관여한다. 시각성 실어증 환자는 이전에 이해했던 글로 쓰인 단어를 인식할 수 없다. 청각성 실어증 환자는 소리를 듣지만 의미를 파악할 수 없다. 베르니케 영역(Wernicke's area)은 일반적으로 좌측 측두엽에 위치한다(**그림 3-1**). 이 영역에 병변이 생기면 말하는 능력(운동언어)에는 문제가 없지만, 언어의 내용을 이해할 수 없다.

(3) 두정엽

두정엽(parietal lobe)은 촉각, 미각, 온도 감지, 통증 인지 등 감각기능을 담당한다. 또한, 듣거나 읽은 단어를 시각적으로 상상하는 능력도 포함하며, 고유수용체를 통해 자신의 몸이 존재하는 시간과 공간을 감지하는 위치 감각 능력도 담당한다. 이 부위에 손상이 있는 정신질환자는 3차원적 시각화 능력이 저하되어 옷을 입거나 먹고 마시는 데 어려움을 겪을 수 있다. 두정엽은 또한 근육 활동을 평가하는 능력도 담당하므로, 오랫동안 움직이지 않고 한 자세를 유지할 수 없다면 이는 두정엽의 기능이 손상된 것이다.

(4) 후두엽

후두엽(occipital lobes)의 주요 기능은 시각과 관련이 있다(**그림 3-1 & 3-2**). 후두엽은 1차 시각 피질과 연합 피질로 나누어져 있다. 다양한 유형의 시각성 실어증을 유발할 수 있는 측두엽 병변과는 달리, 후두엽의 1차 시각 피질의 병변은 반대쪽 시야, 즉 1차 시각 피질의 왼쪽 부위에 손상이 발생하면 오른쪽 시야에서 시력이 상실된다.

3) 변연계

변연계(limbic system)는 섭식, 기억통합, 쾌감, 감정, 동기부여 행동에 관여한다. 변연계는 감정의 중추라고도 불리지만, 사랑, 증오, 혐오나 두려움 같은 감정이 특정 해부학적 영역과 관련되어 있는 것은 아니며, 각 감정은 서로 다른 변연계 및 비 변연계 영역과 광범위하게 연결되어 있다. 변연계는 변연엽(limbic lobe)과, 그것과 함께 기능하는 전두엽, 시상하부, 편도체, 해마, 수많은 신경 전도로, 중뇌핵 및 자율신경계 구조물들을 통칭하는 광범위한 용어이다. 변연엽은 변연계의 중심핵을 형성하며, 중격(septal area), 대상회(cingulate gyrus) 및 해마방회(parahippocampal gyrus)로 구성된다(**그림 3-2 & 3-3**).

(1) 후각기능

첫 번째 경로는 냄새 감지 및 식별과 관련된 후각경로이다. 의미 있는 냄새와 감정이 어떻게 연관되는지를 이해하는 것이 중요하다. 냄새는 인간의 행동 동기에 영향을 미친다.

(2) 섭식기능

시상하부는 식욕 및 포만감 등 섭식의 여러 양상에 관여한다. 동물실험에서 시상하부 영역을 전기적으로 자극하거나 파괴할 경우 과식하거나 식사를 중단하게 할 수 있다.

(3) 기억통합

변연계는 기억력과 관련된 중요한 영역이다. 측두엽의 깊은 곳에 위치한 편도체와 해마는 단기기억에서 장기기억으로 정보를 전달하는 핵심구조이다. 무산소증은 해마의 양측 병변을 유발하며, 알코올 중독자의 티아민 결핍은 기억력 저하를 야기한다. 그밖에 치매, 알츠하이머병, 헤르페스 뇌염 등은 해마와 기타 변연계의 기능장애를 수반한다.

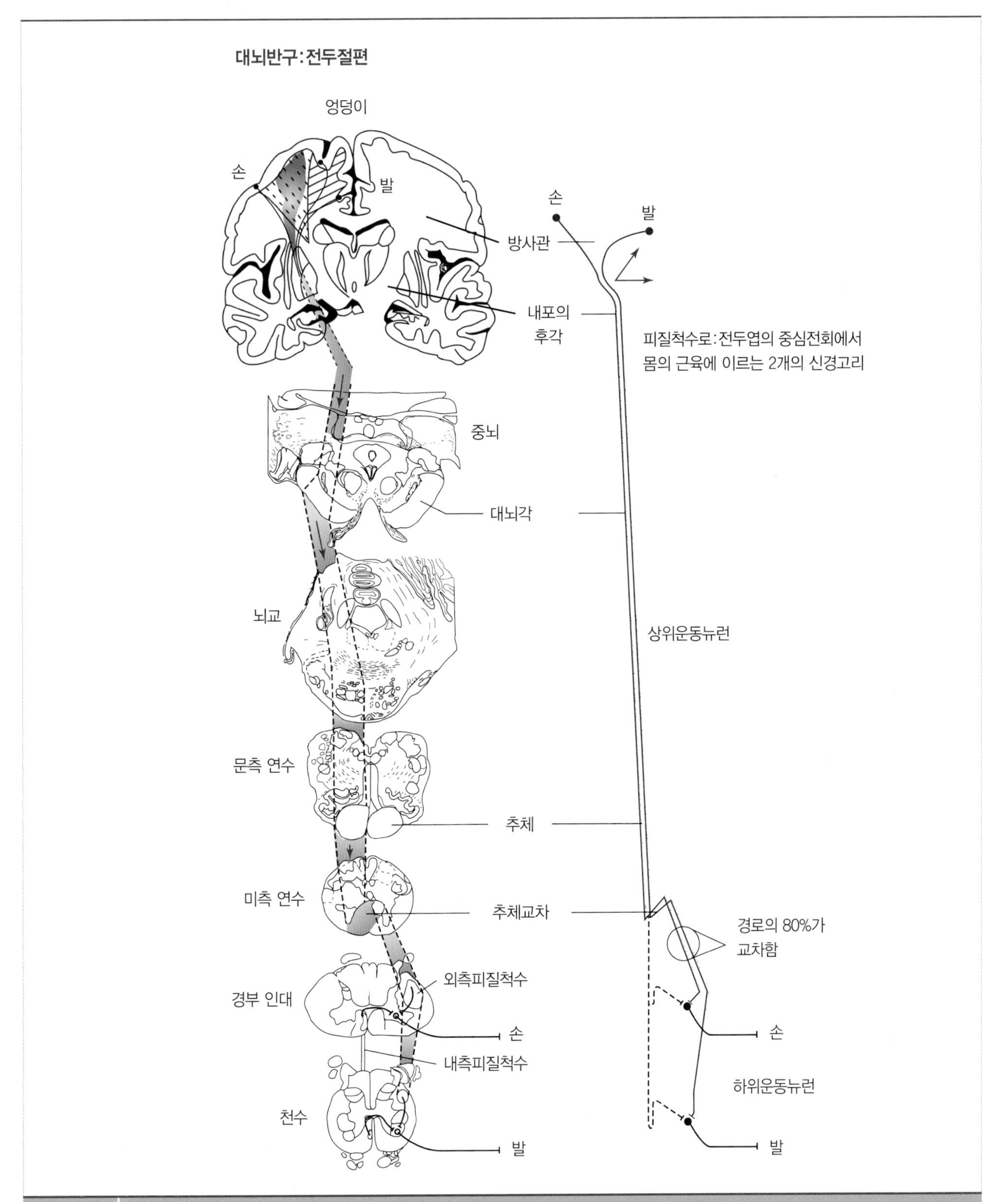

그림 3-4 피질척수로의 분포(좌: 실제, 우: 도식 표현)

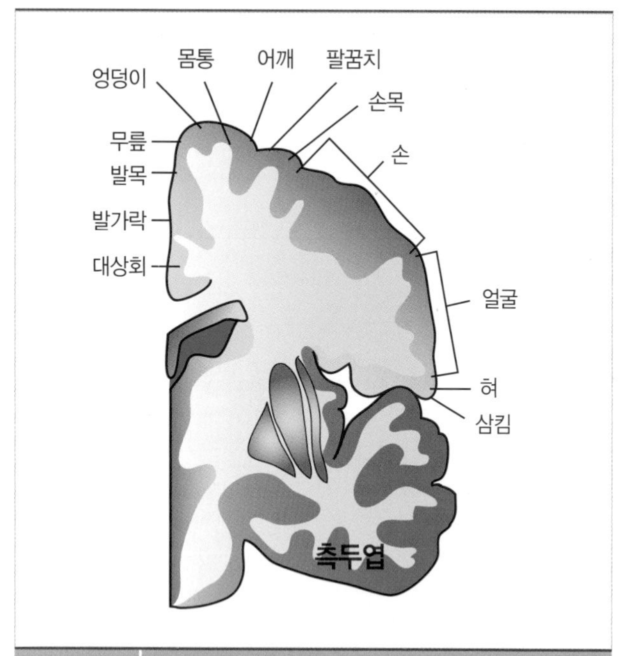

그림 3-5 중심전회의 신체영역지도(Homunculus)

▶ 다양한 신체 부위의 운동기능을 조절하는 데 요구되는 피질의 비교량을 묘사하고 있다.

(4) 쾌감

보상경로에 전기적 자극이 있을 때 동물과 인간은 기쁨을 느낄 수 있다. 복측피개 영역에서 전달된 도파민 뉴런이 특히 중요한데(**그림 3-6**), 이러한 뇌간 신경세포는 대뇌 피질과 변연계, 특히 중격핵(nucleus accumben)에 전달된다. 코카인과 기타 약물 남용은 뇌의 주요 쾌락중추 중 하나인 중격핵(**그림 3-7**)에서 도파민의 작용을 증가시킴으로써 그 효과를 일으킨다. 또한 전기적 자극은 동물과 인간 모두에서 성적인 흥분을 유발한다. 따라서 중격핵은 성적 흥분도 담당한다(Heath, 1972).

(5) 감정과 동기부여

감정(emotions)과 동기부여(motivation)는 사람의 행동에 영향을 미친다. 감정은 행동의 옳고 그름을 결정하고, 특정 행동을 수행할지 등을 결정하는 데 도움이 된다. 이러한 감정은 행동의 본능적인 측면으로써 편도체, 시상하부, 중뇌에 전기자극을 가하면 분노 또는 비행 행동을 유발할 수 있다. 편도체의 양측과 시상하부 특정 부위의 손상은 감정을 둔화시키고 진정효과를 초래할 수 있다.

4) 기저핵

기저핵(basal ganglia)은 3개의 주요 핵인 미상핵(caudate nucleus), 피곽(putamen), 담창구(globus pallidus)를 포함한다(**그림 3-3**). 이 구조는 운동기능에 관여하는데, 기저핵과 흑질(substantia nigra)은 신체에서 진행되는 운동활동에 대해 전후로 소통하고(**그림 3-6**), 흑질은 도파민을 생성하여 기저핵으로 보낸다. 흑질, 기저핵 및 하행성 운동경로를 포함하는 기저핵 시스템은 추체로를 보완하여 추체로와 함께 작동한다. 추체로는 자발적인 운동 명령을 전달하고, 기저핵 시스템은 이러한 운동을 조절하고 적절한 근육긴장을 유지하며, 자세를 조정한다.

모든 기저핵 부위는 운동정보를 수신하고 통합하여 전달한다. 기저핵 시스템은 상이한 신경전달물질을 가진 흥분성 및 억제성 뉴런의 균형을 맞춘다. 아세틸콜린은 주요 흥분성 신경전달물질이며, γ-aminobutyric acid(GABA)는 이 시스템에서 중요한 억제성 신경전달물질이다. 도파민은 흥분성이거나 억제성일 수 있다. 도파민은 신경세포막을 조절하는데, 이 작용은 접촉하는 뉴런의 수용체에 따라 달라질 수 있다. 이러한 신경전달물질의 수준이 현저하게 감소 또는 증가하면 기저핵(추체외로)의 운동신호가 발생할 수 있다.

기저핵 시스템은 신체의 움직임에 영향을 미치며 근육긴장도와 자세를 유지하기 때문에, 휴식 중에 가장 두드러지게 나타난다. 추체외로 질환인 파킨슨병은 휴식을 취할 때 진전을 일으킨다. 이러한 비자발적 운동은 집중력과 의도적인 움직임에 의해 감소하며, 수면 중에는 사라진다. 추체로는 정밀하고 수의적인 움직임을 통제하며, 기저핵은 소뇌와 함께 움직임을 안정시킨다. 기저핵의 병변은 파킨슨병, 헌팅턴병(무도병)과 같은 비정상 운동을 유발한다. 파킨슨병은 흑질의 도파민 이용률이 감소되어 발병하고, 헌팅턴병은 GABA 수준 및 콜린성계의 변화로 인해 발생된다.

CRITICAL THINKING QUESTION

1. 흑질의 도파민이 기저핵에서 시냅스로 전달되는 것을 차단할 때 어떤 질병이 발생하는가?
2. 뇌에서 도파민이 과잉 생산될 경우 어떠한 상황이 발생하는가?
3. 뇌하수체 종양이 인간의 호르몬 생성, 신체발달, 행동에 어떠한 영향을 줄 수 있는가?
4. 좌우 대뇌반구 뇌졸중을 구분하기 위해 어떤 징후 또는 증상을 확인해야 하는가?

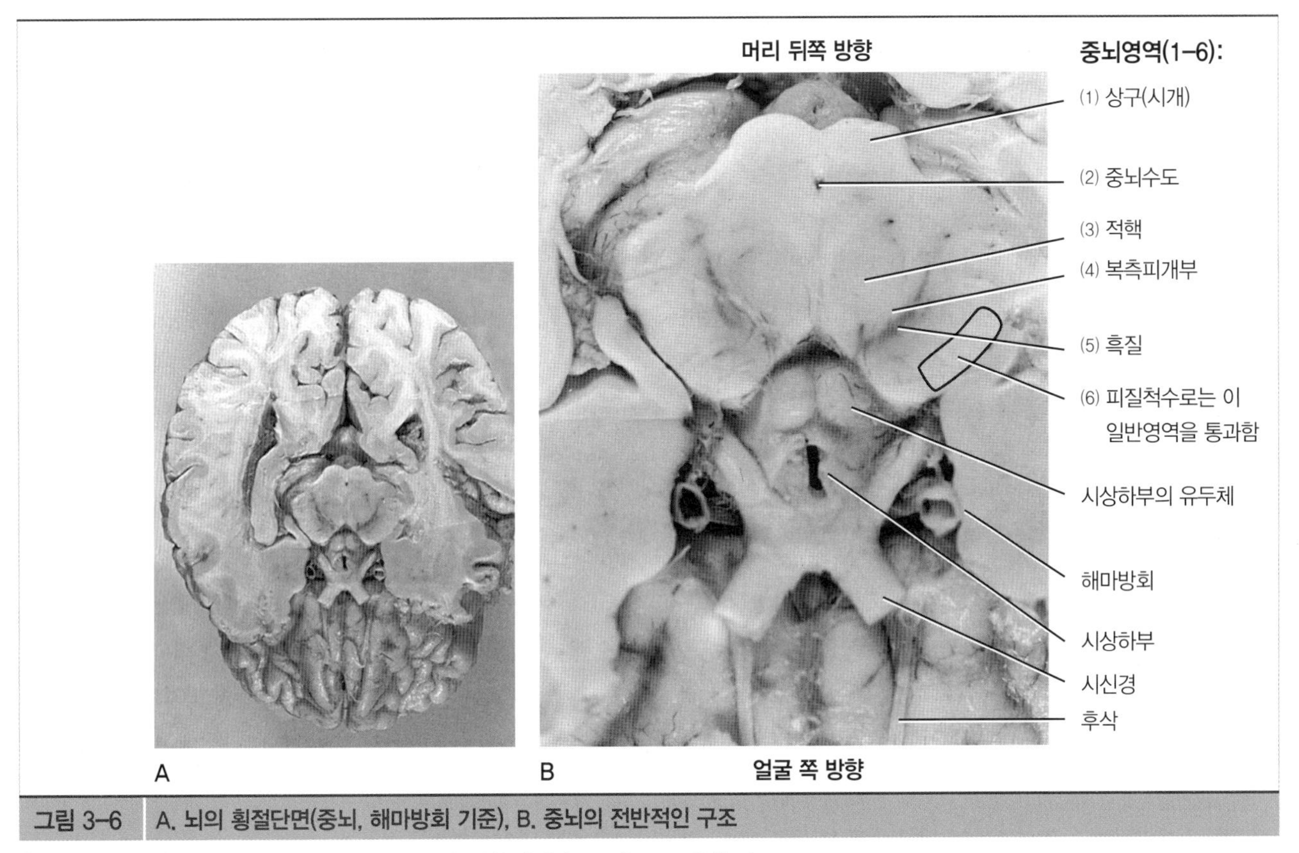

그림 3-6 A. 뇌의 횡절단면(중뇌, 해마방회 기준), B. 중뇌의 전반적인 구조

출처: Berto Tarin, Multimedia Department, Western University of Health Sciences, Pomona, California.

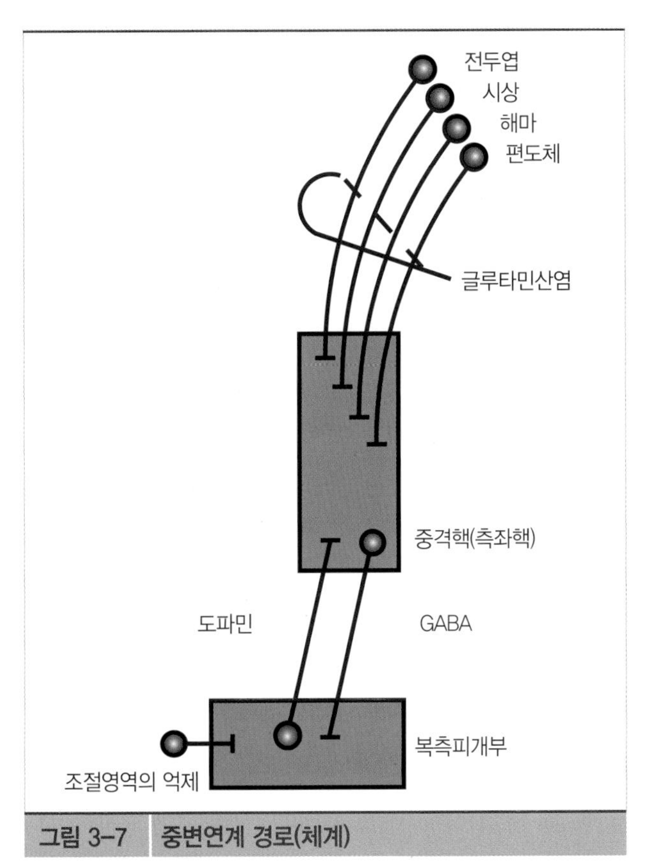

그림 3-7 중변연계 경로(체계)

출처: Alex, K.D., & Pehek, E.A. [2007]. Pharmacologic mechanisms of serotonergic regulation of dopamine neurotransmission. Pharmacology & Therapeutics, 113, 296–320.

▶ 중변연계 경로(mesolimbic pathway)는 물질 남용 및 쾌감을 느끼는 주요 경로로 알려져 있다. 복측피개부는 중격핵에 도파민 뉴런을 투사한다. 아편은 복측피개부에 영향을 미치는 조절 영역을 억제하고, 증가된 양의 도파민을 중격핵으로 방출하여 아편의 보상 양상을 강화시킨다. 전두엽 피질, 시상, 편도체 및 해마로부터의 글루타민산염 뉴런이 중격핵으로 들어가 흥분을 일으킨다. γ-아미노부티르산(GABA) 경로 또한 중격핵에서 복측피개부까지 존재한다. 중변연계 경로는 많은 변연 구조를 포함한다.

5) 간뇌

간뇌(diencephalon)는 시상, 시상하부, 시상상부(송과선 포함), 시상저부로 구성된다(그림 3-2, 3-3 & 3-6). 후각경로를 제외한 모든 감각경로는 시상에서 연접되어 감각정보를 대뇌피질로 전달한다(그림 3-3). 시상하부는 항상성을 유지하고 자율신경계를 조절한다. 즉, 시상하부는 체온조절, 위장 활동 및 심혈관 기능과 같은 내장 기능을 조절하며(Kiernan, 2007), 음식과 물 섭취 및 내분비와 같은 기능을 제어하고 이에 영향을 미친다(표 3-1).

6) 뇌간

뇌간(brainstem), 소뇌 및 척수는 대뇌 아래에 위치한다(그림 3-1). 뇌간은 중뇌, 뇌교 및 연수로 구성된다. 망상계는 뇌간을 포괄하는 중요한 기능적 영역이다.

(1) 중뇌

중뇌(midbrain)는 대뇌 아래 중추신경계가 연속되는 부분으로(그림 3-6), 길이가 약 1.5cm인 비교적 좁은 구조이다. 적핵과 흑질은 중뇌의 중요한 구조로 대부분의 도파민은 이 흑질에서 합성된다. 파킨슨병은 흑질세포의 변성으로 도파민의 양이 적어져 초래된다. 도파민 결핍은 추체외로 운동장애를 유발한다. 변연계와 피질영역에 도파민 경로를 전달하는 복측피개 영역은 적핵 내측의 돌출된 구조이다(그림 3-6, B).

(2) 뇌교

약 2.5cm 길이의 뇌교(pons)는 중뇌와 소뇌 사이의 연결고리를 형성한다. 대뇌에서 내려오는 일부 신경섬유는 중뇌를 통과하여 뇌교에서 끝난다. 뇌교핵(pontine nuclei)은 운동 및 자세 정보를 소뇌에 전달한다.

(3) 연수

연수(medulla oblongata)는 길이가 약 3cm로 경수까지 좁아지는 구조이다. 추체로의 양측 피질척수 운동경로는 연수의 하단에서 X자로 교차하는데(그림 3-4), 이러한 현상은 우뇌 뇌졸중이 신체 좌측의 손상을 초래하는 이유이다. 연수는 호흡 조절, 혈압 조절, 심장박동의 부분 조절, 구토 및 연하중추가 있어 많은 중요 기능을 담당한다.

7) 망상활성계

중뇌 내에서 시작하여 뇌교와 연결되는 커다란 핵으로 구성된 망상활성계(reticular activating system, RAS)는 뇌간 깊숙이 묻혀있는 원시 뇌라고 할 수 있다. 대부분의 감각

표 3-1 시상하부 호르몬의 연쇄반응이 행동에 미치는 영향

시상하부 호르몬	뇌하수체	표적 분비선 및 호르몬	가능한 행동 효과
코르티코트로핀방출호르몬 (corticotropin-releasing hormone, CRH)	• 호르몬 생성을 자극 – 부신피질자극호르몬 (ACTH) – β-엔도르핀	• 부신에서 코르티솔과 코르티솔 관련 호르몬 생성 • ACTH는 코르티솔 생성을 촉진함	• 스트레스는 코르티솔을 방출함 • 우울장애 아동은 하루 동안의 코르티솔 분비의 일주기 패턴이 감소함 • 우울장애 청소년은 입면 시 코르티솔이 증가함 • 외상후 스트레스장애(PTSD) 환자에게서 CRH가 증가함 • 외상후 스트레스장애 환자에게서 CRH에 대한 ACTH의 반응이 저하됨 • β-엔도르핀의 엔도르핀 쾌감경로와 관련하여 기분이 좋아짐
갑상선자극호르몬방출호르몬 (thyrotrophin-releasing hormone, TRH)	갑상선자극호르몬(TSH)의 생성을 자극	갑상선은 T_4, T_3를 생성함	• 항우울제 약물요법에 T_4, T_3 병용 시 약효가 증가됨 • 외상후 스트레스장애에서 T_3 수치가 상승됨
프로락틴분비인자 (prolactin-releasing factor, PRF)	프로락틴 생성을 자극	유선에서 모유 생성	여성화가 나타날 수 있으나 특별한 효과 없음

이 표는 다음을 열거한다: (1) 시상하부 호르몬-분비 또는 억제 여부, (2) 뇌하수체 전엽에서 영향을 미치는 특정 호르몬(Griffin & Ojeda, 2004), (3) 호르몬 생산에 영향을 주는 방식, (4) 영향을 받는 표적 분비선 또는 신체 세포, (5) 행동에 대한 호르몬의 제안된 효과(Charney et al., 2008)
ACTH, adrenocorticotropic hormone; PTSD, posttraumatic stress disorder; TSH, thyroid-stimulating hormone; T_3, triiodothyronine; T_4, thyroxine.

자극은 망상활성계로 전달되어 시상과 시상하부로 전달된 후 통합된다. 망상활성계는 감각자극, 통증, 운동, 대뇌피질의 피드백, 근육의 긴장도 및 교감신경계통 약물(각성제)에 의해 활성화된다. 또한 많은 시냅스로 인해 망상활성계가 쉽게 억제되기도 하는데, 망상활성계에 문제가 발생하고 수면이 어려워져 정신장애가 발생할 수 있다. 또한 망상활성계가 그 기능을 멈추면 혼수상태를 야기한다.

8) 소뇌

소뇌(cerebellum)(**그림 3-1 & 3-2**)는 근육과 관절 및 대뇌피질의 운동신호를 동시에 받아 근육 움직임을 조정한다. 소뇌 대부분은 최종 활동을 조정하기 위해 시상을 통해 대뇌피질과 소통한다. 걷기, 글쓰기, 농구 운동 등의 자연스러운 활동이 가능한 것은 소뇌의 기능 때문이다. 소뇌는 대부분의 근육 협응과 활동을 조정하기만 할 뿐, 운동의 시작은 대뇌피질에서 한다. 또한 소뇌는 평형 유지에 관여한다. 소뇌 기능장애와 관련된 운동장애, 기저핵 기능장애와 관련된 운동장애의 차이점은 **표 3-2**에 제시되어 있다.

표 3-2 소뇌와 기저핵 기능장애와 관련된 운동장애의 차이점
일반 차이점 • 소뇌 기능장애: 수의적 운동이 조정 불가능하고 어색함 • 기저핵 기능장애: 의도하지 않은 의미 없는 움직임이 예기치 않게 유발됨
소뇌 기능장애 • 운동실조증: 자세 및 보행의 어색함, 조정의 부족, 목표물에 손을 뻗을 때 목표물을 지나침, 손가락으로 두드리거나 신속하게 교대하는 움직임을 수행할 수 없음, 언어근육을 어색하게 사용하여 불규칙한 소리를 냄 • 환측의 반사신경 감소 • 무력증: 근육이 쉽게 피로해짐 • 의도성 떨림: 연필을 쥐는 등 의도적으로 무언가를 하려고 할 때 나타남 • 길항운동 반복불능증(adiadochokinesia): 미세하고 빠르게 반복되는 조정된 움직임을 수행할 수 없음
기저핵 기능장애 • 파킨슨병: 강직, 운동지연, 휴식 시 진전, 가면과 같은 얼굴표정, 발을 끄는 보행 • 무도병(chorea): 갑작스럽고 요동치는 목적 없는 움직임 [예: 헌팅턴병, 시드남 무도병(Sydenham's chorea)] • 무정위운동(athetosis): 천천히 몸부림치는 뱀 같은 움직임, 특히 손가락과 손목에서 발생 • 편무도병(hemiballismus): 한쪽 팔의 갑작스럽고 거친 떨림 • 안구진탕증(nystagmus): 부적절한 급속 안구운동

출처: Goldberg, S. (2003). Clinical neuroanatomy. Miami, Florida: MedMaster.

2. 뉴런과 신경전달물질

1) 뉴런

뉴런(neuron)은 신경계의 기본 소단위로서, 큰 핵, 축삭(axon) 및 수상돌기(dendrites)를 가진 세포체로 구성된다. 뉴런의 세포체와 수상돌기는 피질과 뇌핵의 회백질을 구성한다. 뉴런은 활동 전위 또는 전기적 탈분극의 파동을 축삭 과정을 통해 다른 뉴런으로 보내 정보를 전송한다. 수상돌기는 다른 뉴런으로부터 자극을 받고 이러한 자극을 세포체로 전달하며, 축삭은 세포체에서 다른 뉴런이나 근육, 선(gland)으로 충격을 전달한다. 뉴런은 (1) 감각뉴런(또는 구심성뉴런), (2) 운동뉴런(또는 원심성뉴런), (3) 연합뉴런(또는 매개뉴런)으로 구성된다. 중추신경계 뉴런은 대부분 연합뉴런이다. 자극은 신경전달물질이 시냅스를 통해 전달되어 시냅스 후 수용체에 영향을 미치고 다음 자극을 유발한다(**그림 3-2**).

2) 신경전달물질

신경전달물질(neurotransmitters)은 콜린성, 모노아민, 신경펩타이드 및 아미노산의 4가지 주요 그룹으로 나뉜다. 신경전달물질을 사용하는 주요 뇌 경로에 대한 구체적인 예가 **표 3-3**에 제시되어 있다. 신경전달물질은 일부 정신장애에서 중요한 역할을 한다(**표 3-4**).

(1) 콜린성

대표적인 아세틸콜린(acetylcoline)은 자율신경계에서 주요 효과를 보이고, 시냅스전 신경말단과 모든 부교감신경의 시냅스 후 신경말단에서 활동한다. 기능은 주로 수면, 각성, 통증지각 및 운동의 협응, 기억 보유 등과 관련이 있다. 관련 질환으로 파킨슨병, 헌팅턴병, 알츠하이머병이 있다.

(2) 모노아민

① 노르에피네프린

자율신경계 교감신경 시냅스 후 신경말단에서 활동을 일으키는 신경전달물질이며, 중추신경계 경로는 뇌교와 연수에서 시작하여 시상, 시상하부, 변연계, 해마, 소뇌, 대뇌피질을 연결한다. 노르에피네프린(norepinephrine, NE)은 축삭말단세포로 저장되기 위해 재흡수되는데, 재흡수되지 않으면 모노아민 산화효소(monoamine oxidase, MAO)에 의해 대

표 3-3 | 신경전달물질 및 주요경로

범주	신경전달물질	중추신경계 내 위치	주요 경로
콜린성 (cholinergic)	아세틸콜린 (acetylcholine)	기저핵, 뇌교	기저핵에서 대뇌피질, 중격영역에서 해마
모노아민 (monoamines)	도파민 (dopamine)	• 흑질 • 복측피개부(VTA) • 복측피개부(VTA) • 시상하부	• 흑질선조체 • 중변연계 • 중피질계 • 결절누두
	노르에피네프린 (norepinephrine)	청반	청반(뇌교 내)에서 시상, 대뇌피질, 소뇌, 척수
	세로토닌 (serotonin)	봉선핵(솔기핵)	• 상측 봉선핵에서 시상, 선조체, 시상하부, 해마, 중격핵, 전전두엽 피질 • 미측 봉선핵에서 소뇌, 척수
아미노산 (amino acids)	GABA	대부분 일반적 억제성 전달물질	푸르키니에 세포에서 심부 소뇌핵, 선조체 흑질
	글루타민산염 (glutamate)	대부분 일반적 흥분성 전달물질	중추신경계 내 널리 분포
펩타이드 (peptides)	엔도르핀(endorphin), 엔케팔린(enkephalin)	뉴런 내 존재	시상하부, 시상, 변연계, 중뇌, 뇌간
	물질 P(substance P)		시상하부, 변연계, 중뇌, 뇌간

이 표는 잘 알려진 많은 신경전달물질과 신경계에서 생성되어 방출되는 일반적인 위치에 대한 간략한 요약을 제공한다.
ACTH, adrenocorticotropic hormone; GABA, γ-aminobutyric acid; VTA, ventral tegmental area.
출처: Keltner, N.L., & Folks, D. (2005). Psychotropic drugs (4th ed.). St. Louis: Mosby.

사되고 불활성화된다. 노르에피네프린은 감정, 인지 및 지각, 조정, 수면과 각성을 조절하는 기능을 담당하며, 우울 및 조증, 조현병과 관련되어 있다.

② 도파민

도파민(dopamine, DA)의 경로는 중뇌와 시상하부에서 시작하여 전두엽 피질, 변연계, 기저신경절을 거쳐 시상까지 이어지며, 흑질선조체 경로, 중변연계 경로, 중피질계 경로, 결절누두부 경로 등 4가지 경로가 존재한다. 시상하부에 있는 도파민 뉴런은 뇌하수체 후엽과 연결되며, 시상하부 후엽에서 척수로 투사된다. 도파민은 운동과 조정, 정서, 자발성 등의 기능을 담당하며, 도파민 혈중 내 농도 증가는 조현병, 조증과 관련 있다.

③ 세로토닌

세로토닌(serotonine; 5-hydroxytryptamine, 5HT)의 경로는 뇌교와 연수의 세포체에서 시작하여 시상하부, 시상, 변연계, 대뇌피질, 소뇌, 척수를 포함한 영역으로 투사된다. 축삭 말단세포로 재흡수되지 않은 세로토닌은 MAO에 의해 대사된다. 기능은 수면과 각성, 감정, 분노, 성적 충동, 통증 지각이고, 불안, 조현병, 기분장애 등의 정신질환과 관련이 있다.

④ 히스타민

히스타민(histamine)은 알레르기 및 염증반응과 관련되며, 중추신경계에서 우울성 질환과 관련이 있다.

(3) 아미노산

① GABA

GABA(gamma-aminobutyric acid)는 뇌의 시상하부, 해마, 대뇌피질, 소뇌, 기저신경절과 척수의 회백질과 망막에 분포되어 있으며, 불안장애, 운동성 장애 등과 관련이 있다.

② 글루타민산

글루타민산(glutamate)은 신체의 모든 세포에서 발견되는 흥분성 아미노산계 신경전달물질이다. 글루타민산의 과다 노출은 신경세포에 해를 주는 신경독성 효과가 있다. 뇌졸중, 저혈당, 지속적인 저산소증, 허혈, 허닝톤, 알츠하이머 같은 퇴행성 질환으로 인한 뇌손상에서 글루타민산이 발견된다.

(4) 펩타이드

뉴런 내에 존재하는 신경전달물질로 아편유사 펩타이드와 물질 P(substance P)가 있다.

① 아편유사 펩타이드

신경경로는 시상하부, 시상, 변연계, 중뇌, 뇌간에 이르며, 천연 모르핀처럼 통증조절 기능을 한다.

② 물질 P

신경경로는 시상하부, 변연계, 중뇌, 뇌간에 이르며, 감각신경섬유에 고농도로 존재하여 통증 조절에 관여하고, 알츠하이머병, 기분장애, 헌팅턴병과 관련이 있다.

표 3-4 신경전달물질과 관련 정신장애

신경전달물질	정신장애
도파민 증가	조현병
노르에피네프린 감소	우울증
세로토닌 감소	우울증
아세틸콜린 감소	알츠하이머병
GABA 감소	불안

GABA, γ-aminobutyric acid.

3. 자율신경계

자율신경계(autonomic nervous system)는 교감신경(흉요추)과 부교감신경(두개천골)으로 구분된다(**그림 3-8**). 교감신경계는 에너지를 소비하며, 첫 번째 흉추(T1)에서 세 번째 요추(L3) 척수까지 연속기둥을 형성한다. 교감신경세포가 흉추 및 요추의 일부분에 국한되지만, 인체 전체에 영향을 미쳐 각 기관을 자극한다.

콜린성 시스템인 부교감신경계는 에너지를 보존하며, 뇌간 및 흉수 부위로 나누어져 있다. 많은 향정신성 약물이 항콜린 성질을 가지기 때문에 정신간호사는 부교감신경뉴런에 대하여 특히 잘 알고 있어야 한다. 항콜린성 약물은 신경의 기능을 차단하여 동공 확장, 눈물 감소, 구강건조, 빈맥, 변비, 핍뇨 등의 증상을 유발한다.

시상하부는 자율신경계의 상위 중추로서, 교감신경과 부교감신경 두 가지 시스템을 선택적으로 작동시킬 수 있다(**그림 3-8**).

4. 뇌실계

뇌는 약 140mL, 즉 커피 한잔 정도의 뇌척수액(cerebrospinal fluid, CSF)에 떠 있다. CNS는 하루에 약 800mL의 뇌척수액을 생성하며, 뇌척수액은 뇌의 지주막하 공간과 뇌실 주위를 순환한다. 뇌실은 뇌 안에 4개의 공간을 형성한다(**그림 3-3**). 하나의 큰 뇌실은 각각 대뇌반구에 있고, 작은 제3뇌실 및 제4뇌실은 간뇌, 그리고 뇌교와 소뇌 사이에 각각 위치하고 있다. 제4뇌실은 지주막하 공간과 연결되며, 지주막하 공간의 뇌척수액은 뇌의 상측 표면의 상시상정맥동으로 돌출된 지주막융모를 통해 뇌실계(ventricular system)로 유입된다. 지주막융모가 두부외상이나 수막염과 같은 어떤 이유로 손상되면 뇌척수액이 빠르게 축적된다.

뇌실의 확대는 (1) 뇌 안팎에서의 CSF 유출의 막힘, (2) CSF의 과잉 생성, (3) 많은 피질뉴런의 사멸로 인한 뇌위축, (4) 신경발달 문제 등으로 인해 발생한다. 처음 2가지 문제는 수두증의 원인인 반면, 뇌위축(신경변성)은 만성 알코올 중독 환자 및 알츠하이머병 환자에서 흔히 발견된다. 신경퇴행의 경우, 새로운 공간이 생성되고 공백을 채우기 위해 뇌실이 확대된다. 뇌실 변화를 일으키는 신경발달 문제는 조현병과 관련이 있다.

5. 임상 적용

많은 정신장애는 생물학적 문제 때문에 유발될 수 있다. 따라서 정신장애의 생물학적 맥락이 증상 및 행동과 밀접하게 관련되어 있으며, 정신장애 환자를 이해하기 위해서 정신생물학적 기초를 적용하여 총체적으로 접근해야 한다.

1) 조현병

조현병(schizophrenia)에 대한 여러 가지 정신생물학적 영향은 다음과 같다. 첫째, 일부 연구에서 조현병 환자의 뇌

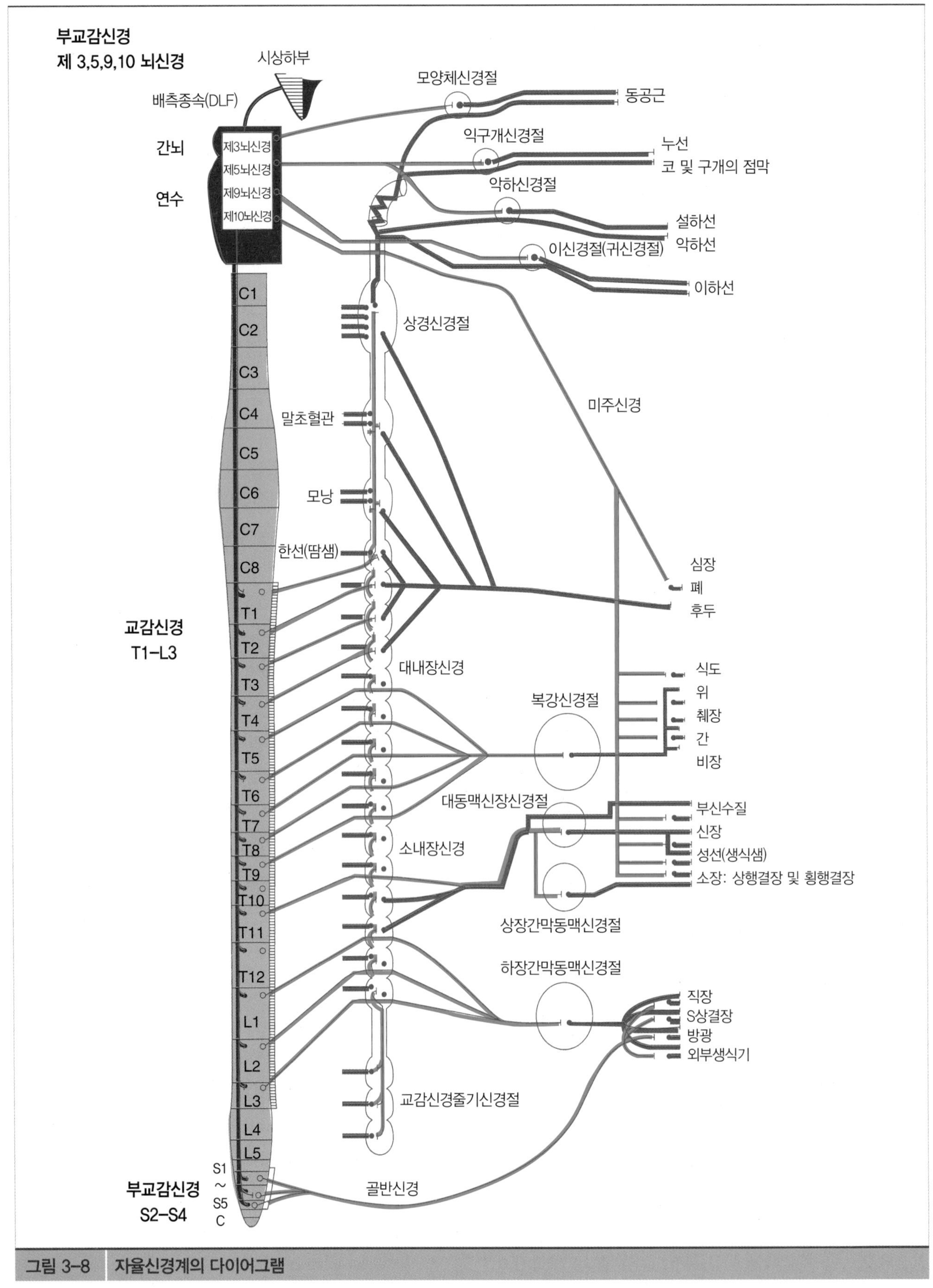

그림 3-8 자율신경계의 다이어그램

▶ 신경절전신경원은 녹색 선, 신경절후신경원은 파란 선으로 표시되었다. 배측종속(dorsal longitudinal fasciculus, DLF)은 빨간 선으로 표시되었으며, 시상하부와 부교감신경계 및 교감신경계 뉴런을 연결하여 천추 수준까지 내려간다.

실이 확대되어 있음을 발견하였다. 조현병에서의 뇌실확대의 가능성은 신경발달 요인과 관련이 높다. 둘째, 많은 조현병 환자에서 대뇌피질과 백질, 하부 피질핵의 감소가 분명하게 나타난다. 셋째, 대뇌피질 전두엽 영역에서의 뇌혈류 감소인 전두엽 기능저하(hypofrontality)를 볼 수 있으며, 혈류와 포도당 대사를 추적하는 영상에서 생리적 변화를 확실하게 관찰할 수 있다. 이러한 뇌의 변화로 인해 조직화, 계획, 학습, 문제해결 및 비판적 사고와 같은 전두엽 인지기능이 저하된다. 넷째, 조현병에 대해 가장 많이 알려진 생물학적 이론은 도파민 가설이다. 이 이론에 따르면, 조현병은 뇌의 도파민 수치의 변화에 의해 유발된다. 16장에는 생물학적으로 관련된 조현병의 유전 이론을 제시하며, 정신장애 약물치료는 12장에서 논의된다.

CRITICAL THINKING QUESTION

5. 조현병 환자에게서 배외측 전전두엽 영역의 혈류 감소가 관찰되었다. 어떠한 증상을 보일 것으로 예상하는가?

2) 우울증

두 가지 중요한 신경전달물질인 노르에피네프린과 세로토닌의 감소가 우울증(depression)에 영향을 줄 것으로 생각된다(표 3-4). 그 외 아세틸콜린, 도파민, GABA 등이 관련된다. 17장은 이러한 신경전달물질과 우울증에서 세포수용체, 갑상선, 시상하부 및 뇌하수체 기능에 대해 논의한다.

3) 불안장애

많은 연구에서 GABA 수용체를 활성화하는 약물이 불안해하는 환자를 진정시킬 수 있다고 한다. 노르에피네프린, 도파민, 세로토닌과 같은 신경전달물질이 불안감의 원인이 될 수 있다. 교감신경계가 에피네프린, 노르에피네프린, 도파민에 의해 자극되면(표 3-3) 불안정한 반응이 일어난다. 불안장애는 19장에서 논의된다.

4) 치매

신경인지장애의 주요 질환인 알츠하이머 치매(alzheimer's dementia, AD)는 신경섬유 매듭과 아밀로이드반에 의한 뇌위축으로 유발된다. 보통 알츠하이머병 환자에서 뇌실 확대, 얇아진 피질 리본(cortical ribbon; 회색질), 뇌구(sulcus)의 확장, 뇌회(gyrus) 폭의 감소 등의 소견이 나타난다. 알츠하이머병 환자에서 콜린성 경로의 소실은 기억력 저하로 이어진다. 알츠하이머병 환자는 최근 기억을 상실하고, 언어의 사용방법, 일상적인 물건의 사용방법 등을 잊어버리게 된다. 알츠하이머병 및 기타 치매에 대해서는 21장에서 논의된다.

5) 퇴행성 질환

파킨슨병은 운동기능 및 감정적인 안정성에 영향을 주는 퇴행성 질환(degenerative diseases)이다. 파킨슨병 환자는 기저핵 특히 미상핵과 담창구의 퇴행성 변화가 나타난다. 가장 중요한 변화는 도파민 합성의 주요부위인 흑질의 퇴화이다. 추체외로계에서의 도파민 감소는 진전, 운동지연 및 강직을 일으킨다. 파킨슨병은 12장에서 더 자세히 논의된다.

6) 탈수초성 질환

탈수초성 질환(demyelinating diseases)으로 다발성 경화증을 들 수 있다. 이는 인체의 면역체계가 수초와 축삭을 공격하여 결국 신경섬유가 파괴되어 사지의 감각상실, 근력약화, 피로, 복시 및 저림을 비롯한 다양한 문제를 유발한다. 다발성 경화증 환자는 탈수초화와 관련된 심리적 증상을 경험한다.

7) 신경성 식욕부진증

식사 거부와 다양한 정서적 문제를 특징으로 하는 신경성 식욕부진증은 시상하부 기능장애와 관련이 있으며, 신경성 식욕부진증은 26장에서 더 자세히 논의된다.

8) 외상

중추신경계 외상(trauma)을 경험한 대상자는 신경인지장애나 파킨슨병에서 발견되는 병변과 유사한 뇌 손상이 나타날 수 있다. 자동차 사고 및 스포츠 부상(예: 축구)으로 인한 두부외상 환자의 경우 외상의 위치, 심각성 및 빈도에 따라 증상이 다를 수 있다. 측두엽에 손상을 입을 경우 기억상실증이나 실어증을 경험하며, 전두엽 손상 시 성격변화 또는 정신장애를 보일 수 있다.

9) 물질사용장애

중격핵(nucleus accumbens)이 중독 문제에서 핵심적인 역할을 하고, 중독의 원인이 생물학적 경로에 기인한다는 근거가 차츰 밝혀지고 있다.

10) 미토콘드리아 유전자 문제

양친에 의해 유전되는 염색체와는 달리, 미토콘드리아 유전자(mitochondrial DNA)는 모친에 의해서만 난자에 전달된다. 다양한 돌연변이 미토콘드리아는 수많은 질병을 초래할 수 있다. 돌연변이 미토콘드리아는 세포의 정상 기능에 필요한 에너지를 생성하지 못하며, 시간이 지나면서 그 수가 증가하여 특정 세포와 신체기관을 손상시킨다.

신체와 정신에 관련된 어떤 부분도 유전적 요소가 개입되지 않았다고 할 수 없고, 임상연구를 통해 정신장애와 유전은 상당한 연관성이 있음이 알려졌다. 하지만 정신질환을 일으키는 유전자에 대한 연구는 윤리적·정치적·과학적 측면에서 볼 때, 매우 어려운 문제임에 틀림없다.

정신질환의 유전적 기초를 밝히기 위해 수행되는 연구의 유형은 크게 쌍생아 연구, 입양아 연구, 가족 연구로 나눌 수 있다. 쌍생아 연구에서는 일란성 쌍생아와 이란성 쌍생아에서 특정 질환의 특성과 비율을 비교하여 유전요인의 작용 정도를 알아본다. 또한 입양아 연구에서는 생물학적 친자녀와 입양한 자녀 사이의 특성을 비교하여 유전요인과 환경요인에 대한 상대적인 중요성을 확인하고, 가족 연구를 통해서 먼 친척이나 일반인보다 부모, 형제자매, 자녀와 같이 가장 가까운 일차 친족에서 정신질환의 발생 빈도를 비교하여 특정 정신질환에서 가족적 군집 경향이 있는지 확인하기도 한다.

조현병, 우울장애, 양극성장애, 자폐장애, 주의력결핍과잉행동장애, 특정학습장애(읽기곤란형), 투렛장애 및 알츠하이머병에서도 유전요인의 영향이 보고되고 있다. 인간의 모든 DNA의 규명, 각 유전자와 연관되어 암호화되어 있는 질환과 인간 특성을 발견하기 위한 인간게놈 연구, 그리고 뇌의 특정 영역의 어떤 유전자가 연관되어 질환이 발현되는지에 초점을 둔 유전 연구의 결과들은 앞으로 정신건강과 정신질환에 대한 생물학적 영향을 이해하는 데 막대한 영향을 미치게 될 것이다.

CRITICAL THINKING QUESTION

6. 이 장에서 읽은 내용을 토대로 조현병을 치매로 본 크레펠린의 견해를 지지할 수 있겠는가?

11) 인생 초기 스트레스와 외상

유년기·청소년기의 중요하고 지속적인 스트레스와 심각한 외상, 모성 행동 및 학대는 여러 가지 손상을 일으켜 정신건강 문제로 이어질 수 있다. 즉, 유년기·청소년기 스트레스와 외상은 코르티솔 수치를 증가시킨다. 과도한 코르티솔 증가는 해마의 위축을 일으키고, 기억과 학습 등의 해마 활동에 손상을 유발한다. 상승된 코르티솔 수치는 심박수 증가, 근긴장, 분노, 불안, 공포 및 우울장애와 관련이 있다(Miller, 2005b).

오랜 기간 동안 코르티솔이 상승된 성인 대상자는 시상하부·뇌하수체·부신체계로 인해 스트레스에 과민반응을 일으켜 우울장애와 불안감을 경험할 수 있다.

6. 뇌신경계 검사

컴퓨터의 급속한 발전과 더불어 사람의 뇌를 직접적으로 영상화시켜 뇌 구조와 기능을 평가하는 기술이 발전되었다. 이 기법은 뇌 장애의 진단에 도움을 주고 뇌의 각 부위간 기능의 관련성을 파악할 수 있도록 해 준다.

1) 뇌파검사(electroencephalography, EEG)

(1) 작용 및 방법

기기를 이용한 뇌의 이상 평가 방법으로 정신과 영역에서 가장 오래된 검사법이다. 뇌파의 주요 결정인자는 대뇌피질의 가장 바깥층에 있는 신경세포에서 나오는 전기적 활동으로, 이를 측정한다. 간질이나 뇌 대사 이상 진단에 많은 정보를 제공한다.

(2) 적응증

간질이 가장 주요한 적응증이나 치매, 섬망, 의식의 변화, 자동증, 두뇌 손상, 환각, 해리현상 등을 평가하는 데 도움이 된다.

2) 컴퓨터 단층촬영(computed tomograpy, CT)

(1) 작용 및 방법

서로 대칭적으로 위치한 X선 관구와 검출기가 횡단 또는 회전 운동을 하면서 수많은 방향에서 투과된 X선 양을 측정하여 컴퓨터로 재구성한 단면 영상이다.

(2) 적응증

종양이나 뇌혈관 질환 같은 뇌의 구조적 병변을 진단하여 기질성 뇌질환을 감별하기 위해 흔히 사용한다.

3) 뇌전기활동지도(brain electrical activity mapping, BEAM)

(1) 작용 및 방법

특별한 자극에 의해 감각 자극화될 수 있는 뇌의 전기적인 활동의 뇌파 기록으로부터 유도된 자료를 나타내기 위해서 CT를 사용한다.

(2) 적응증

발생 가능한 병리적 상태의 발견을 방해하는 뇌표면 주위의 광범위한 영역의 축적된 활동을 보여준다.

4) 자기공명영상(magnetic resonance imaging, MRI)

(1) 작용 및 방법

강력한 자기장 하에서 수소핵의 자기공명 현상을 이용하여 영상정보를 얻는 것으로 CT보다 해상력이 뛰어나 백질과 회백질을 실물처럼 구분할 수 있으며 더 얇은 단면을 얻을 수 있다.

(2) 적응증

해부학적으로 병변이 측두엽, 소뇌, 뇌간, 척수에 있거나 피질하 구조물이 의심될 때, CT 소견에 이상이 있으나 진단이 되지 않을 때, CT 소견은 정상이나 MRI에서 특이적인 소견이 나타나는 질환이 의심될 때 사용한다.

5) 기능적 자기공명영상
(functional magnetic resonance imaging, fMRI)

(1) 작용 및 방법

감각, 동작 혹은 인지 수행 등에 의한 신경세포 활성화에 따른 국소 대사 및 혈액학적 변화를 뇌 자기공명영상의 신호 강도 차이로 변환시켜 영상화하는 검사이다. PET나 SPECT와 달리 뇌의 기능적 활동을 측정하기 위해 방사성 동위원소와 같은 약물을 투여할 필요가 없어 안전하며, 반복적으로 실험을 수행할 수 있다.

(2) 적응증

국소적 뇌 영역의 인지 활성 양상을 측정하는 데 사용한다.

6) 자기공명분광검사
(magnetic resonance spectroscopy, MRS)

(1) 작용 및 방법

여러 가지 핵들을 자기공명 현상을 이용하여 영상 정보를 얻는 것으로 생물학적으로 중요한 핵들을 탐지할 수 있다.

(2) 적응증

생체 내에서 일어나는 여러 가지 대사 기능을 직접 측정할 수 있다. MRI와는 달리 같은 원자라도 핵 주변의 전기화학적 환경이 다르므로 이 미세한 차이를 이용하여 여러 다른 핵들의 자기공명을 탐지하도록 고안되었다. 뇌에서 항정신병 약물의 농도를 측정할 수 있다.

7) 양전자방출 단층촬영
(position emission tomograpy, PET)

(1) 작용 및 방법

조영제를 투여하여 뇌의 신경전달물질 수용체 활동을 검사한다. fluorine-18, nitrogen-13, oxygen-15 등의 동위원소를 리간드에 붙여 혈액에 주입하면 뇌에 도달한 동위원소가 붕괴되면서 양전자를 방출하고 이것은 바로 전자를 만나 충돌하여 한 쌍의 광자가 생성되는데, 이 광자가 80도 각도를 두고 광속으로 이동하는 것을 탐지하여 영상을 재구성한다.

(2) 적응증

뇌 혈류량, 뇌 산소이용도, 뇌 당대사, 중추신경계, 신경전달물질 수용체 기능과 분포 등을 측정한다. 뇌 산소이용도와 대사율 측정, 파킨슨병의 변화 소견, 도파민 수용체의 변화를 규명하거나 특정한 항정신병 약물에 의한 수용체 점유율 등을 파악할 수 있다.

8) 단일광자 단층촬영
(single photon emission computed tomography, SPECT)

(1) 작용 및 방법

광자를 방출하는 동위원소(iodine-123, technetiun-99m,

xenon-133)로 표지된 물질을 주입한 후 뇌에 도달하여 방출되는 감마선을 검출기로 탐지한다. 동시에 여러 개의 검출기로 탐지한 뇌 단면 내 동위원소의 분포를 컴퓨터를 이용해 3차원 영상으로 재구성한다. PET와 비슷하지만 보다 안정된 물질의 혈액 흐름 형태를 나타내기 위해서 다른 검출기를 사용한다.

(2) 적응증

임상적으로 가장 많이 사용되는 검사법으로 Xe-133을 이용하여 뇌혈류량을 측정하고 Iodine-123으로 적절한 리간드에 표지하면 아세틸콜린계, 도파민계, 세로토닌계 등의 수용체나 운반체의 농도 측정이 가능하다.

STUDY NOTES

1. 뇌는 1,000억 개의 뉴런으로 구성된 복잡한 기관이며, 해부학적, 생리학적 변화는 행동에 영향을 미친다. 전인적 간호를 제공하기 위해 간호사는 뇌기능 장애가 행동에 미치는 영향을 이해해야 한다.
2. 심리적 원인 때문이라고 생각했던 정신질환이 최근 뇌기능 장애의 영향에 의한 것임이 알려졌다.
3. 대뇌피질은 회백질의 외층으로 회백질은 신경의 세포체로 구성되어 있고 뇌의 주요 활동을 담당한다.
4. 추체외로계에 있는 2개의 주요 신경전달물질은 도파민(억제성 및 흥분성)과 아세틸콜린(흥분성)이다.
5. 추체로 운동시스템은 정밀한 동작을 조절하고, 기저핵 운동시스템은 움직임의 균형과 안정성에 관여한다.
6. 망상활성계는 의식의 정도에 관여하며, 망상활성계의 자극이 증가함에 따라 각성 수준이 증가한다.
7. 시냅스에 신경전달물질인 화학물질이 전달됨으로써 한 뉴런에서 다른 뉴런으로 자극이 이동한다.
8. 도파민 가설은 조현병이 뇌에서 도파민 수치의 변화로 인해 발생한다고 가정한다.
9. 신경전달물질 이론에 의하면 우울장애는 노르에피네프린과 세로토닌 둘 다 감소된 수준과 관련이 있다.
10. 불안장애는 GABA 수치의 변화와 관련이 있다.
11. 치매, 특히 알츠하이머 치매(alzheimer's dementia, AD)는 뇌위축과 관련이 있으며, 구조적 뉴런의 미세한 변화와 신경섬유 매듭 및 아밀로이드 플라그의 형성으로 특징 지어진다. 아세틸콜린 결핍과도 관련이 있다.

참고문헌 REFERENCES

Bear, M. F., Connors, B. W., & Paradiso, M. A. (2007). Neuroscience: Exploring the brain (3rd ed.). Philadelphia: Lippincott Williams & Wilkins.

Boss, B. J., & Stowe, A. C. (1986). Neuroanatomy. The Journal of Neuroscience Nursing, 18, 214-230.

Brodal, P. (2010). The central nervous system (4th ed.). New York: Oxford University Press.

Cahill, L. (2005). His brain, her brain. Scientific American, 292, 40-47.

Charney, D. S., Nestler, E. J., & Bunney, B. S. (2008). Neurobiology of mental illness (3rd ed.). New York: Oxford University Press.

Griffin, J. E., & Ojeda, S. R. (2004). Textbook of endocrine physiology (5th ed.). New York: Oxford University Press.

Heath, R. G. (1972). Pleasure and brain activity in man: Deep and surface electroencephalograms during orgasm. The Journal of Nervous and Mental Disease, 154, 3-18.

Herrman, J. W. (2005). The teen brain as a work in progress: Implications for pediatric nurses. Pediatric Nursing, 31, 144-148.

Kandel, E. R., Schwartz, J. H., & Jessell, T. M. (2013). Principles of neural science (5th ed.). New York: McGraw-Hill.

Kiernan, J. A. (2007). Barr's the human nervous system: An anatomical viewpoint (9th ed.). Philadelphia: Lippincott Williams & Wilkins.

Konrad, A., & Winterer, G. (2008). Disturbed structural connectivity in schizophrenia primary factor in pathology or epiphenomenon? Schizophrenia Bulletin, 34, 72-92.

Miller, C. M. (2005a). The adolescent brain: beyond raging hormones. Neuroscience research is suggesting some reasons why teenagers are that way. The Harvard Mental Health Letter, 22, 1-3.

Miller, C. M. (2005b). The biology of child maltreatment. How abuse and neglect of children leave their mark on the brain. The Harvard Mental Health Letter, 21, 1-3.

Schapira, A. H. (2012). Mitochondrial diseases. The Lancet, 379, 1825-1834.

CHAPTER

4

심리사회적 이해

Psychosocial Bases of Behavior

http://evolve.elsevier.com/Keltner

학습목표

- 인간 행동에 대한 정신역동적 이해를 위해 의식의 구조와 성격의 구조를 설명한다.
- 방어기전의 유형에 따른 정의를 설명한다.
- 프로이트의 정신성적 발달단계를 기술한다.
- 에릭슨의 정신사회적 발달단계를 설명한다.
- 설리반의 대인관계 발달단계를 설명한다.
- 말러의 분리-개별화 발달단계를 나열한다.
- 피아제의 인지발달 단계를 설명한다.
- 매슬로우의 욕구발달 단계를 설명한다.
- 대상자의 심리사회적 발달단계에서 발생하는 문제에 가장 유용한 이론을 선택한다.

I 정신역동적 이해

프로이트(Sigmund Freud; 1856–1939)의 이론은 정신건강 간호 실무와 밀접한 관련성이 있다. 이 이론은 복잡한 인간의 성장과정에 대한 포괄적인 설명을 제공하는데, 특히 부모의 성격이 어린 시절의 경험에 강력하게 영향을 준다고 설명하였다. 무의식에 관한 프로이트의 이론은 인간의 복잡한 정신활동과 행동을 설명한 기초이론으로서 매우 가치가 있다. 의식과 무의식의 영향을 고려하여 간호사는 대상자의 고통의 근본적인 원인을 파악할 수 있다.

정신역동(psychodynamic)이란, 인간이 상황에 적응할 때 정신적인 힘이 어떻게 나타나고 이용되는지를 설명하는 것을 말한다. 프로이트는 정신역동을 파악하면 인간 행동의 원인을 이해할 수 있다고 설명하였다. 프로이트는 정신분석치료의 중요한 도구로서 대상자가 말한 내용의 이면에 숨겨진 본질적인 의미에 집중하며 주의깊게 경청하는 태도의 중요성을 강조하였다. 인간의 정신심리적 발달과정을 살펴보기에 앞서, 프로이트가 제시한 의식과 성격의 구조, 방어기전에 대해 설명하고자 한다.

1. 의식의 구조

프로이트는 인간의 성격과 행동에서 발생하는 문제를 이해하기 위해 의식의 구조(levels of conciousness)를 제시하였다. 그는 의식의 구조에 대한 빙산 모델을 통해 인간의 마음(정신) 기능이 어떻게 작용하는지를 설명하였다(그림 4-1).

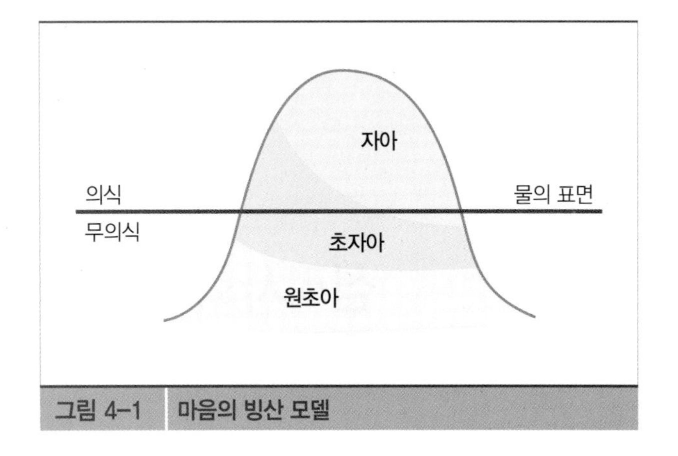

그림 4-1 마음의 빙산 모델

1) 의식

의식(consciousness)이란 우리가 지각하고 있는 상태로, 깨어 있는 상태에서 자기 자신이나 사물에 대하여 인식하는 부분을 의미한다. 또한 현실에서 인간 개개인이 직접 경험하는 심리적 현상의 전체이다. 프로이트는 의식을 수면 위에 노출된 빙산의 일부분에 비유하였으며, 마음의 의식적 부분인 지각, 기억, 생각, 환상, 느낌뿐만 아니라 사람이 순간에 인식하는 모든 내용을 포함한다고 하였다. 의식은 자아와 일부 초자아로 구성되어 있어, 합리적이고 신중하며 현실을 인식하는 부분이다.

2) 전의식

전의식(preconsciousness)은 밀물과 썰물에 따라 땅이 보이고, 안 보이기도 하듯이 의식화되기도 하고 안 되기도 하는 수준을 말한다. 전의식은 의식의 표면 바로 아래에 위치하고 의식적 노력을 기울이면 쉽게 떠오를 수 있는 모든 기억을 포함한다. 이는 의식의 부담을 덜어주기 위해 필요성이 낮은 내용을 전의식에 저장하거나, 수용할 수 없는 무의식적 기억이 의식으로 떠오르지 않도록 막아주는 역할을 한다.

3) 무의식

무의식(unconsciousness)은 현재의 의식상태에 나타나 있지 않은 모든 심리적 내용으로, 모든 억압된 기억, 열정, 그리고 표면 아래 깊은 곳에 자리하고 있는 수용되지 않는 충동 등을 포함한다. 트라우마와 관련된 기억과 감정은 개인이 그것을 다루기에 너무 고통스럽기 때문에 무의식 속에 자리잡을 수 있다. 무의식은 개인의 의식적인 사고와 감정에 강력하면서도 보이지 않는 영향을 미친다. 개인은 보통 훈련된 치료자의 도움 없이 무의식적인 내용을 떠올릴 수 없으며, 치료자의 개입을 통해 무의식적인 내용을 꿈의 분석과 자유연상을 통해 의식으로 가져올 수 있다. 무의식은 주로 원초아와 초자아로 구성되며, 비논리적이고 모순된 사고나 느낌을 포함한다.

CRITICAL THINKING QUESTION

1. 대상자의 행동을 이해하는 데 있어, 프로이트의 의식, 전의식, 그리고 무의식의 개념이 어떤 영향을 준다고 생각하는가?

2. 성격의 구조

프로이트는 성격의 구조를 주요하고 별개의 구조이지만 상호작용하는 원초아(id), 자아(ego), 초자아(superego)로 구분하여 설명하였다.

1) 원초아

원초아(id)는 '쾌락의 원칙'을 따르는 생물학적 구성요소이다. 이는 태어날 때부터 존재하는 것으로 인간에게 동기를 부여하는 소망과 충동, 본능, 반사 반응, 욕구, 유전적 소인, 그리고 반응할 수 있는 능력의 원천이 된다. 원초아는 좌절을 참지 못하는 동시에 긴장을 해소하고 좀 더 편안한 수준의 에너지로 되돌아가려고 한다. 원초아는 문제를 해결하는 능력이 부족한데, 이는 비논리적이고 쾌락의 원칙에 따라 작용하기 때문이다. 원초아는 옳고 그름에 대해 판단하지 않고, 현실과 환상에 대해 구별하지 않으며, 즉각적인 욕구 충족만을 추구한다. 배가 고파서 소리를 지르고 우는 아기는 원초아 상태의 완벽한 예이다. 1세까지는 원초아만이 존재하며, 2세 경부터는 원초아가 조금씩 약해지다가 5~6세에는 자아와 초자아의 연합으로 매우 약화된다.

2) 자아

자아(ego)는 '현실의 원칙'을 따르는 심리적 구성요소이다. 출생 시부터 생존에 필요한 만큼 존재하고, 생후 4~6개월부터 다른 사람들과 상호작용하면서 자아가 발달하기 시작한다. 자아는 문제를 해결하고 현실을 검증한다. 또한 주관적인 경험, 기억, 이미지, 그리고 객관적인 현실을 구별할 수 있고, 외부 세계와의 중재를 시도한다. 자아는 현실의 상황을 평가하여 위험성과 유익성을 감지하고, 갈등과 위험이 있을 때 "당신은 지금 당장 만족을 지연시켜야 한다"라고 말하는 현실 원칙을 따른다. 그리고 행동의 과정을 설정한다. 예를 들면, 배가 고픈 사람은 음식을 먹기를 원하는 원초아로부터 발생하는 긴장을 느낀다. 자아는 배고픔에 대해 생각할 뿐만 아니라, 어디에서 음식을 먹을 수 있는지 계획을 세우고 그 목적지를 찾도록 해준다. 이러한 과정을 '현실검증'이라고 하는데, 개인은 긴장을 감소시키기 위한 계획을 실현하기 위해 현실을 고려하기 때문이다. 자아는 원초아가 갈망하는 무분별한 만족 추구로 인해 발생할 수 있는 위험으로부터 개인을 보호하며, 또한 초자아의 영향으로 원초아가 지나치게 억압당하지 않도록 돕는다. 즉, 자아는 원초아와 초자아 사이를 중재한다.

3) 초자아

초자아(superego)는 '도덕의 원칙'을 따르는 사회적 구성요소이다. 성격발달의 마지막 부분인 초자아는 성격의 도덕적 요소이다. 초자아는 양심(부모로부터 내재화된 '하지 말아야 할 것들')과 자아 이상(부모로부터 내재화된 '해야 하는 것들')으로 이루어져 있다. 초자아는 현실보다 오히려 이상을 나타내는데, 그것은 즐거움(쾌락)이나 매력적인 이유를 추구하는 것과는 반대로 완벽함을 추구한다. 초자아는 출생 시에는 없고 5~6세에 최고조로 발달하며, 9~11세에 거의 완성된다. 부모, 교사 및 중요한 어른들의 말과 행동에 대한 동일시를 통해서 발달한다.

성숙하고 잘 적응한 개인은 성격의 3가지 구조인 원초아, 자아, 초자아가 자아의 집행부적인 지도 하에 한 팀으로 같이 작동한다. 만약 원초아가 너무 강력하게 작용하면, 충동에 대한 통제력이 부족하게 되는 반면, 초자아가 너무 강력하게 작용하면, 자기 비판적이고 열등감으로 인해 고통받을 수 있다.

3. 방어기전

프로이트는 불안이 삶의 필연적인 부분이라고 믿었다. 우리가 살고 있는 환경에는 위험과 불안정, 위협과 만족이 존재한다. 불안은 고통을 유발하고 긴장을 증가시키거나 기쁨을 주고 긴장을 감소시키기도 한다. 자아는 합리적인 방법으로 불안에 대처하지만, 불안이 너무 고통스러울 때에는 방어기전을 이용하여 자아를 보호하고 불안을 감소시킨다. 그러나 이러한 방어기전이 과도하게 사용될 때, 인간은 현실에 직면하지 못하고 문제를 해결할 수 없게 된다.

방어기전은 2가지 특징이 있다. (1) 억제(suppression)를 제외한 모든 방어기전은 무의식 수준에서 작동한다. (2) 방어기전은 현실을 덜 위협적으로 만들기 위해 불안을 부정하고 위조(기만)하거나 왜곡한다. 인간은 방어기전을 사용하지 않으면서 살 수 없으나, 방어기전은 현실을 왜곡하여 건강한 적응과 개인의 성장에 어려움을 줄 수 있다. 방어기전의 정의와 사례를 제시하면 아래와 같다(**표 4-1**).

표 4-1 | 방어기전

방어기전	정의	사례
부정 (denial)	받아들일 수 없는 생각이나 행동에 대한 인정을 거부하는 무의식적인 행위	알코올 의존자인 박OO 님은 자신이 원하면 언제든지 스스로 음주를 조절할 수 있다고 믿고 음주 문제를 인정하지 않는다.
억압 (repression)	고통스러운 생각, 사건, 갈등을 자신이 인식하지 못한 상태로 무의식적으로 잊어버리는 것	어린 시절 삼촌으로부터 근친상간을 당한 김OO 님은 삼촌에 대한 증오가 있었던 이유에 대해 생각하지 않는 것
억제 (suppression)	느낌, 생각, 상황에 의해 인식된 불안을 의식적으로 없애려고 하는 것	김OO 님은 최근에 이혼한 자신의 이야기를 간호사에게 "저는 아직 그것에 대해 말할 준비가 안 되었어요"라고 말한다.

〈계속〉

합리화 (rationalization)	자신의 감정이나 행동이 정당하다는 것을 증명하거나 확인하려는 의식적 또는 무의식적 시도	조현병 진단을 받은 박OO 님은 자신의 질병이 업무를 수행하는 것을 어렵게 하여 입원한 것이 아니라, 그의 직장 동료와 문제가 있기 때문에 일을 할 수 없게 되어 입원했다고 이야기한다.
주지화 (intellectualization)	어떤 괴로운 일에 대해 의식적으로 또는 무의식적으로 감정이나 정서를 배제하고 오로지 논리적인 설명으로 제시하는 것	김OO 님은 암으로 사망한 아들의 죽음에 대해 자비로운 신의 뜻이라고만 이야기하며, 슬픔이나 분노의 징조를 보이지 않는다.
해리 (dissociation)	받아들일 수 없는 생각, 상황, 대상으로부터 고통스러운 생각과 감정을 무의식적으로 분리시키는 것	어린 시절 학대를 당한 김OO 님은 그 상황을 회상하면서 다음과 같이 이야기한다. "마치 내가 아무런 느낌 없이 내 몸 밖에서 무슨 일이 일어나고 있는지 나를 바라보는 것처럼 느꼈다."
동일시 (identification)	존경하는 사람을 보고 모델링하려고 의식적 또는 무의식적으로 노력하는 것(외부 인식을 내부 인식으로 전위시키는 방어기전)	박OO 님은 간호사에게 "내가 퇴원을 하게 되면 나도 당신과 같은 간호사가 되고 싶어요."라고 이야기한다.
함입 (introjection)	무의식적으로 다른 사람의 가치와 태도를 마치 자신의 생각이나 느낌인 것처럼 받아들이는 것(외부 대상을 내면화하여 내적으로 인식하고 만족을 추구하는 방어기전)	김OO 님은 스스로 깨닫지 못한 채 마치 자신이 치료자인 듯 대상자를 분석하는 행동을 하면서 자신의 치료자와 유사하게 말하고 행동한다.
보상 (compensation)	자신의 약점을 보완하기 위해 의식적으로 바람직한 특성을 강조하거나 만들어내는 것	다른 대상자들과 자신의 감정을 나누기 어려워하고 우울해 하는 김OO 님은 이를 글로 표현함으로써 표현력이 풍부한 사람으로 알려졌다.
승화 (sublimation)	본능적 충동을 의식적으로 또는 무의식적으로 받아들일 수 있는 행동으로 표출하거나 해소하는 것	조직폭력배가 새 삶을 살기 위해 격투기 선수로 데뷔한다. 성적 충동이 높은 고교 남학생이 농구를 하며 충동성을 감소시킨다.
반동형성 (reaction formation)	무의식적 느낌과 정반대되는 의식적인 행동을 하는 것	문란한 성 경험에 대한 호기심과 동경을 갖고 있는 사람이 오히려 혼전순결 캠페인을 벌인다.
취소 (undoing)	잘못된 행동이나 문제 행동을 없었던 일처럼 원상복귀(취소)하기 위해, 자신이 저지른 잘못이나 위반 행동과 반대되는 행동을 하는 것	가까운 친구를 칼로 찌르는 꿈을 꾸고 일어난 뒤 그 친구에게 공연히 선물을 한다.
전치 (displacement)	무의식적으로 덜 위협적인 대상에게 자신의 감정을 표출하는 것	부모와 싸운 자녀가 자기 방문을 '쾅' 소리가 나도록 닫거나 강아지가 시끄럽다고 걷어찬다.
투사 (projection)	자신의 어려움이나 비윤리적인 욕구에 대해 무의식적으로 또는 의식적으로 타인의 탓으로 돌리는 것	친구를 질투하고 미워하던 한 여학생이 역으로 "그 친구가 나를 미워하고 무시한다"고 말한다.
전환 (conversion)	내적 갈등이 무의식적으로 신체 증상을 통해 상징적으로 표현되는 것	최종 시험을 앞두고 아침에 편두통으로 깬 학생이 너무 아파서 시험을 볼 수 없다고 느끼는 경우로, 자신이 2시간의 벼락치기 공부로 시험을 볼 준비가 되지 않은 불안감이 신체 증상으로 표출된 것임을 깨닫지 못한다.
퇴행 (regression)	무의식적으로 현재보다 편안했던 어린 시절로 되돌아가는 행동을 하는 것	6세 된 아이가 동생이 태어난 후 대소변을 가리지 못하는 행동을 한다.

II 정신심리적 발달

인간의 심리적 발달단계와 성격이 형성되는 과정에 대해 여러 이론이 다양한 관점에서 제시되어 왔다. 이 장에서는 정신성적 발달이론, 정신사회적 발달이론, 대인관계 이론, 분리개별화 이론, 인지발달 이론, 그리고 인본주의 이론을 중심으로 인간의 사회심리적 발달과정에 관한 관점을 살펴보고자 한다.

이론의 시작은 '정신분석학의 아버지'로 불리는 프로이트(Sigmund Freud)로부터 시작되었다. 초기에는 프로이트의 추종자였던 에릭슨(Erik H. Erikson)에 의해 프로이트 이론의 불완전함이 확인되었고, 이것이 다른 방향으로 전환되면서 설리반(Harry S. Sullivan)의 이론으로 연결되었다. 정신의학을 인본주의적 관점에서 접근한 대표적 이론가는 매슬로우(Abraham Maslow)이다.

1. 정신성적 발달이론

프로이트는 성적 본능을 가장 중요하게 보았는데, 성격은 성적 에너지를 뜻하는 용어인 '리비도(libido)'를 중심으로 발달한다고 하였다. 성적 본능의 발달은 주로 출생 이후부터 아동기에 결정적으로 이루어지며, 이 시기의 경험이 성인의 인격에도 중대한 영향을 미친다고 설명하였다. 즉, 인간의 초기 발달단계 중 각 단계에서 욕구가 충족되지 못하며, 특정 단계에 고착(fixation)되어 정신병리가 발생할 가능성이 높다는 점을 강조하였다. 프로이트는 이를 바탕으로 정신성적(psychosexual) 발달단계를 제시하였으며, 이는 구강기, 항문기, 남근기, 잠복기, 성기기(생식기)의 5단계로 구분된다.

구강기는 원초아에 의해 기본 욕구를 충족한다. 주로 입에 정신 에너지가 집중되어 빨기, 씹기, 물어뜯기 등의 행동을 보인다. 주 양육자에게 애착을 느끼고 양육자와 자기 자신을 구별하지 못하는 시기로, 발달과정 중 4~6개월에 자아가 발달하는 시점부터 주 양육자와 분리를 인식하게 된다. 구강기의 기본욕구가 충족되면 심리적 안정감과 타인에 대한 신뢰가 발달하는 반면, 고착되면 의존성과 수동성, 자기중심적 사고와 자기애의 성격특성을 보일 수 있다.

항문기는 방광과 장을 아무런 제재 없이 비우거나 배변을 보유함으로써 쾌감을 얻는 시기이다. 배변 훈련 과정에서 본능적 욕구에 대한 통제력이 발달하기 시작하여, 욕구가 즉각적으로 충족되지 못해도 만족감을 지연시키는 방법을 배우게 된다. 한편 엄격하고 완고한 배변 훈련을 받은 아동은 강박적인 성격을 가지거나 고집스럽고 인색한 성인으로 성장할 수 있으며, 항문기적 퇴행으로 적대적이고 파괴적이며 지저분하거나 잔인한 행동적 특성을 보일 수 있다. 수용적인 배변 훈련을 받은 아동은 외향적, 생산적, 이타적 성향을 갖게 된다.

남근기는 리비도가 성기에 집중되어 있고, 성에 대한 호기심으로 자위행위를 보이는 시기이다. 프로이트는 이 시기에 아동은 남녀의 성기가 다름을 깨닫고, 남자 아이는 성기에 대한 우월감과 거세공포를, 여자 아이는 성기를 상실한 것에 대한 불안과 음경선망(penis envy)을 느낀다고 보았다. 또한, 이 단계에서는 이성의 부모를 차지하고자 하는 무의식적 욕구인 오이디푸스 콤플렉스(Oedipus complex)와 엘렉트라 콤플렉스(Electra complex)가 나타난다. 이성 부모의 관심을 받기 위해서는 동성 부모처럼 행동해야 한다는 것을 깨닫고 동성 부모를 동일시하면서 성 역할을 배우게 된다. 안정된 만족감을 갖는 경우 성 정체성이 확립되고 생산적 호기심이 발달하며, 그렇지 못한 경우 거세공포가 해결되지 않아 두려움과 복종적인 태도, 죄책감이 발달한다.

잠복기는 성적 욕구가 일시적으로 억압되어 나타나지 않는 반면, 지적, 사회적 성숙을 이루는 시기이다. 이 때 주요 관심사는 자기 자신에게서 또래집단과의 집단활동, 학업 등으로 옮겨진다. 이 시기에 문제가 없을 경우 학업 성취도가 높고 원만한 대인관계, 적응 능력이 증가하게 된다.

마지막으로 성기기는 사춘기를 포함한 청소년기에 해당하며, 성적 충동이 증가하면서 성적 환상과 자위행위를 경험한다. 이는 성숙한 이성관계의 기초가 되며, 만족스러운 성적, 정서적 발달이 이루어질 경우 건강한 성 정체성을 확립하게 된다. 그러나 위압적이며 징벌적인 부모와의 관계에서는 성적 충동을 과도하게 억압하여 금욕주의가 나타날 수 있는데, 이러한 경우 지나친 초자아의 발달로 강박적이고 생산적인 일에만 몰두하는 양상이 나타날 수 있다. 정신성적 발달단계의 특성과 발달과업은 **표 4-2**와 같다.

표 4-2 프로이트의 정신성적 발달단계

단계(나이)	만족의 근원	1차적 갈등	발달과업	기대되는 결과	성격 특성
구강기 (0~1세)	입(빨기, 깨물기, 씹기)	수유 중단	구강기적 욕구의 충족; 자아 발달의 시작(4~5개월)	욕구가 충족될 수 있다는 것을 알게 될 때, 환경에 대한 신뢰감이 발달함	구강기에 고착되면 수동성, 쉽게 속음, 의존성과 연관됨; 빈정댐; 구강기적 습관의 발달(예: 음주와 흡연, 손톱 물어뜯기 등)
항문기 (1~3세)	항문 부위(대변의 배설과 보유)	배변 훈련	본능적 욕동에 대한 통제감; 미래의 목적을 달성하기 위해 즉각적인 만족을 지연시킬 수 있는 능력의 발달의 시작	충동조절 능력이 발달함	항문기에 고착되면 항문기적 보유 욕구(예: 인색함, 완고한 사고 양상, 강박장애) 또는 항문기적 퇴행적 성격(예: 지저분함, 파괴적 또는 가학적 성향)과 연관됨
남근기 (오이디푸스기) (3~6세)	성기(자위행위)	오이디푸스 및 엘렉트라 콤플렉스	동성 부모와 관련된 성 정체성; 초자아 발달 시작	동성의 부모를 동일시함	남근기에 고착되면 무모하고 자기과신적이며 자아도취적인 사람이 될 수 있음; 불충분하게 충족되면, 사랑하는 데 무능하고 성 정체성과 관련된 어려움을 겪을 수 있음.
잠복기 (6~12세)			자아 기능과 가정 외 타인(동성 친구)을 배려하고 그들과 관계를 맺는 능력의 성장	환경에 대처하는 데 필요한 기술이 발달함	잠복기에 고착되면 타인과의 동일시나 사회적 기술의 개발에 어려움을 겪을 수 있고, 결과적으로 부적절감과 열등감으로 이어질 수 있음
성기기 (12세 이후)	성기(성생활)		만족스러운 성적 · 정서적 관계의 발달; 부모로부터 독립하여 삶의 목표를 계획하고 개인의 정체성이 발달함	창의적이고 사랑과 일에서 기쁨을 찾는 능력이 발달함	이 단계에서의 협상능력 부족은 정서적 및 재정적 독립성을 약화시키고, 개인의 정체성과 미래 목표를 손상시키며, 만족스러운 친밀한 관계를 형성하는 능력을 방해할 수 있음

출처: Gleitman, H. (1981). Psychology. New York, NY; W. W. Norton.

2. 정신사회적 발달이론

에릭슨(Erik H. Erikson; 1902-1994))의 심리사회적 발달 이론은 프로이트의 정신분석 모형에 기초를 두고 있다. 그러나 이 이론은 아동기에서 성인기에 이르기까지의 성격 발달에 미치는 환경적 요소를 비롯하여 부모와 사회를 영향요인에 포함하였다. 에릭슨의 이론에 따르면, 모든 사람은 출생에서 사망까지 일생 동안 8단계의 상호연관된 단계를 통해 발달한다. 각 단계는 2가지 가능한 결과와 관련이 있다. 각 단계의 성공적인 과업 달성은 건강한 성격과 타인과의 성공적인 상호작용으로 연결된다. 각 단계의 성공적인 과업 달성에 실패하면, 심리적으로 그리고 관계적인 측면에서 성장할 수 있는 능력이 감소된다.

에릭슨 이론의 각 단계는 긍정적이고 부정적인 경험의 결과로서 발달과정의 위기로 설명할 수 있다. 각 단계 안에서 중요한 발달과업의 완수는 다음 단계로 이행되기 위한 개인의 능력에 영향을 미친다. 에릭슨은 인간의 삶과 성장하는 과정에서 생애 초기의 편안한 상태와 행동으로 되돌아가는 것, 즉 퇴행의 현상에 대해 프로이트와는 상반된 견해를 제시하였다. 퇴행은 외상, 장기간 지속된 심한 스트레스, 신체적·정신적 질병에 노출될 때 정상적으로 나타날 수 있다고 보았다.

에릭슨은 각 발달단계에서 과업을 부분적으로 완수하지 못했을 때에도 이후의 발달단계에 부정적 영향을 미친다는 점을 강조하였다. 하나의 발달단계에서 과업을 완수하지 못하면 이전 단계의 회복 상태를 달성하지 못하고, 더 이상 성장하지 못하도록 기능을 지속적으로 방해하여 삶의 어려움을 해결하지 못하게 한다. 예를 들어, 피상적인 관계에 머무르는 수준에서 타인과의 신뢰를 발달시킨 사람은 결혼한 배우자와의 관계에서도 사랑과 신뢰감을 발달시키기 어려울 수 있다. 또 다른 경우, 어떤 한 개인이 안정된 직업을 갖기 위한 충분한 계획이 있더라도 그 일을 유지하기 위한 근면성이 결핍될 수 있다. 환경적인 부분이나 사회적인 영역의 힘든 일들은 생애 초기의 기반을 위협하게 되는데, 부모의 이혼은 어린 자녀의 신뢰감 발달을 저해하고 자기 자신도 믿지 못하는 결과를 초래할 수 있다.

삶의 과정에서 이루어지는 발달과업의 미완수와 퇴행이 영속적인 것은 아니다. 인간은 이루지 못한 중요한 과업을 완수하기 위해 이전 단계로 되돌아가기도 한다. 예를 들면, 어린 나이에 엄마가 된 경우, 아이를 키우기 위한 책임감 때문에 친밀감과 건강한 정체성을 발달시키지 못했을 수 있다. 10대의 엄마는 새로운 어른들의 세상에서 자녀와 타인과 관계를 맺으면서 친밀감과 정체성에 관한 문제를 경험하게 될 것이다. 이러한 위기는 역할, 느낌, 행동에 대한 본질적인 갈등을 유발한다. 그러나 각 단계별 중요한 발달과업의 완수는 순차적으로 적절할 때 더 쉽게 이루어진다. 지연되거나 불완전한 발달과정을 극복하는 것은 가능하기는 하나 어렵게 진행된다. 표 4-3은 에릭슨의 정신사회적 발달단계에 따른 발달과업을 개략적으로 설명하였다.

정신건강간호에의 적용

정신질환자는 그들의 연령대에 이루어야 하는 발달과업을 부분적으로만 완수한 사람으로 생각할 수 있다. 간호사는 환자의 언어적·비언어적 행동에 대해 해석하여 기능수준을 사정하고, 발달단계에 맞는 과업의 완수 정도를 확인해야 한다. 문제 행동의 발현은 대상자와 다루어야 할 문제를 나타낸다. 예를 들어, 아동기에 성적 학대를 당한 청소년은 수치심에 휩싸이게 된다. 학대와 관련된 기억, 생각, 감정을 다루어 수치심과 의심이 해결되기 전까지는, 성숙하고 친밀한 관계를 형성하기 어렵다. 특히, 조현병 진단을 받은 대상자는 의심과 두려움의 감정에 갇혀 괴로워하는데, 이는 신뢰감 형성의 발달과업과 연결되어 있다. 간호사는 이 대상자들과 신뢰를 형성할 수 있는 전략에 집중하여 간호를 제공해야 한다.

에릭슨은 긍정적 과업이 바람직하게 성취되도록 각각의 발달단계에서 양극단의 개념(예: 신뢰감 대 불신감)에 초점을 맞추었지만, 최근 긍정적 과업(예: 신뢰, 근면성 등)이라 할지라도 과도한 과업 수행은 기능상 문제를 일으킨다는 사실이 밝혀졌다. 예를 들면, 과도하게 타인을 신뢰하는 사람은 타인에게 반복적으로 이용당할 가능성이 높으며, 너무 부지런한 사람은 휴식을 위한 시간을 갖지 않고 지나치게 긴 시간 동안 일할 수 있다.

Clinical example

자신의 손목을 그어 여러 차례 자해를 시도한 대상자가 입원했다. 그녀는 "내 남자친구가 나를 버렸어요. 나는 죽고만 싶어요. 나는 누군가를 믿어서는 안 된다는 것을 알았어요. 영원히."라고 말했다. 그녀는 가족들에게 학대당하고 방치 속에 성장하다가 이후 위탁 가정에서 성장한 배경을 이야기했다. 그녀는 자신의 일상적인 삶 전반에 걸쳐 자신의 감정에 대하여 통제 불가능함, 분노의 폭발, 친밀감에 대한 두려움을 느낀다고 하였다. 또한 그녀는 누군가를 믿을 수 없는 것과 어린 시절 학대에 대한 수치심과 죄의식이 자신을 괴롭히고 있다고 말하였다. 대상자는 간호사를 신뢰하기 시작하면서 (1) 타인의 신뢰성을 평가하는 방법, (2) 분노의 원인을 이해하고 적절하게 표현하는 방법, (3) 타인의 인정을 얻는 긍정적인 방법, (4) 현실적인 자아개념과 자존감 증진, (5) 효과적인 대처전략을 통한 삶의 통제, (6) 건강한 지원체계를 개발하는 활동 참여 등에 대해 다룰수 있게 되었나.

표 4-3 에릭슨의 정신사회적 발달단계

발달단계	발달과업	발달단계별 문제 행동
신뢰감 대 불신감 (0~18개월)	• 자신과 타인에 대한 현실적인 신뢰 • 타인에 대한 신뢰 • 긍정적이며 희망적임 • 타인과 개방적으로 교류함	• 타인에 대해 의심하거나 시험하는 행위 • 비판과 친밀감에 대한 두려움 • 불만족과 적대감 • 문제에 대한 부정 • 타인으로부터의 철회 또는 타인의 진심 어린 태도에 대한 거부 • 타인을 과도하게 믿거나, 순진하고 잘 속는 특성 • 자신에 대하여 너무 쉽고 빠르게 타인과 공유함

〈계속〉

자율성 대 수치심(의심) (18개월~3세)	• 자기조절과 의지 • 현실적 자아개념과 자아존중감 • 자부심과 선의의 느낌 • 순수한 협동심 • 베풀 때와 받을 때를 적절히 인식함 • 상황에 따라 욕구를 지연시킬 수 있음	• 자기의심 또는 자의식 • 타인으로부터 인정받는 것을 우선시함 • 폭로 또는 공격 당했다고 느낌 • 자신과 자신의 삶에 대한 통제 불능감 • 의식적인 행위(ritualistic behaviors)를 중시함 • 비난 받았을 때 자신의 감정을 상대에게 투사함 • 과도한 의존성 또는 반항심이나 잘난 체함(grandiosity) • 자신이나 타인에 대한 안전을 고려하지 않는 무모함 • 도움을 요청하기 싫어함 • 기다리지 못하고 충동적임
주도성 대 죄책감 (3~5세)	• 양심적 • 규제에 대한 균형 잡힌 주도성 • 적절한 사회적 활동 • 호기심과 탐험심 • 건전한 경쟁 • 순수한 목적의 활동	• 과도한 죄책감 또는 당혹감 • 수동적이고 무관심한 태도 • 사회적 활동이나 즐거운 활동을 추구하지 않음 • 반추와 자기연민 • 희생자 역할을 맡거나 스스로 자신을 처벌함(self-punishment) • 감정 표현을 주저함 • 잠재력을 잘 발휘하지 못함 • 다양한 일들을 벌이고 완수하지 못함 • 비윤리적 행위에 대해 죄책감을 느끼지 못함 • 감정의 과도한 표출, 불안정한 감정 • 과도한 경쟁심 또는 자기과시
근면성 대 열등감 (6~12세)	• 능력에 대한 자신감(유능감) • 과제를 완수함 • 열심히 노력하고 그 결과에 만족함 • 협력하고 타협하는 능력 • 존경하는 사람을 동일시함 • 방향 감각 • 놀이와 업무의 균형을 맞춤	• 부적절하거나 무가치한 느낌 • 과업 수행의 어려움(예: 정학, 퇴학, 동기부족, 장기결석, 생산성 저하) • 부적절한 문제해결과 계획 수행 • 타인을 조종하거나 타인의 권익을 침해함 • 동성 친구가 별로 없음 • 과도하게 높은 성취를 보임 • 완벽주의, 강박성 • 실패에 대한 두려움으로 새로운 것을 시도하기를 꺼림 • 성공하지 못하면 사랑받을 수 없다고 느낌 • 일 중독
자아정체감 대 역할혼란 (12~20세)	• 자신에 대한 자신감 • 동료들에 대한 헌신 • 정서적으로 안정됨 • 개인의 가치관이 확립됨 • 사회에 대한 소속감을 느낌 • 이성과의 관계 형성 • 성인 역할을 시도하고 연습함	• 목표, 신념, 가치, 생산적인 역할의 결핍 또는 포기 • 혼란스러움, 우유부단함, 소외감 • 독립과 의존 사이에서 갈등을 느낌 • 이성과의 관계에서 피상적이고 지속적으로 관계를 유지하지 못함 • 자기과신 • 문제 행동(예: 알코올 및 약물 남용) • 유혹적인 행동, 남성 중심적인 행동
친밀감 대 고립감 (18~30세)	• 사랑을 주고받는 능력 • 타인과 상호작용하고 헌신함 • 직장이나 소속된 곳에서 협력함 • 타인을 위한 희생 • 책임감 있는 성행동 • 경력과 장기적인 목표에 대한 헌신	• 지속적인 외로움 또는 고립감 • 모든 대인관계에서 정서적인 소원함을 느낌 • 타인에 대한 편견 • 업무에 대한 사명감의 부족(예: 잦은 이직) • 일시적인 성 파트너를 통해 친밀감을 추구함 • 사랑하는 사람에 대한 소유욕, 질투심, 학대 • 배우자나 부모, 또는 둘 다에게 의존적인 성향

〈계속〉

생산성 대 침체 (30~65세)	• 생산적, 건설적, 창조적 활동 • 개인적이고 전문적인 성장 • 부모로서, 사회구성원으로서의 책임감	• 자기중심성 또는 자기 방임 • 외모와 소유물에 대한 과도한 관심 • 타인의 행복에 대한 관심 부족 • 전문적인 활동 또는 시민의식, 책임감의 결여 • 결혼, 연애에 대한 무관심 • 자신이나 가족에게 해를 끼칠 정도로 과도한 직업적, 사회적 활동 • 타인을 돌보느라 자신을 돌보지 못함
통합 대 절망 (65세~죽음)	• 자기수용 • 존엄성, 가치 및 중요성의 느낌 • 제한된 상황에 대한 적응 • 자기 삶에 대한 가치감 • 지혜의 공유 • 삶과 죽음에 대한 철학적 탐색	• 무력감, 절망, 무가치감, 무용지물, 무의미함 • 사회적으로 위축되고 외로움을 느낌 • 퇴행 • 과거 실수, 실패, 불만족한 경험에 대한 집착 • 새로운 시작에 대한 두려움 • 자신의 삶과 자신에 대한 포기 • 필요시 활동량을 줄일 수 없음 • 힘과 능력에 비해 과도한 노동 • 없어서는 안 될 것 같은 느낌 • 마치 삶이 영원히 지속될 것처럼 활동함

3. 대인관계 발달이론

설리반(Harry S. Sullivan; 1892-1949)은 성격이 개인 간의 상호작용과 타인과의 대인관계에서 발달하고 친밀한 사람과의 관계를 통해 일생에 걸쳐 형성된다고 보았다. 출생 이후 가장 처음 시작되는 대인관계인 어머니와의 관계가 성격 형성에 중요한 영향을 미친다고 강조하였다. 아이는 엄마와의 관계에서 수유 경험으로부터 자아개념 발달이 시작되는데 3가지 자아상인 '좋은 나(good me)', '나쁜 나(bad me)', '내가 아닌 나(not me)'를 형성하게 된다고 하였다. '좋은 나'의 자아상은 부모와 같은 중요한 타인으로부터 사랑받고 인정받음으로써 형성되며, 긍정적 자아개념이 발달한다. '나쁜 나'의 자아상은 양육에 있어서 일관성이 없고 욕구를 즉각적으로 만족시켜 주지 않는 엄마일 경우 형성되며, 수치심, 죄의식, 낮은 자존감 등의 부정적 자아개념이 발달한다. '내가 아닌 나'의 자아상은 주로 가족해체 위기나 극도의 심리적 위협과 같이 영유아기에 공포나 두려움을 느끼는 상황에서 강한 불안을 느낄 때 형성된다. 유아는 이러한 경험을 자아로부터 해리시켜 자신을 방어하고자 하며, 이 자아상은 흔히 조현병 환자에게서 나타난다.

설리반은 대인관계 측면에서의 성격 발달단계를 영유아기, 아동기, 소년기, 전 청소년기, 초기 청소년기, 후기 청소년기의 6단계로 구분하였다(표 4-4).

영유아기는 어머니의 수유를 통해 최초의 대인관계를 형성하는 단계로 생존에 필요한 안전한 상태를 유지하기 위해 엄마에게 완전히 의존하는 시기이다. 배가 고프면 울고 불안해지면 칭얼거리는 신호를 보내 엄마로부터 수유나 위로 등을 얻고자 한다. 이때 엄마가 아이의 요구대로 반응해 주었을 때 아이는 긍정적 자아개념을 형성하게 된다.

아동기는 대인관계가 부모에서 또래로 확장되는 시기이다. 언어발달 능력이 증가함에 따라 부모의 언어적 표현은 아이의 자기에 대한 지각에 중요한 영향을 미친다. 부모가 다른 형제자매를 돌보느라 자신의 욕구를 즉각적으로 충족시키지 못할 수 있다는 것을 배우고, 성 개념을 발달시켜 동성 부모에 대한 동일시가 나타난다.

소년기는 또래 친구와의 만족스런 관계를 형성함으로써 자아 역동성을 통합하는 시기이다. 내적 통제가 가능해지면서 자신의 행동을 관리하고 승화의 방어기전을 사용한다. 또래와의 관계에서는 경쟁, 협동, 타협을 통해 집단의식을 경험한다.

전 청소년기는 동성의 또래에 대한 강한 욕구가 증가하고 자기중심적인 관점에서 벗어나 사랑과 우정에 기초한 순수한 대인관계를 경험한다. 이를 바탕으로 타인과의 협력을 배우며 독립성을 키워 나간다. 이러한 발달과업을 성취하지 못하는 경우 집단 따돌림 경험을 할 수 있으며 절망과 고독에 빠지기도 한다.

표 4-4 설리반의 대인관계 발달단계

발달단계	연령	특성 및 주요 발달과업
영유아기 (infancy)	0~18개월	• 자아체계가 거의 발달되지 않음 • 경험 양식은 주로 원형적임 • 수유에 의해 최초의 대인관계를 경험함 • 신체적 욕구와 관련된 불안을 다루는 것을 학습함 • '좋은 엄마'와 '나쁜 엄마'로부터 '좋은 나'와 '나쁜 나'의 자아개념이 발달함 • 부모의 돌봄에 완전히 의존함 • 구강기적 만족을 통한 불안 감소
아동기 (childhood)	18개월~6세	• 언어 발달로 인해 통합적인 사고를 하기 시작함 • 동성의 부모에 대한 동일시를 통한 성역할 인식 • 경험 양식은 병렬적이나 통합적 양식이 발달되기 시작함 • 영향을 주는 사람이 부모에서 또래로 확장됨 • 타인을 지각하고 조절하는 능력이 발달함 • 고립감과 의존성의 문제가 발생할 수 있음
소년기 (juvenile)	6~9세	• 자아체계: 욕구 통합과 내적 통제 • 경험 양식은 통합적이면서 상징에 매료되기 시작함 • 경쟁, 협동, 타협을 통한 집단의식 경험 • 또래집단을 통한 만족스러운 관계 경험 • 내적 통제에 의한 행동관리 능력을 키우고 승화 방식을 강화함 • 이상과 현실을 구분하고 통찰력이 발달함
전 청소년기 (preadolescence)	9~12세	• 자아체계는 안정적임 • 경험 양식은 통합적임 • 동성의 또래집단과 관계를 형성하려는 강한 욕구 • 타인과 순수한 관계를 형성하고 사랑과 우정을 경험하기 시작함 • 평등한 기회에 대한 욕구 • 독립심이 있는 반면 절망적인 고독감에 빠지기 쉬움
초기 청소년기 (early adolescence)	12~14세	• 자아체계는 혼란스럽기는 하나 여전히 안정적임 • 강한 성욕으로 인한 성적 행동에 대한 욕구 증가 • 이중 사회성 욕구(이성에 대한 성욕과 또래에 대한 친밀감) • 이중적인 혼란감은 동성애 경향을 초래할 수 있음 • 매우 독립적임
후기 청소년기 (late adolescence)	14~21세	• 대인관계의 친밀감과 애정 욕구를 통합하여 이성에 초점을 맞춤 • 자아 역동성이 전체적으로 발달하고 결정됨 • 자아가 완전히 형성되고 승화 방법을 적용하여 불안을 관리함 • 성숙한 대인관계를 확립하는 시기 • 사회생활 및 시민의 특권, 의무, 책임을 수행함

초기 청소년기는 사춘기로 인해 성적 욕망을 경험하며 이성관계의 기초를 이룬다. 점차 부모로부터 분리와 독립을 이루어 나가고, 또래와의 친밀감이 더욱 증가한다. 이성에 대한 성욕과 또래에 대한 친밀감을 이중 사회성 욕구라 하는데 이에 대한 혼란은 동성애 경향을 초래할 수 있다.

후기 청소년기는 친밀감과 애정 욕구의 통합으로 이성의 한 사람에게 초점을 맞추는 시기이다. 사회에서 상호의존적인 관계를 통해 자아 형성이 완성되며 성숙한 대인관계를 확립한다. 승화와 같은 건강한 방어기전으로 불안을 관리하며, 책임감 있는 성인으로 독립할 준비를 한다.

4. 분리–개별화 이론

말러(Margaret Mahler; 1897–1985)는 여성 정신분석가로 분리–개별화 이론을 개발하였다. 이 이론은 자연적인 놀이 상황에 있는 모자관계를 직접 관찰하여 구축되었다. 말러는 전적으로 의존적이던 아기가 엄마로부터 신체적, 심리적 독립을 이루는 과정에 초점을 두고, 만 3세 미만의 아동의 부모–자녀 관계를 관찰하였다. 분리(separation)는 아이가 엄마와의 공생적 융합으로부터 벗어나 경계를 형성하는 것을 말하며, 개별화(individuation)는 아이가 자신의 지각, 기억, 인식, 자율성 등의 개인적 특성들을 갖추어 나가는 것을 의미한다. 말러는 유아가 주 양육자로부터 심리적으로 분리되는 과정을 정상자폐기, 공생기, 분리–개별화기 등 3가지 주요 발달단계로 구분하였다. 분리–개별화기는 다시 분화분기, 실제분기, 화해접근분기, 통합분기 등 4단계 하위 단계로 세분화된다.

정상자폐기는 생후 약 1개월까지 타인이나 환경을 인식하지 못하여 외부 자극에 잘 반응하지 않는 단계이다. 이 시기에 영아는 생존과 안전을 위한 기본 욕구 충족에만 관심이 있다.

공생기는 생후 1~5개월까지로 엄마와 특별한 정서적 애착을 확립하는 정상적 공생관계를 보이는 단계이다. 유아는 자기와 대상을 거의 구별하지 못하고 자신의 연장선상에서 엄마의 존재를 지각한다. 외부 자원에 대한 지각이 발달하기 시작하며, 사회적 미소를 보인다.

분리–개별화기는 엄마와의 공생적 단일체에서 벗어나는 심리적 과정이다. 즉, 엄마와 분리되어 자기와 대상을 개별적인 존재로 인식하는 과정이다. 이 단계는 다시 4단계로 구분된다. 첫째, 분화분기는 생후 5~9개월까지로 유아는 엄마 이외의 외부 세계에 호기심이 생기고 공생관계로부터 벗어나는 분화 과정을 경험한다. 두번째, 실제분기는 10개월에서 15개월까지로 운동 기능이 발달하면서 점차 더 멀리 외부 세계를 탐색하러 나가며 자신감과 의기양양한 느낌을 경험한다. 엄마로부터 신체적 분리의 경험과 심리적 분리의 인식이 증가함에 따라 분리불안도 증가하는 것이 특징이다. 세번째, 화해접근분기는 16개월에서 24개월까지로 아동의 자아가 건강하게 발달하는 데 있어 중요한 단계이다. 이 시기는 아동이 엄마로부터 분리되어 있음을 명확히 인지하고 자신이 의사를 표현해야만 엄마가 알 수 있다는 것을 깨닫는다. 또한, 분리불안이 더욱 심해져 엄마로부터 멀리 떨어졌다가도 곧 엄마 곁으로 돌아온다. 이때 엄마는 아이가 외부 세계를 탐색하도록 허락해주며 아이가 위험에 처했을 때 즉각적인 도움을 주어야 한다. 이러한 엄마의 반응을 통해 아이는 안정적인 자아를 형성하며 적절한 분리가 가능해진다. 만일 아이가 탐색하러 나가려 할 때 엄마가 이를 제지하고 엄마 옆에 있을 때에는 오히려 냉랭한 태도를 보이는 경우, 아이는 양가감정을 경험하며 경계성 성격장애로 발전될 수 있다. 마지막으로 통합분기는 24개월에서 36개월 사이에 대상을 확고하게 인식하는 시기로 자기분리와 개별화가 확립되는 시기이다. 아이는 '좋은 나'와 '나쁜 나'를 통합할 수 있는 능력이 생겨 엄마에 대해서도 '좋은 엄마'와 '나쁜 엄마'로 구분하지 않고, 장점과 단점을 동시에 가진 엄마를 통합적으로 인식한다. 아이는 엄마를 사랑을 주는 일관된 이미지로 내면화하면서도 외부 세계와 분리된 존재로 인식하는 대상 영속성이 확립된다. 이 과정이 성공적으로 이루어지면, 아이는 엄마와 분리되어 있는 동안에도 엄마의 존재를 느끼고 신뢰하게 되어 불안 없이 자연스럽게 엄마로부터 분리될 수 있다. 말러의 분리개별화 단계에 따른 특성과 발달과업은 **표 4–5**에 제시하였다.

정신건강간호에의 적용

임상 현장에서 간호사는 말러의 대상관계 이론을 적용하여 대상자가 주 양육자로부터 개별화되어 가는 단계의 평가가 가능하다. 대상자에게 분리–개별화 과업이 이루어지지 않았을 때, 다양한 정서적 문제가 유발될 가능성이 높다. 예를 들어, 의존적 성향을 가지게 되면 불안이 유발될 수 있으며, 화해접근분기에 고착되면 경계성 성격장애로 발전될 가능성이 높을 뿐만 아니라 잠재적인 분노가 내재화되어 분노조절의 문제가 유발될 수 있다.

CRITICAL THINKING QUESTION

4. 말러는 인간이 주 양육자인 엄마로부터 심리적으로 분리되어 개별화되는 과정을 설명하였다. 간호 실무현장에서 대상자와 주 양육자와의 분리한 경험을 어떻게 이해할 것인가?

표 4-5 말러의 분리-개별화 발달단계

단계(나이)	특성 및 주요 발달과업
정상자폐기 (출생~1개월)	• 수면과 유사한 상태 • 생존과 안전을 위한 기본 욕구 충족
공생기 (1~5개월)	• 엄마와 자신이 하나라고 생각하며, 엄마의 감정을 함입해서 받아들임 • 욕구 충족을 위해 외부 자원에 대한 지각이 발달하기 시작하며 외부 자극에 사회적 미소로 반응을 보임
분리개별화기 (5~36개월)	
분화분기(분화 단계) (5~9개월)	• 분리개별화기 첫 시기 • 알을 깨고 나오는 과정으로 자신과 다른 대상을 구별하여 내부 관심이 외부로 향함 • 낯가림이 가장 심한 단계 • 엄마의 품에서 벗어나려고 시도하지만, 곧 다시 돌아오는 시기(checking back)
실제분기(연습 단계) (10~15개월)	• 엄마로부터 신체적으로 분리됨을 알지만, 안전을 위해 엄마의 존재가 필요한 시기 (심리적 탄생이 시작되는 시점) • 운동기능의 발달에 따라 독립심이 증가함 • 자신이 엄마로부터 분리되어 있다는 느낌이 증가함 • 분리불안이 특징
화해접근분기(재접근 단계) (16~24개월)	• 자아가 건강하게 발달하는 데 있어 중요한 시기임 • 분리불안이 최고조에 달했다가 점차 감소함 • 엄마로부터 분리된 존재임을 인정함 • 엄마와 친밀감을 원하지만, 공생적 관계가 되는 것을 피함 • 엄마를 통해 심리적 안정감을 유지하기 위해 '정서적 충전'을 얻는 것을 배움
통합분기(대상 영속성 단계) (24~36개월)	• 분리감이 확립되어 대상 영속성을 획득하는 시기 • 확실한 자기분리와 개별화가 이루어짐 • 분리불안이 해소됨 • '좋은 나'와 '나쁜 나'를 통합할 수 있는 능력이 생김

5. 인지발달 이론

인지(cognition)란 외계의 자극을 받아들이고 처리하는 것이다. 넓은 의미로는 사고 외에 지각, 기억, 지능, 언어 등을 포함하는 정신과정이다. 지식, 의식, 지능, 사고, 상상력, 창의력, 계획과 책략의 산출, 추리, 추론, 문제해결, 개념화, 유목화와 관계 짓기, 상징화 등의 정신적 과정을 포괄한다.

피아제(Jean Piaget; 1896-1980)는 아동에게서 지적 능력과 인지 기능이 어떻게 발달하는지를 설명하였다. 인지의 발달은 미리 정해진 순서에 따라 전개되며 한 단계를 뛰어넘어 그 다음 단계로 진행되거나 그 순서가 바뀌지는 않는다. 피아제는 아동의 사고방식이 어른들과 다르지만 자신의 지식을 구성함에 있어서 이 정보를 능동적으로 선택하고 해석한다고 보았다. 그의 이론에서는 출생 시부터 청소년기에 이르기까지의 인지 발달단계를 4단계로 제시하였다. 각각의 발달단계에서는 새로운 기능과 능력이 성숙해짐에 따라 심리적인 재구조화가 이루어진다고 보았다.

감각운동기는 시각, 청각, 촉각 등의 감각을 통해 인지발달이 이루어지는 시기로, 대부분 빨기에 의한 구강 반사에 의존한다. 전조작기는 언어사용을 통해 대상을 표현할 줄 아는 시기로 물활론적 사고가 발달한다. 이 단계에서는 자기중심적 사고에 머물러 있으며, 아직 규칙이나 조작에 대한 완전한 이해는 불가하다. 학령기부터 시작되는 구체적 조작기에는 구체적 대상에 대해서만 논리적 사고가 가능하며 추상적 사고에는 미숙하다. 대상에 대한 서열화와 대상 간의 공통점과 차이점을 이해하기 시작하며, 점차 자기중심적 사고에서 벗어나 상대방의 관점에서 사물을 이해하게 된다. 마지막 단계인 형식적 조작기에는 추상적 사고가 가

표 4-6 피아제의 인지 발달단계

단계(나이)	특성 및 주요 발달과업
감각운동기 (출생~2세)	• 감각과 운동의 상호작용을 통해 세상을 배움 • 새로운 정보를 획득하기 위해 감각을 사용하고 새로운 경험을 찾기 위해 운동 능력을 사용함 • 대상 영속성 개념이 나타남 • 반사활동기, 1차 순환반응기, 2차 순환반응기, 2차 반응협응기, 3차 순환반응기, 사고의 시작기로 구분됨
전조작기 (2~7세)	• 사물이나 사건을 내재화할 수 있는 능력 증가(사고능력, 언어능력 증가) • 사고의 논리적 조작은 아직 가능하지 않음 • 사고의 특징: 상징놀이, 자기중심적 사고, 물활론적 사고
구체적 조작기 (7~11세)	• 관찰될 수 있는 구체적 사물을 다루는 데 논리적임 • 추상적인 사고는 아직 미숙함 • 자기중심적 사고로부터 탈피하여 다양한 관점의 사고로 확장됨 • 서열화, 대상 간의 차이점 및 공통점을 이해할 수 있음
형식적 조작기 (11세 이상)	• 추상적, 가상적, 미래지향적 사고가 시작됨 • 연역적 사고 및 추론을 통한 문제해결 능력이 향상됨 • 이상적 사고에 몰두하고 현실 세계를 무시할 수도 있음 • 인지적 성숙이 성취됨

능해지며 연역적 사고와 논리적 추론을 함으로써 문제해결 능력이 향상된다(표 4-6).

정신건강간호에의 적용

간호사는 정신질환이 있는 환자를 사정할 때, 대인관계 및 정신성적 발달을 포함한 이론들과 함께 인지발달 이론을 고려해야 한다. 조현병이나 자폐장애와 같은 정신질환의 발생 과정에서 혹은 생물학적 원인에 의한 지적장애로 인해 인지발달에 문제가 생길 수 있다. 또한 어린 시절 학대나 방임의 경험도 인지발달 지연을 초래할 수도 있다. 이런 경우 동일한 진단을 받은 환자라 할지라도 치료 및 간호의 접근이 달라져야 한다. 예를 들면, 조현병 환자가 인지발달의 지연으로 구체적 조작기에 머물러 있다면, 간호사-환자 관계를 형성하는 과정에서부터 환자와의 모든 의사소통이 환자의 인지 수준에 맞게 이루어져야 한다. 또한 인지발달의 속도는 개인마다 차이가 있으므로, 특히 아동이나 청소년 환자를 간호할 때에는 인지발달 수준에 맞게 간호를 제공해야 한다.

CRITICAL THINKING QUESTION

5. 피아제는 지능이란 타고난 능력으로, 아동이 환경에 적응하면서 발달하는 것이라고 하였다. 임상 실무에서 대상자의 인지발달 이론을 어떻게 적용할 것인가?

6. 인본주의 이론

1950년대에 인본주의 이론은 비관적이고 결정론적이며 비인간적이라고 여겨진 행동 이론과 정신분석학 학설에 대한 이의 제기로부터 일어났다. 인본주의 이론은 인간의 성장을 지지하는 삶의 양식을 선택하는 인간의 잠재력과 자유의지에 초점을 맞추고, 자아실현을 위한 인간의 능력을 강조하였다. 이 이론은 대상자가 주관적으로 경험하는 관점을 이해하는 것에 중점을 둔다. 인본주의 이론 중 매슬로우의 자아실현 이론을 살펴보고자 한다.

매슬로우의 욕구단계 이론

매슬로우(Abraham Maslow; 1908-1970)는 모든 인간의 발달에 결정적인 영향을 미치는 인간의 동기를 욕구의 단계로서 개념화하였다. 이 이론의 기본 가정은 인간이 삶에 수동적인 참여자이기보다 능동적이고 자아실현을 위해 노력하는 존재라는 점이다. 매슬로우는 인간의 욕구 충족에 초점을 맞추었는데, 이것을 생리적 생존 욕구로 시작되어 자기초월적 욕구로 끝나는 6단계로 분류하였다(그림 4-2). 욕구의 위계적 구조는 가장 강하고 기본적인 욕구가 낮은 수준에 놓이는 피라미드 형태로 개념화되었다. 인간의 좀 더 특징적인 욕구는 피라미드의 높은 위치에 놓인다. 낮은

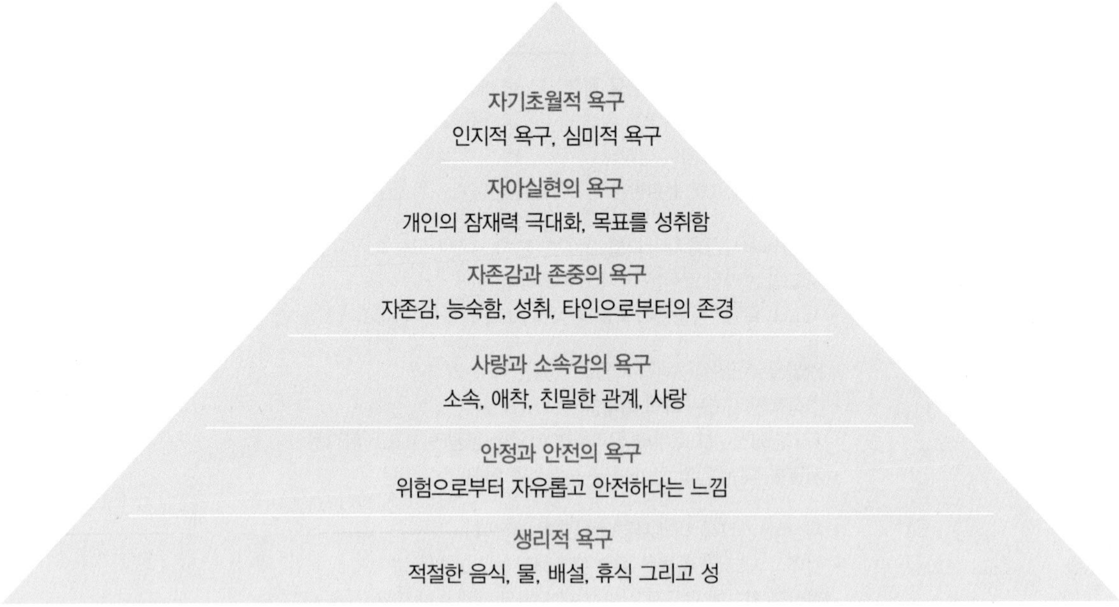

그림 4-2 매슬로우의 욕구단계

출처: Maslow, A. H. (1972). The father reaches of human nature. New York, NY: Viking.

수준의 욕구가 충족될 때, 더 높은 수준의 욕구가 나타날 수 있다.

생리적 욕구

인간의 가장 기본적인 욕구는 식욕, 산소, 물, 수면, 성 그리고 일정한 체온과 같은 생리적 욕구이다. 만약 모든 욕구가 박탈된다면, 이 수준이 가장 먼저 선행된다.

안정과 안전의 욕구

먼저 생리적 욕구가 충족된다면, 안전의 욕구가 나타난다. 이것은 안전, 보호, 공포와 불안, 혼돈으로부터의 자유 그리고 법과 질서, 제한의 필요를 포함한다. 안정적인 사회의 성인은 일반적으로 안전하다고 느끼지만, 직업의 불안정, 채무에 시달리는 것, 보험의 부족 등은 안전에 영향을 미쳐 위협을 줄 수 있다. 안전의 욕구가 우선시 되는 경우는 전쟁, 재난, 공격 그리고 사회적 와해와 같은 위기의 시기이다. 아동은 더 취약하고 의존적이므로 안전에의 위협에 좀 더 쉽고 강하게 반응한다.

사랑과 소속감의 욕구

안전의 욕구가 충족되면, 사람들은 친밀한 관계, 사랑, 애착, 그리고 소속감을 느끼고자 노력하며, 다른 사람과의 관계 속에서 즐거움을 찾으려 한다. 매슬로우는 가정 내에서 따뜻한 사랑과 보살핌을 받으며 자란 사람의 경우 다른 사람과의 관계에서도 지속적인 친밀감과 소속감을 느낄 수 있다고 보았다. 반면, 따뜻한 사랑을 받지 못한 경우 다른 사람과의 관계에 집착을 보이거나 소외되어 지낼 수 있으므로, 이들의 사랑에 대한 욕구를 이해하는 것이 중요하다.

자존감과 존중의 욕구

사랑과 소속감의 욕구가 충족되면, 인간은 다른 사람들로부터 존중받고 인정받으려는 욕구를 가지게 된다. 주위로부터 좋은 평판을 받거나 높은 지위를 얻게 되어 자존감이 충족되면, 자신감과 더불어 자신이 가치 있고 유용하다는 느낌을 갖게 된다. 반면 자존감이 손상되면, 열등감, 무가치감, 무력감 등을 느끼게 된다.

자아실현의 욕구

존중의 욕구가 충족되면, 인간은 자신의 잠재력을 극대화하여 생산적 활동에 몰입하고 자신의 목적을 이루고자 한다. 각자 자신이 가진 재능을 발휘하여 뜻하는 바를 이루게 되면 개인의 만족감과 행복감이 증가하는 반면, 이를 이루지 못하면 패배감과 불만족을 느껴 자신감을 잃게 된다.

매슬로우는 초기 작업에서 5단계의 욕구만 포함하였으나 이후에 6단계의 인지적 욕구(알고 이해하고자 하는 것)와 심리적 요구를 포함한 자기초월적 욕구를 추가하였다. 그는 지식의 습득(우리의 첫 번째 우선 순위)과 확고하고 필수적인 것으로 이해하고자 하는 욕구(두 번째 우선 순위)를 설명하였고; 아름다움과 보편적 균형에 대한 심미적 욕구를 제시하였다(Maslow, 1970).

매슬로우는 임상적인 조사 결과에 기초하여 이론을 완성하였는데, 실제 자신의 잠재력을 완전히 발휘하고 자아실현을 이룬 사람들의 사례를 바탕으로 하였다. 예를 들면, 미국의 링컨이나 루즈벨트 대통령, 슈바이처나 아인슈타인과 같은 인물들의 특성을 연구하여 욕구단계 이론의 타당성을 높였다.

정신건강간호에의 적용

간호 실무에서 매슬로우의 모델은 2가지 측면에서 가치가 있다. (1) 인간의 잠재력과 대상자의 강점을 강조하는 것이 성공적인 간호사-대상자 관계의 핵심이다. (2) 이 모델은 간호사-대상자 관계에서 간호활동의 우선순위를 선정하는 데 고려사항으로 활용될 수 있다. 예를 들면, 대상자가 약물 금단증상을 보이고 있을 때 간호정보를 수집하는 것은 부적절하다. 간호행위의 우선순위를 선정하는 과정에서 매슬로우의 모델을 따르면, 간호사는 면담을 통한 자료수집을 하기 전에 안정적인 활력징후와 통증 경감을 위한 대상자의 생리적인 욕구를 먼저 해결해 주어야 한다.

CRITICAL THINKING QUESTION

6. 당신이 자아실현을 했다고 믿는 누군가에 대해 설명해보자. 그러한 사람의 특징은 무엇인가? 그리고 당신은 당신의 간호 실무에서 매슬로우의 욕구단계를 어떻게 적용할 것인가?

STUDY NOTES

1. 인간의 성격발달 과정을 설명하는 여러 이론들은 대상자의 행동과 문제를 이해하는 데 유용한 기본 틀을 제공한다.
2. 프로이트에 의하면, 대상자의 방어기전과 부적응적 대처행동의 광범위한 사용은 건강하고 적응적 반응의 억압이나 억제에 의한 것으로 이해되고 평가되어야 한다. 간호사는 대상자가 적응적인 대처반응 혹은 행동을 개발하도록 도와야 한다.
3. 해결되지 않은 발달 문제(Erikson)는 문제를 해결하는 대상자의 능력과 대상자가 자신의 욕구를 인식하는 것을 방해하므로, 이 문제는 간호사-대상자 관계와 중재 안에서 다루어져야 한다.
4. 설리반은 개인 간의 상호작용과 타인과의 친밀한 관계를 통해 성격이 형성된다고 보았으며, 최초의 대인관계인 엄마와의 관계는 성격 형성에 중요한 영향을 미친다고 하였다.
5. 말러의 분리-개별화 이론은 유아가 주 양육자로부터 심리적으로 분리되는 과정을 설명하였고, 특정 단계에서 고착되면 분노가 내재화되거나 성격장애로 발전될 가능성이 높다는 것을 강조하였다.
6. 피아제의 인지발달 이론에 의하면, 각각의 발달단계에서 새로운 기능과 능력이 성숙되고 그에 따라 심리적인 재구조화가 이루어진다고 하였다.
7. 매슬로우는 인간 욕구의 위계적 구조를 이론화하였다. 간호사는 간호활동의 우선순위 선정 시 하위 단계의 욕구를 해결할 수 있는 간호행위를 먼저 고려함으로써 이 이론을 활용할 수 있다.

참고문헌 REFERENCES

Beck, A. T. (1967). Depression: Clinical experimental and theoretical aspects. New York: Harper & Row.

Beck, A. T., Rush, A. I., Shaw, B. F., & Emery, G. (1979). Cognitive therapy of depression. New York: Guilford Press.

Bulechek, G. M., Butcher, H. K., Dochterman, J. M., & Wagner, C. (2013). Nursing interventions classification (NIC) (6th ed.). St. Louis: Mosby.

Dewan, M. J., Steenbarger, B. N., & Greenberg, R. P. (2011). Brief psychotherapy. In R. E. Hales, S. CYudofsky, & G. O. Gabbard (Eds.), Essentials of psychiatry (pp.525–540). Arlington, VA: American Psychiatric Publishing.

Ellis, A. (2000, August). On therapy: A dialogue with Aaron T. Beck and Albert Ellis. Discussion at the American Psychological Association's 108th Convention, Washington, DC.

Erikson, E. H. (1963). Childhood and society. New York: W. W. Norton.

Forchuk, C. (1991). A comparison of the works of Peplau and Orlando. Archives of Psychiatric Nursing, 5(1), 38–45.

Freud, S. (1960). The ego and the id (J. Strachey, ed. & trans). New York, NY: W. W. Norton (Original work published in 1923).

Freud, S. (1961). The interpretation of dreams (J. Strachey, ed. & trans.), New York: Scientific Editions (original work published in 1899).

Freud, S. (1969). An outline of psychoanalysis (J. Strachey, trans.). New York: W.W. Norton (original work published in 1940).

Herdman, T. H. (Ed.). (2012) NANDA international mursing diagnoses: Definitions and dassification, 2012–2014. Oxford, UK: Wiley–Blackwell.

Hollon, S. D., & Engelhardi, N. (1997). Review of psychosocial treatment of mood disorders. In D. L Dunner (Ed.). Current psychiatric therapy ll (pp. 296–301). Philadelphia: Saunders.

Jones, M. (1953). The therapeutic community. New York: Basic Books.

Maslow, A. H. (1963). Self–actualizing people. In G. B. Levitas (Ed.). The world of psychology (vol 2. pp. 527–556). New York: Braziller.

Maslow, A. H. (1968). Toward a psychology of being Princeton. NJ: Van Nostrand.

Maslow, A. H. (1970). Motivation and personality (2nd ed.). New York, NY: Harper & Row.

Moorhead, S., Johnson, M., Maas, M. L., & Swanson, F. (2013). Nursing outcomes dassification (NOG) (5th ed.) St Louis: Mosby.

Pavlov, I. (1928). Lectures on conditioned reflexes (W. H Grani, trans) New York. International Publishers.

Skinner, B. F. (1987). Whatever happened to psychology as the science of behavior? American Psychologist, 42(8), 780–786.

Substance Abuse and Mental Health Services Administration. (2012). National Registry of Evidence–Based Practices and Programs. Retrieved from http://www.nrepp.samhsa.gov/Viewall.aspx.

Sullivan, H. S. (1953). The interpersonal theory of psychiatry. New York, NY: W. W. Norton.

노안영(2003). 성격심리학. 서울: 학지사.

정옥분(2005). 청년심리학. 서울: 학지사.

CHAPTER

5

문화적 · 영적 이해

Cultural and Spiritual Issues

evolve WEBSITE
http://evolve.elsevier.com/Keltner

학습목표

- 정신건강과 문화의 관계를 설명한다.
- 대상자의 문화적 신념과 가치를 이해한다.
- 정신간호와 관련된 한국문화의 특성을 기술한다.
- 한국문화 관련 증후군을 설명한다.
- 정신간호 대상자의 행동에 영향을 미치는 문화적 요소를 이해한다.
- 간호사의 사회문화적 민감성을 활용한다.
- 영성과 종교가 정신건강에 미치는 영향을 설명한다.
- 영적 사정과 중재법을 간호과정에 적용한다.

1. 문화적 접근

문화는 개인, 집단, 지역사회로부터 학습된 가치, 신념 및 규범의 내·외적 표현으로 사회적 집단에 따라 특징적으로 나타나는 인간의 통합된 행동이며, 구성원 간에 의미가 있는 생활방식이다. 문화는 대상자의 건강 관리와 행동에 영향을 미치는 중요한 구성요소로 정신간호사의 간호중재에도 영향을 미친다. 개인은 문화를 통해 자신의 기능을 발휘하고 삶의 변화를 파악할 수 있다.

간호사는 문화적 배경이 다양한 대상자를 간호한다. 문화적 다양성(cultural diversity)은 연령, 성별, 사회경제적 상태, 종교, 인종, 민족, 정신 및 신체질환의 영역을 포함하는 개념이다. 정신간호에 있어서 문화적 다양성에 대한 통합은 중요하다. 간호사의 문화적 관점은 간호사-대상자 상호작용에 영향을 미치며, 대상자의 정신건강 수준에도 영향을 미친다. 따라서 적절하고 효과적인 치료를 제공하기 전에 대상자의 문화적 이해는 중요하다. 예를 들어, 간호사가 대상자의 문화적 신념과 건강관리 행동을 잘못 이해하는 경우, 대상자의 정상적인 행동을 병리적이라고 판단하여 문화적 요구에 맞는 적절한 치료를 제공하지 못할 수도 있다. 이 장의 목적은 정신간호와 관련된 간호사의 역할과 사회문화, 문화적 역량 간의 관계를 설명하고자 한다.

1) 기본 개념

(1) 문화적 역량의 중요성

문화적 역량(cultural competence)은 간호사가 효과적인 건강관리를 위해 문화적 인식, 지식 및 기술의 유능함을 보여주는 과정이다. 문화적 역량을 갖춘 정신간호사는 동료, 대상자, 가족 및 지역사회와의 상호작용에 적절히 대처할 수 있으며, 정신치료적 중재 모델과 관련지어 정신장애인의 회복을 촉진할 수 있는 근거기반 간호중재 접근법으로 문화적 역량을 활용할 수 있다. 즉, 문화적 역량은 대상자 건강 회복의 핵심이다.

(2) 간호 시 문화적 차이에 따른 장애물

문화의 다양성에 대한 연구가 확대됨에 따라, 대상자의 문화적 요구를 받아들여 간호중재를 적용할 때 대상자의 치료 순응도가 향상된다는 근거들이 제시되고 있다(American Psychiatric Association, 2013; U.S. Surgeon General, 2001; Warren, 2012). 간호사는 건강관리체계에서 일차적인 역할을 수행하기 때문에 정신간호와 관련된 문화적 요인을 파악해야 한다.

문화적 요구에 적합한 간호를 수행함에 있어 발생하는 흔한 장애물은 간호사와 대상자 간의 비효율적인 의사소통이다. 간호사는 대상자의 문화적 신념과 관습에 대한 지식이 부족하거나 중요성과 가치를 인식하지 못할 수 있다. 또한 대상자도 간호사의 문화에 대해 충분히 파악하지 못해 간호사가 제공하는 건강관리에 대한 권고를 잘못 해석하기도 한다. 따라서 간호사는 대상자와 성공적인 치료적 관계를 구축하기 위해서 대상자의 문화적 신념과 가치를 이해해야 하고, 이러한 믿음과 가치가 치료에 어떤 영향을 미치는지를 파악해야 한다. 이러한 문화적 인식은 정신간호를 제공함에 있어 간호사-대상자 관계와 간호과정을 용이하게 한다.

문화적 요구에 따른 간호에서 발생하는 또 다른 장애물은 주로 간호사와 대상자의 문화적 세계관의 차이에 근거한 것으로, 대상자의 문화적 관점을 제대로 평가하지 못해 발생한다. 문화적 관점을 평가하기 위해 다양한 문화 평가 도구와 모델을 이용할 수 있다. 이러한 문화적 세계관의 차이는 의사소통에서 오류를 증가시키고, 간호사-대상자 관계 및 상호작용에 부정적인 영향을 미칠 수 있다.

표 5-1 민족에 따른 주된 세계관

민족	요소	관점
유럽계 미국인	문화적 가치	가치는 구성원의 목적 달성에 있다.
	지식	개인의 오감(시각, 청각, 촉각, 미각, 후각)을 이용하여 얻는다.
	논리	이분법적 추론이 사용된다.
	관계	관계는 타인에 대한 지각된 요구에 근거하여 진전된다.
아프리카계, 아프리카계 미국인, 히스패닉계, 아랍계	문화적 가치	대인관계의 발전과 유지에 가치를 둔다.
	지식	감정이나 감각을 사용하여 발전된다.
	논리	추론 능력은 상반되는 관념과의 조합을 기반으로 한다.
	관계	모든 관계는 모든 연속체와 상호관계에 기초한다.
아시아계, 아시아계 미국인, 폴리네시아계	문화적 가치	가치는 구성원과 집단 상호작용 간의 균형에 달려있다.
	지식	심신이 초월적인 경지까지 도달하도록 노력하며 지식을 쌓는다.
	논리	정신과 육체가 물질적 세계와 독립적으로 존재할 수 있다고 믿는다.
	관계	물질적 세계와 영적 세계 안에서 모든 사람과 만물이 서로 연결되어 있다는 믿음이 인간관계를 맺는 데 있어 기본이 된다.
미국 원주민	문화적 가치	절대적인 존재와의 관계에서 가치를 찾을 수 있다.
	지식	절대적인 존재와 개인의 상호적인 관계에서 인간의 이해를 기초로 발달한다.
	논리	모든 사람은 선천적으로 선하며 악이 없다고 믿는다.
	관계	절대적인 존재가 모든 개인 안에 있다는 생각 하에 타인, 집단, 지역사회와의 관계가 발달된다. 그러므로 모든 사람은 그 가치를 존중받아야 한다.

CRITICAL THINKING QUESTION

1. 자신의 문화적 신념체계와 다르다는 이유로 치료를 거부하는 대상자를 간호해야 할 경우, 간호사는 문화적으로 적합한 간호중재를 어떻게 적용할 수 있는가?

(3) 질병에 대한 문화적 인식

간호사와 대상자의 건강 돌봄 행위와 신념을 구성하는 3가지 요소는 건강에 대한 정의, 질병의 발생에 대한 인식 그리고 문화적 세계관이다. 따라서 간호사와 대상자는 건강에 대해서 완전히 다르게 정의할 수 있다.

건강에 대한 정의란 질병 발생에 대한 자신의 신념을 뜻한다. 간호사나 대상자는 질병이 자연적·비자연적 또는 과학적인 원인에 의해 발생한다고 믿을 수 있다. (1) 질병이 자연적 원인에 의한다는 신념을 지닌 부류는 전 세계의 모든 사람과 모든 것이 상호연결되어 있고, 이러한 연결성(connectedness)의 분열이 질병이나 위험을 초래한다고 믿는다. (2) 또 다른 부류는 부자연스러운 외부의 힘이 질병을 유발한다고 생각하여 마술사, 마녀, 유령, 초자연적 존재가 자신에게 마술이나 마법을 거는 것이라고 믿기도 한다. (3) 마지막으로 질병의 과학적 원인을 믿는 부류는 모든 질병에는 구체적으로 과학적인 이유가 있다고 생각한다(예: 바이러스, 세균과 같은 병원체의 인체 침입).

과학적 모델은 대부분 서구 문화권의 간호학에서 가르치는 전형적인 모델이다. 하지만 많은 비(非)서구 문화권에서는 건강관리제공자에게 질병의 자연적·비자연적 원인의 중요성을 강조하고 가르친다.

대상자의 건강관리 신념과 행위는 건강, 질병에 대한 원인, 그리고 개인의 세계관과 관련되어 있다. 4개의 주된 세계관은 (1) 분석적, (2) 관계적, (3) 공동체적, (4) 생태학적 세계관이다. 대부분 이 4개의 세계관을 혼합하여 적용하거나 또는 다른 세계관을 택하기도 한다. 따라서 간호사가 대상자의 세계관을 이해하지 못하면 간호사-대상자 관계에 부정적인 영향을 미치게 된다. 민족에 따른 주된 세계관은 **표 5-1**에 기술되어 있다.

CRITICAL THINKING QUESTION

2. 간호사는 대상자를 간호할 때 대상자가 간호사에게 빨리 반응해주지 않으면 '비순응적'이라고 말한다. 반면, 대상자는 "간호사는 항상 서두르고 내 말을 듣지 않아요"라며 불만을 토로한다. 즉, 대상자와 간호사의 세계관이 서로 부딪히고 있는 상황일 수 있다. 이러한 상황을 개선할 수 있는 방법은 무엇인가?

(4) 4가지 세계관

(1) 분석적 세계관을 가진 사람은 시간(예: 정시, 정각, 시간 종료), 개성, 소유물 등 구체적인 표현을 한다. 이들은 글로 표현하고, 실천하며, 시각 자료를 통해 학습하는 것을 선호한다. (2) 관계적 세계관은 영성에 대한 믿음과 개인 간의 관계 및 상호작용의 중요도에 그 가치를 둔다. 선호하는 학습 스타일은 언어적 의사소통이다. (3) 공동체적 세계관을 가진 사람은 공동체에 대한 필요와 관심이 개인의 관심사보다 중요하다고 생각한다. 학습 유형으로 명상과 독서 외에 존중하는 의사소통이 포함된다. (4) 생태학적 세계관은 인간과 우주는 서로 연결되어 있으며 우주를 돌볼 책임이 자신에게 있다고 믿는다. 학습은 조용한 관찰과 묵상을 통해 이루어지며 언어적 의사소통은 최소화한다.

세계관은 문화에 따른 정신건강과 건강문제의 표현에도 영향을 미친다. 예를 들어, 분석적 세계관을 가진 대상자나 간호사는 시간, 개성, 물질적인 획득에 중요성을 두고 구체적인 세부사항을 요구할 수 있다. 즉, 약속 시간을 지키고, 건강관리를 위해 병원을 방문하고 건강교육을 위해 인쇄된 소책자와 책을 사용하는 것을 목적 달성을 위해 필요한 가치 있는 일로 여긴다. 간호사와 의료 전문가들은 이러한 대상자를 돌볼 때 정확한 언행을 구사해야 한다. 분석적 세계관의 구성요소는 국가와 사회의 전통적인 가치관, 신념, 행동으로 구체화된다. 관계적 세계관을 가지고 있는 대상자는 상호작용과 관계의 발전을 소중히 여기고, 보통 언어적 의사소통을 통해 학습하는 것을 선호하며, 영적인 부분을 삶의 중요한 맥락으로 본다. 이들은 건강문제로 병원을 방문했을 때에도 간호사를 비롯한 타인과 잠시 대화를 나누고 싶어할 수 있다. 또한 간호사가 간호중재를 적용하는 동안 친척, 친구, 영적 또는 종교적 조언자들이 그 자리에 함께 참여하기를 원할 수도 있다. 보통 아프리카계 미국인이나 히스패닉계의 사람들이 관계적 세계관을 갖고 있다.

공동체적 세계관을 가진 대상자는 개인보다 공동체의 중

요성과 필요성을 중시한다. 이들은 명상과 묵상 기법을 자주 사용한다. 또한 건강관리에 대한 조언을 구하려고 굳이 간호사나 의사에게 질문하지 않을 수 있다. 대상자가 간호사의 권고를 이해하지 못하는 경우에도 이러한 침묵이 발생할 수 있다. 일부 아시아계 사람들이 이러한 철학을 구현한다.

마지막으로 생태학적 세계관을 가진 대상자나 간호사는 타인 및 우주와의 상호관계를 가치 있게 여기고, 타인과 세상에 대한 책임감을 느끼며 평화를 유지해야 한다고 느낀다. 이들은 타인과 상호작용할 때 조용하고 편안한 접근을 선호하고, 대화는 공손하고 간결하며 최소한으로 유지하려고 한다. 미국 원주민들이 이러한 세계관을 갖고 있다.

2) 문화와 관련된 정신건강 이해

문화연계증후군(culture-bound syndrome)은 개인에게 불편한 경험을 야기하는 반복적인 사회적 의미의 행동 패턴이다. 이러한 행동의 진단 범주는 DSM-5에 나타난 증상과 일치하거나 그렇지 않을 수도 있다. 그러나 이 행동들은 문화에 근거하기 때문에 특정 문화와 분리하여 이해할 수 없고, 그 문화의 핵심적 의미와 행동적 규범을 상징한다. 간호사는 인종과 민족적으로 다양한 문화를 지닌 대상자를 정확히 사정하기 위해 그러한 증상을 잘 알고 있어야 한다. DSM-5의 문화적 개념화 면담방식은 간호사와 대상자를 모두 평가할 수 있어 간호사에게 유용한 사정도구가 된다.

다양한 인종과 민족, 문화권의 사람들은 사람들은 자신이 경험하는 정신적 고통을 표현하기 위해 문화적으로 특정한 언어를 사용한다. 예를 들어, 우울한 증상과 실제 증상을 표현할 때 미국 원주민들은 우울 증상을 가슴에 통증을 느낀다고 말하거나, 마음이 아프다고 말하기도 한다. 히스패닉계 사람들은 타인에 의해 무서운 경험을 하거나 자신이 영혼을 잃었다고 말할 수도 있다. 영혼을 잃은 상태에서는 무기력해지면서 식욕과 수면 변화를 겪을 수 있고, 여러 가지 신체적 고통이 따를 수 있다. 건강은 신체균형의 회복에 달려 있으므로, 대상자는 처음에 잃어버린 영혼을 되찾고자 영적 치유자나 지역 토속치료자(root doctor)와 먼저 상의한 후 일반 병원의 건강관리자에게는 가장 마지막으로 찾아올 수 있으므로, 간호사들은 이러한 부분을 잘 인지하고 있어야 한다.

다양한 문화권의 사람들은 정신 증상을 서로 다르게 표현한다. 말레이시아와 라오스 출신의 사람들은 'running amok(미친 듯이 날뛰는)'라는 용어를 사용한다. 미국 원주민들은 'ghost sickness(귀신 또는 유령병)'라는 용어를 사용한다. 아프리카계 미국인과 애팔래치아계 미국인들은 마법에 걸렸다고 말할 수 있다. 문화연계증후군에 대한 보다 포괄적인 설명은 DSM-5(American Psychiatric Association, 2013)에 제시되어 있다.

(1) 한국의 사회문화 특성과 정신건강

한국 문화는 한국인의 가치관, 사고방식, 정서반응, 행동양식에 영향을 미친다. 한국의 대표적인 사회문화 특성은 다음과 같다.

① '우리' 중심의 집단주의 문화

한국인은 농경사회에서 농촌사회의 상호 협력, 감찰을 목적으로 조직된 '두레'라는 공동체 조직을 통해 집단주의가 형성되었고, 관계에서 정서적 유대를 가지려는 욕구로 인해 '우리' 중심의 집단주의 문화가 발생하였다. 우리라는 개념은 한국인이 가지고 있는 기본적 인간관이며, 한국 문화를 구성하는 핵심 요소로서 집단주의 문화의 기초가 된다.

가족관계 중심으로 발달된 한국 문화는 '나'보다는 '우리'라는 개념을 사용하고, 개인보다는 집단적 행위를 강조하여 구성원 간의 관계를 유지하므로, 아시아인에게서 주로 나타나는 공동체적 세계관을 가진다고 할 수 있다. 따라서 각 개인이 자신의 고유함을 찾기보다는 사회적으로 규범화된 바람직한 신념과 가치를 내면화하고 실천하는 것을 요구한다. 그로 인해 자아정체감은 물론 사회적 신분과 역할 기대가 달라진다. 이러한 문화적 맥락에서 혈연·학연·지연주의가 발달되었다. 한국인의 집단주의 문화는 서양의 개인주의에 비해 상당히 긍정적인 부분으로 작용할 수 있겠으나, 부정적 측면으로는 비합리적 행동과 사고를 유발할 수 있다.

② 가족중심주의

한국의 가족중심주의는 가족 내 위계질서를 유지하는 '인' 사상을 바탕으로 '효'를 강조하는 유교사상을 기초로 하고 있다. 부자관계는 한국인에게 어떤 인간관계보다 우선시되는 인간관계이다. 즉, 생명을 잉태하고 태어나게 해주고 양육해준 아버지와 아들의 관계는 각자 분리된 존재로서 만나는 것이 아니라, 서로 하나라고 느끼는 동일체 의식을 강하게 가지게 되는 관계이다. 가족관계를 중심으로 발달되는 한국 문화는 기본적으로 집단주의의 특징을 가지고 있다. 가족중심주의는 전통사회 안정의 기본이 되었으나, 현대사회에 이르러 가족 이기주의로 변해 사회에 부정적 영향을 미치고 개인의 건강한 행동의 저해 요인이 되기도 한다. 최근에는 핵가족화, 개인주의의 팽배 등에 따라 가족 개념이 변화하고 있으며 끊임없는 세대 간의 갈등으로 인해 정신건강에 부정적 영향을 미치고 있다.

③ 권력 및 권위지향주의

권력 및 권위지향주의는 '완장 증후군'이라는 말에서 엿볼 수 있다. 한국인은 권력을 갖게 되면 실제는 그렇지 않을지라도 거의 모든 일을 뜻대로 할 수 있다고 생각한다. '칼자루 잡은 사람이 최고'라는 말 속에서 이를 단적으로 보여주고 있다. 대부분의 한국인은 권력의 소유를 사람의 가치를 평가하는 유일한 기준으로 간주하는 경향이 있다. 따라서 어떤 사회적·문화적·경제적 가치보다도 권력의 장악에 가치를 두어 모든 힘을 쏟고 있다고 해도 과언이 아니다. 아울러 한국인의 체면문화, 눈치문화 역시 권력 및 권위지향 의식의 맥락에서 이해될 수 있다.

(2) 한국인의 문화연계증후군

한국인의 문화권에서만 독특하게 나타나는 부적응적 이상행동으로, 한국의 경우 신병과 화병이 문화연계증후군에 해당된다.

① 신병

신병(shin-byung, 神病)은 무병(巫炳)이라고도 한다. 일반적 증상은 성별·신분·가계·연령 등에 상관없이 원인을 모르게 갑자기 앓기 시작한다. 대상자는 전혀 의술의 효과를 보지 못하고, 음식을 먹지 못하거나 불면증으로 고생하다가 꿈이 많아지고 정신착란에 빠진다. 초기 단계에는 불안, 무력감, 어지러움, 식욕부진, 불면증, 소화불량 등의 신체증상을 호소한다. 또한 조상의 영혼에 의해 빙의되거나 해리증상이 나타나기도 한다. 대상자는 굿을 통해 증상이 호전되며 내림굿을 통해 신병이 치유되고 무당이 된다. 신병은 신체증상장애, 불안장애, 해리장애, 정신증과 같은 다양한 증상이 복합적으로 나타난다. 무당은 굿을 할 때 격렬한 리듬과 춤으로 인해 황홀경에 빠지며 영험을 얻어 무당 역할을 한다.

② 화병

화병(hwa-byung, 火病)은 신체증상을 동반하는 우울증으로, 분노감, 우울감, 불면증과 함께 피로감, 식욕부진, 소화불량, 호흡곤란, 심계항진, 두통, 상복부에 덩어리가 맺힌 느낌 등의 신체증상이 동반되어 나타난다. 일종의 분노증후군으로 분노의 억제로 인해 발생하며 울화병으로 불리기도 한다. 특별한 이유 없이 갑작스럽게 금방이라도 죽을 것 같은 공포를 느끼기도 하며, 호흡하는 것이 답답하고 가슴이 뛰는 증상이 생기기도 한다. 또한 정신이 없고, 가만히 있지 못하고 뛰쳐나가고 싶은 행동 증상이 특징이다. 과거에는 중년 여성에게서 많이 나타난다고 알려져 있었으나, 현대에 들어서는 스트레스에 시달리는 젊은 사람에게도 많이 나타나는 것으로 알려졌다. 화병은 사회경제적 수준이 낮은 계층에서 호발하며 만성적인 경과를 밟는다. 주로 남편이나 시댁과의 갈등, 고통스러운 결혼생활, 가난과 고생, 사회적 좌절에 의해 유발되며, 속상함, 억울함, 분함, 화남, 증오감, 절망감이 대표적인 감정이다.

문화연계증후군과 정신의학적 증상의 문화적 표현에 대한 사정은 간호과정의 일부이다. 문화적으로 추가적인 사정을 통해 간호사는 대상자에게 적합한 간호를 제공할 수 있다.

Clinical example

33세 한국의 한 여성은 자신에게 신병이 내려서 아픈 것이라고 확신하고 있다. 간호사는 그녀가 자신의 질병에 대해 보다 올바로 인식하도록 하기 위해 어떤 간호를 적용해야 하는가?

3) 대체요법

다양한 인종과 민족, 문화권의 사람들은 대체요법(alternative therapies)을 찾는다. 대체요법의 종류로 침, 지압, 영양요법, 피부박리, 뜸, 부항 등이 있다. 침, 지압은 침술이나 압박을 사용하여 경락을 자극하고 순환시켜 신체의 균형을 회복시킨다. 영양요법은 특정한 음식이나 약초를 사용한다. 피부 박리, 코이닝(coining), 뜸, 부항은 피부 표면에 열을 전달하여 몸에 생긴 독소나 나쁜 기운을 배출시켜 균형을 회복시킨다. 지역사회의 민간 치료사는 피부박리나 코이닝을 적용할 때 동전을 사용하여 피부를 문질러서 피부박리를 한다. 뜸은 작은 유리컵 위 쑥뜸에 불을 붙인 후 경락 부위에 놓는다. 대상자들은 여러 가지 대체요법을 통해 열이 발생하면 질병이나 나쁜 기운이 몸에서 빠져나간다고 믿는다. 그러나 피부박리, 코이닝, 뜸, 부항으로 인해 피부에 찰과상이나 타박상이 발생하여 감염으로 이어질 수 있다.

특정 문화권(예: 히스패닉, 남미)은 건강 회복을 위해 특정한 액체, 음식, 약물을 균형 있게 섭취해야 한다고 생각한다. 약은 뜨거운 것으로 표현되고, 차가운 액체나 음식과 함께 복용하면 효과적이라고 한다. 뜨거움과 차가움이라는 용어는 온도를 의미하는 것이 아니라 물질이 몸의 균형을 회복하기 위해 신체 내에서 어떻게 반응하는지를 의미한다.

4) 민족약리학

민족약리학(ethnopharmacology)에서는 다양한 민족, 인종, 문화권에 근거하여 약물 유전학, 약력학 및 약동학적 효과를 연구한다. 이러한 유형의 문화적 지식을 간호에 통합시키면 문화적으로 적합한 돌봄을 행할 수 있다.

인간은 정상적인 생물학적 요소, 환경 및 문화적 영향에 따라 약리학적 중재에 반응한다. 따라서 특정 민족과 문화적 차이는 대상자의 약물 선택과 적절한 용량에 영향을 미친다.

약물에 대한 반응이 민족 간 차이(cross-ethnic differences)를 보이는 이유는 민족마다 신진대사에 차이가 있기 때문이라는 주장이 가장 많이 인용된다. Herrera 등(1999)은 특정 인종 및 민족 집단은 유전적으로 약동학적 차이를 가지고 있어 빠르거나 느린 대사율을 보인다고 하였다. 약물이 너무 천천히 대사되면 대상자의 몸에 축적될 수 있다. 예를 들어, 아시아인(약 50%)과 미국 원주민의 후손들은 다른 민족보다 알코올에 더 민감하다. 이러한 민감도는 알데히드 탈수소효소의 상대적 결핍에 근거하며, 독성이 높은 중간 생성물인 아세트알데히드의 신진대사를 지연시켜 목과 얼굴의 홍조, 빈맥, 위가 타는 느낌 등의 증상이 나타난다.

대부분의 향정신성 약물은 CYP-450 체계에 의해 신진대사가 이루어지는데, 2개의 CYP-450 효소, 즉, 2D6과 2C19가 강한 민족 간 차이를 보인다. 이 2가지 효소에 의한 대사율이 낮은 비율이 문화권마다 다른 것을 **표 5-2**에서 확인할 수 있다. 따라서 약물을 사용할 때 민족 간의 차이를 이해하고 고려하여 투여해야 한다.

표 5-2 | 2D6과 2C19효소에 의한 신진대사: 민족 간 다양성

문화권	2D6-대사율이 낮은 비율(%)	2C19-대사율이 낮은 비율(%)
아프리카계 미국인	~2	~19
백인	3~9	2.5~6.7
히스패닉계	1~4.5	~5
미국 원주민	0~5.2	0
동 아시아계	0~2.5	17~22

출처: Keltner, N.L., & Folks, D.G. (2005). Psychotropic drugs (4th ed.). St. Louis: Mosby.

5) 문화 사정 시 간호사의 역할

간호사는 간호중재 시 문화적 역량을 활용해야 하고, 또한 다른 사람들이 문화적으로 적합한 건강관리의 필요성을 이해하도록 도와야 한다. 즉, 간호사는 문화적 요인을 건강사정에 통합하는 능력을 개발해야 한다.

(1) 문화적 사정에 대한 이해

간호사는 대상자의 문화를 사정할 경우 의사소통, 개인적 성향, 영양, 가족관계, 건강신념, 교육, 영적 및 종교적 견해, 생물학적 및 생리적 요소를 포함한 기본적인 요소를 사정해야 한다. **표 5-3**은 문화 관련 정보를 사정할 때 활용할 수 있는 질문을 제공한다.

문화적 문제에 대해 간호사정을 할 때 간호사는 대상자가 무례하거나 강압적으로 느끼지 않도록 유연하게 질문하고 조심스럽게 관찰해야 한다. 또한 대상자와 동일한 지역사회 출신 또는 문화적 배경을 가진 사람을 참여시킬 수 있다. 추가로 다음 3가지가 간호 사정 및 계획 시 사용할 수 있는 문화적 역량 기술(culturally competent techniques)이다.

(1) 문화적 보존(cultural preservation)은 간호사가 대상자의 문화적 신념과 가치를 인정하고 수용하는 능력을 말한다. (2) 문화적 협상(cultural negotiation)은 문화적으로 적절한 개입을 위해 대상자의 문화적 신념체계 내에서 중재하는 간호사의 능력이다. (3) 문화적 재패턴화(cultural repatterning)는 대상자의 요구를 파악하여 기대결과를 향상시키고 계획을 평가하기 위해 대상자의 문화적 보존과 협상을 통합하는 간호사의 능력을 말한다.

표 5-3 문화적 사정 업무 계획표(worksheet)

문화적 사정 영역	질문 또는 조사 분야
의사소통	1. 외국어를 할 줄 아는가? 2. 한국어가 모국어인가? 3. 한국어를 유창하게 하는가? 4. 통역사를 원하는가? 5. 치료에 필요한 신체접촉을 받아들일 수 있다고 생각하는가? 6. 자신이 속한 민족의 특징적 행동을 보이는가?
개인적 성향	1. 현재 살고 있는 곳에서 얼마나 오래 살았는가? 2. 어디에서 태어났는가? 3. 어느 민족, 인종, 문화권에 자신의 정체성을 부여하는가? 4. 자신의 정체성을 부여하는 집단에서 전통적인 가치, 신념, 관습을 어느 정도로 준수하는가? 5. 인간의 본성, 지식의 발전, 직업윤리, 자연과의 관계에 대한 대상자의 생각은 어떠한가?
영양	1. 좋아하는 음식은 무엇인가? 2. 아플 때 어떤 음식을 먹는가? 3. 신념 때문에 먹지 않는 음식이 있는가?
중요한 타인과 가족	1. 대상자에게 중요한 사람은 누구인가? 2. 치료를 위해 입원해 있는 동안 간호사가 연락을 취했으면 또는 연락을 취하지 않았으면 하는 특정인이 있는가? 3. 대상자의 가정에서는 어떻게 의사결정을 내리는가? 4. 대상자의 가정 내에서 자녀, 여성, 남성의 역할은 어떠한가? 5. 대상자의 가정 내에서 사회적 관습이나 관행은 무엇인가? 6. 대상자에게 가장 중요한 가치 3가지는 무엇인가?
건강	1. 오늘 치료를 위해 여기에 온 계기가 있는가? 2. 기분이 나아지거나 건강해지는 데 도움이 될 것으로 생각하는 것이 있는가? 3. 이전에 도움이 되었던 치료법이 있는가? 4. 어떤 종류의 치료를 기피하거나 불편하게 느끼는가? 5. 간호사가 대상자의 상태가 나아지도록 도움을 줄 수 있다고 생각하는가? 6. 아플 때 치료나 도움을 받으러 보통 누구를 찾는가? 7. 대상자 스스로 신체적 · 정신적인 문제가 있다고 생각하는가?
교육	1. 새로운 일과 과업을 배우기 위해 어떻게 하는가(예: 독서, TV 또는 비디오 시청, 다른 사람과의 대화)? 2. 교육을 어떻게 받았는가(예: 학교, 독학)? 3. 치료비는 어떻게 지불하는 것을 선호하는가?
영성과 종교	1. 대상자 스스로를 영적 또는 종교적인 사람이라고 생각하는가? 만약 그렇다면 그것은 어떤 의미를 가지는가? 2. 선호하는 종교가 있는가? 3. 영적 견해, 종교적 신념 또는 건강관리와 관련하여 이야기하고 싶은 특정인이 있는가? 참여하고 싶은 특별한 활동이 있는가?
생물 · 생리학적 측면	1. 대상자의 가족 중에 특정 건강상의 문제나 질병이 있는가? 2. 건강상 문제가 생길 수 있기 때문에 피하는 약, 약초, 치료법이 있는가? 3. 대상자가 선호하는 몸치장(피부, 머리 등 포함), 건강관리 방식이 있는가? 4. 현재 복용 중인 약(비타민, 영양소, 약초 등도 포함)이 있는가? 5. 하루에 담배를 얼마나 피우는가? 6. 일주일에 술을 얼마나 마시는가? 7. 일주일에 콜라, 맥주를 몇 잔 또는 몇 캔을 마시는가? 8. 하루에 차나 커피를 몇 잔 마시는가? 9. 매일 마시는 특정 음료가 있는가? 10. 하루에 초콜릿을 몇 개나 먹는가?

출처: Warren, B.J., Campinha-Bacote, J., & Munoz. (1994). Cultural assessment worksheet. Columbus, Ohio: Authors.

2. 영적 접근

일반적으로 영성(spirituality)은 용서, 평화, 신뢰, 두려움, 소외, 희망, 사랑, 슬픔, 초월, 의미 발견, 목적, 관계, 감사 등의 의미를 포함한다. 간호는 이러한 영성 개념들을 어떻게 다루고 있는가? 간호사는 대상자의 영적인 관심이나 요구를 사정할 때 전하고자 하는 바를 대상자가 제대로 이해하고 있는지 확인해야 한다.

사람들이 영성과 종교에 대해 강한 신념을 가지고 있음에도 불구하고, 특정 종교에 대한 개인의 경험은 긍정적일 수도 있고 부정적일 수도 있다. 자신을 특정 종교에 속하지 않는다고 말하는 집단에서조차도 무신론자부터 종교가 삶에서 다소 또는 매우 중요하다고 응답한 사람들까지 매우 다양하였고, 이들 중 68%는 자신이 신을 믿는다고 말한다. 왜냐하면 위기에 닥치면 사람들은 종종 긍정적인 종교적 대처방식을 취하기 때문이다(Pargament, 2013).

이 장을 통해서 대상자와 가족의 영적인 관심사, 즉 영성을 이해하고 간호 상황에서 서로 다른 영적인 관심사가 어떻게 나타날 수 있는지 검토하고, 간호사가 어떤 도움을 줄 수 있는지 살펴보고자 한다.

1) 영성에 대한 이해

정신의학(psychiatry)이란 단어는 그리스어인 psyche(영혼)와 iatreia(치유)의 합성어인 '영혼의 치유'로부터 유래되었다. 또한 psyche는 삶의 숨결, 느낌과 감정의 자리, 그리고 세속을 초월하는 인간 존재의 한 부분 등 여러가지 의미를 갖는다. 따라서 영성이라는 용어는 단순한 생물학적 존재 이상의 것을 설명하고 있다.

(1) 영성에 대한 일반적인 이해

영성은 신 혹은 다른 초월적인 존재와 자신의 삶을 연관시키려는 모든 활동과 신념을 말한다. 영성은 삶과 관련이 있는데, 희망, 계획, 두려움, 사람들이 가치 있게 여기는 것들, 개인이 다른 사람들과 관계를 맺는 방식, 의미와 소속에 관련된 이슈들이다. 따라서 엄격한 정의보다는 임상 적용을 위한 설명이 더 적절한 접근일 수 있다. 영성은 질병뿐만 아니라 사람 자체의 치유를 강조하고 인생을 긴 여행으로 간주한다. 영성은 일반적으로 2가지로 의미가 나뉜다. 첫번째 방식은 인간 영혼이 초월적 존재(신 또는 우주의 영)와 불가분의 관계에 있다고 믿는 것이다. 또 다른 방식은 초월적 존재에 의존하지 않으며, 한 인간의 영혼이 다른 인간의 영혼과 관계를 맺고 있다고 봄으로써 영성과 종교적 관점을 구별한다.

(2) 초자연적인 영과 관련된 영성(유신론적 관점)

이 견해는 신이 인간을 포함해 세상을 창조했다고 표현하는 세계 3대 일신교(기독교, 이슬람, 유대교)에 잘 나타나 있다. 신이 인간에게 생명을 불어넣어 인간이 살아있는 영혼체가 되기 때문에 말 그대로 인간 생명은 더 높은 존재에 의해 부여받았다고 믿는 것이다. 따라서 이 견해에서는 기본적으로 존재에 대한 감사함이 특징이다.

(3) 인간 영혼에 관한 영성(인본주의적 관점)

영성을 지적·문화적 소유물의 총합으로 보는 견해는 사람들이 종교 공동체 또는 신에 대한 이해를 떠나 자신의 삶에 의미를 부여하고 시도하려는 방법을 포함한다. 초월적 존재(신) 대신 자기초월을 강조하는데, 특히 다른 사람과의 관계에서 그러하다. 유신론적 관점과 인본주의적 관점이 상호 배타적인 것은 아니지만, 후자는 전자의 접근법을 부정할 때도 있고 완전히 거부할 때도 있다.

(4) 정신간호사를 위한 기타 유용한 관점

① 임상적 이해

정신과 의사인 Xavier(2008)는 임상적 경험을 통해 '건강한 영성(healthy spirituality)'과 '건강하지 않은 신앙심(sick religiosity)'을 구별하는 방법을 제시하였다. 예를 들어, 사람들이 제도적 종교(예: 교회, 회당, 회교 사원)에 대해 종종 부정적인 견해를 가지게 되는 것은 종교를 지나치게 주장하는 사람들로 인해 비인간적이고 고통스러운 경험을 한 경우가 많다. 건강하지 않은 신앙심은 배타성과 전제주의의 특징을 가진다. 하지만 대부분의 많은 종교는 대상자의 건강에 유익한 편이다. 이는 정신과 의사나 간호사에게 특히 중요하다. 왜냐하면 일반적으로 이들은 일반인보다 대상자에게서 영적 문제와 관련된 특징적인 정신병리 현상을 많이 볼 수 있기 때문이다. 정신건강과 영적인 안녕 간에는 상관관계가 있는데, 이러한 부분이 때때로 무시되거나 배제되고 있다.

② 희망을 찾음으로써 겪는 고통에 의미를 부여하기

빅터 프랭클(Viktor Frankl)은 정신과 의사로 제2차 세계대전 중 나치수용소에 수감되어 극심한 고통을 경험하면서, 개인이 자신의 상황을 항상 선택할 수는 없지만 자신의 경험에 대한 태도에 대해서는 늘 선택권이 있음을 인지했다. 그는 죽음의 수용소에서 압도적인 무력감을 겪으면서 더 이상 살고 싶지 않은 수감자들이 희망과 삶을 포기하는 장면을 목격했다. 예를 들어, 삶의 희망을 잃은 수감자는 본인이 가진 담배를 음식으로 맞바꾸지 않고 담배를 피웠다. 그러나 이와는 대조적으로 살아야 할 이유를 찾은 다른 많은 수감자들은 희망을 유지하고 생존할 수 있었다.

③ 인간 성장발달에서의 신뢰와 영성

Loder(1989)는 개인의 초기 성장발달 경험이 추후 영적 생활(spiritual dynamics)에 영향을 미친다고 가정하면서, 성경에서 '얼굴'이라는 단어가 '존재'를 의미한다고 주장하였다. 태어난 지 3개월이 경과하면 유아는 다른 사람의 얼굴을 알아보기 시작한다. 일반적으로 신뢰를 쌓는 과정에서 가장 중요한 얼굴은 일차 양육자인 엄마로, 이에 대한 원초적인 반응은 미소이다. 3~6개월 된 아이의 기본 욕구는 항상 존재하는 사람, 무조건적으로 사랑해주는 사람, 아이를 돌봐주는 사람이 충족시켜준다. 아기가 타인을 신뢰하는 능력은 양육자의 존재(얼굴)에 의해 강화된다. 또한 아이는 처음엔 시간 개념이 없지만, 9개월부터는 엄마가 보이지 않을 때 이를 인식하고 불안을 느끼기 시작한다. 또한 Loder (1989)는 ㅗ의 이론에서 영적 탐색은 '인간이 우주의 일부로 태어나 자아를 확인하고, 사랑하는 타인의 존재에 의해 해결되는 본질을 가지고 있다'고 주장하였다. 따라서 그는 아기가 양육자의 얼굴을 바라볼 때 수치심을 느끼지 않으므로, 포기 및 수치심의 문제를 해결하기 위해서는 양육자와 같은 사랑과 돌봄이 필요하다고 하였다. 이 이론은 유기(abandonment)와 수치심에 대한 이해를 다루는 데 도움이 될 수 있다.

2) 대상자의 영성과 정신간호사

(1) 영적 돌봄의 중요성

간호, 의료 등에서 영적 돌봄의 중요성이 인식되고 있다. NANDA(2012)는 생명원리(life principle) 영역에서 희망과 절망, 영성, 영혼의 안녕과 고통 등에 관하여 여러 부분을 언급했다. 또한 자아통합(ego integrity)의 영역에서 대처, 부정, 슬픔, 무력감, 탄력성, 죽음에 대한 불안 등 영적 관심사가 되는 몇 가지 영역을 언급하며, 이들 모두가 영적 구성요소를 가지고 있다고 하였다.

Levine과 lon(2002)은 회복에 필수적인 4가지 요인을 정리하여 4B(being, belonging, belief, benevolence)의 개념을 제시하였다. 즉 전쟁, 외상, 빈곤 또는 편견으로 인해 고통을 받다가 회복 중인 아동의 경험을 바탕으로 대처법을 주장하였다. 존재(being)는 자기존중 및 자기수용과 관련이 있다. 소속감(belonging)은 지지하고 받아들일 수 있는 집단의 일원과 관련이 있으며, 종종 가족이나 종교 공동체 또는 둘 다를 포함한다. 신념(belief)은 하나의 사명, 비전 및 목적에 관한 것이다. 신념은 물질적 성공을 넘어 근본적인 존재에 관한 질문을 구체화한다. 또한 매우 개인적이고 정의하기 힘든 신념은 존재나 소속감이 약해지더라도 유지된다고 언급했다. 자선(benevolence)은 그 필요성을 경험한 개인이 일반적으로 베푸는 것이다. 즉, 사람들이 내게 친절했기 때문에 나도 그들에게 친절하고자 하는 것이다. 이러한 힘의 원천은 영적인 역사에서 중요한 요소가 될 수 있으며, 사람들로 하여금 영적인 자원을 찾고 이를 사용할 수 있도록 도와준다.

완화치료(palliative care medicine)는 고통을 경감시키기 위한 4가지 영역(신체적, 정서적, 사회적, 영적)을 포함하고, 이들 각각은 다양한 Joint Commission의 진료기준(Quality Palliative Care, 2009)에 언급되어 있다. DSM-5에는 종교적 또는 영적 문제가 진단범주에 포함되어 있다. Joint Commission(Ehman, 2013)은 대상자는 자신의 문화·종교적 신념 및 영적 가치를 존중받고 보살핌을 받을 기본적인 권리가 있다고 주장했다. 이 두 기관 모두 영적 측면을 문화·정신·정서·심리 및 종교적 측면과 별개로 간주하고 있다.

(2) 영적 관심사에 대한 임상적 상황

영적 돌봄의 중요성이 강조되었음에도 불구하고 임상현장에서는 주목을 받지 못했다. 영국 정신과 의사의 50%가 영적 병력을 대개 망상으로 평가하였으며, 미국 정신병동에 입원한 사춘기 대상자의 60%가 종교지도자 외에는 정신건강전문가로부터 종교적 또는 정신적 신념에 대해 한 번도 질문을 받아본 적이 없다고 대답하였다(Nazir, 2010). Grossoehme(2001)은 영적 돌봄의 중요성에 비해 정신장애인이 일반적으로 받는 실질적인 치료 사이에는 불균형이 있다고 주장하였다. 정신과 의사가 임상현장에서 흔히 하는 실수로 대상자의 특정 행동이나 증상을 정신병리적 문제라고 여기기보다 대상자의 문화적 배경과 관련지어 잘못 판단하고, 대상자의 영적 관심을 대수롭지 않게 여기며, 대상자의 고통을 가중시킬 수 있는 부정적 감정에만 주목하는 것 등이 있다.

DSM-5 및 NANDA의 정의: 영적 문제

DSM-5

종교적 또는 영적 문제*

이 범주는 임상적 관심의 초점이 종교적 또는 영적 문제일 때 사용될 수 있다. 예를 들어, 기존 영성의 상실이나 의심, 새로운 종교에 따른 괴로운 경험, 또는 특정 종교 단체와 관련이 없는 영적 가치에 대한 질문 등이 해당된다.

NANDA†

생명 원리(life principle) 영역

- 도덕적 고뇌(moral distress): 자신이 선택한 윤리적·도덕적 결정이나 행동을 수행할 능력이 없음에 대한 반응이다.
- 희망, 향상을 위한 준비(hope, readiness for enhanced): 자기 자신을 대표하여 에너지를 동원하기에 충분한 기대와 욕망으로 강화될 수 있다.
- 절망(hopelessness): 대안이나 개인적인 선택이 제한적이거나 불가능하다고 판단하여 자신의 문제해결을 위한 에너지를 동원할 수 없는 주관적인 상태이다.
- 독실함(religiosity)
  - 부전(impaired): 신앙에 의지하거나 종교의식에 참여할 수 있는 능력이 손상되어 있다.
  - 향상을 위한 준비(readiness for enhanced): 신앙에 의지하거나 종교의식에 참여할 수 있는 능력이 강화되어 있다.
  - 부전 위험(risk for impaired): 신앙에 의지하거나 종교의식에 참여할 수 있는 능력이 저하될 가능성이 있다.
- 영성(spirituality)
  - 고통(distress): 자기 자신, 타인, 예술, 음악, 문학, 자연, 더 큰 힘을 가진 존재(신)와의 연계를 통해 삶의 의미와 목적을 경험·통합하는 능력이 손상되어 있다.
  - 고통, 위험성(distress, risk of): 자기 자신, 타인, 예술, 음악, 문학, 자연, 더 큰 힘을 가진 존재(신)와의 연계를 통해 삶의 의미와 목적을 경험·통합하는 능력이 손상될 가능성이 있다.
  - 안녕, 향상을 위한 준비(well-being, readiness for enhanced): 자기 자신, 타인, 예술, 음악, 문학, 자연, 더 큰 힘을 가진 존재(신)와의 연계를 통해 삶의 의미와 목적을 경험·통합하는 능력이 강화될 수 있다.

출처: *American Psychiatric Association. (2013). Diagnostic and statistical manual of mental disorders (5th ed.). Arlington, Virginia: APA.

†NANDA International. (2012). Nursing diagnoses: definitions and classifications 2012-2014. 〈http://www.fchs.ac.ae/fchs/uploads/Files/ Semester%201%20-%202011-2012/NANDA%20group%20list.pdf〉 Accessed November 19, 2013.

(3) 영성과 정신적·감정적 고통 간의 관계

정신질환은 중요한 영적 문제를 일으킬 수 있는 고통스러운 상황이다. 조현병의 양상이 대상자의 영성에 어떻게 영향을 미치는지를 규명한 오우츠(Oates, 1978)는 종교가 환각과 망상에서 공통적인 주제가 될 수 있고, 문화적인 다양성을 이해하지 못할 때 간호사와 대상자 간의 신뢰감이 감소되는 경향이 있다고 주장했다. Peteet 등(2011)은 종교적·정신적 경험을 정신병리학과 구별하기 위해서는 이 장애가 무엇인지 이해하는 것이 중요하다고 하였다. 대상자와의 신뢰 형성은 대상자가 진정으로 행동하도록 만들었다. 대상자들은 영적 돌봄 제공자가 (1) 대상자를 진정으로 보살피고, (2) 천천히 그리고 구체적으로 말해주기를 원한다고 보고했다.

CRITICAL THINKING QUESTION

3. 정신장애인은 정신병적 증상이 나타날 때 이를 구체적으로 묘사한다. 환자의 영적인 부분이 상징적인 언어로 표현될 때 간호사는 환자에게 영적 돌봄을 어떻게 제공할 수 있을까?

2000년 이후 영성에 관한 연구가 증가되었으나 대부분의 연구에서 종교와 정신질환의 연관성은 나타나지 않는다고 강조한다. Vaillant(2008)는 영성을 긍정적인 감정과 연관시켰으며 사랑, 희망, 용서, 연민, 신뢰와 경외감 등 6가지 긍정적인 감정이 있음을 언급했다. Vaillant 등(2013)은 종교적 대처방법과 영적 안녕 사이의 관계를 조사한 결과, 신앙 수준이 높아지고 영적 안녕이 향상되면 심리적, 정서적 증상이 감소할 수 있다고 보고하였다.

(4) 간호중재 적용

① 고통과 질병

정신장애인뿐만 아니라 급·만성 질환자 및 외래 또는 입원환자의 경우에도 영적 관심사가 있을 수 있다. 대상자는 고통, 질병, 죽음 및 슬픔 등으로 세상에서의 이슈와 의미에 대한 문제를 더 깊이 인식하고 관심을 가질 수 있으며, 자신의 죽음, 소속감을 생각하는 실제적 긴장을 유발할 수 있다.

이러한 종류의 위기는 흔히 발생하지만 항상 예기치 않게 발생한다는 공통점이 있다. 그러한 우려가 생길 때 간호사는 개인이 도움을 구하는 즉각적인 문제에 대해 관심을 가지고 대상자의 정신적 관심 혹은 신념을 사정해야 한다.

② 어떻게 현실적인 방법으로 사정하고 중재할 수 있는가?

신뢰와 연민(compassion)은 양질의 영적 돌봄을 제공하는 핵심이다. 이 장에서 논의되고 있는 점은 영적인 힘과 관심사를 확인하는 데 도움이 되지만 복잡한 장기적 요구를 해결할 수는 없다. Koenig(2008b)는 간호사가 영적 돌봄과 관련하여 5가지 일을 해야 한다고 주장했다. (1) 영적 병력 확인, (2) 대상자의 신념에 대한 지지와 존중, (3) 대상자가 요구할 경우 간호사가 편안하게 함께 기도하기, (4) 친절하고, 부드럽고, 민감하고, 동정심 있는 영적 돌봄을 제공하기, (5) 종교지도자 방문을 권유하기.

간호사와 종교지도자는 영적 돌봄을 제공하는 조력적 돌봄제공자이므로 대상자의 영적 관심에 주의를 기울이는 것은 중요하다. 영적 평가도구가 다양한 분야에서 제공되고 있는데 가장 간단하고 사용하기 쉬운 것은 HOPE 질문이다. 브라운 대학교 병원에 근무하는 2명의 의사는 HOPE이라는 약어를 쉽게 기억할 수 있도록 아래와 같은 도구를 개발했다(Anandarajah and Hight, 2001).

- H: 희망(hope), 힘, 위로, 의미, 평화, 사랑 및 연결의 원천
- O: 대상자를 위한 계획된(organized) 종교의 역할
- P: 개인의(personal) 영성 및 실천(practice)
- E: 의료 및 생애말기(end of life)에 미치는 영향(effects)

(5) 훈련된 종교인 자원 활용하기

지역사회 성직자들은 일반적으로 정신장애인의 영적 요구를 다룰 수 있도록 훈련되어 있지 않다. 이러한 문제를 해결하기 위해 임상적으로 훈련된 전문 종교인이 필요하고, 이들이 통합적 보건의료팀의 일원이 되는 것은 양질의 영적 돌봄을 제공하는 데 도움이 된다. 최근 들어 지역 성직자부터 다양한 분야에 종사하는 고도로 숙련된 종교인에 이르기까지 여러 가지 방법으로 영적 돌봄을 제공하고 있다. 간호사는 훈련된 성직자에게 도움을 요청할 수 있고, 그들이 무엇을 하고 어떻게 건강관리팀에서 활동하는지 파악해 볼 필요가 있다.

CRITICAL THINKING QUESTION

4. HOPE 질문은 종교가 없는 대상자의 영적 이슈에 대한 추가 탐구 기회를 어떻게 제공할 수 있는가?
5. 버림, 불안, 경외감, 소속, 연민, 신념, 용서, 감사, 슬픔, 무기력, 희망, 기쁨, 사랑, (올바른) 자리, 존재, 관계, 신뢰의 단어들 중 당신의 관심을 끄는 것은 무엇인가? 당신이 대상자를 돌보는 동안 영적 이슈를 발견할 수 있는가? 그 이유는 무엇인가?
6. 많은 사람들이 종교와 영성 간에 차이가 있다고 생각하는 이유는 무엇인가?

STUDY NOTES

1. 문화는 일상생활에서 개인과 집단, 지역사회가 적용하는 신념, 가치, 기준의 표현이다.
2. 문화적 역량이란 대상자들에게 효과적인 간호를 제공하기 위해 간호사가 문화적 이해, 지식, 기술을 향상시키는 능력을 말한다.
3. 문화적 다양성이란 연령, 성별, 사회경제적 상태, 종교, 인종, 민족의 차이에서 발생하는 고유성을 일컫는다.
4. 세계관이란 일상생활에서 개인이 중요하게 적용하는 가치와 다른 사람과 상호작용하는 관점을 말한다.
5. 문화적으로 적합한 돌봄을 제공함에 있어서의 장애물로는 부적절한 의사소통, 문화적 관점에 대한 잘못된 접근, 세계관의 차이가 있다.
6. 질병 발생에 대한 3가지 관점은 자연적, 비자연적, 과학적 관점이다.
7. 4가지 세계관은 분석적, 관계적, 공동체적, 생태학적 세계관이다.
8. 문화연계증후군은 개인에게 불편한 경험을 야기하는 반복적인 행동 패턴이다.
9. 비(非)서구 문화의 대상자들은 침, 지압, 영양요법, 피부박리, 뜸, 부항 등의 대체요법을 활용한다.
10. 민족약리학에서는 대상자의 약물 대사에 영향을 미치는 유전적 · 문화적 관련 요소를 다룬다.
11. 간호사가 문화적 지식을 통합하여 건강과 건강관리에 적용하는 것은 중요한 일이다.
12. 가장 기본적인 영성은 희망, 계획, 두려움, 그리고 삶에 대한 이해와 관련이 있으며, 사람들은 타인과 관계를 맺는 방식, 의미와 소속의 문제 등을 소중히 여긴다.
13. 영성에 대한 2가지 기본 견해: (1) 인류보다 더 높은 존재(신)에 의해 생명의 질서와 의미가 부여된다고 보는 초월적 견해와, (2) 인류 스스로 생명의 질서와 의미를 부여한다고 보는 인본주의적 견해.
14. 이 장에서 제시된 임상적용을 위한 3가지 모델: (1) 건강한 영성과 병리적인 종교성, (2) 선택의 자유를 통해 의미를 만드는 것, (3) 세상을 다스리는 존재를 인정하는 것
15. NANDA, DSM-5 및 The Joint Commision은 영적인 구성요소의 중요성을 인식하고 간호에 중점을 두고 있다.

〈계속〉

16. 일부 간호사 및 기타 전문가들은 대상자에게 영적 중재를 제공할 준비가 되어 있지 않다.
17. 간호사는 영적인 이슈를 확인하는 데 도움이 되는 영적 평가도구(HOPE)를 사용할 수 있다.
18. 영적 돌봄은 정신간호에서 무시되어 온 구성요소이다. 간호사는 이를 다루고자 하는 대상자의 요구를 두려워해서는 안 된다.
19. 병리적인 종교성은 오히려 해로운 결과를 초래할 수 있다.
20. 임상적으로 훈련된 영적 돌봄 전문가가 보건의료팀의 일원으로 포함되어야 한다.
21. 정신장애가 있는 대상자는 종종 영적 문제를 나타낸다.
22. 간호사는 영적 병력을 사정하고, 특정 상황에서는 환자를 위해 기도하며, 영적 돌봄을 제공하고, 영적 전문가에게 의뢰할 수 있다.
23. 간호사가 환자를 존중하며 천천히 말하고 구체적인 용어로 설명하는 것은 영적 돌봄의 중요한 부분이다.

참고문헌 REFERENCES

American Psychiatric Association. (2013). Diagnostic and statistical manual of mental disorders (5th ed.). Arlington, Virginia: APA.

Andrews, M. M., & Boyle, J. S. (2007). Transcultural concepts in nursing care (5th ed.). Philadelphia: Lippincott.

Anthony, W. A. (1993). Recovery from mental illness: The guiding vision of the mental health services in the 1990s. Psychiatric Rehabilitation Journal, 2, 17.

Campinha–Bacote, J. (2007). The process of cultural competence in the delivery of healthcare services: The journey continues (5th ed.). Cincinnati: Transcultural C.A.R.E. Associates.

Carter, R. T. (1995). The influence of race and racial identity in psychotherapy: toward a racially inclusive model. New York: Wiley& Sons.

De la Cruz, M. S. D. (2013). Gender differences in health–related quality of life in patients with bipolar disorder. Archives of Womens Mental Health, 16, 317–323.

Diala, C. C., et al. (2001). Racial/ethnic differences in attitudes t0oward seeking professional mental health services. American Journal of Public Health, 91(5), 805–807.

Fontaine, K. L. (2005). Complementary and alternative therapies for nursing. Upper Saddle River, New Jersey: Prentice–Hall.

Giger, J. N., & Davidhizar, R. E. (2008). Transcultural nursing: Assessment and intervention (5th ed.). St. Louis: Mosby.

Herrera, J. M., Lawson, W. B., & Sramek, J. J. (1999). Cross cultural psychiatry. New York: Wiley & Sons.

Institute of Medicine. (2003). Unequal treatment: confronting racial and ethnic disparities in healthcare. Washington, D.C.: National Academy Press.

Keltner, N. L., & Folks, D. G. (2005). Psychotropic drugs (4th ed.). St. Louis: Mosby.

Leininger, M., & McFarland, M. R. (2006). Cultural care and diversity and universality: a world–wide nursing theory (2nd ed.). Boston: Jones & Bartlett.

Munoz, C., & Hilgenberg, C. (2006). Ethnopharmacology: understanding how ethnicity can affect drug response is essential to providing culturally competent care. Holistic Nursing Practice, 20, 5.

Munoz, C., & Luckmann, J. (2005). Transcultural communication in nursing. New York: Thomson Delmar.

Munoz, R., et al. (2007). Life in color: Culture in American psychiatry. Chicago: Hilton Publishing.

Pouissaint, A. F., & Alexander, A. (2000). Lay my burden down: unraveling suicide and the mental health crisis among African Americans. Boston: Beacon Press.

Nazir, S. (2010). What proportion of psychiatrists take a spiritual history? Psychiatry Special Interest Group of the Royal College of Psychiatrists. http://mhspirituality.org.uk/assets/ June2011/Saliha%20Nazir%20What%20 proportion%20 of%20Psychiatrists%20take%20a%20 spiritual%20history%20 Edited.z.pdf, Accessed 19.11.13.

Purnell, L. D. (2009). Guide to culturally competent health care (2nd ed.). Philadelphia: F.A. Davis.

Ross, H. (2001). Office of Minority Health publishes final standards for cultural and linguistic competence. Closing the gap, cultural competency part II. http://www.omhrc.gov/assets/pdf/checked/Final%20Standards%20 for%20Cultural%20and%20Linguistic%20Competence.pdf, Accessed September 2, 2013.

Spector, R. (2004). Cultural diversity in health and illness (6th ed.). Upper Saddle River, New Jersey: Prentice–Hall Health.

Taylor, J. S. (2003). The story catches you and you fall down: tragedy, ethnography, and "cultural competence." Medical Anthropology Quarterly, 17, 159.

U.S. Surgeon General. (2001). Mental health: Culture, race, and ethnicity, a supplement to mental health: A report of the Surgeon General. Washington, D.C.: U.S. Department of Health and Human Services.

Warren, B. J. (2013a). How culture is assessed in the DSM-5. Journal of Psychosocial Nursing, 51, 40-45.

Warren, B. J. (2013b). Many shades of blue: Body and spirit: Into the light: Interview as told to Jeannine Amber. Essence, 3, 116-119.

Warren, B. J. (2013c). Culturally sensitive psychopharmacology. In L. G. Leahy & C. G. Kohler (Eds.), Clinical manual of psychopharmacology for nurses (pp. 379-402). Washington,D.C.: American Psychiatric Publishing, Inc.

Warren, B. J. (2013d). Ethnopharmacology. In B. Cockerman (Ed.), Blackwell encyclopaedia health and society medical anthropology. Somerset, New Jersey: Wiley.

Warren, B. J. (2012). Guest Editorial: Shared decision making: A recovery cultural process. Journal of Psychosocial Nursing and Mental Health Services, 50, 4-5.

Warren, B. J. (2008a). Ethnopharmacology: The effect on patients, healthcare professionals and systems. Urologic Nursing, 28, 4.

Warren, B. J. (2008b). Cultural and ethnic considerations. In D. Antai-Otong (Ed.), Psychiatric nursing: biological and behavioral concepts. New York: Delmar.

Warren, B. J. (2007). Cultural competence in psychiatric nursing: an interlocking paradigm approach. In N. L. Keltner, L. H. Schwecke, & C. E. Bostrom (Eds.), Psychiatric nursing (pp. 164-172) (5th ed.). St. Louis: Mosby.

Warren, B. J. (2005). The cultural expression of dying. The Case 00Manager, 16, 44.

Warren, B. J., Campinha-Bacote, J., & Munoz, C. (1994). Cultural assessment worksheet. Columbus, Ohio: Authors.

김성재 등(2016). 정신건강간호학. 정담미디어.

도복늠 등(2016). 최신정신건강간호학 개론 제4판. 정담미디어.

양수 등(2016). 정신건강간호학 제5판. 현문사.

임숙빈 등(2015). 정신간호총론 제7판. 수문사.

CHAPTER

6

정신건강의 이론적 모형

Theoretical Models of Mental Health

evolve WEBSITE

http://evolve.elsevier.com/Keltner

학습목표

- 인간행동을 이해하기 위한 정신건강의 이론적 모형 틀을 열거한다.
- 정신분석 모형을 설명한다.
- 대인관계 모형을 설명한다.
- 회복 모형을 설명한다.
- 사회적 모형을 설명한다.
- 실존적 모형을 설명한다.
- 인지행동 모형을 설명한다.
- 의사소통 모형을 설명한다.
- 의학 모형을 설명한다.
- 간호 모형을 설명한다.
- 각 정신건강 모형에서 간호사의 역할과 간호 실무와의 연계성을 설명한다.

정신건강전문가들은 정신건강의 이론적 모형을 바탕으로 활동을 수행한다. 이론적 모형들은 인간 행동과 관련된 개념과 같은 복합적인 지식체를 조직하는 방법으로서, 관찰된 행동의 이유를 확인하고, 치료전략을 제공하며, 대상자와 치료자의 적절한 역할을 제시해 준다. 이 모형들은 자료를 조직화하고 치료과정의 효과를 측정하게 하며, 인간행동에 관한 연구를 촉진한다. 이 장에서는 정신간호의 기반이 된 대표적인 정신건강 모형의 개요를 제공한다. 소개되는 모형의 기본적 지식은 치료적 관계와 간호를 제공하는 데 있어 필수적인 요소이다. 이 장에서는 정신분석 모형, 대인관계 모형, 회복 모형, 사회적 모형, 실존적 모형, 인지행동 모형, 의사소통 모형, 의학 모형, 간호 모형 등을 제시하여 정신질환자를 이해하고 치료하는 데 필요한 개념을 제공한다. 정신건강의 이론적 모형은 **표 6-1**에 요약되어 있으며, 6장 전반에 걸쳐 설명하고자 한다.

1. 정신분석 모형

정신분석 모형(Brill, 1938; Freud, 1936; Freud & Strachey, 1960)은 프로이트(Sigmund Freud)에 의해 소개된 인간의 성격에 대한 이론으로서, 인간의 동기와 행동의 기저에 있는 무의식 과정과 정신역동적 요인들을 강조하고 있다. 프로이트는 개인의 성향, 본능, 방어기전은 생애 초기에 형성되어 한 인간의 성격을 이해하는 데 중요한 영향을 미친다고 하였다. 또한 모든 정신질환은 아동기의 해결되지 않은 문제가 원인이라고 강조하였다. 그는 심리학적 원인이 없음에도 불구하고 신체 증상을 보이는 히스테리 대상자를 치료하면서 이러한 결론을 내렸다.

프로이트는 히스테리 환자의 치료로 최면술을 사용함으로써 심리학적 치료접근 방법에서 대화 방식으로 치료방식을 변경하였는데, 이를 '카타르시스 방법(cathartic method)'이라 하였다. 오늘날 카타르시스는 '가슴에서 뭔가를 꺼내

표 6-1 정신건강의 이론적 모형

모형	인간에 대한 가정	목표 및 접근법	의사소통 방식
정신분석 모형 (Freud)	• 인간은 무의식적 욕망과 갈등으로 동기화되며, 성격은 초기 아동기에 발달한다. • 현재 문제는 어린 시절 갈등의 결과로 자아방어기전은 불안을 대처하는 데 부적합함을 의미한다. • 통찰은 서로 무관하다고 여겼던 기억, 체험, 감정, 사고 등이 연관되어 있음을 받아들임으로써 자신의 문제를 알아가는 과정이다.	• 무의식적 갈등과 과정에 대한 통찰력을 갖는다. • 성격의 구조나 어린 시절의 왜곡된 경험을 재구조화하고 자아방어기전을 수정하여 새로운 대처행동을 갖는다. • 자유연상, 꿈 해석을 사용하며, 전이와 저항을 분석한다.	• 대상자: "모든 여자들이 나를 증오해요." – 일차적 반응: "당신과 문제가 있는 여성에 대해 말해 주세요." – 통찰에 기반한 반응: "어머니와의 관계가 어떠했는지 이야기해 주세요."
대인관계 모형 (Sullivan, Peplau)	• 대인관계와 불안은 자기체계(self-system)의 발달을 촉진한다. • 정신심리적 발달은 대인관계의 유형이 변화하는 과정에서 이루어진다. • 대인관계에서의 문제들은 개인의 안정감과 성숙(발달)을 방해한다. • 안정적인 자기체계는 학습을 방해하는 불안으로부터 자신을 보호한다. • 재교육을 통해 변화가 일어난다.	• 만족스러운 관계를 형성하고 성장하도록 돕는 것, 불안으로부터 방해받지 않고 관계에서의 자유를 얻는 것, 그리고 효과적인 대인관계 기술을 학습하는 것이다. • 현재 겪고 있는 대인관계의 문제에 대해 평가한다. • 간호사-환자 관계를 통해 대인관계 과정을 분석하고, 새로운 대인관계 기술들을 검증한다. 합의적 입증(consensual validation)과 현실검증, 긍정적 인지 등을 활용한다.	• 대상자: "나는 더 이상 앉아 있을 수 없어요. 지금 너무 긴장돼요." – 일차적 반응: "잠시 저와 함께 산책할까요?" – 재교육 반응: "당신을 긴장하게 만드는 것이 무엇인지, 그리고 그것을 다루기 위해 당신이 무엇을 할 수 있을지에 대해 이야기해 보도록 할까요?"
회복 모형	대상자는 인식가능한 강점과 능력을 갖춘 전문가라고 가정한다.	• 대상자와 가족은 치료 옵션을 관리하고 정의한다. • 개인의 선택권과 활동계획을 스스로 탐색하도록 도와줌으로써 대상자를 지원한다.	회복에 기반을 둔 반응: "당신이 생각하는 치료의 목표는 무엇입니까?", "치료계획의 목표를 달성하기 위해 제가 어떤 것을 도와드릴 수 있을까요?"
사회적 모형 (Szasz, Caplan)	• 개인의 생활 경험에 영향을 주는 사회적 환경을 고려한다. • 인간과 생활 환경이 상호교류하면서 사회적, 환경적 요소가 스트레스와 불안을 유발한다. • 사회적 모형은 지역사회 정신건강운동의 토대가 된다.	• 정신의료기관에 입원한 환자보다는 지역사회 내 정신질환에 이환될 고위험군에 초점을 두고 1차, 2차, 3차 예방적 서비스를 제공한다. • 정신장애인들이 자신을 치료하는 방법과 치료자를 선택할 수 있도록 선택권을 부여한다. • 정신과적 강제입원보다 자의입원을 인정한다. • 정신장애인에게 보다 효과적인 치료환경을 제공하기 위해 치료자들은 환자의 입장을 옹호하고 제도 및 정책 개선에 참여한다.	사회적 모형에 기반을 둔 반응: "퇴원 후 지속적으로 질병을 관리하고 재발을 방지하기 위해 지역의 정신건강복지센터에 등록할 수 있습니다."

〈계속〉

실존적 모형 (Frankl, Glasser, Rogers)	• 개인의 과거 문제에 초점을 두기보다 현재의 경험을 다룬다. • 자신이나 환경으로부터 소외된 사람은 무력감, 외로움을 느끼며, 자신의 존재를 수용하지 못하여 이상행동을 보인다. • 진정한 자기인식과 자기이해가 없는 사람은 타인과의 진실한 인간관계를 형성하지 못한다.	• 자신, 타인, 세계에 대해 비합리적으로 인식하는 태도를 교정하도록 훈련하고, 주위 환경과 자신에 대해서 인식력을 증가시킨다. • 대상자 자신이 생의 의미를 발견하여 스스로 인생을 조정해 나가도록 훈련하고, 자신의 행동에 대해 책임을 지도록 격려한다. • 대상자가 스스로 인생의 목적을 세우고 달성하도록 돕는다. • 대상자에게 행동에 대한 책임감과 자아의식을 갖도록 훈련시킨다.	
인지행동 모형 (Beck, Ellis)	• 인간은 존재하는 그 자체로 가치가 있다. • 인간은 합리적 사고를 하기도 하고, 비합리적인 사고를 하기도 한다. • 비합리적 신념은 비합리적 감정과 행동을 유발한다. • 신념의 변화를 통해 감정과 행동의 변화를 가져올 수 있다. • 합리적인 사고과정을 통해 변화가 일어난다.	• 비합리적 신념을 합리적인 신념으로 바꾼다. • 자기파괴적 행동을 하지 않도록 한다. • 감정, 행동, 변화에 대한 책임을 부여한다. • 역기능적 사고일지를 스스로 작성하여 자신의 비합리적인 신념을 찾아보도록 한다. • 역할극을 통해 새로운 행동을 실행하고 연습한다.	• 대상자: "내 아내는 나를 화나게 해요." – 일차적 반응: "당신이 그렇게 싫어하는 부인의 문제는 무엇입니까?" – 인지행동적 반응: "당신이 방금 진술한 말 속에서 자기파괴적인 표현은 무엇입니까?"
의사소통 모형 (Berne, Watzlawick)	• 인간의 모든 행동은 언어적 · 비언어적 의사소통에 의해 메시지를 전달하고, 메시지가 왜곡되었을 때 이상행동이 유발된다. • 인간의 의사소통 유형은 부모형, 성인형, 어린이형 등의 자아상태 형태로 이루어진다. • 왜곡된 의사소통 패턴이 이상행동을 유발한다.	• 효율적인 의사소통 방식은 강화하고, 비효율적인 의사소통 방식은 변화되도록 훈련시킨다. • 대상자가 자신의 의사소통에 적극적으로 참여하도록 기회를 제공한다. • 자기긍정–타인긍정의 태도로 변화하여 자신의 문제를 해결하도록 돕는다.	
의학 모형	• 전통적인 의사–환자 관계에서 정신질환의 원인을 확인하고, 진단에 초점을 둔다. • 다른 모형의 요소들과 병행하여 활용한다. • 정신질환의 원인을 뇌의 구조와 기능, 신경전달물질의 부족 또는 과잉, 유전적인 소인으로 본다.	• 대상자의 질병과 증상을 확인하고 간호계획을 수립한다. • 대상자는 정신과적 문제가 있는 사람이라는 것을 인정하게 한다.	
간호 모형	• 대상자의 실재적이고 잠재적인 문제에 초점을 둔다. • 생물학적, 심리적, 사회적, 문화적, 환경적 욕구에 관심을 두는 전인적이고 총체적인 중재방법이다. • 돌봄의 과정은 간호사와 대상자 간 협력하는 관계로 인간의 반응에 초점을 둔다. • 과학적인 간호과정을 적용한다.	• 대상자의 욕구에 초점을 두고 간호에 능동적으로 참여시킨다. • 신뢰관계를 형성하고 자신의 감정을 이야기하도록 기회를 제공한다. • 대상자가 가지고 있는 감정을 활용하고 질병에 대한 통찰력을 증진시킨다.	

는 것'을 의미하는 용어로 사용된다. 대화법은 마음에 떠오르는 생각과 감정을 솔직하게 털어놓게 하는 '자유연상'을 포함하는 개념으로 발달하였다. 또한 꿈 해석은 프로이트가 무의식 속의 충동과 공격성이 꿈 속에서 상징적으로 작동한다는 것을 확인한 방법으로 프로이트의 대표적인 치료 방법이 되었다. 프로이트는 힘든 정서적 사건을 이야기하는 것을 통해 정신질환의 원인이 되는 마음의 상처가 잠재적으로 치료된다는 사실을 알게 되었으며, 이 치료적 접근의 효과가 있다는 것을 확인하였다.

1980년대에 정신분석 분야는 프로이트학파의 개인주의 관점에서 관계기반 중심의 대상관계 이론과 자아심리학 영역으로 방향이 전환되었다. 자아심리학의 핵심은 모든 인간은 인정받고 싶은 욕구가 있다는 것이다. 반응을 잘 보여주고 수용적인 부모에 의해 양육된 아이들은 자신감이 높은 반면, 거절당한 경험이 있는 아이들은 일생 동안 관심받기를 원한다. 같은 맥락으로 대상관계 이론에서는 인간은 생애 초기 경험에 의해 형성된 기대에 기반을 두고 타인과 관계를 맺는다고 주장하였다. 생애 초기의 부모와 자녀 간 상호작용은 개인의 삶 전반에 걸쳐 타인과의 관계를 형성하는 방식에 영향을 미친다. 이 이론은 인간발달의 주요 개념으로 애착과 관계의 중요성을 강조한다.

1) 주요 개념

아동 발달을 위해 안정감을 주는 부모의 역량은 자신의 안정 여부에 의해 좌우된다. 영아는 부모를 분리된 존재가 아니라, 자신과 일치된 존재이거나 자신의 일부로 인식한다. 부모는 자녀의 이해 수준을 반영하고 자녀가 어떻게 느끼는지 깊은 감정을 전달하기 때문에, 자녀의 내적 경험에 큰 영향을 미친다. 더욱이 자녀는 힘 있고 강한 부모를 동일시하는데, 이 같은 동일시는 이전에 형성된 안정감 위에 형성된다. 즉, 발달단계 초기 단계에서 부모와의 관계가 안정적이고 애정의 관계가 충분했다면, 자녀는 관계 속에서 안정감을 느끼며 성장하게 된다.

초기 부모와 자녀 간 관계에서의 문제는 향후 자녀에게 대인관계 문제를 유발될 수 있다. 정신분석 이론에 의하면, 사람들이 경험하는 관계의 문제는 부모와의 관계 양상을 타인에게 적용함으로써 타인에 대한 인식이 왜곡됨에 기인한다고 본다. 이 같은 현상은 전이와 투사적 동일시로 잘 알려져 있다. 전이의 사례로, 한 여성 대상자가 자신의 아버지에게 느꼈던 불신의 감정을 현재 자신의 남성 주치의에게 동일하게 느끼고 치료를 거부하는 경우를 들 수 있다. 투사적 동일시는 본질적으로 상호작용적이다. 예를 들면, 16살에 임신을 했던 엄마가 그와 같은 일이 자신의 10대 딸에게 일어날 것을 두려워하는 경우이다. 심리적으로 불안한 엄마는 16살이 된 딸이 남자와 데이트하는 것을 허용하지 않는다. 결과적으로, 10대 딸은 가출하여 남자친구를 만나 임신을 하게 되고, 부모는 사회적인 낙인에 대한 염려로 인해 과잉 반응을 하게 된다. 부모는 자녀가 독립적인 존재라는 것을 인정해야 한다. 그렇지 않으면 위험한 결과를 초래할 수 있다. 위험한 결과란 부모에게 계속 의존하거나 폭력적인 반항을 할 수 있음을 의미한다. 이 두 상황 중 어느 쪽이든, 자녀는 성숙한 관계를 형성하기 어렵게 된다.

어린 시절 갈등과 관련된 고통스러운 느낌들은 무의식 속에 억압된다. 이후 살아가면서 유사한 갈등을 재경험하게 되면, 억압이 실패하여 고통스러운 느낌이 의식으로 올라오게 되고, 불안과 불편한 감정의 원인이 된다. 프로이트는 많은 정신질환의 원인이 되는 불안을 3가지 유형으로 정의하였다.

(1) 현실 불안: 외부의 실제 위협으로부터 발생하는 현실적인 불안
(2) 신경성 불안: 사람이 본능에 충실하여 행한 일들로 인해 처벌을 받을 것이라는 두려움
(3) 도덕적 불안: 친구의 돈을 훔치는 것과 같이 자신의 양심에 반하는 행위를 했을 때 경험하는 죄책감과 같은 도덕적 불안

2) 간호사의 역할

프로이트의 정신분석 치료의 목표는 무의식을 의식수준으로 불러와 그들의 과거를 다루어 주고 수용할 수 있게 함으로써 과거와 현재의 행동을 이해할 수 있게 하는 것이다. 개인의 감정과 사고를 탐색하여 저항과 억압을 다루어 줌으로써 어린 시절의 경험을 분석할 수 있다. 현재 행동의 원인이 밝혀지면, 질병에 대한 통찰력을 갖게되어(Miller, 2004a) 자신의 자기파괴적인 행동을 줄이고 정신건강을 향상시킬 수 있다.

전통적인 정신분석에서 간호사는 치료자로서 대상자가

생각하는 모든 것과 느낌을 자유롭게 말하도록 하는 자유 연상 기법을 사용하여 그동안 억압되었던 경험이나 생각, 느낌을 확인하고 해석하는 음영자(shadow person)의 역할을 한다. 음영자의 역할이란, 간호사가 대상자의 시선 밖에 있어야 하며, 비언어적 반응을 보여 어떤 영향도 주지 않아야 한다. 또한 간호사는 "네", "계속 얘기해 주세요", "자세하게 이야기해 주세요" 등 언어적 반응을 간결하게 하며, 대상자의 연상의 흐름을 방해하지 않도록 신경을 써야 한다. 행동을 분석할 경우 의사소통의 유형을 바꾸어야 한다. 간호사의 해석을 대상자가 수용하거나 수용하지 않을 수 있으며, 수용하지 않는 것은 저항을 의미한다. 치료의 종결 단계에서 대상자의 갈등과 의존적 욕구가 극복되고 간호사를 현실적으로 바라볼 수 있어야 한다.

CRITICAL THINKING QUESTION

1. 환자와 정신분석가의 역할이 환자의 힘을 북돋아 주거나(empowerment) 의존을 지지해주는 것이라고 생각하는가?

3) 간호 실무와의 연계성

대상자와의 치료적 만남을 통해 간호사는 대상자가 사용하는 부적응적 방어기전에 대해 인식하고 이해해야 한다. 간호사는 이러한 기전에 대해 관찰한 바를 치료팀과 조심스럽게 공유하여 적응행동을 증가시키고 문제행동에 대한 인식을 높이기 위해 대상자와 협력해야 한다. 예를 들어, 공공장소에서 음주를 하여 체포된 한 알코올 중독자는 음주 문제로 직장에서 3번 해고되었으며, 현재 이혼할 위기에 놓여 있다. 이 대상자에게는 적응적 대처기전을 위해 단주의 중요성을 인식하게 할 필요가 있다. 또한 정신분석적 접근에서는 지속적인 관계 형성을 통해 대상자는 다른 사람의 말에 따르는 것이 아니라, 개인적 가치, 신념 및 요구에 따라 생각하고, 느끼고, 행동하는 법을 배우는 것에 초점을 둔다. 예를 들어, 부모의 주장에 따라 공학 분야를 전공하게 된 대학생은 삶의 목표를 결정하는 데 있어 부모의 도움을 받기도 하지만, 부모의 압력을 견딜 수 있는 자아의 힘을 강화해야 한다. 대상자는 수용 가능한 자신의 욕구와 정상적인 욕망에 대해서도 도움을 필요로 하며, 그 과정에서 죄책감이나 수치심을 느낄 수 있다. 대상자는 자신의 욕망과 욕구를 표현할 수 있는 수용 가능한 방법을 선택할 수 있어야 한다. 간호사는 임상 현장에서 의식과 무의식의 영향을 고려하여 대상자의 고통의 근원을 확인해야 한다.

Clinical example

어린 시절의 성적 학대에 대한 기억을 억압한 김OO 님은 이혼한 경험이 있는 젊은 여성이다. 성관계에 대한 자신의 고통스러운 감정을 다루는 대신, 남편을 대상으로 이혼한 것을 비난하면서 자신의 감정을 투사하고 있다. 대상자는 자신의 성적 취향과 욕망을 정상적이라고 받아들이는 법을 배우지 못했기 때문에, 새로운 인간관계를 시작하는 데 어려움을 겪고 있다. 이 대상자에게는 대상자의 성과 관련된 고통스러운 감정 상태와 이 감정이 이혼을 결정하는 데 어떤 역할을 했는지 탐색하고, 인간의 정상적인 부분으로 자신의 성적 욕구를 수용할 수 있도록 초점을 맞춘 간호중재가 제공되어야 한다. 또한 대상자는 자신의 감정과 욕구를 표출할 수 있는 건강하고 적응적인 방법을 선택하는 데 있어 도움을 필요로 할 수 있다.

2. 대인관계 모형

설리반(Harry S. Sullivan)은 개인 간 관계와 집단 간 관계에 대해 포괄적으로 설명할 수 있는 대인관계 모형을 개발하였다(Brody, 2004). 정신분석학적 관점에서 설리반은 인간 간의 상호작용이 정신 내 작용보다 더 중요하다고 믿었다. 설리반은 타인과의 관계 속에서 효과적으로 살 수 있는 능력을 갖춘 사회적 존재가 건강한 사람이라고 정의하였고, 정신질환은 대인관계에서 인식이나 기술이 부족한 결과라고 언급하였다. 또한 대인관계가 불안과 부적응 행동 및 부정적인 성격 형성의 근원이라고 설명하였다.

1) 주요 개념

대인관계 모형의 기본적인 가정은 정신분석 모형에서 유래되어 유사하나, 근본적으로 인간을 사회적인 존재로 본다는 차이점이 있다. 이 관점에서는 인간의 성격발달 과정에 생물학적 요소가 중요한 영향을 미치지만, 사회적 상호작용에서의 경험이 결정적인 요인으로 작용하며, 특히 생의 초기에 어머니와의 관계가 생애 전반에 걸쳐 개인 발달에 큰 영향을 미친다고 보았다.

설리반에 의하면, 모든 행동은 대인관계를 통해 욕구를 충족시키고, 불안을 피하거나 감소시키기 위한 목적으로 나타난다는 것이다. 그는 불안이 사회적 요구나 생물학적 요구가 충족되지 못한 고통스러운 느낌이나 감정에 의해 유발된다고 하였다. 또한 인간은 불안을 감소시키고 안정을 증진시키기 위해 '안정작동기제(security operations)'를 사용하며, 궁극적으로 이 기제는 개인이 불안에 대해 방어하고 자존감을 향상시키도록 작용한다고 하였다.

설리반의 안정작동기제 개념과 프로이트의 방어기전의 개념 간에는 많은 유사점이 있다. 이 2가지 개념은 우리가 인식하지 못하는 무의식적 과정과 불안을 감소시키는 방법이라는 점에서 공통적이다. 그러나 프로이트의 억압이란 방어기전은 정신내적 활동이고, 설리반의 안전작동기제는 대인관계 속에서 관찰될 수 있는 활동이라는 점에서 차이가 있다.

대인관계 모형의 대표적인 이론가로 설리반, 페플라우가 있다. 특히, 페플라우의 업적은 간호 임상현장에서 중요하게 적용되고 있다.

2) 간호사의 역할

대인관계 모형에서 간호사-대상자는 동반자의 관계로 볼 수 있다. 설리반은 치료는 대상자를 교육시키고 대상자가 개인적인 통찰력을 얻도록 돕는 것이라 하였다. 또한, 정신분석적 모형에서 '음영자'의 역할을 강조한 반면, 설리반은 '참여적 관찰자(participant observer)'라는 용어를 사용하였다. 설리반은 간호사가 진정한 인간으로서 대상자와 상호작용하는 존재라고 보았다. 치료적 인간관계의 본질적인 측면으로 여겨지는 상호성, 대상자에 대한 존중, 무조건적인 수용, 그리고 공감은 대인관계 이론의 중요한 요소라는 점을 강조하였다. 페플라우는 대인관계 모형을 근거로 간호사의 역할을 다음과 같이 제시하였다.

- 이방인(stranger): 대상자와 처음 만났을 때의 역할
- 자원인(resource person): 대상자에게 정보를 제공해주는 역할
- 교육인(teacher): 대상자가 배우고 성장할 수 있도록 교육을 제공하는 역할
- 지도자(leader): 대상자가 민주적으로 간호과정에 참여할 수 있도록 돕는 역할
- 대리인(surrogate): 과거 대상자와 중요한 관계에 있었던 사람으로서의 역할
- 상담자(counselor): 대상자가 질병을 포함한 삶의 다양한 측면에서의 경험들을 말할 수 있도록 이끌고, 이를 자신의 경험에 통합하도록 돕는 역할을 한다.

3) 간호 실무와의 연계성

페플라우(Peplau, 1952, 1963)는 설리반의 대인관계 개념을 간호 실무에 적용하는 데 중요한 역할을 하였다. 페플라우는 대상자의 불안을 감소시키고 건설적인 행동으로 전환하도록 돕는 것이 간호의 주요 목표라고 하였다. 페플라우는 공황 수준에서부터 경미한 불안에 이르기까지 불안이 개인의 지각과 학습에 미치는 영향을 설명함으로써 타인과의 관계를 통해 대상자의 기능을 향상시키고 불안을 감소시키는 것의 중요성을 강조하였다.

예를 들어, 대상자가 "나의 아내는 내가 언제 화가 나고 도움이 필요한지 알고 있지만, 나는 아무 말도 하지 않습니다"라고 이야기했을 때 간호사는 "당신은 부인에게 진실을 말하려고 할 때 어떤 점이 불안하게 느껴지나요?"라고 질문해야 한다. 페플라우는 대상자의 문제와 대인관계에 대한 초점은 특히 망상, 환각 및 왜곡된 사고를 다루는 정신증과 관련이 있다고 주장하였다. 대상자가 자신의 상황에 대해 말한 것을 이해하고 대처기술을 개발하도록 돕는 것이 치료의 중요한 측면이다(Smoyak, 2004).

Clinical example

간호사는 한 남성 대상자가 여성과의 관계를 시작할 때마다 불안이 높아진다는 것을 알았다. 대상자는 여자와 단둘이 있을 때 어떤 말을 하고, 무엇을 해야 하는지 모른다고 호소한다(대인관계 기술의 부족). "나는 멍청이처럼 행동하는 것이 너무 두렵습니다. 나의 입은 얼어붙고 땀이 납니다(불안). 다시는 그녀를 볼 수 없을 거예요"라고 말하는 대상자에 대한 간호중재는 특정 불안의 근원, 불안감 극복, 간호사와 사교적인 대화의 연습, 소그룹 집단에서의 사회적 기술훈련에 중점을 두어야 한다.

3. 회복 모형

회복 모형(recovery model)은 많은 정신건강전문가가 잘 알고 있는 모형이다. 정신건강간호 체계 내에서 간호사가 간호서비스를 제공하기 위해 회복 모형에 대한 지식을 갖추는 것이 중요하다. 회복 모형을 이해하기 위해서는 패러

다임 전환이 필요함을 인식해야 한다. 특히, 회복 모형은 의료 분야에서 널리 사용되는 의학 모형으로부터 정신건강체계의 변화를 이끌었다.

의학 모형은 인간의 질병과 기능장애를 치료하는 데 초점을 맞추고 있는 반면, 회복 모형의 초점은 단순히 증상을 경감할 뿐만 아니라, 개인의 역량을 향상시키는 데 있다. 따라서 회복 모형의 관점에서 정신장애에 있어서 회복이란 치료가 아니라 의미 있는 삶의 방식으로의 전환을 의미한다.

1) 주요 개념

회복이란 '자신의 잠재력을 최대한 발휘하고 노력하면서 그들이 선택한 지역사회에서 의미 있는 삶을 살아가고, 자신의 건강과 안녕을 향상시키기 위한 개인적 노력에 의해 이루어지는 변화의 과정'으로 정의된다(SAMHSA, 2011). 회복 모형에서 제시하는 10가지 기본원칙은 다음과 같다.

(1) 인간 중심, (2) 다양한 방법을 통해 이루어짐, (3) 전인적 관점, (4) 동료에 의한 지지, (5) 관계를 통한 지지, (6) 문화의 영향을 받음, (7) 심리적 외상과 밀접한 관련성, (8) 역량 중심, (9) 존중을 기반으로 함, (10) 희망을 이끌어 냄.

회복이라는 개념에 기반을 둔 간호는 인간 중심적이고 자기주도적이며, 대상자에게 무언가를 지시하는 것이 아니라 대상자와 협력하면서 정신건강전문가가 모범을 보여주는 것이다. 대상자에게 스스로 새로운 것을 시도하도록 격려하며, 자신만의 삶의 여정에서 스스로 자신을 보살피도록 책임을 부여한다. 회복은 비선형적이며, 퇴보를 실패로 간주하지 않는다. 오히려 증상은 다시 재발할 수 있으며, 일정 기간 동안 정신건강서비스가 필요할 수 있다는 점을 이해해야 한다. 이 기간 동안 대상자의 강점과 능력을 강조하면서 희망적 분위기를 조성하는 것이 중요하다. 존중은 정신건강전문가가 대상자를 의학적 진단에 의한 존재로만 인식하지 않는 것이다. 대상자를 '양극성장애' 환자로 규정하기보다는 우울 증상이나 조증 증상을 경험하고 있는 것에 초점을 두어야 한다.

회복 모형의 치료 목표는 정신건강 의료기관에서 지속적인 치료를 받도록 하는 것이 아니라, 대상자가 속한 지역사회 내에서 의미 있는 역할을 발전시켜 나가도록 돕는 것이다. 가족, 동료 및 지역사회 구성원을 포함한 지원시스템이 대상자가 회복하고 안정된 삶을 유지하는 데 중추적인 역할을 한다(Berger, 2004). 그중에서 동료의 지원은 회복 과정에서 필수적인 요소이다. 동료 상담사란, 정신질환이 있었던 삶 속에서 자기주도적 회복 여정을 통해 회복한 대상자를 말한다. 그들은 정신건강제공자로서 동료와 그 가족에게 정보와 통찰력을 제공하는 능력이 있다. 동료 상담사는 훈련과 인증을 통해 동료에게 직접적인 지원을 할 수 있으며, 정신건강간호 인력을 교육하고 피드백을 제공한다(Ahmed et al., 2012).

회복이라는 개념에 기반을 둔 간호는 대상자의 인종, 민족, 언어 선호도, 나이, 성별, 성 지향성(sexual orientation), 종교적 또는 영적 신념, 그리고 불리한 조건을 민감하게 다루면서 문화적으로 수용 가능한 방법 내에서 간호를 제공한다. 또한, 낙인, 빈곤, 노숙자와 같은 구조적 불평등도 고려되어야 한다. 회복에 기반을 둔 서비스는 주택 공급, 소득 보장, 고용기회, 접근성이 용이한 운송시스템, 유급 육아휴직, 언어 수업 및 교육 기회와 같은 사회적 지원을 포함한다.

2) 간호 실무와의 연계성

회복 모형에서는 정서 및 행동에 문제가 있는 대상자를 간호하는 데 기본이 되는 몇 가지 핵심 가치를 가진다. 기본적으로 대상자 개개인은 그들의 요구를 다룰 때 파트너로서 존중되어야 한다. 회복 과정에서 대상자의 정신건강 전반에 걸쳐 인식과 변화에 대한 욕구를 평가하는 것은 간호사에게 중요한 통찰력을 제공한다. 회복 모형에서 간호사는 대상자의 선택과 활동 계획을 탐색하도록 돕기 때문에 정신건강 소비자인 대상자는 적극적인 행위자가 된다(Camann, 2010).

회복으로의 변화는 대상자에게 최선이라고 생각하는 것을 서비스로 제공해왔던 정신건강간호사들의 저항에 직면하고 있다. 정신건강간호사는 대상자가 그들의 지시에 순응하지 않을 때, 비순응적이며 치료적 동기가 없고 치료에 저항하며 비협조적이라는 편견을 가져왔다. 하지만 회복에 기초하여 간호를 이해한 정신건강간호사는 대상자의 저항이 긍정적인 징후라는 것을 안다. 이는 대상자의 저항은 대상자 자신만의 고유한 생각이 있다는 것을 의미하기 때문이다. 간호사는 대상자의 이야기를 경청한 다음 대상자가 자신이 선호하는 계획대로 진행하도록 협력하는 것이 최우선 과제이다. 이 접근법은 정신건강서비스의 계획, 교육,

전달, 정책 및 평가의 모든 단계에서 대상자와 연결되는 것이 매우 중요하다고 해석한다.

4. 사회적 모형

앞서 살펴본 정신분석 모형과 대인관계 모형은 개인과 정신내적 과정 및 대인관계 경험에 초점을 두고 있는 반면, 사회적 모형은 개인을 초월하여 개인과 개인의 생활 경험에 영향을 주는 사회적 환경을 고려한다. 즉, 사회적 환경이 인간과 인간의 삶에 큰 영향을 미치며, 문화 자체가 정신질환을 정의하고 치료와 예후를 결정하는 데 중요하다고 보는 관점이다. 지역사회 정신건강운동은 사회적 이론가들의 철학에 기반을 둔 것이다. 대표적인 학자는 토마스 자즈(Thomas Szasz)와 제랄드 캐플란(Gerald Caplan)이다. 이들은 인간과 생활 환경이 상호교류하는 과정에서 정신이 발달한다는 전제 하에 사회적, 환경적 요소가 스트레스와 불안을 유발하며, 과도한 스트레스와 불안으로 인하여 이상 행동이 유발된다고 주장하였다. 자즈(1961, 1987, 1993, 2002)와 캐플란(1964) 등의 이론가들은 문화 자체가 정신질환을 정의하고, 치료법을 처방하며, 환자의 미래를 결정하는 데 유용하다고 보았다.

1) 주요 개념

사회적 모형의 이론가들은 사회적 상황이 부적응적인 행동의 주요한 원인으로 작용할 수 있다고 보았다. 부적응적인 행동은 문화에 따라 다르게 정의되는데, 어느 나라의 문화권에서는 정상적인 행동이 다른 문화권에서는 문제 행동으로 해석될 수 있으며, 다른 문화권에서는 정신질환의 증상으로 해석될 수 있다. 자즈(1961)는 그의 저서 「정신질환의 진실과 거짓(Myth of Mental Illness)」에서 사회가 바람직하지 못한 사람을 정신질환자라고 명명했으므로, 사회는 그 관리 방법 또한 찾아야 한다고 하였다. 정신질환자는 사회적 규범을 따르지 않거나 따를 수 없는 사람들이고, 대개 이러한 행동을 하는 사람들은 시설에 수용된다. 만약 시설에 수용된 사람이 사회적 기대에 순응하면 회복된 것으로 간주하고 지역사회로 돌아가도록 허용한다. 그러므로 수용시설은 일탈 행동을 하는 구성원들을 지역사회에서 제거하는 기능과 그들의 행동을 사회적으로 통제하는 이중적 기능을 가진다.

자즈는 사람들이 자신의 행동에 책임감을 갖는다고 믿는다. 각 개인은 사회적 기대에 순응할 것인지, 순응하지 않을 것인지를 조절할 수 있다는 것이다. 정신질환자로 일컫는 사람은 희생양일 수 있고, 사회적 요인이 그들을 희생양이 되도록 관여했다고 보았다. 따라서 사회는 정신적으로 건강하지 못한 사람을 돌보고 관리할 책임이 있으며, 제도나 정책을 통하여 관리해야 한다는 것이다.

캐플란 또한 사회적 관점에서 일탈 행동을 연구하고 정신건강 분야의 1차, 2차, 3차 예방이 공중보건 모형으로 확대되어야 한다고 주장했다. 그는 과거 모든 관심이 2차 예방과 3차 예방에 초점을 두었기 때문에, 1차 예방에 특히 초점을 두어야 한다는 점을 강조했으며, 일탈 행동의 원인에 대한 인식 부족이 1차 예방의 발달을 방해해 왔다고 주장하였다. 캐플란은 빈곤, 불안정한 가족, 부적절한 교육 등의 사회적 상황이 정신질환의 소인이 될 수 있다고 보았다. 인간이 생의 발달 과정에서 경험하는 박탈감은 개인이 스트레스에 대처할 수 있는 능력을 제한하고, 환경적 지지가 제대로 이루어지지 않으면 부적응적 대처 반응의 원인으로 작용하게 된다는 점을 강조하였다.

2) 간호사의 역할

자즈는 대상자가 도움을 요청할 때 간호사가 도움을 주어야 한다고 강조하였다. 간호사는 대상자와 협력하여 변화를 촉진시키기 위해 행동 조정을 효과적으로 할 수 있는 방법을 추천할 수 있으나, 대상사가 이에 동의하지 않는다 해도 위협하거나 강요하지 않아야 한다. 캐플란은 사회가 1, 2, 3차 수준의 예방을 포함하는 광범위한 치료적 서비스를 제공해야 할 도덕적 의무가 있다고 하였다. 이 중 효과적인 1차 예방서비스 제공은 2차, 3차 수준의 의료서비스에 대한 요구를 감소시킬 수 있다. 간호사는 지역사회에 개입하여 가정방문, 집단을 대상으로 하는 다양한 교육 지원, 타기관에서의 자문활동을 수행한다. 사회적 맥락에서 간호사는 센터라는 공간에 한정되어 있지 않고, 지역사회 내 범위에 있으면서 활동해야 한다. 간호사는 정신건강전문가로서 지역사회에 개입하여 대상자와 함께 거주하는 지역주민이 대상자를 이해하도록 직·간접적으로 지원하는 역할을 한다.

3) 간호 실무와의 연계성

자즈와 캐플란은 정신장애인들이 자신을 치료하는 방법과 치료자를 선택할 수 있도록 선택권을 옹호해야 하고, 이에 대한 기회를 제공해야 한다고 하였다. 정신건강전문가는 정신질환에 이환될 고위험 집단, 즉 빈곤한 사람, 소수민족, 배우자를 상실한 경우 등 다양한 수준에서 중재해야 한다. 또한 환자를 정신치료의 효과적인 방법에 대한 지식을 갖추고 이를 결정할 수 있는 충분한 정보를 갖춘 소비자로 인정해야 한다. 이러한 관점에서 볼 때 정신과적 강제입원보다 자의입원이 이루어져야 한다는 것을 강조하고 있다.

한편 캐플란은 지역사회 정신의학을 지지하였으며, 정신건강전문가들의 자문을 통하여 사회문제를 해결할 수 있고, 미래의 정신과 환자들은 긍정적인 사회적 변화로 인해 간접적으로 이익을 얻을 수 있다고 보았다. 특히 지역 내의 정신건강전문가의 적극적인 참여와 긍정적인 사회 환경의 변화를 통해서 정신질환에 이환될 고위험 집단군, 즉 가난한 사람, 소수민족, 이혼자, 자살사고가 있는 사람, 실업자 등을 대상으로 직·간접적으로 긍정적이고 효과적인 중재를 제공할 수 있다고 주장하였다. 따라서 사회적 모형은 지역사회 정신건강운동의 토대가 된다.

5. 실존적 모형

실존적 모형은 사르트르(Sartre), 하이데거(Heidegger), 키르케고르(Kierkegaard), 부버(Buber)와 같은 실존주의 철학자들의 영향을 받았으며, 다양한 요법들이 개발되었다. 이 모형은 인간관에 대한 실존주의 철학의 기본 가정을 현상학적 방법에 결합하여 대상자를 더욱 이해하고, 효과적인 치료를 달성하려는 의도에서 개발된 정신의학의 한 개입방법이다. 또한 이 모형은 다른 이론적 모형과 같이 개인의 과거에 초점을 두기보다는 현재(여기–지금)의 경험에 기반을 두고 있다. 실존적 치료는 대상자가 자신의 내면세계를 있는 그대로 보고 자신을 신뢰할 수 있도록 돕는 데 초점을 둔다.

1) 주요 개념

실존적 이론가들은 개인이 자신이나 환경으로부터 소외되었을 때 이상행동이 유발되며, 이 행동은 자신에게 가하는 억압과 억제라는 방어기전 사용의 결과로 보고 있다. 소외감을 느끼는 사람은 외로움, 무력감, 비애의 감정을 갖게 되며, 자기에 대한 인식의 결여로 타인과의 진실된 인간관계를 형성하지 못한다. 실존주의자들은 실존하는 문제에 대한 인식의 결여로 인해 타인의 요구에 초점을 두는 경향이 나타나며, 이는 자신에 대한 정체성에 혼란을 초래하고 비현실감을 갖게 한다고 하였다.

2) 간호사의 역할

간호사는 대상자를 동등한 인간으로 보고, 개방적이고 정직하게 대하며, 안내자로서의 역할을 수행하여 대상자가 자신의 행동을 스스로 선택하고 책임지도록 한다. 대상자가 변화해야 하는 부분을 직접적으로 지적하지만, 돌봄과 온화함을 강조하여 대상자 자신의 가치를 인식하도록 도와준다. 대상자의 현실감을 명확히 하고, 진정한 느낌을 이야기할 수 있도록 간호사의 태도는 개방적이고 솔직해야 한다. 또한 대상자가 자신의 행동에 대한 책임을 지도록 하며, 치료자에게 너무 의존하지 않도록 격려한다. 그래야만 대상자는 치료과정에서 적극적인 태도를 보이고, 간호사가 제시하는 도전을 충족하기 위해 노력할 수 있기 때문이다.

3) 간호 실무와의 연계성

실존적 모형에서는 대상자가 호소하는 '문제' 자체보다는 대상자의 '경험'을 주된 내용으로 다룬다. 실존적 치료의 목표는 대상자가 자기 자신을 있는 그대로 보도록 하고, 과거보다는 현재(지금–여기)에 초점을 두어 대상자 스스로를 신뢰하도록 돕는 것이다. 뿐만 아니라 타인과의 만남에 초점을 두고 대인관계에서 진실된 경험을 하도록 도움으로써 대상자 자신의 행동을 조절하도록 한다. 대상자가 타인과의 진실된 관계를 통해서 자아를 찾으려는 노력이 방해받거나 환경으로부터 소외될 때 이상행동이 발생된다. 즉 자신의 존재 의미를 상실하거나 환경에 대한 비현실감을 느끼는 것이 이상행동의 증상으로 나타난다.

실존적 치료의 과정은 타인과의 만남에 초점을 두는데, 만남은 둘 또는 그 이상의 사람이 만나는 것이며, 서로의 존재에 대하여 진정한 평가를 하게 한다. 이같이 만남을 통해서 대상자는 자신의 과거를 이해하고 수용하며, 현재 생활에 충실하게 하고, 미래에 대한 목적을 설정하도록 도와

줄 수 있다(로고치료). 실존적 모형의 치료 유형은 합리적 정서치료, 로고치료, 현실치료, 게슈탈트치료, 참만남 집단치료 등 5가지로 설명할 수 있다(표 6-2).

6. 인지행동 모형

벡(Beck)의 인지치료 모형(1967, 2005)과 엘리스(Ellis)의 합리적 정서치료 모형(1973)은 표현되는 감정보다는 사고와 행동에 초점을 맞춘다. 이 모형은 사고, 분석, 판단, 결정 및 수행하는 개인의 능력에 기반을 두고 인지적 접근법을 사용한다. 엘리스와 벡은 현재 개인의 인식, 사고, 가정, 신념, 가치관, 태도 및 철학은 필요에 따라 수정 또는 변화되는 것으로 보았으며(Beck, 1976, 2005; Ellis, 1973), 사건과 자신, 그리고 다른 사람들(실제 사건이나 사람이 아닌)의 기대에 대한 개인적인 해석이 부적응적 반응을 유발하는 원인이라고 보았다(Reilly & McDanel, 2016). 어린 시절에 타인을 통해 학습된 인지왜곡이 성장한 후에도 체득된다고 보는 관점이다.

1) 주요 개념

벡과 엘리스는 개인은 합리적 사고를 하기도 하고 비합리적 사고를 하기도 하며, 비합리적인 신념이 문제의 원인으로 작용한다고 보았다. 이 이론에서 비합리적인 사고는 자기파괴적인 행동을 유발한다고 설명한다. 개인은 자신의 문제를 이해하게 되고, 자신의 가치와 신념을 교정함으로써 자기파괴적인 행동도 바꿔 나갈 수 있다. 비합리적인 사고는 감정적인 문제를 가져오고, 이는 다시 역기능적인 행동을 유발한다. 합리적 정서치료는 개인이 자신을 비난하는 것을 멈추고, 자신을 결함이 있고 불완전한 존재로서 있는 그대로 받아들이도록 돕는다. 합리적 정서치료는 A-B-C 이론을 사용하여 인지적, 감정적 및 행동적 관점에서 문제를 처리한다. A는 선행 사건이고, B는 사건(A)에 대한 신념이며, C는 감정적 반응이다. 흔히 어떤 사건(A)이 감정(C)의 원인이라 생각하기 쉬우나, 오히려 사건(A)에 대한 불합리한 신념(B)이 감정(C)을 야기한다. 중재는 불합리한 신념(B)을 반박하고 교정하여(Ellis, 1973), 궁극적으로는 대상자로 하여금 심도 있고 효과적인 새로운 철학이나 신념을 가질 수 있도록 돕는 것이다(Sacks, 2004). 이와 마찬가지로, 인지치료(Beck, 1976, 2005)는 사건이나 자극에 대해 '과도하고 부적절한 감정 반응'을 일으키는 왜곡된 인식과 잘못된 신념을 평가한다. 또한 인지 과정에서의 결함을 교정하고 자신과 세상에 대해 현실적인 이해를 할 수 있도록 돕는다(Beck, 1976, 2005). 엘리스(1973, 2005)와 벡(1976, 2005)은 대부분의 사람들은 다음과 같은 비합리적인 신념에 의해 삶의 지배를 받는다고 하였다.

- 개인은 모든 사람으로부터 사랑받고 인정받아야만 한다.

표 6-2 | 실존적 모형의 치료 유형

치료 유형	치료자	치료과정
합리적 정서치료 (rational-emotive therapy)	Albert Ellis	자신, 타인, 세계에 대해 비합리적으로 인식하는 태도를 교정하도록 훈련하고, 주위 환경과 자신에 대한 인식(awareness)을 증가시키도록 돕는다.
로고치료 (logotherapy)	Victor Frankl	대상자 자신이 생의 의미를 발견해서 스스로 인생을 조정해 나가도록 훈련하고, 자신의 행동에 대해 책임을 지도록 격려한다.
현실치료 (reality therapy)	William Glasser	대상자가 스스로 인생의 목적을 설정하고 그 목적을 달성하도록 도와주는 치료법으로, 대상자로 하여금 효율적인 자기행동을 선택하고 인생의 행로를 설정하도록 돕는다.
게스탈트치료 (gestalt therapy)	Frederick Perls	대상자가 현재의 인식과 경험에 초점을 두고 자신의 위치를 깨닫게 함으로써 행동에 대한 책임, 사고의 결함 및 왜곡 등을 인정하도록 돕는다.
참만남 집단치료 (encounter group therapy)	Carl Rogers	대상자에게 행동에 대한 책임감을 갖도록 기대하며, 주지화(intellectualization)를 억제하고 느낌을 강조한다.

- 개인은 가치 있는 사람으로 인식되기 위해 모든 면에서 유능해야만 한다.
- 개인은 자신의 감정을 바꾸거나 통제할 능력이 거의 없다.
- 과거의 영향으로 현재의 감정이 결정된다.
- 상대방에게 거절을 하거나 부당하게 행동하면 치명적인 결과를 초래한다.
- 사람은 자신의 의견에 동의하지 않는 사람을 싫어한다.
- 사람은 '절대로' 실수해서는 안 된다.
- 삶의 어려움과 책임감에 직면하는 것보다는 수동적으로 대처하는 것이 더 낫다.

인지치료는 주로 외상적 사건을 경험한 후 개인의 삶이나 자신에 대한 기본 가정이 손상된 사람들에게 적합한 치료법이다. 예를 들면, 세상은 안전한 곳이 아니라 두렵고 위험한 곳이라든지, 자신은 강하기보단 나약한 존재라고 보는 관점 등이다. 치료의 초점은 개인의 논리적인 가정, 사고, 감정 및 행동을 더욱 강화시키는 자동적 사고를 다루며, 이후에 이러한 가정에 도전하도록 돕는다(Robertson et al., 2004). 또한 인지치료는 물질사용장애 환자(Carroll et al., 2009)와 우울증 치료를 위해 인터넷을 이용하여 적용할 수 있다(Wright et al., 2005).

2) 간호사의 역할

간호사–대상자 관계는 대상자의 자존감, 대처능력, 대인관계 및 삶의 질 증진이라는 목표를 성취하기 위한 공동의 노력이 요구되는 관계이다(Beck, 1976, 2005). 대상자는 대체로 비이성적인 의지와 책임감을 지니고 있기 때문에, 간호사는 직접적, 간접적으로 이러한 신념에 대해서 의문을 제기해야 한다. 이러한 비합리적 신념에 직면하도록 하기 위해 유머가 흔히 사용된다. 특히, 역기능적인 감정과 행동을 줄이기 위해서 비합리적인 사고를 합리적인 사고로 대체하는 방법을 설명한다. 치료 과정은 환자에게 초점을 맞춘다. 대상자는 자신의 비합리적인 사고와 감정, 행동에 대해 책임지는 법을 배우고, 궁극적으로는 이것들을 보다 생산적인 것으로 바꿀 수 있게 된다.

무엇보다도 간호사는 대상자를 있는 그대로 받아들임으로써, 대상자가 자신을 엄격하게 평가하거나 비난하지 않게 한다. 과제는 긍정적인 표현과 행동에 초점을 맞춰 그 기술을 발달시키고 촉진하는 데 초점을 둔다. 새롭고 긍정적인 자기표현은 대상자가 다른 관점으로 생각하고 느끼고 행동할 수 있도록 한다. 역할극, 모델링 및 강화 등의 방법이 사용될 수 있다.

3) 간호 실무와의 연계성

간호사는 환자의 비합리적인 신념을 교정하고 효과적인 문제해결을 통해 스트레스와 불안을 낮추도록 도와야 한다. 대상자는 대체로 자신에 대한 자기비하와 스스로에 대한 부정적인 느낌을 가지고 있기 때문에, 대상자의 긍정적인 부분을 찾아내고 강화함으로써 논리적으로 반박하는 간호중재를 수행한다. 예를 들면, 환자가 자신의 약점에 대해 이야기하는 것을 모두 경청한 후에 간호사는 "자, 이제 당신이 가진 장점들에 대해 이야기해 볼까요?"라고 말함으로써, 환자가 자신이 가치 있고 장점을 가진 사람이라는 신념을 갖도록 돕는다. "우리는 실수를 하면서 산다. 실수를 한 이후에 배운 점이 다른 사람들과의 관계에서 더 효과적으로 대처하고 성장할 수 있도록 돕는다"와 같은 메시지를 전하는 것도 중요하다. 자신의 문제를 타인에게 모두 투사하는 대상자의 경우, 그들 자신의 행동에 대한 책임이 있다는 것을 알려준다. 알코올 중독자는 지속적인 음주로 인해 발생되는 문제에 대한 책임을 타인에게 돌려 비난하는 경우가 많다. 책임과 기대, 의무에 따라 지속적으로 영향을 받는 다른 대상자의 경우를 통해 그들 또한 개인적인 소망, 신념에 따라 행동할 수 있음을 깨닫게 할 수 있고 자신을 더 이상 비난할 필요가 없음을 인식하게 한다. 자신에 대해 더 편안한 감정을 가지게 될 때 자신과 타인에 대한 불안과 적대감을 제거할 수 있다.

Clinical example

우울한 정서 상태인 젊은 남성이 간호사에게 다음과 같이 말하였다. "이제 내 친구들이 나를 보러 오지 않아요. 친구들은 항상 내가 잘난 척 한다고 말하지만, 나는 언제나 나 자신이나 그들에게 나를 증명해 보여야 한다는 생각이 들어요(비합리적 신념)" 이러한 경우 간호중재는 한 인간으로서 몇 가지 약점을 가지고 있지만 긍정적인 부분을 더 많이 가진 가치 있는 존재임을 받아들이도록 도와야 한다. 또한 간호중재는 자신이 타인 앞에서 항상 완벽해야 하고 절대로 실수해서는 안 된다는 자신의 신념에 도전하도록 초점을 맞춘다.

7. 의사소통 모형

의사소통 모형은 인간이 타인의 행동의 의미를 이해하기 위해 송신자와 수신자 간에 효과적인 의사소통이 이루어지는 것에 초점을 둔다. 특히, 현대사회의 산업화와 정보화로 인해 의사소통 기술이 직접적인 의사소통보다 다양한 매체를 통해 이루어지는데, 이러한 의사소통 과정이 성공적으로 이루어지지 않을 때 불안과 좌절감을 경험하게 된다. 의사소통 모형의 대표적인 이론가는 상호교류 분석이론을 개발한 에릭 번(Eric Berne)과 인간 간 의사소통의 실용성을 연구한 파울 바츨라빅(Paul Watzlawick)이다.

1) 주요 개념

의사소통 모형에서는 잘못된 의사소통 패턴은 메시지의 왜곡뿐 아니라 관계의 단절을 초래하며, 이것이 정신질환이나 증상의 원인이 된다고 보았다. 에릭 번은 의사소통을 3가지 유형, 즉 부모형, 성인형, 어린이형의 자아상태로 구분하였다. 이는 어느 자아상태가 어떤 상황에서 의사소통하느냐에 따라 인간관계와 의사소통의 양상이 달라지며, 상황에 부적절한 자아상태로 의사소통하는 것은 이상행동을 유발한다. 이 3가지 자아상태의 의미는 실제로 부모나 성인이 의사소통하는 것이 아니라, 마치 부모처럼 또는 성인처럼 의사소통을 한다는 뜻이다. 예를 들면, 송신자는 부모형 자아로 말하면서 상대방이 어린이형 자아로 말할 것을 기대한다. 이처럼 송신자와 수신자의 자아상태가 상호 욕구를 충족시키는 평행선을 이루는 경우를 보완적 교류(complementary transaction)라 한다. 또한 송신자는 성인형 자아로 소통하나 상대방은 부모형 자아로 소통하려 한다면, 상호 갈등이나 언쟁이 유발되는 교차적 교류(crossed transaction)가 일어난다. 저의적 교류(ulterior transaction)는 겉으로는 합리적 대화를 하는 것처럼 보이나 대화 이면에 다른 동기나 진의를 감추고 교류하는 패턴을 말한다. 교차적 교류나 저의적 교류와 같이, 개인과 타인의 의견이나 감정의 교류가 이루어지지 않을 때 의사소통은 단절되고 문제가 발생한다.

바츨라빅은 왜곡된 의사소통이 이상행동으로 나타난다고 보았다. 이러한 경우 가장 주요한 문제는 의사소통을 하는 사람 간의 관계에서 서로를 인정하지 않을 때 발생한다고 보았다.

2) 간호사의 역할

간호사는 대상자의 의사소통 과정을 사정하고 분석함으로써 대상자의 의사소통 방식의 변화를 유도해야 한다. 효율적인 의사소통은 강화하고, 비효율적인 의사소통은 효율적인 의사소통으로 변화될 수 있도록 대안을 토의하면서 훈련시킨다. 특히, 가족과 집단 내의 의사소통의 형태는 좀 더 효율적으로 변화할 수 있도록 교정한다. 간호사는 의사소통 방식에 대하여 시범을 보임으로써 언어적·비언어적 의사소통이 일치되어야 함을 강조한다. 또한 대상자가 자신의 의사소통에 적극적으로 참여하도록 유도하고, 의사소통의 이론을 학습하거나 자신의 자아상태, 일탈된 형태의 의사소통을 확인하는 기회를 제공한다. 변화에 대한 책임은 대상자에게 있다는 점을 고려하여 대상자와 관계되는 중요한 주위 사람들을 치료에 포함시키는 것도 효과적일 수 있다.

3) 간호 실무와의 연계성

의사소통 이론가들은 의사소통 과정 내에서 이상행동의 원인을 찾기 때문에 의사소통 형태에 근거하여 치료를 시행한다. 의사소통 치료는 대상자 개인뿐만 아니라 집단 내에서 이루어질 수 있다. 먼저 의사소통의 형태를 사정하고 문제를 진단한 후 대상자가 자신의 의사소통 유형이 잘못되었음을 인식하도록 돕는다. 상호교류 분석은 개인 상담에 효과적일 뿐만 아니라, 집단 상담에도 적합한 방법이다. 치료의 목적은 대상자의 3가지 자아상태가 조화롭게 기능하며, 상황에 맞게 자아상태를 적절하게 사용할 수 있도록 도와주는 것이다. 이를 통해 대상자는 자기긍정-타인긍정의 태도를 가질 수 있게 변화하며, 자신의 문제점을 확인하고 이를 해결할 수 있게 된다.

8. 의학 모형

의학 모형은 전통적인 의사-환자 관계에 기반하여 정신의학적 진단과 치료에 중점을 둔다. 생물학적 치료방법은 중요한 부분이며, 집중적인 통찰 지향적 중재에서부터 단기간의 투약 관리에 이르기까지 광범위하고 다양하게 적용된다. 현대 정신의학 치료의 대부분은 이 모형에 의해 이루어지고 있다.

정신건강 영역에서 의학 모형이 가장 크게 기여한 점은 과학적 과정을 통하여 정신질환의 원인을 지속적으로 탐색해 왔다는 것이다. 최근에는 뇌의 구조와 신경계의 기능과 관련된 다각적인 연구들이 활발하게 진행되고 있다. 이는 많은 행동장애에 대한 생물학적 요소를 이해하는 데 기초가 되어 보다 효과적인 정신질환 치료의 발전에 이바지하고 있다.

1) 주요 개념

의학 모형에서 의사는 전통적인 대상자-의사 관계를 기초로 정신질환의 원인을 확인하고 진단하는 데 초점을 둔다. 의학 진단이 결정되면 그에 따라 약물치료, 전기경련요법, 정신치료 등이 적용된다. 신체적 치료는 의학 모형에 의한 치료과정에서 중요한 요소이다. 의학 모형 내 대인관계는 집중적인 병리 중심의 수행에서 투약관리를 포함하는 짧은 치료 내 만남까지 다양하게 존재한다. 다른 정신건강 모형의 요소들을 의학 모형과 병행하여 적용할 수 있다. 예를 들면, 조현병 환자에게 항정신병 약물치료를 받게 하는 동시에 사회기술 능력을 개발하기 위해 행동치료도 병행할 수 있다.

2) 간호사의 역할

대상자와 간호사의 역할은 전통적으로 잘 정의되어 있다. 간호사는 환자의 증상을 확인하고 간호계획을 수립하는데, 이때 환자가 자신이 정신질환이나 증상을 앓고 있음을 인정하는 것이 포함된다. 이들은 자신의 질병을 인식하지 못하고 치료를 거부할 수 있으며, 이것은 의학 모형만으로 문제를 해결하는 데에는 한계가 있다.

3) 간호 실무와의 연계성

의학 모형에서는 모든 정신 과정, 복잡한 심리적 과정까지도 뇌의 작용으로 본다. 따라서 이상행동은 뇌 질환의 증상이다. 또한 정신질환의 원인은 뇌의 구조와 기능, 그리고 신경전달물질의 부족과 과잉, 비정상적인 뇌 순환, 유전적 소인 등이다. 의료적 치료과정에서 대상자 평가를 위해 현재 병력과 과거력, 임상병리검사, 신체검진 및 심리검사, 정신상태 검사 등을 수행한다. 가족이나 의미 있는 사람들로부터 도움이 될 자료를 수집할 수 있고, 필요시 의무기록을 검토한다. 이러한 자료를 근거로 예비 진단을 하고 더 많은 검사와 대상자의 행동을 관찰한 후 DSM-5(Diagnostic and Statistical Manual of Mental Disorder) 기준과 세계보건기구의 국제질병분류(International Classification of Disease, ICD)에 의해 정신의학적 진단을 내린다.

9. 간호 모형

간호 모형은 인간의 생물학적, 심리·사회적, 문화적, 환경적 욕구에 관심을 두는 전인적이고 총체적인 개입방법이다. 이 모형은 인본주의 이론, 발달 이론, 대인관계 이론 등을 포함한다. 간호과정을 치료적 문제해결 방법으로 적용하며, 대상자와 간호사가 함께 참여하는 협력적 과정이 중요하다. 간호사는 치료적 의사소통 방식을 적용하여 간호사-대상자의 치료적 관계를 수립해야 한다. 또한 대상자의 대변자 혹은 옹호자로서 역할을 수행하여 의료전달체계 내에서 다른 의료인에게 환자의 문제점에 대하여 설명해 주어야 한다. 특히, 돌봄의 기능에 초점을 두고 있으며, 간호사와 대상자가 함께 치료과정에 참여하는 협동적 과정을 통해 대상자가 능동적으로 치료를 받도록 한다. 정신간호에 적용하기 적합한 간호 모형은 페플라우의 대인관계 이론, 홀의 간호대상자중심 이론, 존슨의 행동체계 이론, 올란도의 간호과정 이론, 트레블비의 대인관계 이론, 로저스의 인간고유성 이론, 오렘의 자가간호결핍 이론, 로이의 적응 이론, 레닌거의 횡문화간호 이론, 마가렛 뉴만의 체계이론, 왓슨의 돌봄의 과학 이론, 파시의 인간되어감이론 등이다.

1) 주요 개념

정신건강간호의 관심 현상은 잠재적이고 실재적인 정신건강 문제에 대한 대상자의 반응에 초점을 둔다. 이 관심현상은 간호 현상, 간호행위의 이론적 근거, 간호수행의 효과에 영향을 미치게 될 뿐만 아니라, 적응적인 것에서부터 부적응적인 반응까지 연속선상에 나타나게 된다. 인간은 유전적, 생리적, 심리적, 사회문화적, 그리고 과거 경험에 따라 삶의 과정에서 유발되는 사건에 독특한 방식으로 반응하므로, 인간의 행동은 이러한 요소와 스트레스원에 대한 반응이라는 사실을 총체적으로 이해할 필요가 있다.

2) 간호사의 역할

간호사-대상자 관계는 상호적 관계에 기반을 두며, 대상자가 가지고 있는 잠재적인 특성이 성장할 수 있도록, 치료과정에 능동적으로 참여하려는 환자의 욕구에 맞는 기회를 제공해야 한다. 간호사는 대상자의 행동을 관찰하고 해석하는 숙련가로서 역할을 수행해야 한다. 또한 대상자로 하여금 자신의 행동을 확인하고 욕구 충족을 저해하는 행동이 변화하도록 돕는다. 필요시 다른 정신건강팀에 의뢰해야 한다. 대상자의 정신건강 문제에 간호이론과 과학적인 간호과정을 적용하여 복합적인 간호계획을 수립하며 환자가 간호계획을 이해할 수 있도록 명확하게 설명해야 한다. 간호사는 치료적 의사소통 기법을 적용하여 무비판적이고 수용적인 태도로 신뢰관계를 형성한 후 대상자의 감정을 확인하고 이야기할 수 있도록 돕는 것이 가장 중요하다. 대상자가 독립적일 수 있도록 격려하고 적응적인 대인관계 기술을 활용하도록 도와야 한다. 또한 간호사는 일관성 있고, 비밀유지를 보장해줌으로써 신뢰감을 갖도록 해야 한다. 필요시 대상자가 간호사에게 의지할 수 있도록 허용하고, 성장하고 기능할 수 있도록 도와야 한다.

3) 간호 실무와의 연계성

정신건강간호사는 대상자의 정신건강 문제를 돕기 위해 체계적인 간호과정에 기반을 둔다. 개입 과정은 간호사정(자료수집), 간호진단, 간호계획 및 수행, 평가 단계에 따라 이루어진다. 간호사정 단계에서는 간호력과 간호 문제, 문제의 원인에 대한 대상자의 인식을 확인하고, 개인과 사회적 체계의 장단점 등에 관한 자료를 수집한다. 또한 대상자가 가지고 있는 현재 문제에 대한 소인적 요인과 촉진적 스트레스원을 확인하고 환자의 특성, 즉 나이, 성별, 교육 수준, 사회문화적 배경, 경제적인 수준 등을 고려한 생리적 · 심리적 행동을 사정한다. 문제 사정 시 대상자에게서 확인된 기록뿐만 아니라, 대상자에게 중요한 인물(예: 가족, 동거인, 친구, 직장 동료 등)과 다른 전문가에 의해 수집된 자료도 포함하고, 객관적으로 평가할 수 있는 도구를 활용하여 보다 종합적이고 체계적으로 자료를 수집한다.

실재적이고, 잠재적으로 건강문제를 일으키는 스트레스원을 포함하여 간호문제의 주관적 · 객관적 자료를 바탕으로 간호진단을 구성할 수 있다. 간호진단은 간호의 초점을 제공하므로 가능한 대상자를 포함하여 합의를 이루어야 한다.

간호목표는 간호진단에 근거하여 구성하고, 장 · 단기 목표를 수립한다. 대상자도 함께 참여하도록 대상자 중심의 용어로 목표를 서술하고 이에 따른 간호활동은 독자적 간호기능, 상호의존적 간호기능, 의존적 간호기능을 구분하여 계획한다. 예를 들어, 분노 증상이 있는 대상자에게 자신의 감정을 표현할 수 있는 기회를 제공했을 때 분노가 감소되었다면 이는 독자적인 간호기능이다. 투약은 의존적인 간호기능에 해당된다. 대상자의 문제에 대하여 타 전문가의 설명을 들었을 때에는 상호의존적인 간호기능이다. 이 모든 기능의 간호가 대상자의 회복에 중요하게 작용하기 때문에 간호계획에 통합시켜야 한다.

간호수행은 대상자의 강점을 활용하고 이를 발견하는 것으로, 간호활동의 중요한 과제이다. 잘 계획된 간호중재를 수행하는 것은 대상자가 자신의 질병에 대한 통찰력을 증진시키고 긍정적인 행동의 변화와 주요 목표를 달성하는 데 도움이 된다. 간호수행은 간호사의 경험과 교육 수준에 따라 정신간호중재의 적용 수준이 달라질 수 있다. 상급 간호사는 개인치료, 집단치료, 가족치료, 심리극, 자기주장훈련, 행동수정 등 다양한 치료방식을 적용할 수 있다.

마지막으로, 간호평가는 간호사와 대상자가 함께 이루는 과정이다. 평가는 간호목표가 제대로 달성되었는지에 근거하며, 간호과정의 종결시에 이루어진다. 대상자가 간호계획에 따르는 것을 거부하는 경우가 있어 제대로 종결하지 못하는 상황이 발생할 수도 있다.

10. 통합적 접근

정신건강간호사는 이 장에서 제시된 치료 모형을 통합적으로 적용해야 한다. 대상자의 행동, 문제들 그리고 욕구를 가장 잘 설명할 수 있는 다양한 개념의 모형들 중 선택하여 활용할 수 있다. 예를 들어, 최근에 이혼한 후 "나는 내 인생을 망쳤습니다. 집에서 우는 것이 내가 하는 일의 전부입니다"라고 말하는 대상자에게 간호사는 대상자가 죄책감과 퇴행을 경험하고 있음을 확인하기 위해 정신분석 모형을 활용할 수 있다. 그리고 모든 사람은 절대로 실수해서는 안 된다는 비합리적 신념을 이해하고 교정하기 위해서는 인지 행동 모형을 활용한다. 대인관계 모형 관점에서 우는 행위는 타인과의 관계 형성을 원한다는 의미로 해석할 수 있다. 또한, 정신건강간호사는 이 모든 치료 모형의 핵심 구성요소로 가장 중요한 것은 간호사-대상자 관계라는 것을 인식해야 한다. 치료적 동맹은 치료접근법의 결과를 예측하는 가장 확실한 지표가 된다(Bender, 2005).

CRITICAL THINKING QUESTION

2. 당신이 대상자를 관찰하여 그들에게 적용한 치료적 모형의 개념과 전략은 어떤 것들이 있는가?

CRITICAL THINKING QUESTION

3. 아래 제시된 임상사례를 읽고 이 장에서 설명한 모형을 이용하여 대상자 회복을 위해 도울 수 있는 간호 목표는 무엇인가?

CASE STUDY

김OO 님은 자살을 시도하여 입원하였다. 입원을 위한 면담 과정에서 그녀는 최근에 어릴 때 당했던 성적 학대에 대한 악몽에 시달리고 있다고 말하였다. 그녀는 남자에 대한 신뢰감이 부족하지만 항상 그들의 인정을 갈망한다고 말하였다. 그녀는 동성 관계에서도 어려움이 많다고 말하였다. 그녀의 불안은 그녀가 하고 있는 업무수행을 방해하고 있었다. 그녀는 자신의 삶 속에서 학대로 인한 강한 분노가 있음을 인정하면서도, '여자는 자신의 분노를 표출해서는 안 된다'는 신념을 가지고 있었다. 그녀는 자신의 삶 속에서 스트레스에 압도당함을 느꼈기 때문에, '성장하는 것과 자신에 대해 책임을 지는 것'에 두려움을 가지고 있다고 말하였다.

STUDY NOTES

1. 소개된 다양한 모형들은 대상자의 행동과 문제를 이해하는 데 유용한 기본 틀을 제공한다.
2. 회복에 기반을 둔 간호는 대상자가 더 나은 미래를 성취하도록 돕기 위해 대상자와 간호사가 파트너가 되어야 함을 강조하면서, 치료가 아닌 의미 있는 삶을 위한 정신건강체계의 패러다임 전환을 제시한다.
3. 프로이트가 제시한 정신분석 모형에서는 어린 시절에 해결되지 않은 경험이 무의식적 갈등의 원인이며, 자유연상, 꿈 해석 등의 기법을 사용하여 자신의 문제에 대한 통찰력을 갖도록 하는 것이 치료의 목표이다.
4. 페플라우는 간호사-대상자 관계를 설명하면서 설리반의 불안 개념을 자신의 이론 영역에서 중요하게 활용하였다. 이 관점의 목표는 대상자가 스스로 불안을 관리하고 간호사-대상자 관계를 통해 대인관계 기술을 습득하여 그것을 사용하도록 돕는 것에 있다.
5. 설리반의 대인관계 모형에서는 아동기와 청소년기에 습득한 기술이 성인기의 건강한 대인관계 기술을 발전시키는 데 사용된다고 보았다. 그는 또한 불안의 근원과 대처기술에 초점을 두었다.
6. 자즈와 캐플란은 사회적 환경이 인간과 인간의 삶에 큰 영향을 미치게 되므로 사회적 상황에 대한 이해가 필요하다고 보았다. 병원보다는 지역사회 내 정신질환에 이환될 고위험군에 초점을 두고 1차, 2차, 3차 예방적 서비스를 제공하는 것을 강조하였다.
7. 실존적 모형은 한 개인의 과거에 초점을 두기보다는 현재(여기-지금)의 경험에 기반을 두고 있다. 실존적 치료는 대상자가 자신의 내면세계를 있는 그대로 보고 자신을 신뢰할 수 있도록 돕는 데 초점을 둔다.
8. 인지행동 모형에 따르면, 비합리적 신념을 합리적 신념으로 바꾸면 스트레스와 불안한 자기파괴적 행동을 줄일 수 있다.
9. 여러 모형의 개념을 이용한 통합적 접근은 대상자의 사고, 감정, 행동, 문제 및 욕구에 대한 다양한 측면의 접근을 허용하고 더 완전하게 설명할 수 있도록 한다. 어떤 대상자도 한 모형 안에서 모든 것이 완전하게 부합하지 않는다.

참고문헌

REFERENCES

Ahmed, A., Mabe, A., & Buckley, P. (2012). Peer specialists as educators for recovery-based systems transformation: The project GREAT experience. http://www.psychiatrictimes.com/display/article/10168/2028364, Accessed 27.10.12.

Beck, A. T. (1967). Depression: Chemical, experimental and theoretical aspects. New York: Noeber Medical Division, Harper & Row.

Beck, A. T. (1976). Cognitive therapies and the emotional disorders. New York: International Universities Press.

Beck, A. T. (2005). The current state of cognitive therapy: A 40-year retrospective. Archives of General Psychiatry, 62(9), 953-959.

Bender, D. S. (2005). The therapeutic alliance in the treatment of personality disorders. Journal of Psychiatric Practice, 11(2), 73-87.

Berger, N. (2004). How to accomplish practice change in behavioral healthcare in less than one year. www.bbs.ca.gov/pdf/mhsa/resource/recovery/practice_change.pdf, Accessed October 27, 2012.

Brill, A. A. (Ed.). (1938). The basic writings of Sigmund Freud. New York: Random House.

Brody, E. B. (2004). Harry Stack Sullivan, Brock Chisholm, Psychiatry, and the world federation for mental health. Psychiatry, 67(1), 38-42.

Camann, M. A. (2010). The psychiatric nurse's role in application of recovery and decision-making models to integrate health behaviors in the recovery process. Issues in Mental Health Nursing, 31(8), 532-536.

Carroll, K. M., et al. (2009). Enduring effects of a computer-assisted training program for cognitive behavioral therapy: A 6-month follow-up of CBT4CBT. Drug and Alcohol Dependence, 100(1-2), 178-181.

Ellis, A. (1973). Humanistic psychotherapy: The rational-emotive approach. New York: Julian Press.

Ellis, A. (2005). Why I (really) became a therapist. Journal of Clinical Psychology, 61(8), 945-948.

Freud, S. (1936). The problem of anxiety. New York: Norton.

Freud, S., & Strachey, J. (Eds.). (1960). The ego and the id. New York: Norton.

Geffken, G. R., et al. (2004). Cognitive-behavioral therapy for obsessive-compulsive disorder: Review of treatment techniques. Journal of Psychosocial Nursing and Mental Health Services, 42(12), 44-51.

Herman, J. (1992). Complex PTSD: A syndrome in survivors of prolonged and repeated abuse. Journal of Traumatic Stress, 5(3), 377-391.

Linehan, M. M. (1993). Cognitive behavioral treatment of borderline personality disorder. New York: Guilford.

Miller, M. C. (Ed.). (2004a). Interpersonal psychotherapy. In The Harvard Mental Health Letter, 21, 1.

Miller, M. C. (Ed.). (2004b). Supportive psychotherapy. In The Harvard Mental Health Letter, 20, 1.

Miller, M. C. (Ed.). (2005). Motivational interviewing. In The Harvard Mental Health Letter, 21, 5.

Nichols, M. (2013). Family therapy: Concepts and methods. Upper Saddle River, New Jersey: Pearson Education.

O'Haver Day, P., & Horton-Deutsch, S. (2004). Using mindfulnessbased therapeutic interventions in psychiatric nursing practice— part I: Description and empirical support of mindfulness-based interventions. Archives of Psychiatric Nursing, 18(5), 164-169.

Oldham, J. M. (2004). Borderline personality disorder: The new treatment dilemma. Journal of Psychiatric Practice, 10(3), 204-206.

Peplau, H. E. (1952). Interpersonal relations in nursing. New York: Putnam.

Peplau, H. E. (1963). A working definition of anxiety. In S. F. Burd & M. A. Marshall (Eds.), Some clinical approaches to psychiatric nursing (pp. 323-327). Toronto: Macmillan.

Reilly, C. E., & McDanel, H. (2016). Cognitive therapy: A training model for advanced practice nurses. Journal of Psychosocial Nursing and Mental Health Services, 43(5), 27-31.

Robertson, M. F., Humphreys, L., & Ray, R. (2004). Psychological treatment for posttraumatic stress disorder: Recommendations for the clinician based on a review of the literature. Journal of Psychiatric Practice, 10(2), 106-118.

Sacks, S. B. (2004). Rational emotive behavior therapy. Journal of Psychosocial Nursing, 42(5), 22-31.

SAMHSA. (2011). Recovery defined—a unified working definition and set of principles. http://blog.samhsa.gov/2011/05/20/recovery-defined-a-unified-working-definition-and-set-ofprinciples/, Accessed 27.10.12.

Smoyak, S. A. (2004). The construction of reality or the deconstruction of the self. Journal of Psychosocial Nursing and Mental Health Services, 42(11), 6-7.

Suveg, C., et al. (2009). Cognitive-behavioral therapy for

anxietydisordered youth: Secondary outcomes from a randomized clinical trial evaluating child and family modalities. Journal of Anxiety Disorders, 23(3), 341-349.

Sullivan, H. S. (1953). Interpersonal theory of psychiatry. New York: Norton.

Wright, J. H., et al. (2005). Computer-assisted cognitive therapy for depression: Maintaining efficacy while reducing therapist time. American Journal of Psychiatry, 162(6), 1158-1164.

이정숙 등(2012). 정신건강 간호학. 현문사, pp. 36-55.

도복늠 등(2012). 최신 정신건강간호학 개론(제3판). 정담미디어, 13-23.

이경순 등(2007). 정신건강간호학(제3판). 현문사, pp. 60-70.

김수진 등(2018). 정신건강간호학. 현문사, pp. 16-29.

김수지 등(2012). 원리 및 실문 중심의 정신간호학. 수문사, pp. 72-78.

이광자 등(2011). 정신간호총론. 수문사, pp. 102-112.

CHAPTER

7

정신건강과 스트레스

Mental Health and Stress

http://evolve.elsevier.com/Keltner

학습목표

- 스트레스의 개념에 대해 설명한다.
- 스트레스의 신체적 반응을 이해한다.
- 스트레스의 관련 요인을 설명한다.
- 스트레스의 이론(투쟁-도피 반응, 일반적응증후군, 상호작용 접근 모델)을 이해한다.
- 스트레스에 대한 대처 및 관리방법을 적용한다.

1. 스트레스의 개념

스트레스는 삶의 일부분으로 내·외적 상황에 대처할 수 있는 인간의 능력과 더불어 변화해 왔다. 초기 연구자들은 스트레스를 외적 자극에 대해 예측 가능한 생리적·인지적·사회적·행동적 변화를 초래하는 부정적 정서로 정의하였다. 스트레스에 대한 인간의 반응은 정신건강간호에서 매우 중요한 부분이라 할 수 있다. 어린 시절 스트레스 사건에 노출되는 것은 시간이 지나면서 정신건강에 부정적인 영향을 준다. 즉, 스트레스에 민감한 아동기에 높은 수준의 스트레스를 받을 경우 성인기에 정신질환이 유발될 가능성이 높다(Taylor, 2010). 극심한 스트레스로 인해 정신질환의 취약성이 나타난 것인지, 정신질환의 취약성이 스트레스에 대해 부정적인 영향을 미친 것인지는 알 수 없지만, 심한 스트레스는 인간의 건강을 위협하고 개인의 정신병리에 대한 신체적 저항을 약화시킬 수 있다. 따라서 스트레스가 정신건강에 미치는 영향을 확인하기 위해 개인의 생활환경, 개인이 가지고 있는 특성, 스트레스 요인에 대한 생물학적·심리사회적·영적 반응을 평가하고, 최종적으로 신체적·정신적 건강의 위협에 대한 평가가 이루어져야 한다 **(그림 7-1)**. 정신간호 영역에서 스트레스와 정신질환의 연관성에 대한 이해는 필수적인 요소로 간호계획 수립 시 중요하게 작용한다. 간호사는 대상자의 스트레스를 감소시키기 위해 치료적 환경을 조성하고, 긍정적으로 대처기전을 사용할 수 있도록 지지해주어야 한다.

이 장에서는 스트레스에 대처하기 위해 어떤 준비가 필요한지, 스트레스 반응에 부정적인 영향을 미칠 수 있는 요인이 무엇인지 살펴볼 것이다. 그리고 스트레스를 받는 동안 대상자뿐만 아니라 간호사 자신을 돌보는 방법은 무엇인지에 대하여 알아보고자 한다.

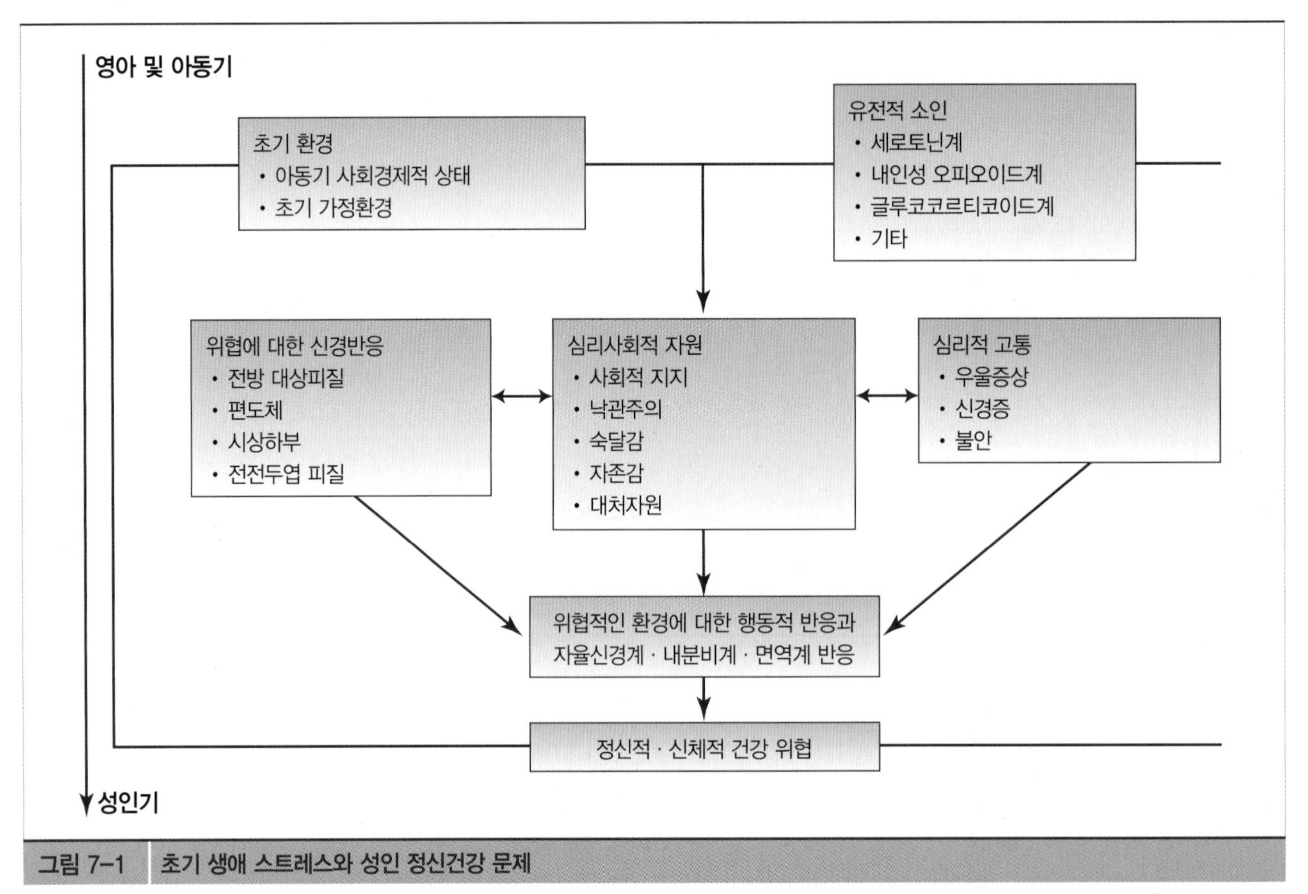

그림 7-1 초기 생애 스트레스와 성인 정신건강 문제

출처: Taylor, S. (2010). Mechanisms linking early life stress to adult health outcomes. Proceedings of the National Academy of Sciences of the United States of America, 107(19), 8507–8512.

2. 스트레스와 대처

1) 스트레스 매개요인

(1) 스트레스 요인

인간의 삶 속에서 발생하는 여러 가지 상황(예: 정서적 흥분, 피로감, 두려움, 상실감, 굴욕감, 혈액손실, 극도의 행복감, 예기치 않은 성공 등)은 스트레스를 유발함과 동시에 스트레스 반응을 자극할 수 있다(Selye, 1993). 스트레스 요인(stressors)은 신체적 요인과 심리적 요인으로 구분된다. 신체적 요인은 감염, 출혈, 기아, 통증 등의 신체적 외상과 극심한 추위 또는 더위, 재난 등의 환경적 조건이 포함된다. 심리적 요인은 결혼, 출산, 예기치 않은 성공 등의 긍정적 변화와 이혼, 실직, 감당하기 어려운 부채, 사랑하는 사람의 죽음, 은퇴, 테러리스트의 공격에 대한 두려움 등의 부정적 변화가 포함된다.

(2) 스트레스에 대한 인식과 개인 특성

스트레스를 어떻게 인식하는가에 따라 스트레스에 대한 개인의 정서적, 심리적 반응이 달라진다(Rahe, 1995). 스트레스와 불안에 대한 반응은 연령, 성별, 문화, 생활경험 및 생활방식에 의해 영향을 받고 이 모든 요인은 스트레스에 대한 신체적·정서적 영향을 감소 또는 증가시킨다. 스트레스에 대한 반응은 유전적 소인과 취약성, 어린 시절의 경험, 대처전략, 삶과 사회에 대한 개인적인 견해 등을 포함한 다양한 요인에 의해 영향을 받는다.

아래의 예시와 같이, 대상자 1과 대상자 2를 비교할 때, 대상자 2가 실직에 대하여 스트레스를 더 심하게 받을 수 있다.

대상자 1: 재정적으로 안정적인 상태의 60대 남성이 조기 퇴직을 요구받는 경우

대상자 2: 자녀 출산과 주택 구입의 생활사건을 경험하고 있는 40대 남성이 6개월의 퇴직금을 받고 해고된 경우

(3) 사회적 지지

인간의 일상생활에서 가족, 사회적 연계망, 종교단체, 동료로부터의 사회적 지지는 정신적·신체적 건강을 증진시키고 스트레스를 극복하는 데 매우 중요한 요소로 작용한다(Haslam & Reicher, 2006; Ysseldyk et al., 2010). 특히 최근 크고 다양한 지지그룹의 개발은 많은 사람에게 긍정적인 영향을 주고 있다. 예를 들면, 유사한 생활 사건을 겪고 있는 오프라인 또는 온라인 지지그룹(예: 알코올중독자 모임, 도박중독자 모임, 암 환자를 위한 회복그룹, 한 부모 모임 등)은 고통을 겪고 있는 모든 사람들을 위해 비용 효과적이고 익명으로 쉽게 접근할 수 있는 환경을 제공한다(McCormack, 2010).

2) 스트레스 반응 및 스트레스 모델

(1) 초기 스트레스 반응 이론

스트레스 반응(그림 7-2)에 대한 최초 연구는 스트레스 요인이 신체장애를 유발하거나 기존 상태를 악화시킨다는 결과를 제시하였다. 캐넌(Walter Cannon)은 스트레스를 추위, 산소부족, 저혈당 등의 외적 자극에 의해 생기는 항상성 장애로 정의하고, 위험에 대한 일련의 생화학적 반응을

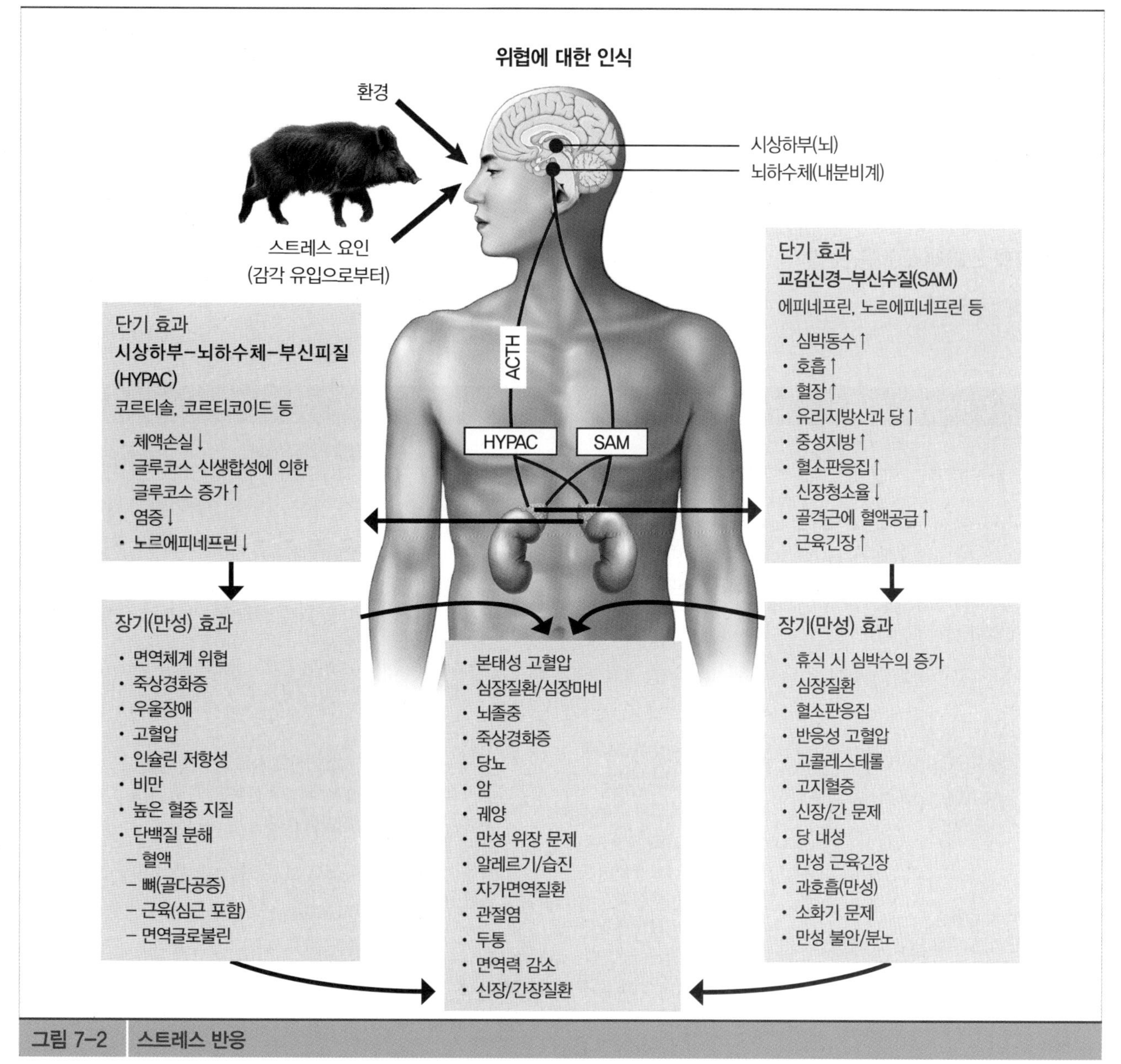

그림 7-2 스트레스 반응

HYPAC, hypothalamus-pituitary-adrenal cortex; SAM, sympathetic-adrenal medula.
출처: Bringham, D. D. (1994). Clinical applications of behavioral medicine. New York, NY: W. W. Norton.

체계적으로 조사함으로써 투쟁–도피(fight or flight) 반응으로 설명하였다. 즉, 개인의 안녕 상태나 생명을 위협할 정도의 지나친 스트레스 상황에 직면하면, 위협에 대해 투쟁하거나 도피하려는 반응으로 혈압, 심박동수 및 심박출량 증가 등의 증상이 나타난다는 것이다.

캐넌의 이론은 일차적으로 동물과 인간의 반응을 기반으로 개발되었다. 그러나 스트레스 개념에 대한 새로운 연구가 계속되면서, 그의 이론은 너무 단순하다는 비판을 받았다. 이는 모든 동물이나 사람들이 싸우거나(투쟁) 달아나는 것(도피)으로 반응하지 않기 때문이다. 예를 들면, 사슴과 같은 일부 동물들은 위험에 직면하면 긴장된 상태에서 환경을 관찰하기 위해 가만히 있는다. 인간의 경우, 스트레스에 대한 반응은 남녀 간 차이가 있다. 스트레스에 노출되었을 때 나타나는 신경반응으로 남성은 전전두엽 혈류 변화와 타액 코르티솔이 증가하였으나, 여성의 경우 변연계(정서) 활동은 증가했지만 타액 코르티솔의 변화는 거의 없었다.

(2) 셀리의 스트레스 적응 모델

셀리(Hans Selye)는 스트레스 연구의 또 다른 개척자로, 과학과 대중 문헌에 스트레스 개념을 도입하였다. 셀리는 스트레스에 대한 생리적 반응을 설명하는 이론을 발전시켰으며, 스트레스 요인을 긍정적 또는 부정적 요인으로 분류하였고, 반응을 필요로 하는 감정으로 보았다. 그는 스트레스에 대한 생리적 반응을 설명하기 위해 스트레스 모형을 개발하였는데, 많은 대상자가 스트레스 요인에 관계없이 동일한 증상을 보이는 것을 발견함으로써 캐넌의 스트레스 이론을 확장시켜 1956년 일반적응증후군(general adaptation syndrome, GAS)을 공식화하였다(표 7–1). 일반적응증후군은 경고 반응 단계, 저항 단계, 소진 단계의 3단계로 진행된다.

① 경고 반응 단계

경고 반응 단계(alarm stage)는 해로운 자극에 갑자기 노출되었을 때 투쟁–도피와 같은 적응적 반응을 보이는 단계이다.

교감신경

대뇌피질과 시상하부는 부신에서 카테콜아민 중 아드레날린을 방출하도록 신호를 보낸다. 이것은 강도와 속도를 향상시키기 위해 교감신경계 활동(예: 심박수, 호흡 증가, 혈압 상승)을 증가시킨다. 환경에 대한 시야를 넓히기 위해

표 7–1 일반적응증후군(general adaptation syndrome, GAS)

단계	신체적 변화	심리사회적 변화
제1단계: 경고 반응 단계 • 신체의 방어력을 동원하고 '투쟁–도피 반응' 잠재력 활성화(+1～+2 불안)	• 노르에피네프린과 에피네프린의 방출, 혈관 수축, 혈압 상승, 심장 수축의 속도와 강도 증가 • 호르몬 수치 증가 • 부신피질의 비대 • 체중의 현저한 감소 • 흉선, 비장, 림프절의 수축 • 위 점막 자극	• 각성상태 증가 • 불안 수준 증가 • 과업 위주, 방어 지향, 비효율·부적응적 행동 발생
제2단계: 저항 단계 • 개인의 능력 내에서 스트레스에 대한 최적 반응(+2～+3 불안)	• 호르몬 수준 재조정 • 부신피질의 활동과 크기 감소 • 림프절 크기 정상 회복 • 정상 체중 회복	• 대처기전의 사용 증가 및 강화 • 방어 지향적 행동 • 심인성 증상 발생
제3단계: 소진 단계 • 신체 자원의 고갈로 인한 스트레스에 대한 저항력 상실 • 투쟁, 도피 또는 경직반응 발생(+3～+4 불안)	• 면역반응 감소, T 세포 억제 및 흉선 위축 • 부신 땀샘과 호르몬 생산 감소 • 체중 감소 • 림프절의 비대 및 림프계의 기능장애 • 지속적인 스트레스 요인에 노출 시 심장마비, 신부전 또는 사망 발생	• 과도한 방어 지향적 행동 • 사고의 혼란 • 인격의 와해 • 착각으로 인한 감각자극의 왜곡 • 망상과 환각으로 인한 현실감 저하 • 스트레스에 계속 노출될 경우, 혼미나 폭력 발생 가능

출처: Kneisl, C.R., & Ames, S.W. (1986). Adult health nursing: a biopsychosocial approach. Menlo Park, CA: Addison–Wesley. ©1986.

동공은 확대되고, 혈관은 수축하고 소화기계 활동은 감소된다.

코르티코스테로이드

시상하부는 부신피질에 메시지를 보내는데, 부신피질은 다른 불필요한 기능(예: 소화)은 약화시키는 반면, 근육 내구성 및 체력을 증가시키는 데 도움을 주는 코르티코스테로이드를 생성한다. 불행히도 코르티코스테로이드는 생식, 성장 및 면역과 같은 기능을 함께 억제한다.

엔도르핀

엔도르핀은 통증과 신체적 손상에 대한 민감성을 줄이기 위해 방출된다. 이 물질은 통증에 대한 인식을 줄이기 위해 뇌의 모르핀 수용체와 상호작용한다.

대상자에게 영향을 주는 모든 유형의 스트레스 요인들은 '투쟁-도피 반응'에 대한 준비를 활성화한다. 스트레스에 노출되었을 때 대상자는 당면한 과업과 위협에 초점을 맞추고 스트레스 요인에 집중하기 위해 모든 자원과 방어기전을 사용하여 경계심을 증가시킨다. 이 단계에서 대상자가 경험한 불안의 정도는 경미한 수준(+1)에서 중등 불안 수준(+2)으로 스트레스가 계속되는데, 이것이 순응적이거나 효과적으로 해결되지 않으면 대상자는 다음 저항 단계로 발전한다.

② 저항 단계

저항 단계(resistance stage)는 대상자가 스트레스 요인에 적응하기 위해 노력하는 단계로, 적응 단계라고도 한다. 이 단계 동안 스트레스 요인에 대한 최적의 저항이 발생하며, 이때 대처 및 방어 기전의 사용이 증가한다. 이 단계에서는 대상자 스스로 문제를 해결하거나 학습하는 것은 어렵지만 도움을 받을 경우 수행은 가능하다. 대상자가 경험한 불안의 수준은 중등도 수준(+2)에서 심한 수준(+3)으로, 스트레스 요인들을 비교적 성공적으로 극복하지만 그렇지 않은 경우 최종적으로 소진 단계를 경험한다.

③ 소진 단계

소진 단계(exhaustion stage)는 대상자가 스트레스 요인에 저항하는 시도가 오래 지속되는 경우 발생하는 단계로, 자원이 고갈되고 스트레스가 만성화되어 다양한 심리적·생리적 반응을 보인다. 즉, 강한 스트레스 요인에 의해 적응 에너지가 소진되고, 해당 스트레스 요인뿐만 아니라 다른 스트레스 요인에 대한 저항력도 없어진다. 감각 자극의 왜곡과 현실감을 크게 떨어뜨리는 망상과 환각이 발생할 수 있고, 대상자는 심지어 폭력, 자살, 또는 전혀 움직이지 못하는 긴장증 상태를 보이기도 한다. 이 단계에서 대상자가 경험한 불안의 정도는 심한 수준(+3)에서 공황 수준(+4)으로, 조치 없이 소진 단계가 계속되면 사망에 이를 수 있다.

(3) 라자루스의 상호작용 접근 모델

셀리가 스트레스의 생리적 영향에 대해 강조했다면, 라자루스(Lazarus)는 스트레스의 심리적 측면에 초점을 두었다. 대처는 불안 그 자체의 결과라기보다 위협에 대한 개인적·인지적 평가의 결과로 '불안은 위협에 대한 반응'이라고 하였다(Lazarus, 1966). 즉, 위협의 중요성과 그 위협이 개인에게 의미하는 바가 무엇인지가 가장 중요하다. 예를 들면, 어떤 사람에게는 특정한 상황이 도전의 기회로 간주될 수 있지만, 또 다른 사람에게는 심각한 위협 또는 문제로 간주될 수 있다. 라자루스 등(1980)은 이러한 반응을 고통과 긍정적 스트레스로 설명하였다.

고통(distress): 불안, 우울, 혼돈, 무력감, 절망감과 피로를 초래하는 부정적이며 소모적인 에너지로, 가족구성원의 사망, 재정적 부담감, 학교 또는 직장의 요구 등과 같은 스트레스 요인에 의해 야기될 수 있다.

긍정적 스트레스(eustress): 행복감, 희망, 의도적인 움직임에 동기를 부여한 결과로 나타나는 긍정적이고 유익한 에너지로, 스트레스 요인에 대한 긍정적인 인식의 결과이다. 예를 들어, 충분한 휴식, 좋아하는 스포츠 생활, 자녀 출산, 새로운 직업에 도전하는 것이다. 긍정적 스트레스도 신체에 부담을 줄 수 있어, 고통과 긍정적 스트레스는 동일한 생리적 반응을 유발하므로, 특히 긍정적 스트레스 반응이 소멸되는 시기를 확인하는 것이 매우 중요하다.

라자루스는 스트레스에 대한 인지적 평가를 다음과 같이 3가지 유형으로 제시하였다.

일차적 평가: 개인의 특정 사건에 대한 판단으로 그 사건이 개인에게 무엇을 의미하는지, 그 효과는 무엇인지 평가하는 것이다. 내·외적 환경에 의해 초래된 자극이 자신에게 무관한지, 긍정적인지, 부정적인지를 평가하는 과정에서 부정적으로 평가된 내·외적 자극이 스트레스

로 인식된다.

이차적 평가: 개인이 그 사건에 반응하는 방법에 대한 평가로, 해결 가능한 전략은 물론 대상자의 자원과 지지체계들을 조사한다. 즉, 스트레스 상황에 대처하기 위한 개인의 기술, 자원, 지식에 대한 인지적 평가가 이루어지는 과정이다. 이용 가능한 대처전략이 무엇인지, 선택한 대처전략이 효과적인지, 선택한 대처전략을 활용할 능력이 있는지에 대한 평가가 이루어진다.

재평가: 또 다른 새로운 정보 등의 추가 정보를 수집한 이후에 평가하는 단계로, 사건의 의미를 재평가하는 것이다.

개인 및 환경적 요소는 결단, 신념, 가치관, 느낌, 감정 등에 중요한 영향을 미친다. 겉으로 보이는 적절한 해결책은 개인의 가치, 믿음과 충돌하기 때문에 유용하지 않다. 비효율적인 대처로 인해 다른 문제가 발생하는 것은 더 많은 스트레스와 신체적·정신적·심리적 장애를 초래한다. 따라서 간호사는 적응하고자 하거나 효과적인 대처에 대한 욕구가 있는 대상자를 돕기 위해 대상자 스스로가 완화, 부적응 및 기능장애 행동을 확인하고 평가하는 것과 함께, 대상자 스스로 행동의 결과를 확인할 수 있도록 도와야 한다.

스트레스 요인이나 문제에 대한 대상자의 평가에는 스트레스 요인에 대한 인식, 대처할 수 있는 자원이나 지지, 그리고 신념과 가치관이 대처에 영향을 주는 방식 등이 포함된다. 예를 들어, 배우자가 외도를 했을 경우 독립적이고 충분한 소득이 있으며 지지해주는 가족이 있는 사람은 이혼이 가능하다고 믿는 반면, 의존적이고 무직 상태이거나 가까운 가족이 없는 사람은 이혼을 할 수 없다고 생각할 가능성이 높다. 스트레스 요인에 대한 대상자의 인식을 고려할 때, 간호사는 대상자가 적응력 있고 적절한 대처행동을 선택할 수 있도록 도와줌으로써 인지적 재구성 또는 문제해결을 용이하게 할 수 있다.

(4) 신경전달물질과 면역 스트레스 반응

세로토닌은 우울증과 관련된 주요 신경전달물질 중 하나로 기분, 수면, 성욕, 식욕과 대사에 중요한 역할을 한다. 우울증 치료에 사용되는 많은 약물들은 세로토닌의 유용성을 증가시키며, 스트레스 기간 동안 세로토닌 합성은 활성화된다. 스트레스로 인한 세로토닌의 활성화는 부분적으로

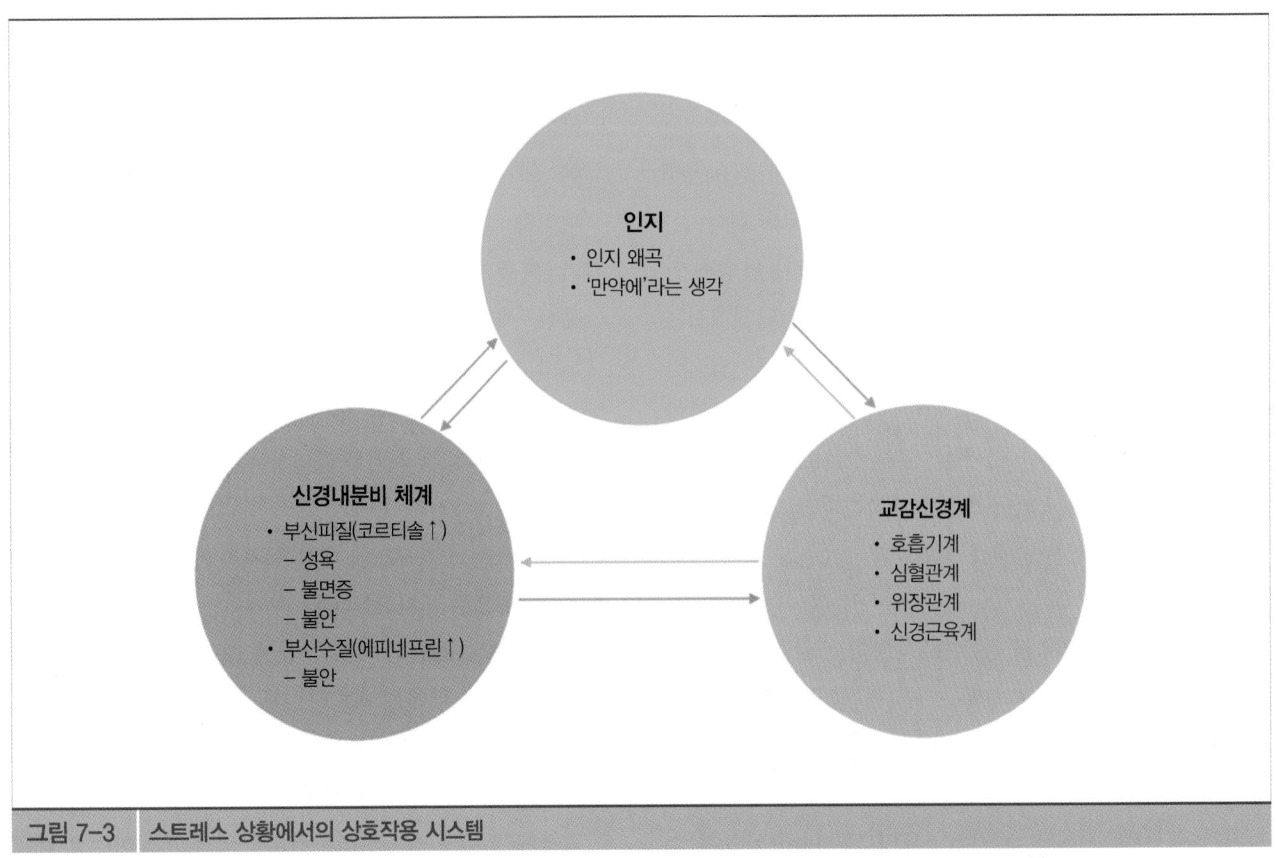

그림 7-3 스트레스 상황에서의 상호작용 시스템

출처: Keltner, N.L., Perry, B.A., & Williams, A.R. (2003). Panic disorder: a tightening vortex of misery. Perspectives in Psychiatric Care, 39(1), 38–42.

코르티코스테로이드에 의해 조절되지만, 일부 연구자들은 세로토닌의 활성화가 세로토닌 수용체 부위와 세로토닌을 사용하는 뇌의 기능을 손상시킨다고 믿고 있다. 캐넌과 셀리가 급성 및 만성 스트레스에 대한 신경계와 내분비계의 신체적·정신적 반응에 초점을 맞추었다면, 정신신경 면역학에서는 심리적 과정과 신경, 면역기능 사이의 상호작용에 초점을 맞추고 있다. 연구자들은 '시상하부－뇌하수체－부신피질'과 '교감신경－부신수질' 축을 통해 스트레스가 면역계의 변화를 유도할 수 있다는 증거를 지속적으로 찾고 있다. 즉, 스트레스(생리심리사회적)와 면역체계, 질병 사이에는 건강문제를 바꿀 수 있는 분명한 정신–신체 연결고리가 있으며, 스트레스는 자가면역질환, 면역결핍 및 과민증과 관련된 면역계의 기능에 문제를 유발할 수 있다.

스트레스는 여러 가지 복잡한 방식으로 면역계에 영향을 미친다. 스트레스는 면역계를 강화하고 감염에 저항하거나 상처가 치유되도록 신체를 준비시키기도 한다. 또한 면역세포는 스트레스가 가해지는 동안 세포들 사이의 정보 전달에 사용되는 단백질과 당단백질인 사이토카인을 방출하고 면역력을 강하게 활성화시킨다. 그러나 사이토카인이 면역계를 억제하는 코르티코스테로이드의 추가 방출을 자극하기 때문에 이러한 활성화는 제한적으로 이루어진다. 면역반응과 뇌에서의 사이토카인 활동의 결과는 우울증과 같은 심리 및 인지 상태와의 관련성에 관해 의문을 제기하고 있으며, 많은 연구자들은 정신사회적 요인이 스트레스 반응을 완화시키는 방법에 대해 연구하고 있다.

3. 스트레스 관리 기법

1) 대처방식 평가

사람들은 다양한 방식으로 스트레스 요인에 대처하며, 삶의 스트레스를 줄이기 위해 다양한 요인들이 효과적인 매개 역할을 한다. Rahe(1995)는 스트레스 관리를 위한 4가지 구체적인 대처방식을 규명하였다. 간호사가 대상자의 4가지 대처방식을 평가하는 것은 대상자의 스트레스 반응을 개선하기 위한 목표 수립에 도움이 된다.

- 건강유지 습관(예: 의료진의 지시 이행, 적절한 식이, 휴식, 에너지 사용 조절 등)
- 삶의 만족도(예: 직장, 가족, 취미, 유머, 영적 위안, 예술, 자연 등)
- 사회적 지지
- 스트레스에 대한 효과적 반응

2) 이완요법

비효과적인 스트레스 관리는 신체적·정서적 증상을 증가시키기 때문에, 간호사는 스트레스 및 불안 완화요법이 도움이 될 수 있는 질병들에 대해 알아야 한다. 스트레스 및 불안 완화요법은 고혈압, 천식, 메스꺼움, 섬유 근육통, 과민성 대장증후군, 심장질환 및 증상, 불면증 등의 질환에도 효과가 있다. 결과가 명확하지는 않지만, 스트레스 이완요법이 금연에 도움이 되고, 측두하악골 장애, 이명, 과민성 방광, 악몽, 폐경기와 관련된 안면홍조 등의 개선 가능성을 높인다는 주장이 제기되고 있다. 이처럼 이완요법은 스트레스 요인에 대한 신체적 반응을 관리하고 스트레스 수준을 낮추는 데 도움이 된다. 또한 심박동수와 호흡수 감소, 혈압 강하, 주요 근육에 대한 산소 공급 강화 및 근육긴장의 완화 등에 효과가 있으며, 주관적인 불안의 관리와 현실 검증력을 향상시키는 데 도움이 된다.

(1) 심호흡

심호흡(deep breathing)은 불안이 단계적으로 증가되기 시작할 때 신속하게 적용할 수 있다는 장점이 있다. 대상자에게 도움이 되는 호흡운동은 크게 2가지로 구분하는데, 첫 번째는 복부호흡에 초점을 맞추는 것이다. 두 번째는 지속적으로 연관되는 생각을 중단시킴으로써 정신적 소음을 멈추게 하는 것이다. 계속된 훈련을 통해 호흡법이 향상됨에 따라 호흡은 스트레스와 불안반응을 유발할 수 있는 인지과정을 감소시키는 데 유용한 방법으로 활용된다.

(2) 점진적 근육이완요법과 이완반응

제이콥슨(Jacobson, 1938)은 점진적 근육이완요법(progressive muscle relaxation, PMR)을 최초로 개발하였다. 이 요법의 전제는 불안이 근육긴장을 초래하기 때문에, 불안을 줄이기 위해 근육긴장을 최소화해야 한다는 것이다. 점진적 근육이완요법은 누구든지 어디에서나 실시할 수 있으며, 약 8초 동안 가능한 한 의도적으로 근육을 긴장시킨 후 자신이 만든 긴장을 서서히 풀어주는 방법이다(발에서 시작하여 얼굴까지, 또는 그 반대로). 많은 연구에서 긴장성 두통과 불안장애와 같은 여러 가지 의학적 질환에 점진적 근육이완요법을 적용하는 것이 도움이 된다고 보고하였다(Conrad & Roth, 2006).

벤슨(Benson, 1975, 1996)은 제이콥슨의 점진적 근육이완요법을 확장시켜 이완에 도움이 되는 정신상태를 통합한 이완요법을 설명하였다. 이는 동양 관습의 영향을 받았으며, 침착하고 수동적인 자세를 취하고 편안한 환경에서 쾌적한 정신적 이미지에 집중함으로써 이루어진다. 이완반응(relaxation response)에 의해 스트레스 반응이 방해를 받게 되고, 대상자는 자율신경계의 교감신경 모드(투쟁-도피 반응)에서 부교감신경 모드(이완상태)로 전환하게 된다. 이완반응 기법의 하나인 Benson과 Henry(2000)의 기법은 고혈압, 만성 통증, 불규칙한 심장박동, 월경전증후군, 불면증, 불안, 우울증, 불임 및 편두통과 같은 수많은 장애를 치료하기 위해 명상과 시각 이미지를 성공적으로 결합하였다.

(3) 명상과 지시적 심상요법

명상(meditation)은 마음을 보다 평온하게 가질 수 있도록 훈련하는 방법이며, 그 평온함을 통해 자신의 경험을 꿰뚫어보는 통찰력을 얻는다. 또한 명상은 스트레스 대처전략의 개발과 스트레스 상황에서 합리적인 선택을 하고, 자신의 삶에 충분히 몰입하도록 도움을 준다. 명상은 어디서나 쉽게 할 수 있다는 장점이 있지만, 대부분의 다른 요법과 마찬가지로 명상을 위해서는 이완반응을 제공하기 위한 연습이 필요하다. 명상기법의 오래된 형태인 마음챙김(mindfulness)은 전문가들 사이에서 많은 관심을 받고 있다. 마음챙김은 '마음챙김 기반 스트레스 감소 프로그램(mindfulness based stress reduction program, MBSR)'으로 공식화되었으며, 현재 많은 사람들이 관심을 가지고 있는 분야이다. 이 프로그램의 목표는 마음챙김을 연속적인 과정으로 만드는 것이다. 수행을 통해 사람들은 점차적으로 자신의 내면과 대화하거나 또는 불필요한 반응을 없애는 것을 배울 수 있다. 마음챙김 기법은 언제든지 할 수 있으며, 전문가들은 마음챙김 자체가 삶의 방식이 된다는 것을 강조하고 있다.

아메리카 원주민과 힌두교, 유대교, 기독교 및 중국 전통의학을 포함한 다른 문화에서는 '지시적 심상요법(guide imaging)'을 사용한다(Academy for Guided Imagery, 2010). 지시적 심상요법은 건강한 상태를 관리하는 데 매우 유용한 방법으로, 일부 사람들에게는 통증을 완화시키는 데 효과적이다. 만일 대상자가 실패에 대한 불안이나 부정적인 생각을 갖고 있다면, 효과적이고 성공적으로 대처하는 이미지를 상상하게 함으로써 불안이나 우울을 변화시킬 수 있다. 예를 들면, 암 환자에게 면역계가 효과적으로 기능하지 못하게 하는 높은 수준의 코르티솔, 에피네프린, 카테콜아민의 감소를 돕기 위해, 또는 통증 역치를 높이고 림프구 증식을 향상시키는 β-엔도르핀을 만들어 낼 수 있도록 신체 내면의 그러한 장면을 상상하게 하는 지시적 심상요법을 사용할 수 있다.

(4) 신체운동과 바이오피드백

신체운동(physical exercise)은 스트레스에 대한 부정적 영향으로부터 신체적·정신적 상태를 보호할 수 있다. Strohle 등(2007)의 연구에서, 14~24세를 대상으로 한 규칙적인 신체활동이 양극성장애를 제외한 모든 정신질환의 발병률을 낮추었고, 요가는 약물복용과 병행될 때 우울증에 도움이 되는 것으로 밝혀졌다(Shapiro et al., 2007). 스트레스를 감소시키고 행복감을 향상시킬 수 있는 대중적인 운동으로는 걷기, 태극권, 춤, 사이클링, 에어로빅, 수중운동 등이 있다.

바이오피드백(biofeedback)은 근육활동, 뇌파, 피부 온도, 심박수, 혈압 및 기타 신체기능에 관한 정확한 정보를 제공한다. 개인은 신체활동의 변화를 청각적·시각적 신호를 통해 즉각적으로 확인함으로써 변화된 상황에 대해 높은 자발적 통제력을 가질 수 있다. 바이오피드백은 최면 능력이 낮은 사람부터 중간 정도인 사람에게 효과적이지만 이를 활용하기 위해서는 훈련이 필요하다. 또한 스트레스가 다양한 의학적 질병에 영향을 미친다는 인식이 높아짐에 따라 바이오피드백은 스트레스 관리를 위한 효과적인 전략으로 제안되고 있다.

(5) 인지적 재구성

인지적 재구성(cognitive reframing)의 목표는 상황을 재평가하고 부정적 신념을 긍정적 신념으로 전환함으로써 개인의 스트레스에 대한 인식을 변화시키는 것이다. 과잉일반화('그는 항상…', '나는 절대로…'), 완벽주의('항상 완벽하게 해내야 해') 등의 인지왜곡을 보다 긍정적인 사고로 전환하는 것은 스트레스 상황과 관련된 감정을 회복시키고 자존감을 향상시킨다. 방해가 되는 사건에 대한 인지가 긍정적으로 바뀌면 교감신경계에 자극이 감소함으로써 면역계의 균형을 파괴하는 코르티솔과 카테콜아민의 분비를 감소시킨다. 인지적 재구성은 스트레스를 줄이기 위해 점진적 근육이완요법, 마음챙김, 지시적 심상요법과 함께 사용된다.

(6) 일기쓰기

일기쓰기(journaling)는 스트레스 요인을 식별하는 매우 유용하고 간단한 방법으로, 걱정과 강박관념을 완화시키고 희망과 두려움을 확인하게 하여, 에너지 수준과 자신감을 높이며, 슬픔을 감소시키는 과정을 촉진시킨다. 일상적인 생활사건에 대해 자유롭게 일기를 쓰는 것은 스트레스의 근원에 대한 정보를 확인할 수 있는 방법이다. 즉, 생각과 감정을 기술하는 것은 스트레스와 스트레스 요인을 다루는 데 도움이 될 뿐만 아니라 신체적·정서적 치유에 있어서도 도움이 된다.

STUDY NOTES

1. 스트레스는 누구에게나 발생하는 일반적인 경험이며, 대상자를 돌보는 데 중요한 개념이다.
2. 스트레스 요인이 어떤 것이든(긍정적이든, 부정적이든) 신체는 유사하게 반응한다.
3. 스트레스 관련 모델은 캐넌의 '투쟁-도피 증후군', 셀리의 '일반적응증후군', 라자루스의 '상호작용 접근 모델'이 있다.
4. 스트레스 증상으로는 심박수 상승, 혈압 상승, 발한, 말초혈관 수축, 불안정, 좌절감, 집중력 저하 등이 있다.
5. 스트레스 요인은 신체적 요인(예: 더위, 기아, 추위, 소음, 외상)과 심리적 요인(예: 사랑하는 사람의 사망, 직업 상실, 학업, 굴욕)으로 나누어 설명할 수 있다.
6. 개인이 경험하는 스트레스 정도를 파악하기 위해 나이, 성별, 문화, 삶의 경험 및 생활방식 등이 중요하게 작용한다.
7. 만성 스트레스로 인한 영향을 줄이면 신체질환 발생 가능성도 낮아짐으로써 일부 약물치료를 최소화할 수 있으며, 개인의 인지능력을 향상시킬 수 있다.
8. 개인의 지지체계는 사정해야 할 가장 중요한 요소이며, 높은 사회적 지지는 스트레스에 대한 장기적인 영향을 최소화하는 데 큰 도움이 될 수 있다.
9. 사람들이 지각하는 스트레스와 스트레스 상황을 다루는 행동에는 문화적 차이가 있다.
10. 스트레스에 대한 반응을 감소시키고 신체적·심리적 기능을 향상시키기 위해 다양한 방법을 사용할 수 있다.

참고문헌 REFERENCES

Academy for Guided Imagery. (2010). History of the Academy for Guided Imagery. Retrieved form http://www.academyforjuidedimagery.com/abouttheacademy/page13/page13/html.

Ader, R., & Cogen, N. (1975). Behaviorally conditioned immunossuppression. Psychosomatic Medicine, 37(4), 333–340.

Aetna InteliHealth. (2008). Guided imagery. Retrieved from http://www.intelihealth.com/IH/ihtIH/WSIHW000/8513/34968/358820.html?d5dmtContent.

Bangasser, A., Curtis, A., et al. (2010). Sex differences in corticotropin–releasing factor receptor signaling and trafficking: Potential role in female vulnerability to stress–related psycho–pathology. Molecular Psychiatry, 15(9), 896–904.

Baum, A. (1990). Stress, intrusive imagery, and chronic distress. Health Psychology, 9(6), 653–675.

Benson, H. (1975). The relaxation response(2nd ed.). New York, NY: William Morrow & Company.

Benson, H., & Stark, M. (1996). Timeless healing. New York, NY: Scribner.

Billingsley, S. K., Collins, A. M., & Miller, M. (2007). Healthy student, healthy nurse: A stress management workshop. Nurse Educator, 32(2), 49–51.

Blumenthal, J. A., et al. (2007). Exercise and pharmacotherapy in the treatment of major depressive disorder. Psychosomatic Medicine, 69(7), 587–596.

Conrad, A., & Roth, W. T. (2006). Muscle relaxation

therapy for anxiety disorders: It works but how? Journal of Anxiety Disorders, 21(3), 243-264.
Dowlati, Y., et al. (2010). A meta-analysis of cytokines in major depression. Biological Psychiatry, 67(5), 446-457.
Farb, N. A., et al. (2007). Attending to the present: Mindfulness meditation reveals distinct neural modes of self-reference. Social Cognitive and Affective Neuroscience, 2(4), 313-322. doi: 10.1093/scan/nsm030.
First30Days. (2008). First30days' the change report: Making changes today considered more difficult to handle than 30 years ago. Retrieved from http://www.first30days.com/pages/press_changereport.html.
Haslam, S. A., & Reicher, S. (2006). Stressing the group: Social identity and the unfolding dynamics of responses to stress. Journal of Applied Psychology, 91(5), 1037-1052.
Holmes, T. H., & Rahe, R. H. (1967). The social readjustment rating scale. Journal of Psychosomatic Research, 11(2), 213-218.
Kabat-Zinn, J. (2005). Wherever you go, there you are (10th ed.). New York, NY: Hyperion.
Kajantie, E., & Phillips, D. I. (2006). The effects of sex and hormonal status on the physiological response to acute psychosocial stress. Psychoneuroendocrinology, 31(2), 151-178.
Killingsworth, M. A., & Gilbert, D. T. (2010). A wandering mind is an unhappy mind. Science, 330(6006), 932-932.
Koenig, H. G., King, D. E. & Carson, V. B. (2012). Handbook of religion and health(2nd ed.). New York, NY: Oxford University Press.
Koolhaus, J. M., et al. (2011). Stress revisited: A critical evaluation of the stress concept. Neuroscience Biobehavioral Reviews, 35(5), 1291-1301.
Lazarus, R. S., & DeLongis, A. (1983). Psychological stress and coping in aging. American Psychologist, 38, 245.
McCormack, A. (2010). Individuals with eating disorders and the use of online support groups as a form of social support. Computers Informatics Nursing, 28(1), 12-19.
National Cancer Institute. (2011). Depression. Retrieved from http://www.cancer.gov/cancertopics/pdq/supportivecare/depression/HealthProfessional/page2#Reference2.3.
Pasco, J. Ja., et al. (2011). Habitual physical activity and the risk for depressive and anxiety disorders among older men and women. International Psychogeriatrics, 23(2), 292-298.
Rahe, R. J. (1995). Stress and psychiatry. In H. I. Kaplan, & B. J. Sadock, (Vol. Eds.), Comprehensive textbook of psychiatry/VI: Vol. 2(pp.1545-1559). Baltimore, MD: Williams & Wilkins.
Sadock, V. A., & Sadock B. J. (2008). Kaplan and Sadock's concise textbook of clinical psychiatry (3rd ed.). Philadelphia, PA: Lippincott, Williams & Wilkins.
Selye, H. (1974). Stress without distress. Philadelphia, PA: Lippincott.
Selye, H. (1993). History of the stress concept. In L. Goldberger & S. Breznitz(Eds.), Handbook of stress: Theoretical and clinical aspects(pp. 7-17). New York, NY: Free Press.
Shapiro, D., Cook, I. A., Davydov, D. M., Ottaviani, C., Leuchter, A. F., & Abrams, N. (2007). Yoga as a complementary treatment of depression: Effects of traits and moods on treatment outcome. Evidenced Based Complementary and Alternative Medicine. Retrieved from http://ecam.oxfordjournals.org/cgi/content/abstract/nel114v1.
Strohle, A., et al. (2007). Physical activity and prevalence and incidence of mental disorders in adolescents and young adults. Psychological Medicine, 37(11), 1657-1666.
Taylor, S. (2010). Mechanisms linking early life stress to adult health outcomes. Proceedings of the NAtional Academy of Sciences of the United States of America, 107(19), 8507-8512.
Wang, J., et al. (2007). Gender difference in neural response to psychological stress. Social Cognitive and Affective Neuroscience Advance Access, 2(3), 227-239.
Ysseldyk, R., Matheson, K., & Anisman, H. (2010). Religiosity as identity: Toward an understanding of religion from a social identity perspective. Personality and Social Psychology Review, 14(1), 60-71.

CHAPTER

8

치료적 인간관계와 의사소통

Therapeutic Relationships and Communication

evolve WEBSITE

http://evolve.elsevier.com/Keltner

학습목표

- 사회적 관계와 치료적 관계의 목적, 초점, 의사소통 방식 및 목표를 비교·설명한다.
- 간호사-환자 관계를 형성하는 4단계를 설명한다.
- 간호사-환자 간의 치료적 관계를 형성하기 위한 간호사의 자질을 설명한다.
- 간호사-환자의 관계에서 진실성, 공감, 긍정적 배려의 역할을 설명한다.
- 경계가 불분명한 전이와 역전이의 영향 및 의미를 분석한다.
- 의사소통의 개념을 이해한다.
- 의사소통의 중요한 영향을 이해한다.
- 사회적 및 치료적 의사소통을 구별한다.
- 치료적 의사소통의 목표를 인식한다.
- 치료적 의사소통의 방해요인을 설명한다.
- 치료적 의사소통 기법과 비치료적 의사소통 기법을 열거한다.

I 치료적 인간관계

1. 간호사-환자 관계의 개념

정신건강간호학은 많은 과학적 원리에 기초한다. 해부학, 생리학 및 화학의 배경은 안전하고 효과적인 생물학적 치료를 제공하기 위한 기초로서, 간호 실무에 매우 중요하다. 반면, 정신간호 행위를 위한 관계를 유지하고 강화하는 데 필요한 요소는 대인관계 기술의 개발과 돌봄 관계이다. 이런 돌봄과 치료 행위는 치료적 관계 형성이 중요하다.

의료계는 환자중심치료(patient-centered care)라는 개념을 표준(gold standard)으로 받아들이는 과정에서 많은 발전을 이루었다. 환자-가족 중심 치료의 핵심개념은 (1) 존엄성과 존중, (2) 정보 공유, (3) 환자와 가족 참여, (4) 정책 및 프로그램 개발 협력으로 구성된다(Institute for Patient and Family Centered Care, 2010).

이 원리는 간호사-환자 관계와 같이 간호전문가에게 친숙하다. 간호사-환자 관계는 구체적인 목표와 상관없이 모든 정신건강간호 중재의 기초를 이룬다. 간호사와 환자 사이의 첫 번째 연결은 간호사가 안전하고, 비밀을 유지하며, 신뢰감과 일관성이 있고, 관계가 적절하고 명확한 경계 안에서 이루어질 것임을 환자가 이해하도록 돕는 것이다.

조현병, 양극성장애, 주요우울장애 등의 많은 정신질환은 강한 생화학적·유전적 소인이 있다. 그러나 낮은 자아상과 자존감에서 비롯되는 정서적인 문제와 치료요법에 참석하기 어려워하는 문제들은 치료적인 간호사-환자 관계를 통해 개선될 수 있다. 한편 환자의 가족은 장기간의 치료로 인해 경제적 부담과 사회적 자원의 고갈, 사회적 고립 등을 경험하므로 정서적인 지지를 필요로 한다.

간호사-환자 간에 관계를 맺는 것은 하나의 창의적인 과정이며, 간호사의 개별적인 특성이 존재한다. 모든 사람은 타인과 긍정적 관계를 맺기 위한 각자 자신만의 독특한 방식을 가지고 있으며, 이는 '치료적 자기 이용'이라고 언급되어 왔다. Travelbee(1971)는 치료적인 자기 이용에 대해 '관계를 구축하고 간호중재를 구조화하기 위해 의식적이고 완벽하게 개인의 인격을 사용하는 능력'이라고 정의하였다. 이 치료적 자기 이용의 효과는 근거기반 간호중재로서 과학적으로 입증되었다. 무작위 임상시험의 결과, 긍정적인 동맹(치료적 관계)의 발전이 치료 효과의 가장 중요한 예측 요인임이 반복연구를 통해 밝혀졌다(Gordon et al., 2010; Kopta et al.,1999). 반면 임상의와 건강관리 종사자 간의 소통이 되지 않거나 환자가 존중받지 못하고 무시당한다고 느끼는 경우, 환자의 치료 불신과 불이행으로 이어져 치료 결과에 부정적인 영향을 미치는 것으로 나타났다(Gordon et al., 2010).

치료적 동맹의 성공 여부는 어떤 특정 과정에만 국한된 것이 아니라, 의료인과 환자의 개인적 특성에 의해 영향을 받는다. 또한 치료적 관계 안에서 이루어지는 정신치료가 약물치료와 동일한 방식으로 뇌의 생화학적 변화를 가져온다고 보고된 바 있다(Hollon & Ponniah, 2010; Serfaty et al., 2009). 따라서 정신질환에 대한 효과적인 치료 접근은 약물치료와 심리치료의 통합을 통해 이루어질 수 있다.

간호사-환자와 치료적 관계를 형성하는 데에는 많은 시간과 노력이 요구된다. 임상 실무경험이 많은 상급자의 지도감독을 통해 이와 관련된 치료적 기술들을 점차 발전시킬 수 있다.

1) 치료적 관계의 목표와 기능

치료적인 간호사-환자 관계는 다음의 목표와 기능이 있다.

(1) 고통스러운 생각과 감정에 대한 의사소통을 용이하게 한다.

(2) 환자의 일상 활동을 촉진함으로써 문제를 해결해 나가도록 돕는다.

(3) 환자가 자기파괴적인 행동을 확인하도록 돕고 대안을 강구한다.

(4) 자가간호 및 독립성을 촉진한다.

2) 사회적 관계와 치료적 관계

관계란 2명 이상의 사람들이 관여하는 대인관계의 과정이다. 평생 동안 개인은 다양한 환경에서 사람들을 만나고 삶의 경험을 공유한다. 어떤 사람들과는 장기적인 관계를 유지하는 반면, 다른 사람들과의 관계는 단시간으로 끝난다. 인간관계는 사람마다 상황에 따라 다양하다. 일반적으로 관계는 친밀한 관계, 사회적 관계, 치료적 관계로 나뉜다. 친밀한 관계는 서로에 대한 감정적인 소속감을 가진 사람들 사이에서 일어난다. 가까운 관계 속에서 상호요구가 충족되고, 친밀함에 대한 욕구과 환상이 공유된다. 다음은 사회적 관계와 치료적 관계의 특성을 비교하고 탐색하고자 한다.

(1) 사회적 관계

사회적 관계(social relationship)는 우정, 사회화, 즐거움, 또는 과업성취 등의 목적을 달성하기 위해 시작되는 관계이다. 상호 요구는 사회적 상호작용 과정 속에서 충족된다(예: 아이디어, 감정 및 경험 공유). 의사소통 기술은 조언을 하거나 (돈을 빌려주거나 일을 도와주는 것과 같은) 기본적인 의존 욕구를 충족시키는 것을 포함할 수 있다. 의사소통의 내용은 피상적이며, 사회적 관계를 맺는 동안 서로의 역할이 변할 수 있다. 사회적 관계 내에서는 다음의 예와 같이 관계에 대한 평가를 별로 중요하게 여기지 않는다.

환 자: "저는 혼자 있는 것을 정말 싫어해요. 기분이 우울해지기도 하고, 때로는 너무 아프기도 해요."

간호사: "당신이 어떻게 느끼는지 알겠어요. 저도 그런 것을 좋아하지 않아요. 저는 기분이 그럴 때 친구를 만나거나 영화를 보는 등 무엇인가를 하려고 합니다. 같이 어울릴 사람이 있을까요?"(이 반응에서 간호사는 환자의 감정을 최소화하고 성급하게 조언을 하고 있다.)

환 자: "아니요, 별로 어울릴 사람이 없어요. 그저 집에 앉아 두려움과 외로움을 느낄 뿐이죠."

간호사: "우리는 대부분 한 번쯤은 그런 기분을 느낍니다. 수업을 듣거나 동호회에 가입하면 더 많은 사람을 만날 수 있을 겁니다. 집에 혼자 있는 것은 별로 좋지 않습니다."(간호사는 환자의 문제에 대해 경청하지 않으며, 환자가 느끼고 있는 고통과 고립

감을 최소화하고 있다. 간호사는 계속해서 환자가 원하지 않고 도움도 되지 않는 충고를 하고 있으며, 그에 따라 환자는 더 이상 감정과 경험을 이야기하려 하지 않는다.)

(2) 치료적 관계

치료적 관계(therapeutic relationship)에서 간호사는 환자의 성장을 돕기 위해 자신의 의사소통 기술과 인간 행동에 대한 이해, 자신의 강점을 최대로 발휘한다. 간호사는 의사결정 과정에서 환자를 파트너로 생각하고 그에게 관심과 존중을 보여주며 솔직한 언어를 사용할 때, 환자는 쉽게 의료인과의 관계를 형성한다(Gordon et al., 2010). 이러한 상호작용은 관계의 초점이 환자의 생각, 경험 및 감정에 있다는 증거이다. 치료적 관계의 핵심은 간호사가 면담 중에 환자가 이야기하는 중요한 문제에 초점을 두는가에 달려 있다. 간호사와 환자는 탐색이 필요한 영역을 확인하고 환자의 변화 정도를 주기적으로 평가한다.

간호사가 다양한 역할(예: 교사, 상담사, 사회화를 돕는 사람, 자원 연계자)을 수행하는 동안, 관계는 지속적으로 환자의 문제와 요구에 초점이 맞춰진다. 친밀한 관계에서와 달리, 간호사 자신의 욕구는 환자와의 관계가 아닌, 다른 사람과의 관계에서 충족되어야 한다. 간호사가 환자에게 자신을 좋아해주길 원하거나 간호사의 지시대로 환자가 따라주기를, 또는 간호사를 인정해 주기를 원한다면, 환자의 욕구는 적절하게 충족될 수 없다. 이러한 관계는 환자에게 부정적인 영향을 미칠 것이다(비치료적 관계).

환자와 명확한 경계를 설정하고 초점을 맞춘 대화를 하기 위해 임상 수퍼비전(supervision: 상담자의 상담 수행 과정을 감독 혹은 지도하는 활동)을 받는 것이 간호사에게 가장 좋은 방법이다. 의사소통 기술과 치료적 관계의 단계 및 현상에 대한 지식은 관계를 형성하고 유지하는 데 중요한 도구이다.

간호사들과 마찬가지로, 간호학생 또한 아주 미묘한 차이 때문에 사회적 관계와 치료적 관계 간의 경계에서 갈등할 수 있다. 사실 간호학생들은 또래 환자를 대할 때 '환자의 친구가 되는 것'이 본인의 역할이라고 느끼는 경우가 많다. 이러한 상황이 발생할 때 간호사나 간호학생은 자신과 환자로 하여금 치료적 관계에 대해 분명히 인식하게 할 필요가 있다. 이것은 간호사가 환자에게 친근하지 않다는 것을 의미하지는 않지만, 환자와 일상적 주제(예: TV, 날씨 및 아이 사진)에 대해 이야기하는 것은 삼가야 한다. 이는 간호사가 치료적 관계에 관한 명시된 지침을 따라야 한다는 것을 의미한다. 본질적으로, 치료적 관계는 환자에 초점이 맞추어져 있고, 간호사의 요구를 만족시키도록 설계되지 않는다. 환자의 문제와 관심사를 탐색한 후, 환자와 간호사가 함께 그에 대한 해결책을 논의해야 한다. 환자는 다음 예와 같이 해결책을 구현하기도 한다.

환 자: "아, 저는 혼자 있는 것이 정말 싫어요. 혼자 있는 것은 저를 힘들게 하고 때로는 너무 아프게 해요."

간호사: "외로움은 고통스러울 수 있어요. 당신이 그렇게 외로움을 느끼는 데에는 어떤 이유가 있는 거죠?"

환 자: "우리 엄마는 2년 전에 돌아가셨고, 지난달에는 정말 끔찍한 일이 있었어요."(환자는 숨을 깊이 들이마시고 아래를 내려다보며, 마치 울 것처럼 보인다.)

간호사: (환자가 감정을 추스르는 동안 침묵하며 앉아 있다.) "계속 말씀하시겠어요?"

환 자: "제 남자친구가 외국으로 떠났는데, 아무런 소식이 없는 거예요. 남자친구가 실종되었다고 하더군요. 남자친구는 저의 가장 친한 친구였고, 우리는 결혼할 예정이었어요. 만약 그가 죽었다면 저는 살고 싶지 않아요."

간호사: "당신의 남자친구에게 무슨 일이 일어나고 있는지 알 수가 없어서 정말 무서웠겠군요. 스스로 목숨을 끊을 생각도 했었나요?"

환 자: "남자친구가 죽었다고 하면 저도 죽을 거예요. 그 사람 없이는 살 수 없어요."

간호사: "전에도 그런 감정을 느껴 본 적이 있나요?"

환 자: "네, 엄마가 돌아가셨을 때요. 저는 남자친구를 만나기 전까지 약 1년 동안 우울했었어요."

간호사: "매우 고통스럽고 힘든 시간을 보내고 있는 것 같군요. 저와 함께 더 이야기를 나누면 불안과 두려운 마음, 그리고 압도당한 감정을 조절할 수 있는 방법들을 생각해 낼 수 있을 거예요. 저와 함께 이것에 대해 계속 상담해 나가시겠어요?"

3) 치료적 관계에서의 경계와 역할

(1) 경계

간호사-환자 관계에서 환자가 자신의 감정과 문제를 탐색할 수 있도록 안전한 공간을 제공하기 위해 명확한 경계가 설정되어야 한다. 간호사는 치료적 관계 내에서 환자와 간호사의 역할 차이를 인식하고, 간호사의 요구를 환자의 요구와 분리시켜 관계를 명확하게 정의해야 한다. 치료적 관계는 지속적으로 모호해질 수 있는 위험이 있으며, 간호사-환자 관계의 변화로 인해 비치료적 역학 관계가 발생할 수 있다. 경계가 모호한 일반적인 2가지 상황은 (1) 관계가 사회적 관계로 넘어갈 수 있도록 허용되는 경우와 (2) 간호사의 요구(관심, 애정, 정서적 지지)를 충족시키기 위해 환자의 요구를 희생시키는 경우이다. 환자를 보호하기 위해 경계는 일차적으로 필요하다(Wheeler, 2008).

가장 심각한 경계 침해는 성적인 본능으로 인한 것이다. 이러한 종류의 경계 침해는 높은 수준의 의료과실로, 이를 위반할 경우 간호사는 면허를 상실할 수 있다. **표 8-1**은 간호사-환자 관계에서 모호한 경계를 반영하는 예이다.

(2) 역할(전이와 역전이)

간호사-환자 관계에서 모호한 역할은 전이 혹은 역전이를 인식하지 못한 결과이다. 전이(transference)는 프로이트가 정신분석 치료를 할 때 처음 발견한 현상이다. 전이는 환자가 자신의 과거에 중요한 인물에게 나타냈던 정서적 반응이나 행동을 무의식적으로 간호사에게 옮겨올 때 발생한다. 환자는 간호사에게 "선생님을 보면 저의 어머니, 언니, 아버지, 형 등이 생각나요"라고 말할 수 있다.

환 자: "선생님은 너무 거만하고 강해 보이네요. 제가 알고 있는 다른 사람처럼 선생님도 누군가로부터 감정이 없고 차가워 보인다고 들은 적이 있나요?"

간호사: "전에 당신에게 냉담하고 차갑게 굴었던 사람에 대해 말해주세요."

(환자는 현재 지난 성장 과정에서 어머니로부터 느꼈던 감정을 지금의 치료자인 간호사에게 옮겨오고 있다. 이 경우 환자의 어머니는 차갑고 냉담하여 환자에게 고립감, 무가치감, 분노의 감정을 느끼도록 했을 것이다.)

전이는 모든 관계에서 나타날 수 있지만, 권위적인 관계에서 더 강화되는 경향이 있다. 특히, 모든 인간에게 부모는 권위의 근원적인 상징이 되므로, 이와 관련한 전이가 많이 발생한다. 의사, 간호사 등 의료인은 모두 잠재적인 전이의 대상이다. 전이는 긍정적이거나 부정적일 수 있다. 만일 환자가 치료를 계속 할 의지가 있다면, 감정을 솔직히 공유함으로써 긍정적인 전이를 경험하도록 한다(Wheeler, 2008).

긍정적인 전이는 대부분 고려할 필요가 없는 반면, 부정적 전이는 간호사-환자의 치료적 관계를 위협하므로 이를 탐색할 필요가 있다. 전이의 일반적인 형태는 애정이나 존중에 대한 욕구와 의존적 욕구의 충족을 포함한다. 다른 전이 감정에는 적대감, 질투심, 경쟁심, 사랑 등이 있다.

표 8-1 모호한 경계를 반영하는 환자와 간호사의 행동

간호사가 과도하게 개입하는 경우	간호사의 개입이 부족한 경우
환자가 간호사의 지지를 더 요구함으로써 간호사에 대한 의존도가 높아짐	환자의 고립감(우울)에 대한 언어적, 신체적 표현이 증가함
환자는 간호사의 도움을 받기 전에 수행할 수 있던 것들을 수행할 수 없게 되며, 이는 퇴행의 원인이 될 수 있음	간호사-환자 간 상호합의된 목표가 없음
환자가 간호사 부재 시 수행이나 진행을 꺼림	목표 달성의 진전이 없음
간호사의 과도한 중재나 환자의 인식에 대하여 다른 직원들이 불만을 표현함	간호사가 환자와 시간을 보내는 것을 회피함
간호사가 간호사-환자 관계에 대해 타인에게 비밀로 함	간호사가 합의된 중재를 수행하지 못함

출처: Pilette, P. C., berck, C. B., & Achber, L. C. (1995). therapeutic management of helping boundaries. Journal of Psychosocial Nursing and Mental Health Services, 33(1), 40-47.

간혹 환자는 긍정적이거나 부정적인 생각, 감정 그리고 현실적이고 적절한 반응을 보이기도 하는데, 이는 의료인을 향한 전이의 결과는 아니다. 예를 들어, 간호사가 환자에게 한 약속을 지키지 않는다면, 환자는 간호사에게 분노와 불신감을 갖게 되지만, 이것은 전이가 아니다.

역전이(counter-transference)는 간호사의 과거(어린 시절) 중요한 대상(특히, 부모)과의 사이에서 미처 해결되지 않았던 감정과 행동이 환자에게로 무의식적으로 옮겨지는 현상이다. 환자의 전이가 간호사에게 역전이를 유발시킬 수 있다. 예를 들어, 지속적으로 공격을 받거나 부당하게 제지를 당했을 때 화가 날 수 있으며, 역으로 환자가 간호사를 과도하게 추켜세울 때 우쭐하게 되는 것도 지극히 정상적인 반응이다. 간호사는 환자가 자신에게 전적으로 의존할 때 자신의 존재를 중요하게 느낄 수도 있다. 만일 간호사가 자신의 이러한 전지전능한 감정을 역전이로 인식하지 못한다면, 환자의 독립적인 성장을 장려하는 데 문제가 발생할 것이다. 역전이를 인식하는 것은 환자의 능력을 강화시킬 수 있도록 간호사의 역할을 극대화한다. 간호사가 역전이를 인식하지 못할 경우 치료적 관계는 중단된다. 특히, 환자를 개인이 아닌 간호사 자신의 연장이라고 생각함으로써 치료적 관계를 훼손시키게 된다.

환 자: "저는 알코올 중독자예요. 그 멍청한 AA 모임에 가지 않기로 했어요. 무슨 상관이죠?"(환자는 냉담한 태도로 의자에 앉아 껌을 씹고 있다.)

간호사: (강한 어조로) "언제나 기회를 놓치시는군요. 당신의 삶을 통제하기 위해 AA 모임의 참여가 필요합니다. 참여하지 않았던 지난주는 그 모임의 모두를 실망하게 했어요."

(간호사는 알코올 중독자인 자신의 어머니를 떠올렸다. 간호사는 어머니를 치료하기 위해 모든 것을 시도해 보았지만, 어머니를 회복시키지 못했던 개인적인 실패의 결과에 대하여 실망한 경험이 있다. 간호사가 자신의 생각과 느낌을 확인하고, 실망과 실패의 좌절감이 환자가 아닌 자신의 어머니에게 있다는 것을 깨닫게 된 후, 다음의 개입으로 세션을 시작했다.)

간호사: "보세요. 지난주에 생각해봤는데, AA 모임을 가거나 다른 도움을 받을지는 전적으로 당신에게 달려 있다는 걸 알게 되었어요. 저는 당신이 더 행복하고 만족스러운 삶을 살기를 바라지만, 그것은 당신의 결정입니다. 그런데 AA 모임에 가는 것에 대해 어떻게 생각하는지 궁금하네요."

만일 간호사가 환자에게 특별히 긍정적이거나 부정적인 반응을 보인다면, 이는 대부분 역전이를 의미한다. 역전이의 일반적 징후는 환자에 대한 과도한 인지가 나타나는 것이다. 이 상황에서 간호사는 간호사 자신과 유사한 환자의 문제를 인지하거나 객관적으로 판단하는 데 어려움을 경험할 수 있다. 예를 들어, 가족 내 알코올 중독자가 있는 간호사는 알코올 중독 환자를 혐오스럽게 느낄 것이다. 역전이의 다른 지표로는 간호사와 환자가 힘을 겨루거나 경쟁을 하는 것 또는 논쟁에 휘말리는 것 등이 있다. **표 8-2**는 몇 가지 일반적인 역전이 반응을 제시하고 있다.

간호사는 환자가 성장할 수 있도록 긍정적인 변화를 허용하기 위해서는 다양한 전이와 역전이를 확인하고 탐색하는 것이 중요하다. 동료 또는 치료팀으로부터 수퍼비전을 받는 것은 다른 많은 문제들뿐 아니라 전이와 역전이에 도움이 될 수 있다. 또한 수퍼비전은 윤리적 문제에 대한 실질적이고 정서적인 지지, 교육 및 지침을 제공한다. 정기적으로 수퍼비전을 받는 것은 간호사가 환자의 지속적인 성장을 가능하게 할 뿐만 아니라 자기인식, 임상 기술, 성장을 증진할 수 있는 기회를 제공한다.

표 8-2 역전이 반응

간호사는 때로 역전이에 의한 감정을 경험한다. 이러한 감정이 있음을 알게 되면, 효과적인 간호사-환자 의사소통을 방해하는 감정을 이해하기 위해 자기 분석을 해야 한다.

환자에 대한 반응	반응의 행동특성	자기 분석	해결방법
무관심	• 부주의함을 보인다. • 자주 환자에게 진술을 번복한다. • 부적절하게 반응한다.	• 환자가 제공하는 내용에 관심이 없는가? 아니면 의사소통 방식의 문제인가? • 환자가 공격적인 의사소통을 하는가? • 환자의 요구에 집중하지 못하게 할 만한 다른 생각이 있는가? • 환자가 나를 불안하게 하는 문제에 대해 논의하고 있는가?	• 요구한 것보다 환자가 더 많은 정보를 말하거나 이야기의 방향이 빗나간 경우, 요구사항을 다시 말해준다. • 환자에게 정보를 명확히 설명한다. • 비효율적인 의사소통 방식을 직면하도록 한다.
구원자 역할	• 불가능한 목표를 달성하고자 한다. • 동료의 피드백과 수퍼바이저의 권고를 거부한다. • 조언한다.	• 어떤 행동이 환자를 구해야 한다는 생각이 들게 하는가? • 과거에 그런 감정을 느끼게 하는 사람이 있었는가? • 환자의 요구에 부응하지 못할 경우 어떤 두려움이나 환상이 있는가? • 왜 이 환자를 구하려 하는가?	• 비밀 동맹을 피한다. • 현실적인 목표를 수립한다. • 치료 일정을 변경하지 않는다. • 환자가 상호작용을 이끌어 가도록 허용한다. • 환자가 문제를 해결하도록 촉진한다.
과도한 개입	• 일찍 출근하고 늦게 퇴근한다. • 동료의 제안을 무시하고 도움을 거절한다. • 환자의 옷이나 다른 선물을 구입한다. • 환자에게 선물을 받는다. • 가족 중재 시 판단적인 태도를 보인다. • 환자와의 관계를 타인에게 비밀로 한다. • 비번 일정을 환자에게 알린다.	• 특정 환자의 어떤 특성이 매력적으로 느껴지는가? • 그 환자가 누군가를 생각나게 하는가? 그 대상은 누구인가? • 현재 행동이 과거에 비슷한 환자를 돌볼 때와 차이가 있는가? • 이 상황에서 무엇을 얻으려고 하는가? • 나의 어떤 욕구가 충족되고 있는가?	• 치료 경계와 간호목표를 확실하게 설정한다. • 자기노출을 하지 않는다. • 비번일 때 환자에게 연락하지 않는다.
과도한 동일시	• 특별한 의도를 갖고 비밀을 지킨다. • 자기노출을 증가시킨다. • 만능감(omnipotent)을 느낀다. • 신체적 매력을 경험한다.	• 환자의 신체적, 정서적, 인지적 또는 상황적 특성 중 어느 것을 동일시 하는가? • 인생에서 비슷한 상황을 떠올려 본다. • 지금 환자에게 나타난 문제를 과거에는 어떻게 다루었는가?	• 환자가 문제를 직시하도록 한다. • 환자가 접근하는 문제해결 방식을 격려한다. • 자기노출을 하지 않는다.
정직하지 못함	• 정보를 숨긴다. • 거짓말을 한다.	• 왜 환자를 보호하려 하는가? • 환자가 진실을 알게 되는 것이 왜 두려운가?	• 답변은 명확히 하고 주저하지 않는다. • 정보를 제공할 수 있다면, 예시를 말하고 근거를 제시한다. • 필요하지 않은 비밀 유지는 피한다. • 치료의 다학제적 특성에 대해 환자에게 강조한다.
분노	• 중단한다. • 크게 말한다. • 비속어를 쓴다. • 케이스에서 손을 떼도록 요구한다.	• 환자의 어떤 행동이 불쾌감을 일으키는가? • 과거의 어떤 역동이 이 환자를 떠올리게 하는가?	• 분노의 근원을 확인한다(간호사, 환자 또는 모두) • 분노에 대해 이해가 안 된다면 환자와 접촉하지 않는다.

〈계속〉

무력감 또는 절망감 • 슬픔을 느낀다.	• 환자의 어떤 행동이 이 느낌을 갖게 하는가? • 과거에 비슷한 감정을 일으킨 사람이 있었는가? 그렇다면 누구인가? • 과거에 환자가 나에게 기대했던(언어적, 비언어적) 것은 무엇인가?	• 치료적 관계를 유지한다. • 당신의 경험이 아닌, 환자의 경험에 초점을 맞춘다.

출처: Aromando, L. (1995). Mental health and psychiatric nursing(2nd ed.). Springhouse, PA: Springhouse.

2. 치료적 관계 형성을 위한 간호사의 자질 : 가치관, 신념, 자기인식

간호사는 자신의 가치관과 태도를 이해하는 것이 매우 중요하다. 이를 통해 간호사는 환자와 긍정적인 관계를 맺는 데 방해가 될 수 있는 신념과 태도를 인식할 수 있을 것이다.

간호사는 자신의 가치관과 신념이 반드시 옳은 것이 아니며, 모든 사람에게 맞지 않는다는 것을 이해해야 한다. 가치관과 신념은 개인이 다양한 영향력과 역할모델 사이에서 자율적으로 선택한 것으로, 개인의 문화와 하위문화를 반영한다. 이렇게 선택된 가치관(종교, 문화, 사회)은 의사를 결정하고 행동을 취하는 데 영향을 미칠 뿐 아니라, 개인이 삶을 살아가는 데 있어 의미와 보람, 성취감을 느끼게 해준다.

가치관, 신념, 문화 또는 생활방식이 자신과 근본적으로 다른 사람과 면담을 해야 한다는 것은 사실 어려운 일이다(Fontes, 2008). 사회적으로 발생하는 논란 즉, 종교, 성 역할, 낙태, 전쟁, 정치, 돈, 마약, 알코올, 성, 그리고 체벌 등과 관련된 주제는 간호사와 환자 간의 갈등을 유발시킬 수 있다(Fontes, 2008). 간호사의 가치관, 신념이 환자와 차이가 클 때 발생할 수 있는 갈등은 다음과 같다.

- 환자는 간호사의 가치관에 반하는 낙태를 원한다.
- 간호사는 성폭행을 당한 환자가 낙태수술을 받아야 한다고 생각하지만, 환자가 이를 거부한다.
- 환자가 여러 파트너와 안전하지 않은 성관계를 맺는 것은 간호사의 가치에 반한다.
- 간호사는 종교적인 이유로 약물 복용을 거부하는 환자를 이해할 수 없다.
- 환자는 간호사와 정반대로, 물질과 이득을 친구나 가족의 사랑보다 훨씬 더 우선시한다.
- 간호사는 신앙심이 깊은 반면, 환자는 종교를 꺼리는 비신자이다.
- 환자는 불법 약물을 복용하는 등 간호사의 가치에 반하는 행동을 한다.

이와 같이 간호사와 환자의 가치관과 신념체계가 다를 때 어떻게 환자의 문제해결을 돕는 치료적 관계를 형성할 수 있을까? 간호사는 먼저 자신의 가치관과 신념이 자신의 행동을 이끌고 있음을 이해하는 자기인식이 필요하다. 자신의 가치관과 신념을 이해하고 받아들일 뿐만 아니라, 다른 사람의 독특하고 다른 가치관과 신념에 민감하고 이를 수용하는 것은 간호사로서 중요한 역할이다. 이를 위해 경험이 많은 동료로부터 조언을 받는 것도 도움이 될 수 있다.

3. 간호사-환자 관계의 페플라우 모델

페플라우(Hildegard E. Peplau; 1909-1999)는 1952년에 그의 저서인 「Interpersonal Relations in Nursing」에서 간호사-환자 관계의 개념을 도입했다. 간호사-환자 관계 모델은 미국과 캐나다에서 적용되고 있으며, 모든 간호수행에 중요한 도구이다. 치료적인 간호사-환자 관계에서는 기술과 전문적인 지식이 있는 간호사가 환자와 함께 고통을 완화하고 문제의 해결책을 찾아 삶의 질을 높이기 위한 방법을 탐색한다(Fox, 2008).

페플라우(1952)는 간호사와 환자 모두에게 간호사-환자 관계를 형성하는 방법을 제안했다. 이 상호적인 과정은 환자의 경계 설정, 독립적인 문제해결, 자율적인 의사결정을 촉진하기 위해 설계되었다.

또한 페플라우(1952, 1999)는 간호사-환자 관계가 3단계의 과정을 통해 발전하는데, 이들 관계는 서로 연결되어 있고 중복된다고 설명했다. 페플라우는 오리엔테이션 단계를 준비하는 단계인 '오리엔테이션 전 단계'를 추가하여 다음과 같이 총 4단계를 제시하였다.

- 1단계: 오리엔테이션 전 단계(상호작용 전 단계)
- 2단계: 오리엔테이션 단계(초기 단계)
- 3단계: 활동 단계
- 4단계: 종결 단계

일반적으로 단기간의 정신간호학 실습 기간 동안 간호사-환자 관계의 모든 단계를 발전시키기에는 시간적인 한계가 있다. 그러나 이 4단계를 정확히 알고, 이를 활용하기 위해서는 다른 사람이 처한 상황에 대해 배려하고 존중하며, 긍정적인 영향을 미칠 수 있는 모든 접촉이 중요하다는 점을 기억해야 한다.

1) 오리엔테이션 전 단계(상호작용 전 단계)

간호사는 환자와의 첫 만남 이전에도 임상 상황과 관련하여 많은 생각과 감정을 가질 수 있다. 신입간호사들은 임상에 나간 첫 날에 대부분 많은 걱정과 불안을 경험한다. 일반적인 걱정은 정신질환자에 대한 두려움과 자신의 잘못된 행동으로 환자에게 나쁜 영향을 끼칠 것에 대한 걱정, 그리고 특정 환자의 행동에 어떻게 반응해야 할 지 모르는 것 등이다. **표 8-3**은 일반적인 환자의 행동을 나타내며, 그에 따른 간호사의 가능한 반응의 예이다.

프리셉터나 실습지도자와의 면담과 감독 아래에 진행되는 그룹 토의는 피드백을 제공하여 신입간호사나 학생들의 자신감을 높여준다. 경험이 많은 정신간호학 교수와 간호사들은 병원 내 분위기를 모니터링하고, 긴장의 고조를 나타내는 행동을 알아차릴 수 있는 직관력과 노하우가 있다. 그들은 위기중재에 대해 훈련되어 있고, 현장에서 직원들에게 지지를 제공해주는 역할을 한다. 임상실습지도 교수는 실습 첫 날, 안전을 위한 기본원칙을 제시한다. 예를 들

표 8-3 일반적인 환자의 행동, 간호사의 반응 및 간호사의 유용한 답변

간호사의 가능한 반응	간호사의 유용한 답변
환자가 자살하겠다고 할 때	
• 간호사는 환자와 자살이라는 주제에 대해 이야기하는 것에 압박감과 책임감을 느낄 수 있다. • 간호사는 환자의 절망감에 초점을 두고 면담을 진행할 수 있다.	• 간호사는 환자가 자살하려는 계획이 있는지, 그리고 그 계획의 치명성을 사정한다. • 공감과 경청을 통해 보호와 안전의 언어적 · 비언어적 메시지를 제공한다. "이것은 정말 심각한 문제입니다. 당신이 자해를 하지 않기를 바랍니다. 이 문제에 대해서는 다른 의료진에게도 알려야 한다는 걸 말씀드립니다." • 간호사는 환자가 자살을 결정하게 된 상황과 구체적인 감정에 대해 면담한다.
환자가 간호사에게 비밀을 지켜달라고 요구할 때	
환자가 중요한 정보를 이야기하고 싶어하므로 간호사는 갈등을 느낄 수 있지만, 약속을 지킬 수 있을지는 불확실하다.	• 환자의 건강과 안전에 관한 정보는 매우 중요하므로, 비밀을 지켜달라는 약속을 지킬 수 없다고 이야기한다. "죄송하지만, 저는 그 약속을 지킬 수가 없네요. 이것은 중요한 정보이므로 다른 직원들과 공유해야 한답니다." 그리고 나서 환자에게 이 정보를 간호사와 공유할 것인지 결정하게 한다.
환자가 간호사에게 개인적인 질문을 할 때	
• 간호사는 환자의 질문에 대답하지 않는 것은 무례한 일이라고 생각할 수 있다. • 신입간호사는 면담을 시작하지 않아도 된다는 생각에 안심을 느낄지도 모른다. • 간호사는 당혹감을 느끼고 그 자리를 벗어나고 싶어할 수도 있다. • 신입간호사들은 입장이 바뀌어 환자에 의해 조종당할 수 있다. 환자의 문제에 초점을 두지 못하여 관계를 맺는 것에 실패할 수 있다.	• 간호사는 환자의 질문에 대답을 할 수도 있고 하지 않을 수도 있다. 만일 간호사가 환자의 질문에 자연스럽게 답하기로 결정했다면, 간단히 한두 마디로 대답한 후 다시 환자에게 초점을 맞추는 것이 좋다. 환 자: "결혼하셨어요?" 간호사: "네. 당신은 배우자가 있으신가요?" 환 자: "아이도 있으신가요?" 간호사: "이 시간은 당신을 위한 시간입니다. 환자 분에 대해 말씀해 주세요." 환 자: "당신이 아이가 있는지 그것만 말하면 돼요." 간호사: "지금은 당신의 관심 주제에 대해 이야기를 나누는 시간입니다. 당신의 가족에 대해 말해 주시기 바랍니다."

〈계속〉

<table>
<tr><th colspan="2">환자가 성적인 접근을 하려고 할 때</th></tr>
<tr><td>간호사는 불편감을 느끼지만, 거절을 할지, 아니면 환자가 자신을 매력 없게 느끼도록 만들지 갈등을 느낄 수 있다.</td><td>• 간호사는 환자에게 명확한 행동 제한을 설정해야 한다. "당신이 제 몸을 만지는 것이 저는 불편합니다. 지금은 당신의 문제와 걱정에 초점을 두고 이야기할 때입니다."
• 환자와의 관계에서 간호사의 역할을 자주 반복해서 말해주는 것이 경계를 유지하도록 도울 것이다. 그래도 환자가 그런 행동을 멈추지 않으면, "당신이 이런 행동을 멈추지 않으면, 저는 이 방을 나갈 것입니다. 1시간 후에 당신과 이야기하러 다시 오겠습니다"라고 말하는 것이 좋다.
• 방을 나가는 것은 환자에게 통제력을 다시 찾도록 시간을 줄 것이다. 간호사는 약속한 시간에 다시 돌아온다.</td></tr>
<tr><th colspan="2">환자가 울 때</th></tr>
<tr><td>간호사는 불편감을 느끼고 불안이 증가하거나, 환자를 울게 만든 것에 대한 책임감을 느낄 수도 있다.</td><td>• 간호사는 환자 옆에 머물러 있으면서, 환자가 충분히 울 수 있도록 허용한다. 환자의 감정이 표면적으로 드러나 환자의 감정 상태를 파악하기에 가장 좋은 때가 바로 지금이다.
– "당신은 울 준비가 된 것 같군요."
– "당신은 아직도 오빠의 죽음 때문에 많이 힘든 것 같네요."
– "당신은 지금 무엇에 대해 생각하고 있나요?"
• 간호사는 적절한 때에 (눈물을 닦도록) 휴지를 건넨다.</td></tr>
<tr><th colspan="2">환자가 말하기를 원하지 않을 때</th></tr>
<tr><td>이 상황이 생소한 간호사는 거절당했거나 자신이 무능하다고 느낄 수 있다.</td><td>• 간호사는 처음엔 이 문제에 대해 뭔가를 이야기할 수 있다. "괜찮아요. 저는 환자분과 시간을 보내고 싶어요. 말을 할 필요는 없어요"라고 말을 한다.
• 간호사는 환자와 종일 짧게(예: 5분간), 주기적으로 시간을 보낸다. "우리가 약속한 5분이 다 되었네요. 10시에 다시 와서 당신과 5분 더 함께 있을게요."
• 이는 환자에게 간호사가 말한 것의 의미를 이해할 시간을 주고, 꾸준히 제시간에 환자를 만나러 온다는 일관성을 보여준다. 또한 간호사가 방문하는 시간들 사이에, 환자는 혼자 있는 동안 자신이 무엇을 느끼는지, 간호사에 대해 어떤 생각을 하는지를 알기 위한 시간적인 여유를 주며, 이런 시간을 통해 아마도 위협을 덜 느끼게 될 것이다.</td></tr>
<tr><th colspan="2">환자가 간호사에게 선물을 줄 때</th></tr>
<tr><td>선물을 받을 때 간호사는 불편함을 느끼게 된다. 선물의 의미가 더 나은 보살핌을 받기 위한 것인지, 자존감을 유지하기 위한 것인지, 간호사가 죄책감을 느끼게 하기 위한 것인지, 진심어린 감사의 표시인지, 아니면 문화에 따른 관행인지를 확인한다.</td><td>• 선물이 고가라면 정중하게 거절한다.
• 만일 저렴한 선물일 경우, 신뢰관계가 형성되었고 퇴원 시에 제공되었다면 감사하게 받아들인다. 신뢰관계가 형성되기 전인 초기에 주어지는 경우 정중히 거절하고 선물의 의미를 탐색한다. "감사합니다만, 우리는 환자를 돌보는 것이 우리의 업무입니다. 혹시 저희가 소홀할 것 같아 걱정되십니까?"
• 만일 선물이 돈이라면 정중히 거절한다.</td></tr>
<tr><th colspan="2">환자와 있는 동안 다른 환자가 방해를 할 때</th></tr>
<tr><td>• 간호사는 갈등을 느끼지만, 무례한 행동으로 대하고 싶어 하지 않는다.
• 간호사는 두 환자 모두를 대화에 끌어들이기 위해 노력한다.</td><td>• 특정한 환자와 약속한 시간은 그 환자만을 위한 시간임을 인식한다.
• 원래 약속된 환자와의 대화를 유지함으로써, 간호사는 자신이 말했던 것을 지킨다는 것과 면담의 중요성을 보여준다.
"저는 김OO 님과 앞으로 20분 동안 이야기를 나누기로 약속이 되어 있어요. 면담을 마치고 나면, 10시에 당신과 5분간 이야기를 나눌 수 있습니다."</td></tr>
</table>

어, 환자의 병실에 학생 혼자 들어가지 말고, 대부분의 사람들이 있는 개방된 공간에 머무르도록 설명하고, 관계를 맺기 힘든 환자는 누구인지, 불안이 고조되는 증상과 징후에는 어떤 것들이 있는지 등을 말해준다.

환자의 분노가 고조될 때 간호사가 취할 수 있는 조치를 **표 8-4**에 제시하였다. 학생은 자신의 본능을 믿고, 어떤 이유로든 마음이 불편하다면, 잠시 양해를 구하고 실습지도 교수나 병동간호사와 함께 자신의 감정에 대해 의논해

표 8-4 환자의 분노가 고조될 때 안전유지를 위한 지침

간호중재	근거
• 분노와 공격적인 행동에 주의한다. • 최대한 빨리 반응을 보인다.	• 분노 행동의 최소화와 비효율적인 한계 설정은 폭력의 증가에 기여하는 가장 빈번한 요인이다.
• 개인 안전을 사정하고 대비한다. • 환경에 주의한다. 문을 열어두거나 복도를 이용한다. • 다른 직원들이 볼 수 있는 조용한 장소를 선택한다. • 빠르게 빠져나갈 수 있는 출구를 확보한다. • 환자가 더 화가 날수록, 그들이 편안함을 느끼도록 하기 위해 공간을 더 넓게 한다. • 화가 난 환자에게서 등을 돌리지 않는다. • 환자의 표출 행동이 통제 불능상태가 되거나 간호사가 불편감을 느끼면, 즉각 자리를 뜨도록 한다. "저는 지금 나가겠습니다. 10분 후에 다시 오겠습니다"라고 말하고 즉시 실습지도 교수나 간호사를 찾는다.	• 기본적인 주의는 간호사 자신을 보호하는 데 필수적이다. • 폭력에 대한 위험이 낮을지라도, 좋지 않은 상황이 벌어진 후에 이를 벗어나려 노력하는 것보다 문제를 예방하는 것이 더 낫다. • 이 예방법은 일반적인 예방법(장갑, 마스크, 가운 등)을 사용하는 것과 유사하다.
• 침착하고 통제력 있게 보이도록 한다.	• 누군가가 통제하고 있다는 인식은 불안이 고조되기 시작하는 개인에게 위안과 편안함을 줄 수 있다.
• 자극하지 않고, 비판단적 태도로 부드럽게 말한다.	• 목소리 어조가 낮고 차분하게 천천히 말할 때, 불안 수준이 감소할 수 있다.
• 진심으로 걱정하고 있음을 설명한다.	• 조현병을 앓고 있는 심각한 정신질환자라도, 염려와 배려의 표현, 자극적이지 않은 인간관계에 반응할 수 있다.
• 환자가 원한다면 간호사와 환자 모두 45도 각도로 앉는다. • 환자보다 높은 자세이거나 환자를 똑바로 바라보지 않는다.	• 45도 각도로 앉아있는 것은 두 사람을 같은 위치에 있도록 만들어 주면서 자주 눈 맞춤을 멈출 수 있게 해준다. • 편집증 환자에게는 위협적이거나 통제되는 것으로 해석될 수 있으므로, 환자보다 높은 자세이거나 똑바로 바라보지 않도록 한다.
• 환자가 말하기 시작하면 경청해주면서 명료화 기법을 사용한다.	• 간호사가 듣고 이해하고 있음을 환자가 느끼게 하고, 라포를 형성하며 에너지를 생산적으로 전달할 수 있도록 돕는다.

야 한다. 학생들은 이러한 인식을 공유함으로써 자신감과 지지를 얻을 뿐 아니라, 환자의 상태에 대한 소중한 정보를 제공할 수 있다.

2) 오리엔테이션 단계(초기 단계)

오리엔테이션 단계는 몇 번의 만남 동안 지속되거나 보다 긴 기간에 걸쳐 연장될 수 있다. 이 단계는 간호사와 환자가 처음 만남이 이루어지며, 간호사가 초기 면담을 수행하는 단계이다. 간호사와 환자는 각자의 이력과 표준, 가치 그리고 경험에 따라 상호작용한다. 각 개인에게는 고유한 기준 틀이 있기 때문에, 간호사의 자기인식 과정은 반드시 기본이 되어야 한다. 초기 면담에는 다음의 측면이 포함된다.

- 신뢰관계가 형성될 수 있는 분위기가 조성되어 있다.
- 간호사의 역할을 명확히 하고, 환자와 간호사의 책임을 규정한다.
- 만남에 관한 시간, 장소, 날짜 그리고 기간이 포함된 계약을 논의한다.
- 비밀유지에 관해 논의하고 작성한다.
- 종결에 대해 안내한다(이 내용은 오리엔테이션 단계 및 그 이후 단계에서도 논의함).
- 간호사는 전이-역전이 반응을 확인한다.
- 환자 문제가 설명되고, 상호합의된 목표를 설정한다.

(1) 라포 형성

처음 환자와 대면하는 동안 중요한 점은 신뢰와 이해(라포)가 형성될 수 있는 분위기를 제공하는 것이다. 어떤 관계에서나 그렇듯이 긍정적인 면을 개발하고 일관성을 보이며,

문제를 해결하고 지지를 제공하여 라포를 형성할 수 있다.

(2) 관계의 변수

환자는 간호사와의 만남의 목적에 대해 알 권리가 있다. 예를 들면, 정신간호 임상실습에 참여한 학생이 다음과 같은 정보를 제공할 수 있다.

학 생: "홍OO 님, 안녕하세요. 저는 간호학생 김OO입니다. 저는 정신과 실습을 하고 있고, 향후 2주간 주말을 제외한 평일에 여기에 올 것입니다. 만일 홍OO 님이 여기에 계신다면 제가 올 때마다 함께 시간을 보내고 싶어요. 저는 홍OO 님의 치료목표를 달성하는 과정에서 홍OO 님을 지지해 줄 사람이 되기 위해 당신과 함께 하겠습니다."

(3) 공식적 또는 비공식적 계약

계약은 환자의 참여와 책임을 강조하는 것이다. 이는 간호사가 '환자를 위해' 독단적으로 무엇인가를 진행하는 것이 아니라, '환자와 함께' 진행한다는 것을 보여주기 때문이다. 계약서에는 만나는 날짜와 기간, 장소, 시간이 명시되어 있다. 오리엔테이션 단계에서 환자는 생각과 감정을 표현하고, 문제를 확인하며, 현실적인 목표를 논의할 수 있다. 목표에 대한 상호 합의 또한 계약의 일부이다.

학 생: "홍OO 님, 우리는 9월 15일부터 30일까지 매일 오전 10시에 병원 상담실에서 만날 것입니다. 우리는 이 시간을 통해 외로움과 분노의 감정에 대해 이야기를 나눌 수 있고, 상황을 좋게 만들기 위해 홍OO 님이 할 수 있는 것들에 대해 탐색할 것입니다."

(4) 비밀 유지

환자는 제공받은 정보를 간호사가 누구와 공유하는지, 즉, 실습지도 교수, 임상의, 직원, 기타 학생과 같은 특정한 사람과 정보를 공유한다는 것을 알 권리가 있다. 또한 환자는 극단적인 상황을 제외하고는 정보가 치료팀의 친척, 친구, 다른 사람과 공유되지 않는다는 것을 알아야 한다. 극단적인 상황은 아동 또는 노인 학대, 자해 또는 타해의 위협, 치료계획을 준수하지 않으려는 의도가 있는 경우이다.

정보를 다른 사람과 공유해야 한다면, 일반적으로 법적 지침에 따라 의사가 수행한다. 간호사는 환자의 비밀 유지를 철저히 해야 하며, 환자의 권리를 침해해서는 안 된다. 환자의 사생활과 비밀을 보호하는 것은 윤리적 의무일 뿐 아니라 법적 책임에 포함된다(Erickson & Miller, 2005).

학 생: "홍OO 님, 저는 교수님과 몇 가지 이야기를 논의할 예정입니다. 다른 직원, 동료들과 회의에서 특별한 문제들에 대해 이야기할 수 있습니다. 하지만 허락 없이 홍OO 님의 가족이나 병원 밖의 누군가와 정보를 공유하지 않겠습니다."

(5) 종결

종결(terms of termination)은 페플라우 모델의 마지막 단계이지만, 종결에 대한 계획은 오리엔테이션 단계에서부터 시작된다. 또한 관계의 특성이 시간 제한적일 경우(예: 6회기 또는 9회기), 활동 단계 내 적절한 시기에 언급될 수 있다. 종결 단계의 날짜는 처음부터 명확히 해야 한다. 경우에 따라서 만료일에 이르러 간호사-환자와의 계약을 재논의할 수 있다. 만일 간호사-환자 관계에 날짜가 정해져 있는 것이 아니라면, 종료 날짜는 알 수가 없다.

학 생: "홍OO 님, 앞서 말씀드렸듯이, 9월 30일이 마지막 면담이 될 겁니다. 오늘 이후로 면담은 3번 더 있을 예정입니다."

3) 활동 단계

강한 협력관계의 발전으로 인해 환자가 안전한 환경에서 새로운 적응적 행동을 시도할 때 불안감의 증가와 이상행동이 나타날 수도 있다. 간호사-환자 관계의 활동 단계에 대한 구체적인 과제는 다음과 같다.

- 관계를 유지한다.
- 정보를 공유한다.
- 추가 자료를 수집한다.
- 환자의 문제해결 능력, 자존감, 언어 사용을 증진시킨다.
- 행동 변화를 촉진한다.
- 진행 상황을 평가한다.
- 대안적인 적응행동의 실행 및 표현을 지지한다.

활동 단계에서 간호사와 환자는 함께 환자의 삶에 문제를 일으키는 영역을 확인하고 탐색한다. 일반적으로 환자의 현재 상황에 대한 대처방법은 혼란스럽고 장애가 있는 가족 환경에서 생존하기 위해 활용된 이전의 방법에서 비롯된다. 어떤 대처방법은 어린 시절에는 효과가 있었을 수도 있지만, 현재 환자의 대인관계와 목표달성을 방해할 수 있다. 환자의 기능장애와 세상에 대한 기본적인 가정들은 방어적이며, 환자들은 대부분 역기능적인 행동을 바꿀 수 없다. 따라서 대부분의 문제행동이나 역기능적인 생각은 환자의 인지할 수 없는 동기와 요구로 인해 지속된다.

간호사는 환자와 협력하여 환자가 만족감을 찾거나 잠재력에 도달하지 못하게 하는 무의식적인 동기와 가정을 확인해 나가야 한다. 과거의 오래된 외상 기억에 대해 묘사하는 것은 높은 수준의 불안을 유발한다. 환자는 불안에 대한 다양한 방어기전을 사용하여 자신의 감정을 간호사에게 전가할 수 있다. 따라서 활동 단계에서 불안, 분노, 자책, 절망, 무력감 같은 강한 감정이 표면으로 나타날 수 있다. 분노에 대하여 부적절하게 사용하는 방어기전은 주지화, 조종, 부정 등이다.

활동 단계에서 환자는 과거에 다른 사람에게 향했던 강한 감정을 무의식적으로 간호사에게 전달할 수 있다(전이). 또한 환자의 정서적 반응과 행동이 간호사에게 강한 역전이를 불러일으킬 수 있다. 환자와의 효과적인 상호작용을 위해 간호사는 반드시 자신의 사적인 감정을 인식하고 나서 환자에게 반응을 보여야 한다.

4) 종결 단계

종결 단계는 간호사-환자 관계의 마지막 단계로 통합적인 과정이다. 종결은 첫 면담 동안 그리고 활동 단계의 적절한 시기에 다시 논의될 수 있다. 종결은 환자가 퇴원하거나 학생의 임상실습이 종결될 때 나타나며, 기본적으로 종결 업무는 다음의 내용이 포함된다.

- 간호사–환자 관계에서 달성한 목표를 요약한다.
- 환자가 학습된 새로운 대처전략을 일상생활에 통합하는 방법을 논의한다.
- 간호사-환자 관계를 맺는 동안 발생된 상황을 검토한다.
- 경험의 공유는 간호사와 환자 간 경험을 검증하고 관계의 종결에 긍정적인 도움을 준다.

종결은 간호사와 환자 모두 감정을 강하게 자극할 수 있다. 비록 종결의 강도와 의미는 각각 다를 수 있지만, 관계의 종결은 모두에게 상실을 의미한다. 환자는 해결되지 않은 버려진 느낌, 외로움, 원치 않음, 거절당한 느낌, 기분 나쁜 감정에 대하여 종결 과정 동안 다시 느낄 수 있다. 이 과정은 처음으로 환자가 이러한 감정을 표현할 수 있는 기회가 될 수 있다. 학생이나 간호사가 종결 단계를 다루는 중요한 이유는 다음과 같다.

- 환자와 간호사 모두 그들이 각자 과거에 경험했던 상황에 따라 감정이 나타난다. 이 감정을 인식하고 공유하면서, 환자는 누군가가 떠날 때 슬픔과 상실감을 받아들여야 한다는 것을 배운다.
- 종결은 학습 경험이 될 수 있다. 환자는 적어도 자신이 누군가에게 중요하다는 것을 배울 수 있고, 간호사는 각각의 임상 경험과 환자와의 만남으로부터 계속해서 학습하게 된다.
- 종결 경험을 환자와 공유함으로써 간호사는 환자에 대한 돌봄을 보여줄 수 있다.
- 환자에게 있어 첫 번째 성공적인 종결 경험이 될 수 있다.

간호사가 한동안 환자와 함께 상담을 진행했다면, 간호사는 환자에게서의 분리가 어려울 수 있다는 것을 인식하는 것이 중요하다. "퇴원에 대해 어떻게 느끼세요?"와 같은 질문은 환자가 관계의 종결과 연관된 감정을 설명하는 데 필요한 도입부를 제공한다. 간호학생은 이 시간 동안 의사소통을 원활하게 하기 위해 환자와의 마지막 임상 경험에 대하여 진지하게 생각하고 간호사나 실습지도 교수로부터 지도를 받아야 한다.

간호학생은 관계를 끝내는 것에 대해 죄책감을 가질 수 있다. 드문 경우이기는 하지만, 학생이 환자의 퇴원 후에도 계속 만나거나 편지를 주고 받을 계획을 세우면서 환자에게 전화번호를 주는 경우가 있을 수 있다. 퇴원 후에 만남을 유지하는 것은 허용되지 않으며, 치료 관계의 목적에 부적합하다. 이러한 반응은 주로 (1) 학생이 환자를 실습에 '이용'한다고 느껴 이러한 죄책감을 덜기 위해, (2) 환자에게 자신이 '중요한' 존재라는 느낌을 유지하기 위해, (3) 자신이 다른 학생들과 비교하여 환자를 가장 잘 이해하는 '유일한' 사람이라는 환상을 유지하기 위해 나타날 수 있다.

실제 임상에서 종결 과정의 일부는 환자의 사례관리자와

논의한 후 환자의 미래에 관한 계획일 수 있다. 즉, 환자가 도움을 요청할 수 있는 곳, 기관이 연락할 수 있는 곳, 그리고 환자에게 가장 적절하게 도움을 줄 수 있는 인적 자원 등에 관해 탐색할 수 있다.

4. 환자의 성장을 촉진하는 요소

Rogers 등(1967)은 환자의 변화와 성장을 촉진하는 간호사의 3가지 개인적 특성을 확인하였다. 이는 현재까지도 치료적 관계를 수립하기 위한 필수요소로 간주되는데, (1) 진실성, (2) 공감, (3) 긍정적 배려 등을 포함한다. 이는 눈에 보이지는 않지만, 환자 중심 간호의 핵심이 된다.

1) 진실성

인간관계에서 발생하는 감정에 대한 자기인식이나 진실성, 그리고 적절한 의사소통 능력은 신뢰를 쌓는 데 있어 중요한 요소이다. 진실한 사람이라면 겉으로 보이는 모습이 내면의 모습과 일치한다는 느낌을 받는다. 간호사는 환자의 말을 듣고 그들과 명확하게 의사소통함으로써 진정성을 전달한다.

2) 공감

공감(empathy)은 환자의 관점에서 세상을 이해하도록 돕는, 복합적이고 다차원적인 개념이다. 이는 간호사가 환자의 행동을 용납하거나 인정한다는 의미가 아니라, 환자의 선택에 대해 판단하거나 비난하지 않는다는 것을 의미한다(Arkowitz et al., 2008). 근본적으로 공감은 '일시적으로 다른 사람의 삶에 들어가 보는 것, 판단하지 않고 있는 그대로 경험하는 것'을 의미한다(Rogers, 1980, p. 142). Ward 등(2012)은 공감을 정서적 기술이라기보다는 '환자의 경험을 이해하고 환자의 관심과 관점을 인식할 수 있는 방식으로 의사소통하는 능력을 포함하는 인지 능력'으로 정의했다.

이들은 공감이 환자의 결과를 원하는 방향으로 개선시켜 치료에 대한 만족도가 증가된다는 것을 확인하였다. 다른 분야에서 학위를 취득한 214명의 간호학생들에 대한 코호트 연구에서 1년 이상 된 간호사 그룹에서 공감이 증가하기보다는 오히려 감소된 연구 결과가 나타났다. 이는 다년간 학업에 참여한 의대생에게서 나타난 연구 결과와 일치하였다.

공감을 가르칠 수 있는가? 시뮬레이션 기반교육이 증가하면서 학생은 오류 없이 전문가로서의 성장이 가능한 교육환경에서 필요한 기술을 실습할 수 있게 되었다(Galloway, 2009). Chaffin(2010)은 시뮬레이션 학습에 참여한 학생들이 다른 사람의 경험을 이해하는 범위와 깊이가 증가되었다는 것을 확인하였다. 또한 정신과 임상실습에 참여한 간호학 전공 학생들의 공감 능력을 증진시키기 위해 시뮬레이션을 활용한 실험을 제안하였다. 실험에서 간호학생들은 조현병 환자가 듣는 환청에 대하여 모의실험한 음성 파일을 청취하였고, 이에 대하여 실험자들은 정신상태검사를 진행하였다. 이 연구의 결과에서 학생들은 다음의 감정을 경험하였다.

- 짜증남
- 주의산만
- 좌절
- 분노
- 피로
- 단순하고 조용하게 있고 싶은 욕구
- 음성파일을 정지시키고 싶은 강렬한 욕구

이 실험의 결과는 4학기 동안 실험에 참여한 학생들 사이에 많은 변화를 일으켰다. 실험에 참여한 학생들은 임상에서 다음과 같은 변화를 보였다.

- 일대일 상호작용 시 더 많은 환자를 선택함
- 환자가 대답할 때까지 기꺼이 기다리는 자세를 보임
- 환자와 바람직한 치료적 관계를 맺음
- 이해심이 더 많아짐
- 집중력이 더 증가함
- 더 세심하게 간호를 수행함

임상 시뮬레이션을 활용하여 환자에 대해 더 깊이 이해하고 이를 더 오래 지속할 수 있는지에 대한 향후 연구가 필요하다. 간호교육에서 임상 시뮬레이션의 모든 장단점을 고려해 볼 때, 많은 학생들이 쌍방향 교육을 받을 수 있고, 이것이 학업에 도움이 된다는 점에서 유용한 교육 방식임을 알 수 있다.

공감은 기술이 아니라 환자의 감정의 정도에 대한 존중,

수용, 입장을 전달하는 자세이다. 심리치료 또는 상담의 훈련 과정에서 공감은 신뢰와 치료적 관계를 구축하는 데 가장 중요한 요소 중 하나이다(wheeler, 2008).

공감과 동정

공감(empathy)과 동정(sympathy)의 개념에 대하여 많은 사람들이 혼동하곤 한다. 공감은 타인의 감정을 이해하고 동정은 타인의 감정을 느낀다는 점에서 구분된다. 즉, 공감은 상대방의 아픔을 함께 느끼는 것을 말하고, 동정은 상대방의 입장과 처지를 딱하게 여기는 것, 즉 연민을 느끼는 것을 의미한다. 물론 상담자가 내담자에 대해서 느끼는 감정이 공감인 동시에 동정일 수도 있다. 그러나 환자에게 도움을 주어야 하는 상담자가 환자에게 동정을 느끼게 될 경우 객관성이 사라지고 환자 개인의 문제를 해결하는 데 도움을 줄 수 없게 된다. 더 나아가 동정은 연민의 감정과 연관되어 있는데, 이는 일반적으로는 인간적인 측면으로 여겨지지만 치료적 관계에서는 유용하지 않다. 동정이 어떤 상황에서는 개인의 생각과 감정을 탐구하는 것을 방해할 수 있다.
다음은 공감과 동정의 차이를 명확히 이해할 수 있는 예시이다. 어느 환자의 어머니가 수술이 불가능한 암 진단을 받았다고 말한다. 그러고 나서 환자는 울기 시작하였고 급기야는 주먹으로 테이블을 친다.
동정적 반응: "정말 안됐네요. 저는 당신이 어떻게 느끼는지 정확히 압니다. 제 어머니는 작년에 입원하셨어요. 정말 끔찍하고 너무 우울했습니다. 전 아직도 생각만 해도 속상합니다."
(계속해서 환자에게 그 사건에 대해 이야기한다.)

간혹 간호사들이 환자를 동정하려 할 때, 환자의 감정을 투사하는 경향이 있는데, 이는 환자의 반응 범위를 제한하게 한다. 위의 내용에 적합한 공감적 반응은 다음과 같다.
공감적 반응: "이 일이 얼마나 속상할까요. 작년에 제 어머니께 비슷한 일이 있었는데, 여러 가지 복잡한 감정이 들더군요. 당신은 어떤 생각과 느낌이 드나요?"
(당신은 계속 환자 곁에 머물면서 환자의 생각과 감정을 듣는다.)

3) 긍정적 배려

긍정적 배려(positive regard)는 존중을 내포하고 있다. 이는 타인을 보살필 가치가 있는 존재로, 그리고 힘과 성취 잠재력이 있는 사람으로 보는 능력이다. 긍정적 배려는 언어로 표현하는 것보다 태도와 행동에 의해 간접적으로 전달된다.

(1) 태도

긍정적 배려 또는 존중하는 태도는 환자와 함께 참여하겠다는 의지를 전달하는 것이다. 즉, 간호사는 환자와의 관계에서 진지하게 임해야 한다. 이 과정은 오직 하나의 '직업'으로서, '일의 일부'로서, 또는 '환자와 대화를 나누는 시간'의 의미에 그치지 않고, 환자가 자신의 자원을 개발하고 삶에서의 잠재력을 실현할 수 있도록 돕는 작업이다.

(2) 행동

존중하는 태도란 환자와 함께 하는 것, 그들을 판단하지 않는 것, 그리고 환자들이 자신만의 자원을 개발하도록 돕는 것을 말한다.

① 함께하는 태도

환자와 함께하는 태도는 면담의 기초이다. 이를 위해 간호사는 환자의 문화적, 개인적 특성에 적합한 방법이 무엇인지 관심을 가져야 한다. 환자와 함께하는 것은 환자에게 집중하는 것을 의미하는 특별한 유형의 경청이다. 이는 단순히 다른 사람과 함께 있는 것과는 차이가 있다. 자세, 눈맞춤 그리고 신체언어는 참여의 정도를 반영하는 비언어적인 행동이며, 문화적 영향을 많이 받는다.

② 판단하지 않는 태도

누구나 개인의 의견을 가지고 있으나 간호사는 환자의 생각과 감정 또는 행동을 객관적으로 판단하기 위해서 자신의 가치체계를 통해 환자를 바라보지 않는 것이 중요하다. 예를 들어, 환자가 약물을 복용하거나 위험한 성적 행동에 관련된 경우, 간호사는 환자의 행동이 삶을 방해하고 잠재적인 건강 위협을 내포하며 또는 만족스러운 치료적 관계로 발전하는 데 방해될 수 있다고 생각한다. 하지만 이런 행동을 좋고 나쁜 것으로 분류하는 것은 유용하지 않다. 오히려 간호사는 그 행동을 탐구하는 데 초점을 맞추고, 이러한 행동에 영향을 미치는 생각과 감정을 파악하는 데 주력해야 한다. 간호사의 주관적인 판단은 환자에 대한 탐구를 어렵게 할 수 있다.

판단적 사고와 행동을 하지 않기 위한 방법으로는 (1) 환자의 존재를 인식하고, (2) 환자의 행동에 대한 반응을 학습한 방법이나 장소를 파악하며, (3) 환자의 생각과 행동을 보는 관점을 수정해야 하는 것 등이 있다. 자신이 판단적 사고를 하고 있음을 부정하는 것은 문제를 더 복잡하게 만든다.

환 자: "저는 당신이 저를 중독 환자라고 생각할 수도 있을 거라고 생각해요. 저는 돈을 가지고 대부분의 시간을 카지노에서 보내면서 도박하는 것을 좋아합니다. 전 거기 갈 때마다 다른 여자와 몰래 만나고 항상 섹스로 끝이 납니다. 이런 일이 적어도 3년간 계속되어 왔어요."

이에 대하여 간호사 A는 간호사의 가치판단이 개입된 반응을, 간호사 B는 유용한 반응을 보이고 있다.

간호사 A: "당신의 강박적인 도박이나 문란한 성행동이 행복을 가져다 줬나요? 당신은 당신의 문제에서 도망치고 있고, 결국 AIDS에 걸리거나 파산할 수 있어요."

간호사 B: "당신의 성적 행동과 도박 행동 또한 상황의 일부입니다. 마치 이런 행동이 당신을 행복하게 하지는 않는 것처럼 들리네요."

이 예에서 간호사 B는 환자의 행동과 환자가 가질 수 있는 의미에 초점을 맞춘다. 간호사 B는 간호사 A처럼 문란한 행동에 관한 개인적인 가치판단이나 편견을 갖지 않는다. 공감과 긍정적 배려는 간호사-환자 관계를 성공적으로 이끌기 위해서 필수적인 특성이다.

③ 환자의 자원개발을 돕는 태도

간호사는 환자가 가진 강점들을 인식하고, 환자가 최적의 기능수준이 되도록 격려한다. 그것은 환자와의 협력의 한 형태로 보일 수 있다. 간호사는 환자의 일을 알아서 해주는 것이 아니라, 환자 스스로 자가간호를 할 수 있도록 도와야 한다. 환자가 문제해결을 위한 새로운 자원을 개발하기 위해 가능한 한 독립적으로 두는 것이 중요하다. 다음은 환자가 독립성을 개발하는 데 도움이 되는 예시이다.

환 자: "이 약을 먹으면 입안이 건조해져요. 마실 것을 가져다줄래요?"

간호사: "냉장고에 주스가 있어요. 당신이 다녀올 때까지 여기서 기다릴게요." 또는 "당신이 냉장고에서 주스를 가지러 가는 동안 함께 걸을게요."

환 자: "주말 동안 외출할 수 있게 의사 선생님에게 부탁해주시겠어요?"

간호사: "의사 선생님께서 오후에 병동에 계실 거예요. 당신이 말하고 싶은 게 있다고 전해 드릴게요."

환자가 자신의 자원을 활용하도록 지속적으로 격려하면, 환자의 무력감과 의존성을 최소화하고 변화 가능성을 확인하는 데 도움이 된다.

의사소통은 둘 또는 그 이상의 개인 간에 이루어지는 양방향 과정으로 이루어진다. 간호학에서 의사소통 과정은 환자의 요구와 문제에 초점을 둔다. 전문적 또는 치료적 의사소통은 질적으로 적합한 환자 치료를 위해 간호과정을 수행하는 한 방법이다. 정신건강간호학에서 치료적 의사소통은 간호사-환자 간 신뢰관계를 형성하여 치료적 관계를 개선한다. 이는 환자에게 지지와 편안함을 제공하고 성장과 변화를 촉진하며, 환자 교육을 제공하는 데 활용하는 가장 중요한 도구 중 하나이다.

간호사는 말하기, 쓰기, 전화 및 전자(컴퓨터) 통신을 사용하여 정보를 공유하고 데이터를 분석하며, 타 분야 전문가와 협력하는 등 다양한 서비스를 제공한다. 결과적으로 정신간호를 위해서는 효과적인 의사소통 개념과 기술에 대한 확실한 기반이 요구된다. 생각, 감정 및 행동의 변화 때문에 의사전달에 문제가 있는 환자를 간호하는 간호사에게는 의사소통의 중요성이 더 크다. 간호사는 환자의 마음을 이해하고, 그 환자를 이해하고 있다는 확신을 주는 것과 더불어 향상된 간호 결과를 위해 환자에게 효과적인 의사소통 기술을 교육해야 한다.

5. 간호사-환자 관계에서의 촉진 및 방해요인

모든 간호사-환자 관계가 페플라우에 의해 설명된 고전적인 단계를 따르지는 않는다. 일부는 오리엔테이션 단계에서 시작해서 상호 좌절 단계로 이동하고, 마지막으로 상호 위축 단계로 이동한다(그림 8-1)

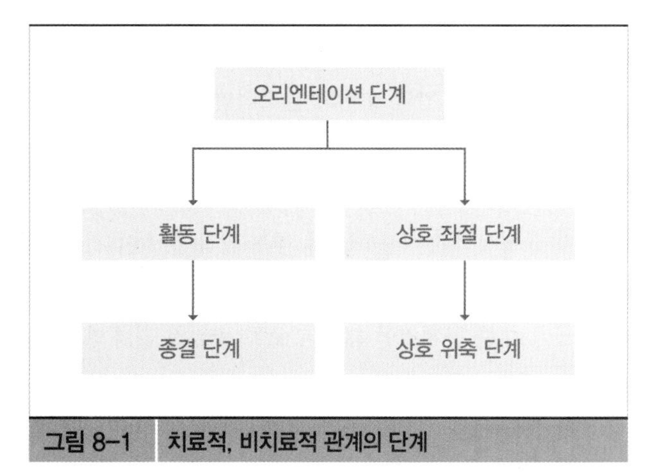

그림 8-1 치료적, 비치료적 관계의 단계

출처: Forchuk, C., Westwell, J., Martin, M., Bamber-Azzapardi, W., Kosterewa-Tolman, D., & Hux, M. (2000). The developing nurse-clinet relationship: Nurses' perspectives. Journal of the American Psychiatric Nurses Association, 6(1), 3-10.

Forchuk 등(2000)은 간호사-환자 관계에 대한 질적 연구를 수행하였다. 그들은 치료적, 비치료적 관계의 단계를 모두 조사하였다. 이 연구에서 관계의 발전을 방해하는 요인뿐 아니라, 간호사-환자 관계의 발전을 촉진하는 특정한 행동을 확인하였다. 이 연구는 치료적 관계의 발전에 필수적인 것으로서 환자와 일관성 있고 규칙적인 상호작용과 관계가 깊어지는 속도를 조절하며, 경청하는 것이 중요함을 강조하였다. 특히 다음과 같은 요인이 간호사-환자 관계를 상호 만족스러운 방법으로 향상시켰다고 보고했다.

- **일관성:** 간호사를 동일한 환자에게 배정하고 환자가 정규적인 활동을 하도록 하였다. 상호작용은 빈도, 지속기간, 형식에서 규칙적일 때 더욱 촉진된다. 일관성은 간호사가 환자에게 일관적이고 정직하게 행동하는 것을 의미한다.
- **속도(페이스):** 환자 스스로 자신의 기분에 맞춰 속도를 조정하도록 허용하는 것이 좋다. 느린 개입은 압박감을 낮춰주며, 때로는 한발짝 뒤로 물러서야 할 때도 있고, 단단한 관계를 형성하기 위해서는 오랜 시간이 걸릴 수 있음을 인식한다.
- **경청:** 상대의 말을 듣기만 하는 것이 아니라, 상대방이 전달하고자 하는 말의 내용은 물론 그 내면에 깔려 있는 동기나 정서에 귀를 기울여 듣고, 이해된 바를 상대방에게 피드백해 주는 것이다. 간호사는 환자의 관심사와 문제에 대한 자문관으로서 역할을 하기 때문에 간호사에게 경청은 아마도 숙달해야 하는 가장 중요한 기술일 것이다. 다른 사람의 말을 진심으로 경청하는 것은 학습 가능한 기술이다.
- **첫인상:** 특히 만남 초기의 긍정적인 태도와 선입관은 관계가 어떻게 진전될 것인가에 대한 중요한 고려사항이다. 부정적 선입견과 환자에 대한 감정은 보통 관계가 긍정적으로 성장하는 데 좋지 않은 징조이다. 대조적으로 환자가 '흥미롭다'거나 '도전'이라는 느낌과 관계에 대한 긍정적인 태도는 보통 치료적 관계의 발전에 좋은 신호이다.
- **환자의 안위와 균형적 통제 촉진:** 보통 관심을 끄는 행동을 반영한다. 통제는 너무 엄격하거나 너무 관대하지 않은 관계에서 균형을 유지하는 것을 말한다.
- **관계를 강화하는 환자 측 요인:** 환자 측의 신뢰와 간호사-환자 관계에 대한 환자의 적극적인 참여가 포함된다.

치료적 수준까지 진전되지 않은 관계에서 긍정적인 관계의 발전을 방해하는 2가지 요인이 있다. 관계가 일관성이 없거나 간호사와 환자가 함께하는 시간이 물리적으로 부족한 경우이다(예: 만남의 빈도가 낮음, 복도에서의 간헐적 만남). 간호사와 환자가 함께 시간을 보내는 것을 꺼려하고 만남의 시간이 산발적이거나 피상적이 될 때, 이를 상호 회피라고 한다. 이는 분명히 둘 다에게 손해가 되는 상황이다.

간호사의 개인적인 감정과 자기인식 부족은 긍정적인 관계 부족에 기여하는 주요 요인이다. 환자에 대한 부정적인 선입견과 감정(예: 불편함, 혐오, 공포 및 회피)은 간호사-환자 관계를 상호 좌절로 이끌고 상호 위축으로 끝맺게 한다. 간호사는 이런 감정을 인식할 때도 있지만, 때로는 모호하게 감지하는 데 그칠 때도 있다.

II 치료적 의사소통

의사소통은 둘 또는 그 이상의 개인 간에 이루어지는 양방향 과정으로 이루어진다. 간호학에서 의사소통 과정은 환자의 요구와 문제에 초점을 둔다. 전문적 또는 치료적 의사소통은 질적으로 적합한 환자 치료를 위해 간호과정을 수행하는 한 방법이다. 정신간호학에서 치료적 의사소통은 간호사-환자 간 신뢰관계를 형성하여 치료적 관계를 개선하는 데 활용된다. 이는 환자에게 지지와 편안함을 제공하고 성장과 변화를 촉진하며, 환자 교육을 제공하는 데 활용하는 가장 중요한 도구 중 하나이다.

간호사는 말하기, 쓰기, 전화 및 전자(컴퓨터) 통신을 사용하여 정보를 공유하고 데이터를 분석하며, 타 분야 전문가와 협력하는 등 다양한 서비스를 제공한다. 결과적으로 정신간호를 위해서는 효과적인 의사소통 개념과 기술에 대한 확실한 기반이 요구된다. 생각, 감정 및 행동의 변화 때문에 의사전달에 문제가 있는 환자를 간호하는 간호사에게는 의사소통의 중요성이 더욱 크다. 간호사는 환자의 마음을 이해하고, 그 환자를 이해하고 있다는 확신을 주는 것과 더 불어 향상된 간호 성과를 위해 환자에게 효과적인 의사소통 기술을 교육해야 한다.

1. 치료적 의사소통의 개념 및 기술

1) 치료적 의사소통과 사회적 의사소통

치료적 의사소통의 초점은 환자를 돕는 것이다. 사회적 의사소통은 관계를 맺는 두 사람 사이에 서로 개인정보를 노출하거나 친밀감의 표현, 관계의 유지, 상호 비밀유지 등이 쌍방의 동등한 노력으로 이루어진다. 반면, 치료적 의사소통은 환자에게 초점이 맞춰지지만, 전문가가 계획하고 수행한다. 사회적 관계에서 두 사람은 개인적인 요구사항을 충족시키려고 노력하는 반면, 치료적 의사소통은 환자의 요구에만 초점을 맞춘다. 치료적 의사소통은 환자가 최근 겪고 있는 개인적인 문제와 괴로운 감정을 극복하는 데 도움을 준다. 전문가는 지속적으로 감정적인 거리를 유지하면서 충분히 객관적으로 도움을 주어야 한다. 환자의 비밀은 치료환경 외부로 누설되지 않도록 철저히 보호되어야 한다. 그러나 치료팀과는 환자정보를 공유해야 하기 때문에, 간호사는 치료환경 내에서 환자의 비밀을 유지할 수 없을 수도 있음에 대하여 환자에게 분명하게 말해야 한다. 간호사는 치료환경 내에서 환자의 친구가 아니라 옹호자이다.

2) 치료적 의사소통의 요소

치료적 의사소통을 위해 여러 가지 상호작용하는 요인에 관심을 가져야 한다. 치료적 의사소통의 핵심은 환자의 건강요구와 관련된 언어적 및 비언어적 의사소통과 간호사와 환자 간의 상호작용이다. 20세기 심리치료자인 칼 로저스(Carl Rogers)는 환자를 무비판적으로 수용하는 관점에서 바라봤을 뿐만 아니라 조건 없이 긍정적으로 존중하였다. **그림 8-2**는 환자와 간호사가 의사소통하는 데 영향을 미치는 중요한 요인을 나타낸다. 환자와 간호사를 환경적인 범주 안에서 상호작용하는 전체적인 상황으로 바라보는 것이 중요하다. 의사소통은 (1) 개개인의 개인적인 경험, 성별, 문화, 가치관 및 신념, (2) 상호작용의 목적, (3) 상호작용의 물리적, 정서적 맥락 등의 요소에 의해 영향을 받는다. 간호사는 환자를 무시하거나 비난하거나, 가르치려는 듯한 태도를 보이지 않고 환자의 어휘, 교육 배경 및 질병의 영향 정도에 따라 의사소통해야 한다.

'노인 언어(elderspeak)'라는 표현은 나이가 들면 소통 역량이 부족하다는 고정관념에 따른 노인에 대한 일종의 차별이다. 말의 속도, 음색 및 음량의 변화와 아기의 말투처럼 인식되는 간단한 어휘, 문법, 어법 등이 노인 언어에 포함된다(Williams et al., 2016). 듣는 데 어려움이 있는 환자와 효과적인 의사소통을 하려면, 그 환자가 청각장애가 있다고 가정하기 전에 청각 수준을 먼저 사정하는 것이 필요하다. 간호사는 명확하게 말해야 하며, 환자와의 의사소통을 지지하는 위치에 서야 한다.

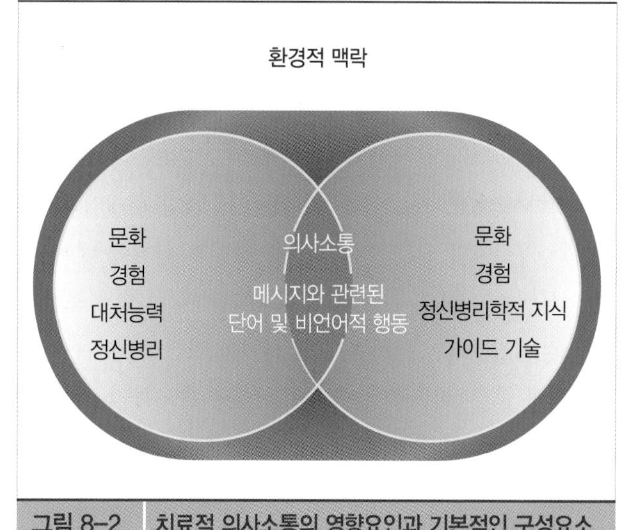

그림 8-2 치료적 의사소통의 영향요인과 기본적인 구성요소

(1) 의사소통의 해석

상호작용 시 주고받은 메시지는 개인의 지식, 경험 및 편리성에 따라 해석을 다르게 한다. 대화와 언어적 표현은 행동과 같은 다른 의사소통 방법보다 내용을 정확하게 전달하고 명확한 이해를 돕는다. 하지만 언어의 제한적 표현 때문에 그 의미가 전달 과정에서 제대로 반영되지 못하기도 한다는 것을 외국어를 공부해본 사람이라면 누구나 이해할 수 있을 것이다. 간호사와 환자는 자신들의 경험을 관계 형성에 활용하고, 이 경험들은 일상에서 생기는 일을 바라보는 또 다른 관점으로 작용한다. 간호사는 환자에게 적절하게 대응하고 정확한 의사소통을 하기 위해 문화적 차이로 인한 파급 효과에 대한 광범위한 지식을 갖추는 것이 매우 중요하다.

(2) 환자의 의사소통 주제

환자들은 흔히 메시지의 내용을 전달하거나 기분을 표현하거나 대인관계에 관한 것을 간접적으로 또는 기저에 있는 주제들로 전달하는 경향이 있다. 환자의 생각을 반영한 주제는 감정을 유발하고 그 이후에 행동을 유도한다. 메시지의 내용을 전달하려는 경우, 환자가 말하는 단어 이상의 의미를 내포하는데, 이는 환자 자신의 인식과 시간 흐름에 따른 그들의 문제에 초점을 둔 메시지로 구성된다. 환자들의 메시지는 신념과 가치, 자아개념과 자존감, 무력감과 절망감, 의심, 자살 위험, 사고장애, 정보 처리 등에 관한 것이다. 감정에 관한 주제일 경우, 환자는 자신의 문제나 걱정과 관련된 수치심, 죄책감, 분노, 슬픔, 두려움 등의 감정을 표현할 수 있다. 이러한 감정은 메시지 내용에 부합되기도 하지만, 그렇지 않을 수도 있다. 또한 감정의 양상은 둔감화되거나 무감동 상태로 나타날 수도 있고, 다행감이나 불안정한 상태일 수도 있다. 대인관계에 관한 주제일 경우, 환자가 가족이나 친구, 다른 환자, 직원과 관계를 맺는 방법을 사정해야 한다. 의존성 또한 대인관계 주제에 포함하여 사정될 수 있다. 환자는 직원 사이를 이간질하거나 다른 환자에게 불평·불만을 말하거나 관심을 유도하기 위해 타인을 조종하려 할 수도 있다.

어느 환자의 사례를 예로 들어보자. 그는 3년 전의 이혼 경험을 30분간 이야기했고, 그 이후 두 차례 다른 사람과 관계가 단절된 경험에 대하여 털어놓았다. 그리고 직장에서 해고되면서 집을 팔게 된 상황으로 인해 패배감을 가지고 있다고 간호사에게 말했다. 이때 메시지의 핵심적인 내용은 환자의 연속적인 중대한 상실 경험으로 해석될 수 있다. 환자는 상실 경험을 말하면서 분노나 죄책감, 또는 두 가지 감정 모두를 나타낼 수도 있다. 이 감정과 관련된 주제는 메시지 내용의 주제와 일치되지만, 감정이 메시지 내용과 항상 일치하는 것은 아니다. 만약 환자가 자신의 상실 경험을 웃으면서 말한다면, 이것은 부적절한 감정 상태로 간주한다. 이 사례에서 대인관계에 관한 주제는 자포자기 또는 사회적 고립일 수 있다. 이러한 주제들에 대하여 절망감, 무력감, 만성적 낮은 자존감, 자살 위험성, 부정, 불안, 두려움, 가족과정 손상, 외로움의 위험성, 불이행, 사회적 상호작용 장애 등의 간호진단을 내리고, 이를 환자의 간호계획에 잘 적용해야 한다.

(3) 환경적 요소

환경은 치료적 의사소통을 촉진하는 데 도움이 되기도 하고 방해가 되기도 한다. 소음 수준, 개인정보 보호, 가구 유형, 공간 및 온도 등과 같은 환경적 요소가 의사소통의 질적인 측면에 영향을 주기도 한다. 청력에 문제가 있는 환자를 위해서 주변의 소음을 줄인다면 더 명확한 의사소통을 할 수 있으며, 간호사와 환자 간 의사소통에서 환자의 개인정보 보호에 대한 확실한 보장을 위해서도 도움이 된다.

전달공간론(proxemics)은 사람들이 상호작용하는 동안 환경적, 사회적, 개인적 공간을 사용하고 인식하는 것에 대한 접근에 관하여 설명한다. 전형적으로 대화를 할 때 사적인 공간의 거리는 공적인 의사소통의 경우 친밀한 관계나 치료적 의사소통보다 더 멀다. 예를 들면, 친밀한 관계는 50cm 미만의 거리를 두고 대화를 하는 반면, 공적인 관계에서는 50cm~1m 정도의 거리에서 편안함을 느낄 수 있다. 질병, 의심, 불안, 지각왜곡, 공격성 등과 같은 감정적 요인, 두 당사자의 성별, 개인적인 편안함은 환자와 간호사 사이의 사적인 공간의 거리에 영향을 준다. 일반적으로 환자는 간호사가 환자 곁에 서 있을 때보다 환자의 눈높이에 맞춰 앉아 있을 때 더 편하게 느낀다. 환자는 간호사와 동일한 위치에 앉아 있도록 요청할 수 있으며, 대화에 안정감을 느끼도록 간호사와 환자 사이에 테이블 또는 빈 의자를 배치할 수 있다.

(4) 신체적 문제

신체적인 문제가 있는 환자는 의사소통이 어려울 수 있다. 청력 상실과 같은 특정 감각장애가 있는 환자는 대화를 위해 얼굴을 마주보고 입술 모양을 보면서 천천히 대화하는 방법을 모색해야 한다. 발달장애 환자는 이해하고 기억할 수 있는 능력이 극히 제한적일 수 있다. 핵심적인 생각을 표현한 문장을 가능한 한 간단하게 여러 번 반복하여 의사소통한다. 명료화 및 타당화를 위한 질문은 매우 중요하다. 그러나 질문을 지나치게 많이 하는 경우, 환자에게 좌절감을 느끼게 할 수 있다. 대안으로 환자가 읽고 쓰는 것이 가능하다면 서면으로 대답하는 것을 허용한다. 급성 통증은 환자의 집중력과 정확한 사고능력을 방해한다. 통증은 해결해야 할 문제들의 우선순위에 영향을 줄 수 있다.

(5) 비언어적 요소

신체언어는 문화적인 영향과 밀접한 관계가 있으며, 개

인의 감정 상태를 표현하는 또 다른 수단이다. 지속적으로 눈 맞춤을 피하는 행위는 의사소통을 회피하거나 무시하는 수단이다. 일부 문화권에서는 눈 맞춤은 피하는 것이 좋으며 직접적인 눈 맞춤은 무례한 것으로 간주한다. 팔짱을 끼는 행동은 사람이 방어적인 감정일 때 자주 나타난다(하지만 이 행동은 춥다고 느낄 때도 할 수 있음). 간호사는 이러한 단서에 민감해야 하며 치료적 의사소통 시 문화적 맥락에서 이를 파악해야 한다. 메시지에 일관성이 없거나 혼란스러운 경우, 신체언어의 의미를 파악할 필요가 있다. 예를 들어, 간호사는 "누군가로부터 뒷걸음칠 때는 많은 사람들이 두려움을 느껴서입니다. 지금 두려운 상황인가요?"라고 말할 수 있다. 신체언어는 감정을 전달하기도 하지만 단순한 습관에 의해 나타나기도 한다. 간호사의 행동은 환자에게 희망을 갖도록 유도할 뿐만 아니라 보살핌에 대한 느낌, 자신감 및 평온함 등을 제공해야 한다. 감정을 이해하기 위해 신체언어의 의미를 파악하는 것은 학습을 통해 배울 수도 있고, 또한 경험을 통해 알게 될 수 있다(Minardi, 2013).

CRITICAL THINKING QUESTION

1. 조OO 님은 얼굴 여러 군데에 부상을 당해 양쪽 눈에 안대를 한 채로 인공호흡기로 호흡하고 있으며 의식이 혼탁한 상태를 유지하고 있다. 이 환자와 원활하게 의사소통하기 위하여 어떤 방식으로 대화기법을 활용하겠는가?

3) 간호사의 치료적 자기 이용

정신간호에서 언어 및 비언어적 의사소통은 정신질환자를 돌보는 간호사들에게 있어 가장 중요한 치료적 도구이다(내·외과 파트 간호사에게는 치료 절차와 신체적 중재가 중요한 것과 마찬가지로). 간호사의 의사소통은 환자가 합리적인 사고, 긍정적인 정서 및 행동의 결과를 얻는 데 도움이 되는 주요한 수단이다. 간호사의 치료적 자기 이용, 약물치료와 치료적 환경은 정신건강의 치료 및 중재에서 중요한 요소이다.

침묵과 경청의 기술은 치료적 자기 이용에 있어 중요한 요소이다. 침묵과 경청은 환자의 욕구와 관심사를 파악할 뿐 아니라 환자를 이해하는 데에도 중요한 역할을 한다. 치료적 경청은 다음과 같은 특징으로 구성되어 있다(Kemper, 1992).

- 적극적으로 명료한 의식을 유지하기
- 집중하여 '듣기'
- 눈 맞추기
- 집중하는 자세를 취하기
- 집중력 확보하기
- 환자의 입장이 되어보기
- 정보수용을 위한 열린 자세 보여주기
- 공감과 지지를 표현하기
- 질문하기
- 언어 및 비언어적 정보를 통합하기
- 정보를 조직하고 합성하고 해석하기
- 정보의 타당화 및 명료화하기
- 지속적인 언어적·비언어적 반응을 통해 환자를 격려하기
- 대화의 핵심내용을 요약하기
- 적절한 피드백 제공하기

CRITICAL THINKING QUESTION

2. 이전에 친구와 함께 나누었던 행동이나 의사소통 중에서 3~4개를 선택해 본다. 사용한 의사소통과 친구의 반응에는 어떤 차이점이 있는가?

치료적 자기 이용은 중요한 단서를 인식하고 이 단서들의 우선순위를 결정하는 데 있어 민감성을 강조한다. 객관성은 환자에 대한 다양한 관점, 문제 및 가능한 해결책에 대한 열린 자세를 유지하는 과정이다. 객관성을 갖기 위해서 간호사는 자기인식(self-awareness)을 할 수 있어야 하는데, 이는 자의식(self-consciousness)과 자신만의 감정, 타인에 대한 비난을 줄임으로써 가능해진다(Horton-Deutsch & Horton, 2003). 간호사는 자신의 문제와 편견이 환자와의 상호작용에 영향을 미치지 않도록 하며, 환자의 감정과 인식에 휩쓸리지 않도록 주의해야 한다.

의사소통 시 공감 능력은 간호사에게 필수적인 기술이다. 공감은 환자의 감정과 주관적 관점을 객관적으로 인식하고 이해하는 능력이다. 공감은 언어적·비언어적으로 표현된다. 이것은 환자에 대한 돌봄과 연민, 관심을 전달하는 것이기는 하지만, 간호사가 환자의 감정을 완전하게 경험할 수 있다는 것을 의미하지는 않는다. 공감은 환자가 자신의 감정을 잘 받아들이고 쉽게 표현할 수 있게 도와준다.

치료적 의사소통은 일치된 언어적·비언어적 행동에 의해 전달되므로 진정성과 신뢰성이 있어야 한다. 환자의 모든 행동이 수용되지는 못해도, 환자는 간호사로부터 가치 있는 존재로 존중받으며 받아들여지는 느낌을 경험할 수 있어야 한다. 간호사는 환자의 생각, 감정, 행동에 대하여 옳고 그름으로 판단해서는 안 된다. 오히려 간호사는 그러한 사실들의 영향 또는 결과에 대하여 환자가 스스로 평가하도록 도움을 주어야 한다. 필요한 경우 간호사는 다른 환자의 안전과 권리뿐만 아니라 환자의 안전과 존엄성을 보호하기 위해 난폭한 행동에 대한 제한을 설정해야 한다.

신체 접촉도 치료적 의사소통 방법일 수 있으나, 신체 접촉의 의미는 문화, 환자의 특성 및 진단명에 따라 다양하다. 환자의 손을 잡아주거나 어깨를 가볍게 포옹하는 것은 환자를 보호, 교감, 지지 및 수용하고 있음을 전달하는 것이다. 그러나 신체 접촉은 개인적인 공간에서 사생활을 침해하거나, 성적인 행위 또는 공격적인 행동으로 잘못 받아들여질 가능성도 있다. 환자와 신체 접촉을 할 경우에는 반드시 주의해야 한다. 환자의 행동은 환자가 신체 접촉을 받아들이거나 원하는지에 대한 단서를 제공한다. 예를 들어, 간호사와 가까이 앉아있지 않은 환자는 신체 접촉을 원할 가능성이 적다. 간호사를 신뢰하는 환자는 신체 접촉을 받아들일 가능성이 더 크다. 성적인 행동에 집착하는 환자는 어떤 유형의 신체 접촉이라도 오해할 수 있다. 부드러운 포옹 전에 "내가 당신을 안아주는 것에 대해 어떻게 생각하세요?"라고 환자의 의사를 묻는 것은 신체적 또는 성적으로 학대를 경험한 환자에게 아주 중요한 접근 방법이다.

4) 치료적 의사소통 기술

치료적 의사소통 기술은 환자를 간호목표에 도달하도록 돕는 수단이지만 그 자체가 목표는 아니다. **표 8-5**에 제시된 의사소통 기술은 환자의 교육, 문제해결 및 변화에 활용할 수 있는 유용한 방법이다. 환자와의 상호작용에서 이 모든 기술들을 순서에 따라 사용해야 한다는 의미는 아니다. 간호사와 환자 간의 상호작용 속에서 한 번의 면담으로 완벽한 간호과정을 적용할 수는 없지만, 치료적 기술을 사용하도록 노력해야 한다. 일반적으로 환자와의 상호작용에서 문제해결에 초점을 두기보다는 관계를 맺고 편안함과 유쾌함을 주는 것이 더 우선시되어야 한다. 환자와의 모든 만남은 간호과정의 적용과 상관없이 치료적으로 작용할 수 있다.

2. 치료적 의사소통 방해요인

치료적 의사소통은 환자가 목표를 달성하도록 이끄는 반면, 특정 메시지와 행동은 환자가 목표를 달성하는 데 방해가 되기도 한다. 치료 상황에서 간호사에 대한 사회적 기대와 불안정한 습관 때문에 발생하는 행동들이 있다. 간호사는 효과적인 치료적 의사소통을 방해하는 습관적 의사소통 문제를 인식하고 극복해야 한다.

표 8-5 | 정신간호에서의 치료적 의사소통 기술

기술	예
표현력을 키우는 기술	
먼저 다가감 간호사가 먼저 환자에게 관심과 이야기 나누려는 의지를 보여줌	"잠시 당신과 함께 앉아 있을게요." "저는 당신과 함께 있을 겁니다."
적극적인 경청 언어·비언어적 의사소통, 사고방식, 감정 및 행동에 친밀한 관심을 보임	환자와 대면하여 눈을 마주치고, 개방적이고 집중하는 태도로 적절한 반응을 보여줌
침묵 환자에게 생각하고 더 말할 기회를 제공하기 위해 의도적으로 잠시 말을 중단함	눈을 계속 마주 치며 얼굴 표정으로 흥미와 관심을 전함
공감 환자의 감정을 인식하고 인정함	"당신이 이것에 대해 이야기하는 것이 얼마나 고통스러운지 알고 있습니다."

〈계속〉

질문하기 관련성 및 깊이 있는 토론을 위해 개방형 질문을 사용함 (폐쇄형 질문이나 예/아니오 질문을 사용하지 않음)	"당신은 그때 무슨 말을 했나요?" "무슨 일이 있었나요?" "그것에 관해 말씀해주세요."
중립적인 태도 취하기 환자가 계속 이야기할 수 있도록 중립적인 표현을 사용함	"계속 하세요. 듣고 있습니다." "당신이 무슨 말을 하는지 듣고 있습니다."
재진술: 환자가 무슨 말을 했는지 상기시켜주고, 환자가 어떻게 이해하고 있는지 확인하기 위하여 환자가 한 말을 반복함	"당신은 곧 집에 간다고 말하셨지요." "당신의 어머니는 당신을 보는 것을 행복해하지 않으신다고요?"
바꾸어 말하기(내용 반영) 정말 전달하고자 하는 말을 강조하기 위하여 환자의 말을 재구성함	환자: "집에서 할 일이 없습니다." 간호사: "집에 있는 것이 마치 지루했다는 말처럼 들립니다."
명료화 환자에게 다시 정확하게 설명해 줄 것을 요청하거나 생각이나 감정의 예시를 제시해줄 것을 요청함	"내면이 아프다고 하셨는데, 그게 어떤 의미인가요?" "잃어버렸다는 느낌이 어떤 것인지, 예를 들어 말씀해 주시겠어요?" "그것에 대해 좀 더 자세히 말씀해주시겠어요?"
분석 및 결론을 도출하는 기술	
반영하기 대상자의 입장에 서서 그의 느낌, 생각 등을 다시 표현해 줌	"당신은 불안해 보입니다." "지금 당신은 무엇에 대해 결정하는 것이 어렵다는 말씀이군요."
현실감 제공하기 망상이나 환청에 대해 환자와 논쟁하지 않고 현실과 관련된 주제로 이야기함	"저는 당신이 들은 목소리가 진짜임을 압니다. 그러나 저는 그 목소리를 듣지 못합니다." "저는 당신과 똑같은 방식으로 보지 않습니다."
인식한 바를 설명하도록 격려하기 환자의 상황에 대한 견해를 묻기	"당신이 생각하는 무언가가 지금 일어나고 있습니까?" "당신이 생각하는 무언가가 당신의 아내와 연관이 있습니까?"
의혹을 말하기 환자가 인식하고 결론내리는 것이 현실이 아님을 알게 함	"그것이 이를 해석할 수 있는 유일한 방법입니까?" "달리 결론내릴 수 없을까요?"
사건을 시간의 순서대로 나열하기 사건들 간의 관련성에 대해 질문함	"그래서 무슨 일이 생겼습니까?" "무엇이 이렇게 되도록 이끌었나요?" "이 일들 사이에 어떤 관계가 있나요?"
비교 격려하기 감정, 행동 및 사건 중에서 유사점과 차이점을 묻기	"오늘은 지난 시간과 비교해서 무엇이 다른가요?" "오늘 당신의 간정에 어떤 변화가 있습니까?"
주제 확인하기 생각, 감정 및 행동에서 반복되는 패턴을 식별하도록 환자에게 요청함	"아내와 다툼이 있을 때마다 당신은 어떻게 하나요?" "아버지를 볼 때 어떤 기분이 듭니까?"
요약하기 환자가 말한 내용의 핵심과 결론을 명확하게 해줌	"봅시다, 지금까지 당신이 했던 말은.."
의미와 중요성에 대한 해석을 촉진하는 기술	
초점 맞추기 의미와 중요성이 명확해질 때까지 주제를 끌고 감	"ㅇㅇ에 관해 보다 자세히 설명해주세요." "ㅇㅇ에서 무엇이 당신을 괴롭힙니까?" "이런 식으로 느낄 때 무슨 일이 생깁니까?"
평가 격려하기 무언가의 의미 또는 중요성에 대한 환자의 견해를 물음	"그래서 이 모든 것이 당신에게 무엇을 의미합니까?" "이것이 당신에게 얼마나 심각합니까?" "이것이 행동을 바꾸는 데 얼마나 중요합니까?"

〈계속〉

문제 해결 및 의사 결정을 촉진하는 기술	
협력 제안하기 환자가 문제를 해결할 수 있도록 지원함	"당신이 더 잘 이해할 수 있도록 제가 도와드리겠습니다." "우리가 해답을 알아낼 수 있는지 알아보겠습니다."
목표 설정 촉진하기 환자에게 필요한 변화 유형을 결정하도록 요청함	"어떤 변화가 필요하다고 생각합니까?" "다르게 행동하기 위해서 무엇을 원합니까?"
정보 제공하기 환자가 보다 나은 선택을 하도록 돕기 위한 정보를 제공함	"당신이 복용하는 약물에 대해 설명해 드리겠습니다." "이용 가능한 자조집단이 있습니다."
대안 숙고를 격려하기 가능한 대안의 장단점을 숙고하도록 환자에게 요청함	"가장 좋은 대안은 무엇입니까?" "ㅇㅇ를 시도하는 것의 장점은 무엇입니까?" "만약 ㅇㅇ를 시도했다면, 어떻게 됐을 것 같습니까?"
의사결정 장려하기: 환자들에게 대안 중에서 선택하도록 요청함	"무엇이 가장 잘 될 것 같습니까?"
계획 수립 격려하기 단계별로 어떤 행동이 필요한지 탐색하게 함	"계획을 수행하는 데 정확히 무엇이 필요합니까?" "그 밖에 또 무엇을 해야 합니까?"
계획 수립을 촉진하는 기술(새로운 행동의 검토 및 목표 평가)	
연습하기: 무엇을 말하거나 행동할지에 대한 구두 설명을 요청함	"금요일에 아내에게 무슨 말을 할 지 제게 먼저 연습해 보세요."
역할극 제공하기: 간호사가 특별한 역할을 맡아 행동을 연습하도록 함	"제가 아내라고 생각하고, 하고 싶은 말을 해보시겠어요?"
지지적 직면하기 환자가 회피하려는 문제를 부드럽게 환기시켜 주고 환자 스스로 인식하도록 돕는 기술	"이것을 완료하기가 쉽지 않다는 것을 알고 있지만, 당신은 할 수 있다고 생각합니다." "당신이 힘들 거라는 건 알지만, 한번 도전해볼 만한 일인 것 같아요."
제한 설정하기 비생산적인 감정과 행동을 제한하고 생산적인 태도를 장려함	"당신은 다시 당신의 공격적인 말투로 돌아가고 있네요. 다시 한 번 도전해 보세요." "그건 당신 자신에 대해 부정적인 말입니다. 당신 자신에 대해 긍정적인 말을 해보세요."
피드백하기 환자의 특정 행동에 대해 간호사가 느낀 바를 말해 줌	"당신이 ㅇㅇ을 말했을 때 분노를 전달했다고 생각합니다." "당신이 ㅇㅇ을 말했을 때 저는 ㅁㅁ을 느꼈습니다."
평가 격려하기 환자에게 자신의 행동과 결과를 평가하도록 요청함	"당신이 ㅇㅇ을 했을 때 얼마나 잘했다고 생각합니까?" "당신의 행동에 대해 남편의 반응은 어땠나요?"
강화하기 긍정적인 행동에 피드백을 제공함	"이 새로운 접근방식이 효과가 있으니, 이대로 계속하시면 좋겠습니다" "다음에 더 잘 할 수 있도록 무엇을 도와 드리면 되겠습니까?"

1) 간호사의 두려움과 감정

치료적 의사소통은 간호사 자신을 치료적으로 이용하기 때문에, 자연스럽게 개인적인 감정이 유발되어 소통을 방해하기도 한다. 간호사는 정신질환에 의한 증상이나 신체적 고통을 겪고 있는 환자와 의사소통을 할 때 두려운 감정이 증가할 수 있다. 두려움은 치료적 의사소통을 방해한다. 간호사는 '언젠가 이런 일이 나에게 일어날 수도 있을까?', '내 동생이 가끔 이런 행동을 해. 그러니까 내 동생도 문제가 생겼다는 것인가?', '만약 환자가 나한테 화를 내면 어떻게 하지?'와 같이 상황을 걱정할 수 있다. 치료적 의사소통은 이러한 유형의 문제를 어떤 용어로 표현하느냐에 달려 있다. 환자의 기능장애는 심각하고 지속되는 비정상적인 행동으로 인한 것이지, 어쩌다 발생하는 역기능적인 행동으로 인한 것이 아니다. 간호사는 환자의 말과 행동이 간호사 자신의 탓으로 일어난 것이라고 생각해서는 안 된다. 간호사와 대화를 갑자기 중단하는 환자는 간호사가 말한 내용에 반응하기보다는 자신의 생각이나 불안 때문에 이와 같은 반응을 보인다. 간호사는 환자와의 대인관계 기술과 대화내용을 분석할 뿐만 아니라 자신의 감정과 반응을 분석함으로써 도움을 얻을 수 있다. 동료 간호사와 함께 자신의 생각 및 감정에 대해 이야기하면 환자와의 상호작용이 내면화되는 것을 방지할 수 있다.

간호사는 잘못된 말을 해서 환자의 기분을 나쁘게 할까 염려한다. 환자는 간호사의 전반적인 태도가 긍정적이고 도움이 된다고 생각하기 때문에, 간호사의 간단한 실수로 인해 신뢰가 무너지거나 돌발행동을 하지는 않는다. 하지만 환자들은 고의성과 거부에 민감하게 반응한다. 간호사가 잘못을 인정하고 사과하는 적절한 방법을 보며 역할모델로 삼을 수 있기 때문에, 실수 또한 치료적 관계에 도움이 될 수 있다. 정신질환자를 포함하여 많은 사람들은 자신에게 중요한 사람에게 실수를 인정하고 이를 교정하기 위해 노력한다. 다양한 상황에서 진정한 사과가 받아들여진다면, 상호 간의 관계는 오히려 친밀해질 수 있다.

또 다른 고민 중 하나는 사생활 침해이다. 정신간호사는 가치, 신념, 감정, 사적인 인간관계 및 성생활 또는 근친상간, 배우자 학대 및 마약 복용 등과 같이 법률적으로 민감한 환자 개인의 삶 영역까지 면밀하게 살펴야 한다. 특히 수치심이 기저에 자리하고 있다면, 환자는 친구 및 가족 등에게 자신의 문제를 공유하기 어려워하는데, 그 문제를 탐색하는 것이 중요하다. 환자는 해당 문제에 대하여 간호사에게 이야기를 해야하지만, 이는 쉽지 않다. 간호사는 민감한 사안에 대하여 알아야 할 필요성을 진솔하게 설명하고, 친절하고 사실적인 방식으로 질문을 하며, 공감을 전달하고, 돕고자 하는 의지를 강조함으로써 환자의 마음을 열게 한다.

2) 비치료적 의사소통 기술

효과적인 의사소통 기술을 배우고 지속적으로 활용하려면 연습이 필요하다. 특히 간호사는 환자에게 '예/아니오'로 대답하는 폐쇄적인 질문을 가능한 한 줄이기 위해 노력해야 한다. '예/아니오' 대답은 새로운 정보를 제공하지 않으며 간호사로 하여금 더 많은 질문을 하게 한다. 메시지에 대한 간호사의 반응은 환자의 질병 및 문제점의 역학뿐만 아니라 상황에 대한 평가와 지식을 기반으로 해야 한다.

그러나 신규 간호사는 원하는 만큼 효과적으로 환자와 상호작용하지 못할 수도 있다. 간호사는 화가 나서 욕설하는 환자의 행위를 진정시키기보다는 방어적으로 회피하게 된다. 환자는 간호사의 불안 상태를 감지하고 "미친 사람들이 겁나죠?"라고 말한다. 이때 "저는 당신을 더 화나게 할 만한 무언가를 말하게 될까봐 두렵다"라고 진솔하게 말하기보다는 이 상황을 부정하려는 경향이 있다.

편집증 환자를 다룰 경우, 간호사는 이유 없이 환자에 대한 두려움이 생기고 환자를 속으로 비난하게 될 수 있으며, 이는 환자의 증상을 악화시킬 수 있다. 환자가 말하는 내용의 진위 여부를 구별하기 매우 어렵기 때문에, 간호사는 성급한 판단을 하지 말아야 한다. 예를 들어, 환자가 어떤 대중공연의 주제곡을 자신이 썼다고 하면서 원본 음악노트 및 출연진의 연극 대본을 의료진에게 보여주었다면, 이 경우 의료진은 정보의 타당성을 판단하기 위해 가족에게 정보를 확인하거나 망상적 사고에 대한 약물 효과가 나타나길 기다리는 것이 현명하다.

간호사가 환자의 말을 듣기보다는 다음에 말하고 싶은 무언가에 몰입해 있을 수도 있다. 환자가 무엇을 말하려고 하는지 관심을 가지고 듣고 이해하려고 하기보다는 환자의 말만 단순히 듣는 경우도 있다. 간호사가 환자와 대화를 할 때 고개를 끄덕이는 것은 '나는 당신의 말을 듣고 있다'라는 의미를 전달할 수 있지만, '나는 당신의 말에 동의한다'라는 완전히 다른 의미를 전달할 수도 있으므로, 주의해야 한다. 돌봄을 가장하는 것은 환자들에게 진심이 아니라고 생각되기 쉬우며, 치료과정을 오히려 방해하게 된다(Salmon & Young, 2011).

반영하기 또는 재진술하기 등의 치료적 의사소통 기술을 남용하는 것은 문제에 대한 분석과 해결이 명확하지 않을 경우 오히려 의사소통을 방해할 수 있다. 환자에게 충고하는 것은 환자가 자신의 문제를 평가하고 해결방안을 선택할 수 있도록 돕는 것이 아니라, 오히려 문제해결에 방해가 될 수 있다. "모든 것이 괜찮아질 거예요" 또는 "다 좋아질 거예요"와 같이 잘못된 확신을 주는 것은 간호사가 해서는 안 되는 아주 기본적인 의사소통이다. **표 8-6**은 비치료적 의사소통 기술에 대한 다양한 유형을 설명한 것이다. 간호사의 실수는 시정될 수 있고 해명될 수 있으며, 이를 통해 손상된 관계를 회복할 수 있다. 환자들은 일반적으로 적절하지 않은 간호사의 단순한 행동보다는 환자에 대한 간호 및 관심 등 전반적인 간호사의 태도를 종합하여 간호사를 평가한다.

표 8-6 비치료적 의사소통 기술

비치료적 의사소통 기술	예
과다한 질문하기(폐쇄적 질문) 대상자에게 답변할 기회를 주지 않고 한꺼번에 많은 질문을 함	“오늘 잠은 잘 주무셨는지요?, 식사는 잘하셨는지요?, 신체적 컨디션은 어떤지요?”
충고하기 대상자가 취해야 할 행동에 관하여 충고하고 해결책을 제시함	“이 상황은 맞지 않으므로 아무 생각도 하지 마세요.”
일시적 안심시키기 사실에 근거하지 않은 정보를 대상자에게 제공함	“걱정하지 마세요. 아무 일 없을거예요.” “모든 사람들이 다 그렇게 생각해요.”
주제 바꾸기 대상자와 대화 중 중요한 시기에 대화의 초점을 다른 방향으로 돌림	“그것은 다음에 이야기하시지요.” “오늘은 하지 말고 다른 시간에 이야기하실까요.”
판단하기 간호사 자신의 가치기준을 대상자에게 적용함	“당신은 잘못 생각하고 있어요.” “당신은 지금 무엇 하나 제대로 하고 있는 것이 없어요.”
지시하기 대상자에게 지시를 한 후 따르게 함	“당신은 내가 시키는 대로 하셔야 합니다.” “내 말대로 하세요.”
상투적인 말하기 의미없는 상투적인 문구를 사용하여 반응함	“당신은 오늘 기분이 좋아 보이네요.” “너무 힘들어하지 마세요. 금방 해결될 거예요.”
반박하기 대상자의 비현실적인 생각이나 지각에 대하여 도전함	“당신이 들은 얘기는 현실이 아니고, 실제로 들을 수 없는 이야기예요.” “당신은 지금 환자이지, 사장이 아니예요.”
감정적인 말로 표현하기 대상자에게 간호사의 주관적인 감정으로 표현함	“당신은 그 일이 일어난 것에 대해 죄책감을 가지고 있군요.” “당신은 엄마가 미친 것처럼 행동한다고 생각하고 있군요.”
이중구속하기 서로 다른 의미와 모순된 언어적, 비언어적 메시지를 전달함	“(시선을 피하며 안절부절못하면서) 나는 당신의 이야기를 듣고 싶어요. 계속 이야기 해보세요.”
‘왜’라고 질문하기 설명을 요구하고 행위가 잘못되었음을 암시함	“왜 이렇게 못해요?” “왜 아무것도 하지 않고 있어요?”

STUDY NOTES

1. 치료적 의사소통 기술은 환자들을 돕는 기술이지만 그 자체가 목표는 아니다.
2. 정신간호의 목표는 환자를 이해하고, 환자가 간호사를 이해할 수 있도록 신뢰를 주며, 보다 효과적인 의사소통 기술을 습득하는 것이다.
3. 경청은 목표를 향한 대화를 유도하기 위해 사려 깊은 관심을 요구하는 치료적 의사소통 기술이다.
4. 간호사는 치료적 의사소통에 대한 책임이 있으며 간호사 자신의 한계에 대한 자각을 포함한 의사소통 장벽을 인식해야 한다.
5. 치료적 의사소통을 방해하는 일반적인 몇 가지 원인은 두려움, 지식 부족, 불안, 진실성 부족 및 부적절한 반응이다.
6. 간호사-환자 관계가 잘 정의되어 있고, 간호사와 환자의 역할이 명확히 기술되어 있어야 한다.
7. 간호사가 치료적 관계와 사회적 또는 친밀한 관계 간의 차이점을 인식하는 것이 중요하다. 치료적 간호사-환자 관계의 초점은 환자의 요구, 생각, 감정, 그리고 목표에 있다.
8. 간호사-환자 관계에서 모호한 경계와 역할은 대부분 무의식적인 수준에서 발생할 수 있다. 일반적으로 경계선이 불분명할 때 전이와 역전이 현상이 나타난다.
9. 일반적으로 발생하는 역전이 감정과 행동, 그리고 이에 대한 간호사의 반응들을 알고 있어야 한다.
10. 수퍼비전은 간호사의 전문적인 성장과 간호사-환자 관계를 증진시켜 환자의 목표를 달성하도록 해준다.
11. 간호사-환자 관계의 단계는 상호작용 전 단계, 초기 단계, 활동 단계 그리고 종결 단계가 포함된다.
12. 진실성, 공감과 긍정적 배려는 환자의 성장을 촉진하는 요소로서, 간호사에게 꼭 필요한 덕목이다.

참고문헌

REFERENCES

Arkowitz, H., Westra, H. A., Miller, W. R., & Rollnick, R. (2008). Motivational interviewing in the treatment of psychosocial problems, New York, NY: Guilford Press.

Butler Center for Research. (2006). Therapeutic alliance: Improving treatment outcome. Research update. Hazelden Foundation. Retrieved from www.hazelden.org/web/public/bcrup1006.pdf.

Chaffin, A. J. (2010). Use of a psychiatric nursing skills lab simulation to develop empathy in nursing students. Retrieved from http://www.cinhc.org/wordpress/wp-content/uploads/2009/09/23-Use-of-a-Psychiatric-Nursing-Chaffin.pdf.

Chen, G., et al. (2009). MPCS: Mobile-based patient compliance system for chronic illness care. In Proceedings of the international workshop on ubiquitous mobile healthcare applications (MobiCare) (pp. 1-7): IEEE Computer Society Press. http://www.cs.dartmouth.edu/~dfk/papers/chen-mpcs.pdf, Accessed 12/3/13.

Erickson, J. I., & Miller, S. (2005). Caring for patients while respecting their privacy: Renewing our commitment. Online Journal of Issues in Nursing, 10(2). Retrieved from http://www.nursingworld.org/MainMenuCategories/ANAMarketplace/ANAPeriodicals/OJIN/TableofContents/Volume102005/No2May05/tpc27_116017.aspx.

Fontes, L. A.(2008). Interviewing clients across cultures. New York, NY: Guilford Press.

Forchuk, C., Westwell, J., Martin, M., Bamber-Azzapardi, W., Kosterewa-Tolman, D., & Hux, M. (2000). The developing nurse-client relationship: Nurses's perspectives. Journal of the American Psychiatric Nurses Association, 6(1), 3-10.

Fox, S. (2008). Relating to clients. Philadelphia, PA: Kingsley.

Freshwater, D. (2002). Therapeutic nursing: improving patient care through self-awareness and reflection: Sage.

Galloway, S. (2009). Simulation techniques to bridge the gap between novice and competent health care professionals. Retrieved from http://nursingworld.org/MainMenuCategories/ANAMarketplace/ANAPeriodicals/OJIN/TableofContents/Vol142009/No2May09/Simulation-Techniques.html.

Gordon, C., Phillips, M., & Bereson, E. V. (2010). The doctor-patient relationship. In T. A. Stern, G. L. Fricchione, N. H. Cassen, M. S. Jellinek, & J. F. Rosenbaum (Eds.). Massachusetts General Hospital handbook of general hospital psychiatry (6th ed., pp. 15-24). Philadelphia, PA: Saunders.

Hollon, S. D., & Ponniah, K. (2010). A review of empirically supported psychological therapies for mood disorders in adults. Depression and Anxiety, 27(10), 891-932.

Horton-Deutsch, S. L., & Horton, J. M. (2003). Mindfulness: Overcoming intractable conflict. Archives of Psychiatric Nursing, 17(4), 186-193.

Institute for Patient- and Family-Centered Care. (2010). Frequently asked questions. Retrieved from http://www.ipfcc.org/faq.html.

Kemper, B. J. (1992). Therapeutic listening: Developing the concept. Journal of Psychosocial Nursing and Mental Health Services, 30(7), 21-23.

Kopta, S. M., Saunders, S. M., Lueger, R. L., & Howard, K. I. (1999). Individual psychotherapy outcome and process research: Challenge leading to great turmoil or positive transition? Annual Review of Psychology, 50(1), 441-469.

Korn, M. L. (2001). Cultural aspects of the psychotherapeutic process. Retrieved from http://doctor.medscape.com/viewarticle/418608.

Leong, S. L., et al. (2005). Enhancing doctor-patient communication using email: A pilot study. The Journal of the American Board of Family Practice, 18(3), 180-188.

Martin, A., et al. (2011). Differences in readiness between rural hospitals and primary care providers for telemedicine adoption and implementation: Findings from a statewide telemedicine survey. The Journal of Rural Health, 28(1), 8-15.

Minardi, H. (2013). Emotion recognition by mental health professionals and students. Nursing Standard, 27(25), 41-48.

Peplau, H. E. (1952). Interpersonal relations in nursing: A conceptual frame of reference for psychodynamic nursing. New York, NY: Putnam.

Peplau, H. E. (1999). Interpersonal relations in nursing: A conceptual frame of reference for psychodynamic nursing. New York, NY: Springer.

Rogers, C. R. (1980). A way of being. Boston, MA: Houghton Mifflin.

Rogers, C. R., & Truax, C. B. (1967). The therapeutic conditions antecedent to change: A theoretical view. In C. R. Rogers (Ed.), The therapeutic relationship and its

impact. Madison, WI: University of Wisconsin Press.
Salmon, P., & Young, B. (2011). Creativity in clinical communication: From communication skills to skilled communication. Medical Education, 45(3), 217–226.
Serfaty, M. A., Haworth, D., Blanchard, M., Buszewicz, M., Murad, S., & King, M. (2009). Clinical effectiveness of individual cognitive behavioral therapy for depressed older people in primary care: A randomized controlled trial. Archives of General Psychiatry, 66(12), 1332–1340.
Williams, K., Kemper, S., & Hummert, M. L. (2016). Enhancing communication with older adults: Overcoming elderspeak. Journal of Psychosocial Nursing and Mental Health Services, 43(5), 12–16.
Travelbee, J. (1971). Interpersonal aspects of nursing (2nd ed.). Philadelphia, PA: F. A. Davis.
U.S. Department of Health and Human Services. (2013). Standards for privacy of individually identifiable health information http://www.hhs.gov/ocr/privacy/index.html, Accessed 01/30/2014.
Ward, J., Cody, J., Schaal, M., & Hojat, M. (2012). The empathy enigma: An empirical study of decline in empathy among undergraduate nursing students. Journal of Professional Nursing, 28(1), 34–40.
Wheeler, K. (2008). Psychotherapy for the advanced practice psychiatric nurse. St. Louis, MO: Mosby.

CHAPTER

9

정신간호과정

Nursing Process In Psychiatric Nursing

evolve WEBSITE

http://evolve.elsevier.com/Keltner

학습목표

- 대상자의 간호문제 해결을 위해 간호과정을 적용한다.
- 정신간호사정을 위한 정신상태검사(MSE)를 설명한다.
- 이상 증상 및 행동 관련 용어의 뜻을 설명한다.
- 간호진단 및 간호중재 계획의 중요성을 설명한다.
- 간호실무표준에 따른 간호중재와 평가를 적용한다.
- 퇴원 간호의 중요성을 설명한다.

정신간호에서 간호과정은 다른 간호 분야와 마찬가지로 대상자의 건강증진, 일차 예방, 치료 및 재활을 촉진하기 위한 대상자 중심의 목표지향적 활동이다. 간호는 개인의 고유한 요구에 맞게 이루어져야 하며, 개별화된 간호는 세심한 간호사정에서부터 시작된다.

1. 간호사정

간호사정(nursing assessment)은 간호과정의 첫 단계로, 대상자의 일반적 정보를 비롯하여 신체적·정신적·영적 영역을 관찰하여 문제 영역과 대상자의 강점 영역을 찾아내는 것이다. 환자의 입원이나 프로그램 참여 시 시작되며, 정신병원이나 병동, 클리닉 등은 자체적으로 간호사정 양식을 사용한다. **표 9-1**은 초기 사정에 포함된 정보 유형이다. 새로 입원한 환자의 경우 의학적인 문제가 관찰되지 않더라도 간호사는 환자의 신체적, 정신적 건강에 대한 사정에 집중해야 한다. 환자에 대한 주요 사항은 입원 초기 평가지에 기록한다. 다른 치료자들은 입원기록지를 통하여 환자에 대한 정보를 공유할 수 있다.

표 9-1	초기 환자 사정
	• 인구학적 자료: 이름, 성별, 나이, 출생 연월일, 주소, 결혼상태, 가족 구성원의 이름 및 나이, 배우자 등 • 입원 자료: 입원 날짜 및 시간, 입원 유형 • 입원 사유: 환자의 주호소, 스트레스, 적응상의 어려움, 발달단계적 쟁점, 응급상황적 행동(자살이나 타살에 대한 생각 및 시도, 공격성, 파괴적 행동, 도주의 위험성), 가족력 • 정신과적 과거력: 입원 및 외래 치료 기간 및 날짜, 치료받은 이유, 치료의 유형 및 효과, 현재 투약 약물 및 약물 이행 정도 • 현재의 신체적 문제 및 복용 약물: 알레르기 유무, 영상촬영 및 검사 결과, 신체검진 • 중독성 물질 및 알코올 사용: 과거 및 현재의 합법적·불법적 물질 사용에 대한 양·빈도·기간 및 마지막 사용 일시, 금단증상의 가능성 • 일상생활상의 어려움: 수면, 식사, 배설, 성적 활동, 일, 여가 생활, 개인위생 • 문화 및 영성: 인종, 신념, 관습, 종교적 성향 • 지지체계: 관계의 유형 및 질, 만남이나 지지 정도

1) 정신상태사정

정신상태사정(mental status examination, MSE)은 정신과에서 환자 사정 시 매우 중요한 부분이다. 정신상태사정은 대상자의 전반적인 외모, 행동과 활동 상태, 태도, 언어, 기분과 정동, 지각, 사고 내용과 과정, 인지 상태(의식수준, 지남력, 기억력, 주의집중력, 지능, 판단력, 병식), 환자로부터 얻은 정보에 대한 신뢰성 등을 확인하여 기록한다.

(1) 전반적인 외모

대상자의 체격, 옷차림새, 헤어스타일, 위생 상태, 실제 나이보다 많아 보이는지 젊어 보이는지, 화장을 진하게 했는지 안 했는지, 피부가 하얀지 거무스름한지, 자세가 굽었는지 등 전반적인 외모를 관찰하여 기술한다.

(2) 행동과 활동 상태

면담 동안의 행동양상을 관찰한다. 활동이 지나치게 많은지(hyperactivity), 적은지(hypoactivity), 초조하고 안절부절못하는 긴장된 모습을 보이는지(restless), 걸음걸이가 비틀거리며 불안정한지, 기행증(mannerism)이 있는지(예: 손가락으로 머리카락을 마는 등 대상자 특유의 버릇으로, 이상한 몸짓, 안면 표정, 말투 등), 다른 사람의 행동을 그대로 따라하는 반향동작(echopraxia)이 있는지, 불안하거나 정신증적 증상이 심해져서 자발적으로 움직이지 않는 납굴증(waxy flexibility)이 있는지, 강박행동(compulsion)이 있는지, 무의식적으로 자신도 모르게 특정 행동을 반복하는 상동증(stereotypy)이 있는지, 손에 미세한 떨림(fine hand tremor)이 있다거나 눈을 계속 깜빡거리거나 얼굴을 찡그리는 등의 지연성 운동장애(tardive dyskinesia, TD)가 있는지 등을 관찰하여 행동과 활동 상태를 파악한다.

(3) 태도

치료진과의 면담에 대한 대상자의 태도가 호의적이고 협조적인지, 적대적이거나 공격적인지, 저항적이거나 비협조적 태도를 보이는지를 파악한다.

(4) 언어의 양상

언어의 양적·질적인 면(quality and quantity of speech)과 언어의 속도(rate of speech) 등 언어를 구사함에 있어서 이상 증상이 있는지 사정한다. 언어의 양적인 부분에는 언어적 표현이 부족한 언어의 빈곤(poverty of speech), 많은 말을 쉴 새 없이 쏟아내는 다변증(logorrhea), 상대방에게 말할 기회를 주지 않고 자기 말만 계속하여 중단시키기 어려운 언어압박(pressure of speech) 등이 있다. 언어의 질적인 면은 말하는 내용이 풍부한지, 단조로운지, 논리적 일관성이 있는지, 계속해서 같은 이야기를 반복적으로 말하는지 등을 의미한다.

대상자가 정신운동초조(psychomotor agitation) 상태에서는 사고과정이 상당히 빠르고 불안정하여 말하는 속도가 빠르지만, 정신운동지연(psychomotor retardation) 상태에서는 우울증에서 보듯이 질문을 해도 대답 속도가 느리거나 간호사의 질문을 잊어버린 듯 대답을 하지 않을 수 있다.

말을 하지 못하는 실어증(aphasia)의 경우에는 수용성 실어증(receptive aphasia: 뇌의 베르니케 영역 손상으로 상대방의 말을 이해하지 못해서 말을 못함)인지, 표현성 실어증(expressive aphasia: 뇌의 브로카 영역 손상으로 이해는 했으나, 말을 형성하는 뇌 기능이 손상되어 말을 못함)인지 구분해서 확인한다.

신체적 기능 손상으로 말을 잘할 수 없는 구음장애(dysarthria), 말을 할 수 있는 신체적 기능은 손상되지 않았으나 심리적인 이유로 말을 하지 않는 함구증(mutism), 다른 사람의 말을 그대로 흉내내어 따라 하는 반향언어(echolalia)가 있는지 확인한다.

단어의 뜻과는 전혀 상관없이 발음되는 소리가 비슷한 단어를 연상하여 말하는 음연상(clang association)이 있는지 확인한다. 여러 다양한 질문에 같은 대답을 하는 보속증(perseveration)이 있는지도 확인한다.

(5) 기분과 정동

기분(mood)이란 대상자의 생활 전반에 영향을 미치는 지속적인 감정 상태로 대상자가 스스로 표현하는 감정이다. 정동(affect)이란 대상자의 감정이 얼굴 표정에서 드러나 보이는 상태이다. 대상자의 기분과 정동은 일치하지 않을 수 있다. 기분을 관찰하여 기록할 때는 즐겁다, 슬프다, 불안하다, 우울하다 등 기분을 나타내는 형용사를 사용한다. 정상적이고 평이한 상태를 정상 기분(euthymic mood)이라 하고, 기분이 나쁘면 불쾌한 기분(dysphoric mood)이라고 한다. 다행감(euphoric mood)은 기분이 좋아서 약간 들뜬 상태를 말하며, 의기양양(elated mood, elevated mood)은 다행감에 행동상의 항진 상태가 더해진 것을 말한다. 황홀감(ecstasy)은 유쾌한 기분의 극치를 말하며, 조증 상태에서 주로 볼 수 있다. 신경질적이고 쉽게 자극되어 화를 내는 등 민감한 기분은 불안정한 기분(irritable mood)이라고 한다. 기분이 좋았다 나빴다를 반복하면 기복이 심한 기분(mood swing)을 보인다고 표현한다.

얼굴 표정이 무표정이면, 정동은 제한된 정동(restricted affect), 둔마된 정동(blunted affect), 편평한 정동(flat affect) 중 정도에 따라 하나를 선택해서 기술한다. 정동을 관찰하여 기록할 때에는 기분과 달리 '적절하다(appropriate)', '적당하다(adequate)'는 표현을 사용한다. '적절하다(appropriate)'는 말은 상황에 적절한 감정을 표현한다는 뜻으로, 적절한 정동(appropriate affect)이란 재밌는 상황에서는 재미있어 하고, 슬픈 상황에서는 슬퍼하는 것을 말한다. 부적절한 정동(inappropriate affect)이란 슬퍼해야 할 상황에서 웃고, 웃어야 할 상황에서 우는 등 상황과 맞지 않는 감정표현을 할 때 사용한다. '적당하다(adequate)'는 것은 감정표현의 양적인 면을 말하는 것이다. 약간 웃길 때 약간 웃고, 많이 웃기면 많이 웃고, 약간 슬프면 약간 슬퍼하고, 많이 슬픈 상황에서 많이 슬퍼할 때 적당한 정동이라고 한다. 부적당한 정동이란 약간 웃긴 상황에서 대상자 혼자만 배꼽을 잡으며 웃는다든지, 약간 슬픈 상황에서 대상자만 대성통곡하며 우는 등 상황에 비해 표현이 과한 것을 말한다. 울었다가 웃었다가 금방 다시 기분이 나빠져서 화를 냈다가 다시 웃는 등 매우 빠르게 감정이 변화하는 상태를 유동적 정동(labile affect)이라고 한다.

우울(depression)은 슬픔과 자신감 저하가 병적으로 일정 기간 지속되는 것이다. 비애(grief)는 사람이든, 사물이든 어떤 대상을 상실한 후 갖게 되는 자연스런 슬픔 감정이며, 애도(mourning)는 어떤 대상을 상실한 후 갖게 되는 애통함, 사별(bereavement)은 가족 등 친밀한 관계에 있는 사람과 사별 후 느끼는 슬픔을 말한다. 무쾌감증(anhedonia)이란 이전에 흥미를 갖고 재미있게 하던 경험이나 활동에 대해서 더 이상 아무 흥미나 관심을 갖지 못하는 감정 상태이다. 무감동(apathy)은 희로애락의 감정 반응이 일어나지 않고 무관심한 것으로, 심한 우울증과 조현병에서 흔히 볼 수 있는 증상이다. 양가감정(ambivalence)은 한 대상에 대해 2가지의 상반된 감정(예: 좋아함과 싫어함)이 동시에 있는 것을 말한다. 어떤 대상에 대해서 양가감정이 있다면, 결단을 내리지 못해 우유부단한 행동을 하게 된다.

불안(anxiety)은 분명한 대상이 없이 막연하게 위험이 닥쳐올 것 같은 불길한 느낌이다. 부동성 불안(free-floating anxiety)은 특별한 이유 없이 막연한 불안이 지속되는 것이며, 공황(panic)은 불안 정도가 가장 심한 상태로, 공황 상태에서 대상자는 심장마비처럼 가슴이 죄어오고 질식해서 죽을 것 같은 괴로움을 느낀다. 초조(agitation)한 상태에서는 불안이 심하여 목적 없는 행위가 증가하면서, 가만히 앉아 있지 못하고 서성거리며 손을 만지작거리는 행동을 하게 된다.

공포(fear)는 분명한 대상에 대한 불길한 느낌과 두려움이다. 공포는 직접적인 위험이나 이 위험을 상징하는 상황이나 대상에 직면했을 때에도 일어난다. 공포증(phobia)은 어떤 특정 대상이나 상황에 대해 불합리하게 무서워하며 피하려는 상태이다. 공포증의 예로는 좁은 장소나 막힌 공간에 갇히게 될까봐 두려워하는 폐쇄공포증(claustrophobia), 낯선 사람들, 낯선 환경, 다리 위, 터널 안과 같이 피하기 어렵거나 누군가의 도움을 받을 수 없을 것 같은 상황을 두려워하고 피하려 하는 광장공포증(agoraphobia), 질병 또는 질병의 징후에 대해 병적 공포감을 갖는 질병공포증(nosophobia), 세균 또는 기타 더러운 것에 의하여 오염되는 것을 지나치게 두려워하는 불결공포증(mysophobia), 사람들 앞에서 말을 하거나 음식을 먹거나 글을 쓰는 등의 사회적 상황에서 모욕이나 무안을 당할까봐 미리 겁먹고 피하려는 사회공포증(social phobia), 자신이 다른 사람에게 불쾌한 감정을 일으킨다는 생각 때문에 다른 사람과의 접촉이나 대면을 기피하는 대인공포증(anthrophobia), 죽음을 병적으로 무서워하는 죽음공포증(thanatophobia), 일반 사람들이 공포를 느끼지 않는 상황이나 대상에 대하여 비현실적으로 두려움을 느끼는 특정공포증(specific phobia), 높은 장소를 무서워하는 고소공포증(acrophobia) 등이 있으며, 이외에도 공포를 느끼는 대상이나 상황에 따라서 다양한 공포증이 있다.

(6) 지각

지각(perception)은 시각, 청각, 후각, 촉각 등의 감각기관을 통해 들어오는 외계의 자극이나 정보를 받아들이는 것이다. 대상자가 착각(illusion)과 환각(hallucination)이 있는지 확인한다. 착각은 실제 외부로부터 들어오는 자극이 있는데, 그것을 잘못 받아들이는 것이다. 반면, 환각은 외부로부터 아무런 자극이 없는데, 자극이 있다고 지각하는 것을 말한다. 환각은 주로 환시(visual hallucination), 환청(auditory hallucination), 환촉(tactile hallucination), 환후(olfactory hallucination), 환미(gustactory hallucination) 등 5가지 감각으로 나뉘며, 환청이 가장 흔하다. 이외에도 잠들기 시작할 때 경험하는 입면 시 환각(hypnagogic hallucination)과 잠에서 깰 때 경험하는 출면 시 환각(hypnopompic hallucination)이 있다.

피부에 벌레가 기어가듯이 몸이 가렵거나 스물거리는 증상을 소주감(formication)이라고 한다. 자신의 몸 내부에 어떤 일이 있다고 느끼는 잘못된 느낌은 신체환각(somatic hallucination)이라고 한다. 또한 사지 절단 후에도 계속해서 그 부분의 통증을 느끼는 예에서 볼 수 있는, 이미 존재하지 않는 신체 부분에 대한 환각인 환상지 현상(phantom phenomena)이 있다. 자신의 몸이 자신의 것이 아닌 것처럼, 마치 실재가 아닌 것처럼, 기계처럼, 때로는 죽은 것처럼 낯설게 느껴지는 이인증(depersonalization)이 있는지 확인한다. 또한 지금 살고 있는 이 세계가 마치 현실이 아닌 것처럼 자신을 둘러싼 주변 환경(예: 집, 학교, 직장, 가족, 친구 등)이 낯설게 느껴지는 비현실감(derealization)이 있는지 확인한다.

자신의 모습이나 사물을 왜곡되게 받아들이는지, 사물이 실제보다 크게 보이는 거시증(macropsia)이 있는지, 반대로 사물이 작게 보이는 미시증(micropsia)이 있는지 사정한다. 공감각(synesthesia)은 2가지 감각을 동시에 경험하는 것이다. 예를 들어, 음악을 듣는데 눈앞에 빛이 보인다거나, 어떤 색채를 보는데 귀에서 소리를 들었다는 등 실제 자극의 종류와 다른 종류의 감각으로 느끼는 현상이다.

(7) 사고내용과 사고과정

① 사고내용

사고내용은 생각하는 내용이 비현실적이고 비논리적인 것이다. 사고내용에서 이상 증상은 망상, 강박사고, 자살사고 등이다.

망상(delusion)은 잘못된 믿음이나 신념을 말한다. 실제로 일어난 일에 대하여 잘못된 결론을 추론해내고, 대상자의 교육 또는 지적 수준이나 대상자가 속한 문화와 맞지 않으며, 논리적이고 이성적인 설명에도 교정되지 않는 잘못된 믿음이다. 망상은 그 내용에 따라서 편집망상, 피해망상, 과대망상, 관계망상, 종교망상, 신체망상, 조종망상, 사고전파, 사고주입, 사고유출 등으로 분류할 수 있다.

편집망상은 상대방의 의도를 부정적으로 해석하고 의심하는 망상이다. 대표적인 예로 배우자를 믿지 않고 병적으로 질투하는 부정망상(delusion of infidelity)이 있다. 피해망상(persecutory delusion)은 자신이 피해를 입고 있다는 잘못된 믿음이다. 피해망상 중에는 누군가 자신을 죽이려고 독을 뿌렸다는 피독망상(delusion of being poisoned)이 있다. 과대망상(grandiose delusion, delusion of grandeur)은 자신의 존재 가치 및 능력에 대해 과장되게 믿는 것이다. 예를 들어, 3분 내에 책 한 권의 내용을 모두 외울 수 있다거나 5개 국어를 능숙하게 사용할 수 있다, 하늘을 날 수 있다, 재산이 100억이다, 아버지가 빌 게이츠다 등을 사실인 것처럼 믿는 것이다. 자신을 신이나 선지자라고 믿는 것은 종교망상(religious delusion)이라고 한다.

관계망상(delusion of relevance)은 자신과 무관한 사람이나 사실이 자신과 관련되었다는 잘못된 믿음이다. 관계망상보다 정도가 경한 것이 관계사고(idea of reference)이다. "텔레비전이나 신문에서 내 얘기를 한다. 지나가는 사람들이 내 얘기를 하고 지나간다" 등 관계없는 일이나 사람들이 자기에 대해 이야기한다는 믿음이다. 누군가, 특히 유명 인사나 연예인이 자기를 사랑하고 있고 연인 관계라고 믿는 것을 색정망상(erotic delusion)이라고 한다.

빈곤망상(delusion of poverty)은 근거 없이 자신이 너무 가난하다고 믿는 망상이며, 죄책망상(delusion of sin) 또는 허무망상(nihilistic delusion)은 자신은 죄를 많이 지어서 세상에서 살 가치가 없다고 생각하는 망상이다. 자신의 존재를 쓸모없다고 믿는 망상들은 죄의식, 낮은 자긍심, 자기 징벌, 적개심 등이 투사된 것으로 볼 수 있다.

신체망상(somatic delusion)이란 검사 결과 아무 이상소견이 없는데, 자신의 신체에 이상이 생겼다고 믿는 것이다. 몸에 질병 소견이 없다는 진단 결과에도 불구하고, 병에 걸렸다고 생각하는 건강염려증(hypochondriasis)이 심해지면 신체망상으로 볼 수 있다. 조종망상(delusion of being controlled)은 타인에 의해서 또는 미지의 보이지 않는 존재에 의해 조종당한다는 망상이다. 조종망상에는 자신의 생각이 다른 사람들에게 널리 퍼져서 알려진다는 사고전파(thought broadcasting) 망상이 있으며, 다른 사람이 자신의 머릿속에 생각을 주입한다고 믿는 사고주입(thought insertion) 망상, 자신의 생각을 누군가 빼내 간다는 사고탈취(thought withdrawal) 망상 등이 있다.

단순한 공상에서 출발했으나 그 이후의 전개가 논리적인 경우를 체계화된 망상(systematized delusion)이라고 한다. 망상의 내용이 매우 괴이하고 엉뚱한 경우에 괴이한 망상(bizarre delusion)이라고 표현한다. 망상은 마술적 사고(magical thinking)와 함께 나타나기도 한다. 다른 사람의 생각을 읽을 수 있다고 믿거나 자신이 생각한 것이 현실로 나타났다고 믿는 미신에 몰두하는 것, 그리고 텔레파시나 천리안 등이 가능하다고 믿는 것 등이 마술적 사고의 예이다.

강박사고(obsession)는 의식적으로 원하지 않음에도 불구하고 계속적으로 같은 생각이 머릿속에 떠오르며 불안하게 만드는 것이다. 강박적 생각이 망상과 다른 점은 강박사고는 대상자 스스로가 말이 안 된다는 사실, 비논리적이고 불합리한 생각이라는 것을 알고 있다는 것이다. 반면에, 망상은 대상자 스스로가 그것을 사실이라고 확신하는 것이다.

자살사고(suicidal ideation)는 자살하고 싶은 생각이다. 자살에 관한 과거력을 조사한 후, 현재 자살할 의도가 있는지 확인해야 한다. 자살사고가 있었다면 자살 위험이 있으므로 주의가 필요하다는 내용을 기록하고, 다른 의료진과 함께 자살 예방을 위한 적절한 중재를 제공한다.

② 사고과정

사고과정과 사고형태의 장애는 사고의 흐름에 문제가 있는 것을 말한다. 대상자가 자폐적 사고를 하는지, 추상적 사고능력이 손상되지 않았는지, 빗나간 사고나 우원증은 없는지, 사고비약이 있는지, 사고 차단, 연상이완, 보속증, 신어조작증이 있는지 확인한다.

자폐적 사고(autistic thinking)는 주변 사람들의 반응에 관심이 없고, 오직 자기중심적으로 사고하는 형태를 말한다. 추상적 사고(abstract thinking)란 속담이나 비유, 은유에 담긴 속뜻을 이해할 정도의 추상적 능력이다. 추상적 사고를 검사하기 위해서 '벼는 익으면 익을수록 고개를 숙인다', '소 잃고 외양간 고친다', '돌다리도 두드려 보고 건넌다' 등의 속담에 담긴 뜻이 무엇인지 물어보거나 사물의 공통된 속성을 질문한다. 예를 들어, "비행기, 배, 자동차의 공통점은?"이라고 물을 수 있다. 추상적 사고가 부족하여 말에 담긴 속뜻을 모르고 문자 그대로 받아들이는 사고 유형을 구체적 사고(concrete thinking)라고 한다. 의료진이 병원에 오게 된 증상을 알고 싶어서 대상자에게 병원에 어떻게 왔느냐고 물었을 때, 버스를 타고 왔다고 대답하는 대상자는 구체적 사고를 하고 있다고 말할 수 있다.

빗나간 사고(tangentiality)는 대상자가 이야기를 하다가 사소하고 지엽적인 다른 주제로 벗어나서 본래 말하고자 하는 내용을 잊어버리는 것이다. 우원증(circumstantiality)은 대화의 주제와는 관계가 멀거나 무관한 사건을 상세하게 이야기하여 서론이 길어져서 정말 하려던 말은 한참 지난 후에 하는 것이다. 사고비약(flight of ideas)은 한 생각에서 다른 생각으로 연상이 계속적으로 빠르게 진행되며, 말하고자 하는 내용에 도달하지 못하는 것이다. 사고 차단(blocking of thought)은 조현병 환자에게서 주로 볼 수 있는 증상이다. 말을 하다가 사고의 진행이 중지되어 갑자기 말을 멈추게 되며, 의료진이 대화를 이어가지 않으면, 환자는 무슨 말을 하고 있었는지에 대해 다시 묻기도 한다. 연상이완(loosening of association)은 하나의 주제에서 전혀 관계없는 다른 주제로 진행되어, 말의 앞뒤가 논리적으로 연결되지 않는 상태이다. 연상이완이 심한 경우를 지리멸렬(incoherence)이라고 한다. 이러한 경우 대상자가 하는 말이 비논리적이고 앞뒤 맥락이 전혀 연결되지 않아서 무슨 말을 하려는 것인지 의료진은 이해할 수 없게 된다. 지리멸렬한 상태가 더 심각해지면, 단어와 단어가 다 흩어져 나열된 말비빔(word salad)이 된다.

보속증(perseveration)은 자극이 바뀌어도 이전의 자극에 대한 반응을 되풀이하는 증상이다. 의료진의 다양한 질문에 환자는 같은 대답을 한다. 실제로 뇌의 기질적 이상이 있는 치매 환자나 기질적 정신장애 환자에게서 볼 수 있다. 신어조작증(neologism)은 대상자가 자신만 아는 새로운 단어를 만드는 것이다(예: 능국은 무덤의 나라).

(8) 인지 상태

① 의식수준

의식수준(level of consciousness)이 지나치게 각성되어 있는지(hyperalert), 명료한지(alert), 졸린 듯한 상태인지(lethargy), 혼미한지(stupor), 반혼수상태(semi-coma)인지, 혼수상태(coma)인지 확인한 후 의식 상태를 기록한다.

② 지남력

지남력(orientation)은 대상자가 현재 시간, 장소, 사람에 대해 인식하는 기능으로, 이를 잘 알고 있는지 여부를 확인해야 한다. 시간, 장소, 사람 순서대로 지남력 손상이 진행된다.

③ 기억

기억 수준(level of memory)은 시기적으로 어디까지 기억하는지를 말하는 것으로 즉각적 기억(immediate memory), 최근 기억(recent memory), 가까운 과거기억(recent past memory), 먼 과거기억(remote memory)이 있다. 10~30초 정도 유지되는 즉각적 기억을 알아보기 위해서 대상자에게 3개의 단어를 말해 주고(예: 나무, 자동차, 모자), 몇 분 후에 세 단어를 다시 말하게 하여 몇 단어를 기억하는지 확인한다. 또는 대화 도중에 "방금 제가 뭘 물어봤죠?"라는 질문을 던져서 즉각적 기억을 확인할 수도 있다. 지난 수일간 유지되는 최근기억의 손상 여부를 확인하기 위해서는 "오늘 점심때 반찬으로 뭐가 나왔어요?"라고 물어볼 수 있다. 지난 수개월간 유지되는 가까운 과거기억을 평가하기 위해선 "지난달에 가족이 면회를 왔었나요?"라고 물어볼 수 있다. 지난 수년간 유지되는 먼 과거기억에 대해서는 대상자 주민등록번호나 졸업한 초등학교, 중·고등학교의 이름을 물어볼 수 있다. 기억장애에는 기억상실(amnesia), 기억착오(paramnesia), 기억과다(hyperamnesia)가 있다. 기억상실은 전향성 기억상실(anterograde amnesia)과 후향성 기억상실(retrograde amnesia)로 나뉜다. 전향성 기억상실은 특정 시점 이후부터 최근의 일들을 기억하지 못하는 것이다. 후향성 기억상실은 특정 시점 이전의 기억을 상실하는 것이다. 기억착오에는 회상성 조작(retrospective falsification), 작화증(confabulation), 기시현상(deja vu; 데자뷰), 미시현상(jamais vu; 자메뷰)이 있다. 회상성 조작은 자신에게 유리하도록 과거에 대한 기억을 조작하는 것이다. 작화증은 치매나 알코올사용장애 환자처럼 인지기능에 문제가 있는 대상자가 기억하지 못하는 부분을 기억나는 척하며, 사실이 아닌 이야기를 만들어 내는 것이다. 기시현상은 처음 경험하는 일인데, 마치 과거에 똑같은 경험을 한 것 같이 느끼는 현상이다. 미시현상은 과거에 경험했던 일들을 마치 처음 경험하는 것처럼 느끼는 현상이다.

④ 주의집중력, 계산력

주의집중력(concentration, attention span)을 알아보기 위해서 주로 사용하는 방법은 단어를 제시하고 그 단어를 뒤에서부터 말하도록 하는 것이다. 예를 들어, "삼천리 금수강산을 뒤에서부터 거꾸로 말해 보세요"라고 요구한다. 집중력과 계산력(calculation)을 동시에 알아보기 위한 문제는 100에서부터 계속해서 5회 정도 7을 빼는 산수 문제이다. 7 빼기 문제를 대상자가 어디까지 어떻게 대답했는지를 기록한다.

⑤ 지능

지능(intelligence)은 웩슬러 지능검사 결과 수치로 판단하며, 지적장애(mental retardation)는 지능검사 결과 지능지수(intelligence quotient, IQ)가 70 이하일 때를 말한다. 지적장애 중 IQ 53~70은 상위 범위로 대부분의 지적장애인들이 여기에 해당한다.

⑥ 판단력

대상자의 상황 판단능력(judgment)을 알아보기 위해서 어떤 상황에서 어떻게 행동할 것인지를 묻는다. "길을 가다가 우표가 붙여진 엽서를 발견하면 어떻게 하시겠어요?", "길을 가다가 지갑을 줍게 되면 어떻게 하시겠어요?" 등의 질문 상황에 적절한 답변을 하는지 확인한다.

⑦ 병식

병식(insight)이란 대상자가 자신이 갖고 있는 문제나 질병을 인식하는지 여부를 말한다. 대상자가 왜 병원에 입원했는지 모르겠다고 할 때는 병식이 없는 경우로 볼 수 있다. 가성 병식(pseudo insight, intellectual insight)은 병이 있다는 사실은 알지만, 병을 치유하려는 동기가 결여되어 있는 경우를 말한다. 진성 병식(true insight, emotional insight)은 질병이 있음을 이해하고 적절한 감정반응을 보이고, 질병 상태를 치유하려는 노력이 있는 상태를 말한다.

⑧ 정보에 대한 신뢰성

대상자와 보호자가 제공한 정보의 신뢰성(reliability) 여부를 판단하여 기록한다. 일부 환자는 너무 증상이 심해 간호사정을 위한 면담에 참여하기 어렵거나 참여하더라도 마치는 것이 어려울 수 있다. 이런 경우 가족이 제공한 환자 정보로 자료로 이용된다. 초기 사정 동안 증상에 대한 원인은 인식되지 않더라도 증상적인 행동들은 기술될 수 있다.

초기 사정을 완료한 후에도 환자와의 만남을 통하여 지속적으로 사정이 이루어진다. 지속적인 사정은 초기 사정과 일치할 수도 있으나 그렇지 않을 수도 있다. 하루 24시간, 일주일 동안 동일한 행동을 하거나 같은 기분을 유지하는 사람은 없다. 환자에게 무슨 생각을 하며 지내고 있는지 물어보면서 환자의 행동에 대한 지속적인 파악이 필요하다. 간호사가 환자의 행동을 파악하고자 할 때 다음의 사항을 물어볼 수 있다.

- 행동 유발의 상황적 요인
- 그 당시 환자의 생각
- 당시와 현재 환자의 감정
- 당시 상황에서 환자가 보인 행동에 대한 합리성
- 그 상황에서 환자의 행동이 적응적이었는지, 아니면 문제가 있었는지
- 변화가 필요한지

2. 간호진단

간호진단은 환자의 말과 행동에서 드러난 문제를 확인하는 것이다. 정신과적 응급상황(예: 자살이나 타살 생각이나 시도, 공격성, 파괴적인 행동, 방화 또는 도주의 위험)에 대해서는 우선적으로 간호진단을 세워야 하고, 환자와 자해나 타해를 하지 않겠다는 동의 과정이 필요하다. 자살 충동에 대한 사정은 자해 및 타해의 위험성에 대한 환자의 동의 여부와 관계없이 필수적으로 시행되어야 한다(Lynch et al., 2008). 간호진단은 구체적이어야 하며, 환자에게 있어서 바람직한 결과가 제시되어야 한다. 이 책에서는 간호진단으로서 가장 광범위하고도 일반적으로 채택되어 온 NANDA 국제간호진단이 사용되었다. NANDA 국제간호진단은 아래의 3가지 구성요소들을 갖추어 기술하도록 제안하고 있다.

- 실제적인 문제들에 대한 위험성
- 기여 요인이나 원인적인 요인
- 환자가 보이는 특징이나 행동에 대한 기술

표 9-2 | 한OO 님의 정신상태사정

- 전반적인 외모: 계절에 맞는 복장, 옷은 깨끗하고 구김이 없음, 머리는 감지 않았으며 풀고 있음, 어깨가 구부정함, 창백하고 공허한 표정
- 면담 동안의 행동: 의사소통, 저항, 개입의 정도–느리게 반응을 보이나 의사소통은 가능함
- 사회적 기술: 위축되어 있으며, 통상적이지 않은 습관은 없음, 사회성이 떨어져 있고 눈 맞춤을 피함
- 신체 활동의 정도: 행동이 느리고 때로 울기도 함, 틱이나 진전은 없음
- 언어 양상: 말의 양은 줄어든 상태이고 느리고 부드러운 톤
- 주의 집중의 정도 및 시간: 주변의 자극에 의해 쉽게 산만해지고 집중력이 떨어져 있으며, 집중하는 시간도 짧음
- 지남력: 시간, 장소, 사람에 대해 인식함
- 기억
  - 즉각적인 회상: 5분 전에 제시한 사물들의 이름을 기억함
  - 최근의 기억: 순서에 맞게 구성하는 데 어려움이 있지만, 지난주를 제외하고는 거의 온전함
  - 오래된 기억: 태어난 어린 시절에 대한 사항을 상세하게 기억함
- 사고의 명확성: 명확하고 일관성이 있음
- 사고의 내용: 무력감, 절망감, 계획이 없는 자살사고를 표현함, 혼자 있는 것에 대한 두려움, 망상과 관련된 증상은 관찰되지 않음
- 사고과정: 이상 증상은 관찰되지 않음
- 지적인 기능: 대학 정도의 교육 수준이 어휘에서 드러남, 계산이나 속담에 관한 평가는 이루어지지 않음, 사랑과 성실성에 대한 논의를 통하여 추상적 사고 능력이 입증됨
- 정동: 무표정함
- 기분: 우울, 중등도의 불안, 죄책감과 내재된 분노의 표현
- 병식: 이혼으로 인한 문제점들을 인식하고 있지만, 별거를 하게 된 요인들에 대해 설명은 하지 못하는 상태임
- 판단력: 지난 2주 전까지는 결정하기, 행동 취하기, 지원 요청하기 등에 대한 어려움이 없었음
- 치료에 대한 동기: 우울, 피로감, 이혼에 대해 도움을 원하고 있으나, 구체적으로 어떤 도움이 필요한지는 표현하지 못함

진술은 보통 다음과 같이 작성된다.

(특징이나 행동)으로 나타난 (기여 요인)과 관련된 (문제)

예를 들면, '비효율적인 문제해결로 나타난 결혼 문제와 관련된 중등도의 불안'으로 작성한다. 실재적 또는 잠재적인 문제들은 NANDA 국제간호진단에서 승인된 목록에서 확인할 수 있다. 기여 요인이나 원인적 요인들로는 스트레스원, 상실, 과거 경험, 발달단계적 문제, 환경적 상황, 관계 문제 그리고 자신에 대한 지각 등이 해당된다. 환자가 보이는 특징이나 행동적 결과는 환자의 실재적 혹은 잠재적인 문제들을 반영하는 언어적, 비언어적인 단서이다. 이

러한 부적응적 행동이나 단서는 간호중재의 초점이 된다. 간호진단을 구성하는 3가지 부분 중 어느 부분에도 의학진단은 포함되지 않는다.

3. 기대되는 결과

간호목표나 기대되는 결과는 역기능적인 행동을 대체할 수 있는 적응적인 행동을 구체화하는 것이다. 단기입원 기간이나 외래 프로그램을 통하여 환자가 부정적인 자기 이미지에서 긍정적인 자기 이미지로 변화된다고 기대하는 것은 비현실적일 수 있다. 좀 더 현실적인 행동목표는 환자에게 강점, 능력 및 긍정적인 자질의 목록을 작성하도록 요청하는 것이다. 이러한 행동목표는 현실적으로 달성할 수 있어야 하며 측정 가능해야 한다. 단기 목표나 단기적으로 기대되는 결과는 입원환자의 경우 4~6일 내에 달성하거나 좀 더 오랜 기간이 걸릴 수 있다. 장기 목표 또는 장기적으로 기대되는 결과는 치료의 연속선상에서 퇴원 후 다른 유형의 서비스와 연결되어 후속 상담이 필요하다. 예를 들어, 환자의 단기 목표는 친밀한 관계에서의 어려움들을 확인하는 것일 수 있다. 장기 목표는 불안감을 유발하는 상황에 대처하는 것이다. 두려움에 대해 인식함으로써 환자는 불안을 유발하는 상황들에 대해 좀 더 잘 말할 수 있을 것이다. 환자와 함께 목표와 기대되는 결과를 수립함에 있어서 간호사는 환자가 해결하고자 하는 문제와 환자가 이루고자 하는 목표들을 이해해야 한다. 환자의 바람과 동기는 원하는 결과를 달성할 수 있는 가장 중요한 역할을 한다(Atreja et al., 2005).

4. 계획 및 중재

1) 간호중재 계획

간호사는 병동이나 프로그램 운영 시 환자의 문제에 대해 기대되는 결과와 함께 표준화된 치료계획을 세운다. 이러한 치료계획은 정신과적 진단(예: 주요우울장애) 또는 좀 더 특정한 문제(예: 자해)에 초점을 맞출 수 있다. 초기 치료계획은 언제든지 수정될 수 있지만, 보통은 즉각적으로 다루어져야 할 한두 가지의 행동적 문제, 즉, 자살, 공격, 방화, 도주, 철회 또는 격리, 망상, 환각, 충동적이거나 강박적인 행동, 의심, 비협조, 사고과정의 변화 등에서 시작한다. 자살충동(문제)이 있는 환자는 24시간 이내(한정된 시간)에 자해하지 않겠다는 서약서에 서명하게 하고(결과), 입원 3일까지(한정된 시간) 자살사고에 어떻게 대처할지 말로 표현하도록 한다(결과). 자살충동과 관련된 간호중재로는 (1) 안전에 대한 환자의 동의, (2) 환자의 방에서 위험한 물건을 제거하는 것, (3) 매 근무마다 자살사고에 대해 사정하는 것이 포함된다.

현재의 치료적 환경 내에서 표준화된 치료계획의 목표는 효율적인 방법으로 성과를 내는 치료적 활동을 신속하게 하는 것이다. 간호중재는 특히 '안전, 구조, 지지 및 증상 관리'에 중점을 둔다. 간호사는 표준화된 계획에 따라 실행하더라도 환자들이 개별적인 존재임을 항상 기억해야 한다. 치료계획을 수립할 때 환자 고유의 문제와 요구 사항이 간과되어서는 안 된다.

정신질환이 있는 만성질환자는 정신질환이 없는 만성질환자에 비해 수년을 일찍 사망하는 경향이 있다. 정신장애인의 신체적 질환에 대한 치료가 정신과에서 소홀하게 다루어지고 있고, 중증 정신장애인들의 기대수명은 미국인의 평균 기대수명보다 30% 더 짧다(Fagiolini & Goracci, 2009). 정신간호사는 대인관계 기술과 건강사정 기술을 모두 사용할 수 있어야 한다. 그럼에도 불구하고, 정신간호는 환자가 스스로 문제를 해결하고 원하는 결과를 얻도록 돕기 위해 말로 하는 언어적 중재를 주로 사용한다.

정신간호사는 일차적인 촉진자이며 교육자이다. 환자는 자신의 목표를 달성하기 위한 구체적이고 확고한 계획을 세우는 데 도움이 필요할 수 있다. 예를 들어, 환자는 새 아파트를 구하는 목표를 세울 수 있지만, 어디서 어떻게 아파트를 얻어야 하는지, 각각의 장단점은 무엇인지 판단하는 데는 도움이 필요하다.

2) 기록 및 보고

기록의 형식은 각 기관마다 다를 수 있지만(예: 전자기록), 구성요소는 기본적으로 같으며, 환자의 진술, 간호사의 관찰, 분석 및 계획이 포함된다. 간호기록지 및 교대 보고서는 치료의 연속성을 보장하기 위한 팀원 간 의사소통의 주요 방법이다. 이런 기록들을 통하여 치료계획의 효과와 장·단기적 치료목표의 진행 정도를 평가할 수 있다. 간호사는 모든 기록이 법적 기록이며, 동료, 평가기관 및 질 향상 부서, 평가 인증기관들이 검토할 수 있음을 기억해야 한다(Oermann & Huber, 1999). 표 9-3은 간호기록지의 구성요소를 설명하고, 한OO 님에 대한 간호기록의 예를 제시한다. 교대 보고서는 간호기록지에 포함된 항목이 간결하게 집약된 목록이다.

표 9-3 간호기록지의 구성요소

- 주관적 내용: 환자의 사고, 기분, 행동, 문제점들에 대한 환자 자신의 진술을 기술한다.
- 객관적 내용: 환자의 외모, 비언어적인 행동, 활력징후 등 간호사가 측정하거나 관찰한 사항을 적는다.
- 분석, 결론: 환자가 보여주는 행동이나 경험하고 있는 것에 대한 간호사의 판단, 확인된 방어기전, 기분, 문제들을 기술한다. 우울한 기분이나 편집증적 사고가 논의될 수 있으며, 환자에게 나타난 결과, 즉 퇴행되었는지, 좋아졌는지 그리고 약물에 대한 반응을 기술한다.
- 계획: 과정기록지에 기술된 환자의 문제를 중재하기 위하여 간호사나 다른 치료팀원들이 할 수 있는 행동을 기술한다.

한OO 님의 간호기록지

일시: 2020년 3월 2일, 16:00

S: "이제는 조금은 덜 피곤하네요."
"왜 별거하게 되었는지는 잘 모르겠고, 혼자 살 자신도 없어요."
"죽었으면 좋겠어요. 하지만 그것을 계획하진 않았어요. 진짜로 죽지는 않을 거예요."
"다니는 회사에 전화해서 병가를 연장해 달라고 말했어요."
"아들과 딸에게도 전화해서 면회에 대해 이야기하였어요."

O: 표정이 없고, 우울한 정동을 보임, 느린 움직임과 말투, 치료적 집단 모임과 만들기 모임에 들어갔으나 잠시 있다가 나왔음, 2시간 낮잠을 잠

A: 환자는 자신의 생각과 감정을 표현할 수 없지만 죄책감, 무력감, 절망감이 있음, 현재 분노는 거의 보이지 않으며, 자살사고는 있지만, 실행에 옮길 에너지는 부족함, 성인이 된 자녀로부터 지지를 받을 수 있음

P: 1. 환자에게 자주 다가가서 함께 있는다.
2. 감정, 특히 분노를 말로 표현하도록 한다.
3. 자살사고와 에너지 수준을 점검한다.
4. 처방대로 투약을 지속한다.
5. 집단 모임이나 활동에 참여하도록 격려한다.

3) 간호중재

간호중재에서 제시된 환자의 행동은 환자의 의학적 진단명에 관계없이 어디서든 관찰할 수 있는 환자의 행동들이다.

(1) 폭력적 행동

환자들이 화가 났음을 말로 표현할 때 의료진의 개입으로 조절되지 않을 경우 폭력이나 상해의 우려가 있다. 다음은 이에 대한 가능한 보호책이다.

- 일정 거리 유지하기(환자가 위협감을 덜 느끼도록)
- 동의 없이 환자를 만지지 말 것
- 환자의 행동이 과격해진다면 주제를 일시적으로 전환할 것
- 환자에게 자극이 적은 조용한 공간에서 시간을 보낼 수 있도록 제안할 것
- 행동이 조절되지 않는 환자가 있는 방에 치료자 혼자 들어가지 말 것
- 환자가 초조해하고 혼자 있고 싶어 하면 일시적으로 그렇게 하도록 허용할 것
- 환자가 통제력을 상실했을 때는 다른 직원의 지원을 요청할 것

(2) 환각

환각 증상으로 입원한 환자에 대한 중재는 일반적으로 다음과 같은 순서로 진행된다.

1. 환청을 듣고 있거나 환청과 이야기하는 환자들에 대한 초기 접근법은 행동에 대해 말해 주는 것이다. "무언가 듣고 계신 것처럼 보이는데, 무슨 소리를 들으셨어요?"
2. 만약 환자가 간호사는 들을 수 없는 환청을 듣는다면, 간호사는 이렇게 말할 수 있다. "저는 아무 소리도 못 들었어요. 어떤 소리가 들렸는지 말해 주시겠어요?"
3. 환청의 내용을 분석하면 환자의 질병 역동을 알 수 있다. 일반적으로 무력감, 증오, 죄책감이나 외로움이 담겨있다.
4. 환청 내용을 파악한 후에는 환청에 초점을 맞춤으로써 환청을 강화시킬 필요는 없다. "그 소리가 당신에게 중요하다는 것을 알고 있습니다. 지금은 외로움에 대해 더 이야기해보도록 하지요."
5. 결국 환자는 환청을 의식하지 않으면서 좀 더 생산적인 활동에 참여함으로써 활동, 음악, 타인들과의 상호작용 등을 통해 관심을 전환하는 방법을 배우게 된다.

예외적인 상황은 환청이 환자에게 자해나 타해를 하도록 명령하거나 파괴적인 행동을 하라고 시키는 경우이다. 이러한 경우에 간호사는 환자가 환청의 명령에 따라 행동하

지 않도록 환자로부터 약속을 받고, 직원들에게 이러한 사항을 알려야 한다. 또 다른 예외 상황은 환자가 치매나 중증 인지장애가 있는 경우이다. 인지기능이 손상된 환자들은 환각의 내용이나 주제를 사고과정을 통해 처리하기 어렵다. 이들에게는 환각을 무시하고 관심을 다른 곳으로 전환시키는 전략이 더 유용하다.

(3) 망상

망상과 관련된 초기 접근법은 "누가 당신을 해치려고 한다고 생각하십니까?" 또는 "당신이 가지고 있다고 생각하는 그 힘에 대해 이야기해주세요"처럼 의미를 명확히 하는 것이다. 환각과 마찬가지로 망상도 의미가 분명해진 후부터는 더 이상 논의하지 않아야 한다. 망상에 대해 환자와 언쟁을 벌이는 것은 비효과적이고 부적절하며, 망상에 대한 환자의 믿음을 강화시킬 수 있다. 망상의 근본적인 의미는 중재에서 다룬다. 예를 들어, 자신이 여왕이라고 믿는 환자의 경우에는 간호사가 현실적인 방법으로 자신이 중요하다는 느낌을 갖도록 도울 수 있다. 망상으로 인해 환자가 자신이나 타인에게 해를 끼칠 수 있는 경우 세심한 관찰이 필요하다. 모든 음식에 독이 들어있다고 믿어 음식을 거부하는 환자를 주의 깊게 관찰해야 하는 것이 그 예이다. 치매나 심한 인지장애가 있는 환자의 경우에는 증상에 대한 적절한 무시와 전환요법이 더 효과적일 수 있다.

(4) 가치관의 갈등

간호사와 환자는 서로가 상반된 신념이나 가치관으로 인해 갈등을 겪는 경우가 있다. 간호사는 환자가 바라보고 있는 관점을 이해해야 한다. 간호사는 환자가 가지고 있는 생각이 환자의 삶 속에서 관계와 행복에 어떠한 영향을 미쳤는지, 그 결과에 대해 생각해 보도록 격려해야 한다. 예를 들면, 음주는 합법적이므로 자신이 원하는 만큼 마실 수 있는 권리가 있다고 생각하는 환자가 있을 수 있다. 이러한 환자에게 지지적인 직면을 통하여 환자로 하여금 자신의 결혼, 직업, 건강, 경제적 상황에 대한 음주의 영향을 살펴보도록 도울 수 있다. 일반적으로 환자는 자신이나 주변의 다른 사람들에게 문제를 일으키지 않는 한 자신의 신념이나 행동은 바꾸려 하지 않는 경향이 있지만, 긍정적인 효과가 있는 신념과 행동은 강화시킬 필요가 있다.

(5) 심한 불안 및 지리멸렬

환자가 심하게 흥분하고 혼란스러워하거나 정신증적 증상이 있을 때 환자의 혼란스러운 사고과정이 언어에서 드러난다. 이때 중요한 점은 환자의 언어적인 표현에 대한 의미를 분명히 하는 것이다. 그러나 증상이나 불안이 심한 환자들은 자신의 상태를 분명하게 표현할 수 없고, 반복되는 질문이 오히려 불안을 가중시킬 수 있다. 이럴 때는 환자가 말하는 내용보다는 그들의 감정이나 내재된 의미에 집중하는 것이 더 효과적이다. 환자를 좌절시키거나 압박하지 않고 짧은 만남을 자주 가지면서 지지하고 신뢰감을 형성한다.

(6) 조종

일반적으로 의료진에 대한 환자의 조종(manipulation)은 관심, 연민, 통제감, 의존성을 얻기 위함이다. 간호사는 분노나 당혹감을 경험할 수 있다. 환자가 치료진을 조종하려는 행동을 했을 때 초기 접근법은 다음과 같다.

- "환자분 마음이 매우 고통스럽고, 환자분의 고통을 덜기 위해 제가 무언가 해주기를 바라시는 것 같아요. 환자분의 고통을 완화하기 위해서 환자분이 할 수 있는 것에 대해 이야기해 볼까요?"
- "환자분이 많은 관심을 받고 싶어한다는 걸 알겠어요. 환자분이 정말 원하는 것은 무엇인가요?"

조종하는 환자에게는 한계를 설정하는 것이 필요하다. 환자와의 힘겨루기는 무의미하다. 환자가 자신의 욕구를 다른 사람들에게 직접적으로 표현하도록 돕는 것이 좀 더 생산적이다.

(7) 우는 행동

환자의 우는 행동이 의료진을 조종하거나 지연시키려는 비생산적인 행동이 아니라면, 오히려 "울어도 괜찮습니다"라고 말하며 티슈를 건네주고 환자가 울음을 통해 긴장을 완화할 수 있도록 해야 한다. 간호사는 환자의 울음이 멈출 때까지 가능한 조용히 방해가 되지 않도록 한다. 울고 난 후 간호사는 환자에게 울게 된 상황에 대해 이야기할 수 있는 기회를 제공한다.

(8) 성적 농담과 부적절한 접촉

환자들은 일반적으로 하지 말라고 하면 부적절한 행동을 멈춘다. 환자들에게 행동이 부적절했음을 말해주어야 한다. 그 다음 문제가 되는 행동에 담긴 욕구를 논의한다. 만약 그러한 행동이 지속된다면 제한을 설정하는 것이 더 강력할 수 있다. "저는 환자분과 이야기하고 싶지만, 환자분이 계속 저를 만지면 이야기를 할 수 없습니다", "만일 환자분이 행동을 멈추지 않는다면, 저는 지금 이 자리를 떠나 나중에 다시 와야 합니다"라고 말하는 것이 제한 설정의 예이다.

간호사는 성적 문제 또는 경계 문제가 있는 환자에게는 가능한 터치하지 않는 것이 좋다. 특히 환자가 자신의 경계에 어려움을 겪고있을 때, 간호사는 치료적 관계에서 전문적인 경계(professional boundaries)를 유지할 책임이 있다(Gutheil, 2005).

(9) 부정하거나 비협조적인 행동

환자는 여러 가지 이유로 간호사와의 치료적 목표를 위한 활동에 비협조적일 수 있다. 대개 이유는 환각, 망상, 지남력 상실, 혼돈과 같은 심한 증상 때문이다. 어떤 환자들은 증상은 심하지 않지만 자신에게 남아 있는 문제에 대해 부정하고 문제에 대한 인식이나 치료적 욕구에 대한 인식이 부족할 수 있다(McGorry & McConville, 2000). 경우에 따라서는 도움을 받아야 한다고 인정하는 환자가 제공된 치료에 대해서는 동의하지 않을 수 있다. 어떤 환자들은 자신의 행동이 무익하고 해로운 것임을 알고 있음에도 불구하고 변화를 두려워할 수도 있다. 경청, 명료화, 생각을 말로 표현하기 등을 통하여 협조하지 않는 이유를 확인할 수 있다. 행동의 원인, 두려움, 결과 등은 다음과 같이 직접적으로 논의된다. "당신이 문제를 회피하기 위해 마시는 술을 포기해야 한다면 예상되는 두려움은 무엇입니까?" 이러한 환자에게 있어서 신뢰는 중요한 관건이다(Bender, 2005). 간호사가 신뢰를 높이기 위해서는 많은 인내심이 필요하다.

(10) 우울 정동, 무감동, 정신운동지연

환자가 슬픔, 무력감, 절망, 에너지 부족, 모든 것에 대해 부정적인 태도를 보일 때, 간호사는 이러한 감정을 다루기 위한 효과적인 방법으로 인내심, 잦은 접촉 및 공감을 사용한다. 환자가 변화의 필요성을 인식하고 있더라도 빠른 적응을 위한 에너지를 항상 소유하고 있는 것은 아니다. 개인위생, 적절한 영양섭취 및 점진적인 활동 증가가 필요하다. 중요한 결정은 정서가 진정되고 좀 더 논리적인 사고가 가능해질 때까지 기다린다.

(11) 의심

환자가 의심을 할 때 그들은 모든 것들에 대해 두려움을 느낄 수 있다. 이때 간호사는 분명하고, 간단하며, 합리적으로 의사소통해야 한다. 환자에 의한 그릇된 해석은 명확성을 가려야겠지만, 서로 다른 견해에 대한 논쟁은 피해야 한다. 규칙, 활동, 사건, 소음 및 요청사항에 대한 간단한 이유나 설명을 정기적으로 제공한다. 환자의 참여를 강요하기보다 격려하면 두려움이 증가하는 것을 막을 수 있다.

(12) 과다활동

환자의 과도한 신체적 및 정서적 활동은 다른 환자, 직원 및 환자 자신을 혼란스럽게 한다. 환자는 의도하지 않게 자신이나 다른 사람에게 해를 끼칠 수 있다. 이런 환자들은 최소한의 시청각 자극을 주는, 조용한 공간에 있어야 한다. 간호사는 조용하고, 천천히, 부드럽게 말하며, 환자의 개인적 공간을 인정해 주어야 한다. 때때로 수면을 촉진시키는 약물을 포함한 prn 약물이 요구된다.

(13) 전이 및 역전이

전이(transference)는 환자의 과거 관계나 경험이 현재 상황에 영향을 주어 나타나는 무의식적 정서 반응이다(Evans, 2007). 예를 들어, 환자는 간호사의 실제 행동과는 무관하게, 간호사의 행동을 자신의 어머니의 행동방식으로 인식할 수 있다. 전이는 망상의 형태로 심각할 수도 있고, 모든 남성은 공격적이고 모든 여성은 순종적이라는 성적 고정관념처럼 미묘할 수도 있다. 만일 환자가 간호사를 조력적이고 돌봄을 제공하는 사람으로 본다면, 전이가 긍정적일 수 있다. 부정적인 전이는 치료를 방해하는 분노와 두려움과 같은 불쾌한 정서로 나타나 다루기가 더 어려운 경향이 있다. 전이를 사고에 대한 과잉 일반화로 보는 견해도 있다(Rabinovich & Kacen, 2009).

역전이(countertransference)는 환자의 전이 감정에 대한 반응으로 생길 수 있다(Jones, 2004). 예를 들어, 환자가 간호사를 비난하면 간호사는 자신이 과거에 학교에서 선생님에게 비난받았던 감정을 다시 느낄 수 있다. 다른 간호사는 자신에게 발전할 수 있도록 자극을 준 좋은 선생님을 기억할 수도 있다. 이런 긍정적, 부정적 감정은 간호사의 치료적 능력에 걸림돌이 될 수 있다(Satir et al., 2009).

이에 대한 첫 번째 중재는 전이나 역전이 감정을 인식하는 것이지만, 무의식적 기전이 작용하기 때문에 어려울 수 있다. 동료 간호사는 다른 사람들보다 이러한 현상을 먼저 인식하고, 그 간호사에게 피드백을 줄 수 있는 가능성이 높

CASE STUDY

한OO 님은 46세의 여성으로 1주일 전 이혼을 요구한 남편과 별거에 들어간 상태이다. 그녀의 아들과 딸은 엄마가 샤워나 식사를 하지 않고 계속 침대에 누워 있는 것을 보고 그녀를 병원으로 데리고 왔다. 자녀들은 엄마가 자살사고가 있다고 말하였고, 자살사고를 주호소로 입원했지만 모든 자살계획에 대해서는 부정하고 있다. 신체적 · 정신적 병력이나 복용 중인 약물은 없는 상태이다. 한OO 님은 한 달 전 친구를 마지막으로 만났으며, 지금은 더 이상 아무것도 하고 싶지 않다고 한다. 부모와는 먼 거리에 살고 있고, 4일 전 재직하던 학교에 전화를 걸어 아프다고 말했다고 한다. 한OO 님은 입원하여 주로 누워 지내지만 잠은 3~4시간만 잔다. 그녀는 우울증 진단 하에 입원하였고, 그녀의 상태는 정신상태사정(표 9-2), 간호기록지(표 9-3), 과정기록(표 9-4)과 치료계획에 제시되어 있다.

간호과정

이름: 한OO **입원일:** ______________
DSM-5 진단: 주요우울장애

사정	**강점:** 환자를 돌볼 가족이 있고, 업무 능력이 있으며, 도움을 요청할 사람이 있고, 추상적인 사고가 가능함 **간호문제:** 침대에서 나와 스스로를 돌보지 못하며, 구체적인 실행 계획이 없는 자살사고가 있고, 사회적인 지지가 줄어들었으며, 이혼이 임박함
진단	1. 임박한 이혼 및 자살사고와 관련된 자살의 위험성 2. 혼자 사는 것에 대한 분노 및 두려움과 관련된 불안(근거: 무력감을 표현함) 3. 자신감 및 자기가치감 저하와 관련된 절망감(근거: 자신을 스스로 돌보지 못함)
간호목표 날짜: _______ 날짜: _______ 날짜: _______ 날짜: _______ 날짜: _______ 날짜: _______	**단기 목표** 환자는 자살사고가 있을 때 치료진에게 말하는 것에 동의할 것이다. 환자는 남편과의 상황에 대한 분노감을 말로 표현할 것이다. 환자는 친구, 고용주, 자녀들에게 전화로 도움을 요청할 것이다. **장기 목표** 환자는 퇴원 후 거주할 장소에 대해 말할 것이다. 환자는 스스로를 돌볼 수 있는 능력에 대한 자신감을 말로 표현할 것이다. 환자는 추후 자살을 시도할 경우 그녀가 이용할 수 있는 유용한 자원들에 대해 말할 것이다.
계획 및 중재	**간호사 - 환자 관계** 간호를 통한 자살 예방, 자살사고와 에너지 수준 모니터링, 일상생활 활동 격려, 이완법 교육, 기분을 표현하도록 지지함, 강점의 강화, 지지자원 목록 작성 지원 **약물치료:** 매일 아침 Fluoxetine 20mg 경구투약 **치료적 환경관리:** 병실 밖에서의 생활 격려, 비애와 상실, 자존감, 자기주장, 문제해결, 오락 등을 다루는 모임 참여 요청
평가	환자는 퇴원 후 딸과 함께 머물 것이다. 환자는 고용주에게 전화하여 병가 연장을 신청하였다.
의뢰	환자는 외래 상담을 약속했다. 환자는 이혼 회복 집단과 24시간 위기 및 생명의 전화에 대한 정보를 알고 있다.

다. 간호사들은 환자와의 상호작용 전 자신의 강점, 약점, 편견 및 가치들을 검토해야 한다. 환자의 전이 반응도 직접적으로 조심히 다루어져야 한다. 환자가 간호사에게 부적절하게 행동할 때에는 제한을 설정하는 것이 필요하다.

5. 평가

1) 환자의 호전

목표가 현실적이고 측정 가능할수록 간호사는 환자의 호전 정도에 대해 보다 분명하게 느낄 수 있다. 정신간호를 평가함에 있어서 너무 많은 변화를 성급하게 기대할 때 문제가 발생한다. 목표와 관련된 호전이 없다면 재사정이 이루어져야 한다. 환자가 좋아졌음을 평가하는 것은 돌봄의 연속선상에서 다른 서비스로의 연계를 결정하는 데 있어서 중요하다. 약물 및 치료에 대한 이전의 불이행 문제는 입원 초기에 해결되어야 한다. 이 문제는 외래진료에 영향을 줄 수 있다(Julius et al., 2009). 간호사는 환자 호전에 대한 평가와 함께 간호중재에 대해서도 평가한다.

2) 퇴원 요약

많은 기관에서 간호사가 전원이나 퇴원요약지 그리고 환자에게 주는 퇴원설명서를 작성한다. 이러한 정보들을 통하여 환자가 달성한 성과와 아직 미해결된 목표를 확인할 수 있다. 용량과 복용 시간이 포함된 투약, 추후 방문 일시, 다른 기관으로의 연계 등의 내용이 퇴원설명서에 포함되어 있다. 따라서 퇴원설명서를 읽고 이해할 수 있는 환자의 능력을 사정하는 것이 중요하다(Atreja et al., 2005).

3) 과정기록

페플라우(Hildegard E. Peplau, 1968)는 간호중재의 예를 보여주기 위해 과정기록을 이용하였다. 과정기록은 간호사, 특히 학생간호사가 환자를 효과적으로 돌보는 방법을 배울 수 있는 도구이다. 과정기록을 통한 의사소통 기법의 이용은 환자를 돕는 방법을 배우고 문제해결을 중요하게 다룰 수 있다.

이 방법을 통하여 의사소통 기술을 평가 및 분석하고, 환자의 문제를 인식하며, 간호중재의 효과를 평가한다(Festa et al., 2000). 오디오테이프나 비디오테이프를 이용한 기록은 서면 보고서와 비교하면 더 정확하지만, 대부분의 환경 내에서나 많은 환자들에게서 쉽게 얻을 수 있는 것은 아니다. 과정기록은 환자와의 만남을 가능한 한 있는 그대로 기록한 것이다. 기록은 일반적으로 간호사와 환자와의 언어적 상호작용뿐만 아니라 비언어적인 행동들을 포함한다.

내용, 기분 및 상호작용 주제에 대한 분석은 각각의 서면 진술서 다음에 포함되거나 과정기록의 끝에 요약될 수 있다(Festa et al., 2000). 서면 작성된 한OO 님의 과정기록의 예가 **표 9-4**에 제시되어 있다.

표 9-4 | 한OO 님의 과정기록 사례

간호사는 한OO 님에게 자신을 소개하고, 환자보다 조금 앞서서 천천히 걸으며 사무실로 가는 길을 안내한다. 환자는 간호사를 보지 않은 채 따라온다. 사무실에서 간호사는 책상 의자에 앉아 서류를 펼친다. 환자는 무릎 위에 양손으로 지갑을 든 채 책상 옆 의자에 앉아 있다.

간호사		환자		분석	
언어적	비언어적	언어적	비언어적	주제	치료적 기술
• "한OO 님은 어떻게 불러주길 원하십니까?"	• 한쪽 손은 펜을 들고, 다른 손은 책상에 놓은 채 환자를 바라본다.	• "(망설이다가) 한OO 이요."	• 바닥을 바라보고 있음	• 내용: 대상자 중심의 대화	• 질문하기, 적극적 경청

〈계속〉

• "우리가 한OO 님에 대해 좀 더 알게 된다면, 한OO 님을 더 잘 도울 수 있을 겁니다. 최근 무슨 일이 있었나요?"	• (위와 같음)	• "(망설이다가) 그가 떠나면서 뭐라고 말하던가요?"	• 고개를 약간 드나 여전히 바닥을 보고 있음. 웃거나 찌푸린 표정은 관찰되지 않음	• 내용: 피로감과 그로 인한 영향들을 표현함 • 정서: 슬픔 • 상호작용: 간호사에게 마음을 엶	• 정보의 공유, 질문하기
• "얼마나 오랫동안 피곤함을 느끼셨나요?"	• 기술하며, 환자를 바라본다.	• "모르겠어요. (망설임) 일주일 정도 된 것 같아요."	• (위와 같음)	• 내용: 별거 및 이혼 가능성에 대한 불확실함	• 사건을 시간 순서로 나열하기, 적극적인 경청
• "일주일 전에 무슨 일이 있었나요? 이것에 대해 이야기하는 것이 한OO 님에게는 어려운 일이라는 걸 이해합니다."	• 환자를 향해 몸을 기울인다. 티슈 박스를 환자에게 건넨다. 두 팔은 무릎 위에 두고 환자를 바라본다.	• "(망설이다가) 나의 남편이 (망설이다가) 떠났어요."	• 지갑을 열려고 하며 눈물을 흘림. 고개를 끄덕이며 시선이 약간 올라오나 아직 간호사를 바라보지는 않음. 가끔 티슈로 눈물을 닦음	• 정서: 슬픔, 죄책감	• 초점 맞추기, 공감, 침묵, 질문하기
• "그가 떠나면서 뭐라고 말하던가요?"		• "그는 저주 받았어요. (망설이다가) 그는 이혼을 원했어요."		• 상호작용: 남편과의 갈등에 있어서 간호사를 더 신뢰함	
• "한OO 님은 남편분에게 뭐라고 했나요?"	• 환자 쪽으로 가볍게 몸을 기울인다. 한쪽 팔은 무릎에, 다른 쪽 팔은 의자의 팔걸이에 둔다.	• "나는 모르겠어요. 기억나지 않아요. (망설이다가) 아마 그에게 가지 말라고 요청한 것 같아요."	• 조용히 울고 있음	• 내용: 단기 기억장애로 상황을 기술하기가 어려움	• 초점 맞추기, 적극적인 경청
• "그리고 어떤 일이 발생했나요?"	• (위와 같음)	• "모든 것이 흐릿해요. 나는 하루 종일 울었어요."	• (위와 같음)	• 정서: 슬픔, 죄책감 • 상호작용: 자포자기, 외로움	• 초점 맞추기
• "뭐라고 얘기했나요?"	• (위와 같음)	• "아무것도요. (망설이다가) 우리 애가 결혼해서 떠났어요. 나는 계속 침대에만 있었어요. "	• 우는 횟수가 약간 줄어듦	• 내용: 도움을 청할 수가 없었고, 이혼에 대한 쟁점을 회피함 • 정서: 슬픔 • 상호작용: 지지 부족에 대한 인식	• 초점 맞추기
• "한OO 님이 피로감을 느꼈을 때 자해에 대한 생각을 했나요?"	• (위와 같음)	• "(망설이다가) 나는 혼자되는 것이 무서웠어요. 그래서 차라리 죽는 편이 나을 것 같다고 생각했어요."	• 두 손을 무릎에 둔 채 처음으로 간호사를 바라봄	• 내용: 두려움에 대한 인식, 계획이 없는 자살사고, 문제해결의 어려움	• 질문하기
• "자살에 대해 어떤 생각을 했나요?"	• (위와 같음)	• "나는 아무 생각도 할 수 없었어요. 내가 뭘 해야 될지도 몰랐구요."	• 다시 바닥을 바라봄	• 정서: 슬픔, 우울 • 상호작용: 자포자기, 지지 부족, 간호사에게 마음을 엶	• 초점 맞추기
• "아직도 자살에 대해 생각하고 있나요?"	• 환자에게 티슈를 건넨다.	• "아니요. 그렇지만 (망설이다가) 아직도 내가 죽었으면 해요. 내가 뭘 해야 할지 모르겠어요."	• 코를 풀고 손을 무릎에 놓으며 간호사를 바라봄	• 내용: 자살사고의 최소화, 양가감정과 무력감은 남아있음 • 정서: 슬픔	• 초점 맞추기

STUDY NOTES

1. 정신간호과정은 대상자의 건강증진, 일차 예방, 치료 및 재활을 촉진하기 위한 대상자 중심의 목표 지향적 활동이다.
2. 간호사정은 간호과정의 첫 단계로 대상자의 일반적 정보를 비롯하여 신체적 · 정신적 · 영적 영역을 관찰하여 문제 영역과 대상자의 강점 영역을 찾아내는 것이다.
3. 정신상태사정은 정신과에서 환자 사정 시 매우 중요한 부분이다. 대상자의 전반적인 외모, 행동과 활동 상태, 태도, 언어, 기분과 정동, 지각, 사고 내용과 과정, 인지 상태(의식수준, 지남력, 기억력, 주의집중력, 지능, 판단력, 병식), 환자로부터 얻은 정보에 대한 신뢰성 등을 확인하여 기록한다.
4. 간호진단은 환자의 말과 행동에서 드러난 문제를 확인하는 것으로, 실제적인 문제들에 대한 위험성, 기여 요인이나 원인적인 요인, 환자가 보이는 특징이나 행동에 대한 기술이다.
5. 목표나 기대되는 결과는 역기능적인 행동을 대체할 수 있는 적응적인 행동을 구체화하는 것이다. 행동목표는 현실적으로 달성할 수 있어야 하고 측정이 가능해야 한다. 단기 목표나 단기적으로 기대되는 결과는 입원환자의 경우 4~6일 이내에 달성하거나 좀 더 오랜 기간이 걸릴 수 있다. 장기 목표는 치료의 연속선상에서 퇴원 후 다른 유형의 서비스와 연결되어 후속 상담이 필요하다.
6. 간호사는 환자의 문제에 대해 기대되는 결과와 함께 표준화된 치료계획을 세운다. 초기 치료계획은 언제든지 수정될 수 있지만, 일반적으로 즉각적으로 다루어져야 할 한두 가지의 행동적 문제를 다룬다.
7. 간호사는 치료계획에 따라 간호중재를 수행하며, 특히 환자의 폭력적 행동, 환각, 망상, 조종 행동, 부적절한 성적 행동 등에 대한 적절한 간호중재를 수행해야 한다.
8. 간호사는 환자 호전에 대한 평가와 함께 간호중재에 대해서도 평가를 한다. 환자가 좋아졌음을 평가하는 것은 돌봄의 연속선상에서 다른 서비스로의 연계를 결정하는 데 있어서 중요하다.

참고문헌 REFERENCES

Atreja, A., Bellam, N., & Levy, S. R. (2005). Strategies to enhance patient adherence: Making it simple. MedGenMed Medscape General Medicine, 7(1), 4.

Bender, D. S. (2005). The therapeutic alliance in the treatment of personality disorders. Journal of Psychiatric Practice, 11(2), 73–87.

Evans, A. M. (2007). Transference in the nurse–patient relationship. Journal of Psychiatric and Mental Health Nursing, 14(2), 189–195.

Fagiolini, A., & Goracci, A. (2009). The effects of undertreated chronic medical illnesses in patients with severe mental disorders. Journal of Clinical Psychiatry, 70(Suppl. 3), 22–29.

Festa, L. M., et al. (2000). Maximizing learning outcomes by videotaping nursing students' interactions with a standardized patient. Journal of Psychosocial Nursing and Mental Health Services, 38(5), 37–44.

Gutheil, T. G. (2005). Boundary issues and personality disorders. Journal of Psychiatric Practice, 11(2), 88–96.

Julius, R. J., Novitsky, M. A., Jr., & Dubin, W. R. (2009). Medication adherence: A review of the literature and implications for clinical practice. Journal of Psychiatric Practice, 15(1), 34–44.

Lynch, M. A., et al. (2008). Assessment and management of hospitalized suicidal patients. Journal of Psychosocial Nursing and Mental Health Services, 46(7), 45–52.

McGorry, P. D., & McConville, S. B. (2000). Insight in psychosis. The Harvard Mental Health Letter, 17, 3.

Oermann, M. H., & Huber, D. (1999). Patient outcomes: A measure of nursing's value. American Journal of Nursing, 99(9), 40–48.

Rabinovich, M., & Kacen, L. (2009). Let's look at the elephant: Metasynthesis of transference case studies for psychodynamic and cognitive psychotherapy integration. Psychology and Psychotherapy, 82(4), 427–447.

Satir, D. A., et al. (2009). Countertransference reactions to adolescents with eating disorders: Relationships to clinician and patient factors. The International Journal of Eating Disorders, 42(6), 511–521.

최귀순, 고성희(2011). 정신간호 이론의 이해와 적용: 사례중심의 간호과정 적용. 메디컬 코리아.

UNIT 2

치료와 환경

CHAPTER

10

정신치료

Psychotherapy Therapy

evolve WEBSITE

http://evolve.elsevier.com/Keltner

학습목표

- 개인 정신치료를 설명하고 적용한다.
- 정신분석치료의 주요개념을 설명한다.
- 정신역동적 정신치료의 주요개념을 설명한다.
- 지지적 정신치료의 주요개념을 설명한다.
- 대인관계 정신치료의 주요개념을 설명한다.
- 각 정신치료에서 사용하는 치료적 기법을 설명한다.
- 집단치료의 장점 및 치료적 요소를 확인한다.
- 각 집단 유형의 주요 목적을 파악한다.
- 집단을 치료적으로 운영하고 관리하기 위한 간호사의 역할을 기술한다.

1. 개인정신치료

정신치료(psychotherapy)란 다양한 이론체계를 기반으로 한 기법을 사용하여 언어적 또는 비언어적 의사소통을 통하여 대상자에게 정신적 영향을 주어 문제를 해결해가는 심리치료 방법이다. 정신치료의 목표는 대상자의 증상을 제거하거나 완화시키며, 결과적으로 성격의 성장과 발전을 도모하여 현실에 잘 적응하도록 돕는 것이다. 정신치료는 치료대상자의 수에 따라 개인정신치료와 집단정신치료로 구분하는 것이 일반적이다.

1) 정신분석치료

정신분석(psychoanalysis)은 프로이트(Sigmund Freud)에 의해 개발되었으며, 대상자의 무의식에 억압된 내용을 의식화하도록 도와주어 자신에 대한 통찰을 얻도록 돕는 치료이다. 프로이트는 '무의식(unconsciousness)'이란 용어를 처음으로 사용하면서, 무의식이 인간발달 및 심리 문제와 관련되어 있다고 하였다. 프로이트의 정신분석에 의하면, 우리가 의식하지 못하는 무의식이라는 정신세계는 우리가 알아차리지 못하는 모든 사고, 감정, 기억할 수 없는 생리적·심리적 경험을 담고 있으며, 사람들은 자신이 행동하고 동기를 부여하는 것이 무엇 때문인지를 의식하지 못한다(Ivey, D'Andrea, & Ivey, 2012).

프로이트는 정신질환이 유년 시절에 경험했던 무의식적 정신내적 갈등에 의해 유발된다고 생각하였다. 무의식의 내용을 의식화하기 위하여 자유연상, 꿈 해석, 전이와 역전이에 대한 분석을 사용하였다. 정신분석 치료자는 대상자의 무의식을 알아내기 위하여 대상자에게 생각나는 어떤 것이라도 말하도록 하는 자유연상(free association)을 사용한다. 그리고 무의식에 억압된 소원이나 바람이 무엇이었는지, 그것이 꿈속에서 어떤 상징으로 어떻게 표현되었는지 등을 알아내기 위하여 꿈 해석(dream interpretation)을 한다.

전이와 역전이도 정신분석에서 알아야 할 주요개념이다. 전이(transference)는 과거 어린 시절에 중요한 사람(부모나 형제 등)과의 관계에서 경험했던 어릴 적 감정과 욕구, 기대 등을 현재 상황에서 반복하려는 경향을 말한다. 예를 들어, 어릴 때 지배적인 어머니 밑에서 심한 압박을 받고 자란 대상자는 치료자 앞에서 어머니에게 보였던 적응방식을 보이고, 치료자의 행동 중에 조금이라도 지배적인 면이 있으면 민감하게 반응한다. 하지만 대상자는 자신의 감정이나 행동을 치료자와의 현재 관계에 의한 것이라고 생각한다(정방자, 1998). 역전이(countertransference)는 치료자와 대상자 간의 관계에서 치료자가 대상자에게 갖게 되는 무의식적인 감정을 의미한다. 예를 들어, 어떤 대상자를 볼 때 치료자가 싫어하는 특정 누군가가 떠오른다면, 치료자는 대상자가 해당 인물인 것처럼 무의식적으로 싫어하는 반응을 나타낼 수 있다.

정신분석 치료과정에서 대상자는 자신의 무의식적 갈등이나 감정을 드러내지 않으려는 저항(resistance)이 나타나기도 한다. 치료자는 대상자가 병식을 갖게 하고, 변화를 가져오도록 노력하는데 반해, 대상자는 자신의 현 상태를 유지하려는 무의식적 과정으로 괴롭고 불안한 일이 더 이상 드러나지 않도록 피하는 것이다. 예를 들어, 갑자기 뚜렷한 이유 없이 주제를 바꾸거나 회상(recall)에 대한 저항으로 연상불능, 치료환경에 대한 트집 등을 보일 수 있다. 이때 치료자는 대상자의 저항을 파악하여 대상자가 이해할 수 있도록 그 의미를 해석해준다. 그러나 감정적으로는 중립을 취하여 무비판적인 태도를 보여야 한다. 어떤 의미에서는 정신분석을 전이와 저항의 분석이라고 지칭하기도 한다.

프로이트의 정신분석은 정신치료에 매우 중요한 기여를 했지만, 프로이트의 고전적인 정신분석은 치료로서 만족스러운 결과를 가져오지는 못했다. 즉, 주 5회의 만남 횟수와 수년에 걸친 장기간의 치료, 상담실의 침상에 누워 상담하는 방식이나 특정 콤플렉스, 성적 욕구와 관련지어 무의식을 해석하려는 고정화된 개념 적용 등은 논란이 되었다(Saul, 1972). 이후에 고전적인 정신분석 치료는 아니지만, 프로이트의 정신분석 기법을 사용하거나 정신분석에서 유래한 이론에 근거한 정신치료들은 정신역동적 정신치료라고 칭해진다(Winston, Rosenthal, & Pinsker, 2012).

2) 정신역동적 정신치료

정신역동적 정신치료(psychodynamic therapy)는 정신분석으로부터 파생되었다(Saul, 1972). 정신분석과 정신분석적 원리에서 기인한 정신치료의 궁극적 목적은 언제나 문제의 무의식적 원인에 대한 통찰과 이해이다(Gabbard, 2014). 무의식을 이해하기 위하여 정신역동적 정신치료는 4가지 이론을 기초로 한다. 프로이트의 정신분석에서 유래한 자아심리학, 대상관계 이론, 자기심리학, 그리고 애착 이론이 이에 해당한다. 정신역동적 정신치료의 치료방향과 기법을 결정하는 데 근거가 되는 이러한 4가지 이론을 간략히 설명하면 다음과 같다.

(1) 자아심리학

자아심리학(ego psychology)에서 자아(ego)의 의식적인 면은 결정을 내리고 자료를 통합하는 정신의 수행기관이고 자아의 무의식적인 면은 부정, 억압 등의 방어기전이 작동한다. 긴장을 방출하는 데만 관심이 있는 원초아(id)의 강력한 본능적 욕구(특히, 성적 욕구, 공격성)를 다루는 데에는 방어기전이 필요하다. 초자아(superego)는 도덕적 양심과 자아 이상으로 구성되며, 의식적인 면도 있지만 무의식적인 면이 더 많다. 초자아, 자아, 원초아는 서로 간에 갈등을 하고, 이 갈등이 불안을 초래하는데, 불안은 자아의 방어기제를 작동하도록 한다. 정신역동적 정신치료에서는 자아의 기능, 자아의 힘, 자아의 약함 등을 고려한다.

(2) 대상관계 이론

대상관계 이론(object relations theory)에서 대상은 사람을 의미한다. 영아는 어머니 혹은 다른 사람들과의 관계에서 경험한 것으로부터 영향을 받는다. 예를 들어, 조현병 환자들이 겪는 어려움의 원인은 사랑받고 있다는 확신을 가질 만한 경험을 어머니가 제대로 제공해주지 못했던 것에 있다는 것이다. 치료자는 대상자의 정신내적 갈등을 분석해줄 뿐만 아니라, 환자의 결핍된 정신내적 구조를 지지해주기 위해서 환자에 의해 내재화되어야 할 새로운 대상이 되어주어야 한다. 대상관계 이론에서는 대상들과 관계를 맺어가면서 거짓된 자기(false self)를 발달시키는 것이 아니라, 진정한 자기(true self)가 되도록 자기에 초점을 둔다.

(3) 자기심리학

자기심리학(self psychology)은 대상자의 자존감(self-esteem)과 자기결속(self-cohesion)을 유지하는 것에 대한 중요성을 강조하였다. 자기심리학적 관점에서는 정신장애의 발병원인에 있어 자존감이 중요하다. 치료자의 역할은 대상자에 대하여 해석하거나 이해시키기보다는 공감해주면서 약화된 자아를 강하게 만들어 자기결속을 상실하지 않도록 돕는 것이다.

(4) 애착 이론

애착 이론(attachment theory)에서는 어머니라는 대상과 밀접해지는 애착을 통해 특정한 신체적 상태를 추구하는 것이 중요하다고 한다. 부모와의 애착 상태가 안정적이면 정신질환이 발생할 위험이 적지만, 부모와의 애착 상태가 불안정하게 남아있으면, 정신과적 장애의 위험요소가 된다는 것이다.

정신역동적 정신치료는 정신분석에 근거한 4가지 이론의 관점에서 대상자와 치료자 모두가 무의식적 갈등, 정신내적 구조(원초아, 자아, 초자아로 이루어진 구조)의 결핍이나 왜곡, 내적 대상관계에 대한 특징적 사고방식을 통해 진단과 치료에 접근한다(Gabbard, 2014). 정신역동적 정신치료의 주요 목적은 대상자의 자기인식을 증진시키고, 과거 경험, 특히 어린 시절의 경험과 관련하여 현재의 생각, 감정 및 신념에 대한 이해를 증진시키는 것이다(Haggerty, 2016). 치료자는 대상자의 과거(일반적으로 출생부터 6세까지)에 주어진 자극에 따라 형성된 사고 및 감정, 행동 방식과 과거 방식의 결과인 현재의 정서 생활과 문제를 가능한 한 빨리, 정확히 이해하고, 대상자가 이를 이해할 수 있도록 도와주어야 한다(Saul, 1972). 만성적 문제가 무의식에 뿌리를 두고 있기 때문에, 대상자는 자신의 무의식적인 사고 패턴을 발견하고 이러한 패턴이 어떻게 발생했는지 이해하도록 자기 인식을 해야 한다. 정신역동적 정신치료는 대상자의 무의식에 있는 내용을 의식수준으로 가져와서 과거 경험을 다루어 주면서 개인의 느낌과 사고를 탐색할 때 발생하는 저항과 억압을 극복함으로써 어린 시절의 경험을 분석하고 현재 행동의 원인에 대한 통찰력을 갖도록 돕는다(Miller, 2004a). 대상자가 문제에 대한 통찰력이 생기면, 대상자는 자신의 파괴적인 행동을 감소시키고 정신건강을 향상시킬 수 있다.

정신역동적 정신치료에서는 주로 자아심리학, 대상관계 이론, 자기심리학, 애착 이론의 관점에서 대상자를 탐색한다. 예를 들어, 환자의 현실검증 능력은 어떠한지 확인하고, 방어기전을 분석하여 자아의 기능을 평가한다. 과거에 어떤 대상관계가 반복되고 있는지, 가족관계에서 부모와의 관계는 어떠했는지, 부모는 그가 어떤 사람이 되길 원했는지 등 아동기의 관계, 환자와 치료자 간의 관계, 관계의 실제적인 측면과 전이적인 측면 등 환자의 대인관계에 대한 정보를 수집한다. 자기심리학적 관점에서 환자의 자기(self)를 다각도로 분석한다. 예를 들어, 친구나 동료로부터 사소한 모욕에 대한 반응으로 쉽게 부서지지 않았는지, 환자가 지속적인 관심을 통해 긍정적 확신을 계속 얻어야만 했는지, 자존감은 어떠한지, 자기결속감이 무너지지 않았는지 등을 평가한다. 또한 어린 시절 부모나 양육자와의 관계에서 애착 경험은 어떠했는지에 대해 파악한다. 정신역동적 정신치료는 문제의 원인에 대한 통찰력과 이해를 통해 질병을 회복시키고 왜곡된 부분이 있는 성격을 재구조화하고자 한다(Gabbard, 2014).

3) 지지적 정신치료

지지적 정신치료(supportive psychotherapy)는 정신분석 및 정신역동적 정신치료에 근거를 두고 있지만, 모든 환자가 과거의 무의식에 대한 적극적 탐색을 잘 견디는 것은 아니므로 치료자의 지지가 중요하다는 입장에서 출발한다. 지지적 정신치료는 환자의 증상을 개선하고, 환자의 자존감과 자아기능, 적응기술을 유지 및 회복과 더불어 이를 증가시키는 정신치료이다. 지지적 정신치료는 대상자의 성격을 변화시키기보다는 대상자가 자신의 증상이나 문제에 잘 대처하도록 돕고, 심각한 정신질환이 재발되지 않도록 하는 데 있다. 다시 말해서, 지지적 정신치료에서 치료자의 목표는 환자의 자존감을 유지·증진시키고, 증상 재발을 최소화하며, 환자의 적응 능력을 최대화하는 것이다. 환자는 자신의 성격, 타고난 능력, 생활환경의 한계 내에서 최대한의 수준으로 기능을 유지하는 것을 목표로 한다(Winston, Rosenthal, & Pinsker, 2012).

지지적 정신치료는 여러 가지 정신질환에 사용될 수 있지만, 일반적으로 위기에 놓인 대상자나 적응기술과 심리적 기능이 손상된 만성 질환자에게 더 효과적인 것으로 알려져 있다(Winston, Rosenthal, & Pinsker, 2012). 반면, 섬망 상태나 기질적 뇌질환, 약물 중독, 말기의 인지장애 환자에게는 효과적이지 않다(Novalis, Rojcewicz, & Peele, 1993).

지지적 정신치료에서 치료자는 격려하고 안심시키고 교육하고 조언한다. 대상자에게 증상과 스트레스를 이겨나갈 방법을 구체적으로 제시함과 동시에, 힘든 부분에 대한 감정적 지지를 적극적으로 제공한다. 지지적 정신치료는 침묵을 통한 경청보다 대상자와의 상호작용을 활발히 하며, 과거 시점이 아닌 현재에 초점을 둔다(Miller, 2004b). 대상자와 진정한 치료적 동맹관계를 형성하고, 공감하며, 관심을 표현하고, 무비판적으로 수용하는 것이 치료자의 중요한 자질이다. 치료자는 대상자의 건강한 적응 노력을 지지하고 이해하며 유일무이한 한 인간으로서 존중하고 대상자의 활동과 안녕에 진정한 관심을 갖는다. 치료자는 대상자를 치료에서의 협력자로서 간주하고, 치료와 생활을 결정하는 데 대상자의 자율성을 격려한다. 결과적으로 대상자는 생활사건을 자유롭게 이야기할 수 있게 되고, 치료자의 지지적 역할을 수용하며 치료적 프로그램에 참여한다. 대상자가 스트레스 상태에 있을 때는 도움을 빨리 요청하게 하고 앞으로의 위기들을 피하도록 한다. 지지적 정신치료는 정해진 시간에 시작하고 끝내는 것이 중요하다. 보통 주 1회에서 4~5회 진행이 되며 면담 기간은 수회에서 수개월 정도로 다양하다. 필요한 경우 정신과 약물치료와 병행한다. 지지 정신치료의 기법은 아래와 같다.

지지(support): 환자의 이야기를 경청하고 공감하며 "그처럼 어려운 처지에서도 견디는 것이 대단해요"라고 격려하는 것이다.

안심(reassurance): 치료자의 권위를 이용해서 위로해 주고 "크게 심각한 것은 아니니까 걱정하지 마십시오"라고 대상자의 마음을 안정시켜 주는 것이다.

환기(ventilation): 남에게 말하지 못할 사정을 치료자에게 말하고 의논함으로써 불안, 초조하고 꽉 막혔다는 느낌에서 해방된 '후련한 느낌'을 환자가 갖게 하는 것이다.

제반응(abreation): 신경증적 장애를 일으킨 스트레스 상황을 감정적으로 재경험함으로써 무의식 속에 억압되었던 기억이 되살아나는 것과 동시에 당시의 슬픔, 분노, 공포, 적개심 등 억압되었던 감정이 분출되어 처음의 긴장이나 불안을 안전한 환경 속에서 완화시키는 방법이다.

설득(persuation): 환자의 잘못된 반응에 대해서 치료자의 권위를 이용하여 어른이 아이를 타이르듯 교육시키는 방법이다.

암시(suggestion): 치료자가 간접적으로 환자의 증상이 없어지고 좋아질 것이라는 생각이나 신념이 들도록 하는 방법이다.

충고(advice)와 지도(guidance): 약해진 자아기능 때문에 직장에 적응하지 못하는 환자에게 "직장을 당분간 쉬자"라고 충고할 수 있다.

마취합성(narcosynthesis): 펜토탈소듐을 정맥 주사하면 의식적인 자제가 사라지고 억제에서 해방되기 때문에, 무의식 속에서 억제 또는 억압된 문제들을 의식화하여 이야기하면서 부정적인 감정이 표출될 수 있다.

4) 대인관계 정신치료

대인관계 정신치료(interpersonal therapy, IPT)는 1970년대 예일대학교에서 우울증 치료를 연구하던 클러먼(Gerald Klerman), 와이즈만(Myrna Weissman), 페이켈(Eugene Paykel)에 의해서 개발되었다. 클러먼 연구팀은 항우울제 치료와 병행할 정신치료가 필요하다고 보고, 대인관계 정신치료를 개발하였다. 개발 당시 이론적으로 애착 이론과 설리반(Harry S. Sullivan)과 마이어(Adolf Myers)의 대인관계 이론의 영향을 받았다. 정신역동적 정신치료와 달리, 대인관계 정신치료는 성격을 다루지 않고, 대인관계적 측면을 다룬다. 애착 이론에 따라서 관계의 어려움을 이해하고, 애착에 대한 욕구가 충족되면 최적의 기능을 발휘한다고 본다. 또한 대인관계 이론에 따라서, 지금-여기에서의 대인관계의 어려움에 영향을 준 부적응적 대인관계 패턴을 찾는다.

대인관계 정신치료의 전제는 대인관계의 어려움이 정신적 증상과 관련이 있다는 것이다. 대인관계 정신치료의 목표는 사회적 관계의 만족도와 대인관계 기능을 향상시킴으로써 정신의학적 증상(특히, 우울증)을 감소시키거나 제거하는 것이다(Dewan, Steenbarger, & Greenberger, 2011). 실제로 이것이 우울증 치료에서 효과적임이 확인되었다. 대인관계 정신치료에서 치료자는 해결해야 할 문제의 본질을 확인한 후, 문제 영역과 일치하는 전략을 선택한다. 우울증에 대한 대인관계 정신치료의 4가지 문제 영역은 다음과 같다.

비애(grief): 사랑하는 사람의 죽음 또는 상실과 같은 사별

상황에서 정상적인 애도 과정을 거치지 못하면 문제가 발생할 수 있다. 배우자, 자녀, 부모, 친구, 반려동물 등의 죽음을 경험했을 때 나타나는 우울증과 같은 증상이 애도이다.

역할분쟁(role disputes): 의미 있는 사람과의 관계에서 서로의 기대가 달라서 반복적으로 일어나는 분쟁을 말한다.

역할전환(role transition): 결혼, 입학, 졸업, 취직, 퇴직, 새로운 지역으로의 이사 등과 같은 사회적 역할의 변화를 의미하며, 이에 적응하지 못할 때 문제가 발생한다.

대인관계 결핍(interpersonal deficit): 대인관계가 불충분하고 지속되지 못해 외로움과 사회적 고립을 느끼는 것이다.

대인관계 정신치료에서는 대인관계가 우울 증상의 유일한 원인이라기보다 우울한 증상은 상호 의존적인 대인관계에서 발생한다고 본다. 대인관계 정신치료는 우울 증상을 초래할 수 있는 사회적인 상황과 관계로 인한 스트레스를 다루는 방법을 제시한다. 대인관계 정신치료를 적용하는 간호사는 현재 대상자의 대인관계와 과거 경험에 초점을 둔다. 외로움, 거절에 대한 두려움 등의 감정과 그 원인을 명확하게 한다. 자신과 다른 사람에 대해 학습된 불안을 다루는 것, 대인관계에서의 좌절감 관리, 자존감 증진 등을 다룬다. 대인관계 속에서 갈등과 역할의 변화는 가족 내, 사회, 또는 직장 안에서 자주 발생하는데, 그러한 상황은 기대와 예측과 다르게 진행될 수도 있다. 예를 들어, 출산 후에 복직한 부인이 남편과 갈등 상황이라면, 간호사는 대인관계 문제에 초점을 맞추어 갈등에 관한 의사소통을 향상시키기 위해 부인과 갈등의 문제를 다루고, 배우자 간의 기대수준을 평가하며, 상황을 개선시킬 수 있는 문제해결 기술과 협력방안을 제공할 수 있다. 대상자가 역할변화를 경험할 때(이혼, 노부모 간호, 만성질환에 걸린 자녀 간호 등), 대인관계 정신치료를 통해 이런 변화는 상실로서 슬픔의 과정을 동반하며 우울한 증상을 유발할 수 있다고 교육한다.

간호사와 대상자 간의 관계는 대상자의 대인관계 과정을 분석하고 대인관계와 관련된 새로운 기술을 시험해 볼 수 있는 도구로서 기능한다. 간호사는 명확한 의사소통, 동의 확인, 따뜻하고 협력적인 관계를 통해 왜곡된 부분을 교정하는 데 도움을 준다. 대인관계 정신치료는 역할의 변화에 따르는 불가피한 스트레스의 재평가를 강조하며, 치료자와 대상자 간 치료적 관계의 질과 양을 평가한다. 치료자는 대상자가 권리와 존엄성을 지닌, 능력을 갖추고 가치와 의미가 있는 존재라는 평가를 제공한다. 일반적인 대인관계 정신치료는 6~20회기로 구성되며, 비교적 단기에 이루어지는 정신치료이다.

2. 집단치료

집단치료는 입원환자와 외래환자의 정신건강 치료에 필수적인 요소이다. 정신간호사는 병동에 입원한 환자를 24시간 동안 보살피면서 환자 집단의 리더로서의 역할을 수행한다. 집단치료는 치료적 중재 효과가 증명되었으며, 지역사회나 외래환자를 대상으로 하는 집단치료는 증가하고 있다. 그 이유는 입원 기간이 짧아짐에 따라 가장 저비용이면서 효과적인 관리가 요구되었기 때문이다.

정신질환자는 대인관계와 같은 일상생활의 문제뿐만 아니라, 정신질환의 증상으로 인한 복잡한 상황에도 직면하게 된다. 정신질환으로 인해 문제와 갈등이 발생하고 대인관계 대처에도 어려움이 생기지만, 그렇다고 해서 환자가 삶의 문제에 대처하고 협상하는 기술을 습득할 수 없는 것은 아니다. 집단 내에서 지금-여기에서 발생한 문제와 스트레스 요인을 다루면서, 환자는 부적응 행동 및 사고에 대한 인식과 지식을 습득할 수 있다. 부적응 행동 및 사고가 어떠한 방식으로 의사소통과 대처방식에 방해가 되는지를 인식하고, 더 나은 결정과 선택에 도움이 되는 대안을 배우게 된다. 간호사는 환자와 가족에게 정신질환에 대해 교육하며, 정신질환을 가진 가족을 적절히 대할 수 있도록 지도한다.

일반적인 집단치료는 목표 지향적인 각 회기로 이뤄지며 단기적이다. 간호사는 집단 정신치료와 관련된 정보를 충분히 갖고 있어야 한다. 집단의 장점, 유형, 리더십 및 일반적인 집단 관리와 관련된 주제들을 학습해야 할 필요성이 있다.

1) 집단의 장점

집단의 유형과 상관없이, 환자가 집단을 통해 경험하고 얻을 수 있는 공통적인 장점은 다음과 같다.

- 환자는 인간관계를 맺는 방법과 의사소통하는 방법에

대한 지식을 얻을 수 있다(Yalom & Leszcz, 2005).

- 환자는 동료 및 집단 리더의 안심시키는 말과 행동을 통해 지지를 받는다.
- 환자는 집단에서 자신과 타인을 도울 수 있는 자신의 능력을 재발견하고, 희망과 힘을 느낄 수 있다.
- 환자는 치료 중에 다른 사람과 함께 새로운 행동을 시험할 수 있는 기회를 가질 수 있다.
- 환자는 안전하고 구조적인 환경에서 자신의 감정 문제, 걱정, 생각을 다른 사람들과 공유할 수 있다.
- 환자는 자신의 강점을 확인하고 이를 더 발전시켜 자존감을 높일 수 있다.
- 환자는 자신이 중요하고 가치 있는 존재임을 경험할 수 있다.

위와 같은 이점들은 각기 다른 집단의 상황에서 발생할 수 있고, 환자 개인의 입장에서는 여러 번 경험할 수도 있다. 각각의 집단은 추구하는 목표와 목적에 따라 특정 결과에 초점을 맞출 것이다. 예를 들어, 예술치료 집단에서는 환자가 어떠한 작품을 내더라도 구성원들이 환자의 작품을 인정하고 칭찬해줄 것이다.

2) 집단의 치료적 요소

얄롬(Yalom)은 치료집단의 유형과 관계없이 환자를 도울 수 있는 집단의 치료적 요소 11가지를 제시하였다. 환자는 자신이 소속된 집단의 유형에 따라 특정 요소나 장점을 경험하면서 집단의 이점들이 유용하고 중요하다고 여긴다. 초기에 얄롬은 치료적 요소들을 정신치료 집단에만 연관 지었지만, 점차 치료의 연속성을 이어가는 단기성 또는 일회성 집단에도 치료적 요소 개념들을 적용하며 이론을 발전시켰다.

간호사는 집단의 치료적 요소와 이것이 환자에게 미치는 영향력을 잘 이해하고 있어야 한다. 환자에 대한 집단의 치료적 요소를 이해하고 있는 간호사는 공식적 혹은 비공식적 집단을 조직하여 이끌어가거나 참여할 수 있다. 간호사가 직접적으로 치료적 요소를 만들어내는 것은 아니지만, 환자를 위해 아래의 치료적 요소의 발생을 촉진시킬 수 있다.

얄롬(Yalom)의 치료적 요인 11가지

1. 희망 심어주기: 환자들은 집단치료로부터 도움을 받은 다른 사람들을 관찰함으로써 희망을 얻는다.
2. 보편성: 환자들은 자신이 혼자가 아니며, 다른 사람들도 비슷한 어려움과 감정, 염려를 경험한다는 것을 알게 되면서 안도하게 된다.
3. 정보 전달: 환자들은 자신들이 필요로 하는 것에 대해 새로 배우거나 관련된 정보를 제공받는다.
4. 이타심: 다른 사람들을 위해 배려하며 환자는 자신이 다른 사람들에게 도움이 되는 유용한 존재라는 것을 경험한다.
5. 원가족의 교정적 재현: 집단 내에서 환자들이 집단의 리더에게 의지하며, 이전에 가졌던 가족 갈등이 다시 일어났을 때의 역기능적 가족 양상을 검토하고, 이러한 양상을 현재의 필요에 따라 효과적으로 교정할 수 있음을 알게 된다.
6. 사회화 기술의 발달: 환자는 성숙한 사람들의 특성인 적절한 사회화 기술을 습득한다.
7. 모방 행동: 환자는 리더 및 다른 집단구성원의 긍정적이고 건강한 행동을 선택적으로 모방한다.
8. 카타르시스(정화): 과거에 표출해 본적이 없었던 감정을 내보이면서 환자는 감정을 적절하게 표현할 수 있는 방법을 습득한다.
9. 실존적 요인: 인생이 때로는 부당하고 공정하지 않다는 것을 인식하고, 궁극적으로 인생의 고통이나 죽음은 피할 길이 없음을 인식한다. 아무리 다른 사람과 가깝게 지내더라도 여전히 혼자서 인생을 살아가야 함을 인식한다. 삶과 죽음의 기본적인 문제를 직면해야 하고, 인생을 살아가는 궁극적인 책임은 자신에게 있음을 인식한다.
10. 집단 응집력: 집단구성원이 그 집단에 계속 남아있게 하는 힘으로 구성원이 느끼는 집단의 매력이다. 집단에서 느끼는 따뜻함, 편안함, 소속감, 무조건적 수용과 지지 등 집단의 조건을 말한다.
11. 대인관계 학습: 환자는 다른 사람들과의 상호작용을 통해 의사소통을 배우고, 타인을 믿고 사랑하는 방법을 배우면서 자신의 행동이 다른 사람들에게 어떠한 영향을 미치는지, 적절한 대응방법은 무엇인지 등에 대해 배우게 된다.

출처: Yalom, I., & Leszcz, M. (2005). The theory and practice of group psychotherapy (5th ed.). New York: Basic Books.

3) 집단의 유형

환자에게 집단 정신치료를 긍정적이고 유익한 경험으로 만드는 것이 가장 중요하다. 회기마다 환자가 집단요법 중에 긍정적인 무엇인가를 얻었다고 느껴야 한다(Yalom & Leszcz, 2005). 환자는 입원기간 동안 스스로를 위한 무언가를 얻었다고 생각할 수 있어야 하며, 긍정적인 입원경험을 한 환자는 퇴원 후 외래 치료가 비교적 순조롭게 진행되는 경향을 보인다. 퇴원 후 지역사회에서 지속적인 치료가 제대로 이루어지고 있는지 추후 관리가 필요하다.

입원환자와 외래환자 모두에게 심리교육, 유지관리 및 활동치료 등을 포함한 여러 유형의 집단치료를 제공할 수

표 11-1 | 심리교육 집단

유형	간호사의 목표 및 역할	예시
질환	환자와 가족에게 질병의 개념, 질병의 증상, 재발의 징후, 질병관리 및 위기관리 등에 대해 교육함	중독의 단계, 증상대처, 기분관리, 질병의 원인 및 치료, 결정적인 전구증상에 대한 인식, 재발예방, 지역사회 자원
약물치료	• 약물복용 관리 • 증상 및 부작용에 대한 평가함 • 약물의 종류와 목적, 복용량, 치료효과 및 부작용을 설명함 • 재발 예방을 위한 지원조치를 제공함	약물치료의 종류(예: 항정신병 약물과 항우울 약물, 근육주사제와 경구약)
문제해결	• 현재 당면한 문제를 파악하고 설명하며, 해결책과 효과를 논의·개발함, 대체방법과 시도방식을 결정함 • 필요시 다른 해결책에 대한 평가 및 선택	환경(milieu) 문제, 분쟁해결, 직업 문제, 관계 문제, 퇴원계획, 주택문제
스트레스 관리	적응적인 대처방안을 교육 및 촉진함	균형잡힌 생활방식 및 관리, 이완훈련, 긴장완화 전략, 분노관리, 명상
사회기술	타인과의 상호작용을 향상시키기 위한 기술을 개발하고 교육 및 훈련을 시행함, 현실적인 내용으로 오늘 당면한 환자의 문제에 초점을 맞춤	자기주장훈련, 사회적 상호작용 훈련(예: 새로운 사람들 만나기, 인터뷰 진행, 구매·반환·협상)

있다. 인지행동치료집단, 자조집단, 또는 특정한 문제를 다루는 집단, 다세대 또는 부부집단도 치료환경으로 이용할 수 있다. 미국의 경우에 정신과 입원기간 단축, 건강보험 지불 문제 등으로 인하여 통찰 중심 집단과 심리극과 같은 전통적인 정신치료가 더 이상 보편적으로 시행되지는 않고 있다. 입원병동에서 환자 입·퇴원 회전율이 높은 경우에는 환자들의 즉각적인 욕구를 바로 다룰 수 있는 주제에 중점을 두어야 한다(Potter et al., 2004).

(1) 심리교육 집단

입원병동이나 외래에서 근무하는 간호사는 환자와 가족에게 다양한 정보와 기술을 제공하기 위한 집단 정신치료를 제공하고 있다. 일반적으로 약물치료, 질환의 개념 및 관리, 문제해결, 스트레스 관리, 분노 관리, 사회기술, 일상생활기술 및 재발방지 등을 다룬다(표 11-1). 정신간호사가 운영하는 집단에서는 인지행동치료 또는 다른 유형의 치료가 포함될 수 있다. 입원환자들은 증상관리법, 물질남용, 외래치료, 생활기술 등에 중점을 두었을 때 입원 생활에 대해 더 많은 만족감을 느꼈다(Hackman et al., 2007). 입원이 줄어들고 외래치료가 늘면서 증상관리 기술과 지역사회에서의 생활기술을 배우고자 하는 요구가 높아졌다. 따라서 더 많은 입원환자들에게 집단치료를 시행하게 되면, 환자의 임상적 결과가 향상되고 재입원율도 감소될 수 있다(Page & Hooke, 2009).

집단치료의 각 회기 소요시간은 차이가 있지만, 보통 내용이나 주제에 대한 발표 혹은 토의를 포함하여 30~60분 정도 걸릴 수 있다. 참여하는 환자의 인지 및 행동 수준에 따라 소요시간이 달라진다. 입원환자 집단의 투약관리에 관한 토론은 40여 분이 소요되는 반면, 사회기술에 대한 외래환자 그룹이나 지지그룹은 60~90여 분이 소요될 수 있다. 간호사는 치료계획과 환자교육 프로그램을 발전시켜 나갈 때 환자의 욕구와 관심을 고려하여 환자와 협력해 나가야 한다. 간호사의 전문지식, 공감, 지지는 환자에게 질병에 대해 잘 인지할 수 있도록 하고, 자기 자신을 성공적으로 돌볼 수 있다는 사실을 깨닫도록 도와줄 수 있다.

간호사는 정신질환자의 가족을 위한 심리교육 프로그램도 제공한다. 환자의 가족은 질병, 약물의 효과 및 부작용, 환자인 가족 구성원과의 의사소통, 위기상황을 관리하는 방법 등에 관심이 있다. 가족은 집단에서 얻는 정보뿐만 아니라, 이들 집단이 제공하는 높은 수준의 지원을 통해서도 도움을 받을 수 있다. 환자 가족이 집단치료에 참여함으로써 얻게 되는 장점은 앞에서 언급한 환자가 경험하는 장점들과 유사하다. 또한, 가족은 새로운 의사소통 기술을 습득하여 갈등 상황을 줄이고 개선된 가족관계를 경험할 수 있다. 가족은 1차 의료부터 3차 의료에 이르기까지 이용 가능한 자원을 배우게 되고 간호사를 자신의 옹호자로, 필요한 서비스를 이용하도록 돕는 전문가로 생각하게 된다.

(2) 지지집단

간호의 본질에는 지지가 포함되고, 간호사는 치료적 상호작용을 통해 환자를 지지한다. 이때의 지지는 환자의 이야기를 듣거나 환자에게 이야기를 할 때, 수용, 감정이입, 우려 등을 표현하는 것을 의미한다. 간호사의 존재와 진실한 관심 및 격려는 환자 자신의 불안과 근심 등에 대한 표현을 보다 쉽게 만든다. 간호사는 환자가 자신의 기분이나 상황에 대처하는 것을 도울 수 있으며, 이러한 지지 행위는 많은 유형의 집단의 상황에서 도움이 된다.

지지집단의 목적은 환자 자신의 행동이나 방어적인 태도를 직면시켜 바꾸는 것이 아니라, 환자가 가진 기존의 강점을 유지·강화시키는 데 있다. 지지집단의 구성원은 급성 또는 만성 질환자일 수 있으며, 입원하는 동안 매우 불안정하고 정서적으로 어려움을 겪고 있어 안심과 정서적 지지를 필요로 할지도 모른다. 이러한 환자들은 또한 불안을 경한 수준으로 감소시킬 필요가 있기 때문에, 집단을 통해 불안관리 기술을 배울 수 있다.

현실감을 제공하는 집단은 입원환경에서 흔히 볼 수 있는 지지집단의 한 유형이다. 정신병리적 요인으로 인해 혼돈과 짧은 주의력을 보이는 환자들에게 이런 유형의 집단이 유용하다. 이 환자들은 두려움을 갖고 있으며 확신이 없고, 불안감과 불편감을 느끼며 고립되어 있을 수 있기 때문에, 정신건강전문가는 안전 및 보안이 보장되는 환경을 제공해야 한다. 현실감을 제공하는 집단은 환자들의 고립감을 낮추고 자존감을 높이는 데 도움을 줄 수 있고, 지금-여기에 집중함으로써 사회적 지지 및 현실감 제공의 기틀을 제공할 수 있다. 간호사는 이 집단의 리더로서 시간, 사람, 장소에 대한 지남력, 병동의 규칙과 일상, 그리고 한계를 설정함으로써 기대되는 행동변화를 촉진시킨다. 자존감, 즉 자신이 인간으로서 가치가 있고 존중받으며 중요한 사람이라고 느끼는 것은 환자들이 그동안 경험하지 못했던 감정일 수 있다.

(3) 집단활동요법

집단활동요법의 일반적인 목표는 환자의 자존감과 감정표현, 사회적 상호작용 등을 강화하는 것이다. 그래서 위축된 환자, 우울한 환자, 퇴행된 환자 등에 적용하는 것이 유용하다. 이러한 환자들은 고립감을 경험하고 있고, 직접적인 의사소통이 어려워 인간관계 형성에도 어려움을 겪으며 활동 자체에 대한 관심이 감소한다. 집단활동요법은 창의적인 방법을 통한 긍정적·부정적 감정의 자기표현, 상호작용, 즐거움을 촉진하는 수단 또는 방법을 사용하는 특징이 있다.

오락활동은 즐거움과 긴장을 완화시키는 기회를 제공한다. 운동이나 다양한 신체활동을 추구하는 집단은 신체적인 건강을 개선할 뿐 아니라 정신적·사회적 장애를 감소시킴으로써 심신 양면으로 환자에게 도움이 된다. 또한 이 집단은 환자로 하여금 소속감, 수용 및 성취감 등을 경험할 수 있게 한다. 중증 정신질환을 앓고 있는 사람들은 앉거나 누워서만 생활하는 생활양식 때문에 신체적 건강문제가 동반되는 경우가 많다. 게다가 정신약물 치료는 체중 증가를 유발하므로 운동과 함께 식이조절을 진행하여 체중을 조절할 수 있으며, 걷기운동과 같은 운동집단처럼 구조화된 프로그램을 통합하여 적용하는 것이 도움이 된다. 따라서 중증 정신질환을 가진 사람들은 치료의 일환으로 운동이 강조되고 있다(Richardson et al., 2005).

(4) 자조집단

자조집단(self-help group)은 보통 특정한 문제를 가지고 있는 사람을 돕는 데 초점을 맞춘다. 체중 감소, 아동학대, 식욕부진 및 폭식증 그리고 당뇨병 등이 자조집단에서 많이 다루는 주제에 해당된다. 이 집단은 모든 구성원이 동일한 문제를 공유한다는 점에서 동질적이라 할 수 있다. 구성원들은 동질적인 집단 속에서 소속감을 느끼고 걱정을 공유하고 이해해주며, 서로 기꺼이 돕고자 한다. 개인적인 감정과 직면한 어려운 문제뿐만 아니라 정보도 공유하며, 구성원들은 전략적으로 서로를 돕는다.

그들은 외롭거나 고립되었다고 느끼지 않으면서 오히려 같은 문제나 욕구가 있는 다른 사람들에게서 효과적인 대처를 배운다. 특정한 문제에 대한 자조집단을 이끄는 간호사는 지속적인 관심을 가져야 하며, 이에 대한 풍부한 지식과 숙련된 기술을 갖추고 있어야 한다.

수백만 명의 사람들이 수백 개의 자조집단에 참여하고 있다. 단주모임인 AA(alcoholics anonymous)와 같은 일부 집단에서는 개별적인 24시간 지원서비스가 가능하다. 자조집단의 구성원은 서로의 생활방식과 요구를 이해하고, 문제를 해결하며, 스트레스에 대처하고, 각자의 역기능적인 행동에 직면할 수 있도록 서로를 돕는다. 교육과 같은 특정한 목적을 위해 전문가가 자조집단에 초대될 수 있다. 간호사들은 대상자들을 자조집단에 연결시켜 주는 역할을 한다. 따라서 대상자가 거주하는 지역의 자조집단에 대해 잘 알고 있어야 한다. 미국의 경우에 자조집단의 이용가능 여부는 지역정신건강단체나 Mental Health America 및 National Alliance for Mentally Ill(NAMI)을 이용하여 확인할 수 있다. 특히, NAMI(www.nami.org)는 정신질환자 가족을 위한 지원 시 매우 유용하다. 우리나라는 대한정신장애인가족협회(www.kfamd.or.kr)가 그 예가 된다.

4) 간호사의 역할

(1) 집단리더십

집단리더십의 기능은 공식적인 범위와 비공식적인 범위 모두를 포함한다. 입원병동의 정신간호사는 카드게임을 통해 환자집단과 비공식적으로 상호작용할 수 있다. 때로는 계획되고 구조화된 특수한 환경 내에서 공식적으로 집단치료에 참여할 수도 있다. 비공식적인 모임에서 간호사는 치료적 인간관계에서의 상호작용, 사회화 및 역할 모델로서의 기회를 제공한다. 또한 약물치료와 관련된 질문에 대답하며 약물치료에 대한 적응을 강화시키고, 약물에 대한 불안과 걱정을 완화시킬 수도 있다. 이러한 자발적이고 비공식적인 상호작용은 입원병동에서 하루 종일 반복적으로 이루어진다.

비록 환자집단의 유형과 격식은 다양하지만, 간호사는 치료 환경에서 환자의 대인관계 필요성 및 욕구를 충족시키기 위해 항상 집단리더십 기술을 적용한다. 간호사는 하루 24시간 동안 환자의 돌봄 관리자이자 제공자로서 환자집단을 중재한다. 따라서 간호사는 환자집단과 상호작용하기 위해 효과적인 의사소통 기술을 사용해야 한다.

입원병동 간호사는 병원환경에 영향을 미치는 요인들에 대해서 알고 있어야 한다. 단기입원은 여러 가지 의미에서 집단치료에 영향을 미친다. 예를 들어, 입원기간이 짧다는 것은 환자집단이 빠르게 전환됨을 의미한다. 이 경우 집단 내에서 신뢰와 결속이 형성되기 어렵다. 환자는 또한 질환으로 인한 급성 중증 증상을 보일지 모른다. 이 경우 간호사는 신속히 환자의 정신건강 상태를 사정하여 집단치료를 진행할 수 있는지를 판단하고, 환자의 기능수준에 따라 집단에 참여시켜야 한다. 중증 우울증이나 급성기 정신증적 증상을 보이는 환자 역시 적절한 집단구성원이라 할 수 없다. 또한 집단 내에서 환자가 변화하고 발전하는 모습을 차트에 기록하는 것은 치료적인 이유뿐만 아니라, 법률적인 이유에 의해서도 간호사의 중요한 책무라 할 수 있다. 병동에서뿐만 아니라 외래치료와 지역사회 내 재활에 관해서도 간호사는 치료에 영향을 미칠 수 있는 현실적인 요인을 고려해야 한다. 미국의 경우, 환자는 건강보험 때문에 방문횟수가 제한될 수도 있고, 주간치료나 보조금 관련 프로그램 참여가 일부 제한될 수도 있다. 우리나라의 경우 도서 산간 지역이나 농어촌 지역 환자에게 있을 수 있는 교통 문제가 환자의 참여능력에 영향을 미칠 수 있다.

집단구성원에게 비밀보장 원칙에 대해 반드시 설명해야 한다. 즉, 환자가 집단치료에서 말하는 내용과 진행되는 모든 사항이 비밀로서 보장된다는 것을 알도록 해야 한다. 단, 집단치료 내에서의 진술이 치료적인 목적을 위하여 관계자나 치료팀과 공유될 수 있으며, 공유되는 개인정보는 병동이나 시설을 벗어나지 않도록 유지되어야 한다. 그러나 신뢰와 유대감이 완전히 형성되지 않았을 가능성이 있기 때문에, 집단의 기밀성을 완벽하게 보장하기는 어렵다. 약물치료에 대한 정보나 집단치료에서 배운 내용 등은 치료집단 이외에서도 공유할 수 있다.

(2) 물리적 환경

물리적 환경은 효율적인 집단치료 분위기 조성 시 중요한 고려사항이다. 조용하며 적절한 공간을 찾는 것이 쉽지는 않지만, 그럼에도 개인정보와 조용한 분위기를 보장하도록 해야 한다. 적절한 조명, 쾌적한 온도, 충분한 좌석 및 장비 등도 집단치료의 성공에 필요한 요소이다. 좌석을 원형으로 배치한다면 환자들이 서로를 마주볼 수 있으며, 이를 통해 환자가 리더나 다른 구성원과 관계를 맺을 수 있을 것이라는 기대감을 가질 수 있다. 행으로 배열된 좌석은 강의방식의 집단치료에는 적합하지만, 효과적인 대인관계와 의사소통에는 부적합하다. 칠판, 화이트보드, DVD 플레이어와 같은 다양한 미디어 매체를 이용하면 학습이나 학업성취 향상에 도움이 될 수 있다. 환자나 가족에게 유인물이나 인쇄자료 등을 제공하면 추후 참고하며 유용한 자료로 활용될 수 있다.

간호사는 리더로서 적극적이고 공감적인 태도로 구조적인 틀을 제공할 수 있어야 한다. 시간적인 제약으로 인해, 리더는 비지시적이고 유동적이며 자유로운 집단을 구성할만한 여유는 없다. 간호사는 목표지향적인 활동을 해야 하고, 각 입원 또는 외래환자의 집단치료에서 지금-여기에 집중해야 한다. 집단치료 각 회기의 시작 시 본 집단치료의 목적에 대해 간결하게 명시하고, 대부분의 집단치료의 회기들은 집단치료의 일관된 목적을 달성하기 위해 진행된다. 일반적으로 환자들은 치료과정에 능동적으로 참여할 수 있는 분위기를 형성하는 리더를 선호한다(Yalom & Leszcz, 2005). 집단치료 각 회기의 마지막 5~10분에는 종료 전까지의 내용들을 요약한다. 요약 시에는 모임의 긍정적인 측면과 환자가 모임에서 배웠거나 얻을 수 있었던 정보가 포함된다. 또한 리더는 회기의 진행에 대한 긍정적인 피드백을 제공한다.

가능하면 환자가 제시간에 도착하고 집단치료 전체 과정 동안 함께 참여하는 등 집단의 목표를 집단 규칙의 형태로 분명히 명시해야 한다. 입원환자의 경우, 집단치료의 리더는 집단구성원인 환자의 참여 혹은 퇴실을 허용하고, 가능한 시점에서 다시 참여할 수 있도록 한다. 환자가 장시간 자리에 앉아있지 못하는 것은 불안해서이거나 약물의 부작용[예: 정좌불능증(akathisia)]일 수 있다. 집단에서 구성원을 완전히 배제하는 것은 신중하게 결정해야 하지만, 간호사는 급성 조증 상태의 환자나 지남력을 상실한 환자, 집단치료에서 이득을 얻기에는 지나치게 정신증이 있는 환자를 제외할 수도 있다. 공격적이며 언어적으로 위협적인 환자들 또한 집단요법에 부적합하다.

(3) 집단치료 간호중재

집단을 위한 기본중재는 치료적 의사소통을 사용하는 것이다. 간호사는 치료적 의사소통 기술을 개인과 집단 내 구성원 모두를 대상으로 사용할 수 있다. 간호사는 환자들의 생각과 감정, 문제 등을 공유할 수 있도록 도움으로써 치료적 단계에서의 집단 상호작용을 촉진한다. 이 기본적인 중재들은 집단의 환경이나 유형과 관련하여 제한적으로 적용할 수 있는 기술들이 아니라, 늘 일반적으로 적용할 수 있는 기본적인 치료적 중재들이다. 긍정적이고 정확한 피드백은 환자가 새로운 기술을 습득하고, 이를 활용하려는 시도에 도움이 된다. 특정한 문제에 대해 자기주장 기술을 사용하는 것에 대한 면담을 예로 들어보자. 환자가 "제 근무일정에 대하여 할 이야기가 있습니다"라고 표현했을 때, 간호사는 "정말 잘 하셨습니다. OOO 님은 '자기주장'의 매우 훌륭한 예를 보여주었어요"라고 이야기함으로써 현실적이면서도 명확한 '자기주장'을 보여주었던 부분을 반복하여 강조하게 되고, 결과적으로 환자는 성취감을 느끼며 자존감을 높일 수 있다.

성공적인 집단치료 경험이 되도록 간호사는 리더로서 치료과정과 치료내용에 대한 개념을 인지하며 관리할 수 있어야 한다(Puskar et al., 2012; Rindner, 2000). 유용한 집단치료 경험이 되도록 각 회기들의 기본적인 구성은 환자가 배워야 하는 학습내용과 집단의 진행과정 간의 균형을 이루고 있어야 한다.

5) 집단 내 환자유형

(1) 지배적인 환자

지배적인 환자(dominant patient)는 다른 구성원이 참여할 기회가 없다고 느끼게 할 정도로 전체 집단 회기를 독점한다. 간호사는 게이트 키핑(gate keeping)을 사용하여 다른 구성원들과 집단에 기여할 수 있는 기회를 제공한다. 예를 들어, 간호사는 "OOO 님, 오늘의 치료과정에 잘 참여하고 있네요. 다른 사람들이 지금 생각하고 있는 것도 함께 들어보는 것이 어떨까요?"라고 말할 수 있다. 이러한 중재는 다른 구성원들에게 자신을 표현할 수 있는 기회를 제공하면서도 지배적인 행동을 보이는 한 명의 집단구성원을 제외시키지 않을 수 있다. 다른 구성원들이 지배적인 특정 구성원을 제지하지 못하고 두려워하고 있을지도 모르는 상황에서 집단의 리더 역시 통제력을 잃거나 두려움을 느낀다면, 통합이라는 집단의 가치가 손상될 수 있다.

(2) 무관심한 환자

참여에 무관심한 구성원 역시 리더인 간호사에게 또 다른 도전이 된다. 무관심한 환자는 실제로는 불안과 공포감 때문에 참여하지 않고 조용히 있는 것일지도 모른다. 만성 조현병 환자에게는 집단치료 회기에 참여하는 것 자체가 매우 큰 어려움이자 위협일 수도 있다. 이러한 경우 간호사는 "집단에서 우리 자신에 대해 표현하는 것은 어려운 일이지만, 저는 여기에 있는 모든 사람이 서로를 도울 수 있다는 것을 알고 있습니다"라고 이야기할 수 있다. 간호사는 환자가 집단을 신뢰하지 못하고 불안을 느끼고 있음을 인지하면서도, 그 역시 중요한 구성원으로서 다른 구성원을 도울 수 있다는 메시지 역시 전달할 수 있다.

집단에 참여하지 않은 또 다른 환자들은 자신들이 다른 구성원들보다 높은 기능수준에 있다고 믿고 있을지도 모른다. 이러한 환자들은 자신은 다른 구성원들만큼 아픈 것이 아니기 때문에, 그러한 집단에 어울리지 않고 집단을 통해 이득을 얻을 수 없을 것이라고 믿는 것일 수 있다. 리더로서 간호사는 자신이 다른 구성원들보다 높은 수준에 있다고 생각하는 환자에게 다른 환자들을 위해 일할 수 있는 역할을 제공할 수 있다. 예를 들어, 좌석을 배치하거나 모임에 대해 알리는 역할을 부여함으로써 이들에게도 주의를 기울일 수 있는 것이다. 리더인 간호사에게 존중과 인정을 받은 환자들은 자신들이 집단에 기여하고 있다고 믿게 되며, 이러한 점이 이들에게 치료적인 요소로 작용한다.

(3) 적대적인 환자

적대감은 환자의 두려움, 자신을 향한 분노, 또는 해결되지 않은 분노를 다른 사람에게 숨길 때 나타날 수 있다. 환자가 이러한 분노의 감정을 적절하게 표현할 수 있도록 간호사는 "OOO 님, 오늘 화가 나 보이네요. 무슨 일인가요?" 혹은 "우리에게 이야기해 줄래요?"라고 유도할 수 있다. 간호사는 환자에게 지지적인 태도를 유지하면서 본인의 감정에 직면하게 함으로써, 감정을 조절하도록 도울 수 있다. 지속적인 언어적 혹은 비언어적 적대감의 표현은 집단치료 회기에서 큰 문제가 될 수 있다. 통제되지 않는 적대감은 불편감 및 불안감을 유발하여 집단치료 진행에 방해가 되며, 또한 다른 구성원들은 분노의 감정이 자신들에게 향하는 것으로 오해할 수 있다.

(4) 방해가 되는 환자

일부 환자의 언행이 집단의 다른 구성원들을 매우 산만하게 만들 수 있다. 부적절한 이야기를 하는 환자, 환청을 동반한 망상을 가지고 있는 환자, 환각에 빠져있는 환자가 있을 때 산만함을 느낄 수 있다. 망상으로 인해 부적절한 이야기를 하는 환자의 경우, 간호사는 공감하는 태도를 유지하면서, 환자의 근본적인 요구와 필요가 무엇인지 확인한 후 현실감을 제공하고 다시 집단치료에 집중할 수 있도록 유도해야 한다. 예를 들어, 환자가 "여기 있는 모두가 내게 적대적이다"라고 이야기할 경우, 간호사는 다음과 같이 대답할 수 있다. "그렇게 느낀다면 언짢겠어요. 하지만 저는 여기에 있는 사람들이 OOO 님에게 적대적이라고 생각하지 않습니다"라며 간호사는 궁극적으로 집단치료에서 논의되고 있는 주제로 되돌아가야 한다.

환각에 빠져있는 환자의 경우, 간호사는 환자에게 현실감을 제공하고 현재 논의되고 있는 주제에 집중할 수 있도록 지도해야 한다. 예를 들어, 다음과 같이 이야기할 수 있다. "우리는 현재 비정형 항정신병 약물의 부작용에 대해 이야기하고 있습니다. 우리가 지금까지 이야기한 내용을 다시 정리해 봅시다" 간호사는 집단치료 도중에는 특정 한 개인에게만 집중할 수 없지만, 집단치료가 끝나고 나서 일대일 상호작용을 위해 면담시간을 가질 수 있다.

만약 성적으로 부적절한 이야기를 하는 구성원이 있다면, 간호사는 한계를 설정하여 해당 구성원을 제지할 수 있다. 예를 들어, "OOO 님, 그 이야기는 부적절합니다. 현재 우리는 재발과 관련하여 나타날 수 있는 증상에 대해 이야기하고 있습니다"라고 할 수 있다.

이와 같이 집단치료에 대한 중재를 제공하면서 간호사는 집단의 리더로 성장할 수 있다. 환자들은 집단리더의 돌봄 행위인 공감과 이해, 그리고 존중을 누구보다 빠르게 인식한다. 비록 개별 목표를 향한 치료의 진전이 더딘 환자라 하더라도, 간호사와의 이러한 상호작용 안에서 자존감을 높여나갈 수 있다.

CRITICAL THINKING QUESTION

1. 약물치료에 대한 집단 정신치료 시간에 한 환자가 "나는 말할 때보다 들을 때 더 많이 배웁니다"라고 말하며 참여하지 않을 때, 이 환자를 집단에 참여시키는 방법은 무엇인가?
2. 집단 정신치료 시간에 두 환자가 귓속말을 하며 부적절하게 웃는다면, 이 상황에서 어떻게 대처해야 하는가?

STUDY NOTES

1. 정신분석은 프로이트에 의해 개발되었으며, 대상자의 무의식에 억압된 내용을 의식화하도록 도와주어 자신에 대한 통찰을 얻도록 돕는 치료이다.
2. 정신분석 치료자는 대상자의 무의식을 탐색하기 위하여 자유 연상, 꿈 해석, 전이와 역전이 분석을 활용한다.
3. 정신분석과 정신분석적 원리에서 기인한 정신치료의 궁극적 목적은 문제의 무의식적 원인에 대한 통찰과 이해이다.
4. 정신역동적 정신치료는 정신분석으로부터 파생되어 자아심리학, 대상관계이론, 자기심리학, 애착이론 등을 기초로 발전하였다.
5. 지지적 정신치료는 정신분석 및 정신역동적 정신치료에 근거하고 있지만, 과거 시점이 아닌 현재에 초점을 둔다.
6. 지지적 정신치료에서 치료자의 목표는 환자의 자존감을 유지 · 증진시키고, 증상 재발을 최소화하며, 환자의 적응능력을 최대화하는 것이다.
7. 지지적 정신치료에서 치료자는 대상자와 진정한 치료적 동맹관계를 형성하고 공감하며 관심을 표현하고 무비판적으로 수용한다. 대상자를 격려하고 안심시키고 교육하고 조언하며, 대상자에게 증상과 스트레스를 이겨나갈 방법을 구체적으로 제시하고, 힘든 부분에 대해 감정적 지지를 적극적으로 제공한다.
8. 대인관계 정신치료는 1970년대 우울증 치료를 위해 개발된 정신치료이다. 목표는 사회적 관계의 만족도와 대인관계 기능을 향상시킴으로써 정신의학적 증상(특히, 우울증)을 감소시키거나 제거하는 것이다.
9. 대인관계 정신치료에서 우울증에 대한 4가지 문제 영역은 애도, 역할분쟁, 역할전환, 대인관계 결핍이다.
10. 집단 정신치료는 지역사회나 외래환자를 대상으로 효과적으로 사용되는 치료이다. 집단 정신치료를 통해 대상자는 인간관계 형성 및 의사소통방법에 대해 학습하고, 정서적 지지를 받으며 다른 사람에게 도움이 되는 경험에서 자신의 능력을 재발견하고 희망과 강점을 발견하고, 자신의 생각을 표현하며 가치 있는 존재임을 경험할 수 있다.
11. 얄롬이 제시한 집단의 치료적 요인에는 희망 심어주기, 보편성, 정보전달, 이타심, 초기 가족의 교정적 재현, 사회화 기술의 발달, 모방행동, 카타르 시스(정화), 실존적 요인, 집단응집력, 대인관계 학습이 있다.
12. 집단의 유형에는 심리교육집단, 지지집단, 활동집단, 자조집단 등이 있다. 단주모임인 AA(alcoholics anonymous)와 같은 자조집단의 구성원은 서로의 생활방식과 요구를 이해하고, 문제를 해결하며, 스트레스에 대처하고, 각자의 역기능적인 행동에 직면할 수 있도록 서로를 돕는다.

참고문헌 REFERENCES

Crane-Okada, R. (2012). The concept of presence in group psychotherapy: An operational definition. Perspectives in Psychiatric Care, 48(3), 156 - 164.

Echternacht, M. (2001). Fluid group: Concept and clinical application in the therapeutic milieu. Journal of the American Psychiatric Nurses Association, 7(2), 39-44.

Gabbard, G. O. (2014). Psychodynamic psychiatry in clinical practice. American Psychiatric Pub.

Haggerty, J. (2018). Psychodynamic therapy. Retrived from https://psychcentral.com/lib/psychodynamic-therapy/

Hackman, A., et al. (2007). Consumer satisfaction with inpatient psychiatric treatment among persons with severe mental illness. Community Mental Health Journal, 43(6), 551-564.

Ivey, A. E., D'Andrea, M. J., & Ivey, M. B. (2012). Theories of counseling and psychotherapy: A multicultural perspective (7th ed.). Thousand Oaks, CA: SAGE.

Novalis, P. N., Rojcewicz, S. J., & Peele, R. (1993). Clinical manual of supportive psychotherapy. American Psychiatric Pub.

Page, A. C., & Hooke, G. R. (2009). Best practices: Increased attendance in inpatient group psychotherapy improves patient outcomes. Psychiatric Services, 60(4), 426-428.

Potter, M., Williams, R., & Costanzo, R. (2004). Using nursing theory and a structured psychoeducational curriculum with inpatient groups. Journal of the American Psychiatric Nurses Association, 10(3), 122-128.

Puskar, K., et al. (2012). Understanding content and process: Guidelines for group leaders. Perspectives in Psychiatric Care, 48(4), 225 - 229.

Rindner, E. (2000). Combined group process-psychoeducation model for psychiatric clients and their families. Journal of Psychosocial Nursing and Mental Health Services, 38(9), 34-41.

Saul, L. J. (1972). Psychodynamically based psychotherapy. Science House.

Van Servellen, G. (1983). Group and family therapy. St. Louis: Mosby.

Winston, A., Rosenthal, R. N., & Pinsker, H. (2012). Learning supportive psychotherapy: An illustrated guide. American Psychiatric Pub.

Yalom, I., & Leszcz, M. (2005). The theory and practice of group psychotherapy (5th ed.). New York, NY: Basic Books.

정방자(1998). 정신역동적 상담. 서울: 학지사.

이미형 등(2019). 정신건강간호학(제6판). 서울: 현문사.

CHAPTER

11

인지행동치료 및 가족치료

Cognitive Behavioral Therapy and Family Therapy

evolve WEBSITE

http://evolve.elsevier.com/Keltner

학습목표

- 행동치료의 주요개념과 기법을 설명한다.
- 인지치료의 주요개념을 설명한다.
- 인지행동치료를 대상자에게 적용한다.
- 가족체계 및 가족치료의 개념을 설명한다.
- 가족치료의 주요이론을 설명한다.
- 가족의 정신건강문제를 설명한다.
- 정신질환이 가족에 미치는 영향을 설명한다.
- 가족에게 정신건강 교육을 수행한다.
- 가족 상담 및 치료에 필요한 간호사의 역량을 기술한다.

1. 인지행동치료

인지행동치료는 행동치료와 인지치료 기법이 합해져서 탄생한 것으로 현재의 문제를 해결하고 역기능적인 사고와 행동을 수정하여 변화시키는 것을 목표로 하고 있다. 즉 인지의 재구조화를 통해서 문제해결을 위한 행동변화 등에 초점을 맞추는 치료법으로 인지적 문제와 행동상의 문제를 함께 다룬다. 인지행동치료는 치료과정에서 대상자와의 상호작용을 중요시하며 아동, 청소년, 성인, 노인 등 모든 연령에 적용가능하다. 우울증, 물질의존, 범불안장애 및 사회공포증 등 다양한 임상 상황에 효과적인 정신치료법으로 임상 적용범위가 넓어지고 있다. 인지행동치료는 행동 이론에 근거한 행동치료 기법이 먼저 발달하였으나, 이를 통한 치료의 효과가 지속적으로 유지되지 않는 문제점을 보완하기 위해, 인지치료와 병합된 것이다. 이 장에서는 행동치료와 인지치료로 나누어 그 기법들을 살펴보고자 한다.

1) 행동주의 이론과 치료

행동주의 이론에 의하면, 성격은 내적 갈등과 무관하며, 학습된 행동들로 구성된다. 정신분석 이론에서 어린 시절의 해결되지 않은 경험과 내적 갈등이 정신질환의 문제행동을 유발한다고 보는 것과 달리, 행동 이론에서는 모든 행동은 학습된다고 보며 부적응적인 문제행동을 적응적 행동으로 변화시키는 것에 초점을 둔다. 행동주의 이론은 19세기 파블로프(Ivan P. Pavlov)의 개 실험에서 시작되어 20세기 손다이크(Edward L. Thorndike), 왓슨(John B. Watson), 스키너(Burrhus F. Skinner)의 연구를 통해 계속 발전하였다. 행동주의 이론의 학자들은 인간에게 적용할 수 있는 체계적인 학습 원칙을 개발하였고, 행동이 수정될 수 있음을 강조하였다.

(1) 파블로프의 고전적 조건화 이론

파블로프(1849~1936)는 러시아의 생리학자로, 소화액의 분비 메커니즘을 실험적으로 밝혀낸 공로로 1904년 노벨 생리의학상을 수상하였다. 파블로프는 개의 침 분비에 대해 연구하다가 우연히 개를 관찰하면서 개가 음식을 주기 전에 음식을 주는 사람의 발소리나 빈 밥그릇만 보아도 침을 흘린다는 것을 알게 되었다. 파블로프는 이를 고전적 조건화 이론(classical conditioning theory)으로 발표하였는데, 조건 자극(예: 종소리)이 반복적으로 다른 자극(예: 타액 분비를 자극하는 음식)과 함께 제공되면, 결국 종소리만 들려도 타액 분비가 일어난다는 것을 발견했다. 고전적 조건화 반응의 예로는 어떤 음식을 먹은 후 매우 아팠던 아이가 그 음식 냄새를 맡을 때마다 구역질을 느끼게 되는 것이다. 고전적 조건화 반응은 자기도 모르게 무의식적으로 일어난다. 파블로프의 고전적 조건화 이론에서는 다음 4가지 요소가 제시된다.

무조건 자극(unconditional stimulus): 먹이와 같은 긍정적 자극과 함께 학습하지 않아도 태어날 때부터 가지고 있는 자동적 반응을 유발하는 자극

무조건 반응(unconditional response): 먹이에 대한 침 분비와 같이 학습하지 않아도 태어날 때부터 가지고 있는 자동적 반응

조건 자극(conditional stimulus): 무조건 자극(예: 먹이)과 함께 주어져서 무조건 반응(예: 침 분비)을 유발하는 자극(예: 먹이 주는 사람의 발소리, 음식과 함께 주어진 불빛, 종소리)

조건 반응(conditional response): 조건 자극(예: 불빛, 종소리)이 주어졌을 때 유발되는 반응(예: 침 분비)

(2) 왓슨의 행동주의 이론

왓슨(1878~1958)은 정신분석이 무의식적 동기를 강조한 점에서 너무 주관적이라고 생각하여 이를 받아들이지 않았으며, 좀 더 객관적으로 측정 가능하다고 믿은 행동주의 이론을 발전시킨 미국의 심리학자이다. 왓슨은 적응적이거나 부적응적인 성격특성이나 행동은 고전적 조건화를 통해 학습될 수 있다고 주장하였다. 왓슨은 동물을 좋아하는 생후 9개월 된 어린 알버트를 대상으로 실험을 하였다. 알버트는 흰 쥐를 무서워하지 않았지만 다른 아기들처럼 큰 소리에는 깜짝 놀라는 반응을 보였다. 여기서 큰 소리는 무조건 자극이고, 깜짝 놀라는 반응은 무조건 반응이다. 처음에 무서워하지 않고 놀았던 흰 쥐를 만질 때마다 큰 소음을 함께 들려주었다. 흰 쥐는 조건 자극이다. 이 실험 이후 알버트는 큰 소리가 나지 않아도 흰 쥐(조건 자극)를 보면 깜짝 놀라며 무서워하는 반응(조건 반응)을 보이다가, 점차 하얀색 털이나 머리털을 보면 무서워하였다. 왓슨은 이처럼 부적응적 행동이 학습을 통해 체득되듯이 적응적인 행동도 환경을 통해 학습될 수 있다고 보았으며, 대상에 상관없이 누구나 훈련받을 수 있다는 결론을 내렸다.

(3) 스키너의 조작적 조건화

스키너(1904~1990)는 조작적 조건화(operant conditioning theory)를 제시하였다. 기존의 행동 이론이 환경에서 제공되는 결과가 긍정적인지 부정적인지에 따라 행동이 강화되거나 소거된다는 점에 초점을 둔 반면, 조작적 조건화는 인간이나 동물이 어떤 보상을 얻기 위해 수동적이 아닌 능동적으로 행동을 조작할 수 있다고 보았다. 지렛대를 누르면 먹이가 나오도록 만든 상자 속에 쥐를 넣고 실험을 하였다. 쥐는 우연히 지렛대를 눌렀다가 먹이를 얻게 된다. 지렛대를 누르는 행동(능동적인 조작 행동)의 결과로 먹이가 나온다는 것을 알게 된 쥐는 지렛대를 누르는 행동을 더 많이 하였다. 즉 쥐는 누르기란 새로운 행동을 학습하는데 이런 행동은 먹이에 의해 강화된 것이다. 강화는 어떤 행동을 한 뒤에 원하는 자극을 제공함으로써 행동의 빈도를 증가시키는 과정으로 선호하는 자극(보상)을 제공하는 적극적 강화(positive reinforcement)와 혐오자극을 제거하여 행동을 증가시키는 소극적 강화(negative reinforcement)가 있다. 예를 들어, 적극적 강화는 어떤 행동의 결과로써 자극이 주어지고 그 결과 행동의 빈도가 증가되는 것으로 열심히 공부한 후 좋은 학점을 보상으로 받는 것이 그 예이며 소극적 강화는 어떤 행동의 결과로 (혐오)자극이 제거되어 그에 따른 행동의 빈도가 증가되는 것인데, 공부를 하면 부모의 잔소리가 줄어들므로 공부하는 행동이 증가되는 것이 한 예이다. 조작적 조건화를 기초로 한 치료기법으로 강화, 징벌(punishment), 소거 등의 방법이 있으며 바람직한 행동을 유지시키거나 증가시키기 위해서는 강화를, 바람직하지 않은 행동을 감소시키기 위해서는 징벌, 소거 등의 방법을 이용한다. 징벌에도 적극적 징벌과 소극적 징벌이 있으며, 아이를 훈육할 때는 때리거나 벌주는 적극적 징벌보다 강화물을 철회하는 방식의 소극적 징벌이 더 효과적이라고 알려졌다.

토큰강화법과 같은 행동수정 프로그램은 스키너의 조작

적 조건화 원리에 기초하고 있다. 예를 들어, 아이들이 과제를 수행해오면 스티커를 주고, 스티커가 모이면 아이들이 좋아하는 선물로 교환해주면서 과제수행 행동을 강화하는 것이다.

(4) 행동치료

행동치료는 행동주의 이론에서 나온 개념(소극적 강화, 조작적 조건화 등)을 활용한 치료를 말한다. 행동치료는 일반적인 학습 모델에 근거하여 반복 연습과 훈련 등으로 문제행동을 수정하는 데 사용될 수 있다. 행동치료의 기법에는 이완훈련, 체계적 둔감화, 가상현실 사용, 사회기술훈련, 모델링, 행동연습, 과제수행, 혐오요법 등이 있다. 여기서는 행동치료의 기법 중 모델링, 조작적 조건화, 체계적 둔감화, 혐오요법, 바이오피드백을 좀 더 자세히 살펴보고자 한다.

① 모델링

모델링(modeling)에서 치료자는 역할모델을 제시하고 환자는 모방을 통해 배운다. 치료자가 역할모델을 할 수도 있고, 바람직한 행동을 보여주는 사람을 보게 할 수도 있으며, 비디오를 보여줄 수도 있다. 한 예로, 먼저 영상을 통해 대상자가 공포를 느끼는 특정 대상(뱀, 개, 물, 높은 곳 등)과 어떤 사람이 친밀해지는 과정을 보여준다(filmed modeling). 그 다음 단계로, 공포증이 있는 대상자가 보는 앞에서 어떤 사람이 그 공포를 일으키는 대상과 친하게 상호작용하는 모습을 보여주며 관찰하게 한다(live modeling). 마지막으로 직접 특정 대상과 상호작용하도록 참여시킨다(participant modeling). 비슷한 방식으로, 어떤 행동치료자는 상담실에서 역할놀이를 사용한다. 효과적이라고 입증된 행동의 방식을 보여주고 나서 환자가 이러한 새로운 행동을 연습하도록 한다. 예를 들어, 학기말 레포트 제출 기한을 연장해달라고 교수에게 요청하는 것을 어려워하는 학생에게 효과적으로 요청하는 방법을 보여주고, 학생이 그 방법을 연습하도록 돕는다.

② 조작적 조건화

조작적 조건화는 행동을 수정하고, 기대하는 행동을 증가시키기 위하여 적극적 강화를 기본으로 사용한다. 예를 들어, 기대되는 목표를 달성하거나 행동이 형성되었을 때, 행동의 결과로 대상자는 보상을 받는다. 학생이 과제를 수행했을 때 제공하는 스티커와 같은 것을 행동치료에서는 토큰이라고 부르며, 모아진 토큰은 음식이나 물건, 또는 특정 권한으로 교환할 수 있다. 이러한 보상체계를 토큰 경제(token economy)라고 한다. 조작적 조건화는 함구증, 자폐증과 같은 발달장애 아동의 언어행동 개선에 유용하다. 행동수정은 만성 정신질환자의 자가간호나 집단활동 참여 등과 같은 행동수준을 높이는 데에도 도움이 된다.

조작적 조건화에서 적극적 강화는 어떤 행동의 빈도수를 증가시키는 것으로, 부정적 행동의 빈도수를 증가시킬 수도 있다. 예를 들어, 어린 아이가 가게에서 과자를 사달라고 울면서 소리지를 때, 과자를 사주는 엄마의 행동은 과자를 사달라고 울면서 사달라고 소리지르는 아이의 부정적 행동을 강화할 수 있다. 따라서 이러한 상황에서는 적극적 강화가 아닌 소극적 징벌(예: 아이의 행동에 아무런 반응을 보이지 않음)을 사용하는 것이 떼쓰는 아이의 행동을 감소시키는 데 더 효과적이다.

③ 체계적 둔감화

체계적 둔감화(systematic desensitization)는 특정 자극이나 상황에 대해 비정상적으로 강한 불안이나 공포를 보이는 대상자를 치료하기 위한 방법이다. 불안 및 공포에 대립되는 근육이완 자극을 역 조건형성 시키는 원리를 이용하는데, 이를 위해 이완훈련이 먼저 시행된다. 예를 들면 강아지 공포증을 가진 환자에게 충분한 이완훈련을 시행하여, 이완된 상태에서 강아지와 직면하는 장면을 상상하게 하는 것이다. 이때 강아지라는 대상에 공포의 감정 대신 이완이라는 역조건이 형성되는 것이다. 환자가 두려워하는 특정 대상이 무엇인지 확인하고, 특정 대상에 대해 공포와 두려움이 들지 않을 때까지 점진적으로 상상적 노출을 증가시킨다. 비행에 대한 공포를 가진 대상자가 비행 과정에 대해 가지고 있는 두려움을 가장 두려운 것에서 가장 덜 두려운 것까지 순서를 매기도록 한다. 충분히 이완된 상태에서 가장 덜 두려운 것부터 순차적으로 상상하도록 하여, 점점 더 두려운 상황까지 진행한다. 상상적 노출을 통해 어느 정도 공포감이 감소하였을 때, 실제적 노출기법을 적용할 수 있으며, 비행기 공포증과 같이 실제적 노출이 용이하지 않을 때 가상현실을 통한 노출을 활용하기도 한다.

④ 혐오요법

혐오요법(aversion therapy)은 벌을 주는 것과 같이 고통스럽거나 불쾌한 자극을 사용하여 바람직하지 않은 행동을 감소시키는 것이다. 이는 알코올 중독, 성적 도착, 절도, 환청, 폭력적이고 공격적인 행동, 그리고 자해와 같은 행동을 교정하는 데 폭넓게 사용된다. 혐오요법은 적극적 징벌을 이용한 것으로, 다른 방법으로 효과가 없을 때 선택한다.

혐오요법의 한 예는 손톱을 물어뜯는 사람이나 엄지손가락을 빠는 사람의 손톱에 안 좋은 맛이 나는 물질을 바르는 것이다. 혐오 자극의 다른 예로는 오심과 구토, 유해한 냄새를 일으키는 화학물질, 불쾌한 언어자극(예: 불안한 장면에 대한 설명), 토큰 경제에서 제공한 토큰을 반환하도록 하는 것 등이다. 혐오요법을 시작하기 전에 이 치료가 환자에게 큰 도움이 되는지, 환자의 권리를 침해하지는 않는지 등을 고려해야 한다. 혐오요법을 시작하기 전에 치료자, 치료팀 또는 집단은 다음 질문에 답변할 수 있어야 한다.

- 이 치료가 대상자의 이익을 위한 최선의 방법인가?
- 이것을 사용하는 것이 대상자의 권리를 침해하는가?
- 이 치료가 사회의 이익을 위해 최선의 방법인가?

만약 혐오치료가 가장 적절한 치료로 선택된다면, 치료진의 지속적인 감독과 지지, 치료에 대한 평가가 반드시 있어야 한다.

⑤ 바이오피드백

바이오피드백(biofeedback)은 행동치료의 한 방법이며, 스트레스와 불안에 대한 신체의 생리적 반응을 조절하는 데 성공적으로 사용된다. 대상자는 편안한 상태로 앉거나 누워 자신의 생리 반응을 시각적·청각적으로 피드백해주는 센서(근전도 센서, 심전도 센서, 호흡 센서, 피부온도 센서, 피부전도 센서, 맥박 감시 센서 등)를 신체에 부착한다. 이 센서는 대상자의 스트레스 정도와 생리반응을 확인시켜 준다. 대상자는 컴퓨터 화면에 나타난 신호를 보거나 들으면서 자신의 상태에 따른 생리적 반응과 그 변화를 확인할 수 있으며, 생리적 반응의 변화에 집중하면서 자신의 신체를 조절하는 훈련을 한다. 예를 들면, 자신은 충분히 이완했다고 생각하나, 화면에서의 근전도 또는 맥박이 정상 수치 이상일 때 더욱 이완해야 함을 알게 되는 것이다. 1회 시행하는 데 약 30분 정도 소요되며, 일주일에 1~2회 정도로 약 10회기 치료를 받는다. 바이오피드백은 주로 불안, 공황장애, 불면증 등 긴장과 각성이 과도하게 발생하는 정신질환 및 심리적 이완에 매우 효과적이다.

2) 인지치료

행동주의의 독단이 무너지고 인지심리학이 시작된 1960년을 전후로 상담 분야에서도 인지를 강조한 새로운 심리치료 이론이 등장했다. 인지치료는(Beck, 1976, 2005) 사건이나 자극에 대해 '과도하고 부적절한 감정 반응'을 일으키는 왜곡된 인식과 잘못된 신념을 평가하고 인지과정에서의 결함을 교정하여 자신과 세상에 대해 현실적인 이해를 할 수 있도록 돕는 것으로 벡(Aaron Beck)의 인지행동치료(cognitive behavioral therapy, CBT)와 엘리스(Albert Ellis)의 합리적 정서행동치료(rational emotive behavioral therapy, REBT)가 대표적이다. 인지치료에서는 우리가 어떤 관점으로 바라보며 생각하는가가 중요하다. 여기서는 최초의 인지행동치료로 알려진 엘리스의 합리적 정서행동치료를 살펴보고, 그 다음에 인지행동치료에 기여한 벡의 인지치료를 설명하고자 한다.

(1) 합리적 정서행동치료

합리적 정서행동치료(rational emotive behavior therapy, REBT)는 엘리스(1913~2007)에 의해 개발된 것으로, 이전에는 합리적 치료, 합리적 정서적 치료라고 불렸다. 이 치료의 목적은 정확하지도 않고, 실용적이지도 않고, 유용하지도 않은 비합리적 생각을 인식하도록 도와줌으로써 비합리적 신념을 근절하는 것이다. 비합리적 신념은 '해야 한다(예: 나는 항상 공손해야 한다)', '당연하다(예: 나는 테니스 게임에서 당연히 계속 이겨야 한다)', 그리고 '해야만 한다(예: 나는 공부를 잘해야만 한다)'의 형태를 포함한다. 엘리스는 간단하게 ABC 과정으로 비합리적 신념을 설명하였다. A(activating event)는 선행사건, B(belief)는 사건에 대한 신념, 그리고 C(emotional consequence)는 사건의 결과로서 정서적 결과를 의미한다.

엘리스는 과거 경험이 현재 신념에 미치는 영향이 중요하다고 인정했지만, 합리적 정서행동치료의 초점은 과거가 아

A		B		C
선행사건 (activating event)	→	신념 (beliefs)	→	정서적 결과 (emotional consequence)

표 11-1 일반적인 인지적 오류(cognitive distortions)

왜곡	정의	예
흑백 논리적 사고	모든 논리를 A 아니면 무조건 A와 정반대 관점인 B로 나누어 보는 시각을 의미하는 것으로 이분법적 사고 또는 흑백논리 등으로도 불린다.	학교에서 2등을 했지만, 1등이 아니므로 실패한 것이다.
과잉일반화	부분을 전체로 확대하여 해석하는 생각의 오류이다.	한 번 실연당했으니까 언제나 실연을 당할 것이다.
정신적 여과(선택적 추상화)	하나를 보면 열 개를 알 수 있다는 식의 생각으로, 부정적인 일부분에 집중하여, 전체적으로 중요한 부분은 보지 못하는 오류이다.	발표를 할 때 많은 사람들이 긍정적인 반응을 보였는데도, 몇 사람의 부정적인 반응에만 신경을 쓴다.
임의적 추론	어떤 결론을 내릴 충분한 근거가 없는데도 최종 결론을 성급하게 내리는 오류이다.	어떤 일을 결정할 때 사람들이 내 의견을 묻지 않았다면 그것은 나를 무시하는 것이다.
극대화 또는 극소화	사건의 중요성이나 의미를 지나치게 과장하거나 축소하는 오류이다. 나의 실수는 매우 중대하게 해석하고, 내가 이룬 성과에 대해서는 과소평가 하는 것이다.	내가 서류를 작성하다가 오타가 있는 것은 나의 무능함이고, 내가 우수한 대학에 합격한 것은 운이 좋았기 때문이다.
파국화	걱정하는 상황을 최악의 상황으로 과장하여 두려워하는 것으로 극대화의 극단적인 형태의 오류이다.	만약 내가 회사 야유회에서 사장에게 좋은 인상을 주지 못하면, 나는 해고당할 것이다.
개인화	실제로는 자기와 관련이 없는 일일 수 있는데 자신과 관련된 것으로 해석하는 오류이다.	내가 다가가자 사람들이 하고 있던 이야기를 멈추면, 그건 나에 대해 안 좋은 이야기를 하고 있던 것이다.

닌 현재의 태도나 고통스러운 감정, 그리고 부정적인 행동이다. 그 사람이 가진 신념이 부정적이고 자기 비하적이라면, 우울과 불안에 더 취약하다. 엘리스에 의하면, 과거를 변화시킬 수는 없지만, 현재의 모습은 변화가 가능하다는 것이다.

(2) 인지행동치료

인지행동치료는 1960년대 미국의 벡(Aaron T. Beck, 1921~)에 의해 주로 우울증 환자를 대상으로 개발된 치료법이었으나 현재는 차츰 그 적용범위가 확대되고 있다.

벡은 원래 정신분석 훈련을 받았지만, 과거의 어린 시절에서 무의식적 동기를 찾는 정신분석에서 한계를 느꼈다. 정신분석학적 관점으로 우울에 대한 연구를 시도했을 때, 우울증을 가진 사람은 생각하고 정보를 처리하는 능력이 왜곡된 것처럼 보이는 부정적인 자기비판적 사고의 패턴을 갖는다는 것을 확신하게 되었다. 벡의 인지치료는 인지행동치료의 기초가 되며, 사람이 자신을 둘러싼 세계와 자신이 처한 상황에 대해 생각하는 방식에 따라 그의 감정과 행동이 결정된다고 가정한다(Beck, 1967, 1976). 벡에 의하면, 사람들은 자기 자신, 다른 사람, 그리고 세계에 대한 생각 틀인 스키마(schema)를 갖고 있다. 예를 들어, 어떤 사람이 '내가 믿을 수 있는 사람은 오직 나 자신뿐이야'라는 스키마를 갖고 있다면, 그 사람은 다른 사람들이 모두 의심스러운 동기를 갖고 있고 거짓말을 하고 있으며, 결국에는 자신을 해칠 것이라는 생각을 하게 될 것이다. 부정적인 스키마는 무능력, 포기, 악함, 취약함에 대한 것이다. 사람들은 대부분 자신의 인지적 오류를 인식하지 않는다. 스키마에 근거한 성급한 반응을 자동적 사고(automatic thought)라고 한다. 이러한 반응은 우울증이나 불안과 같은 정신질환에서 특히 빈번하다. 자동적 사고, 또는 인지적 왜곡은 비합리적이고 잘못된 가정과 오해를 갖게 한다. 예를 들어, 어떤 사람은 '내가 모든 것을 완벽하게 하지 않는다면, 나는 실패한 거야'라는 인지적 왜곡에 의해 지배될 수 있다. 결과적으로, 그 사람은 심지어 특정 상황이 자신이 개인적으로 유능한가와 관련이 없는 때에도 특정 관점에서 상황에 반응하게 된다. 인지행동치료자는 대상자가 생각하는 방식을 바꾸도록 도움으로써 증상을 감소시킨다. 대상자는 자신이 가지고 있는 부정적인 생각에 도전하고, 부정적인 생각을 긍정적이고 합리적인 생각으로 대치시키는 것을 학습한다. 자신의 생각이 왜곡과 오해에 근거하고 있음을 인식하도록 배운다. **표 10-1**은 흔하게 발생되는 인지적 오류를 설명한 것이며, 역기능적 자동적 사고를 변화시키는 인지의 재구조화 과정은 다음과 같다.

사고와 감정 모니터링하기(monitoring thoughts and feelings)

인지변화를 위한 인지재구조화의 첫 단계는 역기능적인 자동적 사고와 그에 따른 감정 및 부적응적 행동을 확인하는 것이다. 주로 어떠한 상황에서 자신의 역기능적 사고가 나타나는지를 파악하기 위해, '역기능적 사고 기록지'를 이용하여 상황과 그때의 감정, 자동적으로 떠오른 사고 등을 마치 일기를 적듯이 적도록 한다. 이는 자신의 인지왜곡이 어떠한 상황이나 감정과 관련된 것인지를 깨닫도록 도와준다.

근거 검토(questioning the evidence)

다음 단계는 자동적 사고를 뒷받침하기 위해 사용된 근거를 확인하는 것으로 "그 생각을 뒷받침할 근거는 무엇입니까?" 라고 묻는 것이다. 왜곡된 사고를 하는 사람들은 모든 정보에 동등한 무게를 두거나 왜곡된 사고를 지지하는 정보에만 선택적으로 집중하고 그 외의 정보는 무시한다. 예를 들어 "그 사람이 당신을 지루하게 느낀다는 걸 어떻게 알 수 있었나요?"라고 치료자가 묻는 경우, 환자가 "그 사람 표정만 보아도 무슨 생각을 하고 있는지 알 수 있어요"와 같이 대답한다면, 불충분한 근거를 바탕으로 결론을 내리고 있음을 환자 스스로도 느끼게 된다. 대상자로 하여금 가족이나 치료자에게 질문하도록 하는 것은 잘못된 정보와 근거를 합리적이고 적절하게 해석할 수 있도록 도움을 준다.

대안 탐색(examining alternatives)

대안 탐색은 대상자의 강점과 대처자원에 기초하여 부가적인 선택사항을 만드는 것이다. 예를 들어, 환자가 입시에 실패했으니 자신은 살 가치가 없는 존재이므로 죽어야 한다고 말한다면 '다르게 생각할 수는 없는가?'라는 질문을 던지는 것이다. '입시에 실패했어도 당신은 다른 가치 있는 장점을 갖고 있지 않나요?' 또는 입장을 바꾸어 생각하도록, '만일 당신의 딸이 입시에 실패했다면 딸은 자살해야 한다고 생각하나요?'와 같은 질문으로, 다른 대안들을 검토해 보도록 돕는다.

탈비극화(decatastrophizing)

탈비극화는 대상자가 상황의 비극적 특성을 과대평가하는 것이 아닌지 평가하는 것을 돕는 것으로 'what-if' 기법이라고도 한다. 즉 "만일 그렇다면(what-if) 그렇게 끔찍한가?"를 생각해보도록 하는 것으로, 이 기법의 목적은 대상자가 직면한 상황이 '전부 혹은 전무'가 아니고 생각하는 것만큼 극단적이지도 않다는 것을 알도록 돕는 것이다. 이를 위해 소크라테스식 질문이나 이미지화 또는 역할극 등의 기법을 이용할 수 있다. 이를 통해 대상자들은 현실에서 그의 사고를 재탐색하는 것을 배우고 새로운 합리적.객관적인 가정들을 사용해보면서 상황에 대응하는 것을 배우게 된다.

인지재구성(reframing)

인지재구성은 상황이나 문제에 대한 인식을 변화시키는 기법으로 문제상황의 다른 측면에 초점을 두고 볼 수 있도록 하는 것이다. 이분법적으로 생각하는 대상자는 상황의 한쪽 면만 보는 경향이 있으므로 특정 신념체계를 유지함으로써 발생되는 이익과 불이익을 살펴보도록 하는 것은 대상자가 균형있는 시각을 갖고 새로운 관점을 발전시키는데 도움이 된다. 어떤 문제의 긍정적이고 부정적인 결과를 동시에 이해함으로써 대상자는 그 문제에 대해 보다 넓은 안목을 가질 수 있다. 예를 들어, '완벽해야만 사람들에게 인정받을 수 있어'라는 인지왜곡을 갖고 있던 사람이 '모든 사람에게 인정받을 필요는 없어. 나를 있는 그대로 사랑해주는 사람이 있을 거야'라는 합리적 생각으로 전환하도록 도움으로써 이 문제를 새로운 시각으로 볼 수 있는 기회를 제공한다.

인지행동치료에서는 과제가 중요한 역할을 한다. 특별히 유용한 방법은 촉발사건이나 상황, 자동적 사고의 결과, 감정과 행동, 그리고 최종적으로 부정적 생각에 대한 다른 가능한 해석을 기록하는 것이다. 다음은 인지행동치료를 받은 대상자가 작성한 역기능적 자동적 사고 기록지의 예이다.

사건: 친구가 나에게 어떻게 지내는지 물었다. 내가 병원에서 퇴원한 지 며칠 되지 않았을 때의 일이었다.

감정: 불안

자동적 사고: '친구는 내가 미쳤다고 생각한다. 내가 아파 보여야 하나?'

다른 가능한 해석: '친구는 진심으로 나를 걱정하며 안부를 물었다. 친구는 내가 병원에 가기 전보다 지금 더 나아 보인다고 말했다. 그러니까 내 기분이 정말 나아졌는지 알고 싶어 한다.'

> **CRITICAL THINKING QUESTION**
>
> 1. 행동을 바꾸는 것이 성격의 변화를 초래할 수 있다는 행동주의자의 관점에 대해 어떻게 생각하는가?
> 2. 알코올 사용장애 환자에게 사용하는 혐오요법에 대해 어떻게 생각하는가?
> 3. 자신이 경험했던 인지적 오류는 어떤 것이 있었는지 사례를 들어 말해봅시다.

3) 기타 인지행동치료

(1) 동기강화치료

인지행동치료에서 변형된 동기강화치료(motivational enhancement therapy, MET)는 알코올 중독과 같은 중독 문제가 있는 개인치료에 주로 사용된다. 치료의 목표는 동기강화 면담을 통해 중독과 관련된 습관을 바꾸기 위한 대상자의 준비상태와 의지를 향상시키는 것이다. 이는 현재의 행동과 미래의 목표 사이의 불일치를 지적하고, 저항을 함께 다루며 자기효능감을 증진시키고자 한다. 동기강화치료는 변화단계 모델(Prochaska & DiClement, 1992)의 개념을 사용한다. 변화단계 모델은 변화 단계에 따라 각 단계마다 활용할 수 있는 개입들을 정하고, 행동변화 과정을 이해하는 데 도움이 되는 이론적 틀을 제공한다.

인식 전 단계(precontemplation): 인식 전 단계에서는 자신의 문제행동에 관심이 없고, 행동변화를 고려하지 않는다.

인식 단계(contemplation): 문제가 있음을 인식하기 시작하고, 행동 변화를 고려하는 단계이다.

준비 단계(preparation): 대상자가 자신의 중독행동이 가져오는 부정적 결과와 변화할 때 오는 긍정적 결과를 비교하면서 변화 계획을 세우는 단계이다.

행동실천 단계(action): 변화 전략을 실천하는 단계이다.

유지 단계(maintenance): 행동실천 단계에서 성공한 노력을 계속 유지하는 단계이다.

(2) 변증법적 행동치료

변증법적 행동치료(dialectical behavior therapy, DBT)는 1991년 워싱턴 대학교의 마샤 리네한(Marsha Linehan)이 자살근접(parasuicidal) 행동을 보이는 경계성 성격장애 환자를 치료하기 위하여 개발하였다. 자살근접 행동은 환자가 자신의 삶을 파괴하려는 의도나 목적을 가지고 있지는 않지만, 결과적으로 죽음을 초래할 수 있는 행동을 말한다. 변증법적 행동치료의 목표는 변증법적 갈등(예: 사랑하는 마음과 증오하는 마음 사이 극단의 갈등, 독립하고 싶은 마음과 의지하고 싶은 마음 간의 갈등)이 일어났을 때 환자가 이를 협상할 수 있도록 의식적이고 전략적인 결정을 하도록 돕는 것이다(신민섭 등, 2006). 변증법적 행동치료는 자살충동이 높은 우울장애나 양극성장애 환자에게도 적용 가능하다. 개인치료와 집단치료가 병행되며, 개인치료는 일반적으로 주 1회 50분 정도의 면담 시간으로 진행된다. 치료를 통해 감정을 다루는 기술인 마음챙김(신체감각, 감정 및 의식적인 사고에 집중하기 위한 명상기법), 대인관계 효율성, 감정 조절, 고통 감내를 학습한다. 주 1회의 개인치료와 집단 기술 훈련을 통해 생명을 위협하는 행동과 치료를 방해하는 행동, 삶의 질을 방해하는 행동을 줄이고, 자살충동이 있을 때 자살시도 전 전화를 하도록 하여 자살을 예방한다.

2. 가족치료

가족은 출산뿐만 아니라 인간의 생존에 필요한 가치와 보호 및 양육을 담당하는 사회적 구성요소이다. 대부분의 인간은 성인이 되어도 원가족과의 관계를 유지한다. 가족은 가족구성원이 위기상황, 특히 질병이나 부상을 당했을 때 재정적·정서적으로 필요한 치료와 지원을 계속해서 제공한다(Kim & Salyers, 2008). 가족의 구성원 중 한 명이 정신질환을 겪게 되면 가족은 환자에게 도움을 주는 주요자원이 되며, 한편으로는 환자의 정신질환으로부터 영향을 받게 된다. 가족은 정신질환으로 인해 겪는 환자의 행동 변화를 처음으로 관찰하게 되고, 이로 인한 혼란스러움을 경험하는 동시에 걱정을 갖게 된다. 따라서 정신질환이 있는 환자를 돌보는 간호사는 환자의 가족과 협력하여 정신장애로 인한 환자의 변화에 가족이 적응할 수 있도록 돕고, 장기적인 관점에서 효과적 관리를 향상시키기 위해 가족의 기능을 이해할 필요가 있다.

이 장에서는 가족의 특성, 정신질환이 가족체계에 미치는 영향, 그리고 다양한 환경에서 가족과 함께하는 치료방법에 대해 살펴보고자 한다.

1) 가족의 정의

가족의 정의는 빠르게 변화하는 사회상을 반영하면서 수년간 변화되어 왔다. 가족에 대해 한 가지 이상의 정의가 존재하기 때문에 가족이 환자뿐만 아니라 간호사에게도 어떤 의미를 가지는지 명확히 하는 것이 필요하다. 오늘날 가족의 정의는 구성원 간의 관계보다는 가족의 역할과 기능에 더 중점을 두고 있다. McGoldrick과 Carter(2003)는 "가족은 과거와 미래를 공유하는 사람들로 구성된다"고 말했다. 이는 가족의 형태나 구조와 상관없이 가족의 영속성에 대해 이야기한 것이다.

2) 가족체계

'체계(system)'로서 가족을 보는 관점은 건강관리전문가, 특히 정신장애를 다루는 간호사 및 관련 전문가에게 있어서 유용하게 사용될 수 있는 중요한 이론적 틀이다. 가족은 개별 단위로 구성된 집단 단위이고(Nichols, 2013), 모든 가족구성원은 체계 내에서 각자의 고유한 역할을 수행한다. 그러므로 한 구성원으로부터 발생한 변화는 결국 모든 구성원들에게 영향을 주게 된다. 아래의 사례는 이러한 가족체계 개념을 이해하는 데 도움이 된다.

Clinical example: 가족이 개인 구성원에게 미치는 영향

박OO 군은 약 1년 동안 우울증을 앓고 있는 만 14세의 중학생이다. 최근 박 군은 구체적인 실행계획은 없으나 자살충동을 계속해서 느끼고 있다. 간호사정 시 가정에서 어머니가 다른 형제들에게 고함을 지르는 것을 보면서 불안감을 느끼며 성장했다고 이야기하였다. 어머니가 자신에 대한 높은 기대를 가지고 있으며, 자신의 노력에 결코 만족하지 않는다고 느끼고 있었다. 또한 어머니와 아버지는 거의 함께 시간을 보내지 않았으며, 자신도 부모님과 함께 시간을 보내지 않았다고 하였다. 박 군은 어머니가 아버지에게 자주 고함을 지르며 싸우는 것을 보며, 대부분 혼자서 방에서 시간을 보낸다고 말했다.

위 사례에서 초점은 대상자의 자살충동에 두게 된다. 가족체계 관점에서 대상자는 '확인된 환자(identified patient)'라고 부른다. 여기에서 확인된 환자라는 것은 가족 전체에 문제가 있지만, 가족의 문제를 드러낸 사람이란 의미이다. 대상자의 정신건강을 나아지게 하기 위해서는 가족체계의 변화가 함께 필요하다. 박 군의 어머니가 자신의 비명이나 고함을 지르는 행동이 아들에게 큰 불안과 우울을 느끼게 하고 있음을 이해한다면, 남편 및 자녀들과 새로 소통하는 방법을 배우는 데 도움이 될 것이다. 또한 부모의 부부싸움으로 인해 대상자와 그 형제들이 받는 악영향을 이해하게 되면 부부상담을 받으려 할 수도 있다. 박 군의 부모가 지금의 행동을 수정한 후에 박 군의 증상이 완화될 수 있다. 부모의 변화는 박 군뿐만 아니라 다른 자녀들에게도 긍정적인 영향을 미칠 것이다.

가족체계 접근법은 가족의 기능 및 변화를 가능하게 하는 방법을 가족이 이해할 수 있도록 돕는다. 무엇보다도 가족체계 관점을 활용하면, 해당 가족구성원, 특히 아동이 보이는 행동은 고통스러운 환경에서 나타날 수 있는 자연스러운 반응임을 가족으로 하여금 이해하게 할 수 있다. 또한 이로 인해 다른 가족구성원이 대상자를 비난하는 상황이 줄어들 것이다. 가족이 스트레스 상황에서 계속 고통을 겪고 있는 과정을 정확하게 인식하면, 강한 긍정적 결과를 만들어 낼 수 있다.

3) 현대의 가족

핵가족은 현대사회에서 더 이상 가장 일반적인 가족구조가 아니다. 이혼, 재혼 및 동성결혼으로 인해 편부모 가정, 혼합가족 및 부모가 동성인 가족이 생겨났다. 일부에서는 이러한 변화가 가족의 온전성을 훼손하고 있다고 비판한다. 그러나 또 다른 일부는 이러한 새로운 구조를 받아들여 가족제도의 유연성을 강화함으로써 스트레스가 심한 현대사회에서 자녀를 양육하고, 가족이 효과적으로 생존하고 유지될 수 있다고 믿는다(Walsh, 2003a).

가족구조의 변화는 가족에 영향을 미치는 다른 사회적 변화들과 유사하다. 경제적 압박으로 인해 맞벌이 가족이 일반화되면서 아이들을 집 밖에서 돌볼 필요가 생겼고, 방과 후에 아동과 청소년들을 보살피는 데 있어 공백이 생기게 되었다. 또한 이혼으로 인해 형제자매 사이뿐만 아니라 부모, 양부모, 조부모들과 더 복잡한 가족관계를 갖게 되었다.

성인이 된 자녀가 이혼, 실직 또는 경제적 어려움으로 인해 부모님의 집에서 장기간 계속 살게 되기도 한다. 한 가정에서 생활하게 된 부모와 성인자녀 간의 관계에서는 갈등이 생길 수 있으며, 자녀가 성인이 됨에 따라 이전과는 역할이 바뀌게 되므로 가족이 조화롭고 안정적인 상태를 유지하기 위해서는 상당한 노력이 요구된다. 부모와 독립적으로 살기를 선택하는 청년들은 개인적 · 경제적 이유로 친구나 연인 등과 함께 살기도 한다(Walsh, 2003a).

사회는 이민, 결혼, 국제결혼 등으로 인해 문화적으로 더욱 다양해지고 있다. 다른 문화로 동화되거나 통합되며, 문화적 정체성을 유지하는 문제는 모든 가족의 구조와 기능에 영향을 미친다. 이민, 국제결혼 및 입양과 관련하여 사람들은 자신의 기존 문화유산에 대한 충성심과 새로운 문화의 가치, 규범 및 행동을 조화시켜야 한다. 이민을 선택한 부모들은 자신들의 기존 문화를 강하게 고수하는 것과 새로운 문화에 적응할 수 있도록 자녀를 자유롭게 하는 것, 이 두 가지 사이에서 결정을 내려야 한다. 이민자의 자녀는 자신이 거주하고 있는 지역의 문화와 풍습을 너무 쉽게 받아들여 부모들에게 고민과 상실감을 주기도 한다. 즉, 젊은 세대를 새로운 사회로 적응시키는 것은 부모로서의 필수적인 역할이지만, 한편으로 부모들은 그 부분에 대해 많은 고민을 하게 된다(Walsh, 2003a).

특히, 문화적 규범과 외모가 새로운 국가의 문화와 매우 다르다면, 인종 문제를 포함하여 차별에 직면하게 될 것이다. 이는 새 문화로의 적응과 언어구사의 어려움, 일자리 부족은 낮은 임금 및 경제적 문제로 이어져 가족구조를 약화시킬 수 있다. 이러한 가족의 구조와 기능 변화는 사회 변화와 함께 가족에게 스트레스를 줄 수 있다. 오늘날 통신기술의 발전으로 모든 사람들은 실시간으로 전 세계에서 벌어지는 일들에 대한 정보를 얻을 수 있게 되었다. 그러나 이는 오히려 미래뿐만 아니라 자신의 개인적 안전에 대한 두려움을 증가시키고, 가족들이 안전하지 못하다고 느끼게 할 수 있다. 대부분의 주요 도시에서는 폭력, 전쟁, 인종차별 등의 문제가 빈번하게 발생하여 개인과 가족의 일상생활을 제한한다. 이는 대부분 가족이 최적의 기능을 수행하는 것을 어렵게 하지만, 한편으로 가족 구성원들은 위협에 대처하면서 가족으로서 함께 큰 역할을 담당하게 된다(Walsh, 2003a).

정신장애 환자를 돌보는 간호사는 현대사회에서 가족과 관련한 욕구를 잘 인지하고 있어야 한다. 예를 들면, 문화적으로 다양한 가족에 잘 대처하기 위해서 간호사들은 자신이 속하지 않은 다른 문화가 가지고 있는 가족의 가치, 신념 및 관습을 배워야 한다.

> **가족치료 용어**
>
> **부모화**
>
> 부모화(parentification)는 가족체계 속에서 부모가 해야 할 양육적 역할을 자녀가 담당하며, 부모와 자녀의 역할이 바뀌는 것을 말한다. 여기에는 다음과 같이 다양한 유형이 있다.
>
> (1) 자녀가 오히려 부모에게 부모 역할을 함(예: 술에 취한 어머니를 재워주는 것)
> (2) 자녀 또는 청소년이 부모를 위해, 또는 부모 사이에서 친구 또는 중재자 역할을 함(예: 부모가 이혼을 하는 경우)
> (3) 자녀가 성인 역할을 하도록 강요받음(예: 근친상간 등)
>
> **희생양**
>
> 희생양(scapegoat)은 가족 내 갈등의 결과를 떠안는 가족구성원을 의미하며, 일반적으로 확인된 환자이다. 가족구성원은 실제 원인이 된 가족 문제를 해결하기보다는 행동으로 드러난 환자를 치료하려고 노력한다.
>
> **밀착**
>
> 밀착된(enmeshed) 관계는 변화에 대한 요구에 저항하는 가족구조를 의미한다. 예를 들어, 한 구성원이 변화를 시도하려 하면 다른 구성원이 즉각적으로 반발하는 것이다. 또한 이 관계에서는 구성원의 사생활이나 개인적 욕구가 존중되지 않는다(예: 신혼부부가 부모의 요구에 따라 부모와 함께 가족 휴가를 보내기로 한 경우).
>
> **분리**
>
> 분리된(disengaged) 관계는 구성원이 멀리 떨어져 있고 연결고리가 끊어진 가족구조를 말한다. 가족관계는 혼란스러운 경향이 있고 부모의 권한은 상대적으로 미미하다. 사적 영역이 지나치게 확실히 구분되는 경향이 있다. 이는 한 가족구성원의 행동이 다른 구성원에게 영향을 미치지 않는다는 것을 의미한다(예: "감옥에 가더라도 나한테 전화하지 마세요!").
>
> **가족 삼각관계**
>
> 가족 삼각관계(triangulation)는 두 명의 구성원 간에 갈등이 있을 때 발생하며, 자신의 편을 들어달라며 가족 중에 제3자인 다른 구성원을 자기 편으로 끌어들이려는 시도에서 만들어진다. 예를 들어, 갈등이 심한 부부는 각각 자녀의 동정이나 지지를 얻어 자신의 편으로 삼으려고 한다.

4) 가족의 특성

가족구조의 극심한 변화는 '정상적인 가족은 어떤 것이며, 어떻게 기능하는가?'라는 질문을 던진다. 건강한 가족(healthy families)이란 '효과적으로 보살피는 관계를 맺는 것'으로 정의할 수 있다. 건강한 가족과 건강하지 못한 가족은 가족발달주기에 따른 자연스러운 변화뿐만 아니라, 사회적 변화에 적응하는 능력을 기준으로 비교할 수 있다(Walsh, 2003a). 건강하게 기능하는 가족은 모든 유형의 성공적인 가족이 가진 특징을 갖는다.

건강하게 기능하는 가족은 가족구성원을 양육하고 지지하며, 급변하는 환경 내에서도 안정감과 결속력을 제공한다. 이러한 가족체계는 '가족'이라는 개념을 구성원으로 하여금 '세상 사람들이 당신을 거부할 때, 언제든지 당신을 받아들여주는 곳'으로 인지하게 만든다. 급변하는 현대사회는 엄청난 스트레스를 유발하기 때문에, 이러한 가족의 의미는 더욱 중요하게 여겨진다. 모든 사람은 어려움에 직면할 때 자신을 돌봐주고 도와줄 누군가가 필요하다. 내일을 예측할 수 없는 삶의 과정을 가족과 함께하면서 가족이 구성원에게 안정감을 제공할 수 있다면, 개인이 직면하는 일상의 스트레스가 완화될 수 있을 것이다.

성공적인 가족은 나이가 어리거나 스스로 독립적으로 생활할 수 없는 구성원을 돌봐주면서 위험으로부터 보호해 준다. 예를 들어, 유아와 아동들은 부모의 보살핌과 감독이 필요하며, 급·만성적인 신체적 또는 정서적 문제를 가지고 있는 구성원들은 가족의 보살핌을 받게 된다. 또한 노인과 같이 신체적·정신적 기능이 감소한 상태의 구성원들도 일반적으로 가족의 보살핌을 받게 된다.

가족은 가족구성원들이 세상에서 제 기능을 발휘하는 데 필요한 것을 배울 수 있도록 도와주는 곳이다. 아이들은 가족 내의 상호작용을 통해 아동, 형제자매, 학생, 부모로서의 역할뿐만 아니라 언어, 의사소통 기술, 종교적이고 세속적인 믿음까지 배운다. 제 기능을 하는 건강한 가족에서는 개방적인 의사소통을 하며 권위의 한계가 명확하다. 또한 사회화가 잘 이루어지고, 자기와 다른 사람들을 존중하는 방법과 다른 사람들과 관계를 맺는 법에 대해 배울 수 있다. 가족은 구성원이 보살핌을 받으며 스스로 가치 있는 존재라고 느끼게 하고, 사회에서 어떻게 대처해야 하는지 준비하게 한다. 이러한 가정은 아이를 건강한 성인으로 성장할 수 있도록 양육한다.

건강한 가족의 특성은 구성원의 질병과 같은 내적 요인, 그리고 부모의 실직 등과 같은 외적 요인에 효과적으로 대처할 수 있는 기반으로서 가족이 역할을 한다는 것이다. 스트레스를 받는 동안 가족은 혼란을 경험할 수 있으나, 보호자, 확대가족, 가족 및 친구들의 지지로 가족으로서의 기능을 유지하고, 훼손된 부분을 회복시킬 수 있다. 예를 들어, 아버지의 실직은 초기의 경제적·개인적 위기의 원인이 된다. 하지만, 이를 계기로 어머니가 전일제 근무로 전환하여 가족이 함께 위기를 해결해 나간다면, 아버지는 가족의 장기적 안정성을 향상시키기 위해 재취업을 준비하는 것과 같은 노력을 할 것이다.

5) 가족발달단계

두발과 밀러(Duvall & Miller, 1985)는 다양한 삶의 시기에 가족이 달성해야 하는 발달과업을 기준으로 가족발달단계(stages of family development)를 정의하였다. 가장 먼저 개인이 결혼을 통해 '신혼부부 가족(beginning family)' 시기가 된다. 이후 아이가 태어나 유아 또는 미취학 아동이 되면 '초기 자녀출산 가족(early childbearing family)'으로 이행한다. 이 시기에 가족은 자녀에게 가족구성원으로서 안정감을 주는 데 집중한다. 부모는 자녀의 존재를 외부에 알리지만, 다른 사람들과의 접촉은 통제한다. 첫 자녀가 초등학교에 입학하게 되면 '학령기 아동 가족(families with schoolchildren)'이 된다. 이 시기에 부모는 자녀가 외부세계와 접촉할 수 있는 기회를 늘려주고 교육 및 사회화 등 외부와의 접촉이 잘 이루어지도록 살핀다. '10대 자녀 가족(families with teenagers)' 시기는 첫 자녀가 13세에서 20세가 되는 때이며, 중·고등학교를 보내면서 직장이나 대학으로의 진로를 결정할 때 자녀의 독립성을 높이고, 미래에 대한 계획을 세우는 시기이다. 자녀가 10대 연령을 지나 집을 떠나는 '성인 자녀 가족(launching center families)' 시기에서 부부는 새로운 생활에 대한 계획을 세운다. 그 다음 단계는 '중년 가족(families in midlife)'으로, 이 단계는 부부가 다시 자녀가 없는 생활(빈 둥지)로 돌아가고 은퇴할 때까지의 시기이다. 마지막 단계는 '은퇴기 가족(families in retirement)' 시기로서, 부부는 은퇴 후 삶에 적응하고 조부모가 되며, 배우자나 친구의 죽음에 직면하는 문제를 다루게 된다(McGoldrick & Carter, 2003). 현재 이 가족발달단계는 현대 가족의 구조적 변화를 고려하지 못했다는 비판을 받고 있다.

모든 가족구조가 이렇게 정해진 것은 아니지만, 간호사는 가족이 현재 처한 가족발달단계를 파악하고 있으면, 가족이 직면할 수 있는 잠재적인 문제를 예측하고 해결하는 데 도움이 된다. 만약 한 가족 내에 다양한 연령대의 아이들이 있다면, 그 가족은 동시에 여러 단계의 발달과업을 다루게 된다. 예를 들어 재혼가정의 경우, 이전 결혼생활을 통해 출산한 학령기 또는 청소년기 자녀가 있는 상태에서 재혼을 통해 신생아를 출산할 수도 있다. 유아를 양육하는 것과 청소년이 자립심을 가질 수 있도록 도와주는 것에는 서로 다른 양육기술이 요구되기 때문에, 이는 가족에게 스트레스를 유발할 수 있다. 성공적인 양육을 위해서는 유년기의 각 발달단계에서의 적절한 아동 행동에 대한 지식 또한 필요하다. 이러한 지식을 갖추는 것은 가족관계의 역량을 강화할 수 있는 중요한 부분이다.

6) 가족치료의 주요 이론

대표적인 가족치료의 모형으로는 정신분석적 가족치료, 가족체계 이론, 구조적 가족치료, 전략적 가족치료 등이 있다. 가족치료 이론은 체계의 어느 국면에 중점을 두고 사정과 개입을 하느냐에 따라 차이가 있으며, 치료의 유형은 다양하지만 다음과 같은 공통점이 있다.

(1) 인간 행동은 개인과 환경, 즉 가족 간의 상호작용으로부터 영향을 받는다.
(2) 가족에 대한 정의에 있어서 많은 이론가들은 가족을 오랜 시간에 걸쳐서 발달하는, 일관성 있는 구조와 규칙을 가진 체계로 보고 있다.

(1) 정신분석적 가족 이론

정신분석적 가족치료는 정신역동 이론에 바탕을 두고 가족관계에 있어서 병리적 요인을 강조한다. 과거 성장기에 부모와의 문제나 결혼생활 문제, 기타 문제로 상처를 받았거나, 보이지 않는 충성심에 의해 얽매여서 벗어나지 못하는 가족에 효과가 있다. 대표적 치료자인 애커먼(Ackman)은 정신분석 이론을 기본으로 개인의 기본적인 결핍과 두려움을 찾아내고자 하였다. 가족과 개인의 과거 경험과 관련된 내적 요인에 대한 심리적 분석을 통해 개인을 이해하고, 가족과의 관계를 조명하는 것이 특징이다. 즉, 가족의 운명은 가족 내 개인의 성격이 형성되는 발달 초기에 결정되며, 부모가 성숙하고 건강한 성인인 경우, 가족은 행복하고 조화를 이룬다. 아동은 '어머니가 평균적으로 기대되는 정도'이면 적절하게 성장하며, 또한 어머니 스스로가 안정감을 느끼는 정도가 중요하다고 보았다.

치료는 행동 그 자체보다는 내적 통찰을 통하여 그 이면에 깔려있는 동기를 파악함으로써, 지금의 고통이 가족들로부터 유발된 무의식적, 지속적인 갈등과 관련됨을 인식하도록 돕는다. 즉, 내적 통찰을 통해 인격이 변화하도록 돕고, 가족구성원이 무의식적 속박으로부터 벗어나게 하며, 현재 상황에서 개인과 가족이 성장하도록 돕는 것이 목표이다.

치료기법으로는 경청, 공감, 해석, 분석적 중립 등이 사용된다. 문제를 해결해주기보다 그들을 이해하는 것이 중요하다. 가족이 개인의 정서 상태를 탐색할 수 있도록 초점을 맞추고 격한 감정의 근원을 파악해 보도록 유도한다.

(2) 가족체계 이론

보웬(Bowen)은 체계론적 접근을 사용한 가족치료 이론을 확립하였다(Bowen, 1978). 가족은 부부 하위체계, 부모-자녀 하위체계, 형제 하위체계 등 다양한 하위체계로 구성되고, 개인은 가족의 가장 작은 단위의 하위체계이다. 하위체계 간에 서로 영향을 끼치므로 개인의 건강문제는 가족 전체에 영향을 미친다. 특히 한 가정의 문제가 세대에 걸쳐 전수됨으로써 문제의 심각성이 더 증가하며, 결국에는 그 갈등의 산물로 자손은 정신질환자가 될 수도 있다는 의미에서 '세대 전수이론'이라 불리기도 한다. 보웬의 가족치료 이론은 8가지 개념, 즉 자기분화, 삼각관계, 핵가족 정서체계, 가족 투사과정, 세대 간 전달과정, 형제자매 위치, 정서단절, 사회 정서 과정으로 구성된다.

자기분화는 가족이라는 자아 집합체(family ego mass)로부터 분화되어, 지적, 정서적으로 독립된 정도를 말하며, 자기분화가 이루어진 정도에 따라 인간관계가 결정된다. 즉, 다른 구성원과 정서적 접촉을 하면서도 자신의 정서적 기능을 자율적으로 유지할 수 있는 능력이다. 높은 수준의 자기분화가 이루어진 사람은 명확하게 자신을 표현하며, 불안한 상황에 처하더라도 유연하고 지혜롭게 행동하고 사고와 감정의 균형을 이룬다. 그러나 자기분화 수준이 낮은 사람은 타인에게 정서적으로 융합되어 타인과 분리되지 못하고 개별화되지 않는다. 융합된 자아집합체로부터 분화되지 못한 가족을 가족융합이라고 하며, 보웬 이론의 중심 개념은 미분화된 가족자아(undifferentiated family-ego mass)로서, 가족구성원 중 누구도 독립된 개인으로 진정한 자신을 표현하지 못한다. 즉 가족들이 뭉쳐져서 정서적 일체감을 형성하는 것으로, 어머니와 자녀 간의 상호의존적 공생관계로 흔히 나타난다.

두 사람 사이에 긴장이 발생하여 불안을 느끼고 심각한 수준의 불안에 이르면, 한 사람 혹은 두 사람이 당황하여 제3자의 지지에 의존하려 하며, 제3자의 개입을 통해 갈등을 완화시키려고 한다. 삼각관계에서도 불안이 감소되지 않고 계속되거나 증가하면 제4의 인물을 끌어들여 삼각관계

(triangles)를 형성하게 된다. 가족치료 시 간호사는 이러한 정서적 체계의 삼각관계를 벗어날 수 있도록 도와야 한다.

단일세대의 상호작용 양상과 부부 간의 정서적 융합의 정도(배우자 간의 분화수준)를 '핵가족 정서체계'라 하며, 융합은 불안을 야기하므로 적절한 분화의 정도를 유지하기 위해 부부는 노력해야 한다. 미분화 또는 융합된 배우자가 부모가 되었을 때 부모는 자녀에게 불안을 투사한다. 이러한 가족 투사과정은 자녀의 정서적 안정과 가정 밖에서의 활동에도 악영향을 미친다.

한 세대에서 다른 세대로 전수되는 믿음, 태도, 가치, 행동, 상호작용 양상은 부모에서 자식으로 계승된다. 다세대 전수과정을 평가하는 간단한 방식은 가계도이다. 가족 내에서의 출생순서와 성별은 가족 내에서 개인의 위치로서 성격 형성에 영향을 미친다. 예를 들어, 장남은 가족의 많은 기대를 받고 자라며, 둘째인 딸은 가족의 관심을 받지 못하고 희생을 요구당한다. 보웬은 정서적 단절은 원가족과의 관계에서 정서적 애착에 문제가 있는 경우 부모와 관계를 단절하고 고립되어 살아가는 것이라고 설명하였다. 이처럼 원가족과 정서적 단절을 이룬 사람은 배우자를 만나 새롭게 꾸린 가정에서도 배우자 및 자녀들과 정서적 단절을 재형성할 가능성이 높다.

치료는 자기분화의 수준을 높이는 것이다. 즉 사고와 감정능력을 발달시키고 불안을 감소시키며, 대인관계에서 자신의 역할에 대한 이해 능력을 증진시켜 스스로 자신의 문제에 대한 책임을 갖게 한다. 가족의 입장이 아닌 개인의 입장에 대해 표현하도록 하여 자기분화를 촉진시키며, 가족 문제에서 각자의 역할을 파악하고 직면하도록 함으로써 삼각관계를 수정한다. 다른 이론에서는 치료자가 가족 내에 적극적으로 개입해야 한다고 주장하는 반면, 보웬은 코치나 조언자로서의 역할에 초점을 맞췄으며, 가족과의 정서적 몰입을 하지 않도록 초연해야 함을 강조하였다.

(3) 구조적 가족치료

미누친(Minuchin)은 가족구조의 변화를 통하여 가족의 기능을 되찾고, 이에 더하여 개인의 문제를 해결하려고 하였다(Minuchin, 2006). 구조적 가족치료에서 구조의 개념은 체계 이론에서 도입되었으며, 가족 내 여러 하위체계 간의 관계, 경계의 유연성, 그리고 변화하는 각 발달단계에서 가족관계를 재구조화하여 구성원의 적응을 돕는 것에 초점을 두었다. 미누친은 가족을 하나의 상호작용 체계로 보았으며, 가족 구성원 간 상호작용이 역기능적일 때 개인의 문제가 발생한다고 하였다. 경직된 경계선은 의사소통을 감소시키므로 체계 내의 타인과 가까워지거나 상호작용 하는 것을 막는 반면, 애매한 경계선은 가족 구성원들이 서로 지나치게 관여하는 밀착된 가족을 형성하게 한다. 따라서 치료기법에 중요한 것은 명확한 경계 설정이다. 가족이 기능을 다하기 위해서는 하위체계 간의 경계가 명확해야 하며, 그럴 때 개인의 특성은 보호되고 다른 체계와의 교류가 가능하다.

구조적 가족치료에서는 하위 체계들간의 자율성과 상호의존성을 잘 절충할 수 있도록 재구조화를 목표로 한다. 이를 위해 가족 내 명확하면서도 유연성 있는 경계선을 설정함으로써 의사소통 통로를 재조정한다. 즉, 밀착된 관계에서는 지나치게 많은 의사소통이 일어나지만, 분리된 관계에서는 상호 관심이나 의사소통이 거의 일어나지 않으므로, 구성원 간 적절한 거리감을 유지하며 필요한 관심과 지지는 주고받을 수 있도록 중재한다.

(4) 전략적 가족치료

의사소통 가족치료는 그릇되고 모순적인 또는 이중구속적인 메시지의 역할을 강조한다. 헤일리(Haley)는 가족연구, 특히 가족구성원 중에 조현병을 유발시키는 가족의 병리적 의사소통 유형을 설명하기 위해 '이중구속(double-bind)' 개념을 발달시켰고, 의사소통 이론에 행동주의적 방법을 가미한 직접적이고 전략적인 치료기법을 고안했다(Broderick, 1993; Haley & Richeport-Haley, 2004).

이중구속 의사소통은 모순적인 의사전달이 연속될 때 일어나며, 언어적 의사소통과 불일치하는 비언어적 의사소통이 형성될 때에도 발생한다. 예를 들어, 엄마가 아이에게 "여기 와서 앉아라"고 말하면서 얼굴 표정은 냉랭하고 찌푸린다면 아이는 가서 앉아야 할지 멀리 떨어져야 할지 혼란스러워진다. 양립할 수 없는 의사소통은 자아 형성을 방해하고 여러 가지 형태의 의사소통을 믿지 못하게 만든다.

가족은 지배관계를 내포하는 하나의 체계로, 체계가 변화할 때 바뀐다. 치료자는 가족에게 효과적인 의사소통 방법을 교육함으로써 가족의 변화를 시도한다. 즉 가족구조의 변화, 가족 문제 해결, 가족의 지도자 역할을 한다. 즉 가족에게 지시하고, 실천하도록 하며, 긍정적인 면을 강조하고, 의사소통의 재조직, 재해석, 가족규칙의 수정 등을 사용하여 역기능적 의사소통을 막는 역할이 중요하다.

(5) 해결중심 가족치료

해결중심 가족치료(solution-focused family therapy)의 대표적인 치료자는 드세이저(Steve De Shazer)와 버그(Insoo Kim Berg)인데, 이들은 부부이다. 해결방안 구축 모형으로 불리고, 기법과 개입이 단순하고 분명하며, 문제보다는 대상자가 원하는 바에 초점을 맞춘다. 따라서 문제와 관련된 개인, 사회력 조사를 최소화하고 문제가 해결된 예외 상황이나 문제가 없었던 때에 관하여 질문한다. 문제의 사정보다는 가족구성원의 장점이나 예외에 대한 탐색이 가족 구성원의 문제해결 능력을 향상시킨다고 본다. 이 모형에서는 가족구성원이 자신의 문제에 관한 전문가로 본다.

해결중심 가족치료에서는 가족구성원이 현재와 미래의 상황에 적응하도록 돕는데 일차적 관심을 가진다. 따라서 치료의 목표는 가족이 변화하고 싶어하는 것에 초점을 두므로 목표를 가족과 함께 설정하며, 성취 가능한 것으로 설정하는 것이 중요하다. 해결중심 가족치료에서는 가족구성원이 문제를 해결할 능력을 이미 갖추고 있지만 문제가 너무 크게 느껴져 자신들의 장점을 찾아내지 못한다고 본다. 따라서 다른 수준에서 해결중심 가족치료의 목표는 가족구성원이 자신의 언어를 문제중심적인 내화에서 해결중심적인 대화로 바꾸는 것이다.

해결중심 가족치료에서 자주 사용하는 기법은 변화를 위한 다섯가지 질문하기와 메시지 주기이다. 변화를 위한 다섯가지 질문하기에는 “이곳에 와서 무엇이 변화되기를 바랍니까?”라는 변화에 대한 질문, “오늘밤 당신이 잠자는 동안 기적이 일어나서 당신이 오늘 가지고 온 문제가 완전히 해결된다고 상상해 보세요. 아침에 일어났을 때 무엇을 보고 지난 밤에 기적이 일어났다는 것을 알 수 있을까요?”라는 기적에 대한 질문, “최근에 문제가 일어나지 않은 때는 언제였나요? 그때, 누가, 무엇을, 어디서, 언제, 어떻게 했나요?”라는 예외를 발견하는 질문, “1점은 당신이 처음 상담하러 올 때의 상황이고 10점은 당신의 문제가 모두 해결될 때의 상황이라면 현재의 상황은 몇 점 정도인가요?”라는 척도질문, “문제가 심각한데, 어떻게 더 나빠지지 않고 현재의 상태를 유지하고 있지요?”라는 대처에 대한 질문이 있다. 메시지 주기는 칭찬하기와 인정하기, 과제주기가 있다.

(6) 이야기치료

최근 가족치료 영역에 영향력을 행사하는 이야기치료(narrative therapy)는 포스트모던 혁명의 표현이라고 볼 수 있다. 이야기치료의 기본 가정은 인간의 경험은 근본적으로 불확실하다는 것이다. 이 치료에서 우리가 자신에 대해 말하는 이야기와 설명이 자신의 경험을 구성하고 행동을 결정한다고 보기 때문에 가족이 더욱 긍정적인 이야기를 구성하도록 하는데 의미를 둔다. 대표적인 치료자는 화이트(Michael White), 엡스턴(David Epston) 등이다.

이야기치료의 목표는 문제해결 접근 이상의 것으로, 가족 구성원이 자신들의 삶의 이야기를 다시 쓰도록 돕는 것이다. 따라서 가족치료자는 문제해결자가 아니라 가족 구성원이 자신의 경험에서 긍정적인 부분을 찾아내어 새로운 이야기를 쓰도록 돕는 역할을 한다. 이야기치료의 관점에서 보면 이야기의 변화는 행동의 변화를 초래한다. 이는 가족이 새로운 이야기로 무장할 때 가족구성원은 자신들의 문제에 대해 더욱 낙관적인 태도와 인내를 가지게 되고, 가족구성원이 상호결속하게 된다는 것이다.

이야기치료에서 자주 사용하는 기법에는 문제 외재화하기, 문제영향력 탐구 및 평가, 대안적 이야기 탐색 및 구성, 새로운 이야기 강화하기, 반영하기 등이 있다. 문제 외재화하기는 문제를 사람과 분리된 것으로 외재화하며 문제가 삶에 주는 영향력을 명백하게 하는 것이다. 문제 영향력 탐구 및 평가는 문제의 영향을 회피할 수 있었던 경우, 그것이 어떻게 이루어졌는지 이야기하도록 하여 문제 사건을 주변화하는 것이다. 전체이야기 다시 쓰기는 문제와 관련된 부분뿐만 아니라 전체적인 정체성을 수정하는데 관심을 두는 것이다. 이러한 이야기 치료는 질문형태로 전달된다. 일련의 질문으로 문제를 외재화하기 위해 해체하는 질문, 색다른 경험이 드러나도록 공간을 열어주는 질문, 색다른 경험이 더 선호하는 경험을 나타내도록 확신시키기 위한 선호 질문, 색다른 경험에서 새로운 이야기를 개발하기 위한 이야기 개발 질문, 자기 부정적인 이미지에 도전하고 긍정적인 주도성을 강조하기 위한 의미질문, 변화를 지지하고 긍정적인 발전을 강화하기 위한 이야기를 미래로 확장하는 질문 등이 있다.

7) 정신질환이 가족에 미치는 영향

질환을 앓고 있는 구성원을 돌보는 것만으로도 가족은 큰 스트레스를 받게 된다. 만약 가족구성원이 정신질환으로 진단받게 되면 가족은 더욱 큰 혼란을 겪는다. 부모는 유전적 요인으로 인해 정신질환이 발생했을 수도 있다는 것에 대한 죄책감, 질병의 예후와 경과에 대한 우려, 다른 가족구성원에 대한 걱정을 나타낼 것이다. 또한 정신질환이라는 낙인(stigma)으로 인해 주변에서 자신의 가족을 어떻게 바라볼 것인가에 대한 수치심이나 당혹감을 가질 수도 있다(Fujino & Okamura, 2009; Rose et al., 2006). 가족 내 주요우울장애, 불안장애 및 기타 정신질환을 앓는 구성원이 있으면, 다른 구성원들은 자살 및 타해 위협과 같은 위험 행동에 노출될 수 있다. 또한, 정신질환을 진단받은 구성원은 질환과 관련하여 슬픔이나 분노의 감정을 가질 수 있고, 자신으로 말미암아 가족에게 발생한 어려움에 대한 죄책감이나 정신질환의 예후에 대한 절망감도 느낄 수 있다(Oyebode, 2003).

가족은 질환을 가진 구성원의 행동에 대처하는 방법뿐만 아니라, 정신질환을 가진 구성원을 위해 도움을 구할 수 있는 기관 및 제도를 활용할 수 있어야 한다. 치료를 받는 동안 정신건강복지센터나 정신사회재활시설 등의 지역사회 기관에서 상담을 받을 수 있고, 정신질환과 관련된 위험 행동에 대해 도움을 받을 수 있다. 예를 들어, 편집증이 있는 구성원은 이웃 주민이 자신을 해치려 한다고 생각할 수 있으며, 이웃에게 위협을 줄 수도 있다. 이 경우 가족들은 경찰서에 신고하여 도움을 받을 수 있다. 정신질환을 가진 가족구성원은 다음과 같은 행동이나 문제를 보일 수 있다.

- 약물 복용 시 부작용의 발현 및 치료
- 일상생활에 필요한 에너지 결핍
- 사회적 고립, 다른 사람과의 접촉 회피
- 공격적 행동, 위협적인 행동, 편집증적 행동
- 잦은 기분변화
- 정신질환에 대한 부정, 합리적 추론이나 판단력 부족
- 부적절하거나 이해할 수 없는 의사소통
- 지속적인 위험한 행동(예: 마약이나 알코올 사용)
- 원하는 목표를 달성하기 위해 다른 사람을 조종하려는 행동

질환을 앓게 된 구성원이 가족 내 임금 소득자인 경우, 가족의 수입이 줄어들 것이다. 개인과 가족이 받는 스트레스는 증가하고, 스트레스는 가족구성원의 학교생활이나 직장생활에 영향을 미칠 수 있다. 뿐만 아니라 개인과 가족 모두의 미래 또한 위험에 처할 수 있다(Conn & Marsh, 1999; Rose et al., 2006). 가족 내 구성원이 정신질환을 진단받게 되면 가족이 분열되는 경우도 있다. 예를 들어, 배우자가 알코올 중독이거나 폭력성을 지닌 경우, 개인은 더 이상 함께 살 수 없다고 결론내릴 수 있다.

8) 정신과 치료와 입원에 대한 가족의 반응

가족구성원이 정신질환을 진단받고 정신과 병동에 입원하게 될 경우 가족들은 다양한 반응을 보일 수 있다. 가족은 먼 친척이나 친구들이 보일 부정적인 반응을 걱정하며 환자의 입원 사실을 알리지 않으려고 할 수도 있다. 가족은 환자의 이상행동에 대처하는 데 어려움을 겪거나, 가족 모두의 안전에 대해 계속 걱정하면서 지치게 될 수도 있다. 또한 환자가 병원에 입원해야 할 때 가족들 사이에서 모순된 의견이나 감정이 발생할 수 있다. 가족들은 환자의 입원을 원하기도 하지만, 강제입원에 대해서는 모든 가족구성원이 동의하지 않을 수도 있다. 환자 본인도 스스로 도움의 필요성을 느끼고 입원에 동의하거나, 도움을 필요로 하기는 하지만 입원에 대해서는 거부할 수도 있다.

계속되는 잦은 입원은 가족을 완전히 소진되게 만들 수도 있다. 심각한 스트레스를 받으면 다른 구성원들이 정상적인 생활을 유지하기 위해 환자의 입원을 원할 수도 있다. 입원치료가 환자와 가족들의 안전에 대한 욕구를 충족시키는 경우, 입원은 가족 전체에게 도움이 될 수 있다. 하지만 가족이 받는 스트레스나 불안 때문에 환자의 입원을 권유하게 되면, 환자는 자신 때문에 가족이 힘들어진 것에 대해 죄책감을 느낄 수도 있다. 가족 갈등이 지속되는 경우 가족치료가 권장되기도 한다. 가족치료의 경우 문제가 복잡하고 치료를 수행하는 데 있어 전문적인 기술을 필요로 하는데, 가족치료가 가능한 전문가로는 사회복지사, 가족치료사, 심리학자, 정신건강간호사 등이 있으며, 학부만 졸업한

간호사의 업무 범위는 아니다.

가족 내에서 학대나 폭행이 발견될 경우 적절한 치료를 받도록 하는 것이 중요하다. 학대나 폭행을 당하던 구성원은 그러한 사실이 타인에게 밝혀졌을 때 안도감을 경험할 수도 있으나, 오히려 분노나 부정 또는 굴욕감을 경험할 가능성이 크다. 학대를 경험한 구성원은 미래에 대한 두려움, 보복에 대한 두려움, 또는 학대와 관련된 법적 처벌에 대한 공포를 느낄 수 있다. 학대로 인한 고통에 직면할 수 있도록 하기 위해 학대받는 구성원의 안전을 반드시 보장해야 한다.

9) 가족치료 시 간호사의 태도

어떤 가족이 가족 문제에 대해 치료를 원할 때, 간호사는 관련된 모든 당사자의 말을 듣고 모든 입장을 검토할 때까지 판단을 보류해야 한다. 간호사는 가족 내 어느 한 사람이 문제라거나, 혹은 가족 전체가 문제라고 성급하게 판단하지 않아야 한다. 간호사는 어떤 식으로도 가족구성원을 비난하지 않아야 한다. 정신질환은 가족에 의해 발생하는 것이 아니며, 가족 문제가 정신질환 진단을 받은 구성원에 의해 초래된 것이 아니기 때문이다.

정신장애를 진단받은 구성원이 가족 중 가장 아픈 구성원이 아닐 수도 있다. '희생양(scapegoat)'이라는 용어는 갈등이나 비판의 대상으로 한 구성원을 규정하는 가족 내 과정을 의미한다(Nichols, 2013). 정신질환을 진단받은 환자들은 대개 가족 내 문제에 가장 민감하게 반응하며, 문제해결을 위한 도움을 간절히 바라는 사람들이다(Walsh, 2012). 간호사는 평가 및 치료 중에 환자 및 다른 가족구성원과 직접적으로 상의하여 희생양이 발생하지 않도록 도와야 한다. 또한 간호사는 치료과정에 참여하려는 환자의 의지를 긍정적으로 강화시킬 수 있다. 치료과정에서 환자가 소극적으로 협조하는 경우에 긍정적 강화는 환자의 협력을 증진시키고 자존감을 높이는 데 도움이 될 수 있다.

상담이나 치료가 필요한 가족상황

- 실직이나 이혼 등 상황에 따른 위기
- 발달상의 위기(사춘기 자녀를 둔 가족 등)
- 학대와 같은 관계 문제와 갈등
- 결혼 후 원가족과 현재 가족 간의 갈등
- 재혼, 입양 및 위탁가정 등 새롭게 가족구성원이 들어온 경우
- 치료와 관련된 가족 갈등
- 양육권 분쟁
- 가족구성원의 급·만성 정신질환

10) 가족치료 시 간호사의 역량

간호사는 환자 및 가족을 효과적으로 간호하기 위해 몇 가지 중요한 역량을 갖추어야 한다. 자기인식, 문제 사정, 치료적 의사소통, 가족교육, 영성, 협업, 연계 및 가족 지지 등을 통해 간호사는 환자, 가족 및 다른 보호자와 협력할 수 있고, 또한 적절한 치료 및 적절한 기관으로 연계할 수 있다.

(1) 자기인식

간호사는 정신질환 진단을 받은 환자를 돌볼 때, 환자의 치료과정에 가족이 참여하는 것에 대해 간호사 자신의 가치관이나 신념, 편견을 인식하고 있어야 한다. 간호사는 가족의 문제에 지나치게 개인적인 관심이 개입되지 않도록 주의하여야 한다. 간호사는 가족력에 대해 잘 파악하고 있어야 하며, 모든 가족이 강점과 욕구를 가지고 있음을 인정해야 한다(Walsh, 2012). 간호사 자신이 규칙적인 운동과 건강한 식사, 친구와 가족들로부터 돌봄과 지원을 받는 등 적절한 자가 간호와 스트레스 관리 기술을 실천하고, 그 모습을 가족에게 보여주어야 한다. 간호사가 자신을 잘 돌보는 행동은 환자와 가족들이 그들의 삶을 잘 관리할 수 있는 효과적인 대처기술을 습득하는 데 도움이 된다.

(2) 문제 사정

가족구성원들 사이의 모든 상호작용은 문제해결을 위한 수단이 된다. 간호사는 문제 사정과 의사결정 과정에서 가족이 문제해결에 참여할 수 있도록 도와주어야 한다(Johnson et al., 2002). 한 개인과 가족이 가진 강점은 부족한 점을 극복하는 데 도움이 되며, 가족구성원들이 환경과 문제에 좌우되어 고통을 겪는 것이 아니라, 오히려 스스로 변화할 수 있는 능력이 있음을 알게 한다. 자신들의 문제를 사정하는 과정에서 향후 발생할 수 있는 문제에 대처할 수 있는 기술도 배울 수 있다. 문제 사정 시 포함되는 항목들은 다음과 같다.

- 원가족과 현재 가족의 특성
- 현재 가족의 발달단계
- 발달과업의 달성 정도
- 환자와 가족이 치료를 원하는 사유와 치료에 대한 반응
- 정신질환이 가족구성원과 가족 전체에 미치는 영향
- 가족의 강점

- 정신질환에 대한 가족의 이해
- 일상생활 관리를 위한 현재의 대처능력
- 환자나 가족의 다른 건강문제

가족과 대화할 때 간호사의 관찰력은 매우 중요하다. 간호사는 정신질환을 가진 가족구성원의 행동에만 초점을 맞추기보다는, 모든 가족구성원의 말과 행동을 관찰하고 구성원 간에 서로 어떤 관계를 맺고 있는지 고려해야 한다. 간호사는 가족에 대한 결론을 내리기 전에 이용 가능한 모든 정보와 그것이 가진 영향 등을 고려한다. 정보가 부족한 상태에서 너무 빠르게 결론에 도달하게 되면 효과적인 해결책을 제시하기 어렵고, 추후에 가족에게 문제가 발생하였을 때 도움을 요청하지 못하게 만들 수도 있다.

가족 문제 사정 시 질문

가족구성원과 발달단계
- "가족에 대해 이야기해 주십시오. 연령과 성별은 어떻게 되십니까?"
- "가족 외에 다른 친척들은 누가 있습니까? 그 친척은 가족과 자주 연락하며 지내십니까?"

가족의 강점과 요구사항
- "당신의 가족의 강점은 무엇이라고 생각하십니까?"
- "가족에게서 바꾸고 싶은 것이 있다면 무엇입니까?"

가족 대처
- "가족이 성공적으로 대처한 문제가 있었다면 이야기해 주십시오."
- "그 문제를 성공적으로 대처하는 데 도움이 된 것은 무엇이었습니까?"

가족 문제 확인
- "현재 가족의 문제를 어떻게 바라보고 있습니까?"
- "현재 가족의 문제를 어떻게 해결해야 한다고 생각하십니까?"

가족의 자원 활용
- "과거에 이런 유사한 문제를 대처하는 데 도움이 되었던 자원이나 기관은 어디였습니까?"
- "건강을 유지하기 위해 당신의 가족은 어떻게 하십니까? 몸이나 마음이 아플 때 당신의 가족은 어떻게 하십니까?
- "제가 간호사로서 현재 문제를 해결하는 데 어떤 도움을 드리길 원하십니까?"

(3) 치료적 의사소통

치료적 상호작용을 위해 간호사는 다음의 내용들을 이해하고 있어야 한다.

(1) 가족은 일반적으로 사용가능한 자원과 능력을 활용하여 기능을 유지한다.
(2) 가족은 치료자의 지도와 지지를 통해 문제를 해결할 수 있다.
(3) 모든 가족은 가족의 문제를 해결할 수 있는 강점을 가지고 있다.
(4) 문제의 책임을 서로에게 전가하는 것은 가족 문제를 해결하는 데 아무런 도움이 되지 않으며, 가족구성원 전체의 자존감을 낮춘다.
(5) 가족구성원은 스스로 문제를 해결할 수 없을 때 좌절과 고통을 느낀다(Conn & Marsh, 1999).

간호사는 환자 및 가족과의 모든 상호작용이 치료적 기회가 된다는 것을 기억해야 한다. 치료적 면담 기술에는 가족구성원을 존중하고, 가족구성원과 그들의 문제에 대해 무비판적으로 대하는 간호사의 능력이 포함된다. 간호사가 가족에게 사용하는 치료적 의사소통 기술은 가족관계의 단계에 따라 달라지지만, 경청, 눈 맞춤, 공감, 지지적 표현, 언어 및 비언어적 신호에 대한 민감성, 정보의 유효성 등을 확인하고 명확하게 사용하는 것이 중요하다.

(4) 가족교육

간호사는 항상 환자와 가족에게 교육을 제공하는 교육자로서의 역할을 해 왔다. 가족교육은 정신건강 문제를 치료하고 예방하는 데 있어서 많은 도움이 된다. 위험에 처한 가정의 경우, 교육을 통해 가족의 기능을 강화하고 정신건강 문제가 발생하는 것을 예방할 수 있다. 효율적 부모역할 수행을 위한 체계적 훈련(systematic training for effective parenting, STEP)과 같은 프로그램은 부모-자녀 간의 애착 증진을 도모하고, 부모가 과도하게 엄격한 훈육법을 사용하는 것을 줄여준다(Nardi, 1999). 간호사는 가족의 욕구나 가족이 관심을 갖는 주제에 대해 교육을 제공할 수 있다.

윌슨과 홉스(Wilson & Hobbs, 1999)는 정신질환을 진단받은 환자와 가족들에게 필요한 교육자로서의 간호사 역할을 설명했다. 간호사는 환자와 가족에게 두려움을 유발할 수 있는 정신질환에 대해 교육을 제공하여 환자가 이상 반응을 보일 때 발생하는 충격과 고통을 감소시킬 수 있다. 간호사는 가족의 강점을 강화하고, 퇴원 후 재활을 촉진하도록 다른 치료팀과 함께 가족의 옹호자로서 역할을 한다. 윌슨과 홉스(Wilson & Hobbs, 1999)가 제시한 가족교육 프로그램은 뇌졸중이나 심장마비를 경험한 환자와 가족이 의료환경에서 경험하는 재활 프로그램과 유사하다. 이 프로그램은 급성 질환으로부터 빠르게 회복할 수 있도록 해줄 뿐만 아니라, 환자와 그 가족이 더욱 효과적으로 급성 증상을 관리하여 재발하지 않도록 도와준다.

효과적인 교육을 위해 환자와 가족의 학습방법을 알아두고 다양한 방법으로 정보를 제공해야 한다. 성공적인 교육이 이루어지기 위해 의사소통, 그림, 이야기 등 환자와 가족이 가장 선호하는 학습방법에 맞추어 정보를 제공한다. 만약 간호사가 교육수준이 낮은 환자나 그 가족을 교육해야 하는 경우, 중요한 정보를 설명하기 위해 그림이나 초등학생 수준으로 작성된 설명서가 도움이 될 수 있다. 현지 언어에 능숙하지 않은 외국인의 경우에는 해당 언어로 번역된 설명서가 도움이 된다. 또한 인터넷을 이용하여 풍부한 교육자원을 환자와 그 가족에게 제공할 수 있는데, 정보를 제공하기 전 내용과 출처가 확실한지 파악해야 한다.

미국정신건강가족연맹협회(National Alliance on Mental Illness, NAMI), 미국정신건강협회(National Mental Health Association)와 같은 단체들은 환자와 가족의 권리를 효과적으로 옹호한다. 이러한 단체들은 새로운 치료법에 대한 유용성과 특정 치료의 효과 및 부작용, 상호지원 단체와 같은 서비스의 이용 및 보험 등 정신건강시스템에 대한 정보를 제공한다. NAMI가 제공하는 가족 프로그램은 정신질환을 진단받은 구성원이 있는 가족을 위한 효과적인 교육 및 지원 프로그램의 좋은 사례이다(Dixon et al., 2001).

(5) 영적 간호

간호사는 공감, 지지, 인내, 희망을 보여주는 태도로 환자를 간호하면서, 치료에 대한 영적 차원의 간호를 제공한다(Sperry, 2000). 간호사는 환자 및 가족과 긴밀하고 밀접하게 접촉하기 때문에 협력하여 고통과 기쁨을 함께 나누고, 환자와 가족의 가치와 신념을 존중함으로써 영적 돌봄을 제공할 수 있다. 간호사는 환자나 가족이 원할 때 목사, 신부 등과 같은 영적 분야의 전문가와 만날 수 있도록 도울 수 있다.

만약 가족의 영적 신념이 환자의 현재 치료법과 상충된다면 간호사는 가능한 한 환자의 신념을 수용한다. 예를 들어, 일부 환자와 가족은 치료를 위해 약물복용 대신 기도에 의지하려고 하기도 한다. 그러나 문제는 환자가 환각을 경험하는 경우에는 항정신병 약물이 증상 완화에 도움이 된다는 점이다. 환자와 가족에게 기도가 치료적으로 의미 있는 행동임을 인정해 주면서 가족의 가치와 신념을 존중하는 태도를 보인다면, 가족은 간호사와 함께 약물의 장단점에 대해 이야기하고 싶어 할 수 있다.

(6) 협업

간호사는 환자와 가족, 동료 간호사와 함께 협업하여 가족에게 돌봄을 제공하고, 가족이 목표를 달성하도록 도와주어야 한다. 간호사는 환자를 지지하고 긍정적인 결과를 달성하기 위해 여러 분야의 다양한 기관과 협력할 필요가 있다.

펜실베니아 대학의 정신건강 정책 및 서비스 연구센터(Center for Mental Health Policy and Service Research)에서는 정신건강 치료 종사자의 역량에 대해서 발표하였다(Coursey et al., 2000). 여기서 개발된 12가지 역량 중 3가지는 협업과 관련이 있다. 첫 번째 역량은 심각한 정신질환을 가진 대상자에 대한 치료를 계획 · 중재 · 평가하는 데 있어 대상자를 완전한 협력자로 참여시키는 것이다. 두 번째 역량은 심각한 정신질환을 가진 대상자를 돌보는 가족구성원뿐 아니라 나머지 구성원들도 치료의 모든 측면에서 참여해야 한다는 것이다. 아홉 번째 역량은 보호자에게 서비스제공시스템의 모든 부문에서 협력하도록 하는 것이다.

협업에 초점을 맞추는 것은 양질의 정신건강서비스를 제공하기 위해 통합적인 협력이 필수적이기 때문이다. 포괄적 정신보건서비스를 제공하기 위해 모든 이해 관계자와 성공적으로 협력하려면 간호사는 다음과 같은 내용을 습득해야 한다.

(1) 팀 내 다른 치료자들의 공헌을 인정한다.
(2) 문제의 확인 및 해결 과정에 환자, 가족 및 다른 건강관리 종사자를 참여시킨다.
(3) 자원에 대한 풍부한 지식을 갖춘다.
(4) 환자와 가족에게 양질의 정신건강서비스를 제공하기 위해 모든 관계자와 협력한다.

(7) 연계 및 가족지지

다른 기관으로의 연계는 현재 받고 있는 치료에 만족하지 못하는 가족에게 도움을 줄 수 있다. 간호사는 가족이 특정한 문제에 대한 도움을 받기 위해 다른 건강관리시스템을 이용하고자 할 때, 그들을 지원할 수 있는 지식과 기술을 갖추어야 한다. 간호사는 가족들이 이야기하는 자원에 대한 정보를 잘 알고 있어야 한다. 간호사가 환자와 가족이 어디로 가야 하는지, 누구를 만나야 하는지, 무엇을 추천해야 하는지, 그리고 연계한 기관에서 무엇을 기대할 수 있는지 등에 대해 알고 있다면 매우 긍정적인 결과를 얻을 수 있다. 반대로, 간호사가 환자와 가족에게 연계하는 시설이나 전문가의 이름과 주소만 제공한다면 환자와 가족이 효과적인 후속조치를 받을 수 있는 가능성이 낮아진다. 가족들은 연계 기관에 가는 방법을 모르거나, 치료가 잘못되거나 비용이 많이 들지도 모른다고 걱정할 수도 있다. 또는 입원으로 인해 다른 가족들과 떨어지는 것을 두려워할 수도 있다. 간호사가 환자와 가족에 맞춰서 정보를 제공하고 의뢰한다면, 지속적인 치료와 가족 전체의 정신건강 증진에 도움이 될 수 있다.

11) 가족에 대한 간호과정 적용

(1) 간호사정

간호사정은 간호사와 환자, 그리고 가족 간의 관계에서 시작된다. 간호사, 환자 및 가족에게 가족구성원의 기능에 대해 각 구성원의 관점에서 말할 수 있는 기회를 제공한다. 간호사정은 환자와 가족이 모두 함께 있을 때, 환자 없이 일부 구성원만 참석하였을 때, 또는 환자만 참석하였을 때에도 할 수 있지만, 가능한 한 많은 가족구성원의 관점을 파악할 때 치료 효과가 극대화된다.

치료받으러 온 환자가 살고 있는 가족은 원가족이거나 재혼한 부모, 양부모, 친척, 배우자 또는 다른 누군가일 수 있으므로, 간호사는 환자의 치료와 관련된 지지체계와 환자의 생활방식을 고려해야 한다. 현재 환자에게 나타난 문제는 이전의 가족관계에서 발생한 문제일 수도 있고, 이전 가족과 관련 없는 새로운 문제일 수도 있다.

간호사정 시 가족에게 발생한 다른 신체적·정신적 건강 문제들도 고려해야 한다. 가족구성원들은 잠을 자지 못하거나 음식을 제대로 섭취하지 못하고, 불안감을 강하게 느끼고 있을 수 있다. 이에 따라 나타날 수 있는 신체적 증상으로 두통, 소화불량, 위궤양, 고혈압 및 기타 스트레스 관련 문제 등이 있다. 예를 들어, 폴란드 가족협의회에서는 정신장애 아동의 부모들이 느끼는 가장 고통스럽고 버거운 문제는 무기력하고 두려운 느낌, 아이가 정신적으로 아프기 때문에 장래의 꿈과 희망을 잃어버리는 것, 그리고 정신질환이 발생하기 전에 세웠던 계획을 수정해야 하는 것 등이라고 하였다(Lively et al., 2004; Smith et al., 2000). 간호사는 가족들이 건강과 관련된 우선순위에 관한 의사결정에 적극적으로 참여할 수 있도록 도와야 한다.

(2) 간호진단

간호사정에 근거하여 간호사는 NANDA 간호진단 분류체계에서 승인된 간호진단을 우선적으로 적용하도록 한다. 몇 가지 전형적인 간호진단에는 부모역할 장애, 가족과정 손상, 돌봄제공자 역할 긴장의 위험 등이 있다. 이러한 간호진단은 가족이 직면하고 있는 문제를 정의하는 데 도움이 되며, 간호결과를 확인하기 위한 기초가 된다. 간호진단은 일반적으로 결핍의 측면에서 문제에 초점을 맞추어 적용되지만, 간호사는 결핍이나 결핍 위험성을 극복하는 데 도움이 되는 환자와 가족의 강점도 함께 사정해야 한다(NANDA International, 2005).

(3) 간호목표

간호사는 가족사정에 근거하여 치료를 통해 달성하고자 하는 목표를 환자 및 가족과 함께 수립해야 한다. 목표는 특정 구성원의 개별적인 목표나 가족 전체의 목표, 또는 둘 다를 포함할 수 있다. 목표는 구체적이고, 일정한 기간 동안 측정 및 달성 가능해야 한다.

심한 고통을 겪고 있는 가족과 함께 목표를 수립할 때 간호사는 다른 기관들이 도움을 줄 수 있는지 여부도 고려해야 한다. 경제적 문제나 가족구성원에 대한 보호 필요성, 학대 신고, 경찰과의 접촉 또는 법원 명령이 필요할 경우 정부기관과의 연락 등이 필요할 수 있다.

(4) 간호계획 및 간호중재

간호사가 환자 및 환자가족과 개별적으로 또는 그룹으로 일할 때 사용할 수 있는 중재방법은 가족에 대한 **핵심 간호중재**에 기술하였다. 정신질환을 앓고 있는 환자와 가족의 관점을 이해하는 과정에서 간호사는 관련된 모든 당사자들을 돕기 위한 중재를 개발할 수 있다. 폴란드의 정신건강가족협회(Mental Health Family Association)에서는 질병 과정

핵심 간호중재: 환자 및 가족의 간호 시 중재방법

- 환자와 가족에게 존중, 공감, 지지 및 수용의 태도를 보인다.
- 환자와 가족이 다른 기관과 상호작용할 수 있도록 지지한다.
- 가족이 환자의 자존감을 높여줄 수 있도록 도와준다. 단, 현실적인 기대를 하도록 돕는다.
- 개인과 가족의 정상적인 발달위기를 해결하도록 돕는다.
- 가족이 적응적인 대처기술을 사용하여 앞으로의 문제를 해결할 수 있도록 돕는다.
- 정상적인 발달문제를 경험하는 가족이나 심각한 위기를 경험하는 가족을 위해 지지집단이나 자원에 연계한다.
- 문제해결, 갈등해결 및 한계 설정에 관한 기술을 교육하여 가족이 힘을 내도록 지지한다.
- 가족이 감정을 명확하게 확인하고 소통하도록 돕는다.
- 가족이 모든 가족구성원의 안전을 위해 학대 문제를 인식하고 대처하도록 돕는다.
- 환자와 가족이 문제를 해결할 수 있도록 과정에 대한 피드백을 제공한다.
- 가족의 욕구에 맞춰서 환자와 가족 간의 역할의 융통성에 대해 중재한다.
- 간단한 문제 중심적 접근을 하는 정신건강교육 집단을 소개하여 가족을 지지한다.
- 학대를 보고해야 할 경우 환자 및 가족에게 정직하게 이야기한다.
- 의사소통기술 및 양육기술에 대해 교육한다.
- 가족에게 정신질환의 원인, 증상 및 치료방법을 교육한다.
- 가족에게 재발을 예방하거나 최소화하기 위해 증상과 약물의 효과 및 부작용에 대해 교육하고, 필요시 전문가의 도움을 받도록 한다.
- 질환으로 인해 환자가 이해하기 어렵고 대처하기 어려운 행동을 보일 수 있다. 이에 대한 관리방법을 교육한다.
- 목표설정 및 치료계획에 환자와 가족을 포함시킨다.
- 가족구성원들에게 환자를 돌보는 것만큼 스스로를 돌보는 것도 중요하다고 교육한다.

을 이해하는 데 도움이 되는 정보와 가족구성원의 삶이 향상될 수 있다는 희망, 그리고 가족의 관심사를 터놓고 말할 수 있는 다른 가족이나 친구, 전문가들이 있다면 보호자가 느끼는 부담이 줄어들 것이라고 하였다.

(5) 평가

환자와 가족을 대상으로 치료목표가 달성되었는지, 그리고 그들이 효과적인 해결책을 개발하였는지 여부를 판단함으로써 간호평가를 수행할 수 있다. 치료 중 간호사와 가족은 간호사, 환자, 가족이 정의한 문제를 해결하기 위한 진행 상황을 정기적으로 평가해야 한다.

간호사는 환자로 하여금 퇴원 후 환자와 가족이 함께 수행할 수 있는 치료목표를 수립할 수 있도록 도와야 한다. 치료의 진행 상황과 결과 달성에 대한 지속적 간호평가는 성공적인 치료를 위해 필수적일 뿐만 아니라 간호과정에서 가장 중요한 단계 중 하나이다.

(6) 가족이 이용 가능한 자원

간호사는 가족에게 도움이 되는 자원을 찾아 적절한 서비스를 제공할 수 있다. 이러한 서비스에는 의료서비스, 사회복지기관, 교회, 응급구호서비스, 자원봉사기관, 지역사회 보건의료서비스, 가정간호서비스 및 기타 지원단체가 포함될 수 있다. 가족이 이용 가능한 자원에 대한 자료는 다음을 참고하면 된다.

[국내 자원]

- 정신질환 환우들의 가족과 함께하는 교육 '패밀리 링크' : http://www.familylink.or.kr
- 우리 함께 결정해요 'SDM(Shared Decision Making)' : http://www.sdmaking.com
- 대한정신장애인가족협회: http://www.kfamd.or.kr
- 한국사회복귀시설협회: http://www.kpr.or.kr
- 한국정신사회재활협회: http://www.kapr.or.kr
- 대한정신의료기관협회: http://www.kamh.co.kr

[해외 자원]

- Al-Anon/Alateen(알코올 중독자 가족모임) : http://www.al-anon.org
- Alcoholics Anonymous(알코올 중독자 모임) : http://www.aa.org
- Families Anonymous(가정 모임) : http://www.familiesanonymous.org
- Narcotics Anonymous(마약 중독자 모임) : http://www.na.org
- NAMI 및 NAMI-CAN(가족네트워크)

: http://www.nami.org

- Parents Anonymous(부모 모임)
  : http://www.parentsanonymous.org
- Alzheimer's Association(알츠하이머 협회)
  : http://www.alz.org
- Mental Health America(미국정신건강협회)
  : http://www.nmha.org

CRITICAL THINKING QUESTION

3. 건강한 가정에서도 정신질환을 가진 사람이 있을 수 있는가?
4. 정신질환을 진단받은 아동의 가족이 질환에 대한 생물학적 요인을 가지고 있다는 말을 들었을 때, 아이의 부모와 형제자매의 생각과 감정에 어떤 영향을 미칠 수 있는가?
5. 심각한 우울증을 앓고 있는 환자의 자살충동에 대처하는 데 어려움을 겪고 있는 가족이 있다. 이 경우 간호사가 가족과 함께 이용할 수 있는 가족중심의 접근법은 무엇인가?

STUDY NOTES

1. 행동 이론에서는 모든 행동은 학습된다고 보며, 부적응적 문제행동을 적응적 행동으로 변화시키는 것에 초점을 둔다.
2. 파블로프의 고전적 조건화 이론에서는 무조건 자극, 무조건 반응, 조건 자극, 조건 반응의 4가지가 제시된다.
3. 스키너의 조작적 조건화 이론은 행동의 빈도를 증가시키는 강화와 행동의 빈도수를 감소시키는 징벌, 소거 등의 기법을 제시하였다.
4. 행동치료는 일반적인 학습 모델에 근거하여 반복 연습과 훈련 등을 통해 문제행동을 교정하는데, 행동치료의 기법에는 이완훈련, 체계적 둔감화, 가상현실 사용, 사회기술훈련, 모델링, 행동연습, 과제수행, 협오요법 등이 있다.
5. 엘리스에 의해 개발된 합리적 정서행동치료는 처음으로 개발된 인지행동치료이며, 이 치료의 목적은 정확하지도 않고, 실용적이지도 않고, 유용하지도 않은 비합리적 생각을 인식하도록 도와줌으로써 비합리적 신념을 근절하는 것이다.
6. 인지행동치료의 기초가 되는 벡의 인지치료는 사람이 자신을 둘러싼 세계와 자신이 처한 상황에 대해 생각하는 방식에 따라 그의 감정과 행동이 결정된다고 가정한다.
7. 인지치료에서 대상자는 자신이 가지고 있는 부정적인 생각에 도전하여, 이를 긍정적이고 합리적인 생각으로 대치시키는 것을 학습한다.
8. 인지적 오류의 예로 흑백논리적 사고, 과잉일반화, 정신적여과(선택적 추상화), 임의적 추론, 극대화 또는 극소화, 파국화, 개인화 등이 있다.
9. 인지행동치료에서 변형된 동기강화치료는 알코올 중독과 같은 중독문제가 있는 개인치료에 주로 사용된다.
10. 변증법적 행동치료는 자살근접행동을 보이는 경계성 성격장애 환자를 치료하기 위하여 개발되었다. 변증법적 행동치료의 목표는 변증법적 갈등이 일어났을 때 환자가 이를 협상할 수 있도록 의식적이고 전략적인 결정을 하도록 돕는 것이다.
11. 모든 가족구성원은 체계 내에서 각자의 고유한 역할을 수행하지만, 한 구성원에게 발생한 변화는 결국 모든 구성원들에게 영향을 주게 된다. 가족체계 접근법은 가족의 기능 및 변화를 가능하게 하는 방법을 가족이 이해할 수 있도록 돕는다.
12. 가족 삼각관계(triangulation)는 두 명의 구성원 간에 갈등이 있을 때 발생하며, 가족 중에 제3자를 자기 편으로 끌어들이려는 시도에서 만들어진다.
13. 건강한 가족에서는 개방적인 의사소통을 하며 권위의 한계가 명확하다. 가족은 구성원이 보살핌을 받으며 스스로 가치 있는 존재라고 느끼게 하고, 사회에서 어떻게 대처해야 하는지 준비하게 한다.
14. 가족구성원이 정신질환으로 진단받게 되면 가족은 더욱 큰 혼란을 겪는다. 부모는 유전적 요인에 대한 죄책감, 환자 및 다른 구성원에 대한 걱정과 함께 수치심, 당혹감을 경험할 수 있다.
15. 가족 내에서 학대나 폭행이 발견될 경우 적절한 치료를 받도록 하는 것이 중요하며, 학대받는 가족구성원의 안전을 반드시 보장해야 한다.
16. 상담이나 치료가 필요한 일반적인 가족 상황은 실직이나 이혼 등 상황에 따른 위기, 발달상의 위기, 학대와 같은 관계 문제와 갈등, 결혼 후 원가족과 현재 가족 간의 갈등, 재혼, 입양 및 위탁가정 등 새롭게 가족구성원이 들어온 경우, 치료와 관련된 가족 갈등, 양육권 분쟁, 가족구성원의 급·만성 정신질환이 있을 때이다.
17. 가족 상담 및 치료에 필요한 간호사의 역량은 자기인식, 문제 사정, 치료적 의사소통, 가족 교육, 영성, 협업, 연계 및 가족 지지, 적절한 치료 및 기관으로 연계할 수 있는 능력이다.

참고문헌 REFERENCES

Beck, A. T. (1967). Depression: Clinical, experimental and theoretical aspects. New York: Harper & Row.

Beck, A. T.(2005). The current state of cognitive therapy: A 40-year retrospective. Archives of General Psychiatry, 62, 953-959.

Bowen, M. (1978). Family Therapy in Clinical Practice. Northvale, NJ: Jason Aronson Inc.

Broderick, C. B. (1993). Understanding Family Process: Basics of Family Systems. SAGE Publications: CA.

Conn, V. S., & Marsh, D. T. (1999). Working with families. In C. A. Shea, et al. (Eds.), Advanced practice nursing in psychiatric and mental health care (pp. 371-385). St. Louis: Mosby.

Coursey, R. D., et al. (2000). Competencies for direct

service staff members who work with adults with severe mental illness: Specific knowledge, attitudes, skills, and bibliography. Psychiatric Rehabilitation Journal, 23, 370.

Dixon, L., et al. (2001). Evidence-based practices for services to families of people with psychiatric disabilities. Psychiatric Services, 52, 903.

Duvall, E., & Miller, B. (1985). Marriage and family development(6th ed.). New York: Harper & Row.

Fujino, N., & Okamura, H. (2009). Factors affecting the sense of burden felt by family members caring for patients with mental illness. Archives of Psychiatric Nursing, 23, 128-137.

Haley, J. & Richeport-Haley, M. (2004). The Art of Strategic Therapy. Brunner-Routledge(ebook).

Jamison, K. R. (1995). An unquiet mind. New York: Vintage.

Johnson, L. N., Wright, D. W., & Ketring, S. A. (2002). The therapeutic alliance in home-based family therapy. Journal of Marital and Family Therapy, 28, 93.

Kim, H. W., & Salyers, M. P. (2008). Attitudes and perceived barriers to working with families of persons with severe mental illness: Mental health professionals' perspectives. Community Mental Health Journal, 44, 337.

Lively, S., Friedrich, R. M., & Rubenstein, L. (2004). The effect of disturbing illness behaviors on siblings of persons with schizophrenia. Journal of the American Psychiatric Nurses Association, 10, 222.

Marra, T. 저, 신민섭 외 번역. (2006). 변증법적 행동치료. 시그마프레스.

McGoldrick, M., & Carter, B. (2003). The family life cycle. In F. Walsh (Ed.), Normal family processes (pp. 375-398) (3rd ed.). New York: Guilford.

Merrell, J. (2001). Social support for victims of domestic violence. Journal of Psychosocial Nursing, 39, 30.

Minuchin, S. (2006). Mastering Family Therapy: Journeys of Growth and Transformation. John Wiley & Sons: NJ.

NANDA International. (2005). NANDA nursing diagnoses: Definitions and classifications, 2005. Philadelphia: NANDA International.

Nardi, D. A. (1999). Parenting education as family support for low-income families of young children. Journal of Psychosocial Nursing, 37, 7.

Nichols, M. N. (2013). Family therapy: Concepts and methods (10th ed.). Boston: Allyn & Bacon.

Oyebode, J. (2003). Assessment of carer's psychological needs. Advances in Psychiatric Treatment, 9, 45.

Rose, L. E., Mallinson, R. K., & Gerson, L. D. (2006). Mastery, burden, and areas of concern among family caregivers of mentally ill persons. Archives of Psychiatric Nursing, 20, 41.

Smith, G. C., Hatfield, A. B., & Miller, D. C. (2000). Planning by older mothers for the future care of offspring with serious mental illness. Psychiatric Services, 51, 1162.

Sperry, L. (2000). Spirituality and psychiatry: Incorporating the spiritual dimension into clinical practice. Psychiatric Annals, 3, 518.

Van Servellen, G. (1983). Group and family therapy. St. Louis: Mosby.

Walsh, F. (2003a). Changing families in a changing world: Reconstructing family normality. In F. Walsh (Ed.), Normal family processes (pp. 3-26) (3rd ed.). New York: Guilford.

Walsh, F. (2012). Clinical views of family normality, health, and dysfunction: From deficit to strengths perspective. In F. Walsh (Ed.), Normal family processes (4th ed.). New York: Guilford.

Wilson, J. H., & Hobbs, H. (1999). The family educator: A professional resource for families. Journal of Psychosocial Nursing and Mental Health Services, 37, 22.

Marra, T. 저, 신민섭 외 번역. (2006). 변증법적 행동치료. 시그마프레스.

Prochaska, J. O., & DiClemente, C. C. (1992). Stages of change in the modification of problem behavior. In: Hersen, M.; Eisler, R.; and Miller, P.M. Progress in

Puchelak, R. (2003). The face of family burden, Newsletter of the World Fellowship for Schizophrenia and Allied Disorders, First Quarter, 10.

Weiner, I. B., & Bornstein, R. F. (2009). Principles of psychotherapy: Promoting evidence-based psychodynamic practice. John Wiley & Sons.

박경애, 조현주, 김종남, 김희수, 이병임, 이수진(2010). 인지치료기법. 시그마프레스.

CHAPTER

12

정신약물치료

Psychopharmacology

evolve WEBSITE

http://evolve.elsevier.com/Keltner

학습목표

- 정신질환 치료에 사용되는 정신약물의 역할과 간호사의 책임을 설명할 수 있다.
- 임상실무와 관련된 약동학, 약역학, 신경전달물질의 기능을 설명할 수 있다.
- 항파킨슨 약물의 기전과 부작용에 대해 설명할 수 있다.
- 항정신병 약물의 종류, 약리학적 기전, 부작용, 상호작용에 대해 설명할 수 있다.
- 항우울 약물의 종류, 약리학적 기전, 부작용, 상호작용에 대해 설명할 수 있다.
- 항조증 약물의 종류, 약리학적 기전, 부작용, 상호작용에 대해 설명할 수 있다.
- 항불안 약물의 종류, 약리학적 기전, 부작용, 상호작용에 대해 설명할 수 있다.
- 알츠하이머병과 다른 치매의 치료약물에 대해 설명할 수 있다.

1. 향정신성 약물 소개

약물 사용이 보편화된 사회에서 사람들은 다양한 종류의 약물(예: 수면제, 각성제, 항염증제, 고혈압약, 고지혈증약 등)을 복용하며, 정신적·정서적 문제를 교정하기 위해 향정신성 약물(psychotropic drug)을 사용해 왔다. 여기에는 망상과 환각을 치료하는 약물(항정신병 약물), 사고의 속도를 낮추는 약물(기분안정제 또는 항조증 약물), 기분을 개선시키는 약물(항우울제), 신경세포를 안정화시키는 약물(항불안제), 그리고 사고능력을 향상시키는 약물(항치매 약물) 등이 포함된다. 또한 이러한 약물에 의해 발생하는 문제를 교정하기 위한 약물도 있다(예: 항파킨슨 약물).

이상적으로 향정신성 약물은 정확한 진단하에 처방되고, 수용될 수 있는 수준의 정신적·정서적 상태가 유지될 때까지 복용되어야 한다. 환자는 약물의 도움 없이 적절한 정신 기능을 유지하지 못하거나 일정 수준으로 회복하지 못하고 지속적으로 약물에 의존해야 할 수도 있다. 향정신성 약물은 정신증, 정서장애, 중독장애 등의 증상들을 조절하고, 환자의 삶의 질을 향상시키며, 그들이 보다 생산적인 삶을 살게 하는 데 기여해왔다. 또한 개인으로 하여금 최소한의 제한된 환경과 지역사회에서 자유의지를 가지고 생활할 수 있도록 지대한 영향을 미쳤다.

정신약물치료의 혁신적 발전 과정에서 의미 있는 사건들이 있었다(**표 12-1**). 항정신병 약물, 항우울제 그리고 항조증 약물은 모두 1960년 이전에 우연히 발견되었다. 1990년대 이후에는 상당히 다른 유형의 약물들이 등장해 왔다. 비정형 항정신병 약물, 선택적 세로토닌 재흡수 억제제(selective serotonin reuptake inhibitor, SSRI)와 다른 새로운 항우울제는 이전의 약물들과 차이가 있다. 알츠하이머병 치료제는 이 질병으로 고통받는 환자와 그 가족에게 희망을 주었다. 간호사는 이러한 정신 약물치료의 발전 과정과 관련 개념을 이해하고 실무에 적절히 적용할 수 있어야 한다.

간호사는 향정신성 약물 사용의 주요 영역을 이해해야 한다. 간호사는 환자에게 24시간 보살핌을 제공하는 역할을 담당하므로 약물의 부작용을 사정하고, 기대되는 약물의 효과를 평가하며, 약물로 인한 잠재적 문제를 줄이기 위한 예방적 중재를 제공할 책임이 있다. 또한 필요시 약물투여(prn)에 대한 의사결정을 내려야 한다. 정신약물에 대한 이해는 암기하는 것 이상으로 복잡하고 어렵다. 간호사는 약역학, 약동학, 약물 상호작용, 혈액-뇌장벽, 신경세포와 신경전달물질, 수용체 등의 개념을 숙지해야 한다.

표 12-1	향정신성 약물의 역사에서 의미 있는 사건들
1949년	리튬이 호주에서 개발됨
1951년	최초의 항정신병 약물인 클로르프로마진이 프랑스에서 개발됨
1952년	결핵 치료약물이 기분을 개선하는 효과가 있다는 것을 확인한 시점에 모노아민 산화효소 억제제가 개발됨
1958년	삼환계 항우울제에 관한 논문이 전문학술지에 게재됨
1960년	해리스(Harris)가 벤조디아제핀의 효과에 관한 첫 학술 논문을 발표함
1980년대	새로운 종류의 항우울제인 선택적 세로토닌 재흡수 억제제가 개발되고, 해당 약물인 플루옥세틴이 처음 시판됨
1990년대	진정한 의미로 새로운 항정신병 약물인 클로자핀이 미국에서 출시됨. 이후 10년 동안 리스페리돈, 올란자핀, 쿠에티아삔, 지프라시돈, 아리피프라솔이 소개됨
1990년대	알츠하이머병 치료약물이 향정신성 약물로 사용될 수 있게 됨
오늘날	향정신성 약물에 관한 새로운 개념과 약물들이 계속 등장함

CRITICAL THINKING QUESTION

1. 일부 간호사들은 처방된 약물에 대해 지식이 부족하다. 이를 비윤리적, 비전문적, 안전하지 않은 문제로 볼 것인가? 또는 간호전문직의 현실로 받아들일 것인가? 간호사는 약물을 투여하기 전에 어느 정도의 기본정보를 숙지하고 있어야 하는가?

1) 약동학

약동학(pharmacokinetics)은 생체에 투여한 약물이 체내 인자들에 의해 어떻게 움직이고 변화하는지를 연구하는 학문으로, 흡수(absorption), 분배(distribution), 대사(metabolism), 배설(excretion)의 4가지 측면이 있다.

(1) 흡수

흡수(absorption)는 약물이 혈류로 들어가는 것이다. 구강으로 섭취된 약물이 효과를 나타내기 위해서는 위장관계를 거쳐 혈액으로 이동해야 한다. 약물 입자는 세포막의 소공이나 경로, 특별한 수송시스템 등을 통해 세포막을 통과함으로써 위나 소장의 벽을 지나 혈관에까지 이르게 된다. 정맥 내로 투여된 약물의 100%가 순환계에 도달하는 반면, 구강 약물은 그 일부만이 순환계에 도달한다. 구강 약물이 순환계로 도달하는 비율을 약물의 생체이용률(bioavailability)이라고 한다. 불완전한 흡수나 첫 통과 대사로 인해 구강으로 투여된 약물 용량의 일부만이 생체에 이용되는 것이다. 첫 통과 대사(first-pass metabolism)는 순환계로 도달하기 전 효소에 의한 분해현상으로, 소화관 벽을 통과하여 간에 노출되기 전에 일어난다. 다음 노출은 위장관 모세혈관이 간문맥과 연결되어 전신순환 전에 약물을 위장관계에서 간으로 직접 이동시키면서 일어난다. 예를 들어, 항불안제인 부스피론(buspirone)은 1~4%의 생체이용률을 갖는데, 이는 이 약물의 대부분이 순환계에 도달하기 전에 대사됨을 의미한다. 만일 어떤 기전에 의해 부스피론에 대한 첫 통과 대사가 이루어지지 않는다면, 투여용량을 매우 감소시켜 사용해야 한다.

(2) 분배

분배(distribution)는 약물이 혈액으로부터 조직과 기관으로 이동하는 과정이다. 지용성 입자는 모세혈관벽을 쉽게 통과할 수 있는 반면, 수용성 입자는 모세혈관벽의 세포 간 차이를 통해 이동할 수 있다. 분배와 관련된 다른 문제는 단백질 결합이다. 대부분의 약물은 어느 정도 혈장단백질(대부분 알부민)과 결합한다. 예를 들어, 설트랄린(sertraline) 99%, 디아제팜(diazepam) 98%, 플루옥세틴(fluoxetine) 95%, 로라제팜(lorazepam) 92%, 에스시탈로프람(escitalopram) 55%, 벤라팍신(venlafaxine) 23%의 결합률을 갖는다. 단백질과 결합한 입자들은 크기가 커져 모세혈관벽 사이를 통과하지 못하여 순환계를 떠날 수 없다. 결국 단백질과 결합한 약물은 약리적 효과가 없고, 대사나 배출도 되지 않는다. 특히, 진정 효과가 있는 디아제팜은 약물의 2%만이 활성 효과를 생산한다. 이 약물과의 단백질 결합률을 96%까지 떨어뜨리는 다른 약물을 함께 복용하면 약물 효과가 2배로 나타날 수 있다.

(3) 대사

대사(metabolism)는 신체에서 약물 입자가 분해되는 과정이다. 대부분의 약물은 비활성 상태로 분해되고, 수용성 입자로 전환되어 대사된다. 대부분의 대사는 간에서 이루어지지만, 신장, 폐, 소화기계, 혈장에서 대사활동이 일어나기도 한다. 효소(enzymes)는 대사과정을 촉진하고 특정 반응을 유발하여 촉매제로 불리기도 한다. 효소는 약물 입자보다 훨씬 크고, 특별한 배열과 맞는 입자만이 대사되는 방식으로 배열된다.

① 모노아민 산화효소 시스템

모노아민 산화효소(monoamine oxidase, MAO)는 모노아민(예: 도파민, 세로토닌, 노르에피네프린)을 빠르게 비활성화시키는 효소로, 비카테콜아민(예: 에페드린, 페닐에프린)은 느리게 대사시킨다. MAO는 간, 장벽, 그리고 중추신경계에 위치한다. 티라민(tyramine)은 많은 음식과 일부 약물에서 발견되는 생체아민인데, MAO는 이 티라민을 간에서 비활성화시키는 역할을 한다. MAO가 이러한 아민 대사를 하지 못하면 심각한 교감신경계 반응이 일어날 수 있다. MAO는 노르에피네프린과 세로토닌을 비활성화시키는 MAO-A와 도파민을 비활성화시키는 MAO-B의 2가지 형태가 있다. 일부 향정신성 약물은 MAO-A, MAO-B 모두를 억제하여 비선택적 MAO 억제제로 표현된다. 몇몇 약물들은 MAO-A나 MAO-B를 선택적으로 억제하므로 선택적 MAO 억제제로 불린다.

② 시토크롬 효소 시스템

향정신성 약물의 대사에 있어, CYP-450 효소 시스템은 약물 상호작용이 가장 많이 일어나는 지점이다. 이는 전통적으로 간의 미세소체 효소 시스템으로 지칭되어 왔다. 이 복잡한 명칭에서 'cyto'는 미세소체 소포를, 'P'는 착색을, '450'은 빛 흡수가 일어날 때의 파장을 의미한다. 이 효소 시스템은 12개의 종류를 포함하고 있고(Lehne, 2012), 6개의 효소(1A2, 3A4, 2C9, 2C19, 2D6, 2E1)가 CYP-450 효소의 약 90%를 차지한다(Sandson et al., 2005).

이러한 대사를 저해하는 신체상태(예: 간질환, 신장질환)나 약물 혼합은 인체에 심각한 결과를 가져올 수 있다. 흡연도 향정신성 약물의 약동학에 영향을 미치는 주요 요인으로, 특히 CYP-450 1A2 유도의 원인이 된다. 담배 연기와 상호작용하는 향정신성 약물로는 클로자핀(clozapine), 독세핀, 플루복사민, 미르타자핀, 올란자핀 등이 있다. 클로자핀, 올란자핀과 같은 약물의 경우 담배 7~12개비를 피울 때 최대 효소 유도가 일어나고, 이는 혈청 농도의 40~50%의 감소를 초래한다(Fankhauser, 2013). 일반적으로 하루에 반 갑 이상의 흡연을 하는 환자는 비흡연자에 비해 더 많은 양의 약물이 필요하게 된다. 만일 환자가 금연을 하였을 때 약물의 용량을 적절히 낮추지 않으면, 독성을 일으키는 수치에 도달할 수 있다. 이는 간접 흡연의 경우에도 발생할 수 있다.

③ 약물의 반감기

약물의 반감기(half-life)는 체내 약물이 50%로 감소하는 데 걸리는 시간이다. 만일 'X' 약물의 반감기가 4시간이라면, 약물의 50%가 4시간 후에 사라진다. 이후 4시간이 더 경과하면, 원래 약물 용량의 25%만이 남게 될 것이다. 대부분의 경우, 환자가 100mg 또는 300mg을 복용한 것은 크게 문제가 되지 않는다. 체내 약물의 양이 매 4시간마다 50%씩 감소하기 때문이다. 이러한 작용을 선형적 약동학(linear kinetics)이라고 하는데, 대부분의 약물은 이러한 양상을 따른다. 이러한 법칙에서 예외인 알코올의 경우, 섭취한 양과 상관없이 일정기간 동안 정해진 만큼의 양만 대사된다(nonlinear kinetics). 만일 간호사가 약물을 동일한 용량(예: 100mg)으로 동일한 시간(예: 하루 3번)에 준다면, 4번의 반감기가 지난 후에 일정한 상태에 도달하게 된다. 약물을 중단하면, 4번의 반감기가 지나야 96%의 약물이 제거된다. 약물이 완전히 배출되는 기간을 세척기간(washout period)이라고 한다.

CRITICAL THINKING QUESTION

2. 프로작(Prozac)은 약 10일 이상의 반감기를 가진다. 약물이 완전히 배설되는 기간은 어떻게 되는가? 만일 프로작과 상호작용하는 것으로 알려진 약물을 투여할 예정이라면, 프로작을 중단하고 새로운 약물을 시작하는 사이의 간격은 어느 정도로 두어야 하는가?

(4) 배설

배설(excretion)은 약물이 체외로 배출되는 것이다. 대부분의 약물은 신장을 통해 소변으로 배출되지만, 모유, 담즙, 대변, 타액, 땀, 폐와 같은 다른 배출경로가 있다. 배설에 영향을 주는 요인으로는 신장질환, 연령, 능동적 관 수송에 대한 약물경쟁 등이 포함된다. 만일 신장질환으로 인해 약물이 적절히 배설되지 않는 경우, 특히 대사되지 않은 채 배설되는 약물은 배설되는 약물에 비해 보다 확연한 효과를 갖는다.

2) 약역학

약역학(pharmacodynamics)은 약물이 신체에 미치는 영향이다. 약물에 대한 2가지 일반적인 반응으로 원하는 효과와 부작용이 있다. 수용체를 활성화시키는 약물을 활성제 또는 작용제(agonist), 수용체를 차단하는 약물을 길항제(antagonist)라고 한다. 많은 다른 약물들이 길항제인 반면, 일부 향정신성 약물은 활성제이다. 주요 약역학의 효과로는 수용체의 하향조절과 내성이 있다.

(1) 하향조절

수용체의 하향조절(down-regulation)은 특정 향정신성 약물에 만성적으로 노출될 경우 수용체에 변화가 생기게 되는 것으로부터 기인한다. 예를 들어, 항우울제의 장기 복용은 시냅스 후 세포의 수용체 수를 감소시킨다. 이러한 하향조절은 항우울 효과가 발휘되는 동시에 일어나므로(약 2~4주), 시냅스 후 수용체의 감소가 신경전달물질의 증가보다 기분상승 효과가 더 나타난다.

(2) 약역학 내성

약역학 내성(pharmacodynamic tolerance)은 수용체 민감도의 감소이다. 예를 들어, 만성 음주자의 경우 비음주자만큼 에탄올에 반응하지 않기 때문에, 높은 혈중 알코올 농도에도 일반적인 음주 증상이 나타나지 않는다. 그러나 치명적인 호흡억제를 일으킬 수 있는 알코올 농도에 대해서도 내성이 발생하지 않기 때문에 높은 알코올 농도에 대한 내성이 있는 사람은 추가적인 소량의 음주에도 갑자기 사망할 수 있다.

3) 약물 상호작용

(1) 약동학적 상호작용

약동학적 상호작용(pharmacokinetic interaction)은 이 4가지 과정 중 하나가 저해되거나 유발될 때 발생한다. 예를 들어, A 약물을 위의 산도를 변화시키는 다른 약물과 함께 복용하면, A 약물의 흡수에 영향을 미치게 된다(흡수). 단백결합력이 높은 두 가지 약물을 동시에 복용할 때 A 약물이 단백결합 부위의 대부분을 차지하게 되면, B 약물은 가용한 상태로 보다 많이 남게 되어 약리효과가 증가하게 된다(분배). CYP-450 2D6 효소에 의해 대사되는 두 가지 약물을 함께 복용하면, 한 가지 또는 두 가지 약물 모두 혈중농도가 더 높아질 수 있다(대사). A 약물은 소변의 산도를 변화시켜 다른 약물의 배설을 빠르게 하거나 방해하게 된다(배설).

(2) 약역학적 상호작용

약역학적 상호작용(pharmacodynamic interaction)은 보다 간단하다. 항콜린 성질을 가진 두 가지 약물은 상승 또는 부가 효과를 나타낼 가능성이 있다. 한편, 두 가지 약물은 기본적으로 효과를 감소시키는, 서로 반대 효과가 나타날 수 있다.

4) 혈액 – 뇌장벽

뇌는 내부 환경의 일정한 유지가 중요하다. 다른 신체 부위에 비해 뇌에서는 약간의 신체 화학적 변화도 심각한 문제를 일으킬 수 있기 때문이다. 혈액-뇌장벽(blood-brain barrier)은 이러한 위험으로부터 뇌를 보호한다. 이 장벽은 뇌로 들어가는 혈액 내 물질의 양과 속도를 조절한다. 물, 이산화탄소 및 산소는 쉽게 통과하지만, 다른 물질은 이 장벽을 통과하는 데 제한을 받는다.

(1) 해부학적 측면

뇌에 혈액을 공급하면서 많은 분자들이 통과하는 것을

방지하는 모세혈관 구조를 말한다.

(2) 생리학적 측면

혈액-뇌 장벽은 특정 분자를 인식하고 뇌에 전달하는 화학적 수송체계를 가진다. 지용성은 분자가 혈액-뇌 장벽을 통과할 수 있는지 여부를 결정하는 화학적 특성 중 가장 중요하다. 지용성 물질은 혈액-뇌 장벽을 비교적 쉽게 통과하는 반면, 수용성 물질은 천천히 그리고 미미한 양으로 침투한다. 니코틴, 에탄올, 헤로인, 카페인, 디아제팜이 지용성 물질의 예이다. 상당량으로 장벽을 통과할 수 있는 약물만이 뇌의 의학적 상태나 정신질환을 치료하는 데 효과적이다. 뇌의 주요 에너지원인 포도당과 신경전달물질의 합성에 필요한 필수 아미노산과 같은 비지용성 물질은 정상적인 뇌 기능을 위해 필요하다. 특별한 수송체계가 이러한 필수 물질을 혈액-뇌 장벽을 거쳐 운반한다.

생리적 장벽의 다른 영역으로 P-당단백방출 운송체계가 있다. 이 체계는 다양한 기질(substrate)을 갖고 있고 들어오는 분자들을 신속하게 세포 밖으로 운반한다. 예를 들면, P-당단백 방출 수송기는 2세대 항히스타민 물질을 비진정성이 되게 하는데, 항히스타민제의 분자들이 진정효과를 내기 전에 중추신경계 밖으로 이동되기 때문이다(Cozza et al., 2003). 일부 약물은 P-당단백 체계를 유도하여 특정 기질의 더 많은 방출을 유발하여 약물의 효과를 감소시킨다(Levin, 2012). 반면, P-당단백을 억제하는 약물은 혈중 농도의 변화가 없더라도 중추 효과를 나타낸다. P-당단백 방출 수송기에 영향을 미치는 향정신성 약물 중 억제제로 아미트립틸린(amitriptyline), 카르바마제핀(carbamazepine), 클로르프로마진(chlorpromazine), 디설피람(disulfiram), 플루옥세틴(fluoxetine), 할로페리돌(haloperidol), 이미프라민(imipramine), 파록세틴(paroxetine), 설트랄린(sertraline)이 있고, 유도제로 트라조돈(trazodone), 벤라팍신(venlafaxine)이 있다.

(3) 신진대사 측면

대사성 장벽은 뇌 모세혈관 내피의 효소 작용으로 분자들이 뇌로 들어오는 것을 막는다. 예를 들어, 레보도파(levodopa)는 혈액-뇌 장벽을 통과할 수 있으나, 약물의 많은 양이 모세혈관벽을 통해 뇌로 완전히 들어가기 전에 도파민으로 전환되고, 대사산물인 도파민은 장벽을 쉽게 통과하지 못한다. 이와 같이 뇌는 말초순환 속의 물질로부터 자신을 보호하게 된다.

간호사는 혈액-뇌 장벽에 대한 이해를 통해 약물치료를 정확하게 개념화하고 관리 및 모니터링할 수 있을 뿐만 아니라, 알코올 및 헤로인과 같은 지용성 물질의 중독을 이해할 수 있다. 예를 들어, 만일 페니실린이 유일한 항생제였다면, 중추신경계 감염을 치료하는 데 더 많은 용량이 필요

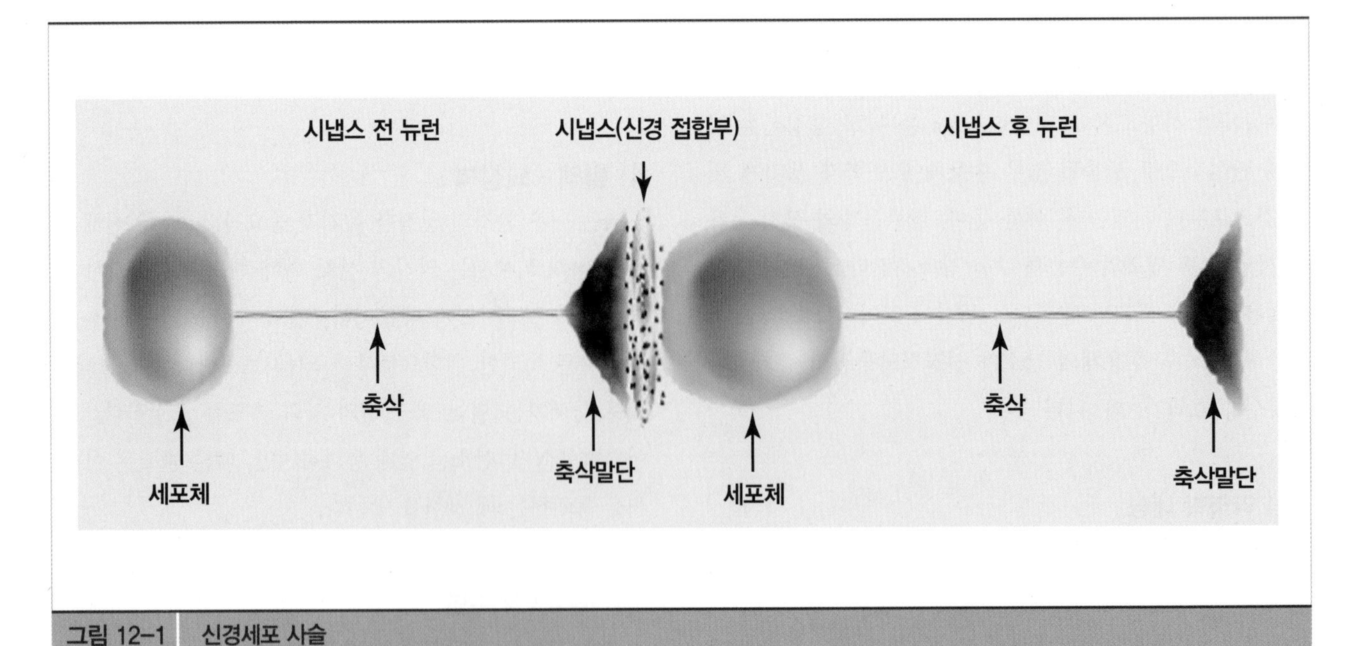

그림 12-1 신경세포 사슬

▶ 이 2개의 신경세포 사슬(two-neuron chain)은 시냅스 전 뉴런과 시냅스 후 뉴런이 접합부를 통해 상호 연결된 것이다.

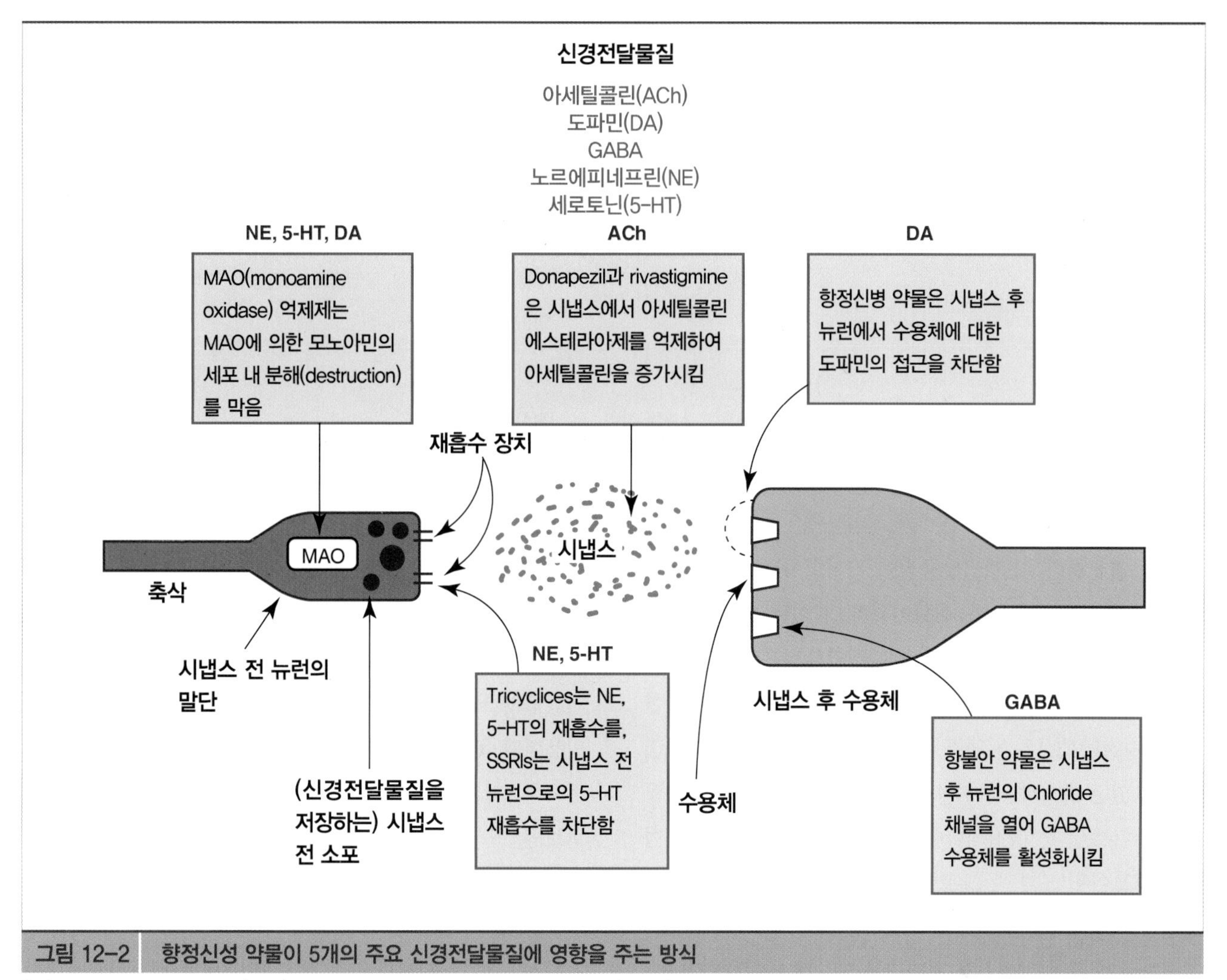

그림 12-2 향정신성 약물이 5개의 주요 신경전달물질에 영향을 주는 방식

출처: Stuart, G., & Sundeen, S. (1995). Principles and practice of psychiatric nursing (5th ed.). St. Louis: Mosby.

했을 것이다. 페니실린은 수용성 약물로 혈액-뇌 장벽을 쉽게 통과할 수 없어 많은 양의 페니실린을 투여해도 그 양의 일부만이 뇌로 들어가기 때문이다. 페니실린의 대부분이 말초시스템에 머물러 있어도, 페니실린은 역효과(adverse effects)가 거의 없기 때문에 큰 문제를 일으키지 않는다. 그러나 도파민은 신체에 많은 역효과를 가진다. 혈액-뇌 장벽을 통과하여 뇌에 적절하게 영향을 미치는 데 필요한 용량이 많기 때문에, 신체의 나머지 부위에서는 심각한 역효과가 나타날 수 있다.

5) 신경세포와 신경전달물질

신경세포 또는 뉴런(neuron)은 신경계의 기본단위이다. 신경세포는 정보를 수신하고 제공하기 위한 구조로 되어 있다. 수상돌기(dendrite)는 정보를 받고 이를 세포체로 전송하는 뉴런의 돌기이다. 축삭(axon)은 신경세포로부터 다른 신경세포의 수상돌기, 축삭, 세포체로 정보를 전달한다. 한 세포의 축삭은 신경 접합부(synapse)의 미세한 공간에 의해 다른 신경세포의 수상돌기, 축삭, 세포체와 구분된다(**그림 12-1**). **그림 12-2**는 신경세포, 신경전달물질, 향정신성 약물 간의 관계를 보여준다.

정보는 전기화학적 자극 형태로서 특정한 방식에 의해 세포 사이를 오간다. 전기화학적 자극은 세포체로부터 축삭을 지나 시냅스 말단으로 이동한다. 신경전달물질은 자극에 의해 시냅스 말단으로부터 시냅스 간극(synaptic cleft)으로 분비되고 시냅스 후 뉴런의 수용체와 결합하여 신경반응을 일으킨다.

신경전달물질은 혈류로부터 추출되는 전구체로부터 세포 속에서 합성된다. 신경전달물질은 세포의 시냅스 전 말단에 있는 소포에 저장되고, 특정 수용체와 결합한다. 예를 들어, 노르에피네프린 신경전달물질은 노르에피네프린 수

표 12-2 신경전달물질과 관련된 정신장애*

신경전달물질	증가 시	감소 시
도파민	조현병, 조증	우울증, 파킨슨 ADHD 추체외로계 부작용
노르에피네프린	조현병, 조증, 불안장애	우울증
세로토닌	조현병 음성증상	우울증, 공격성, 자살, 불안장애, 수면장애, 섭식장애
아세틸콜린		알츠하이머형 치매
GABA		불안장애
글루타메이트	뇌졸중, 헌팅톤병, 신경독성	정신증적 사고

▶ GABA, gamma-aminobutyric acid.
*너무 단순한 설명이지만, 주요 정신장애에 대한 기본적인 신경전달물질 이론과 약물치료와의 연관성을 이해하는 데 도움이 된다.

용체와 결합한다. 신경전달물질이 전기화학적으로 수용체를 자극하면 정보가 세포체로 이동하고, 이는 다음 뉴런과 소통하는 방식으로 진행된다. 신경전달물질은 비활성화될 때까지 시냅스 간극에 머물고, 계속해서 수용체를 자극한다. 신경전달물질은 시냅스 간극에 있는 효소나 시냅스 전 말단에 있는 효소에 의해 비활성화되거나 주변의 신경아교세포로 흡수된다. 정신의학에서 중요한 신경전달물질의 범주는 모노아민(도파민, 노르에피네프린, 세로토닌), 콜린성 물질(아세틸콜린), 아미노산(GABA, 글루타민산염)이다. 정신장애와 관련된 주요 신경전달물질은 **표 12-2**와 같다.

6) 수용체

수용체(receptor)는 내인성 리간드(ligand)나 약물 분자에 반응하는 세포 표면에 있는 단백질이다. 리간드는 수용체에 맞게 반응을 일으키는 전송기 물질 또는 분자이다. 리간드의 예로 약물, 신경전달물질, 호르몬, 프로스타글란딘이 있다. 수용체는 정확한 형태의 분자와만 결합하여 어떤 반응을 일으키거나 방지하게 된다. 예를 들어, 세로토닌 신경전달물질은 세로토닌 수용체에, 아세틸콜린 분자는 아세틸콜린 수용체에 적합하다.

4가지의 기본적인 수용체 과정이 있다(Lehne, 2012). 정신약물학 문헌에서 가장 일반적으로 다루어지는 2가지는 리간드 개폐 통로(ligand-gated ion channel)와 G-단백질 연결(G-protein-coupled) 과정이다. 리간드 개폐 수용체가 활성화되면 나트륨, 칼슘, 클로라이드와 같은 이온 통로가 열리고, 각각의 이온은 세포 안으로 유입된다. 유입된 이온에 따라, 세포 탈분극 또는 과분극이 유발된다. 이 과정은 매우 빠르고, 대개 1,000분의 1초 내에 일어난다. 아세틸콜린, GABA(gamma-aminobutyric acid), 글라이신(glycine), 글루타민산염(glutamate)은 리간드 개폐 통로인 1차 메신저 체계를 이용한다. G-단백질 연결 수용체는 보다 복잡하고 느린 과정으로 2차 메신저 수용체라고도 한다. 노르에피네프린, 세로토닌, 도파민, 아세틸콜린과 펩티드가 G-단백질과 결합한다. 주요 수용체의 활성 및 길항의 효과는 **표 12-3**과 같다.

향정신성 약물은 다음과 같은 방법으로 신경전달물질에 영향을 미칠 수 있다.

- 대사 차단(예: 일부 항우울제, 알츠하이머병 약물)
- 재흡수 차단(예: 선택적 세로토닌 재흡수 억제제, 기타 항우울제)
- 수용체 차단(길항제)
- 자가수용체의 자극 또는 차단
- 수용체 자극(작용제)
- 수용체 친화성의 자극(벤조다이아제핀은 GABA가 GABA 수용체에 더 끌리게 함)
- 신경전달물질의 분비 자극
  (예: 암페타민은 도파민 분비를 자극함)

약물과 그 작용에 대한 이해를 돕는 수용체 관련 용어는 다음과 같다.

- **수용체 길항작용(receptor antagonism)**: 향정신성 약물에 의한 수용체 차단과 관련하여 수용체 기능이 변하

표 12-3 | 주요 수용체의 활성 및 길항 효과

세로토닌 활성	세로토닌 길항
항우울 효과, 불안, 오심, 구토, 기타 위장관 장애, 성기능장애, 식욕 저하와 체중 감소, 불면증, 운동장애, 체온조절 장애, 정신증적 사고	우울, 기분저하, 자살 경향성, 공격성, 강박사고, 수면-각성 주기 혼란, 통증, 강박행동, 불안, 공황
아세틸콜린 활성	**아세틸콜린 길항**
동공 수축, 심박동수 저하, 기관지 수축, 폐 분비물 증가, 배뇨 증가, 타액분비, 위액분비 증가, 발한, 인지과정 상승	동공이완, 심박동수 증가, 기관지 이완, 폐 분비물 감소, 배뇨 감소, 구강건조, 위액분비 감소, 발한 감소, 인지적 완서
노르에피네프린 활성	**노르에피네프린 길항**
항우울 효과, 혈관 수축(α-1), 심박동수 증가(β-1), 기관지 확장, 기타 신체적 효과	우울 효과, 혈관이완(α-1의 길항), 심박동수 감소(β 차단), 성기능장애, 기타 신체적 효과

는 과정이다. 길항제는 내인성 리간드가 수용체를 활성화시키는 것을 방지한다.

- **수용체 작용제(receptor agonist)**: 자연적으로 발생한 리간드와 같은 방식으로 수용체에 결합하고 수용체를 활성화시키는 약물이다.
- **자가수용체(autoreceptor)**: 뉴런이 신경전달물질의 분비를 증가 또는 감소시키는 데 사용하는 음성 피드백 기전(negative feedback mechanism)이다. 이것은 일반적으로 시냅스 전 뉴런에서 발견된다. 자가수용체 작용제는 충분한 신경전달물질이 존재하거나 신경전달물질의 분비 감소가 발생한 뉴런을 말한다. 자가수용체 길항제는 더 많은 신경전달물질을 분비하는 수용체를 말한다.
- **수용체 친화성(receptor affinity)**: 신경전달물질과 수용체 간의 끌어당김 또는 끌어당기는 힘이다.
- **수용체 수명(receptor life cycle)**: 수용체는 지속적으로 형성되고 분해된다. 일반적인 수용체의 수명은 짧다.
- **수용체 조절(receptor modulation)**: 일부 신경전달물질은 직접적인 효과를 내기보다 다른 신경전달물질을 조절한다. 예를 들어, 어떤 뉴런(A)는 다른 뉴런(B)의 신경전달물질을 조절함으로써 뉴런(B)와 또 다른 뉴런(C)의 시냅스에 영향을 미칠 수 있다.

7) 환자 교육

많은 정신질환자와 가족이 약물에 대한 이해가 부족하므로, 이들에 대한 약물 교육은 매우 중요하다. 교육적 방법 외에도 약물에 대한 충분한 정보 제공은 항상 우선적인 간호중재이다. 또한 재입원의 많은 경우가 환자의 투약 불이행과 관련되므로, 약물에 대한 지식 부족을 해결함으로써 투약에 대한 이행도를 높일 수 있다. 간호사는 약물 교육 시 지식과 민감성 간의 균형을 유지할 필요가 있다. 너무 많거나 부적절한 정보는 환자를 놀라게 할 수 있다. 간호사의 전문적 판단이 중요하고, 간호사는 환자에게 가시적인 효과가 무엇인지, 무엇을 느낄 수 있는지, 약물 의존성이 생길 수 있는 가능성에 대해 설명해 주어야 한다. 또한 정기적인 확인과 검사를 강조해야 한다. 약물 교육에 포함시킬 주요 내용은 다음과 같다(Malone et al., 2004).

(1) 부작용

- 약물의 부작용은 환자의 투약 이행도에 직접적 영향을 주게 된다. 예를 들어, 설트랄린과 같은 SSRI는 성욕과 성적 기능을 저하시키는 것으로 알려져 있고, 이는 부부 관계에 영향을 미칠 수 있다.
- 부작용은 의학적 문제 또는 심지어 사망의 원인이 될 수 있다.
- 일부 약물은 감정의 둔마(emotional flattening)를 유발하고, 외부 환경, 상담, 가족에 대한 반응을 둔하게 만들 수 있다.
- 일부 약물은 인지적 지연(cognitive slowing)을 유발한다.
- 간호사는 약물의 치료작용과 역작용에 대한 환자의 반응을 항상 사정해야 한다.

(2) 안전 문제

- 환자가 처방된 대로 약물을 복용하는가?

- 환자와 가족은 어떤 효과를 간호사나 의사에게 보고해야 하는지 알고 있는가?
- 삼환계 항우울제나 리튬과 같은 일부 약물은 치료 범위가 좁기 때문에, 자해의 용도로 사용될 수 있는 가능성을 확인해야 한다.
- 약물의 남용이나 의존의 가능성이 있는가?
- 약물을 갑자기 중단할 가능성이 있는가? 환자는 많은 약물을 서서히 감량해야 한다는 것을 알아야 한다.
- 많은 향정신성 약물이 진정이나 졸음을 유발하기 때문에, 위험한 기계 사용과 운전에 관한 확인이 반드시 이루어져야 한다.

(3) 약물에 대한 환자 및 간호사의 태도

- 많은 환자와 가족들은 나약하거나 신념이 부족해서 약물복용을 한다고 믿는데, 간호사는 이러한 문제에 대해 반드시 확인해야 한다.
- 일부 간호사는 향정신성 약물의 효과에 대해 실제로 믿지 않는다. 이러한 경우 간호사는 자신의 관점을 점검하고, 향정신성 약물과 무관한 영역에서 근무하는 것이 바람직하다.
- 향정신성 약물 사용에 저항적인 환자와 가족의 경우, 간호사는 약물 불이행에 따른 가능한 영향에 대해 상의해야 한다.
- 장기간 약물 복용과 의존성 문제에 대해 상의해야 한다.
- 많은 환자와 가족들은 중독되는 것을 원하지 않기 때문에, 간호사는 특정 약물의 중독 가능성에 대해 유념해야 한다. 대부분의 향정신성 약물은 중독성이 없다.

(4) 약물 상호작용

- 환자와 가족들은 약물 효과에 영향을 주는 다른 약물, 알코올, 비처방 약물, 최근 처방된 약물 등 모두 확인한다.
- 간호사는 환자와 가족들이 현재 처방받은 약물과 함께 일반의약품, 알코올, 불법 약물을 추가로 복용하는 경우 생기는 문제에 대해 상의하도록 교육해야 한다.
- 2가지 이상의 임상진료를 받는 환자의 경우, 잠재적 처방 전문가가 현재 복용 중인 모든 약물을 인식하도록 해야 한다.

(5) 노인 환자를 위한 지침

- 노인들은 젊은 성인들과는 다른 약동학적 특성을 갖기 때문에, 부작용과 약물 간 상호작용에 관해 노인에게 적합한 특별한 지침이 필요하다.

(6) 임신 또는 수유 중인 환자를 위한 지침

- 임신 또는 모유수유 중인 환자는 향정신성 약물치료와 관련된 특수한 위험이 있으므로, 이들에게 적합한 특별한 지침이 필요하다.

(7) 다양한 인종과 민족의 신진대사 차이에 대한 인식

- 유전적 차이뿐만 아니라 식이, 문화적 신념과 기대, 생활양식 때문에 특정 인종의 경우 상대적으로 낮은 용량의 약물로 동일한 치료 효과를 얻을 수 있다.
- 특정 효소(예: CYP-450 2D6)의 유전자 발현 및 돌연변이는 약물이 대사되는 비율을 변화시켜 낮은 대사군(poor metabolizer) 또는 매우 빠른 대사군(ultrarapid metabolizer)의 상태를 야기한다. 최적의 치료 효과를 얻기 위해 다양한 용량이 고려되어야 한다.

약물 교육은 환자가 자신의 치료 과정에서 분별 있는 참여자가 되게 하고 바람직하지 않은 부작용을 감소시킨다. 효과적인 교육은 약물 불이행이나 처방된 복약의 실패를 줄일 수 있다. 환자가 처방된 대로 약물을 복용하지 않는 일반적인 이유로는 성기능장애, 약물 부작용(예: 구강건조, 불면증, 졸음 등), 정서 둔화, 인지 지연, 욕구부정, 중독에 대한 두려움, 종교적 이유, 직업 활동 지장, 알코올이나 다른 약물 복용의 제한, 임신, 질병(예: 의심, 피해망상)이 있다.

CRITICAL THINKING QUESTION

3. 간호사는 약물에 대한 정보 제공 시 적절한 균형을 유지해야 한다. 정보에 민감한 환자(예: 완전한 정보를 주는 것)에게 불필요한 우려를 일으키는 것과 성인 환자를 아이처럼 대하는 것(예: 환자를 보호하기 위해 정보 제공을 보류하는 것) 사이의 균형은 무엇일까? 학생으로서 또는 미래 간호사로서, 자신의 역할에 준해 어떤 선택을 하는 것이 올바른지 생각해 볼 수 있다.

2. 항파킨슨 약물

1) 파킨슨병과 추체외로 부작용

추체외로 부작용(extrapyramidal side effect, EPSE)은 항정신성 약물치료의 심각하고 때로는 위험한 합병증이다. 항정신병 약물(antipsychotic agent)은 전형적으로 이러한 부작용을 유발하지만, 다른 약물도 EPSE를 일으킬 수 있다. 일반적으로 보다 최신의 항정신병 약물(비정형 또는 2세대 항정신병 약물)이 EPSE를 유발할 가능성이 낮다고 추정되어 왔으나, 그렇지 않은 결과를 제시하는 연구들도 있다(Haddad et al., 2012; Peluso et al., 2012). EPSE는 파킨슨병(Parkinson's disease, PD)에서 밝혀진 것들과 유사한 생화학적 변화의 결과들이다.

PD는 알려지지 않은 원인으로 인해 발생하는 진행성, 만성, 퇴행성 질환으로 추체외로계(extrapyramidal system)와 관련이 있다. 추체외로계의 조절은 불수의적 운동이 정상적인 협응을 이루게 하며, 수의적 운동 또한 뒷받침한다. 예를 들어, 보행 시 수많은 불수의적 운동이 보행과 관련된 수의적 운동을 가능하게 한다. PD의 4가지 주요 증상은 진전(tremor), 운동지연(bradykinesia), 강직(rigidity), 자세불안정(postural instability)이다. 추체외로계의 정상적 기능을 위해 아세틸콜린(acetylcholine, ACh)과 도파민(dopamine)의 균형이 필요하다. 이 두 신경전달물질의 불균형이 PD의 4가지 주요 증상 및 기타 관련 증상(예: 연하곤란, 침흘림, 체중 저하, 숨막힘, 호흡장애, 요실금, 변비)을 유발한다.

> **CRITICAL THINKING QUESTION**
>
> 4. 파킨슨병의 관련 증상은 주요 증상과 어떻게 연관되는가(예: 과도한 타액이나 침을 흘리는 것은 연하의 어려움과 관련되는데, 이는 강직의 부수적인 반응임)?

도파민은 중뇌에서 흑질(substantia nigra)의 착색세포(pigmented cells)에 의해 합성된다. 세포체는 흑질에 위치하고 축삭은 기저핵(basal ganglia)으로 불리는 추체외로계의 특정 부위로 뻗어 있다. 이 뉴런의 축삭말단에서 도파민이 방출되고, 이는 도파민 수용체를 활성화시킨다. 중뇌에서 기저핵으로 가는 이 경로를 흑질선조체 경로(nigrostriatal tract)라고 한다. PD에서는 도파민 생성 감소와 함께 흑질의 착색 뉴런이 색소를 상실한다. 도파민 결핍과 그로 인한 기저핵으로의 도파민 전달 감소는 기저핵에서 ACh의 불균형을 초래한다. EPSE 역시 ACh와 도파민 사이의 불균형으로 발생한다(**그림 12-3**). 중요한 차이점은 PD는 도파민 경로가 시작되는 흑질의 신경퇴행과 관련이 있는 반면, EPSE는 도파민 경로의 말단에 있는 기저핵에서 도파민 수용체의 차단으로부터 기인한다.

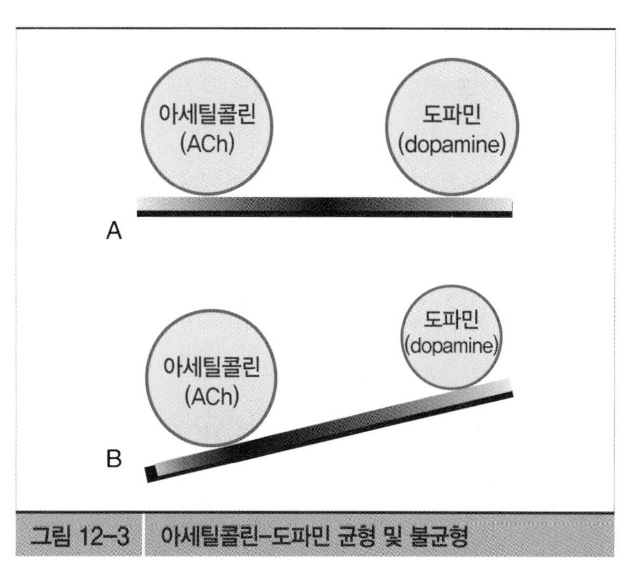

그림 12-3 아세틸콜린-도파민 균형 및 불균형

▶ A. 아세틸콜린과 도파민의 균형은 정상 운동이 가능하게 함
B. 불균형(도파민 감소)은 추체외로 부작용(EPSE)을 초래함

PD는 도파민을 증가시키는 항파킨슨제[예: 시네메트(Sinemet), 레보도파]와 항콜린제(예: benztropine), 또는 이 두 약물의 병용으로 치료한다. 정신증은 도파민 수준 증가와 관련되는 것으로 생각되므로, EPSE의 치료에는 항

표 12-4 약물 유발성 파킨슨증에 관한 모델

임상적 특성	이론적 이해	가능한 중재	중재 효과
• 조현병의 양성증상 • EPSE	• 도파민 증가 • 약물로 인한 ACh와 도파민 사이의 불균형	• 도파민(D_2) 수용체 차단제 • 항콜린성 제제	• 정신증 증상과 EPSE 발현 가능성의 완화 • 정신증 증상의 지속적인 호전과 EPSE의 개선(도파민과 ACh 사이의 균형 회복)

▶ ACh, acetylcholine; EPSEs, extrapyramidal side effects.

표 12-5 | 항정신병 약물에 의한 추체외로 부작용과 간호중재

추체외로 부작용(EPSE)	간호중재
정좌불능	인내심을 갖고 초조한(jittery) 환자를 안심시킨다. 이들의 움직임 욕구와 적절한 약물중재가 정좌불능과 초조(agitation)를 구별하는 데 도움이 될 수 있음을 이해할 필요가 있다. 정좌불능은 정신증 치료요법 불이행을 야기하는 주요 원인이므로, 약물 순응을 위해 다른 종류의 항정신병 약물로 변경하는 것이 필요할 수 있다.
운동불능, 운동지연	항콜린제에 반응하거나 반응하지 않을 수 있다. 항정신병 약물의 용량을 줄이거나 변경할 수 있다.
근긴장이상	심각한 반응(예: 안구운동 발작, 사경)이 발생하면, 즉시 항파킨슨 약물(예: benztropine) 또는 항히스타민제(예: diphenhydramine)가 투여될 수 있다. 심한 근긴장이상에 대해 약물을 투여할 수 없다면, 처방을 위해 즉시 의사에게 연락한다.
약물 유발성 파킨슨증	주요 파킨슨 증상(진전, 운동지연, 강직, 자세불안정)을 사정하고 의사에게 알린다. 항파킨슨 약물이 적용될 수 있다.
지연성 운동장애	AIMS를 사용하여 징후를 평가한다. 휴약기를 가지는 것이 TD 예방에 도움이 될 수 있다. 항콜린제는 TD를 악화시킬 수 있으므로 무분별한 예방적 사용은 주의해야 한다.
신경이완제 악성증후군	잠재적인 치명적 부작용에 유의한다. 정기적으로 체온을 확인하고, 적절한 수분 섭취를 격려한다. 정기적으로 강직, 진전, 유사한 증상들을 사정한다.
피사 증후군	항파킨슨 약물로 치료한다.

▶ AIMS, abnormal inventory movement scale; EPSE, extrapyramidal side effect; TD, tardive dyskinesia.

콜린제만이 효과가 있다. 조현병 환자에게 레보도파와 같은 도파민 강화 약물을 투여하면, 정신증적 증상을 악화시키는 원인이 될 수 있다. **표 12-4**는 약물로 인한 파킨슨증(parkinsonism)에 관한 설명이다.

CRITICAL THINKING QUESTION

5. 신경전달물질의 관점에서 PD와 조현병 사이의 연관성은 무엇인가?

2) 추체외로 부작용의 특징적 증상

추체외로 부작용(EPSE)은 생화학적으로 파킨슨병(PD)과 관련이 있지만, PD에서의 반응과 동일하지 않다. EPSE는 다음의 7가지 유형으로 나눌 수 있다(**표 12-5**). 여성, 노인, 조현병의 첫 발병이거나 정동 증상이 있는 경우에 EPSE 발생에 더 취약하다(Keltner & Folks, 2005).

- **정좌불능(akathisia)**: 하지불안(restless legs), 초조한 느낌, 신경성 활력(nerveous energy)으로 인해 안절부절못하는 주관적 감각이다. 가장 일반적인 EPSE로 치료하기 어렵다.
- **운동불능(akinesia)과 운동지연(bradykinesia)**: 운동불능은 움직임이 없는 상태로, 움직임이 느려진 운동지연일 가능성이 크다. 증상은 허약(weakness), 피로, 근육통증(painful muscle), 무반응(anergia)을 포함한다. 운동불능은 흔히 항콜린제로 치료한다.
- **근긴장이상(dystonia)**: 불수의적 근육경련으로 인한 비정상적인 자세(근육의 굳음)를 의미한다. 증상은 사지, 몸통, 목, 또는 입의 지속적, 뒤틀린, 수축된 자세(contracted positioning)로 나타난다. 이것은 치료 초기(약 3일 이내)에 나타나고 항콜린제로 치료한다. 근긴장 이상의 유형으로 경부가 수축되어 목이 비틀어진 상태인 사경(torticollis), 양쪽 안구가 불수의적으로 위쪽 방향을 주시하는 안구운동 발작(oculogyric crisis), 잠재적으로 생명을 위협하는 인후두 수축(laryngeal-pharyngeal constriction)이 있다.
- **약물 유발성 파킨슨증(drug-induced parkinsonism)**: PD의 주요 증상(진전, 강직, 운동지연과 자세불안정)이 나타날 수 있다.
- **지연성 운동장애(tardive dyskinesia, TD)**: 정신증 치료의 약 6개월 후에 지연되어 나타나는 경향이 있다. 도파민-ACh 불균형 자체가 유발요인이 아니므로, 항콜린제는 치료제로 사용하지 않는다. 오히려 TD를 악화시킬 수 있다. 항정신병 약물의 장기간 사용이 기저핵의

도파민 수용체를 과민하게 만드는 것으로 생각된다. TD의 전형적인 증상으로 혀 비틀림(tongue writhing), 혀 돌출(tongue protrusion), 이갈이와 입맛 다심(lip smacking) 등이 있다. 이 증상들은 환자를 번거롭고 당혹스럽게 할 수 있다. TD는 수면과 함께 멈추며, 짧은 시간 동안 의도적으로 억제할 수 있으나 곧 다시 나타난다. 종종 비가역적이지만, 제때 치료하면 예방할 수 있다. 만족스러운 약물치료법이 개발되지 않은 상태이므로 예방이 가장 중요하다.

- **신경이완제 악성증후군(neuroleptic malignant syndrome, NMS)**: 항정신병 약물로 발생할 수 있는 치명적 부작용이다. 항정신병 약물을 복용하는 환자의 1% 미만에서 발현되며, 이 중 치료를 받지 않은 환자의 5~11%가 사망한다(Benzer, 2005). 과거에는 발생 빈도가 훨씬 높았지만, 간호사와 임상의의 주의 깊은 관리로 발생률과 사망률이 감소되어 왔다. 주 증상으로 고열(38.3~39.4℃), 강직과 자율신경계 기능장애가 있다. 치료제로 근육이완제(예: dantrolene)와 중추작용 도파민제(예: bromocriptine)가 있다.
- **피사 증후군(pisa syndrome)**: 환자의 몸이 한쪽으로 기울어진 상태로 급성 또는 지연성으로 나타날 수 있다.

3) 추체외로 부작용을 치료하기 위한 항콜린성 약물

항정신병 약물은 도파민 수용체를 차단하고, 이는 파킨슨증 유사 증후군의 원인이 된다. 조현병은 도파민 과잉과 관련되므로, 도파민성 항파킨슨 약물은 조현병의 증상을 악화시킬 수 있다. 그래서 EPSE를 치료하고 ACh-도파민 균형을 교정하기 위해 콜린성 수용체를 차단하는 항콜린제가 사용된다. EPSE를 경감시키기 위한 항콜린성 약물의 작용 부위는 중추신경계이면서 말초에도 영향을 미친다. 가장 일반적으로 처방되는 항콜린성 약물로 벤즈트로핀(benztropine)이 있고, 디펜하이드라민(diphenhydramine) 또한 효과적이다. **표 12-6**은 항콜린제의 성인 투여량을 나타낸 것이다.

표 12-6 추체외로 부작용에 대한 항콜린제의 성인 약물용량

항콜린제	용법
Benztropine (Cogentin)	• EPSE: 1~4mg PO 또는 IM 1~2회/일 • 급성 근긴장이상 반응: 1~2mg IM/IV, 그 다음 1~2mg PO 2회/일
Trihexyphenidyl (Artane)	1mg/일로 시작, 그 다음 일정 용량의 범위에서 증량: 5~15mg/일

▶ EPSE, extrapyramidal side effect; IM, intramuscularly; IV, intravenously; PO, orally.

(1) 약리학적 효과

항콜린성 약물은 주로 콜린성 흥분 경로의 ACh 자극을 막아 ACh 수용체를 차단하고, EPSE를 치료하는 데 단독으로 사용된다. 항정신병 약물은 EPSE의 흔한 원인이 되는 도파민 수용체를 차단한다. 약물 유발성 파킨슨증에서는 자연적으로 발생한 PD의 주요 증상과 함께 정좌불능, 근긴장이상, 운동이상 등이 나타난다. 기저핵(nigrostriatal tract)에서의 도파민 수용체 차단이 EPSE를 야기한다. 할로페리돌과 같은 고역가 항정신병 약물은 저역가 또는 비정형 약물보다 EPSE를 더 많이 유발한다. 이러한 증상은 환자들에게 불편함, 불안 및 좌절감을 일으키고 비순응의 주요 요인이 된다. 항정신병 약물을 복용하는 환자는 EPSE의 점진적 또는 갑작스런 발생을 경험할 수 있다.

(2) 부작용

항콜린성 약물은 중추 및 말초신경계 모두에서 부작용을 일으킨다. 중추신경계 부작용으로 혼란, 인지 빈곤화(cognitive impoverishment), 초조, 현기증, 졸음, 행동장애 등이 있다. 콜린성 계통이 기억과 학습에 기여하기 때문에, 항콜린제는 인지기능에도 영향을 미친다. 조현병 환자에게 항콜린제를 투여하는 것은 인지기능 저하를 악화시킬 수 있다.

말초신경계의 항콜린성 부작용으로는 구강건조, 흐린 시야, 오심, 산동증 등이 있고, 이는 환자의 30~50%에서 나타난다(**표 12-7**). 말초 항콜린성 부작용은 부교감신경계, 즉 콜린성(ACh) 체계 차단으로부터 기인한다(**표 12-8**). 흐린 시야는 제3뇌신경(동안신경)의 ACh 수용체 차단으로 인한 확장된 동공에서 비롯된다. 구강건조는 제7뇌신경(안면신경)과 제9뇌신경(설인신경) 차단, 눈물 감소는 제7뇌신경

차단과 관련된다. 한편, 제10뇌신경(미주신경) 차단은 빈맥을 일으켜 심각한 건강의 위협요인이 될 수 있다.

표 12-7 항콜린제의 말초신경계 부작용과 간호중재

부작용	간호중재
구강건조	무설탕 캔디와 껌을 제공하고, 입안을 자주 헹구도록 격려한다. 식사 전에 약을 복용하도록 한다.
비충혈	허용되는 경우, 일반의약품 중 비충혈 완화제를 권장한다.
배뇨 지연	사생활 보호에 유의하며, 회음부에 흐르는 따뜻한 물을 제공한다.
요 정체	잔뇨에 대해서는 도뇨관을 삽입하고, 잦은 배뇨를 격려한다.
흐린 시야, 광공포증	일반적으로 정상적인 시력이 몇 주 내에 회복될 수 있음을 설명하여 안심시킨다. 선글라스를 권장하며, 운전 시 주의하도록 교육한다. 동공수축을 일으키는 무스카린 작용제인 필로카핀(pilocarpine) 안약이 투여될 수 있다.
변비	처방된 완하제를 제공한다. 섬유식이를 권장하며, 매일 2,500~3,000mL의 수분 섭취를 격려한다.
산동증	안구통증 발생 시, 진단되지 않은 협우각 녹내장(narrow-angle glaucoma)이 원인일 수 있으므로, 즉각적인 주의를 요한다.
발한 감소	발한 감소는 발열을 초래할 수 있으므로, 체온을 측정한다. 발열이 발생하면 체온을 낮춘다(예: 스펀지 목욕).
발열	격렬한 활동을 제한하고, 환자가 적절한 의복을 착용하도록 권장한다.

출처: Desmarais, J.E., Beauclair, L., & Margolese, H. (2012). Anticholinergics in the era of atypical antipsychotics: short-term or long-term treatment? Journal of Psychopharmacology (Oxford, England), 26, 1167.

변비는 파킨슨증 환자에게서 강직의 이차적인 문제로, 항콜린제로 인해 더욱 악화될 수 있다. 지나치게 침을 흘리거나 땀을 흘리는 환자는 자연스럽게 입이 마르고 땀이 감소될 수 있는데, 고체온의 위험으로 인한 발한 감소는 중요한 문제가 될 수 있다. 항콜린제 사용과 관련된 심각한 위험으로 과다 복용의 치명적 결과, 의존성, 지연성 운동이상의 악화, 정신증 유발, 발기부전, 마비성 장폐색이 있다(Houltram & Scalan, 2004).

표 12-8 부교감신경과 관련된 뇌신경에 대한 항콜린성 효과

뇌신경	부교감신경 기능	항콜린성 효과
3 (동안신경)	동공수축	동공산대, 흐린 시야
	수정체 조절	조절력 장애
7 (안면신경)	타액 분비	구강 건조
	눈물 분비	눈물 감소
	비강점액 분비	비강 건조
9 (설인신경)	타액 분비	입 마름
	비강점액 분비	마른 비강
10 (미주신경)	심박동 늦춤	빈맥
	연동운동 촉진	연동운동 둔화, 변비
	기관지 수축	기관지 확장
	배뇨 촉진	요 지체나 정체

(3) 간호 시사점

① 치료 및 독성 수준

치료범위 이상의 용량은 독성효과의 원인이 될 수 있다. 과다 복용은 중추신경계를 과다 자극하거나(예: 혼란, 흥분, 초조, 초고열, 방향 상실, 섬망, 환각 등) 억제(예: 졸음, 진정, 혼수 등)할 수 있다. 특히 심혈관, 비뇨기 및 위장관계가 관련되고, 눈에도 영향을 미친다. 초고열은 항콜린제의 중추신경계 작용과 발한 억제 효과의 결과이다.

② 임신 중 사용

임신 중 항콜린제 사용 시 주의 깊게 간호해야 한다. 이론적으로 항콜린성 약물은 수유 중 모유의 흐름을 감소시킨다.

③ 고령자에게 사용하는 경우

노인은 느린 신진대사와 배설, 콜린성 전달장애로 인해 항콜린제에 더 민감하며(Ozbilen & Adams, 2009), 인지적, 심혈관 및 위장관계 부작용이 젊은 사람에 비해 두드러지게 나타난다. 항콜린제 사용으로 인해 전립선 비대증이 있는 남성 노인의 어려움이 악화될 수 있다. 인지적 손상 또한 항콜린제와 관련된다(Desmarais et al., 2012).

④ 부작용에 대한 중재

항콜린제 부작용에 대한 간호중재는 **표 12-7**을 참조한다.

⑤ 약물 간 상호작용

중추성 항콜린제의 아트로핀 유사 효과(atropine-like effect)를 강화시키는 다른 처방약 및 일반의약품의 위험성에 대해 주의해야 한다. 다른 중추신경계 억제제와 함께 사용할 때 진정 효과가 심해지고, 제산제 및 지사제와 병용 시 흡수가 감소된다.

⑥ 환자 교육

부작용에 대한 적절한 정보를 교육하는 것뿐만 아니라, 항콜린제와 관련된 주의 사항에 대해 강조해야 한다. 환자와 가족에게 다음 사항에 대해 교육한다.

- 약 복용을 갑자기 중단하기보다 1주일 이상의 기간 동안 점진적인 약물 감소(tapering off)가 권장된다.
- 졸음과 흐린 시야가 줄어들고 내성이 생길 때까지는 운전이나 다른 위험한 활동을 피한다.
- 항콜린제 또는 항히스타민성 일반의약품(예: 기침, 종합감기약)을 피하도록 한다. 알코올은 중추신경계 억제를 악화시키고, 제산제는 항콜린제의 흡수를 방해한다.

(4) 항콜린성 약물

① 벤즈트로핀

벤즈트로핀(benztropine)은 약물 유발성 EPSE를 포함하여 모든 파킨슨 유사 질환을 치료하는 데 사용된다. 가장 많이 처방되고, 대개 경구로 투여된다. 약물 순응성이 낮은 정신증 환자에게는 근육으로, 급성 근긴장이상 반응이 있는 경우 정맥으로 투여할 수 있다.

② 디펜하이드라민

원형(prototype) 항히스타민제인 디펜하이드라민(diphen-hydramine)은 대부분의 파킨슨 유사 실환에 효과적이다. 드물지만 일부 개인에게서 상당한 진정을 일으킬 수 있는데, 이는 벤즈트로핀으로 발생할 수 있는 가능성보다는 낮다.

③ 트리헥시페니딜

트리헥시페니딜(trihexyphenidyl)은 EPSE를 치료하기 위해 광범위하게 사용된 최초의 항콜린제이다. 비경구 형태로 사용할 수 없어 급성 반응에 대한 사용은 제한적이다.

4) 추체외로 부작용에 대한 기타 치료방법

(1) 약물

항콜린성 약물이 EPSE의 주요 치료 및 예방 중재이지만, 다음과 같은 다른 약물들이 사용될 수 있다.

- 도파민작용제: 애먼타딘(amantadine)
- 베타차단제: 프로프라놀롤(propranolol)
- 벤조디아제핀(benzodiazepine): 디아제팜, 로라제팜, 클로나제팜(clonazepam)

(2) 비타민

비타민 E와 B_6 둘 다 TD와 관련된 증상들을 줄일 수 있다는 실증적 근거들이 있다. 그러나 비타민이 실제로 TD 증상을 줄이거나 악화되는 것을 방지하는지에 대해서는 아직 충분한 합의가 없는 상황이다.

5) 예방

EPSE를 치료하는 최선의 방법은 예방이다. 간호사나 처방자의 세심한 관리로 EPSE 발생을 줄일 수 있다. 다음과 같은 간호방법이 도움이 된다.

- 환자가 고위험군에 속해 있는지 확인한다.
- 검증된 도구를 사용하여 EPSE에 대한 기본정보를 확인한다.
- EPSE가 발생할 확률이 낮은 항정신병 약물을 선택한다.
  - 고위험 약물: 할로페리돌(haloperidol), 플루페나진(flu-phenazine), 다른 정형 항정신병 약물
  - 저위험 약물: 클로자핀(clozapine), 쿠에티아핀(quetiapine), 다른 비정형 항정신병 약물
- 환자를 정기적으로 모니터링한다.
- 정형 약물 투여 시 EPSE가 발생하면 비정형 약물로 전환하는 것을 고려한다. 이미 비정형 약물을 투여하고 있다면, 복용량을 줄이거나 부작용이 상대적으로 적은 다른 비정형 약물로 변경한다. 또는 항파킨슨 약물을 추가한다.

CASE STUDY

항정신병 약물인 할로페리돌을 복용하고 있는 25세 여성이 병원의 복도를 따라 걷는 중에 정신운동지연을 경험하기 시작했다. 그녀가 복도의 끝에 도달하기 전까지 도움이 필요한 정도였다. 앉은 지 2분이 채 되지 않았을 때, 목이 뻣뻣해지고 과신전되며, 눈을 위로 치켜뜨는 모습을 보였다. 호흡이 힘들어지자, 그녀는 두려움을 느꼈다. 그러나 환자는 정신증으로 인해 복용 중인 약물이 이렇게 무서운 부작용을 일으킬 수 있다는 것을 인지하기 어려운 상태이다. 의료진은 벤즈트로핀(2mg)을 근육주사로 투여하였고, 기대하는 약물반응이 나타나지 않아 15분 후 반복 투여하였다. 이후 5분이 지나지 않아 환자는 정상적인 상태로 돌아왔다.

3. 항정신병 약물

항정신병 약물(antipsychotic drug)은 조현병, 조현정동장애, 양극성장애, 정신증적 우울증 등의 정신질환을 치료하는 데 사용된다. 항정신병 약물이 처방된 정신장애 진단의 비율을 파악한 연구에서 기분장애 39%, 정신증 35%, 섬망 및 치매 7%, 주의력결핍 과잉행동장애·품행장애·파괴적 행동장애 6%, 불안장애 5.5%의 순으로 나타났다(Mark, 2010). 이러한 광범위한 사용으로 미국에서는 항정신병 약물의 소비 규모가 매년 161억 달러에 달하고, 가장 많이 판매되는 상위 5개 약물 종류 중의 하나이다(Berkrot, 2010; Mark, 2010).

항정신병 약물은 1950년경 우연히 발견되었다. 프랑스의 한 과학자가 새로운 항히스타민제 개발을 위해 클로르프로마진을 조제하는 과정에 있었다. 이것은 처음에 수술 전 초조한 상태를 진정시키는 데 사용되다가 항정신병 효과가 발견되었고, 현재 최초의 항정신병 약물로 간주된다. 클로르프로마진과 관련된 약물이 도입되기 전에, 심한 정신장애를 앓고 있던 수십만 명의 입원환자들은 퇴원하지 못하는 상태에 있었다. 환자들은 고립되고 육체적으로 결박되었으며, 때로 정신외과적 수술(전두엽 백질 절제술)의 대상이 되었다. 이러한 치료법은 드물게 환자들을 생산적으로 기능하게 하거나 다른 사람들과 정상적인 방식으로 상호작용할 수 있는 상태로 회복시켜 주었다.

항정신병 약물에 대한 모든 희망이 실현된 것은 아니지만, 이 약물들은 정신간호 분야에 지대한 영향을 미쳤다. 항정신병 약물의 사용은 대부분의 비효율적 치료법을 중단하게 하였고 장기 입원을 획기적으로 감소시켰다. 일반적으로 항정신병 약물로 불리지만, 역사적으로 주요 정온제(major tranquilizers), 정신안정제(ataractics), 신경이완제(neuroleptics)로 지칭되어 왔다.

1) 분류 체계

항정신병 약물은 일반적으로 정형, 비정형 약물로 분류된다(표 12-9). 다양한 화학적 특성을 가지고 있지만, 각각의 특성 모두 여러 가지 정신의학적 증상들을 효과적으로 감소시킨다. 부작용의 유형, 강도 및 빈도는 약물마다 다양한 특성을 보인다.

표 12-9 주요 정형, 비정형 항정신병 약물

항정신병 약물		일반적 성인 유지 범위(mg/일)	EPSE 비율	항콜린성 효과 비율	기립성 질환 비율	진정 비율	체중 증가율
정형(1세대) 약물							
고역가	Fluphenazine(Prolixin)	0.5~40.0	높음	낮음	낮음	낮음	낮음
	Haloperidol(Haldol)	1~15	높음	낮음	낮음	낮음	낮음
중역가	Perphenazine	12~64	높음	낮음	낮음	중등도	낮음
저역가	Chlorpromazine(Thorazine)	200~1,000	중등도	중등도	높음	중등도	높음
	Thioridazine	200~800	낮음	높음	높음	높음	높음
비정형(2세대) 약물							
Aripiprazole(Abilify)		10~30	낮음	낮음	낮음	낮음	낮음
Asenapine(Saphris)		10~20	낮음	낮음	낮음	중등도	중등도
Clozapine(Clozaril)		75~900	낮음	높음	높음	높음	높음
Iloperidone(Fanapt)		12~24	낮음	중등도	중등도	중등도	중등도
Lurasidone(Latuda)		40~80	낮음	낮음	낮음	낮음	낮음
Olanzapine(Zyprexa)		5~20	낮음	중등도	낮음	높음	높음
Paliperidone(Invega)		3~12	낮음	낮음	중등도	중등도	중등도
Quetiapine(Seroquel)		200~800	낮음	낮음	중등도	중등도	중등도
Risperidone(Risperdal)		0.5~6.0	낮음*	낮음	중등도	중등도	중등도
Ziprasidone(Zeldox)		40~160	낮음	낮음	낮음	낮음	낮음

출처: Consumer Reports Best Buy Drugs (2009) and Citrome (2011).

* 높은 용량에서 EPSE가 발생할 수 있음.

EPSE, extrapyramidal side effect.

(1) 정형 항정신병 약물

정형(typical) 또는 1세대 항정신병 약물은 1950년에서 1990년 사이에 개발되었다. 효능에 따라 고역가, 중역가, 저역가 약물로 분류된다. 이 약물의 효과는 주로 특정 유형의 도파민 수용체(D_2) 차단과 관련된다. 뇌의 특정 영역에서 이 수용체의 60~70%가 차단될 때, 임상적 유효성이 발생한다. 일부 약물들은 높은 용량이지만 낮은 효능을 갖는다. 예를 들어, 클로르프로마진(저역가)은 2mg의 할로페리돌(고역가)과 동일한 임상 효과를 달성하거나 동일한 수의 D_2 수용체를 차단하려면 약 100mg의 용량이 필요하다. 일반적으로 저역가 약물은 강한 항콜린성 효과(예: 구강건조, 흐린 시야)와 항아드레날린 효과(예: 기립성 저혈압)를 유발하는 경향이 있는 반면, 고역가 약물은 추체외로 부작용과 프로락틴 상승을 더 많이 일으킨다. 표 12-10은 특정 수용체 차단의 이론적 영향을 보여준다.

표 12-10 | 수용체 차단의 이론적 영향

수용체	효과
D_2	• 중변연계 경로: 항정신병 효과 (모든 항정신병 약물은 D_2에 길항함) • 흑질선조체 경로: EPSE • 결절누두부 경로: 프로락틴 수준 상승 • 중피질계 경로: 이차적인 음성증상(항정신병 약물 자체에 의한 증상)
$5\text{-}HT_{2A}$	음성 증상 개선, EPSE 감소
M_1	항콜린성 부작용, 특히 FGA에 의한 EPSE의 ACh-도파민 균형을 복구할 수 있음
H_1	진정작용, 기립성 저혈압, 체중증가
α-1	기립성 저혈압, 현기증, 진정작용
α-2	성기능장애
GABA	발작의 역치를 낮춤, 불안 유발

▶ ACh, acetylcholine; EPSE, extrapyramidal side effect; FGA, firstgeneration antipsychotics; GABA, gamma-aminobutyric acid; $5\text{-}HT_{2A}$, 5-hydroxytryptamine 2A; M_1, cholinergic muscarinic receptors.
출처: Bezchlibnyk-Butler, K.Z., & Jeffries, J.J. (2007). Clinical handbook of psychotropic drugs (14th ed.). Seattle: Hogrefe & Huber; Keltner, N.L. (2000). Neuroreceptor function and psychopharmacologic response. Issues in Mental Health Nursing, 21, 31.

(2) 비정형 항정신병 약물

비정형(atypical) 또는 2세대 항정신병 약물은 1990년 이후 개발된 보다 새로운 약물이다. 이 약물의 장점으로 EPSE의 위험 감소, 음성증상 치료의 유효성 증대, 지연성 운동이상의 최소 위험, 프로락틴 수준 상승에 대한 위험 감소가 있다.

2) 조현병의 신경화학적 이론

신경화학적 이론은 항정신병 약물의 효과를 설명하는 데 유용하다. 이 이론에 따르면, 뇌 변연계 영역의 도파민 수치 증가가 조현병과 양성증상(예: 환각, 망상)의 주요 원인이 된다. 항정신병 약물은 대개 도파민 차단제이므로, 이들의 효과는 도파민 차단 활성에서 기인한다. 그래서 고용량의 도파민성 약물인 레보도파와 암페타민(amphetamine)은 조현병의 증상을 유발할 수 있다. 뇌에는 4개의 주요 도파민 경로가 있다(**그림 12-4**). 도파민은 주로 중뇌의 흑질과 복측피개 영역(ventral tegmental area)에서 합성되며, 도파민 경로를 통해 멀리 있는 곳까지 전달된다. 신경 경로를 통한 도파민 합성 영역(중뇌의 흑질과 복측피개 영역)과의 정보 교환은 조현병의 정신약리학적 치료를 이해하는 데 도움이 된다.

- **경로 1**: 흑질선조체 경로(nigrostriatal tract)는 움직임과 관련이 있다. 정형 항정신병 차단은 EPSE를 유발할 수 있다.
- **경로 2**: 결절누두부 경로(tuberoinfundibular tract)는 뇌하수체 기능을 조절한다. 정형 항정신병 차단은 프로락틴 수치 상승을 초래할 수 있다.
- **경로 3**: 변연계의 중변연계 경로(mesolimbic tract)는 정서 및 감각 과정에 관여한다. 정형 항정신병 차단은 환각과 망상을 완화하거나 제거하면서 이 과정을 정상화시킨다.
- **경로 4**: 대뇌피질의 중피질계 경로(mesocortical tract)는 인지과정에 관여한다. 정형 항정신병 차단은 음성증상과 인지적 문제를 악화시킬 수 있다.

정형 항정신병 약물은 위의 모든 부작용을 야기할 위험이 있지만, 환각과 망상으로부터 벗어나게 하는 매우 중요한 역할을 한다. 이상적인 항정신병 약물은 중변연계 부위의 도파민 수용체를 차단하고(환각과 망상 감소), 중피질계 경로에서 도파민을 유리시키는 반면(음성증상 및 인지증상 치료), 흑질선조체 경로를 막거나(EPSE를 일으키지 않는)

결절누두부 경로의 수용체를 차단하지는 않는(프로락틴 상승을 일으키지 않는) 것이다. 비정형 항정신병 약물이 이러한 작용을 할 수 있다.

3) 약물의 개요

(1) 약리학적 효과

항정신병 약물은 주로 정신증적 장애(특히 조현병), 양극성장애 및 기타 만성 정신질환 치료를 위해 사용된다. 항정신병 효과에 대한 내성은 흔하지 않다. 중추신경계 효과로 정서적 고요(emotional quieting), 진정이 있다. 정서적 고요는 환자에게 다른 형태의 치료중재를 적용할 수 있는 상태를 만들어 준다. 진정은 정신증 환자의 빈번한 어려움인 불면증을 완화시켜 준다. 이것이 진정작용의 결과인지, 혹은 혼란스러운 사고(또는 이 두 가지의 혼합)로부터 벗어난 것인지 완전히 밝혀지지 않았다.

(2) 항정신병 약물에 의해 교정되는 정신의학적 증상들

안정 효과(tranquilizing effect)는 약물 복용 후 1시간 내에 나타난다. 항정신병 효과는 흔히 수 주 내에 관찰되고, 증상 개선은 6~8주 동안 또는 그 이상 지속된다. D_2 차단은 첫 투여 용량에서부터 발생한다.

항정신병 약물은 중변연계 경로의 과도한 도파민에 따른 양성증상을 치료하는 데 가장 효과적이다. 양성증상은 망상과 환각을 포함한다. 중피질계 경로의 도파민 부족에 따른 음성증상은 항정신병 약물에 덜 반응한다. 음성증상은 오랜 기간에 걸쳐 나타나며 단조로운 정동, 언어적 결핍, 동기 또는 목표 지향적 활동의 결핍을 포함한다. 도파민 길항제인 항정신병 약물은 변연계 영역에서도 주로 도파민 효과를 감소시키는 역할을 한다. 비정형 약물은 뇌의 일부 영역에서 도파민 수준을 증가시키고, 다른 영역에서는 도파민을 감소시킬 수 있다.

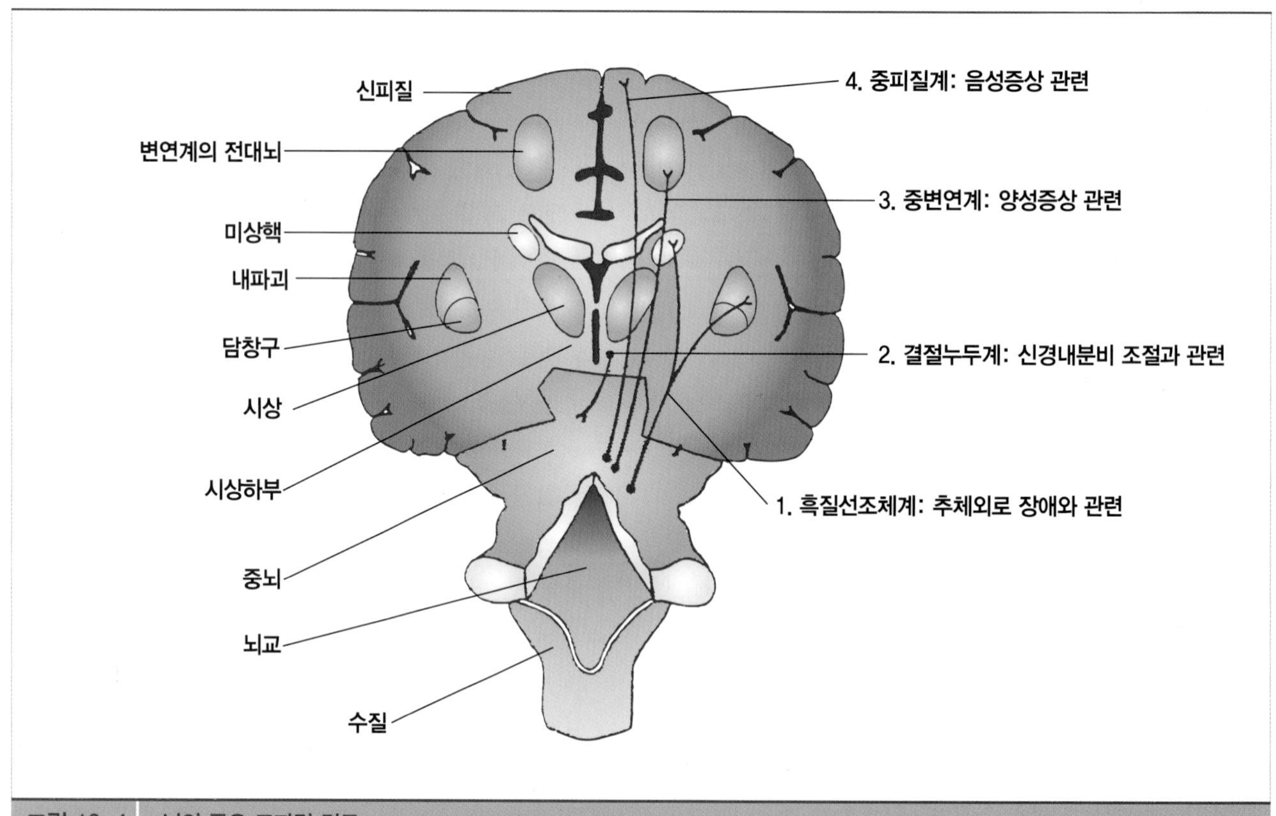

그림 12-4 뇌의 주요 도파민 경로

▶ 1. 흑질선조체계: 항정신병 약물이 이 체계에 길항하면, 가성 파킨슨증 효과 또는 추체외로 부작용이 발생한다. 2. 결절누두계: 항정신병 약물이 이 체계에 길항하면, 도파민의 프로락틴 억제 기능이 약화되어 혈중 프로틴이 상승하고, 이는 여성형 유방과 유즙분비를 유발할 수 있다. 3. 중변연계: 항정신병 약물이 이 체계에 길항하면, 조현병의 증상이 감소한다(주로 양성증상). 4. 중피질계: 항정신병 약물이 이 체계에 길항하면, 일부 환자에서는 증상이 악화될 수 있다.

출처: Roberts, G.W., Leigh, P.N., & Weinberger, D.R. [1993]. Neuropsychiatric disorders. London: Wolfe.

① 지각의 변화

정신증적 증상(특히 양성증상)을 보이는 대상자의 행동이 기괴할수록, 항정신병 약물이 큰 효과를 나타낼 가능성이 높다. 환각과 착각(illusion)은 이러한 약물 투여로 완화된다. 비록 증상이 완전히 제거되지 않더라도, 항정신병 약물은 환각과 착각이 현실이 아니라는 것을 이해시키는 것을 가능하게 하고, 이것 자체만으로도 정신증 상태의 개선을 의미한다.

② 사고의 변화

항정신병 약물은 추론을 향상시키고 망상과 양가감정을 완화시킨다. 느슨한 추리, 망상 및 양가감정에 따른 좌절감과 두려움도 함께 감소되므로, 항정신병 약물은 환자를 보다 명확하게 생각하고 다른 사람과 의사소통을 보다 더 잘 할 수 있도록 도와준다.

③ 활동성의 변화

조현병 환자는 내적 혼란을 경험하고, 때로 신경화학적 상태로 인해 지나치게 활동적이다. 항정신병 약물은 이러한 정신운동성 활동을 늦추게 한다.

④ 의식의 변화

정신적 혼탁(clouding)과 혼란은 정신증과 관련된 불안 증상이다. 항정신병 약물은 이러한 증상을 감소시키는 데 효과적이다.

⑤ 대인관계의 변화

조현병 환자는 흔히 사회적 위축과 관련한 과거력을 가지는데, 사회적 관계를 맺는다고 하더라도 개인적으로 친밀한 관계는 거의 없다. 가족구성원과의 관계가 존재한다 해도, 이 또한 매우 제한적일 가능성이 크다. 이들은 자신의 외모에 거의 신경쓰지 않고, 행동에도 특별히 주의하지 않을 수 있다. 내성(introspection), 반추증(rumination), 자기중심적 언어의 조합은 고립과 소외를 야기하는 비효율적인 의사소통 양상을 악화시킨다. 이들은 타인에게 베풀거나 타인을 위한 행동을 거의 하지 않기 때문에, 일반적으로 대부분의 사람들과 사회적 관계를 맺는 데 어려움이 있다. 항정신병 약물은 잠재적으로 환자가 내적 세계에 집중하기보다 타인에게 관심을 기울이게 할 수 있다. 정신 에너지를 정상적이고 생산적인 대인관계에 사용할 수 있게 하면서 내적 혼란을 감소시킨다.

⑥ 정동의 변화

정동(affect)의 저하, 둔마, 부적합성 및 불안정성은 항정신병 약물에 반응하는 조현병의 정서적 증상이다. 그러나 저하된 정동은 조현병의 기본적인 음성증상으로, 비정형 항정신병 약물에만 반응한다.

(3) 약동학

항정신병 약물의 흡수 양상은 다양하다. 경구용 약물은 대개 1~6시간 내에 흡수된다. 새로운 고지방 용해성 약물인 분해 정제(disintegrating tablet)는 2분 이내에 흡수되고, 지방 조직에 축적되어 천천히 배출된다. 이는 갑자기 약물 복용을 중단한 환자가 한동안 항정신병 약물의 효과를 경험하는 이유이다. 환자가 약물 복용을 중단하자마자 상이 재발하지 않기 때문에, 약물 불이행의 원인이 되기도 한다.

항정신병 약물은 혈장 단백질과 높은 비율로 결합한다(대부분 90~99%). 조금이라도 단백질 결합을 변화시키는 생리적 변화는 유리 약물의 비율을 증가시키고, 잠재적으로 더 큰 영향을 미친다. 고도의 단백질 결합 약물과 마찬가지로, 노인(혈청 단백질 수준의 감소를 보다 자주 경험함)은 같은 용량이라도 더 큰 약물효과가 나타날 수 있다.

항정신병 약물은 간에서 시토크롬(Cytochrome P-450, CYP-450) 효소체계에 의해 대사된다. 평균 반감기는 10~30시간이다. 손상된 간기능은 약물의 반감기 및 효과를 연장시킨다. 흡연은 CYP-450 1A2 효소를 증가시켜 아래 약물을 포함한 여러 항정신병 약물을 분해시킨다(Fankhauser, 2013)(표 12-11). 조현병 대상자들은 일반 인구집단에 비해 흡연자의 비중이 높다.

표 12-11 흡연에 의해 혈중농도가 감소되는 항정신병 약물

CYP-450 1A2의 주요 기질	CYP-450 1A2의 보조 기질
Clozapine	Asenapine
Olanzapine	Chlorpromazine
Thiothixene	Fluphenazine
Trifluoperazine	Haloperidol
	Perphenazine
	Ziprasidone

많은 항정신병 약물들은 경구 및 비경구 형태로 투여할 수 있다. 구강 경로는 여러 가지 이유로 가장 선호되는 경로이다. 그러나 경구투여 시 환자가 약물을 입안에 쉽게 숨길 수 있어 문제가 된다. 이를 방지하기 위해 입에 넣으면 즉시 용해되는 경구용 제형이 있다. 약물복용 불이행(nonadherence)은 증상 악화 및 재입원의 가장 중요한 원인이다. 정신과 환자들은 약물 복용이 질병의 시작을 의미한다는 것, 중독에 대한 편집증적 두려움, 불쾌한 반응이나 부작용 등의 이유로 약물 복용을 원하지 않을 수 있다.

비경구적 방법은 대개 급성 증상 환자 또는 상당한 비순응 위험을 보이는 환자를 치료하는 데 쓰인다. 장기간 작용하는 주사 형태를 이용할 수 있는데, 2~4주에 한 번 또는 그보다 낮은 빈도로 주사하는 방법이 있다. 이러한 장기지속형(long-acting) 주사는 외래환자 또는 약물 비순응 환자에게 유용하다. 또한 정확한 약물의 효과를 파악할 수 있고, 환자가 매일 약물을 복용할 필요가 없으며, 약물의 첫 통과 대사를 피하고 혈청 수치를 보다 안정적으로 유지시킬 수 있는 이점이 있다. 지속성 약물의 예로 플루페나진(fuphenazine decanoate), 할로페리돌(haloperidol decanoate), 리스페리돈(risperidone microspheres), 팔리페리돈(paliperidone palmitate), 올란자핀(olanzapine long-acting injectable), 아리피프라졸(aripiprazole microspheres)이 있다.

CRITICAL THINKING QUESTION

6. 환자가 처방된 항정신병 약물을 임의로 끊은 후에도 한동안 약물의 효과가 유지될 수 있다. 이를 설명할 수 있는 약동학적 과정은 무엇인가?

(4) 부작용

항정신병 약물은 여러 중추 및 말초신경계 부작용과 관련된다. 주요 부작용으로 항콜린성 부작용, 추체외로 부작용, 악성 신경이완 증후군이 있다(표 12-12).

표 12-12 항정신병 약물의 주요 역반응(adverse response)

항콜린성 부작용
- 원인: 콜린성 수용체의 차단
- 악화 인자: 저역가 항정신병 약물 및 항콜린성-항파킨슨증 약물
- 징후 및 증상: 변비, 발한 감소, 동공확대, 구강건조, 장 및 방광의 둔화 등

추체외로 부작용
- 원인: D_2 수용체의 차단
- 악화 인자: 고역가 정형 항정신병 약물
- 징후 및 증상: 정좌불능, 운동불능, 근긴장이상, 파킨슨증, 지연성 운동장애 등

신경이완제 악성증후군
- 원인: D_2 수용체의 차단
- 악화 인자: 고역가 정형 항정신병 약물
- 징후 및 증상: 고열과 강직(치명적일 수 있음)

① 항콜린성 효과

항정신병 약물에 의한 말초신경계 항콜린성 효과는 변비, 발한 감소, 동공확대, 구강건조, 장·방광의 둔화 등이다. 이는 부교감 구성요소가 있는 4개의 뇌신경(제 3, 7, 9, 10 뇌신경) 차단의 결과이다. 예외적으로 발한 감소 증상이 나타나는데, 이는 교감신경계 기능이다. 항콜린성 부작용은 안압 상승을 증가시켜 협우각 녹내장을 악화시킬 수 있고, 전립선 비대를 악화시키며, 부정맥을 촉발시킬 수 있으므로 간호 시 각별히 유의한다.

② 항아드레날린성 효과

항정신병 약물의 주요 항아드레날린성 효과는 혈압 감소이다. $\alpha-1$ 수용체 차단이 저혈압의 일차적 원인이다. 말초혈관에 대한 교감신경 수용체 차단은 이러한 혈관들이 자세 변화에 대해 자동적으로 반응(수축)하는 것을 막는다. 저혈압은 고령자에게서 갑자기 자세를 바꿀 때(기립성 저혈압) 가장 자주 발생한다. 그러므로 낙상에 대한 주의가 이루어져야 한다. 건강한 젊은 대상자의 경우 보통 적응하는 데 몇 주가 소요되지만, 대다수의 환자들은 짧은 시간 동안 기립성 저혈압에 적응되지 않는다. 저혈압은 일반적인 심혈관 비효율을 유발할 수 있는 반사성 빈맥의 원인이 되기도 한다. 반사성 빈맥은 낮은 사지 끝 혈관확장을 보상하기 위한 적응기전으로, 자동적으로 나타나는 빈맥을 말한다. 항정신병 약물은 심각한 저혈압, 심부전 또는 부정맥의 병력이 있는 환자에게는 주의하여 처방된다.

③ 심혈관계 부작용

항정신병 약물을 처방할 때 가장 우려스러운 것 중 하나는 QTc 간격(심실 분극 및 재분극의 척도)을 연장시킬 가능성이다. 이것은 치명적인 부정맥과 관련될 수 있으므로 신중한 주의가 필요하다. 정상적인 QTc 간격은 330~440msec이다. 남성은 450msec 이상, 여성은 470msec 이상인 경우 QTc 연장으로 간주한다. 2세대 항정신병 약물 중 지프라지돈(ziprasidone)이 QTc 연장 위험이 크다(Washington 등, 2012). 이러한 위험이 있는 약물 투여 시 심전도 모니터링이 필요하다.

④ 추체외로 부작용

추체외로 부작용은 약물 비순응의 주요 요인이고, 결국 재발 및 재입원을 야기한다. 가능한 EPSE를 방지하거나 최소화하는 것이 중요하다. 항정신병 약물을 복용하는 대부분의 환자들에게서 EPSE가 나타난다. 고역가 정형 항정신병 약물이 EPSE 유발 가능성이 높고, 비정형 항정신병 약물은 상대적으로 그 가능성이 낮다. 비정상적인 불수의적 운동장애는 뇌의 특정 부위에서 도파민과 아세틸콜린 사이의 불균형으로 인해 발생한다. EPSE 증상으로 정좌불능, 운동불능, 근긴장이상, 지연성 운동장애, 약물 유발성 파킨슨증, 피사 증후군, 신경이완제 악성증후군이 있다. 가장 늦게 출현하는 TD는 비가역적일 수 있다.

Clinical example

정신과 병동에서 집단치료를 받는 동안 최OO 님은 가만히 앉아 있지 못하고 계속 일어나기를 반복하였다. 그녀는 그룹의 진행자가 앉도록 지시한 순간에는 앉지만, 즉시 다시 일어나는 모습을 보였다. 진행자는 그녀의 행동을 도전으로 잘못 해석하여 치료가 효과적이지 못하고 잠재적으로 물리적, 화학적 억제가 필요하다고 보았다. 의료진이 항정신병 약물의 부작용인 EPSE에 대해 보다 잘 이해하고 있었다면, 이는 정좌불능의 증상으로 파악되었을 것이다.

⑤ 내분비 부작용

정형 항정신병 약물은 D_2 수용체(약 70% 점유)를 차단함으로써 프로락틴 수치를 상승시킨다. 도파민은 프로락틴을 억제하므로, 도파민 수용체가 차단되면 프로락틴 수치가 증가하게 된다. 만성적인 프로락틴 수치 상승은 여성에서 월경주기 변화, 무월경, 성욕 상실, 유즙분비증(galactorrhea), 골다공증 위험성이 증가된다. 남성은 발기부전, 성욕 상실, 여성형 유방, 정자 수 감소, 여성화를 초래할 수 있다. 정형 항정신병 약물들은 고프로락틴혈증(hyperprolactinemia)의 유발 가능성이 훨씬 높다.

⑥ 대사증후군

대사증후군은 인슐린 저항성과 포도당 대사의 감소로 나타난다. 제2형 당뇨병은 고혈당, 비만, 지질 상승, 응고 이상, 고혈압 관련 문제와 함께 발생한다. 비정형 항정신병 약물은 대사증후군을 유발할 가능성이 더 크다(표 12-13). 특히, 클로자핀(clozapine)과 올란자핀(olanzapine)이 대사증후군을 유발할 가능성이 가장 높은 것으로 보고된다(Birkenaes & Andreassen, 2004). 아래 항목 중 3가지 이상이 나타나는 경우 대사증후군의 상태로 간주한다(Keltner, 2006).

- 복부 둘레가 남성 40인치 이상, 여성 35인치 이상
- 트리글리세라이드(triglycerides) 상승(≥150mg/dL)
- 고밀도 지단백질 감소(남성 ≤40mg/dL, 여성 ≤50mg/dL)
- 고혈압이나 고혈압 치료
- 공복 시 혈당 상승(≥100mg/dL)

표 12-13 비정형 항정신병 약물의 대사 효과 비교

약물	체중증가	이상 지질혈증	고혈당증
Clozapine	+++	+++	+++
Olanzapine	+++	+++	+++
Risperidone	++	+	+
Quetiapine	++	++	++
Ziprasidone	+/0	+/0	+/0
Aripiprazole	+/0	+/0	+/0
Iloperidone	++	+/0	+/0
Paliperidone	+	+	+
Asenapine	+/0	+/0	+/0
Lurasidone	+/0	+/0	+/0

▶ +++ = 높음; ++ = 중간; + = 낮음; +/0 = 낮거나 중간.
출처: Zeier, K., et al. (2013). Recommendations for lab monitoring of atypical antipsychotics. Current Psychiatry, 12, 51.

⑦ 성적 부작용

D_2 및 $\alpha-2$ 차단은 앞서 언급한 프로락틴 수치 상승뿐만 아니라 성적인 부작용의 원인이 되는 것으로 보인다. 성적 활동은 욕망기, 흥분기, 극치감(orgasm)의 3단계로 나눌 수 있는데, 모든 단계에서 문제가 발생할 수 있다. 성욕 감퇴는 도파민 차단으로 인한 것으로 생각된다.

⑧ 위장관계 영향

체중증가는 히스타민 H_1, 5-하이드록시트립타민 2C(5-hydroxytryptamine 2C, $5\text{-}HT_{2C}$) 수용체의 차단과 관련되는 것으로 보인다. 그 결과로 인슐린 저항성이 나타나고, 이는 체중증가의 원인이 된다. 탄수화물 갈망이 일반적인 특성이다.

⑨ 기타 부작용

항정신병 약물의 기타 부작용으로 황달, (드물지만 심각한) 혈액질환, 고열에 대한 감수성, 햇볕에 대한 피부 민감성, 비강 충혈, 천명음, 기억상실이 있다. 이는 콜린성 계통이 기억과 학습에 관여하고, 저역가 항정신병 약물이 인지 장애증상에 영향을 미친다. 클로자핀은 환자의 약 1%에서 매우 치명적인 무과립구증을 유발할 수 있다.

4) 간호 시사점

(1) 치료 및 독성 수준

항정신병 약물의 과량 투여는 치명적이지는 않지만, 과다 복용은 심각한 중추신경계 억제, 저혈압, EPSE를 유발할 수 있다. 안절부절못함(restlessness), 초조, 경련, 고열, 항콜린성 증상, 부정맥도 과다 복용 시 나타날 수 있다.

(2) 임신 중 사용

임신 중 항정신병 약물 투여는 대개 큰 위험을 일으키지 않지만, 임신 첫 3개월 동안에는 복용을 피해야 한다(Richards et al., 1999). 항정신병 약물은 태반 장벽을 통과하여 태아 혈중농도의 상당한 수준에 도달하고, 일부 신생아에게서 EPSE를 유발할 수 있다. 모든 비정형 항정신병 약물은 미국식약청의 임신 범주 C에 해당되는데, 이는 동물연구에서 부작용이 입증되었음을 의미한다. 또한 포도당 과민증(glucose intolerance)을 유발하거나 악화시켜 잠재적으로 해로울 수 있다(Robakis & Williams, 2013).

(3) 고령자에게 사용하는 경우

노인은 간의 대사 능력이 감소되어 복용량에 대해 주의 깊게 살펴야 한다. 나이와 관련된 흑질선조체와 콜린계의 퇴행은 젊은 대상자들에게 나타나는 약물 역학적 반응보다 더 강한 반응을 일으킨다. 그래서 고령자에서는 추체외로 및 항콜린성 효과가 증가할 수 있고, TD의 위험도 더 커진다.

(4) 부작용에 대한 중재

항정신병 약물은 여러 부작용을 야기할 수 있다. 항정신병 약물의 말초신경계 항콜린성 및 항아드레날린성 효과는 주의해야 할 문제이지만, 중추신경계 EPSE만큼 심각하거나 방해가 되는 수준은 아니다. 추체외로 부작용, 항콜린제 부작용에 대한 간호중재는 표 12-5, 12-7을 참조한다.

(5) 상호작용

항정신병 약물은 여러 다른 약물들과 상호작용한다. 이러한 상호작용은 심각한 문제를 야기할 수 있으므로, 간호사는 악화인자를 확인하고 이에 따라 환자와 가족에게 조언해야 한다. 알코올, 항히스타민제, 항불안제, 항우울제, 바비튜레이트(barbiturates), 메페리딘(meperidine), 모르핀(morphine)과 같은 중추신경계 억제제는 심한 중추억제 효과를 유발할 수 있다. 가장 일반적인 상호작용 효과가 표 12-14에 제시되어 있다. 많은 일반의약품이 항정신병 약물과 잠재적으로 유해한 상호작용 효과를 가질 수 있다. 알코올, 감기약, 인플루엔자 제제, 수면보조제와 같은 중추신경계 억제제는 부가 효과를 가질 수 있다. 제산제는 항정신병 약물의 흡수를 줄여 효과를 감소시킨다.

(6) 환자 교육

환자 교육은 항정신병 약물 복용 환자를 위한 간호에서 중요한 부분이다. 간호사는 교육 내용을 선택하는 데 신중을 기해야 한다. 일부 환자들은 잠재적인 부작용에 대해 불안해하고 편집적으로 되는 경향이 있기 때문이다. 간호사는 육안으로 보이거나 느낄 수 있는 증상에 초점을 맞추어야 한다. 환자에게 부작용에 대처하는 방법에 대한 지침과 함께 약물의 효능 및 부작용에 대한 간단한 약물교육자료를 제공하는 것이 필요하다. 약물교육자료는 환자와 가족이 치료의 공동 작업자로서 역할하도록 돕고, 치료 과정을

표 12-14 항정신병 약물과 다른 약물과의 부정적인 상호작용 효과

약물	상호작용 효과
암페타민	항정신병 효과의 감소
바비튜레이트	호흡억제를 유발하고 진정 효과를 높임, 항정신병 약물의 혈청농도를 감소시킴, 저혈압 유발
벤조디아제핀	진정작용 증가, 호흡억제 증가
흡연	일부 항정신병 약물의 혈청농도 감소
인슐린, 경구용 혈당강하제	당뇨병 조절을 약화시킴
레보도파	항파킨슨 효과의 감소, 정신증을 악화시킬 수 있음
마취제(narcotics)	진정작용 증가, 호흡억제 증가

출처: Keltner, N.L., & Folks, D.G. (2005). Psychotropic drugs (4th ed.). St. Louis: Mosby.

함께 조절할 수 있게 한다. 추가로 아래와 같은 사항을 교육 내용에 포함시킨다.

- 저혈압과 낙상의 위험이 있으므로 뜨거운 물로 통목욕하는 것을 피한다.
- 햇볕으로 인한 화상을 방지하기 위해 자외선 차단제를 사용하고, 일광욕을 할 때 자외선 차단제를 최대한 많이 사용한다.
- 무더운 날씨에는 복장을 적절히 하고, 열사병을 피하기 위해 충분한 물을 섭취한다.
- EPSE가 발생할 수 있으므로 갑자기 약물을 중단하지 않는다.
- 처방된 대로 약물 복용을 이행한다.
- 인후통, 불쾌감, 발열, 출혈의 징후는 혈액질환의 증상일 수 있으므로 즉시 보고한다.

CRITICAL THINKING QUESTION

7. 저역가 항정신병 약물은 고역가 약물보다 EPSE를 일으킬 가능성이 낮다. 그 이유는 무엇인가?
8. 클로자핀은 효과적인 약물이지만, 비용이 많이 들고 치명적인 무과립구증을 일으킬 수 있는 단점이 있다. 간호사는 정형 약물에 큰 저항을 보이고, 투약 불이행의 가능성이 있는 환자들에게 더욱 관심을 기울여야 한다. 이 약을 필요로 하는 환자에게 특별한 투약 체계를 고려해야 한다. 어떻게 이 목표를 달성할 수 있는가? 이 문제를 해결하기 위한 간호사의 역할은 무엇인가?

5) 정형(1세대) 항정신병 약물

1950년에 도입된 정형 항정신병 약물은 판매량의 3%에 그치지만, 전체 처방의 약 20%를 차지한다(IMS Health, 2002). 이 약물은 효과적이지만, 부작용 위험이 크다. 그러나 특정 환자들의 증상 조절에 효과적이며, 비용도 저렴하기 때문에 좋은 선택이 될 수 있다.

(1) 저역가 약물

① 클로르프로마진

클로르프로마진(chlorpromazine)은 최초로 개발된 항정신병 약물이다. 미국의 주립 병원에 이 약물이 도입되었을 때 '신이 보내준 선물'이라고 여겨졌을 정도로, 이 약은 특정 환자에게서 획기적인 증상 개선의 효과를 보였다. 항콜린성 및 항아드레날린성 효과가 있고, 진정 효과가 나타나며, 상당한 체중증가를 유발할 수 있다. EPSE가 발생할 위험은 중간 정도이다.

② 티오리다진

티오리다진(thioridazine)은 클로르프로마진만큼 오랫동안 광범위하게 처방되었다. 특정 환자들에서 다른 약물에 비해 더 잘 반응하는 경향이 있다.

(2) 중역가 약물

중요한 중역가 약물로 록사핀(loxapine)과 페르페나진(perphenazine)이 있다. 록사핀은 비교적 최근에 조현병의 초조 증상을 치료하는 데 승인되었다. 페르페나진은 가격이 저렴하다는 장점이 있다.

(3) 고역가 약물

① 플루페나진

플루페나진(fluphenazine)은 흔히 처방되고 효과적인 약물로 간주된다. 장기지속형 주사제인 플루페나진 데카노에이트(Prolixin Decanoate)는 매일 경구투약 요법을 준수하지 않는 환자에게 유용하며, 2~3주마다 주사로 투여한다.

② 할로페리돌

할로페리돌(haloperidol)은 저역가 약물보다 EPSE가 많고, 항콜린성 부작용은 적다. 이 약물은 처방되는 모든 항정신병 약물의 약 7%를 차지하고, 가장 빈번하게 처방되는 정형 약물이다(IMS Health, 2002). 이는 노인(항콜린성 효과가 적기 때문에)과 소아 정신과에서 광범위하게 사용된다. 공격적인 행동을 하는 환자를 진정시키기 위해 비경구 방법으로 단독 할로페리돌 또는 벤조디아제핀(예: lorazepam)과 함께 사용될 수 있다. 할로페리돌 데카노에이트(Haloperidol Decanoate)는 장기간 작용하는 형태로 2~4주 간격(또는 그 이상)으로 투여될 수 있다.

6) 비정형(2세대) 항정신병 약물

최초의 항정신병 약물인 클로르프로마진이 1950년경에 소개된 이후 수백 개의 항정신병 약물이 개발되었으나 정형 약물들과 크게 다르지 않았다. 1990년부터 도입된 비정형 항정신병 약물은 정형 약물과 다른 약리학적 기전으로 음성증상에 더 큰 영향을 미쳤다.

(1) 비정형 약물의 작용기전

① 세로토닌 길항작용

5-HT_{2A}(5-Hydroxytryptamine 2A) 수용체는 세로토닌과 결합함으로써 도파민 방출을 억제하므로, 5-HT_{2A} 수용체 길항제인 약물들은 결과적으로 도파민을 더 많이 유리시킨다(**그림 12-5**). 이 약물들은 다음과 같은 이론적 특성들을 지닌다.

- **EPSE의 위험 감소:** 5-HT_{2A} 차단은 D_2 차단을 변화시킨다.
- **음성증상의 치료효과 증가:** 도파민이 전두엽(중피질계 경로)에서 증가된다.
- **TD의 위험 최소화:** 도파민 수용체를 과민하게 하지 않는다.
- **프로락틴 상승의 감소:** 프로락틴-억제인자(즉, 도파민)가 여전히 작용한다.

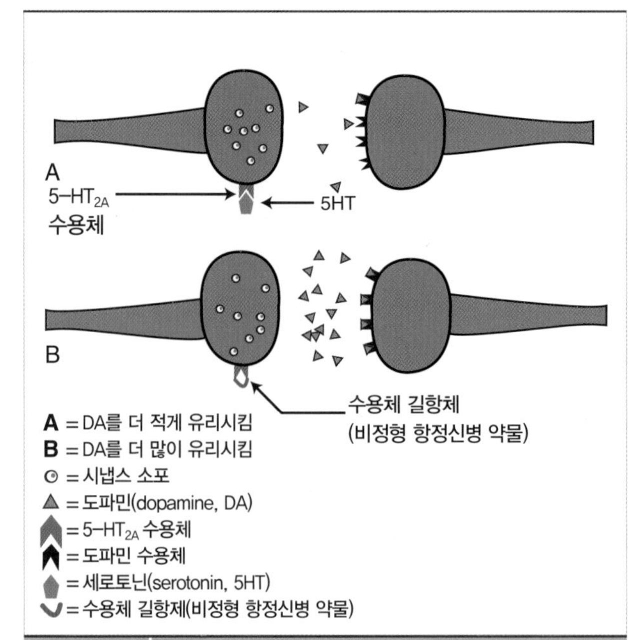

그림 12-5 항정신증 효과에서 5-HT_{2A} 수용체 길항작용의 역할

▶ A. 5-HT_{2A} 수용체는 시냅스 전 도파민 뉴런을 억제한다. 이 수용체와 세로토닌이 결합할 때, 도파민 방출을 낮게 조절하여 추체외로 부작용(흑질선조체 경로), 프로락틴혈증(결절누두부 경로), 음성증상 및 인지증상(중피질계 경로)을 유발할 수 있다.
B. 비정형 항정신병 약물은 5-HT_{2A} 수용체를 차단시킨다. 이 길항작용은 시냅스로의 도파민 방출을 증가시켜, 추체외로 부작용을 감소시키고, 프로락틴을 안정화시키며, 음성증상과 인지증상을 개선시킨다.
출처: Keltner, N.L., & Folks, D.G. [2005]. Psychotropic drugs [4th ed.]. St. Louis: Mosby.

비정형 약물이 정형 약물들과 차이점을 만드는 것은 5-HT_{2A} 수용체 차단에 의한 것으로 추측된다. 정형 약물의 도파민 D_2 차단에 의해 EPSE가 나타난다면, 비정형 약물은 이 수용체에 대해 고도로 경쟁적이 되도록 하여 더 많은 도파민을 이용하게 한다. 음성증상이 뇌피질의 도파민 감소에 의해 나타난다면(적어도 부분적으로), 비정형 약물들은 뇌피질에서의 도파민을 증가시킨다. 도파민 결핍에 의해 프로락틴 수치가 상승한다면, 비정형 약물들은 이 경로에서의 도파민을 증가시켜 프로락틴 수치를 낮춘다. D_2 길항제에 의해 지속적으로 '잡혀 있는(grasped)' D_2 수용체 자극으로 TD가 발생한다면, 비정형 약물은 이를 방지하여 TD가 발생하지 않도록 한다.

② 패스트-오프 이론

결합-분리이론(fast-off theory)은 약물이 얼마나 오래 수용체에 작용하는지가 중요하다는 것을 보여준다. 도파민 길항제는 도파민이 동일한 수용체에 결합하는 것을 차단하기 위해 수용체에 부착되었다가 떨어져 나가는데, 이때 걸리는 시간을 측정할 수 있고 해리상수와 관련된다. 해리상수가 작을수록 약물이 수용체에 더 단단히 부착되고, 해리상수가 클수록 약물이 수용체에 갖는 친연성이 낮다. 예를 들어, 도파민의 해리상수가 1.75인 한편, 쿠에티아핀 160, 클로자핀 126, 올란자핀 11, 지프라시돈 5, 리스페리돈(risperidone) 4, 할로페리돌 0.7, 아리피프라졸(aripiprazole) 0.34의 해리상수를 갖는다(Steele et al., 2011). 할로페리돌과 아리피프라졸은 도파민 자체보다 D_2와 더 강하게 결합한다. 리스페리돈은 쿠에티아핀이나 클로자핀보다 수용체에 더 단단히 결합하여 보다 높은 수준으로 EPSE를 유발할 수 있고, 특히 고용량 복용 시 EPSE가 나타날 가능성이 높다.

(2) 비정형 약물의 부작용

2세대 항정신병 약물은 여러 이점과 함께 잠재적인 부작용의 가능성이 있다. 주요 부작용으로 대사성 조절장애와 이로 인한 합병증(예: 비만, 당뇨병, 고지질혈증, 고혈압 등)이 있다.

(3) 관련 약물

① 클로자핀

1990년에 출시된 클로자핀(clozapine)은 40년 만에 미국에 소개된 진정한 의미의 새로운 항정신병 약물이었다. 그러나 심각한 부작용인 무과립구증이 발견되고 환자가 갑자기 사망하는 사고가 발생하였다. 현재의 연구들은 무과립구증의 이환율을 1% 미만으로 보고하고 있고, 사망률 또한 크게 감소하였다. 무과립구증은 임상적으로 $500/mm^3$ 미만의 절대 호중구 수(Absolute Neutrophil Count, ANC)로 진단되는데, 골수 억제로 인해 발생할 수 있다. 생명을 위협할 수 있는 부작용이므로 이 약물을 복용하는 환자에 대한 철저한 모니터링이 필요하다. **표 12-15**에 클로자핀 치료에 대한 프로토콜을 제시하였다. 클로자핀의 부작용은 콜린성, α-1, α-2 및 H_1 수용체의 길항작용으로부터 기인한다. 항콜린성 효과, 성기능장애, 체중증가 등의 부작용이 나타날 수 있다. 또한 용량과 관련된 발작 증상(고용량에서 5%), 과도한 타액분비(약 30%)가 나타날 수 있다. 심근염의 또 다른 중요한 부작용으로 호흡곤란, 발열, 흉통, 심계항진, 빈맥, 심부전의 다른 증상들이 나타날 수 있고, 이러한 경우에는 의료진에게 즉시 알리도록 교육한다. 클로자핀은 주로 CYP-450 1A2에 의해 대사되는데, 흡연하는 경우 CYP-450 1A2가 자극되어 작용하는 클로자핀의 수치가 감소된다(Keltner & Grant, 2006).

표 12-15 | 클로자핀 치료의 프로토콜

1. 정상 백혈구(white blood cell, WBC) 수는 $>3,500/mm^3$, 정상 절대호중구수(absolute neutrophil count, ANC) 수는 $\geq 2,000/mm^3$이다.
2. WBC 기준치가 $<3,500/mm^3$이고, ANC 기준치가 $<2,000/mm^3$인 경우, 클로자핀 투여를 시작하지 않는다.
3. 투약을 시작하면, 매주마다 WBC를 감시한다.
4. WBC와 ANC가 6개월 동안 정상인 경우 2주마다 확인한다.
5. WBC와 ANC가 1년 동안 정상인 경우 매월 확인한다.
6. WBC가 $<3,000/mm^3$ 또는 ANC가 $<1,500/mm^3$이 되면, 클로자핀 투여를 중지한다. 매일 WBC와 ANC를 확인한다.
7. 감염의 징후가 없으면, WBC가 $>3,000/mm^3$이고 ANC가 $>1,500/mm^3$일 때 클로자핀 치료를 재개할 수 있다.
8. WBC가 $<2,000/mm^3$이 되고 ANC가 $<1,000/mm^3$이 되면, 클로자핀을 영구히 중단해야 한다.

출처: Mechcatie, E. (2005). FDA approves two monitoring changes for clozapine patients. Clinical Psychiatry News, 33, 8.

② 리스페리돈과 팔리페리돈

리스페리돈은 1994년에 승인된 비정형 약물이다. 클로자핀과 비교하여 D_2 수용체에 대한 더 큰 친화성과 5-HT_{2A} 수용체와 유사한 길항작용을 갖는다. 리스페리돈은 이론적으로 음성, 양성 증상에 모두 효과가 기대된다. 무과립구증, TD, 신경이완제 악성증후군 등을 포함하는 심각한 부작용이 적다는 점에서 비교적 안전한 약물로 간주된다. 콜린성 수용체에 대한 친화성이 거의 없어 항콜린성 부작용도 적다. 그러나 α-1 및 H_1 수용체를 유의하게 차단하여 기립성 저혈압, 진정, 식욕 자극을 야기할 수 있다. 또한 고용량으로 복용하는 경우 EPSE와 고프로락틴혈증이 보고된다. 기타 부작용으로 불면증, 초조, 두통, 불안, 비염이 포함된다. 장기 지속형 주사제가 있어 약물 순응이 좋지 않은 경우 사용할 수 있다.

팔리페리돈(paliperidone)은 리스페리돈 계열의 일부로 리스페리돈을 만드는 동일한 회사에서 제조된다. 약물의 효과와 부작용 측면에서 모 약물(리스페리돈)과 유사한 약리학적 특성을 갖는다. 또한 장기지속형 주사제가 있다.

③ 올란자핀

1996년에 출시된 올란자핀(olanzapine)은 효능 및 부작용의 측면에서 리스페리돈과 유사하고, 과립구감소증을 유발하지 않는다. 올란자핀은 주로 5-HT_{2A} 및 D_2 수용체를 차단한다. 콜린성, H_1 및 α-1 수용체에 높은 친화성이 있어, 결과적으로 진정, 체중증가 및 기립성 문제와 같은 항콜린성 효과를 유발한다. 올란자핀은 글루타민성 체계에서 N-메틸-d-아스파르트산(N-methyl-d-aspartate) 수용체 기능을 정상화하여 조현병 관련 징후 및 증상을 막는다. 또한 EPSE 발현이 거의 없고, 긍정적인 부작용 프로파일을 갖는다. 일부 환자에서 상당한 체중증가를 유발하는데, Lieberman(2005) 연구에서 올란자핀을 처방받은 환자의 30%가 조사기간 중 체중의 7% 이상이 증가했다고 보고되었다. 올란자핀은 급성 조증 치료에 효과적이고, 양극성장애를 치료하기 위한 단일요법으로 사용될 수 있는 FDA 승인 의약품이다. 장기간 작용하는 주사 형태도 사용 가능하다.

④ 쿠에티아핀

쿠에티아핀(quetiapine)은 1997년에 미국에서 상용화되었다. 클로자핀과 유사하게 $5\text{-}HT_{2A}$보다 D_2 수용체에 대한 친화도가 낮다. 또한 콜린성 수용체에 대해 친화력이 거의 없기 때문에 항콜린성 부작용이 적다. 그러나 α-1 수용체에 길항하여 기립성 저혈압을 초래하고, H_1 수용체에 길항하여 진정과 식욕 증가를 유발할 수 있다. 임상적으로 양성 및 음성 증상 모두에 효과적이고, EPSE를 일으키거나 혈청 프로락틴 수치를 유의하게 증가시키지 않으며, 인지기능을 개선시킨다. 현재의 처방으로는 약물이 4~5일 간에 걸쳐 천천히 적정되도록 투여한다. 구강, 비강 및 정맥 내로 투여되며 진정 및 불안 완화 효과를 제공한다.

⑤ 지프라시돈

지프라시돈(ziprasidone)은 조현병의 양성 및 음성 증상 모두에 효과적이다. $5\text{-}HT_{2A}$ 및 D_2 수용체에 대해 높은 친화성을 가지고, 세로토닌과 노르에피네프린의 재흡수를 중간 정도로 차단한다. $5\text{-}HT_{1A}$ 수용체에 대해서는 작용제의 역할을 하여 우울과 불안, 음성증상을 개선시킨다. 또한 EPSE와 항콜린성 부작용을 거의 일으키지 않고, 경미한 항히스타민제의 효과를 보이므로 흔히 조현병 치료에 사용된다. 일반적인 부작용으로 오심, 소화불량, 복통, 변비, 졸음, 불면증 및 코감기 증상이 있다. 다른 비정형 약물보다 체중증가를 덜 유발하는 것으로 보인다. 그러나 QTc 간격의 연장과 관련하여 잠재적인 심장 문제와 관련이 있다. 다수의 연구에서 지프라시돈이 약물-약물 상호작용에 대한 가능성이 낮은 것으로 보고되었다. 근육 내 주사가 가능하고, 음식과 함께 섭취하면 흡수가 증가한다.

CRITICAL THINKING QUESTION

9. 약물투여가 필요하지만 약물복용을 이행하지 않는 환자를 간호하고 있다고 가정해 보자. 예를 들어, 피해망상이 있는 환자는 당신이 처방된 항정신병 약물을 이용하여 자신을 해치려고 한다고 실제로 믿을 수 있다. 이 상황에서 어떻게 올바른 간호를 할 것인가?

⑥ 아리피프라졸

아리피프라졸(aripiprazole)은 도파민계 안정제로 지칭된다. 도파민이 부족한 뇌 영역에서는 도파민을 증가시키고, 도파민이 과잉 활성화된 뇌 영역에서 도파민을 감소시킴으로써 도파민 시스템의 균형을 맞추는 것으로 생각되기 때문이다. **그림 12-6**은 주로 정형 약물에 의한 D_2 수용체 차단(A)과 아리피프라졸 약물에 의한 D_2 수용체에 대한 부분적 작용(B)을 나타낸 것이다. 아리피프라졸 분자가 도파민 분자보다 더 약하게 결합하여 과잉된 도파민이 있는 영역이 안정되기 시작하고, 이 효과가 양성증상을 감소시킨다. 반면, 중피질 영역은 반대로 작용하여 음성증상을 개선시키고, 환자로 하여금 더 많은 에너지와 함께 기분을 좋아지게 한다. 다른 비정형 약물과 마찬가지로 $5\text{-}HT_{2A}$ 수용체에 길항하며, $5\text{-}HT_{1A}$ 수용체에 대해 부분적으로 작용한다. 또한 상대적으로 매우 양호한 부작용 프로파일을 갖는다.

⑦ 아세나핀

아세나핀(asenapine)은 2009년에 승인된 비교적 최신의 비정형 약물이다. 설하 정제로만 사용 가능하고 삼키면 효과가 없다. 급성 조현병과 양극성장애의 치료를 위해 사용된다. 일반적으로 EPSE를 일으키는 경향은 낮은 것으로 보이나, 정좌불능 증상이 발생할 위험은 높다. 인지 및 음성 증상의 치료에 보다 효과적인 것으로 알려져 있다.

⑧ 일로페리돈

일로페리돈(iloperidone) 또한 최신의 비정형 약물로 $5\text{-}HT_{2A}$ 및 D_2 수용체의 길항제이다. 히스타민과 α-1 수용체를 차단하며, 흔한 부작용으로 체중증가, 진정, 기립성 저혈압 등이 있다. 리스페리돈의 대사산물을 만들기 때문에 EPSE, 프로락틴 상승 및 고프로락틴혈증 등의 부작용이 나타날 수 있다.

⑨ 루라시돈

루라시돈(lurasidone)은 $5\text{-}HT_{2A}$ 및 D_2 수용체를 차단하고, 이 외 $5\text{-}HT_{1A}$ 수용체도 차단하여 항불안 효과가 있다. 지

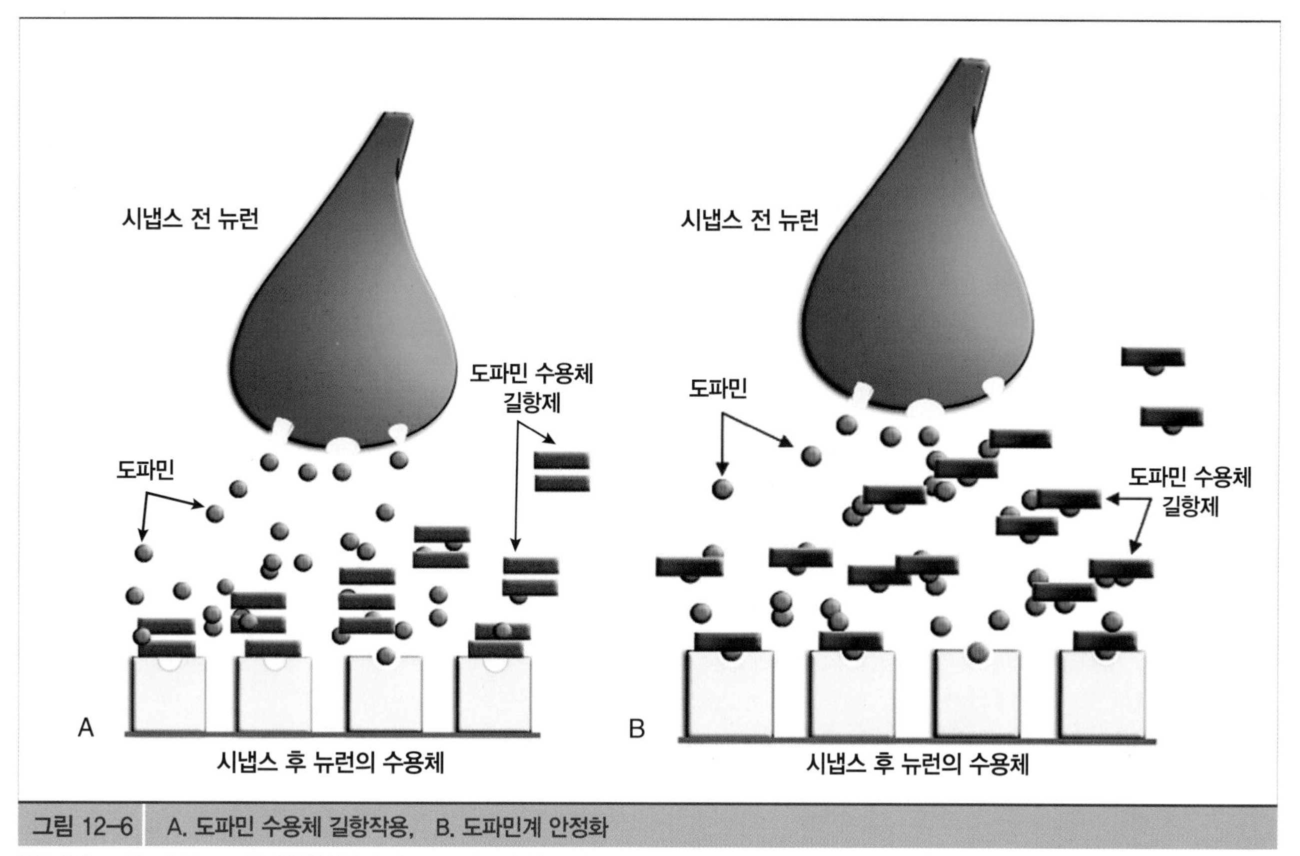

그림 12-6 A. 도파민 수용체 길항작용, B. 도파민계 안정화

출처: Keltner, N.L., & Johnson, V. [2002]. Biological perspectives. Aripiprazole: a third generation of antipsychotics begins? Perspectives Psychiatric Care, 38, 157.

프라시돈과 유사하게 음식과 함께 섭취하면 흡수가 향상된다. 현기증, 기립성 저혈압, 인지장애, 진정작용, 체중증가 등의 부작용이 거의 보고되지 않아서 좋은 부작용 프로파일을 갖는다고 볼 수 있다.

4. 항우울 약물

생체아민 이론(biogenic amine theory)은 우울증의 원인을 이해하는 데 유용하다. 즉, 우울증은 수용체를 활성화시키기에는 너무 낮은 아민(예: 노르에피네프린, 세로토닌)의 농도 때문에 발생하는 것으로 보는 견해이다. 반면, 조증은 수용체에 작용하는 아민 과잉에 의한 것으로 본다. 항우울제의 기전 및 효과는 이러한 신경화학적 관점에서 가장 잘 설명된다. 우울증과 신경전달물질 결핍의 관련성이 밝혀진 이래, 항우울제의 주요 개발 과정은 노르에피네프린, 세로토닌, 도파민과 같은 신경전달물질의 시냅스 내 이용률을 증가시키도록 합성하는 것이었다. 대표적인 항우울제로 선택적 세로토닌 재흡수 억제제(selective serotonin reuptake inhibitors, SSRIs), 삼환계 항우울제(tricyclic antidepressants, TCAs), 모노아민 산화효소 억제제(monoamine oxidase inhibitors, MAOIs)가 있다. 조증 치료에 주로 사용되는 약물은 리튬(lithium)이다. 이러한 약물들의 생화학적 기전은 **그림 12-7**, 주요 항우울제의 특성은 **표 12-16**에 제시되어 있다.

우울감을 경험하는 이들에게 항상 항우울제를 사용하는 것은 아니지만, 대부분의 우울장애 환자들은 항우울제 투여 시 반응을 보인다. 항우울제는 우울증을 완치시키지는 않지만, 표준화된 우울 척도로 측정했을 때 우울의 감소가 50% 이상 나타나고, 장기간 복용했을 때 우울 증상을 성공적으로 감소시킨다. 재발은 대부분 초기에 약물을 감량하였거나 약물 복용을 중단했을 때 발생한다. 그러나 2년 이상 항우울제를 지속적으로 복용해 온 환자의 약 20%는 '약물 효과 중단(poop out)'을 경험하는데, 이는 약물에 대한 내성, 증상 악화, 플라시보 효과 소실 등에 의한 것으로 알려져 있다. TCAs는 오랜 기간 사용되어 왔고, 여전히 일부 임상가들의 일차적인 선택 약물이다. 심한 우울증의 경우

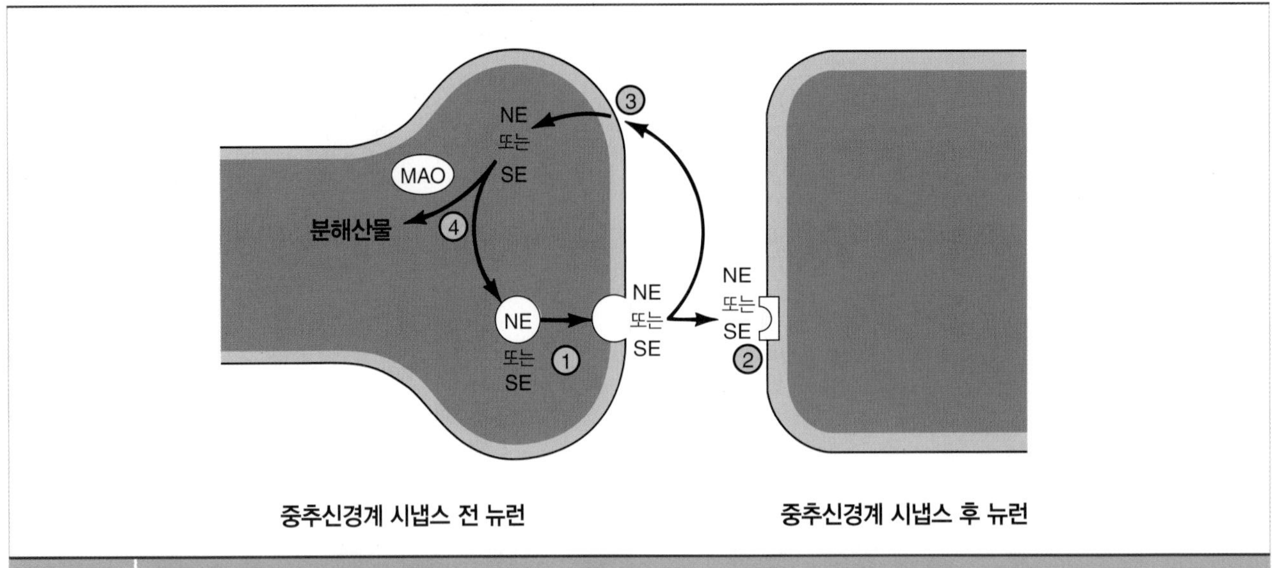

그림 12-7 항우울제의 생화학적 기전

▶ 1. 리튬은 노르에피네프린과 세로토닌의 방출을 억제한다. 2. TCAs와 MAOIs는 노르에피네프린과 세로토닌에 대한 수용체의 감수성을 증가시킨다. 3. TCAs는 노르에피네프린과 세로토닌의 재흡수를 차단하고, SSRIs는 세로토닌의 재흡수를 차단하며, 리튬은 노르에피네프린과 세로토닌의 재흡수를 촉진시킨다. 4. MAOIs는 노르에피네프린과 세로토닌의 분해를 막는다.

MAO, monoamine oxidase; NE, norepinephrine; SE, serotonin.

출처: Clark, J., Qsleener, S., & Karb, V. [1993]. Pharmacologic basis of nursing practice [4th ed.]. St. Louis: Mosby.

TCAs가 SSRIs보다 효과가 좋은 경우도 있다. 그러나 SSRIs와 새로운 항우울제는 여러 가지 이유로 대다수 임상가들이 우선적으로 선택하는 약물이다. MAOIs는 대개 심각한 부작용 가능성으로 인해 마지막으로 선택하는 약물이다.

1) 선택적 세로토닌 재흡수 억제제

SSRIs(selective serotonin reuptake inhibitors)는 항우울제 중에서 가장 널리 처방되는 약물이다. TCA보다 부작용이 적고, MAOI보다 훨씬 덜 위험하면서 효과가 좋기 때문에, 우울증 치료에 있어 일차적으로 선택되는 약물이다. SSRI는 항콜린성, 심혈관계 부작용 및 진정작용이 상대적으로 적다. 플루옥세틴(fluoxetine)은 미국에서 최초로 판매된 SSRI이다. 그러나 기적에 가까운 치료효과 외에 플루옥세틴은 2가지 문제를 가지고 있다. 우선, 약물을 복용한 이들의 자살 및 타살 행동이다. 이러한 자살사고의 증가가 에너지 수준을 높여 주는 약물 효과 때문인지, 근본적인 정신적 과정과 관련이 있는 것인지에 대해 꾸준한 연구가 필요하다. 또한 항우울제를 처방할 때 자살 사고 및 행동의 위험성에 대해 경고해야 한다. SSRI와 관련된 또 다른 문제는 약물로 인해 유발된 심한 무감동이다. 항우울제 무감동 증후군은 동기 결여, 무관심, 탈억제, 집중력 결핍 등의 증상을 포함한다.

표 12-16 | 항우울제의 특성

	용량 및 약동학			NT 재흡수 민감성								
	일일용량 범위(mg)	반감기 (hr)*	단백질 결합(%)	NE	5-HT	DA	기립성 저혈압	항콜린 효과	불면증	진정	성기능 부전	위장관계 효과
삼환계 항우울제(TCA)												
Amitriptyline(Elavil)	75~300	31~46	97	1	3	1	XXXX	XXXX	X	XXXX	XX	X
Clomipramine(Anafranil)	75~300	15~37	97	1	4	1	XX	XXX	XX	XXX	XXX	XX
Desipramine(Norpramin)	75~300	12~24	90~95	5	1	1	X	X	X	X	XX	X
Imipramine(Tofranil)	75~300	11~25	89~95	2	3	1	XX	XX	X	XXX	XXX	XX
Nortriptyline(Pamelor, Aventyl)	50~150	18~44	92	4	2	1	X	XX	X	XX	X	X
선택적 세로토닌 재흡수 억제제(SSRI)												
Citalopram(Celexa)	10~40	23~45	80	1	1	1	X	X	X	XX	XXXX	XXX
Escitalopram(Lexapro)	10~20	27~32	55	1	4	1	X	X	X	X	X	XXX
Fluoxetine(Prozac)	10~80	48~216	95	1	3	1	XX	X	XXXX	XX	XXXX	XXX
Fluvoxamine(Luvox)	50~300	15~19	80	1	4	1	X	X	XX	XX	XXXX	XXXX
Paroxetine(Paxil)	10~60	3~21	95	1	5	1	X	XX	XX	XX	XXXX	XXX
Sertraline(Zoloft)	25~200	26~98	98	1	4	2	XX	XX	XX	XX	XXXX	XXX
새로운 항우울제												
Bupropion(Wellbutrin)	150~450	8~15	80	1	0/1	2	X	X	XXXX	X	0	X
Desvenlafaxine(Prestiq)	50	10~11	30	2	4	1	X	X	X	XX	X	XX
Duloxetine(Cymbalta)	20~60	8~17	90	3	2	1	X	X	XX	X	XX	XXX
Mirtazapine(Remeron)	7.5~45	20~40	85	1	1	0	XX	XX	0	XXXX	X	X
Trazodone(Desyrel)	150~600	4~9	89~95	0	2	1	XX	XX	X	XXXX	X	XX
Venlafaxine(Effexor)	75~225	5~11	25	2	4	1	XX	XX	XX	XX	XX	XXX
Vilazodone(Viibryd)	10~40	25	96~99	4	4	0	X	X	X	X	X	X
모노아민 산화효소 억제제(MAOI)												
Phenelzine(Nardil)	30~90	2~3	?	—	—	—	XX	XX	X	XX	XXX	XX
Tranylcypromine(Parnate)	20~60	2~3	?	—	—	—	XX	XX	XXXX	X	XX	X
Seligiline(Emsam)	6~12	Continuous	90	—	—	—	X	X	X	XX	X	X

▶ 수용체 길항 특이성의 정도: 1 낮음; 5 높음.
부작용의 심각성: 0 전혀 없음; X 적음; XX, 보통; XXX 높음; XXXX 매우 높음.
NT, neurotransmitter; NE, norepinephrine; 5-HT, Serotonin; DA, dopamine.
* 활성 대사산물 포함.

출처: Bezchlibnyk-Butler, K.Z., & Jeffries, J.J. (2007). Clinical handbook of psychotropic drugs. Seattle: Hogrefe & Huber; Crutchfield, D.B. (2004). Review of psychotropic drugs. CNS News Special Edition, 6, 51.

(1) 약리학적 작용

SSRI의 항우울 효과는 뉴런 내부로의 세로토닌 재흡수 억제와 관련이 있다. 이 약물들은 히스타민, 콜린성, 도파민, 아드레날린 수용체와는 잘 결합하지 않아 TCA를 복용할 때보다 부작용이 적게 나타난다. SSRI는 위장관에서 흡수되고, 복용 후 4~6시간 사이에 최대 혈중농도에 도달하며, 간에서 대사된다. 상대적으로 긴 반감기를 가지므로 1일 1회 투약이 가능하다. 플루옥세틴과 설트랄린은 활성 대사산물을 가지고 있어 반감기를 현저히 연장시킨다. 약물을 갑작스럽게 중단하면 특정한 징후와 증상을 보일 수 있다. 선택적 세로토닌 재흡수 억제제의 금단증상은 **표 12-17**과 같다.

표 12-17 | 선택적 세로토닌 재흡수 억제제의 금단증상

- 신체 증상: 어지러움, 무기력, 오심, 구토, 설사, 감기 유사 증상(예: 두통, 발열, 발한, 오한, 근육통), 불면증, 선명한 꿈
- 심리 증상: 불안, 동요, 짜증, 혼란, 사고 지연
- 반감기가 길기 때문에 플루옥세틴은 금단증상을 일으킬 가능성이 낮은 반면, 파록세틴은 금단증상을 일으킬 가능성이 가장 높다.

출처: Lader, M. (2007). Pharmacotherapy of mood disorders and treatment discontinuation. Drug, 67, 1657.

(2) 부작용

SSRI의 흔한 부작용은 메스꺼움, 설사, 체중 변화(감소 및 증가)와 같은 위장관 증상, 노인에게 나타나는 저나트륨혈증, 발한 등이다. 중추신경계 부작용은 두통, 어지러움, 떨림, 불안, 불면증, 성욕 감퇴, 발기부전, 사정 지연, 오르가슴 감소 등이다. 특히, SSRI를 복용하는 환자의 50% 이상에서 성기능장애가 나타난다. 성기능장애는 약물 순응도에 영향을 미치는 주요 요인이므로, 약물 투여 시 주의 깊게 사정한다. 성기능장애를 흔히 유발하는 선택적 세로토닌 재흡수 억제제로 파록세틴(가장 많음), 플루옥세틴, 시탈로프람(citalopram), 설트랄린, 에스시탈로프람(escitalopram; 가장 적음)이 있다.

(3) 약물 상호작용

SSRI는 CYP-450 효소 시스템과 일부 관련이 있어 세로토닌 증후군 또는 세로토닌 독성을 나타낸다. SSRI와 상호작용하는 주요 약물은 **표 12-18**, 세로토닌 증후군은 **표 12-19**에 제시하였다.

표 12-18 | SSRI와 상호작용하는 주요 약물

약물	상호작용 효과
MAOI	병용은 매우 치명적이므로 피해야 한다(세로토닌 증후군 유발).
리튬	리튬 농도 및 세로토닌성 효과를 증가시킨다.
항정신병 약물	추체외로계 부작용을 증가시킨다.
벤조디아제핀	벤조디아제핀 반감기를 증가시킨다.
TCA	TCA의 혈중 농도를 증가시켜 독성을 유발한다. 혈청 단백질로부터 TCA를 치환시켜 독성을 유발한다.

▶ MAOI, monoamine oxidase inhibitor; TCA, tricyclic antidepressant.

표 12-19 | 세로토닌 증후군

SSRI를 다음과 병용할 경우, 세로토닌 증후군이 발생할 수 있음

- 세로토닌 합성을 증가시키는 약물[예: 트립토판(tryptophan)]
- 세로토닌 분해를 억제하는 약물(예: MAOI)
- 세로토닌의 방출을 증가시키는 약물
  [예: 암페타민(amphetamine), 리튬(lithium), 엑스터시(ecstacy)]
- 세로토닌 재흡수를 억제하는 약물
  [예: 코카인(cocaine), 덱스트로메토르판(dextromethorphan), 일부 TCA, 벤라팍신(venlafaxine)]
- 세로토닌 작용제
  [예: 부스피론(buspirone), 리세르그산 디에틸아미드(lysergic acid diethylamide, LSD)]

세로토닌 증후군의 징후와 증상

- 인지 효과: 정신 혼란, 경조증, 환각, 흥분, 두통, 혼수
- 자율신경계 효과: 떨림, 발한, 고열, 고혈압, 빈맥, 메스꺼움, 설사
- 신체적 효과: 운동장애, 간대성 근경련(근육 뒤틀림), 반사항진, 강직, 떨림, 운동실조증

출처: Keltner, N. L. & Folks, D.G. (2005). Psychotropic drugs (4thed.). St.Louis: Mosby; Utox Update.(2002). Serotoninsyndrome.UtahPoison Control Center.4.

Clinical example: 세로토닌 증후군

1984년, 20세 여성 A 씨는 미국의 B 대학의 신입생으로 응급실을 방문한 지 8시간 만에 사망하였다. 당시 증상은 체온 39.7도, 초조, 지남력 상실을 동반한 몸의 경련이 있었다. 그녀는 우울증으로 MAOI인 페넬진(phenelzine)을 복용해 오고 있었다. 응급실 의사들은 처음에 명확한 진단을 내리지 못했으며, 수액 투여 및 관찰을 위해 입원을 결정하였다. 그녀의 사망은 메페리딘(meperidine)과 MAOI의 병용 투여 때문이었는데, 메페리딘을 처방한 의사는 인턴이었다. 이 사태로 인해 대학원 의학 교육에 대한 면밀한 조사가 이루어졌고, 당시 근무했던 인턴과 레지던트들은 오랫동안 비난을 받았다. 이 의사들을 변호한다면, 세로토닌 증후군의 개념은 1980년대 초반까지 용어조차 정립되지 않은 매우 새로운 개념이었다.

출처: Brody, J. (2007, February 27). A mix of medicines that can be lethal. New York Times Accessed February 5, 2010.

(4) 간호 시사점

① 치료 및 독성 수준

SSRI는 과다 복용 가능성이 낮고, 고용량을 복용해도 사망에 이를 만큼 치명적이지는 않다. 독성 증상으로 오심, 구토, 떨림, 간대성 근경련, 과민성 등이 있다. 독성 증상에 대해서는 대증적, 보조적 치료를 한다.

② 임신 중 사용

대부분의 SSRI는 임부 투여 안전성 범주 C 약물로 임신 중에도 투여할 수 있으나 약물 사용의 위험성을 예방하기 위해 임신 1기에는 피하는 것이 바람직하다. Keltner와 Hall(2005)은 신생아 세로토닌 증후군에 관해 보고하였다. 신생아 세로토닌 증후군으로 호흡부전, 저혈당, 진전, 저체중이 나타날 수 있다. 이 증상은 짧은 기간 지속되다가, 대부분 2주 이내에 전형적인 증상들이 사라진다. 자궁 내에서 SSRI에 노출된 후 모유수유를 하지 않는 신생아는 금단증상을 경험한다.

③ 고령자에게 사용하는 경우

SSRI는 부작용이 비교적 적기 때문에 노인에게 사용하기에 안전하다. 대부분의 약물과 마찬가지로 노인에게 투여 시 용량을 줄여야 한다. 약물 복용 시 체중 감량의 위험성을 모니터링해야 한다. 파록세틴의 반감기는 노인에게서 2~3배 증가하므로 주의가 필요하다. 항우울제 사용과 관련된 5가지 중요한 사항들을 **표 12-20**에 제시하였다.

표 12-20 항우울제 사용과 관련된 5가지 중요한 사항

1. 세로토닌 증후군: 신경세포 내 세로토닌을 상승시킬 수 있는 약물은 고열, 강직, 인지장애, 자율신경계 증상 등의 세로토닌 증후군을 유발할 수 있음
2. 항우울제 무감동 증후군: 이 약을 복용하는 일부 사람들은 삶과 주위의 사건에 관심을 잃게 됨
3. 항우울제 금단증후군: 약물의 갑작스러운 중단으로 인해 나타나는 금단증상
4. 항우울제 효과의 상실: 약물이 더 이상 효과가 없어지는 것으로, 효과 중단(poop out)이라 일컬어짐
5. 항우울제로 유발된 자살: 약물 처방 시, 특히 18~24세 환자의 경우, 자살 위험성에 대한 복약 주의 사항을 명시해야 함

(5) 관련 약물

① 선택적 세로토닌 재흡수 억제제

시탈로프람(citalopram)

다른 SSRI에 비해 약한 P-450 효소의 억제로 심각한 약물 간 상호작용이 적은 편이다. 시탈로프람은 상호 거울상의 입체이성체(stereoisomer)로 구성되어 있다(**그림 12-8**). 시탈로프람의 2가지 역상 이성질체는 S와 R이라고 불린다. 치료효과는 S 이성질체에 의해, 부작용은 대부분 R 이성질체에 의해 유발된다.

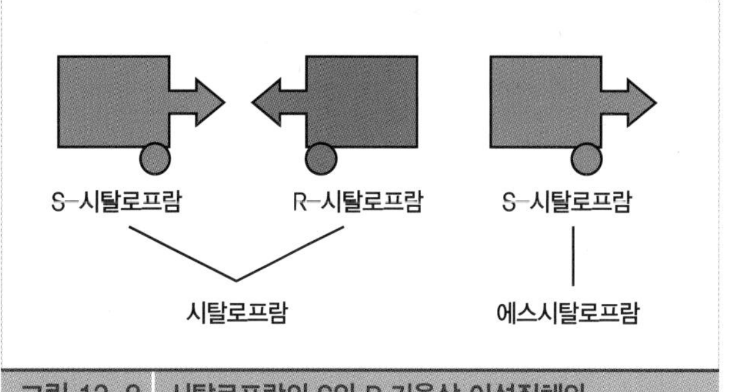

그림 12-8 시탈로프람의 S와 R 거울상 이성질체와 에스시탈로프람의 S 단일 이성질체

에스시탈로프람(escitalopram)

에스시탈로프람(**그림 12-8**)은 더 나은 부작용 프로필을 가지고 있고, 시탈로프람의 약 절반의 투여량으로 처방된다. 이 약물은 범불안장애의 치료제로도 승인받았다.

플루옥세틴(fluoxetine)

최초로 개발된 SSRI로 자주 사용되는 약물이다. 우울증에 사용될 뿐만 아니라, 폭식증과 월경전불쾌감장애의 치료제로도 승인받았으며, 통증 관리 및 금연 보조약물

로도 사용된다. 반감기는 10일 이상으로 길어 제 시간에 약을 먹는 것을 잊어버리는 대상자에게 도움이 된다. 특수 지연 방출 코팅으로 제조되어, 장기 치료를 위해 일주일에 한 번 투약이 가능하다.

플루복사민(fluvoxamine)

우울증보다는 강박장애 치료에 주로 사용된다.

파록세틴(paroxetine)

강력한 세로토닌 재흡수 차단제로 우울증 재발 예방에 효과적이고, 공황발작, 월경전불쾌감장애 치료제로도 사용된다. 대사산물이 활성화되지 않고, 반감기가 짧아 약물 중단 시 다른 SSRI보다 문제가 적게 나타난다. 흔한 부작용은 오심이지만, 약물을 감량하거나 중단할 만큼 심각하지는 않다. FDA는 파록세틴이 태아기형 발생의 가능성이 있음을 경고하고 있다.

설트랄린(sertraline)

널리 판매되는 SSRI로 미국에서 사용되는 항우울제 중 두 번째로 많이 처방되는 약물이다. 음식 섭취와 상관없이 매일 1회 투여할 수 있다. 이 약은 성기능장애를 유발하는데, 약물 중단 후 2~3일 후 정상적으로 회복된다.

② 세로토닌 노르에피네프린 재흡수 억제제

벤라팍신(venlafaxine)

저용량에서는 세로토닌을 강화시키고, 중간-고용량에서는 노르에피네프린의 재흡수를 차단하며, 고용량에서는 시냅스 내 도파민 농도를 증가시킨다. 무스카린성, 히스타민, 아드레날린성 수용체와 유의미하게 결합하지 않는다는 점에서, TCA와 SSRI의 장점만을 결합한 약물로 볼 수 있다. 이론적으로 항콜린성, 항히스타민성, 항아드레날린성 부작용은 거의 발생하지 않아야 하지만, 고농도에서 혈압을 높인다는 보고가 있다. 다른 항우울제보다 약물 상호작용의 위험성이 낮으며, 알코올 효과를 상승시키지 않는다. 이 약물은 범불안장애, 사회공포증, SSRI 유발 성기능장애, 강박장애, 공황장애 치료에도 효과적이다.

데스벤라팍신(desvenlafaxine)

벤라팍신의 활성 대사산물이다. 가장 흔한 부작용은 오심이고, 다른 부작용은 적은 편이다.

둘록세틴(duloxetine)

벤라팍신과 유사한 치료적 효과 및 부작용의 양상을 보인다. 당뇨성 신경병증 통증 치료제로도 승인을 받았다.

③ 노르에피네프린 도파민 재흡수 억제제

부프로피온(bupropion)

도파민 재흡수 억제의 주요 작용기전을 갖는 유일한 항우울제로, 세로토닌 시스템에는 영향을 미치지 않는다. 시냅스 내 도파민을 증가시키므로 SSRI 약물로 인한 성기능장애 발생 시 대체할 수 있는 약물이다. 또한 금연 보조제로 사용되고 있다.

④ 새로운 항우울제

멀타자핀(mirtazapine)

주요우울증 치료를 위해 승인된 5-HT_2 및 5-HT_3 길항작용을 갖는 알파-2 길항제이다. 일반적인 SSRI보다 빠른 작용을 나타내고, SSRI로 인한 성기능장애를 감소시키기 위해 사용된다. 이 약물의 약리학적 효과는 다른 항우울제와 다르다. 즉, 선택적으로 알파-2 자가수용체를 차단하여 시냅스 전 피드백 시스템을 사용함으로써 노르에피네프린과 세로토닌의 수준을 증가시킨다. 눈에 띄는 부작용은 항히스타민성 효과와 관련된 진정 및 체중증가이다. 역설적으로 진정작용은 높은 복용량 수준에서는 감소한다. 일부 환자에게서 혈청 콜레스테롤의 수치가 증가한다. 약 30초 내에 혀에서 용해되는 구강 분해형으로 투여 가능하다.

빌라조돈(vilazodone)

세로토닌 재흡수 억제제로 분류된다. 많은 임상의와 환자들이 이 약의 유익함을 보고한다.

레보밀나시프란(levomilnacipran), 보티옥세틴(vortioxetine)

세로토닌과 노르에피네프린 재흡수를 강력하게 차단하는 SNRI이다.

트라조돈(trazodone)

항우울제보다 수면장애 치료제로 더 많이 처방된다. 중독성이 없어서 디아제팜, 로라제팜과 같은 벤조디아제핀계 약물에 비해 이점이 많다.

스코폴라민(scopolamine)

다른 항우울제보다 훨씬 빠른 속도로 수일 이내에 우울증을 호전시키는 효과적인 항우울제이다. 멀미나 안과 검사를 위한 산동제로도 100년 이상 사용되어 왔다.

2) 삼환계 항우울제

(1) 약리학적 작용

이론적으로 우울한 사람은 모노아민(즉, 노르에피네프린, 세로토닌)의 혈청농도가 매우 낮아 정상적인 기분에 도달할 수 없다. 삼환계 항우울제(tricyclic antidepressants, TCAs)는 2차 혹은 3차 아민으로 세분화할 수 있다. 노르에피네프린의 가용성을 세로토닌보다 증가시키는 경향이 있는 약물을 2차 아민이라 하고, 세로토닌 가용성을 노르에피네프린 이상으로 증가시키는 약물을 3차 아민이라고 한다. 2차 아민 약물로 아목사핀(amoxapine), 데시프라민(desipramine), 노르트립틸린(nortriptyline), 프로트립틸린(protriptyline)이 있다. 3차 아민 약물은 아미트립틸린(amitriptyline), 클로미프라민(clomipramine), 독세핀(doxepin), 이미프라민(imipramine)을 포함한다.

TCA는 방출된 신경전달물질의 재흡수를 막아 시냅스 내 농도를 증가시켜 우울 증상을 완화시킨다. 추가적인 치료 효과로 진정(불면증과 초조의 완화), 무기력증(lethargy) 완화, 식욕 증진, 불안 완화 등이 있다. 항우울제 효과는 2~4주 정도 지연되어 나타난다. 일반적으로 경구로 투약되고 위장관에서 흡수되며 간에서 대사된다. 반감기가 상대적으로 길기 때문에 1일 1회 투약이 가능하고, 일반적으로 5일 이내에 안정 상태에 도달한다. 주로 저용량으로 시작하여 내성이 생길 때까지 3~5일마다 증량한다. 55세 이상 노인의 경우 성인 용량의 절반으로 시작한다.

(2) 부작용

TCA는 말초 및 중추신경계 부작용을 유발할 수 있다. 3차 아민 약물은 2차 아민 약물보다 더 빈번하고 심각한 부작용을 발생시킨다.

① 말초신경계 효과

항콜린성 효과

구강건조, 땀분비 감소, 시각 문제(예: 산동, 흐린 시야), 변비, 방광기능 문제(예: 요정체, 배뇨지연) 등이 있고, 양성 전립선 비대증이 있는 경우 방광 문제의 위험이 증가한다.

심장 효과

TCA 복용은 빈맥과 부정맥, 심근경색으로 이어질 수 있다. 특히, 심장질환의 병력이 있는 경우, 매우 신중하게 고려되어야 한다. 아미트립틸린은 심독성 위험이 가장 큰 약물로 진정작용, 항콜린성 작용 및 기립성 저혈압을 유발할 수 있어 노인에게는 권장되지 않는다. 아동은 데시프라민에 의해 심혈관 반응을 보일 수 있으며, 이로 인한 사망 사례가 있는데, 신체활동과 관련된 돌연사를 일으키는 것으로 보인다.

항아드레날린성 효과

기립성 저혈압, 빈맥, 흐린 시야, 현기증 및 졸도, 통제력 상실로 인한 낙상과 심각한 상해가 해당된다. 전신상태가 건강한 사람은 몇 주 이후 이러한 부작용이 감소하지만, 심장질환의 병력이 있는 경우 매우 주의 깊게 모니터링해야 한다.

② 중추신경계 효과

진정 효과

가장 흔한 부작용이지만, 불면증이 있는 우울증 환자에게는 도움이 될 수 있다. 진정작용은 히스타민 H_1 길항작용 때문에 발생한다.

인지 또는 정신적 영향

콜린성 수용체의 차단으로 발생하는 부작용으로 혼돈, 지남력 상실, 망상, 초조, 불안, 운동실조증, 불면증 및 악몽 등이 있다. TCA는 기존의 치매를 악화시키거나 치매와 유사한 증상을 유발할 수 있다.

(3) 약물 상호작용

TCA는 주로 P-450 효소 2D6, 1A2 및 3A4에 의해 대사된다. 이 같은 효소에 영향을 미치는 약물과 함께 사용될 때, 몇 가지 심각한 약물 상호작용이 발생할 수 있다. 다른 경우의 상호작용도 가능하다(표 12-21).

표 12-21 삼환계 항우울제의 약물 상호작용

삼환계 항우울 약물	상호작용 효과
MAOI	고열, 흥분, 근육강직, 경련, 치명적 고혈압성 위기, 조증
교감신경흥분제	심부정맥, 고혈압
와파린	출혈 증가
바비튜레이트, 카르바마제핀, 페니토인	TCA 효과 증가
항정신병 약물	추체외로계 부작용 증가
프로카인나마이드 (procainamide)	심장전도 지연
항콜린성 제제	항콜린성 효과 증가
레보도파	초조, 진전, 강직 증가
알코올, 항경련제, 벤조디아제핀	진정작용 증가

▶ MAOI, monoamine oxidase inhibitor; TCA, tricyclic antidepressant.

① 중추신경계 억제

TCA 복용 중 중추신경 억제물질(예: 알코올, 벤조디아제핀)을 함께 섭취하면, 중추신경계 억제 효과의 항진이 나타날 수 있다.

② 심혈관계 효과

TCA와 교감신경 흥분성 약물을 함께 복용하면, 부정맥이나 고혈압이 발생할 수 있다. TCA가 노르에피네프린의 재흡수를 차단하기 때문에, 교감신경 흥분성 제제와 병용 시 노르에피네프린이 증가하게 된다. 피해야 하는 상호작용 약물로는 노르에피네프린, 도파민, 에페드린, 처방전 없이도 살 수 있는 자극제에도 많이 포함되어 있는 페닐프로파놀아민(phenylpropanolamine)이 있다. MAOI와 TCA를 함께 사용하면, 고열, 발작 및 치명적인 고혈압 위기와 같은 심각한 문제가 발생될 수 있다.

③ 항콜린성 효과

TCA와 항정신병 약물, 항파킨슨 약물, 항히스타민제를 함께 투여할 경우, 항콜린성 효과가 증가할 수 있다. 특히, 노인 환자는 이에 취약하다. 말초 및 중추신경계 항콜린성 효과 모두 악화될 수 있다.

(4) 간호 시사점

① 치료 및 독성 혈중농도

TCA는 다행감(euphoria)을 유발하지 않고 중독성이 없어 남용 가능성이 크지 않다. 치료적 혈중농도 범위는 300ng/mL까지로 450ng/mL 이상에서 독성반응이 시작되고, 1,000ng/mL 수준에서는 사망할 수 있다. 치료적 용량과 치사량의 차이가 적기 때문에, 과다 복용으로 자살을 시도하는 경우가 있다. 자살 위험성이 있는 환자에게는 7일분 이하로 처방하도록 제한하고 있다.

독성 혈중농도는 진정, 운동 실조증, 초조, 혼미, 혼수, 호흡 억제 및 경련을 유발할 수 있다. 심혈관계 반응은 갑자기 발생할 수 있으며, 과다 복용 후 며칠 이내에 급성 심부전을 유발할 수 있다. 항우울제 과다 복용은 심각한 문제로 입원을 통해 관리해야 한다. TCA 과다 복용 시 필요한 간호중재는 다음과 같다.

핵심 간호중재: TCA 과다 복용 시

- 혈압, 심박수 및 리듬, 호흡을 모니터링한다.
- 기도 개방을 유지한다.
- 심전도검사를 실시한다.
- 약물의 추가 흡수를 방지하기 위해, 활성탄과 함께 하제를 사용하거나 위세척을 한다(최대 24시간 동안).
- 심각한 항콜린성 독성에 대한 해독제는 아세틸콜린에스테라아제(acetylcholinesterase) 억제제인 파이소스티그민(physostigmine)이다. 이 약물에 따른 위험성 때문에, 생명을 위협하는 증상(예: 혼수, 경련)이 있는 경우에만 투여해야 한다.

② 임신 중 사용

TCA에 의한 태아의 기형에 대해 명확히 밝혀지지는 않았지만, 임신 1기에는 복용을 피하도록 한다. 항우울제는 일반적으로 FDA 임부 투여 안전성 범주의 B 또는 C에 해당된다. 임신 중에는 항콜린성 효과가 낮은 노르티립틸린, 데시프라민과 같은 TCA를 사용하는 것이 좋다. 일과성 주산기 독성을 피하기 위해 분만 전에 TCA를 서서히 줄여야 한다.

③ 노인 환자에게 사용하는 경우

TCA를 노인 환자에게 투여하는 경우 용량을 낮추어야 한다. 일반적으로 낮은 용량으로 시작하여 서서히 증량한다. 2차 아민 약물이 보다 바람직하다. TCA에 의한 부작용은 더 두드러지게 나타난다.

④ 환자 교육

간호사는 환자와 가족에게 다음과 같은 부작용 및 중요한 원칙에 대해 교육한다.

- 완전한 치료효과가 나타나기까지는 2~4주 정도의 시간이 걸린다.
- 일반의약품을 포함하여 다른 약물 복용은 피해야 한다.
- 갑작스러운 투약의 중단은 메스꺼움, 두통 및 불쾌감을 유발할 수 있다.
- 눈의 통증은 즉시 보고해야 한다. 협우각성 녹내장이 발생하면 응급상황이 발생할 수 있다.
- 환자가 약물에 적응하면, 부작용은 다소 줄어든다.

(5) 관련 약물

① 아미트립틸린(amitriptyline)

항콜린성 작용이 심하고, 진정작용과 심장독성이 강하다.

② 데시프라민(desipramine)

2차 아민으로 이미프라민의 대사산물이다. 흥분성 항우울제이며, 무감동, 기면증 및 과다수면장애 환자에게 효과적이다. 아동에게 투여하는 경우 심혈관계에 미치는 독성 영향이 강하므로 주의 깊게 사용해야 한다.

③ 이미프라민(imipramine)

가장 오래된 TCA로 아동기 유뇨증 치료에도 효과가 있다. 그러나 심혈관계에 미치는 영향이 있으므로 아동에게는 주의 깊게 사용해야 한다.

④ 노르티립틸린(nortriptyline)

2차 아민으로 진정작용이 있고 부작용이 적기 때문에, 우울증, 초조, 불면증이 있는 노인 환자들에게 자주 처방된다. 이 약은 가장 독성이 적은 TCA이다.

3) 모노아민 산화효소 억제제

모노아민 산화효소 억제제(monoamine oxidase inhibitors, MAOIs)는 최초의 항우울제이지만, 면밀히 감독을 받을 수 있는 환자에게만 투여한다. 이 약의 치명적인 상호작용 위험성, 특히 생명을 위협하는 고혈압 위기 때문이다. 대부분의 비가역적 MAOI는 다른 항우울제 치료에 실패했거나 치료 저항성 우울증인 경우에 사용된다. 대표적인 약물은 페넬진(phenelzine)과 트라닐시프로민(tranylcypromine)이다. 이 약물들은 비가역성 비선택적 억제제(irreversible nonselective inhibitors)라고 불리는데, 이는 모노아민 산화효소 MAO-A와 MAO-B 모두를 억제하고(비선택적), 사멸하여 대체될 때까지 효소에 '붙어 있기' 때문이다(비가역적).

(1) 약리학적 작용

MAOI는 노르에피네프린, 세로토닌, 도파민의 대사성 분해 및 불활성화에 중요한 역할을 하는 모노아민 산화효소를 차단한다. 비가역적 MAOI의 효소 억제 기간은 약 10일로 항우울제의 효과가 나타나기까지 복용 후 약 2~4주가 걸린다. 경구로 투여하고 위장관에서 흡수되며 간에서 대사된다. 모노아민 산화효소는 연령에 따라 감소하지 않기 때문에 연령과 관련된 위험성은 나타나지 않는다.

(2) 부작용

MAOI는 중추신경계, 심혈관계, 항콜린성 부작용을 유발한다. MAOI가 뇌에서 생체 아민의 가용성을 증가시키기 때문에 중추신경계 과잉 자극이 일어나고, 초조, 급성 불안발작, 정좌불능, 불면증, 다행감 등이 나타난다. 심혈관계 부작용으로 저혈압, 심부전 등이 있다. 항콜린성 부작용은 구강건조, 흐릿한 시야, 배뇨지연, 변비 등이 포함된다. 간 및 혈액학적 기능장애가 발생할 수 있으므로, 치료 시작 전에 일반 혈액검사와 간기능검사를 시행해야 한다.

(3) 약물 상호작용

MAOI는 많은 심각한 상호작용이 있고, 약물과 음식에 모두 치명적인 위험성이 있다.

① 약물-약물 간 상호작용

간호사는 고혈압, 항콜린성 반응, 중추신경계 억제를 유발하는 MAOI의 약물 간 상호작용에 대해 알고 있어야 한다(표 12-22). 교감신경 흥분제(sympathomimetic drug)는 직접, 간접, 혼합 작용 약물로 분류된다. 특히, 간접 및 혼합 작용이 있는 교감신경흥분제가 심각하고 치명적인 고혈압을 유발한다. MAOI는 말초신경계에 저장된 노르에피네프린의 양을 증가시키기 때문에, 간접 및 혼합 작용 교감신경 흥분제가 많은 양의 노르에피네프린을 방출하도록 할 가능성이 있다. 이러한 상호작용을 일으키는 약물을 피하는 것이 중요한데, 심지어 아주 적은 양이라도 고혈압 위기를 촉진할 수 있으므로 주의해야 한다. 고혈압 위기의 초기 증상은 심계항진, 가슴의 압박감, 뻣뻣한 목, 두근거리고 방사되는 두통 등이다. 일반적으로 심박수의 상승과 함께 혈압이 매우 높아지기 때문에 심근경색, 뇌출혈, 심근허혈 및 부정맥이 생길 수 있다. 발한과 동공확대 또한 두드러진 징후이다.

MAOI는 다른 항콜린성 약물을 병용하면, 항콜린성 효과가 심해질 수 있다. MAOI는 간에서 모노아민 산화효소를 억제하므로, 중추신경계 억제제와 함께 사용하면 간에서 신속하게 대사되지 않아 혈중농도가 심각한 중추신경계 억제를 일으킬 정도로 높아질 수 있다. 메페리딘은 약물의 효과를 매우 증가시켜 굉장히 위험한 상황을 초래하기 때문에 MAOI를 복용하는 동안 절대 사용하지 않는다. 저혈압 약물도 MAOI에 의해 강화된다. 간호사는 트라닐시프로민과 페넬진 복용을 중단한 후에도 약 10일 간 MAOI 억제가 지속될 수 있음을 알고 있어야 한다. 즉, MAOI를 중단한 이후에도 약물 상호작용의 위험성이 있다. 마지막으로, MAOI는 치료에 반응하지 않는 경우를 제외하고, TCA 및 SSRI와도 함께 복용해서는 안 된다.

표 12-22 비가역성 비선택적 MAOI의 주요 약물 상호작용

약물	약물 상호작용
항콜린성 약물	항콜린성 반응 증가
마취제(전신)	중추신경계 억제 심화
항고혈압제: 이뇨제, 베타차단제, 하이드랄라진(hydralazine)	저혈압 유발
중추신경계 억제제	중추신경계 억제 심화
교감신경흥분제(혼합, 간접 작용): 암페타민(amphetamines), 메틸페니데이트(methylphenidate), 도파민, 페닐프로파놀라민(phenylpro-panolamine)	고혈압 위기, 심장 자극, 부정맥, 뇌출혈 촉발
교감신경흥분제(직접 작용): 에피네프린, 노르에피네프린, 이소프로테레놀(isoproterenol)	이론적으로 설명되지 않으나, 부작용에 대한 주의가 요구됨
세로토닌성 약물(예: SSRI)	병용 시 치명적일 수 있음

② 식품-약물 간 상호작용

식품-약물 상호작용의 주요 이슈는 티라민이다. 티라민이 함유되어 있는 식품은 숙성된 치즈, 바나나, 소금에 절인 양배추, 간장, 생맥주, 커피, 숙성, 발효, 초절임 등 음식, 훈제 등에 의해 단백질이 변성된 모든 고단백 음식 등이다. MAOI 복용 중 이들 식품을 섭취하면, 고혈압과 고혈압성 위기가 발생할 수 있으므로 피해야 한다(표 12-23).

표 12-23 MAOI 복용 시 피해야 하는 티라민 함유 식품

식품
알코올성 음료
맥주와 에일, 키안티와 셰리 와인, 무알코올 맥주
유제품
모든 숙성 치즈, 사우어 크림, 요거트
과일과 채소
아보카도, 바나나, 파바, 콩, 무화과 통조림
고기
볼로냐, 닭의 간, 말린 생선, 간, 연육제, 절인 청어, 살라미, 소시지
기타 식품
카페인이 함유된 커피, 콜라, 차, 초콜릿, 감초, 소금에 절인 양배추, 간장, 누룩

(4) 간호 시사점

① 치료 및 독성 수준

MAOI의 치사량은 일일 투여량의 6~10배에 불과하므로, 약물 복용 시 용량에 대해 주의 깊게 모니터링해야 한다. MAOI의 과다 복용 시, 초기에는 구토 및 위세척이 도움이 될 수 있다. 활력징후 모니터링이 중요하고, 고열 및 저혈압에 대비해야 한다.

② 임신 중 사용

MAOI는 임신 1기 3개월 동안은 피해야 한다. 이후 사용은 예상되는 이익이 태아에 대한 잠재적 위험을 능가할 때만 가능하다.

③ 노인 환자에게 사용하는 경우

연령의 증가에 따라 모노아민 산화효소의 활성이 증가하므로, MAOI는 노인 환자에게 효과적일 수 있다. 그러나 기립성 저혈압 발생에 주의를 기울여야 한다.

④ 부작용 간호

MAOI의 부작용에 따른 간호중재는 다음과 같다.

모노아민 산화 효소 억제제의 부작용 및 간호중재	
부작용	간호중재
중추신경계 과잉 자극	• 환자를 안심시키고, 정신증, 경조증, 경련이 나타나는지 사정한다. • 증상이 확실한 경우 투약을 보류하고 의사에게 알린다.
저혈압	• 편안하게 누워 있도록 권유하고 혈압을 자주 체크한다. • 낙상과 손상을 예방한다.
항콜린성 효과	항우울제의 부작용 및 간호중재 참조
간, 혈액학적 기능장애	• 혈액검사와 간기능 검사를 수행한다. • 확실한 기능장애가 나타날 경우 MAOI를 중단할 수 있다.

⑤ 상호작용 및 금기증

고혈압이 발생할 수 있는 상호작용 약물을 확인하고(TCA 또는 SSRI, meperidine), 그 결과에 대해 다음과 같이 간호를 수행한다.

- MAOI를 중단하고 의사에게 알린다.
- 혈압을 낮추기 위한 치료법을 알아야 한다(예: α-1 차단제).
- 활력징후를 모니터링한다.
- 환자를 걷게 한다(혈압을 다소 떨어뜨림).
- 고열 시 외부에서 열을 낮춰준다.
- 지지적 간호를 유지한다.

⑥ 환자 교육

간호사는 환자와 가족에게 MAOI와 부작용에 대해 시속적으로 교육해야 한다. 이 약의 대부분은 입원 환경에서 주의 깊은 감독 하에 투여되지만, 간호사는 지속적으로 환자를 교육할 책임이 있다. MAOI를 복용하는 환자가 다른 약물이나 식품에 심각한 반응을 보일 수 있기 때문에, 특히 이에 관한 정보를 분명하게 전달해야 한다.

5. 항조증 약물

항조증 약물(antimanic drugs)은 리튬과 항경련제가 있다. 이 약물들은 항정신병 약물과 함께 양극성장애 치료에 사용된다. 주요 양극성장애 치료약물의 특성을 표 12-24에 제시하였다.

1) 리튬

리튬(lithium)은 1817년에 발견되어 간질, 통풍 등의 문제를 치료하는 데 사용되었다. 오스트리아의 Cade(1949)는 조증을 '리튬의 결핍 질환'으로 보고, 리튬이 조증성 우울증(manic depression) 치료에 효과적이라고 보고하였다. 그러나 같은 해에 미국에서는 리튬 이온을 사용한 심장질환자의 치명적인 리튬 중독 사건이 보고되면서 이후 20여 년간 리튬이 사용되지 않았다. 현재 리튬은 조울증의 일차적으로 선택되는 치료약물 중의 하나로, 주로 조증기에 사용되고 급성기에 더 효과적이다. 다른 항조증제보다 자살을 방지하는 효과가 높다고 알려져 있다.

(1) 약리학적 효과

리튬이 어떻게 효과적인 작용을 하는지 아직 명확하지 않지만, 최소 4가지 가설이 있다(El-Mallakh, 1996; Lehne, 2007; Nestler et al., 2009).

- 리튬은 칼슘을 조절하고 나트륨과 대체된다.
- 리튬은 노르에피네프린, 세로토닌, 도파민의 재흡수를 촉진하고 방출을 막는다.
- 리튬은 나트륨과 칼륨 펌프(Na^+, K^+-ATPase pump)를 조절한다.
- 리튬은 세포 내 신호전달을 조절함으로써 2차 메신저 체계를 안정시킨다.

(2) 약동학

리튬은 캡슐, 정제, 농축액으로 투여되고, 위장에서 흡수가 잘되며, 1~3시간 내에 혈중 최고농도에 도달한다. 바람직한 유지 혈중농도는 0.6~1.2mEq/L로 900~1,200mg/일의 용량으로 유지될 수 있다. 혈중 농도가 1.5mEq/L 이상이면 독성이 나타날 수 있고, 2.0mEq/L 이상이면 치명적인 결과를 낳는다.

(3) 부작용

리튬의 부작용은 주로 혈중농도와 관련된다(표 12-25). 일반적인 부작용은 두통, 현기증, 구강건조, 목마름, 미세한 손떨림, 오심, 설사, 다뇨, 체중증가, 손과 발목의 부종, 가려움증, 불면, 금속성 냄새(metallic taste)이다. 다뇨와 구강건조는 리튬을 사용하는 환자의 약 70%에서 관찰된다.

표 12-24 양극성장애 치료에 사용되는 리튬과 항경련제

항조증 약물	성인 일일용량	반감기(hour)	치료 혈중농도	대사	일반적인 부작용	유의 사항
리튬 (lithium)	급성기: 600~1,800mg 유지기: 900~1,200mg	~24	0.6~1.2mEq/L	95% 대사 안 됨	오심/구토, 설사, 다뇨, 다갈증, 체중증가, 경련, 피로감	리튬 독성
카르바마제핀 (carbamazepine)	800~1,000mg	12~17	4~12mcg/mL	P-450 효소	오심/구토, 현기증, 진정, 반점, 두통	혈액순환 장애
디발프로엑스 (divalproex)	1,000~1,500mg	6~16	50~115mcg/mL	P-450 효소 글루쿠론산과 직접 접합	오심/구토, 진정, 체중증가, 탈모	간독성, 췌장염
라모트리진 (lamotrigine)	25~50mg으로 시작, 최대 250mg bid	~24시간 이내 장기간 사용 시	해당 사항 없음	접합에 의한 글루쿠론산 부착	두통, 진정, 인지적 둔화, 불면, 운동실조, 오심/구토, 현기증, 복시	심한 피부발진
옥스카바제핀 (oxcarbazepine)	600~2,400mg를 2~3회로 분복	7~20 활성화된 대사 시	15~35mcg/mL	활성 대사산물로 대사됨	피로감, 오심/구토, 현기증, 진정, 복시, 저나트륨혈증	
가바펜틴 (gabapentin)	900~4,000mg를 3번으로 분복	5~7	해당 사항 없음	대사되지 않음	진정, 피로감, 경련, 오심, 구갈, 현기증, 복시, 고나트륨혈증	
토피라메이트 (topiramate)	급성기: 200~600mg 유지기: 50~400mg	19~23	해당 사항 없음	70% 변화 없음	진정, 인지적 둔화, 불안, 체중 감소, 현기증	인지적 둔화

출처: Bezchlibnyk-Butler, K. Z. & Jeffries, J. J. (2007). Clinical handbook of psychotropic drugs. Seattle: Hogrefe & Huber.

부작용은 치료 수준의 혈중농도에서도 발생할 수 있고, 일반적으로 3~6주가 지나면 감소되거나 사라진다.

리튬 치료의 시작 전에 갑상선, 심장, 신장의 기능과 전해질 농도 등을 확인할 필요가 있다. 리튬이 치료 농도로 유지된다 해도, 갑상선 기능에 영향을 주어 환자의 약 30%에서 갑상선 기능저하증으로 발전한다. 신장에도 부정적인 영향을 주어 신장의 기능부전 및 신성 요붕증이 나타날 수 있다. 그래서 리튬은 신장 및 심혈관계 이상이 있는 환자에게 금기이다. 또한 태아에게 해를 줄 수 있기 때문에, 사전에 임신검사를 해야 한다. 운전 시 요구되는 신체·정신적 기능에 장애를 가져올 수 있으므로, 이에 대한 교육도 필요하다.

Clinical example

나OO 님은 38세 남성으로 현재 휠체어를 타고 생활하고 있다. 그는 20대 초에 양극성장애 진단을 받았고, 감옥에 있는 동안 많은 양의 리튬을 복용하였다. 담당 의사는 치료 혈중농도를 맞추기 위해 리튬을 계속 증량하여 1일 복용량이 2,100mg이 되었다. 교도관들은 그가 정확한 양의 리튬을 복용하고 있는지 늘 확인하였다. 얼마 후 그는 혼수 상태에 빠져 6주 동안 병원에 입원하여 완쾌되었으나 걷지 못하는 후유증을 갖게 되었다.

표 12-25 리튬의 혈중농도에 따른 독성 증상

치료 혈중농도 (0.6~1.2mEq/L)	경미한 독성 (1.5~2.0mEq/L)	중등도의 독성 (2.0~3.0mEq/L)	심한 독성 (>3.0mEq/L)
• 미세한 손 떨림 • 기억 문제 • 갑상선종 • 갑상선 기능 저하증 • 경미한 설사 • 식욕부진증 • 오심 • 부종 • 체중증가 • 다뇨증	• 설사 • 구토 • 졸리움 • 현기증 • 거친 손떨림 • 근육 약화 • 협응 결여 • 입마름	• 경미한 독성 증상 포함 • 입마름 • 현기증 • 이명 • 시야 흐림 • 다량의 희석된 소변 • 섬망 • 안구진탕증	• 중등도의 독성 증상 포함 • 발작 • 장기부전 • 신부전 • 혼수 • 사망

CRITICAL THINKING QUESTION

10. 리튬을 복용하는 환자에게 심한 설사가 나타났다. 리튬의 혈중농도는 얼마인가?

(4) 약물 상호작용

리튬은 혈중농도를 높이는 약물 상호작용에 특히 유의해야 한다. 이뇨제(acetazolamide [Diamox] 제외)와 비스테로이드성 항염증약은 리튬의 배출을 줄이고 혈중농도를 높여 독성 반응을 일으킬 수 있다. 치료 시작 후 저염식으로 전환하는 것도 혈청 리튬 수치를 높인다. 반면, 일부 약물은 리튬 배설을 증가시키고 혈청 리튬 수치를 감소시켜 부적절한 치료 및 증상 악화 문제를 야기한다. Acetazolamide (Diamox), 카페인 및 알코올이 이 경우에 속한다. 리튬은 일반적으로 항정신병 약물 또는 벤조디아제핀을 함께 사용한다.

(5) 간호 시사점

① 치료 및 독성 수준

최적의 리튬 혈중농도는 약 0.8mEq/L이다. 독성 및 치명적인 약물 반응이 나타날 수 있으므로, 치료 혈중농도를 1.5mEq/L 미만으로 유지하도록 감시하는 것이 중요하다. 리튬 중독을 해소할 수 있는 해독제는 없다. 독성반응이 나타나면, 즉각적인 약물 중지, 위세척, 생리식염수 투여로 수액공급과 전해질 균형 유지 등으로 처치해야 한다. 심한 리튬 중독은 강제 이뇨(forced diuresis) 또는 혈액투석을 필요로 한다.

② 임신 중 사용

임신 중 양극성장애를 치료하는 것은 어렵다. 리튬을 복용하는 산모에서 태아의 선천적 기형 발생률은 4~12%에 이른다(Bezchlibnyk-Butler & Jeffries, 2007). 태아의 심혈관 기형, 신생아기 독성, 모유에 혈중농도의 30~100% 리튬 잔존 등의 문제가 야기되므로, 임신 중 리튬은 복용 중단이 권유된다.

③ 노인 환자에게 사용하는 경우

노인 환자들에게 리튬 사용이 효과적일 수 있다. 그러나 리튬 복용으로 인한 부작용과 독성반응의 심각성 때문에 신장기능과 식습관을 잘 사정해야 한다. 리튬의 혈중농도는 0.4~0.8mEq/L 수준으로 유지하도록 한다.

④ 부작용 간호

리튬은 치료역이 좁아(narrow therapeutic index) 혈중농도를 자주 점검해야 한다. 이를 위해 시행하는 혈액검사는 보통 아침 첫 번째 투약 전에 채혈한다.

핵심 간호중재: 리튬 복용 대상자

- 불안을 조성하지 않으면서 환자에게 예상되는 부작용에 대해 설명한다.
- 의사에게 알려야 하는 부작용을 숙지한다(예: 구토, 심한 경련, 진전, 근육 허약, 어지러움).
- 오심을 줄이기 위해 식사와 함께 약물을 복용하도록 권한다.
- 목마름을 감소시키고 수분 균형을 유지하기 위해 1일 10~12컵의 물을 마시도록 권한다.
- 발목 부종을 완화시키기 위해 발을 올리도록 권한다.
- 발한이 심하다면, 나트륨을 증가시키기 위해 식이를 통해 나트륨을 섭취하도록 권한다.

⑤ 상호작용 간호

간호사는 혈중농도 수준에 영향을 미치는 요인들과 기전에 대해 이해할 필요가 있다. 특히 혈중농도를 변화시키는 약물의 상호작용을 숙지한다.

⑥ 환자 교육

리튬과 관련된 작용, 부작용, 경증 및 중증의 독성 증상, 의사에게 알려야 할 증상과 시점, 리튬이 태아에 미치는 영향 등이 교육 내용에 포함된다. 참고할 수 있는 리튬 복용에 대한 가이드라인은 표 12-26과 같다.

표 12-26 | 리튬 복용에 대한 가이드라인

리튬 복용 환자는 치료적 효과를 얻고 독성을 예방하기 위해 다음과 같은 사항을 숙지한다.

1. 리튬은 정기적으로 같은 시간에 복용한다. 하루 3회 리튬을 복용하는 환자가 약을 복용하는 것을 잊었을 경우, 한 번에 2회 양을 복용하게 되면 독성이 일어날 수 있으므로, 다음 투약 시간에 정해진 양만 복용한다.
2. 리튬 치료를 시작하는 경우 생기는 부작용으로 미세한 손떨림, 목마름 증가, 배뇨 증가, 오심, 식욕부진, 설사 혹은 변비 등이 있다. 이러한 부작용은 일시적이며 독성의 지표로 여겨지지 않는다. 일부 리튬 복용 환자는 샐러리나 버터가 들어 있는 음식이 맛이 없게 느껴질 수 있다.
3. 리튬의 심한 부작용인 구토, 심한 손떨림, 진정작용, 근육 허약, 어지러움이 나타날 때는 약물복용 중단이 필요하다. 이런 부작용이 발생한다면, 즉시 주치의에게 알려야 한다.
4. 리튬과 나트륨은 신장을 통해 배설된다. 염분의 섭취가 증가되면 리튬의 배설도 증가된다. 반대로 염분 섭취가 감소되면 리튬의 배설이 감소된다. 환자는 염분 섭취를 균형 있게 유지해야만 한다. 식이에 변화를 줄 때는 의료진과 상담해야 한다.
5. 투여되는 리튬의 양은 환자의 상황에 따라 조절될 수 있다. 예를 들면, 기존 약물요법, 새로운 식이요법, 또는 발열이나 과도한 발한과 같은 질병을 앓을 경우 등이 고려된다.
6. 혈중 리튬 농도는 마지막 약물 투여 후 8~12시간 이후에 채혈하여 검사한다.

CRITICAL THINKING QUESTION

11. 훌륭한 야구선수인 나OO 님은 23세로 리튬을 복용하고 있다. 그는 매일 많은 양의 땀을 흘리는 운동을 한다(적어도 주 4회 이상). 담당 간호사는 환자의 혈중 리튬 농도를 점검할 때 무엇을 고려해야 하는가?

2) 항경련제

리튬에 반응하지 않는 양극성장애의 경우 항경련제(anticonvulsant)가 처방된다. 항경련제는 조증 및 우울증 치료와 유지요법 목적으로 사용된다(표 12-27).

표 12-27 | 기분장애에 사용되는 항경련제

약물	조증	우울증	유지요법
디발프로엑스(divalproex)	×××	×	××
카르바마제핀(carbamazepine)	××	×	××
라모트리진(lamotrigine)	0	0	×××
가바펜틴(gabapentin)	0	0	×
옥스카바제핀(oxcarbazepine)	×	×	×
토피라메이트(topiramate)	0	0	×

▶ ×××=강한 증거; ××=중등도 증거; ×=약한 증거; 0=입증 안 됨.
출처: Gerst, T.M., Smith, T.L., & Patel, N.C. (2010). Antiepileptics for psychiatric illness: find the right match. Current Psychiatry, 9, 51.

(1) 디발프로엑스와 다른 밸프로에이트

디발프로엑스(divalproex)와 다른 밸프로에이트(valproate)는 1960년대부터 뇌전증 치료제(antiepileptic agent)로 사용되어 왔다. 특히, 급성 및 의학적 상태에 의한 조증 증상이 있는 환자에게 효과적이다(Haddad et al., 2009). 밸프로에이트의 작용에 대해 정확히 알려져 있지 않지만, GABA의 억제성 작용 증가, 뉴런 내에서의 나트륨의 흐름 억제, 특수한 칼슘통로에서 칼슘의 흐름 억제와 같은 3가지 기전이 항조증 효과에 영향을 미치는 것으로 보인다. 밸프로에이트의 장점은 빠르게 작용하고 인지에 거의 영향이 없는 것이다. 단점은 일시적으로 모발 상실, 체중증가, 경련, 위장장애, 혈소판감소증, 다낭성 난소증후군, 임신 중 태아에게 주는 영향 등의 가능성이다. 생체이용률은 약 100%로 단백질과 최대 95% 이상 결합한다. 반감기는 6~16시간이며, 2~5일 정도에 안정 상태에 도달한다.

(2) 카르바마제핀

카르바마제핀(carbamazepine)은 리튬이나 밸프로에이트에 반응하지 않는 경우 처방된다. 리튬보다 효과가 빠르고, 간혹 리튬과 함께 사용된다. 조증 치료를 위한 혈중농도는 4~12mcg/mL이다. 일반적으로 내성이 잘 생기고, 오심, 구토, 식욕부진, 진정, 현기증 같은 부작용을 일으킨다. 가장 심한 잠재적 부작용은 무과립구증(agranulocytosis)으로, 치료 시작 후 매주 혈액검사를 시행한다.

(3) 라모트리진

라모트리진(lamotrigine)은 양극성장애 치료에 효과적이다. 유의해야 할 부작용은 피부 발진(skin rash)으로, 환자의 약 10%에서 나타난다. 어린이의 1~2%에서 잠재적으로 태아 스티븐-존슨증후군의 원인이 될 수 있다. 피부 발진은 최초 용량에서 급속히 증량하거나 어린이에게 사용 시 예측될 수 있다(Gerst et al., 2010).

(4) 옥스카바제핀

옥스카바제핀(oxcarbazepine)은 보통 양극성장애의 치료를 위해 처방된다. 구조적으로 카바마제핀과 유사한 약리작용을 갖지만, 카르바마제핀만큼 심한 부작용을 유발하지는 않는다.

(5) 가바펜틴

가바펜틴(gabapentin)은 단독 요법보다는 부수적으로 사용되는 경향이 있다. 대상자가 불안을 호소한다면, 특히 효과적이다.

(6) 토피라메이트

토피라메이트(topiramate)는 가바펜틴과 유사한 작용기전을 가진다. 체중 감소, 인지적 둔화의 부작용이 보고된다.

3) 항정신병 약물

클로자핀을 제외한 모든 비정형 항정신병 약물과 정형 항정신병 약물 중 할로페리돌이 조증 치료를 위해 처방될 수 있다. 특히, 급성 조증을 조절하는 데 효과적이다.

6. 항불안 약물

인류는 역사가 기록된 이래 불안감으로부터 벗어나기 위해 노력해 왔다. 많은 사람들이 불안, 두려움, 공포, 신경증 등을 스스로 치료하기 위해 알코올을 복용하였다. 더불어 불안을 경감시키기 위한 많은 약물들이 개발되었다. 1900년대 브로모 셀쳐(bromo seltzer), 1930~1940년대 바비튜레이트, 1955년대 메프로바메이트(meprobamate), 1930~1950년대 벤조디아제핀계 및 비벤조디아제핀계(nonbenzodiazepines) 약물이 소개되었다. 최근 많이 사용되고 있는 항불안제의 특성은 표 12-28과 같다.

표 12-28 | 주요 항불안제의 특성

항불안제	성인 일일용량	등가 용량	반감기(hour)	불안완화 효과	진정작용
벤조디아제핀(상대적 단기 작용)					
알프라졸람(alprazolam)	0.75~4*	0.50	12~15	XX	X
로라제팜(lorazepam)	2~6*(P)	1	10~20	XXX	XX
옥사제팜(oxazepam)	30~60	30	5~20	XX	X
테마제팜(temazepam)	10~60	30	10~15	X	XXX
벤조디아제핀(상대적 장기 작용)					
클로르디아제폭사이드(chlordiazepoxide)	15~100*(P)	10	5~30⁺	XX	–
클로나제팜(clonazepam)	0.5~10*	0.25~0.5	18~60⁺	XX	X
디아제팜(diazepam)	4~40*(P)	5	20~80⁺	XXX	XX
비벤조디아제핀					
부스피론(buspirone)	15~40*	해당 사항 없음	2~11⁺	XX	–

▶ *분복 용량으로 투여되었을 때.
⁺활성 대사산물.
X, 약한 효과; XX, 중등도 효과; XXX, 강한 효과.
출처: Bezchlibnyk-Butler, K.Z., & Jeffries, J.J. (2007). Clinical handbook of psychotropic drugs (17th ed.). Seattle: Hogrefe & Huber; Bostwick, J.R., Cahser, M.I., & Yasugi, S. (2012). Benzodiazepines: a versatile clinical tool. Current Psychiatry, 11, 54.

1) 벤조디아제핀

(1) 기전 및 효과

벤조디아제핀(benzodiazepine)은 GABA의 효과를 향상시킨다. GABA는 뇌의 주요 억제성 신경전달물질로 모든 신경세포의 약 40%에서 발견된다. 벤조디아제핀은 GABA 수용체가 GABA에 보다 견고하게 반응하도록 하는 약리적 특성을 갖는다. 특히, GABA수용체의 하위 유형을 활성화시킨다. 전반적인 효과는 활동전위(neuronal firing)를 늦추거나 중단시키는 것이다. 자동차를 작동하는 데 브레이크가 중요한 역할을 하는 것처럼 뇌기능에서 신경억제는 중요한 기능을 담당한다. 브레이크가 고장이 난 차를 운전하면 위험에 처할 위험이 있는 것처럼, GABA 억제가 없는 뇌는 사고비약, 자율신경계 장애, 과도한 불안, 공포감, 발작 등을 유발할 수 있다. 또한 벤조디아제핀은 대뇌 변연계, 시상, 시상하부 및 망막 활성화 시스템을 포함한 중추신경계를 억제하는 효과가 있다. 이로 인해 위협적인 외부 자극의 주입이 줄어들면서 신체적 반응이 편안해지고 환경적 스트레스 요인이 조정된다. 진정작용에서 마취에 이르기까지 여러 수준의 중추신경 억제를 유발할 수 있다. 행복감과 흥분을 일으키고 판단력이 떨어질 수 있으며, 다행감을 경험한 대상자에게 남용될 수 있다. 벤조디아제핀의 구체적인 주요 치료효과는 불안 감소(GABA 수용체에 20% 결합 시), 수면 향상(30~50% 결합), 최면(60% 결합)이다. 벤조디아제핀 치료의 적응증은 급성 불안, 알코올 금단, 항정신증적 정좌불능증 및 진전, 긴장증, 범불안장애, 불면증, 공황장애, 사회불안장애 등이다.

(2) 부작용

벤조디아제핀의 부작용으로 졸음, 피로 및 조정력 감소와 같은 중추신경계 부작용과 정신적인 손상과 반사신경의 둔화 등이 있다. 빈도는 덜하지만, 혼란, 우울증, 두통이 나타날 수 있다. 때로 말초신경계의 영향으로 변비, 복시, 저혈압, 요실금 및 요정체, 녹내장 악화 등이 나타난다. 간이나 신장 기능장애가 있는 노인이나 건강이 약화되어 있는 대상자는 부작용이 높게 나타나므로 복용량을 줄여야 한다.

(3) 약물 상호작용

벤조디아제핀은 중추신경 억제제로 다른 중추신경 억제제와 상호작용한다. 알코올, TCA, 오피오이드(opioid), 항정신병 약물 및 항히스타민제는 벤조디아제핀의 진정작용을 증가시킨다. 또한 자몽주스는 CYP-450 3A4 효소를 억제하여 여러 벤조디아제핀의 수명을 연장시키기 때문에 문제를 일으킬 수 있다. **표 12-29**은 벤조디아제핀의 주요 상호작용이다.

표 12-29 벤조디아제핀계의 주요 상호작용

약물	상호작용
알코올과 기타 중추신경 억제제	진정작용 증가, 중추신경 억제
제산제	벤조디아제핀 흡수 이상
디설피람(Antabuse), 시메티딘(Tagamet)	산화된 벤조디아제핀의 혈장농도 증가
페니토인	항경련제 혈장농도 증가
TCA	진정작용 증가, 혼란, 운동기능 이상
MAOI	중추신경 억제
석시닐콜린(succinylcholine)	신경근 차단 감소

(4) 의존, 금단, 내성

① 의존성

의존성(dependence)은 체내 약물이 존재할 때 인체가 정상적으로 기능하고, 약물이 빠져나가면 비정상적으로 되는 상태를 말한다. 의존성은 약물을 몇 주 또는 몇 달 동안 정기적으로 투여할 때 발생할 수 있다. 벤조디아제핀에 의존이 생긴 환자가 약물을 끊었을 때, 불안, 진전, 과민증, 구토, 발한 및 경련과 같은 증상이 나타날 수 있다.

② 금단

벤조디아제핀의 갑작스런 중단은 심각한 반응을 야기할 수 있다. 금단(withdrawal) 증상으로 불안, 불면증, 구토, 발한, 경련 및 정신병 발작이 나타날 수 있다(**표 12-30**). 용량을 줄이거나 중단하는 과정은 일반적으로 약 7주 이상 소요되지만, 매우 의존적인 경우 1년 이상 걸릴 수도 있다.

표 12-30	벤조디아제핀의 금단증상
신경계	경련, 불면, 현기증, 비자발적 움직임, 두통, 약함(weakness)
위장계	오심, 구토, 설사, 체중 감소, 식욕 저하
인지 및 정서	불안, 과민성, 인지능력, 기억력 감퇴, 우울증, 혼란
기타	빈맥, 발한

③ 내성

약물 효과에 대한 내성(tolerance)으로 인해, 동일한 효과를 얻기 위해서는 벤조디아제핀의 복용량을 늘려야 한다. 진정작용에 대한 내성은 몇 주 이내에 발생하지만, 항불안 효과에 대한 내성은 수개월에 걸쳐 천천히 나타난다. 항경련 내성 또한 서서히 발생하므로 간질환자에게 벤조디아제핀을 사용하는 것은 권장되지 않는다.

(5) 간호 시사점

① 치료 및 독성 수준

벤조디아제핀의 단독 복용은 비교적 안전하다. 그러나 알코올과 같은 다른 물질과 약물과 결합되면 그 효과는 치명적이다. 과다 복용의 징후와 증상에는 졸림, 혼란, 혼수, 저혈압 등이다. 이에 대한 치료를 위해 구토와 위세척을 하여 위를 비우고 활력징후를 면밀히 확인한다.

② 임신 중 사용

벤조디아제핀의 사용과 태아 이상의 관계는 아직 명확히 밝혀지지 않았으나, 태아의 구개파열, 분만 시 저긴장영아증후군(floppy infant syndrome) 등이 발생할 우려가 있어 투여를 중단하는 것이 바람직하다. 약물 복용 중단 시 증상의 악화가 우려되는 경우, 가능한 가장 낮은 용량으로 줄인다. 약물 지속이 꼭 필요한 경우에는 알프라졸람(alprazolam)과 로라제팜을 선택하는 것이 권장된다.

③ 고령자에게 사용하는 경우

로라제팜과 옥사제팜(oxazepam)이 노인 환자에게 자주 사용된다. 디아제팜과 클로르디아제폭사이드(chlordiazepoxide)를 포함한 기타 벤조디아제핀은 긴 반감기와 활성 대사산물의 영향으로 노인 환자에게 일상적으로 처방되지 않는다.

④ 부작용 간호

가장 흔한 부작용은 진정 및 주의력과 관련이 있다. 대상자는 운전을 하거나 위험한 기계를 조작하는 것에 주의해야 한다. 혈압도 주기적으로 모니터링하고 기립성 저혈압에 유의한다.

⑤ 상호작용 간호

벤조디아제핀은 중추신경억제제와 상호작용한다. 특히, 알코올과 디아제팜을 섞어 복용하게 되면 사망에 이를 수도 있으므로, 이에 대해 각별히 유의하도록 한다.

⑥ 환자 교육

벤조디아제핀은 남용 및 오용의 가능성이 크므로, 이에 대하여 환자와 가족들에게 교육하는 것이 중요하다. 간호사는 교육 시 다음과 같은 예방조치 사항들을 고려해야 한다.

- 벤조디아제핀은 일상생활의 스트레스를 해소하기 위한 것이 아니다.
- 일반의약품(처방전 없이 구입한 약물)은 벤조디아제핀과의 상호작용 위험이 있다.
- 카바(kava) 및 발레리안(valerian)과 같은 특정 약물은 중독 효과를 일으킨다.
- 약물복용 시 운전은 삼가야 한다.
- 처방된 용량을 초과하여 복용해서는 안 된다.
- 알코올 및 기타 중추신경계억제제는 벤조디아제핀의 효과를 악화시킨다.
- 약물복용을 갑자기 중단하면 안 된다.

(6) 관련 약물

① 알프라졸람

알프라졸람(alprazolam)은 불안, 조절장애, 공황장애, 불안과 관련된 우울증 치료에 유용하고, 항진정제로도 처방된다. 중독과 의존의 가능성이 있고, 복용 중 폭력적이거나 공격적인 행동이 나타날 수 있다. 반복 투여 시 축적의 위험은 거의 없다.

② 클로르디아제폭사이드

클로르디아제폭사이드(chlordiazepoxide)는 불안장애, 불안 증상 및 급성 알코올 금단증상 치료를 위해 처방되고, 항산화제로 사용될 수 있다. 비경구적 약물은 혈압강하제로써 사용된다. 구강에서 잘 흡수되며, 인체에 축적되는 특성이 있다.

③ 클로나제팜

클로나제팜(clonazepam)은 항경련제로써 가장 많이 사용되지만, 공황장애 치료에도 효과적이다. 또한 벤조디아제핀의 금단증상에 사용될 수 있다. 장기간에 걸쳐 클로나제팜을 복용하다가 갑자기 중단하면 갑상선 모세포를 손상시킬 수 있으므로 약물의 용량을 서서히 줄여야 한다. 약물 축적은 일어나지는 않는다.

④ 디아제팜

디아제팜(diazepam)은 불안장애를 치료하고, 알코올 금단 증상의 완화에 유용하게 쓰인다. 또한 불안의 증상을 단기간에 완화시키는 것 이외에도 심근경색증 환자의 수술 전 불안감 경감, 요통환자 또는 간질환자에게 투여되는 정맥 내 약물, 내시경 치료보조제 등으로 사용된다.

⑤ 로라제팜

로라제팜(lorazepam)은 불안장애 치료 외에, 항진전 약물(antitremor agent), 항공황제(antipanic agent), 항경련제(비경구용), 화학치료 중인 암환자에게 항구토제(antiemetics)로 사용된다. 응급실에서 매우 경직되거나 폭력적인 환자에게도 주사제로 종종 처방된다. 로라제팜의 대사산물은 비활성 상태로 약물의 효과가 지속되지 않는다. 간기능장애가 있거나 노인 환자에게 벤조디아제핀 처방이 필요할 때 권장되는 약물이다.

2) 비벤조디아제핀: 부스피론

부스피론(Buspirone [BuSpar])은 불안장애 치료에 사용된 첫 번째 약물로 염려, 불안, 집중력 문제, 과민반응을 줄이는 데 효과적이다. 중추신경을 억제하지 않고, 진정작용이 없으며, 내성 및 남용 가능성도 거의 없는 것이 장점이다. 반면, 벤조디아제핀(1~6주)에 비해 항불안 효과(3~6주)가 지연되어 나타나는 것이 단점이다. 비교적 짧은 반감기를 가지므로 나누어서 투여한다. 주요 부작용은 어지러움, 오심, 두통, 긴장, 현기증, 흥분 등이다.

3) 선택적 세로토닌 재흡수 억제제

SSRI는 범불안장애, 강박장애, 공황발작, 외상후 스트레스장애, 사회공포증 치료를 위해 처방된다. 특히, 공황발작의 예방 및 장기 치료에 가장 효과적이고 가장 안전하게 사용할 수 있다. 표 12-31은 불안 증상에 적용되는 항우울제에 관한 설명이다.

4) 기타 항불안제

(1) 가바펜틴

가바펜틴(gabapentin)은 항불안제와 함께 흔히 사용되는 항경련제이다. 사회공포증 치료에 효과적이고, 강박장애의 치료에도 쓰이며, 외상후 스트레스장애의 항우울 치료에서 보완적으로 사용되기도 한다.

(2) 하이드록시진

하이드록시진(hydroxyzine)은 불안장애 치료에 효과적인 약물이다. 히스타민과 콜린성, 세로토닌 수용체를 차단하여 불안을 완화시킬 수 있는 것으로 알려져 있다. 적정 용

표 12-31 | 불안에 적용되는 항우울제

항우울제	분류	약물 용량 범위 (mg/일)	FDA 승인 내용
Clomipramine(Anafranil)	SRI	100~250	강박장애(최대 250mg/일)
Escitalopram(Lexapro)	SSRI	10~30	범불안장애
Fluoxetine(Prozac)	SSRI	20~80	강박장애
Fluvoxamine(Luvox)	SSRI	100~300	강박장애, 공황발작(최대 60mg/일)
Paroxetine(Paxil)	SSRI	40~60	공황, 강박장애, 사회불안장애, 범불안장애(최대 50mg/일), 외상후 스트레스장애(최대 50mg/일)
Sertraline(Zoloft)	SSRI	50~200	공황, 강박장애, 외상후 스트레스장애
Venlafaxine(Effexor XR)	SNRI	50~200	범불안장애
Duloxetine(Cymbalta)	SNRI	60~120	범불안장애

▶ FDA, U.S. Food and Drug Administration; SRI, serotonin reuptake inhibitor; SSRI, selective serotonin reuptake inhibitor; SNRI, selective serotonin-norepinephrine reuptake inhibitor.

출처: Keltner, N.L., & Folks, D.G. (2005). Psychotropic drugs (4th ed.). St. Louis: Mosby.

량에서 부작용이 없고, 저렴하며, 남용 가능성이 없는 장점이 있다.

(3) 프로프라놀롤

프로프라놀롤(propranolol)은 베타차단제로서 사회공포증과 관련된 불안의 생리학적 반응을 효과적으로 조절한다. 약물의 효과 측면에서 벤조디아제핀보다 부족하지만, 안전하고 남용 가능성이 없다. 부작용은 서맥, 현기증, 부정맥 등으로 일시적이고 경미하다.

7. 항치매 약물

알츠하이머병(Alzheimer's Disease, AD)은 꾸준히 악화되는 퇴행성 질환이다. AD 환자는 과거 경험의 의식적인 회상 능력(기억력)이 떨어지고, 정확한 단어를 찾지 못하며, 일반적인 인지기능에도 손상이 온다. 이러한 증상의 생물학적인 원인은 신경세포의 사멸과 신경전달물질의 결핍이다. 가장 흔한 치료 접근법은 신경전달물질 손실의 회복으로 드물게 신경세포 사멸을 멈추게 하는 방법도 있다. 신경전달물질 회복(restoration)을 위한 약물기전은 주로 아세틸콜린 체계에 초점이 맞춰져 있다. 또한 AD에 사용되는 약물들은 치료용과 예방용 약물로 분류된다. 현재 이용 가능한 약물의 대부분은 획기적인 치료보다는 병의 진행을 느리게 하거나 증상을 호전시키는 데 그치고 있다(**표 12-32**).

1) 아세틸콜린 회복 약물

ACh 손실을 회복시키는 데 사용되는 약물의 작용기전을 이해하기 위해 콜린성 경로, 효소, 효소 억제, ACh 수용체 및 콜린분해효소의 유형에 대해 학습할 필요가 있다.

(1) 콜린성 경로

콜린성 경로(cholinergic pathway)는 여러 신경전달물질 체계 중 하나로 AD에서 선택적으로 파괴된다. 대부분의 콜린성 신경세포(대략 90%)는 뇌의 마이네르트 기저핵(nucleus basalis of meynert)에서 생성된다. 특히 해마에는 콜린계 수용체가 풍부하고, 이 부위에서의 ACh 손실이 기억손상의 원인으로 추정된다. 인간 감정의 중심 부위인 편도체(amygdala)는 해마의 앞에 위치하고 기억 선택에 중요한 역할을 한다(Miller, 2005). 즉, 기억의 많은 부분은 감정적인 사건과 관련이 있다. 그래서 당황스럽거나 무서운 순간들은 쉽게 기억된다. 편도체 역시 ACh에 크게 의존하며, ACh 경로가 쇠퇴함에 따라 심각하게 손상된다.

(2) 효소

효소는 특정한 유전자 정보에 따라 생산되는 큰 분자이다. 효소는 에너지의 생산을 촉진하는 촉매 역할을 하고, 생명체의 구성요소에 필요한 물질을 제공한다. 효소 배열(enzyme configuration)은 신경전달물질과 약물과 같은 특정 분자들이 효소에 결합하고 신진대사 변화를 겪는 것을 말한다. 효소는 대사 변화의 촉매제이지만 직접 참여하지는 않는다. 콜린분해효소(cholinesterases, ChE)는 하나의 분자가 1초당 5,000개의 ACh 분자를 분해시킬 수 있다(Purves et al., 1997)(**그림 12-9**). ChE는 ACh를 비활성 대사산물인 콜린(choline)과 아세테이트(acetate)로 분해한다. 일단 분해되면, ACh의 비활성 잔여물은 더 이상 콜린 수용체를 활성화시킬 수 없다. ACh 손실은 AD의 주요 신경전달물질의 손실로, ACh의 붕괴를 방지하는 것이 AD 치료의 가장 효과적인 접근이다.

표 12-32 항치매 약물

약물	하루 투여량	반감기(시간)	단백질 결합 (%)	CYP-450 효소	작용기전
Donepezil(Aricept)	취침 전 5~10mg	~70	~95	2D6, 3A4	ChE 억제제
Rivastigmine(Exelon)	6~12mg 2번의 분할 투여량	~2	~40	대사작용 없음	ChE 억제제
Galantamine(Razadyne)	8~16mg 하루에 2회	~6	미미한 차이	2D6	ChE 억제제
Memantine(Namenda)	20mg 2번의 분할 투여량	~60-80	~45	미미한 대사작용	NMDA 길항제

▶ ChE, Cholinesterase; NMDA, N-methyl-d-aspartate.

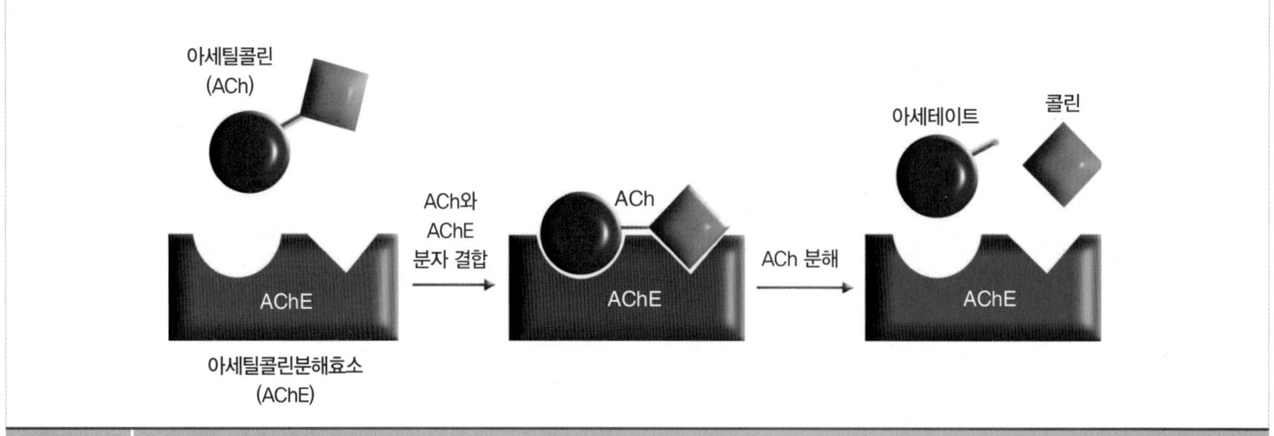

그림 12-9 아세틸콜린분해효소의 작용

▶ 아세틸콜린(ACh) 분자와 아세틸콜린분해효소(AChE) 분자(왼쪽), AChE와 ACh 분자의 결합(가운데), AChE에 의한 ACh의 아세테이트(acetate)와 콜린(choline)으로의 분해(오른쪽).

출처: Courtesy of Vicki Johnson. Modified from Lehne, R.A. [2003]. Pharmacology for Nursing Care. St. Louis: Saunders.

(3) 효소분해 억제

ACh 분해를 억제하는 것은 ChE 차단을 위한 주요 접근이다. 이는 신경전달체계에 ChE에 보다 우선적으로 부착되는 분자를 투입함으로써 이루어진다. ChE를 효과적으로 차단하면, 비활성으로 분해되는 ACh는 감소하고 시냅스 후 콜린성 수용체와의 결합을 통한 이용 가능성은 증가하게 된다.

(4) 아세틸콜린 수용체의 유형

현재까지 발견된 ACh 수용체는 무스카린 수용체(muscarinic receptors)와 니코틴 수용체(nicotinic receptors)이다. 무스카린 수용체는 AD 치료의 기본적인 접근 대상이다. 이 수용체는 니코틴 수용체보다 더 알려져 있는데, 항무스카린성 또는 항콜린성 효과를 포함한 많은 부작용을 야기하기 때문이다. 디펜하이드라민, 베나드릴(benadryl), 메실산 벤즈트로핀(benztropine mesylate), 코젠틴(congentin) 등의 항콜린성 약물도 이러한 부작용을 일으킨다. 또한 나이가 들면서 이러한 효과에 더욱 민감해진다. ACh 수용체를 효과적으로 자극하면 인지능력이 향상된다. 이것은 ACh 강화 작용제의 결정적인 치료기전이다.

니코틴 수용체는 자율신경계에 있는 신경절후신경원(postganglionic neuron)과 골격근 하부유형(NM)으로 나눠진다. 그 밖에 정신적 행동에서 역할을 담당하는 중추신경계 니코틴 수용체가 있다. 니코틴 수용체가 활성화되면, 노르에피네프린(norepinephrine), 글루타민산염, 감마-아미노산(gamma-aminobutyric acid), 도파민 등이 분비되고, 이들은 주의력, 기억력, 인지능력을 상승시킨다. 니코틴 수용체의 하향조절은 낮은 주의력, 감각 동기 장애(sensory gating dysfunction), 기억력 저하, 낮은 인지능력과 관련된다. 또한 니코틴 수용체는 흡연에 의해 자극받고, 흡연과 뇌 니코틴의 증가가 조현병, 주의력결핍 과잉행동장애, 인지장애에 영향을 미치는 것으로 보인다. 매우 특별한 니코틴 수용체인 $\alpha 4\beta 2$는 주의력과 기억에 중요한 역할을 한다(Miller, 2008; Kuehn, 2006). 니코틴에 자극을 받으면, 수용체는 이러한 기능을 향상시킨다. 집중할 수 없으면 기억을 할 수 없고, 결국 학습능력이 떨어지게 된다. 주의, 기억 및 학습은 특정 니코틴 수용체 아형의 니코틴 자극에 의해 강화된 인지 기술이다(Keltner & Lillie, 2009).

(5) 콜린분해효소의 유형

ChE는 뇌에 있는 아세틸콜린분해효소(acetylcholinesterase, AChE)와 말초, 혈장, 골격근, 태반, 간에 있는 부티릴콜린분해효소(butyrylcholinesterase, BChE)가 있다. AD를 치료하기 위해서는 중추신경계 효과가 필요하므로, 이 두 종류의 ChE를 억제하는 것은 불필요하고, 부작용을 일으킬 가능성이 높다. 예를 들어, BChE를 억제하면 구역, 구토, 설사, 얼굴 홍조, 발한, 비염, 서맥, 하지경련 등이 나타날 수 있다. 가장 이상적인 약물은 선택적으로 AChE는 억제하고 BChE는 억제하지 않는 것이다.

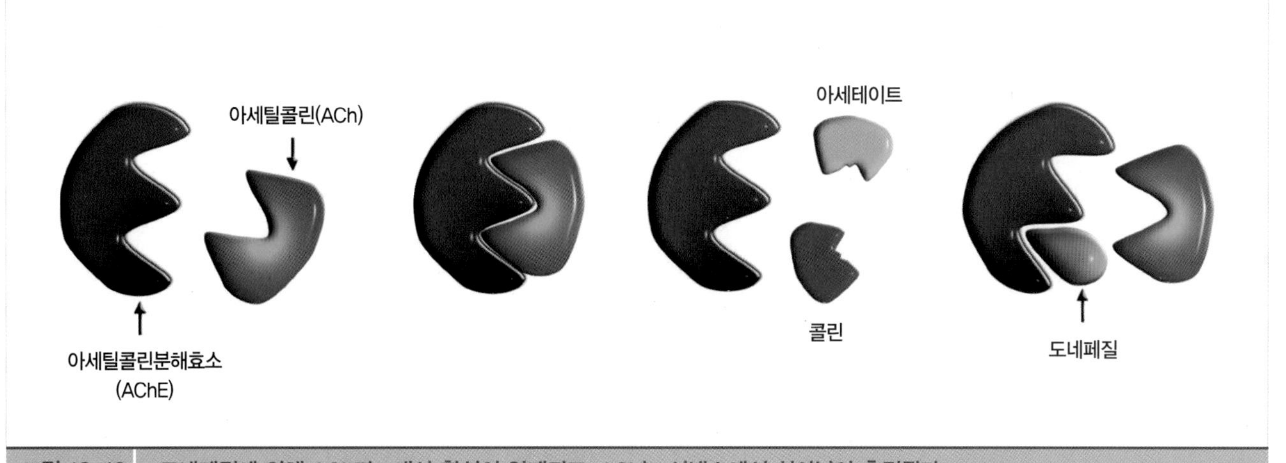

그림 12-10 도네페질에 의해 AChE는 대사 활성이 억제되고, ACh는 시냅스에서 살아남아 축적된다.

출처: Courtesy of Vicki Johnson. Modified from Lehne, R.A. [2003]. Pharmacology for Nursing Care. St. Louis: Saunders.

(6) 콜린분해효소 억제제

콜린분해효소 억제제(cholinesterase inhibitor)로 알려진 3가지 약물은 ChE에 부착되어 결합을 차단함으로써, 콜린성 수용체에 이용 가능한 세포 내 ACh의 양을 실질적으로 증가시킨다.

① 타크린

타크린(tacrine)은 미국에서 생산이 중단되었지만, 첫 번째로 사용 가능한 콜린분해효소 억제제(AChE와 BChE 모두)였다. 이전에는 AD 치료에 대한 희망이 거의 없었기 때문에, 타크린은 짧은 시간에 널리 알려졌다. 그러나 효소 자원의 소진으로 인한 심각한 간독성을 유발할 수 있음이 확인되었고, 이런 부작용으로 인해 시장에서 철수하게 되었다(Robles, 2009).

② 도네페질

도네페질(donepezil)은 ChE의 가역적 억제제로, 1996년에 미국에서 승인을 받았다. 타크린은 AChE와 BChE를 모두 억제한 반면, 도네페질은 AChE에 대해 훨씬 더 선택적이므로 이론적으로 말초 부작용이 적어야 한다(Geldmacher, 1997)(**그림 12-10**). 또 다른 장점은 혈장 단백질과 결합률이 높아 반감기가 길고, 간독성이 없는 것과 더불어, 하루 한 번만 복용할 수 있으며, 음식과 상관없이 100%의 생체 이용률을 갖는 것이다.

③ 리바스티그민

리바스티그민(rivastigmine)은 2002년에 AD 치료약물로 승인받았다. 이 약물은 ChE를 억제하지만, 앞서 기술한 ChE 억제제와는 다른 방식을 취한다. 도네페질은 가역적 억제제지만, 리바스티그민은 되돌릴 수 없다. 즉, 도네페질은 ChE에 부착되었다가 떨어지는 반면, 리바스티그민은 계속 부착된 채로 효소와 공유결합을 형성한다. 리바스티그민은 효소의 수명 주기가 완전히 끝날 때까지 이러한 상태로 남아 있는다. 비교적 짧은 2시간의 반감기와 10시간의 억제 반감기를 가지고 있다. 리바스티그민은 시토크롬 P-450 효소에 의한 대사작용이 없기 때문에, 이로 인한 약물 상호작용이 없다. 이러한 측면에서, 리바스티그민은 타크린이나 도네페질보다 약물투여에 있어 이점이 있다. BChE보다 AChE에 선택적이지만, 여전히 말초 부작용이 있다(Alagiakrishnan et al., 2000).

④ 갈란타민

갈란타민(galantamine)은 AChE보다 BChE에 보다 많이 작용한다. 시냅스 전 무스카린 수용체를 자극하며 더 많은 ACh를 분리시킨다(Birks, 2006). 이러한 기전의 결과로 콜린성 부작용을 일으킬 수 있다. 갈란타민의 추가적인 특징은 뇌의 니코틴 수용체를 조절하는 것이다. 니코틴 수용체는 인지능력에 중요한 역할을 하는데, 갈란타민은 니코틴 수용체를 통해 bcl-2와 같은 신경영양인자들을 상향조절함으로써 신경 보호를 제공한다는 근거가 있다(Geerts, 2005; Robles, 2009). 갈란타민은 쉽게 흡수된다. 약 85%의 생물학적 이용 가능성과 약 6시간의 반감기를 갖는다. 또한 높은 분배와 미미한 단백질 결합을 가지고 있다. 갈란타민은 시토크롬 P-450 효소 시스템에 의해 대사작용을 하므로, 촉매작용을 하는 약물과 상호작용할 수 있다.

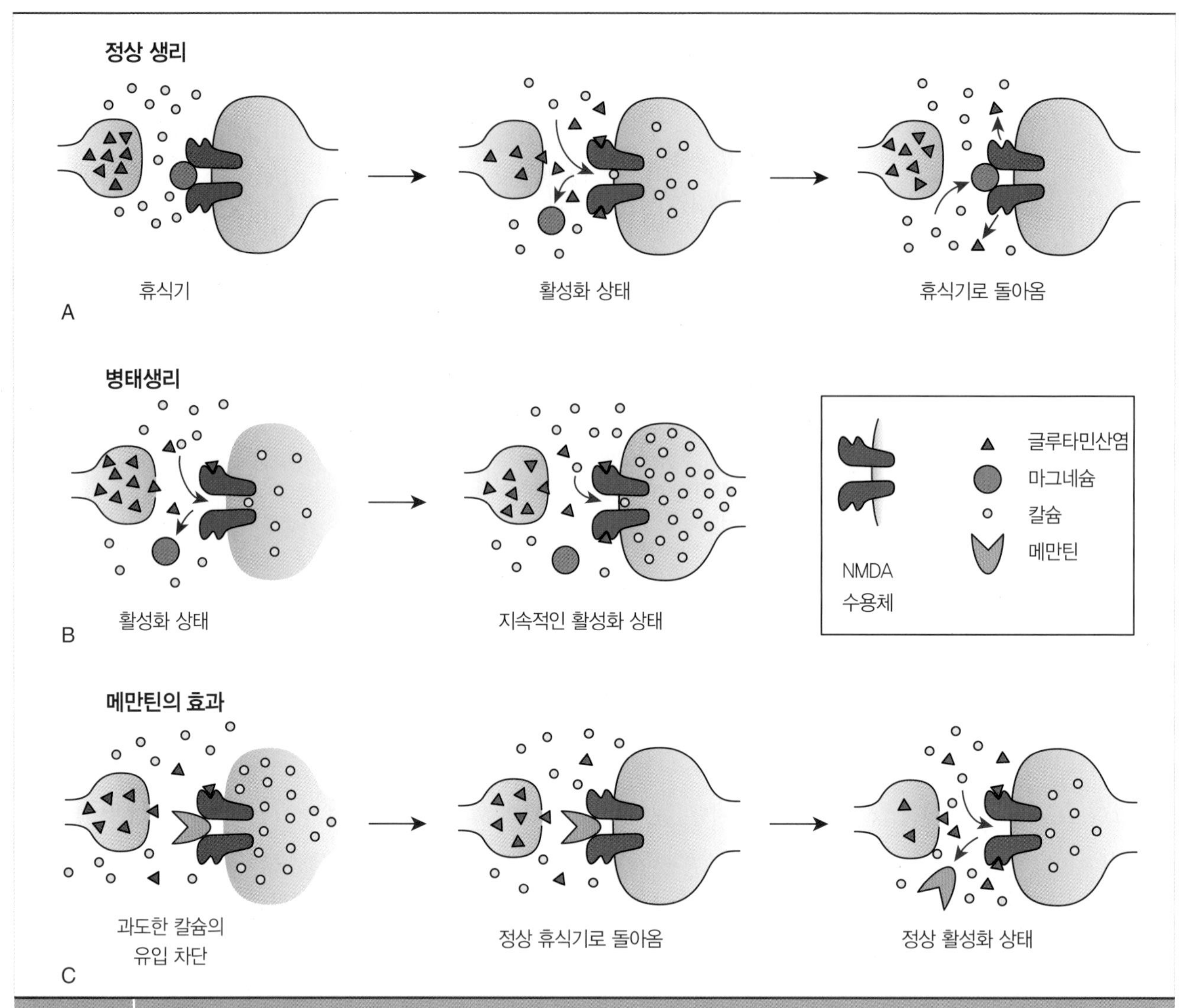

그림 12-11 메만틴의 작용기전

▶ A. 정상 생리: 휴식기의 시냅스 후 뉴런에서 마그네슘은 NMDA 수용체 경로를 점유하여 칼슘 유입을 차단한다. 글루타민산염이 수용체에 결합하면, 마그네슘을 대체하여 칼슘이 들어갈 수 있다. 글루타민산염이 수용체로부터 분리되면, 마그네슘은 경로로 돌아오고 더 이상의 칼슘 유입을 막는다. 칼슘 유입의 짧은 기간은 학습 및 기억 과정에서 '신호'를 구성한다.

B. 병태생리: 시냅스 앞 뉴런에서 글루타민산염이 서서히 지속적으로 새어 나가며 NMDA 수용체를 계속 활성화한다. 이는 기억과 학습 능력을 저하시킬 수 있고, 궁극적으로 신경세포 사멸을 일으킬 수 있는 칼슘의 과잉 유입을 허용한다. 느리지만 지속적인 시냅스 전 뉴런의 글루타민산염 유출은 NMDA 수용체의 활성화 상태를 계속 유지시킨다. 이는 계속 기억과 학습을 손상시키고, 결국 신경세포 소실의 원인이 된다.

C. 메만틴의 효과: 메만틴은 글루타민산염이 낮을 때 칼슘 유입을 차단하고, 이로써 세포 내 칼슘 수준을 정상화시킨다. 활동 전위에 반응하여 글루타민산염이 방출되면, 결과적으로 높은 수준의 글루타민산염이 메만틴을 대체하여 짧은 기간 동안 칼슘 유입을 일으킨다. 글루타민산염이 용해될 때, 메만틴은 경로를 차단함으로써 칼슘 유입을 멈춘다. 글루타민산염이 분산되면, 메만틴은 채널을 다시 차단하고, 시냅스에서 글루타민산염이 지속적으로 낮아지더라도 칼슘 유입을 막는다.

출처: Lehne, R.A. [2010]. Pharmacology for Nursing Care. St. Louis: Elsevier.

2) 신경퇴화 지연 약물

AD의 병리는 지속적인 신경퇴화(neurodegeneration)로 뉴런이 손실되는 것이다. 뉴런은 다양한 방법으로 파괴되는데, 그중 하나가 신경의 흥분독성이다(neuronal excitotoxicity). 흥분독성은 글루타민산염 N-메틸-D-아스파르트산염(N-Methyl-D-Aspartate, NMDA) 수용체 복합체의 지속적인 이상 탈분극에 의해 야기된다. 글루타민산염은 흥분성 신경전달물질이고, NMDA는 글루타민산염 수용체이다. 이 둘의 결합이 과도한 신경세포의 발화(neuronal firing)를 일으킬 때마다 뉴런이 파괴된다.

(1) NMDA 수용체 차단 약물

흥분독성을 예방하기 위한 방법 중의 하나는 NMDA 수용체를 차단하는 것이다. 대표적인 약물인 메만틴

(memantine)은 NMDA의 경쟁 인자로, 작용기전은 **그림 12-11**과 같다. 이 약물은 NMDA 수용체를 차단함으로써 글루타민산염의 과다 자극을 막고 탈분극을 감소시킨다. 메만틴은 자극이 일어나지 않도록 만들어졌으므로, 심각한 부작용은 나타나지 않는다. 메만틴은 긴 반감기(60~80시간)를 가지고 있지만, 대부분이 대사되지 않고 배출된다. 배출되지 않은 메만틴은 미량으로 약물 상호작용을 한다. 메만틴은 종종 도네페질이나 다른 콜린분해효소 억제제와 함께 처방되는데, 이것이 병의 악화 속도를 의미 있게 늦추는 것으로 알려져 있다(Atri et al., 2008). 메만틴은 ChE 억제제와 달리 중등도에서 중증에 이르는 AD 치료약물로 FDA로부터 승인을 받았다.

(2) 세크레타아제 억제제

AD의 신경퇴화에 관한 견해 중 하나는 아밀로이드 전구단백질(amyloid precursor proteins) 조각이 부패하는 것으로, 이는 신경세포의 사멸을 초래한다. 이러한 절단(cutting)은 세크레타아제(secretases)로 알려진 효소에 의해 이루어진다. 세크레타아제를 억제하는 약물은 아직 연구 중에 있지만, AD 치료의 중심에 있으면서 현재는 많은 부작용들이 있다(Pissarnitski, 2007; Rafii & Aisen, 2009).

(3) 디하이드로피리딘 칼슘채널차단제

디하이드로피리딘 칼슘채널차단제(dihydropyridine calcium channel blocker)는 최근 AD을 치료하기 위해 등장한 새로운 접근이다(Motiwala, Ojike, & Lippmann, 2013). 여기에 암로디핀(amlodipine), 닐바디핀[nilvadipine(Escor)], 니트렌디핀(nitrendipine)과 같은 혈압강하제가 포함된다. 고혈압은 작은 혈관의 변화, 염증, 뇌와 혈관 사이의 장벽 손상을 야기한다. 이러한 조건들은 인지적 쇠퇴 이전에 발생할 수 있다. 디하이드로피리딘은 총체적으로 아밀로이드 생성을 줄이고, 세크레타아제의 활성을 감소시키며, 아밀로이드 전구 단백질을 줄이는 것으로 생각된다.

3) 알츠하이머병의 예방 약물

AD를 치료하는 데 사용되는 약물이 유용하다고 널리 알려져 있지만, 이 질환을 획기적으로 멈추게 하지는 못한다(Sapra & Kim, 2009). 그러므로 AD를 예방하는 것이 중요하다. 비록 다음의 약물들이 AD를 예방하는지 확실하지 않지만, 그 가능성을 입증하는 근거들이 보고되고 있다. 이 약물들은 심각한 부작용이 없기 때문에, 예방 차원의 안전한 방안이 된다.

(1) 비스테로이드성 항염증제

사이클로옥시제나제(cyclooxygenase)는 프로스타글란딘을 합성하는 효소이다. 이는 위를 보호하고, 혈소판의 응집을 촉진하며, 신혈류를 증가시키지만, 염증, 통증, 발열을 유발한다. 언급된 긍정적 영향은 COX-1의 효소 작용에 기인하는 반면, 부정적 영향은 COX-2의 효소 작용에 의해 발생한다. 일부 연구자들은 신경세포가 죽는 이유가 저탄소 염증반응과 관련이 있다고 믿는다. 그래서 이러한 비스테로이드성 항염증제(nonsteroidal anti-inflammatory drug, NSAID)를 정기적으로 사용한다면, AD의 발병률을 낮출 수 있을 것으로 본다.

(2) 스타틴

지난 20여 년간 콜레스테롤 수치를 낮추기 위한 스타틴(statin) 약품의 사용이 급격히 증가하였다. 일부 임상의들은 높은 콜레스테롤 수치와 AD 사이에 관련성이 있다고 믿는다. 만약 이들의 이론이 맞는다면, 스타틴은 콜레스테롤 수치를 낮추고 AD의 발생 가능성을 줄이는 복합적인 이익을 제공할 수 있다.

(3) 에스트로겐

일부 연구자들은 폐경기 이후 에스트로겐(estrogen) 농도가 낮아지면서 여성에게 AD가 발생할 위험이 높아진다고 본다. 여성들이 에스트로겐을 복용하면 AD의 발병률이 내려간다는 연구 결과가 있지만, 에스트로겐이 AD의 위험을 감소시키지 않는다고 보고하는 경우도 있다. 에스트로겐 수치의 감소는 심장마비와 그 밖의 심혈관 합병증 위험의 증가와 관련된다.

(4) 비타민 B, D, E

아미노산인 호모시스테인(homocysteine)의 상승된 혈청 수치가 AD와 관련이 있다는 견해가 있다. 호모시스테인의 농도가 높을수록 그 연관성은 커진다. 세 종류의 비타민

B_6, B_{12}, B_9(엽산)의 결핍이 호모시스테인 양의 상승과 관련이 있으므로, 일부 임상의들은 AD 환자에게 이러한 비타민을 처방한다. 비타민 B는 모노아민(monoamine)의 생성, DNA 합성, 인지질(phospholipids)의 유지 및 관리에 필요하다(Ramsey & Muskin, 2013). 이론적으로 적절한 비타민 B의 섭취는 회복 작용을 도울 수 있다. 하지만 현재 이러한 비타민 B가 AD의 진행 속도를 늦추거나 예방한다는 결정적인 증거는 없다. 비타민 D 결핍은 인지기능 장애와 관련이 있다. 비타민 D가 풍부한 음식(예: 연어, 참치, 쇠고기, 간, 우유)은 인지기능 저하를 막는 데 도움을 주는 것으로 보인다(LaFerney, 2012). 비타민 E는 AD를 예방하는 데 효과가 있는 것으로 알려져 있으나, 이와 다른 연구 결과들도 보고되고 있다(Lehne, 2010).

STUDY NOTES

정신약물학

1. 향정신성 약물은 수많은 사람들에게 최소한의 제한적인 환경 속에서 보다 생산적인 삶을 가능하게 하는 데 기여해왔다.
2. 간호사는 약물의 부작용을 사정하고, 치료효과를 평가하며, 필요시 (prn) 처방 약물에 대해 올바르게 의사결정해야 한다.
3. 약동학적 과정은 흡수, 분배, 대사, 배설을 포함한다.
4. 흡수는 약물이 위장관에서 혈류로 이동하는 과정이다.
5. 생체이용률은 전신순환에 도달하는 약물의 백분율을 말한다.
6. 분배는 약물 분자가 혈류에서 조직과 기관으로 이동하는 과정이다. 혈류를 떠나지 않는 약물은 정신치료 효과를 낼 수 없다.
7. 지용성은 흡수와 분배에 영향을 주는 특성이 있다. 고-지용성 약물은 혈액-뇌장벽을 쉽게 통과한다.
8. 혈청 단백질에 결합하는 약물의 성질인 단백질 결합도 약물 분배에 영향을 미친다. 혈청 단백질에 결합된 약물은 혈류를 벗어날 수 없다.
9. 대사는 인체로부터 약물을 제거하기 위해 신체가 그 약물을 분해하는 과정이다.
10. 간은 대부분 약물의 대사 기관이다.
11. 향정신성 약물과 관련된 2가지 주요 효소 시스템은 MAO 체계와 CYP-450 체계이다.
12. 한 개의 개별 효소는 초당 수천 개의 약물 분자를 분해한다.
13. 대부분의 약물 간 상호작용은 CYP-450의 개입과 관련된다.
14. 약물의 반감기는 원래 용량의 50%를 제거하는 데 신체가 필요로 하는 시간이다. 만일 어떤 약물의 반감기가 4시간이라면, 4시간 후 50%의 약물이 체내에 남게 되고, 8시간 후 25%가 남게 되며, 12시간이 경과한 후에는 12.5%가 남게 된다.
15. 배설은 약물이 인체에서 제거되어 신장을 거쳐 소변을 통해 배출되는 것이다.
16. 약역학은 신체에 미치는 약물의 효과와 관련된다.
17. 약물 효과는 일반적으로 기대되는 효과와 부작용으로 나뉘어진다.
18. 수용체의 하향조절은 수용체의 수 또는 수용체의 민감성이 감소되는 것을 말한다.
19. 약역학 내성은 수용체가 작용제에 대한 민감성이 감소된 상태이다.
20. 에탄올, 헤로인, 디아제팜(diazepam)과 같은 고지용성 약물은 혈액-뇌장벽을 쉽게 통과한다. 이러한 특징은 부분적으로 이 약물의 광범위한 남용을 설명한다.
21. 혈액-뇌장벽을 통과하는 약물만이 중추신경계에 영향을 미칠 수 있다.
22. 뇌 속에 신경화학적 성분인 신경전달물질은 뉴런의 반응을 발생시키고 세포질 효소에 의해 합성되며, 대개 시냅스 전 뉴런의 말단 부위의 소포 속에 저장된다.
23. 신경전달물질의 부족과 신경전달물질의 과잉 모두 정신장애와 관련된다. 향정신성 약물은 특정 신경전달물질을 사용하는 뇌의 기능을 증가시키거나 감소시킴으로써 효과를 발휘한다.
24. 수용체는 특정 리간드에 반응하는 세포 표면에 있는 단백질이다.
25. 가장 중요한 2가지 수용체 과정은 1차 메신저 체계와 2차 메신저 체계이다.
26. 1차 메신저 체계는 리간드가 수용체와 결합할 때 세포 반응을 일으키고, 이는 즉시 이온통로를 연다.
27. 2차 메신저 체계는 보다 복잡한 과정으로 초기 리간드-수용체 결합이 일련의 반응을 시작하여 신경반응을 일으킨다.
28. 혈액-뇌장벽은 신체에서 일어나는 생리적 변화로부터 뇌를 보호하고, 뇌로 유입되는 물질의 양과 속도를 조절한다.
29. P-당단백 방출 운송체계는 분자를 세포 밖으로 수송한다. 이러한 체계의 억제제는 더 많은 기질이 세포에 머물게 하고, 유도제는 P-당단백을 강화시켜 기질을 훨씬 더 많이 제거한다.
30. 약물 교육은 처방된 약물의 부작용 발생을 감소시키고 투약 이행도를 증가시킬 수 있다. 간호사는 환자 및 가족과 공유할 것에 대한 의사결정을 할 때 임상적 판단을 이용해야 한다.

〈계속〉

항파킨슨 약물

1. PD는 뇌의 도파민 생성 부위인 흑질의 퇴행과 관련된다.
2. 파킨슨증의 일종인 EPSE는 기저핵의 도파민 수용체가 항정신병 약물이나 다른 약물에 의해 차단될 때 발생한다.
3. 정상적인 근육 활동은 도파민과 ACh 사이의 균형을 필요로 한다. 결과적으로 도파민 결핍이 PD 증상의 원인으로 작용한다.
4. PD와 관련된 4가지 주요 증상은 진전, 운동지연, 강직 및 자세불안정이다.
5. PD의 약물치료는 도파민과 ACh 사이의 균형을 회복시키는 것에 기초한다.
6. EPSE에 대한 약물치료는 ACh 수용체 차단에 기초한다. 도파민성 약물을 투여하면 정신증적 증상이 악화될 수 있다.
7. 3가지 주요 항콜린성 항파킨슨 약물은 벤즈트로핀, 트리헥시페니딜, 고전적 항히스타민제인 디펜하이드라민이다.
8. 항콜린성 약물들은 많은 부작용이 있다. 노인들은 특히 이러한 부작용에 민감하다.

항정신병 약물

1. 조현병의 도파민 가설은 뇌의 과도한 수준의 도파민을 조현병의 원인으로 보는 것이다.
2. 항정신병 약물은 도파민 수용체를 차단하여 뇌에서, 특히 중변연계 경로에서 과도한 도파민의 효과를 감소시킨다.
3. 항정신병 약물은 정형(1세대) 약물과 비정형(2세대) 약물로 분류된다.
4. 정형 항정신병 약물은 고역가, 중역가, 저역가 약물로 세분화된다.
5. 항정신병 약물의 예상되는 효과는 진정, 정서적 고요, 정신운동 느림, 조현병의 주요 증상(예: 지각, 사고, 의식, 정동, 대인관계상의 변화)의 완화이다.
6. 항콜린성 부작용(예: 구강건조, 흐린 시야, 변비)과 EPSE(예: 정좌불능, 운동불능, 근긴장이상, 약물 유발 파킨슨증, 피사 증후군, TD)는 항정신병 약물 부작용의 주요 범주이다.
7. 할로페리돌과 플루페나진과 같은 고역가 항정신병 약물은 EPSE를, 클로르프로마진 및 티오리다진과 같은 저역가 항정신병 약물은 항콜린성 및 항아드레날린성 부작용을 더 많이 유발하는 경향이 있다.
8. 악성 신경이완 증후군은 항정신병 약물(특히, 고역가 약물)의 심각한 부작용이다.
9. 항정신병 약물의 과다 복용은 대개 치명적인 결과를 가져오지는 않는다.
10. 항정신병 약물은 알코올, 메페리딘 및 모르핀과 같은 다른 중추신경 억제제와 상호작용하여 중추신경계 억제를 증가시킨다.
11. 환자 교육은 부작용에 대한 인식과 중추신경계 억제 예방에 초점을 맞춘다.
12. 간호사는 환자의 체온을 측정하고 강직 및 진전을 평가함으로써 악성 신경이완 증후군을 정기적으로 사정해야 한다.
13. 1990년 미국에 도입된 클로자핀은 40년 만의 진정한 새로운 항정신병 약물이었다.
14. 비정형 항정신병 약물들은 대개 D_2 및 5-HT_{2A} 수용체에 대해 큰 친화성을 갖고, EPSE를 거의 유발하지 않으며, 약물치료에 저항적인 환자에게서 놀라운 성공을 거두었다.
15. 비정형 항정신병 약물은 정형 약물보다 훨씬 빨리 D_2 수용체에 작용한다.
16. 클로자핀은 잠재적으로 치명적 부작용인 무과립구증을 유발할 수 있다.
17. 다른 비정형 항정신병 약물은 생명을 위협하는 과립구감소증을 일으키지 않는다.
18. 비정형 약물의 문제가 되는 것은 대사증후군으로, 때로 심각한 부작용이 될 수 있다.
19. 아리피프라졸은 도파민계를 안정시키는 항정신병 약물로 불린다. 이것의 활동기전은 D_2 및 5-HT_{2A} 수용체에 대한 선택적이고 부분적인 작용이다.
20. 보다 최신의 3가지 항정신병 약물로 아세나핀, 일로페리돈, 루라시돈이 있다.

항우울 약물

1. 신경화학적 이론에 따르면, 우울증은 뇌의 에피네프린, 세로토닌, 도파민과 같은 신경전달물질의 가용성 감소로 인해 발생한다.
2. SSRI, TCA 및 MAOI의 3가지 고전적 항우울제가 있다. 또 다른 그룹으로 SNRI, NDRI 및 미르타자핀 등이 있으며, 이들은 최근에 많이 사용되고 있는 새로운 항우울제라 불린다.
3. SSRI와 TCA는 신경전달물질의 시냅스 내 재흡수를 차단하여 신경전달물질의 가용성을 증가시킨다.
4. MAOI는 모노아민 산화효소를 억제함으로써 신경전달물질의 파괴를 늦추어 이들 신경전달물질의 가용성을 증가시킨다.
5. SSRI는 TCA보다 항콜린성, 항히스타민성 부작용이 적다.
6. SSRI는 우울증 치료를 위한 일차 약물이다.
7. SSR는 혈청 단백질에 매우 잘 결합되어 있고 다른 단백질 결합 약물을 대체할 수 있다.
8. 모든 SSRI는 CYP-450 대사 효소와 이 시스템에 의해 대사되는 다른 약물의 대사에 영향을 미친다.
9. 새로운 항우울제에는 부프로피온, 벤라팍신 및 미르타자핀이 있다. 이 약물들 또한 우울증 치료의 일차 약물이다.
10. TCA의 일반적인 부작용(구강건조, 흐릿한 시야, 변비, 빈맥)은 항콜린성 특성과 관련이 있다.
11. TCA는 치료적 농도 범위가 좁기 때문에, 치료 용량보다 약간 더 많은 양도 치명적일 수 있다.
12. 대부분의 항우울제에서 완전한 치료효과를 경험하기까지는 2~4주 정도 시간이 걸린다는 것에 대해 환자에게 설명하여야 한다.
13. MAOI는 중추(자극), 심혈관계(저혈압) 및 항콜린성 부작용을 유발할 수 있다.
14. 전통적인 비가역적 비선택적 MAOI는 티라민(예: 치즈, 바나나)을 함유한 식품과 상호작용이 있으며, 암페타민, 메틸페니데이트와 같은 중추신경 흥분제가 고혈압 위기를 야기할 수 있다. 티라민이 함유된 식품과의 상호작용을 최소화하기 위하여 MAO-A의 가역성 억제제가 등장하였다.

〈계속〉

15. MAOI 또한 약 2~4주 정도의 지연 시간이 있다.
16. 비타민 D와 L- 메틸폴레이트와 같은 비전통적 제제가 우울증 치료에 도움이 된다.

항조증 약물

1. 항불안제는 흔히 처방되는 향정신성 약물이다.
2. 급성 조증 증상 조절, 유지 치료의 2가지 치료가 주된 목적이다.
3. 유지 치료의 목표: 재발 예방, 자살 감소, 기능 증진, 임계 이하 증상(subthresshold syndrome) 감소
4. 리튬은 50년 이상 양극성장애의 주 치료제로 사용되었으며, 자연발생 원소이다.
5. 양극성장애의 일차적인 다른 약은 항경련제와 항정신병 약물이다.
6. 리튬은 세포 내 전도도를 변화시킨다. 항경련제는 GABA 시스템, 나트륨 및 칼슘 전압 채널에 작용한다.
7. 임상적으로 리튬의 혈중농도는 0.6~1.2mEq/L이다. 혈중농도가 더 높으면 심한 혹은 치명적인 반응이 일어난다.
8. 리튬의 일반적인 부작용은 오심, 입마름, 목마름, 설사, 경한 손떨림 등이다.
9. 리튬은 치료 지수가 좁고 7~10일의 지체 시간이 있다.
10. 양극성장애에 많이 쓰이는 항경련제는 디발프로엑스와 밸프로에이트가 효과적이고, 작용이 빨리 나타나며 비교적 견디기 쉽다.
11. 카르바마제핀은 리튬과 비교해서 좀 더 빨리 작용이 시작되고, 대개 내성이 잘 생긴다.
12. 라모트리진, 옥스카바제핀, 가바펜틴, 토피라메이트와 같은 다른 항경련제도 양극성장애의 치료에 효과적임이 증명되었다.
13. 라모트리진 사용은 피부 발진을 사정해야 한다. 스티븐-존슨증후군과 같은 일부 발진은 태아에게 치명적이다.
14. 토피라메이트는 체중 감소와 인지적 둔감의 원인이다.
15. 항정신병 약물은 급성 조증 증상과 기분안정을 조절한다.

항불안 약물

1. 향정신성 약품으로서 항우울제는 흔히 처방되는 약물이다.
2. SSRI는 불안장애에 일차적으로 사용되는 약물이다.
3. 비벤조디아제핀계 약물인 부스피론은 기타 약물과 상호작용이 거의 없고 상대적으로 안전한 약물로서 일차적으로 사용된다.
4. 벤조디아제핀은 불안장애에 흔히 사용된다.
5. 벤조디아제핀은 디아제팜이나, 알프라졸람, 로라제팜과 같은 약물이 많이 처방된다.
6. 벤조디아제핀은 기본적으로 만성 불안, 위기를 겪고 있는 대상자, 수술 전 긴장상태, 공황장애 대상자들에게 쓰인다.
7. 벤조디아제핀은 새롭게 발생하는 자극을 약화시켜 남용 가능성을 증가시킨다.
8. 벤조디아제핀은 신체적 의존과 금단증후군을 야기한다. 약을 끊을 때는 점진적으로 줄여야 한다(tatpering).
9. 벤조디아제핀의 부작용은 기면, 피로, 운동실조증, 기타 말초신경계 부작용이다. 부작용에 대한 내성 또한 나타난다.
10. 벤조디아제핀은 단독 복용 시 안전하지만, 알코올 등 다른 중추신경계 억제제와 병용 시 매우 치명적일 수 있다.
11. 노인 환자에서는 글루쿠론산이 궁극적으로 비활성 대사물질로 변하는 벤조디아제핀계가 적절하다(로라제팜, 옥사제팜).
12. 부스피론은 비벤조디아제핀계로, 불안장애 시 널리 사용되는 약물이다. 부스피론과 벤조디아제핀계의 차이점은 다음과 같다.
    a. 진정작용이 없다.
    b. 남용될 가능성이 낮다.
    c. 알코올이나 진정제와 교차내성이 없다.
    d. 효과가 나타나기까지 1~6주가 소요된다.
    e. 의존성, 금단, 내성 등이 나타나지 않는다.
    f. 근이완을 나타내지 않는다.

항치매 약물

1. 치매에 사용되는 약물은 치료와 예방을 위한 약물로 분류된다.
2. 알츠하이머병의 주요 원인은 신경세포 사멸과 신경전달물질 결핍으로 여겨진다.
3. 가장 흔한 약물치료 접근은 부족한 신경전달물질을 회복시키는 것이다.
4. 치매에서 부족해지는 일차적인 신경전달물질은 아세틸콜린이다.
5. 아세틸콜린 수치를 복원하는 작용제는 아세틸콜린을 분해하는 대사작용에 관여하는 효소를 차단한다.
6. 콜린분해효소는 아세틸콜린분해효소와 부티릴콜린분해효소로 나눠진다.
7. 항치매 약물은 콜린분해효소에 부착되어 그것이 아세틸콜린과 결합하고 후에 대사작용을 하는 것을 막는다.
8. 콜린분해효소 억제제로 알려진 유용한 3가지 약물로 도네페질, 리바스티그민, 갈란타민이 있다.
9. 메만틴은 NMDA 수용체 억제제로, 이론적으로 신경세포의 죽음을 막을 수 있다.
10. 비스테로이드성 항염증제, 스타틴, 에스트로겐, 비타민 B, D, E가 알츠하이머병의 예방에 도움이 되는 것으로 알려져 있으나, 이를 입증할 보다 많은 연구들이 필요하다.

참고문헌

REFERENCES

Adityanjee, Munshi, K.R., & Thampy, A. (2005). The syndrome of irreversible lithium-effectuated neurotoxicity. Clinical Neuropharmacology, 28, 38.

Anderson, I. M. (1998). SSRIs versus tricyclic antidepressants in depressed inpatients: A meta-analysis of efficacy and tolerability. Depression and Anxiety, 7(Suppl. 1), 11.

Alagiakrishnan, K., Wong, W., & Blanchette, P. L. (2000). Use of donepezil in elderly patients with Alzheimer's disease—A Hawaii-based study. Hawaii Medical Journal, 59, 57.

Alexander, M. P., et al. (2008). Lithium toxicity: A double-edged sword. Kidney International, 73, 233.

American Psychiatric Association. (2002). Practice guidelines for the treatment of patients with bipolar disorder. American Journal of Psychiatry, 159(Suppl. 4), 16.

Andreasen, A., & Ellingrod, V. L. (2013). Lithium-induced diabetes insipidus: Prevention and management. Current Psychiatry, 12, 42.

Aral, H., & Vecchio-Sadus, A. (2008). Toxicity of lithium to humans and the environment—a literature review. Ecotoxicology and Environmental Safety, 70, 349.

Aschenbrenner, D. S. (2013). Drug watch: Two drugs receive pregnancy category changes. The American Journal of Nursing, 113, 27.

Ashton, C. H. (2000). Benzodiazepines: How they work and how to withdraw. Newcastle, England: University of Newcastle.

Ashton, H. (2004). Benzodiazepine dependence. In P. Haddad, S. Dursun, & B. Deakin (Eds.), Adverse syndromes and psychiatric drugs: A clinical guide (pp. 239). Oxford: Oxford University Press.

Atri, A., et al. (2008). Long-term course and effectiveness of combination therapy in Alzheimer disease. Alzheimer Disease and Associated Disorders, 22, 209.

Ayd, F. J. (1991). The early history of modern psychopharmacology. Neuropsychopharmacology, 5, 71.

Baker, S. W. (2012). Differentiating restless legs syndrome from psychotropic side effects. Current Psychiatry, 11, 56.

Benzer, T. I. (2005). Neuroleptic malignant syndrome in emergency medicine. http://emedicine.medscape.com/article/816018-overview, Accessed 12.02.13.

Berkrot, B. (2010). US prescription drug sales hit $300 bln in 2009. Available from, http://www.reuters.com/article/2010/04/01/ims-uspharmaceuticals-idUSN3122364020100401, Accessed 02/17/2014.

Bezchlibnyk-Butler, K. Z., & Jeffries, J. J. (2007). Clinical handbook of psychotropic drugs (14th ed.). Seattle: Hogrefe & Huber.

Bezchlibnyk-Butler, K. Z., & Jeffries, J. J. (2007). Clinical handbook of psychotropic drugs (17th ed). Seattle: Hogrefe & Huber.

Birkenaes, A. B., & Andreassen, O. A. (2004). The metabolic side effects of antipsychotic medications. Psychiatry Review Series, 4, 4.

Birks, J. (2006). Cholinesterase inhibitors for Alzheimer's disease. Cochrane Database of Systematic Reviews, 1, CD005593.

Bostwick, J. R., Cahser, M. I., & Yasugi, S. (2012). Benzodiazepines: A versatile clinical tool. Current Psychiatry, 11, 54.

Burghardt, K. J., & Gardner, K. N. (2013). Sildenafil for SSRIinduced sexual dysfunction in women. Current Psychiatry, 12, 29.

Cade, J. F. (1949). Lithium salts in the treatment of psychotic excitement. The Medical Journal of Australia, 36, 349.

Campbell, N., et al. (2009). The cognitive impact of anticholinergics: A clinical review. Clinical Interventions in Aging, 4, 225.

Charlson, R., et al. (2009). A systematic review of research examining benzodiazepine-related mortality. Pharmacoepidemiology and Drug Safety, 18, 93.

Citrome, L. (2011). Iloperidone, asenapine, and lurasidone: A brief overview of 3 new second-generation antipsychotics. Postgraduate Medicine, 123, 153-162.

Citrome, L. (2013). Inhaled loxapine for agitation. Current Psychiatry, 12, 21.

Cohen, L. S. (1989). Psychotropic drug use in pregnancy. Hospital and Community Psychiatry, 40, 566.

Consumer Reports Best Buy Drugs. (2009). Treating schizophrenia and bipolar disorder: The antipsychotics—comparing effectiveness, safety, and price. Yonkers, NY: Consumer Reports Best Buy.

Cozza, K. L., Armstrong, S. C., & Oesterheld, J. R. (2003). Drug interaction principles for medical practice. Washington, D.C: American Psychiatric Publishing.

Croom, K. F., Perry, C. M., & Plosker, G. L. (2009). Mirtazapine: A review of its use in major depression and other psychiatric disorders. CNS Drugs, 23, 427.

de Leon, J., et al. (1994). A pilot effort to determine

benztropine equivalents of anticholinergic medications. Hospital & Community Psychiatry, 45, 606.
Desmarais, J. E., Beauclair, L., & Margolese, H. (2012). Anticholinergics in the era of atypical antipsychotics: Shortterm or long-term treatment? Journal of Psychopharmacology (Oxford, England), 26, 1167.
Devlin, J. W., & Roberts, R. J. (2009). Pharmacology of commonly used analgesics and sedatives in the ICU: Benzodiazepines, propofol, and opioids. Critical Care Clinics, 25, 431.
Dowben, J. S., Grant, J. S., & Keltner, N. L. (2007). Psychobiological substrates of posttraumatic stress disorder: Part II. Perspectives in Psychiatric Care, 43, 146.
Dowben, J. S., Grant, J. S., & Keltner, N. L. (2011). Clonidine: Diverse use in pharmacologic management. Perspectives in Psychiatric Care, 47(2), 105-108.
Dowben, J. S., Grant, J. S., Froelich, K. D., & Keltner, N. L. (2013). Hyroxyzine for anxiety: Another look at an old drug. Perspectives in Psychiatric Care, 49(2), 75-77.
Drevets, W. C., & Furey, M. L. (2010). Replication of scopolamine's antidepressant efficacy in major depressive disorder: A randomized placebo-controlled trial. Biological Psychiatry, 67, 432.
Drugs Topics Staff. (2010). Pharmacy facts and figures. http://drugtopics.modernmedicine.com/Pharmacy+Facts+&+Figures, Accessed 8.01.10.
Dunlop, B. S. (2013). Depressive recurrence in antidepressant treatment (DRAT): 4 next-step options. Current Psychiatry, 12, 54.
Dunlop, B. W., Schneider, R., & Gerardi, M. (2012). Panic disorder: Break the fear circuit. Current Psychiatry, 11, 36.
Emsam package insert. (2006). Princeton: Bristol-Myers Squibb Company.
El-Mallakh, R. S. (1996). Lithium: Actions and mechanisms. Washington, DC: American Psychiatric Press. Fact sheet: Taking mood stabilizers during childbearing years. NAMI Advocate, 19, (1998). 16.
Fankhauser, M. P. (2013). Drug interactions with tobacco smoke: Implications for patient care. Current Psychiatry, 12, 12.
Fankhauser, J. P. (2013). Drug interactions with tobacco smoke: Implications for patient care. Current Psychiatry, 12, 12.
Fluitt, N. (2012). L-methylfolate: Another weapon against depression. Current Psychiatry, 11, P72.
Foster, A., Sheehan, L., & Johns, L. (2011). Promoting treatment adherence in patients with bipolar disorder. Current Psychiatry, 10(7), 45-52.
Freeman, S. A. (2012). Clonazepam dosing. (Letter) Current Psychiatry, 11, 19.
Friedman, S. H., & Hall, R. C. W. (2013). Antidepressant use during pregnancy: How to avoid clinical and legal pitfalls. Current Psychiatry, 12, 10.
Fritsch, T., et al. (2012). Parkinson disease: Research update and clinical management. Southern Medical Journal, 105, 651.
Geerts, H. (2005). Indicators of neuroprotection with galantamine. Brain Research Bulletin, 64, 519.
Geldmacher, D. S. (1997). Donepezil (Aricept) therapy for Alzheimer's disease. Comprehensive Therapy, 23, 492.
Geoghegan, J. J., & Stevenson, G. H. (1949). Prophylactic electroshock. American Journal of Psychiatry, 105, 494.
Gershon, S., Chengappa, K. N., & Malhi, G. S. (2009). Lithium specificity in bipolar illness: A classic agent for the classic disorder. Bipolar Disorders, 11(Suppl. 2), 34.
Gerst, T. M., Smith, T. L., & Patel, N. C. (2010). Antiepileptics for psychiatric illness: Find the right match. Current Psychiatry, 9, 51.
Gianoli, M. O., & Petrakis, I. L. (2013). Pharmacotherapy for comorbid depression and alcohol dependence. Current Psychiatry, 12, 24.
Gillman, P. K. (2007). Tricyclic antidepressant pharmacology and therapeutic drug interactions updated. British Journal of Pharmacology, 151, 737.
Gomez, G. E., & Gomez, E. A. (1992). The use of antidepressants with elderly patients. Journal of Psychosocial Nursing and Mental Health Services, 30, 21.
Gumnick, J. F., & Nemeroff, C. B. (2000). Problems with currently available antidepressants. Journal of Clinical Psychiatry, 61(Suppl. 6), 5.
Haddad, P. M., et al. (2009). A review of valproate in psychiatric practice. Expert Opinion on Drug Metabolism & Toxicology, 5, 539.
Haddad, P. M., et al. (2012). Antipsychotic drugs and extrapyramidal side effects in first episode psychosis: A systematic review of head-head comparisons. Journal of Psychopharmacology (Oxford, England), 26, 15.
Hale, T. W. (2002). Medications and mothers' milk (10th ed.). Amarillo, TX: Pharmasoft.
Harris, H. W., et al. (2013). Vitamin D deficiency and psychiatric illness. Current Psychiatry, 12, 18.
Hennessy, S., et al. (2004). Comparative cardiac safety of low-dose thioridazine and low-dose haloperidol. British Journal of Clinical Pharmacology, 58, 81.
Houltram, B., & Scalan, M. (2004). Extrapyramidal side effects. Nursing Standard, 18, 39.

Hultfilz, S., Garris, S., & Kennedy, M. L. (2012). Reducing hypersalivation. Current Psychiatry, 11, 6.
Idanpaan-Heikkila, J., et al. (1975). Clozapine and agranulocytosis [letter]. Lancet, 2, 611.
IMS Health. (2002). Antipsychotic market sales. Danbury, CT: IMS Health.
IMS Institute for Healthcare Informatics. (2011). The use of medicines in the United States. Review of 2010. Available from, http://www.imshealth.com/portal/site/imshealth/menuitem.a675781325ce246f7cf6bc429418c22a/?vgnextoid=16a34899b227f210VgnVCM100000ed152ca2RCRD&vgnextfmt=default, Accessed 12.09.13.
Jancin, B. (2005). Toxicology shows antidepressants present in 21% of suicide completers. Clinical Psychiatry News, 33, 6.
Jindal, R. D., & Keshavan, M. S. (2008). Classifying antipsychotic agents: Need for new terminology. CNS Drugs, 22, 1047.
Johnson, J. W., & Kotermanski, S. E. (2006). Mechanisms of action of memantine. Current Opinion in Pharmacology, 6, 61.
Kalia, R., Mittal, M. S., & Preskorn, S. H. (2011). Vilazodone for major depressive disorder. Current Psychiatry, 10, 4.
Kantrowitz, J. T., & Javitt, D. C. (2011). Glutamate: New hope for schizophrenia treatment. Current Psychiatry, 10, 69.
Kapur, S., & Seeman, P. (2001). Does fast dissociation from the dopamine D2 receptor explain the action of atypical antipsychotics? A new hypothesis. American Journal of Psychiatry, 158, 360-369.
Katzung, B. G., Masters, S. B., & Trevor, A. J. (2009). Basic and clinical pharmacology (11th ed.). New York: Lange.
Keck, P. E., & McElroy, S. L. (2002). Clinical pharmacodynamics and pharmacokinetics of antimanic and mood-stabilizing medications. The Journal of Clinical Psychiatry, 63, 3.
Keller, D. M., et al. (2013). Akathisia: Ants in your pants. Perspectives in Psychiatric Care, 49, 3.
Keltner, N. L. (1994). Tacrine: A pharmacological approach to Alzheimer's disease. Journal of Psychosocial and Mental Health Nursing Services, 32(3), 37.
Keltner, N. L. (1997). Catastrophic consequences secondary to psychotropic drugs. Part II. Journal of Psychosocial Nursing and Mental Health Services, 35, 48.
Keltner, N. L. (2000). Neuroreceptor function and psychopharmacologic response. Issues in Mental Health Nursing, 21, 31.
Keltner, N. L. (2006). Metabolic syndrome: Schizophrenia and atypical antipsychotics. Perspectives in Psychiatric Care, 42, 204.
Keltner, N. L., & Folks, D. G. (2005). Psychotropic drugs (4th ed.). St. Louis: Mosby.
Keltner, N. L., & Grant, J. S. (2006). Smoke, smoke, smoke that cigarette. Perspectives in Psychiatric Care, 42, 256.
Keltner, N. L., & Grant, J. S. (2008). Irreversible lithiuminduced neuropathy: Two cases. Perspectives in Psychiatric Care, 44, 290.
Keltner, N. L., & Hall, S. (2005). Neonatal serotonin syndrome. Perspectives in Psychiatric Care, 41, 88.
Keltner, N. L., & Johnson, V. (2002). Biological perspectives. Aripiprazole: A third generation of antipsychotics begins? Perspectives in Psychiatric Care, 38, 157.
Keltner, N. L., & Lillie, K. (2009). Nicotinic receptors: Implications for psychiatric care. Perspectives in Psychiatric Care, 45, 151.
Keltner, N. L., & Williams, B. (2004). Memantine: A new approach to Alzheimer's disease. Perspectives in Psychiatric Care, 40, 123.
Keltner, N. L., McAffee, K., & Taylor, C. (2002). Mechanisms and treatments for SSRI-induced sexual dysfunction. Perspectives in Psychiatric Care, 38, 111.
Keltner, N. L., Moore, R. L., & Grant, J. S. (2011). Update on newer antipsychotic drugs: Are they evidence based? Perspectives in Psychiatric Care, 47, 220.
Keltner, N. L., Perry, B. A., & Williams, A. R. (2003). Panic disorder: A tightening vortex of misery. Perspectives in Psychiatric Care, 39, 38.
Kennedy, W. K. (2012). When and how to use long acting injectable antipsychotics. Current Psychiatry, 11, 40.
Kosinski, E. C., & Rothschild, A. J. (2012). Monoamine oxidase inhibitors: Forgotten treatment for depression. Current Psychiatry, 11, 21.
Kovacsics, C. E., Gottesman, I. I., & Gould, T. D. (2009). Lithium's antisuicidal efficacy: Elucidation of neurobiological targets using endophenotype strategies. Annual Review of Pharmacology and Toxicology, 49, 175.
Kuehn, B. M. (2006). Link between smoking and mental illness may lead to treatments. JAMA, 295, 483.
Lader, M. (2007). Pharmacotherapy of mood disorders and treatment discontinuation. Drugs, 67, 1657.
LaFerney, M. C. (2012). Vitamin D deficiency in older adults. Current Psychiatry, 11, 63.
Lee, S. I., & Keltner, N. L. (2005). Antidepressant apathy syndrome. Perspectives in Psychiatric Care, 41, 188.
Lee, S. I., & Keltner, N. L. (2006). Serotonin and

norepinephrine reuptake inhibitors (SNRIs): Venlafaxine and duloxetine. Perspectives in Psychiatric Care, 42, 144.
Lehne, R. A. (2007). Pharmacology for nursing care. St. Louis: Saunders.
Lehne, R. A. (2010). Pharmacology for nursing care. St. Louis: Saunders.
Lehne, R. A. (2012). Pharmacology for nursing care (8th ed.). Philadelphia: Saunders.
Levin, G. M. (2012). P-glycoproteins: Why this drug transporter may be clinically important. Current Psychiatry, 11, 38.
Lieberman, J. A., et al. (2005). Effectiveness of antipsychotic drugs in patients with chronic schizophrenia. New England Journal of Medicine, 353, 1209.
Löw, K., et al. (2000). Molecular and neuronal substrate for the selective attenuation of anxiety. Science, 290, 131.
Mago, R. (2012). Reducing CYP-450 drug interactions caused by antidepressants. Current Psychiatry, 11, 55.
Malone, K. J., et al. (2004). Antidepressants, antipsychotics, benzodiazepines, and the breastfeeding dyad. Perspectives in Psychiatric Care, 40, 73.
Malone, K., et al. (2004). Antidepressants, antipsychotics, benzodiazepines, and the breastfeeding dyad. Perspectives in Psychiatric Care, 40, 133.
Mancuso, C. E., Tanzi, M. G., & Gabay, M. (2004). Paradoxical reactions to benzodiazepines: Literature review and treatment options. Pharmacotherapy, 24(1177), 2004.
Manji, H. K., & Lenox, R. H. (2000). The nature of bipolar disorder. Journal of Clinical Psychiatry, 61(Suppl. 13), 42.
Mark, T. L. (2010). For what diagnoses are psychotropic medications being prescribed? A nationally representative survey of physicians. CNS Drugs, 24, 319-326.
Mark, T. L., Levit, K. R., & Buck, J. A. (2009). Datapoints: Psychotropic drug prescriptions by medical specialty. Psychiatric Services, 60, 1167.
Maxmen, J. S., & Ward, N. G. (2002). Psychotropic drugs: Fast facts (3rd ed.). New York: WW Norton.
McIntyre, R. S., et al. (2001). Lithium revisited. Canadian Journal of Psychiatry, 46, 322.
Miller, M. C. (2005). What is the amygdala and what are its functions? The Harvard Mental Health Letter, 21, 8.
Miller, M. C. (2008). Helping psychiatric patients to stop smoking. The Harvard Mental Health Letter, 25, 4.
Motiwala, F., Ojike, N., & Lippmann, S. (2013). Dihydropyridine calcium channel blockers in dementia and hypertension. Current Psychiatry, 12, 41.
Nasrallah, H. A. (2012). Why are metabolic monitoring guidelines being ignored? Current Psychiatry, 11, 4.
Nasrallah, H. A. (2013). Haloperidol clearly is neurotoxic. Should it be banned? Current Psychiatry, 12, 7.
Nestler, E. J., Hyman, S. E., & Malenka, R. C. (2009). Molecular neuropharmacology: A foundation for clinical neuroscience (2nd ed.). New York: McGraw-Hill.
Ozbilen, M., & Adams, C. E. (2009). Systematic overview of Cochrane reviews for anticholinergic effects of antipsychotic drugs. Journal of Clinical Psychopharmacology, 29, 141.
Pasqualetti, P., et al. (2009). A randomized controlled study on effects of ibuprofen on cognitive progression of Alzheimer's disease. Aging Clinical and Experimental Research, 21, 102.
Peluso, M. J., et al. (2012). Extrapyramidal motor side-effects of first-and second-generation antipsychotic drugs. British Journal of Psychiatry, 200, 387.
Pepeu, G., & Giovannini, M. G. (2009). Cholinesterase inhibitors and beyond. Current Alzheimer Research, 6, 86.
Perkins, D. O. (2011). Efficacy of available antipsychotics in schizophrenia. Current Psychiatry, 10(Suppl.), S15-S19.
Pissarnitski, D. (2007). Advances in gamma-secretase modulation. Current Opinion in Drug Discovery & Development, 10, 392.
Pontius, E. (2012). Concerns about valproate (Letter). Current Psychiatry, 11, 5.
Purves, D., Augustine, G. J., & Fitzpatrick, D. (1997). Neuroscience. Sunderland, MA: Sinauer Associates.
Purves, D., et al. (1997). Neuroscience. Sunderland, MA: Sinauer Associates.
Rafii, M. S., & Aisen, P. S. (2009). Recent developments in Alzheimer's disease therapeutics. BMC Medicine, 7, 7.
Ramsey, D., & Muskin, P. R. (2013). Vitamin deficiencies and mental health: How are they linked? Current Psychiatry, 12, 37.
Richards, S. S., Musser, W. S., & Gershon, S. (1999). Maintenance pharmacotherapies for neuropsychiatric disorders. Philadelphia: Brunner/Mazel.
Robakis, T., & Williams, K. E. (2013). Atypical antipsychotics during pregnancy. Make decisions based on available evidence, individualized risk/benefit analysis. Current Psychiatry, 12, 13.
Robles, A. (2009). Pharmacological treatment of Alzheimer's disease: Is it progressing adequately? The Open Neurology Journal, 3, 27.

Sandson, N. B., Armstrong, S. C., & Cozza, K. L. (2005). An overview of psychotropic.
Sapra, M., & Kim, K. Y. (2009). Anti-amyloid treatments in Alzheimer's disease. Recent Patents on CNS Drug Discovery, 4, 143.
Scarff, K. R. (2013). Options for treating antidepressant-induced sweating. Current Psychiatry, 12, 51.
Schwartz, L. M., & Woloshin, S. (2012). How the FDA forgot the evidence: The case of donepezil 23 mg. BMJ, 344, e1086.
Seighart, W. (1995). Structure and pharmacology of gammaaminobutyric acid-A receptor subtypes. Pharmacological Reviews, 47, 181.
Selley, M. L. (2004). Increased homocysteine and decreased adenosine formation in Alzheimer's disease. Neurological Research, 26, 554.
Singh, I., & Grossberg, G. T. (2012). High-dose donepezil or memantine: Next step for Alzheimer's disease? Current Psychiatry, 11, 20.
Soares, J. C., & Gershon, S. (2000). The psychopharmacologic specificity of the lithium ion: Origins and trajectory. Journal of Clinical Psychiatry, 61(Suppl. 9), 16.
Spiegel, D. R., Kumari, N., & Petri, J. D. (2012). Safer use of benzodiazepines for alcohol detoxification. Current Psychiatry, 11, 10.
Stahl, S. M. (1998). Basic pharmacology of antidepressants, part 1: Antidepressants have seven distinct mechanisms of action. Journal of Clinical Psychiatry, 59(Suppl. 4), 5.
Stahl, S. M. 2000a. Blue genes and the mechanism of action of antidepressants. Journal of Clinical Psychiatry, 61, 164.
Stahl, S. M. 2000b. Essential psychopharmacology. Cambridge, MA: Cambridge Press.
Stahl, S. M. (2000). Essential psychopharmacology (2nd ed). New York: Cambridge University Press.
Stahl, S. M. (2004). Drug combinations for bipolar spectrum disorders: Evidence-based prescribing or prescribing-based evidence? Journal of Clinical Psychiatry, 65, 1298.
Steele, D., et al. (2011). Antipsychotics and the "fast-off" theory. Perspectives in Psychiatric Care, 47, 160.
Steele, D., et al. (2012). The role of glutamate in schizophrenia and its treatment. Perspectives in Psychiatric Care, 48, 125.
Sugerman, R. A. (2005). Functional neuroanatomy. In N. L. Keltner & D. G. Folks (Eds.), Psychotropic drugs (pp. 12-38) (4th ed.). St. Louis: Mosby.
Swanson, J. (2013). Serotonin deficiency may not cause depression after all. Scientific American, .http://www.scientificamerican.com/article.cfm?id=unraveling-the-mystery-of-ssris-depression, Accessed 18.12.13.
Tripathi, A., & Macaluso, M. (2013). Antipsychotics for nonpsychiatric illness. Possible efficacy is based on receptor binding affinities. Current Psychiatry, 12, 23.
Tohen, M., & Vieta, E. (2009). Antipsychotic agents in the treatment of bipolar mania. Bipolar Disorders, 11(Suppl. 2), L45.
Utox Update. (2002). Serotonin syndrome. Utah Poison Control Center, 4, 1.
U.S. Surgeon General. (1999). Mental health: A report from the Surgeon General. Washington, DC: Department of Health and Human Services.
Washington, N. B., Brahm, N. C., & Kissack, J. (2012). Which psychotropics carry the greatest risk for QTc prolongation? Current Psychiatry, 11, 37.
Webster, A. J., & Straley, C. M. (2014). What is the relevance of a 2-week response to an antipsychotic? Current Psychiatry, 13, 52.
Westenberg, H. G. (2009). Recent advances in understanding and treating social anxiety disorder. CNS Spectrums, 14(2 Suppl. 3), 24.
Whyte, I. M., Dawson, A. H., & Buckley, N. A. (2003). Relative toxicity of venlafaxine and selective serotonin reuptake inhibitors in overdose compared to tricyclic antidepressants. QJM, 96, 369.
Zeier, K., et al. (2013). Recommendations for lab monitoring of atypical antipsychotics. Current Psychiatry, 12, 51.

CHAPTER

13

환경치료

Milieu Therapy

evolve WEBSITE
http://evolve.elsevier.com/Keltner

학습목표

- 치료적 환경과 치료적 공동체의 개념을 설명할 수 있다.
- 정신질환자 간호에서 치료적 환경관리의 목표를 설명할 수 있다.
- 치료적 환경의 구성요소들을 확인할 수 있다.
- 간호사가 치료적 환경에 영향을 줄 수 있는 방법들을 제시할 수 있다.
- 입원 정신시설의 회복기반 간호의 영향을 설명할 수 있다.
- 격리 및 억제 시 환자 간호를 설명할 수 있다.
- 폭력주기의 5단계를 설명할 수 있다.
- 자살 사고, 위협, 제스처, 시도, 완수를 구별할 수 있다.
- 자살 예방을 위한 간호중재를 설명할 수 있다.
- 정신과 입원시설에서 적용된 다양한 활동요법을 설명할 수 있다.

1. 치료적 환경의 개요

모든 정신건강서비스 전달체계에서 회복중심 실무를 수행하는 것은 국제적인 이슈이다. 회복이란 '개인의 건강과 복지를 증진함으로써 서서히 변화해가는 과정이며, 자기 주도적인 삶을 살고 그들의 충분한 잠재력을 끌어내는 과정'이다(Substance Abuse and Mental Health Services Administration, 2011). 치료적 환경은 건강관리 환경 내에서 환자의 회복 과정을 촉진하는 주요 요소이다. 치료적 환경에 대해 관심을 갖는 것은 잠재적으로 해로운 영향으로부터 환자를 보호하고, 환자가 일상생활에서 자신에 관한 모든 것과 자신의 일상적인 어려움에 대해 배울 기회를 극대화시킨다. 모든 치료 환경은 환자의 치료 결과에 영향을 미친다. 정신간호사의 중요한 책임은 정신치료적 중재 모델의 3가지 도구 중 하나인 환경관리이다.

입원환자는 환경의 영향을 받지 않을 수 없다. 간호사는 더 나은 치료적 환경을 만들기 위해 어떻게 환경을 조성할 수 있는가? 이 장에서는 환경치료라는 개념의 역사와 필수 요소에 대해 알아볼 것이다.

1) 치료적 환경의 역사

오랫동안 병원현장에서는 보호관리가 중심이었다. 보호관리에서 환자간호는 오로지 환자의 일상활동, 즉 개인위생, 영양, 배설, 안전요구 등에 초점을 맞추었다. 보호관리에서는 환자가 자신의 치료에 참여할 수 있도록 하는 시도가 거의 없었으며, 기본욕구 이상의 구조화된 치료활동을 제공하지 않았다.

Maxwell Jones(1953)는 그의 책 「치료공동체(Therapeutic Community)」에서 그 자체로 치료적이었던 환경의 이점을 제시하였다. 환자들은 일상모임에서 병동활동 계획에 참여했으며, 이로써 치료에 적극적으로 참여하게 되었다. 환자가 자신을 책임진다는 것은 치료적 사회에서 중요한 개념이었는데, 환자 참여는 전문가 집단의 최상의 지식보다 중요하게 인식되었다. 환경치료와 치료적 공동체는 정신건강 문제를 경험하는 환자들의 회복을 촉진하는 도구로서, 환경의 포괄적인 이용이라는 아이디어를 공유하고 반영한다.

오늘날 급성 정신과 입원환자의 환경은 1960년, 1970년의 환경과 매우 다르다. 특히 병동과 침상 수는 감소했고 평균 입원기간은 짧아졌다. 정신질환자와 잠재적 환자들의 정신증상은 정도가 심해졌고, 폭력의 위험성도 높아졌다. 미국 보건사회복지부(The U.S. Department of Health and Human Services)(1999)는 현대 정신병동이 위기관리를 위한 단기집중관리병동으로 변화했다고 보고하였다. 치료자들의 과제는 치료환경 원칙을 통한 증상의 신속한 안정화와 더불어 지역사회기반 치료프로그램으로의 환자 복귀이다(Norton, 2004). 환자의 빠른 회복과 관련된 지속적인 변화와 요구를 충족시키기 위해 간호사는 다른 건강관련 전문가와 협조하고 지속적으로 환경을 재평가해야 한다.

Clinical example

만성 정신질환자를 위한 주간치료 프로그램은 집에서 가까운 두 곳의 그룹 홈에서 이루어진다. 주간치료 프로그램의 환경치료는 교육 수업과 같은 체계적인 치료활동, 돈 관리, 버스 타기, 식품영양소 확인하기, 식이계획, 그리고 세탁 등과 같은 기본적인 개인생활이 포함된 집단 및 개인 치료가 있다. 이러한 많은 활동이 그룹 홈에서 낮과 저녁 시간에 시행되며, 프로그램 치료자들에 의해 강화 및 증진되고 있다. 또한 정신건강전문가들은 치료적인 환경을 조성하기 위해 환경을 관리한다.

2) 관련 이슈

복지부인증 기관 조직인 의료기관 평가위원회(The Joint Commission)는 정규적으로 제공되는 간호가 꾸준히 효과적으로 유지될 수 있도록 환경을 평가하게끔 요구한다. 시설은 기본철학을 바탕으로 하는 사회적 환경을 유지해야 한다. **표 13-1**은 의료기관 평가위원회에서 작성한 정신과 입원병동 환자를 위한 간호환경 표준 목록이다.

표 13-1 | 의료기관 평가위원회 환경 표준

환경적인 안전 평가 항목
- 모든 장비의 지속적인 점검과 기능유지
- 위험 감시
- 안전 이슈에 대한 보고와 조사
- 안전관리 기술과 과정 감시

안전을 위한 환경
- 안전에 대한 문제 공유 체계
- 모든 직원, 환자, 방문객을 위한 적절한 신분 확인
- 안전에 관한 안내 프로그램
- 긴급상황 처리 방법
- 매체를 통한 소통방법

사회적 환경
- 미용과 위생용품의 보관함
- 개인 옷장 및 서랍
- 임상적 상태에 적합한 복장

물리적 환경
- 환자존중을 위한 개인 사생활 보호
- 프로그램의 목적에 맞는 잠금장치
- 사적인 대화를 위한 전화사용 허용
- 독립된 수면공간(임상적으로 제한된 경우 제외)
- 환자들에게 적절한 가구 제공 및 배치
- 적절한 야외활동(치료적 제한 제외)

출처: Joint Commision on Acceredltation of Healthcare Organization (2001). Comprehensive accreditation manual for hospitals (EC-1). Chicago: JCAHO.

2. 치료적 환경 요소

환경은 환자가 최상의 건강목표를 향해 움직일 수 있도록 하는 내용을 제공한다. 다음은 간호사가 환경관리를 효과적으로 하는 데 필수적인 기초를 제공하는 상호관련 요소들이다.

1) 안전

안전(safety)은 환경의 모든 측면에 있어서 가장 중요하며, 물리적·심리적 방어를 포함한다. 급성 정신병동에서 안전은 항상 최우선 사항이다. 입원병동에서 근무하는 간호사는 대개 자살위험성을 가진 환자들을 위한 24시간 간호를 제공하고, 간호사와 더불어 정신건강전문가들은 위험을 예방하기 위해 안전한 병원 환경을 제공하도록 노력한다. 벨트, 구두끈, 열쇠 등의 위험 물품은 잠금장치 안에 보관하도록 하고, 이것을 소지한 환자를 일대일로 24시간 집

중 관찰한다. 안전한 환경조성을 위한 관찰 과정에서 환자가 겪는 고통을 최소화하기 위해 이러한 조치를 포함한 치료계획에 대해 환자에게 알려야 한다. 간호사는 환자와 인간 대 인간으로 관계를 형성하도록 노력한다. 치료적 관계의 준비를 위해 환자는 자살에 대한 생각을 간호사에게 알려 도움을 청하고, 간호사는 삶의 의미, 가치 등을 환자에게 전달하도록 하며, 환자가 어디에서든 고통스러운 감정을 탐색하고 말할 수 있는 환경을 만들어 제공해야 한다. 간호사는 무조건적인 수용과 인내의 중요성을 이해하고, 그것을 안전하고 배려 있는 환경의 핵심요소로서 이해하도록 한다. 간호사의 역할은 주로 환자의 정서적·신체적 안전에 대한 환자의 요구를 해결하는 것이다(Cutcliffe & Barker, 2002).

병동환경 관리는 환자의 언어적·신체적 공격성으로 인한 신체적인 위험을 예방하는 것을 포함한다. 공격성은 해를 끼치려는 의도 혹은 적개심의 표현으로 정의할 수 있다(Duxbery, 2002). 간호사는 환자의 공격성을 조절하기 위한 간호 정책과 과정 개발에 밀접하게 관여하고 이를 준수해야 하는데, 보통 공격적인 사건이 발생하기 전에 중재가 개입되어야 한다. 환자를 방 안으로 돌려 보내거나 일대일로 이야기를 나누면서 갈등을 해결하도록 돕는다. 필요하다면 약물투여를 하며, 최후의 방법으로는 행동을 조절하기 위해 격리 및 강박을 할 수 있다. 간호사는 공격적인 상황이 발생되기 전에 직접적으로 관찰을 하거나 다른 정신과 직원들의 보고를 받아 항상 병동환경에 대하여 잘 파악하고 있어야 한다. 간호사와 다른 정신건강전문가들은 치료목표의 상호이해를 위해 능동적 팀 접근을 해야 한다.

대부분의 정신과 병동에서는 환자 안전관찰을 기록한다. 정신과 병동에 대한 일상적이고 규정된 안전관찰은 직원과 환자의 안전을 염두에 두고 이루어지며, 환경의 안전을 유지하는 데 필수적이다.

환경간호는 모든 위협적인 사건으로부터 환자를 보호하는 데 중점을 둔다. 이를 위해 환자를 무시하거나 환자에게 심적 부담을 일으키는 방문객을 제한할 수도 있다. 병동환경에서 직원들은 다른 사람의 사적인 공간을 침해하거나 개인적 특성에 의해 다른 사람을 괴롭히는 것과 같은 파괴적인 행동을 보이는 환자로부터 다른 환자들을 보호해야 한다. 안전의 목표는 간호사가 병동에서 규칙적으로 환자들 사이에 있으면서 이를 관찰하지 않으면 완전히 달성될 수 없다.

정신질환자는 자신으로부터 파생된 문제에 관심을 집중한다. 편집증, 망상, 성격장애를 가진 환자는 상황이나 사건을 자신과 관련된 문제로 왜곡하므로, 치료팀은 환자의 모든 주장에 집중할 필요가 있다. 학대 문제가 제기되면 환자의 대리인에게 통보해야 한다. 의료진에 대한 불만이나 의혹 제기는 환자를 돌보는 치료팀의 입장에서 불편할 수 있는 일이다. 그러나 의료진의 환자 학대 문제가 의심될 경우, 반드시 주의를 기울이며, 확실하게 판명된 사건들에 대해서는 조치를 취해야 한다. 환자로 하여금 치료팀은 환자에게 어떠한 위해도 입히지 않을 것이고, 누군가 해를 입도록 내버려두지도 않을 것이라는 것을 환자가 알도록 하는 것이 중요하다. 환자의 권리가 침해된다고 생각되는 경우에 도움을 받을 수 있는 전화번호를 전달하는 등, 환자의 권리를 보호할 수 있는 방법을 제시하는 것 또한 안전감을 제공할 수 있는 방법이다.

Clinical example

김OO 님은 다른 환자들에게 화를 내면서 주먹으로 때리려고 하였다. 간호사는 단호하게 김OO님에게 병실로 들어가라고 지시하였다. 간호사는 김OO님과 함께 있으면서 김OO님이 다른 사람들에게 공격적인 행동을 하지 않고 다른 행동을 한 것에 대한 느낌이 무엇인지 이야기해보도록 격려하였다.

2) 구조

구조(structure)는 물리적 환경, 치료활동의 일일계획표, 환자와 치료팀 사이의 상호작용에 관한 비공식적인 규칙을 포함한다. 구조는 치료적 환경의 필수요소이다. 간호사는 환자교육과 사회기술훈련과 같은 집단활동을 제공한다. 입원병동에서 투약, 약물 부작용, 퇴원 후 환자와 가족을 위한 간호교육은 정신간호사의 중요한 역할이다.

치료팀에 의해 시행되는 활동요법은 환자의 일과표 안에서 이루어진다. 필요시 개인치료 혹은 가족치료가 시행된다. 활동요법은 구조적인 치료환경의 중요한 형태이며, 환자가 다른 사람과 상호작용을 하고 사회화를 향상시키는 데 좋은 기회가 된다. 또한 고통스러운 감정과 혼란스러운 지각을 잘 받아들이도록 돕는다. 활동요법의 목적은 여가, 오락, 스포츠 활동 등으로 환자에게 신체적·정신적·정서적 안녕을 유지 및 증진시킴으로써 환자를 치유하는 것이다.

중재에는 특정 기능적 기술을 향상시키는 구조화된 활동, 조직된 스포츠, 피트니스 활동 등이 포함된다. 그 예로는 빙고, 야구, 탁구, 카드, 게임 등이 있다.

예술치료는 새로운 대처기술 획득을 촉진하기 위해 이루어진다. Spandler 등(2007)은 환자가 자해하거나 환청을 듣고 힘들어 할 때, 좀 더 효과적인 대처 방법으로 창조적 활동인 예술치료를 제안하였다. 예술치료를 통해 자기표현을 하는 것은 고통스러운 기억이나 이미지를 재창조하는 생산적인 의미를 줄 수 있다. 환자는 예술치료를 통하여 자신을 힘들게 만드는 것을 자신과 다른 사람들에게 좀 더 보여주게 된다. 환자들은 예술치료 경험에 대하여 다른 방법 혹은 새로운 방법으로 의미를 부여하고, 보다 유효하고 정상적인 감각으로 느끼게 된다.

병동에서 간호사와 다양한 치료사들은 함께 팀으로 접근하며 각각의 환자의 능력과 현재 기능수준에 맞는 일정표를 작성한다. 예를 들면, 우울한 환자는 지각장애를 경험하는 정신증 환자보다 더 높은 기능수준에 해당하는 계획을 세워 시행할 수 있다.

병동의 물리적 디자인과 배치도 구조에 해당한다. 방문객을 만나고 사회화할 수 있는 공간, 전화, 그리고 개인의 사생활 보호를 위한 공간 등의 치료적 환경이 필요하다. 환자들이 타인과 상호작용하는 주된 장소는 오락실이다. 환자들은 비공식적 모임에서 자신의 내적 문제를 찾고 타인과 진심으로 연결될 수 있다(Thomas et al., 2002).

3) 규칙

규칙(norms)은 치료적 환경에서 허용되는 범위 내에서 행동할 것을 요구하는 특별한 요청이다. 즉, 규칙은 사회적으로 수용 가능한 행동과 일관적인 제한이 있는 환경 내에서 안전을 유지하고 신뢰를 증진시키며, 모든 환자에게 적용할 수 있는 예측 가능한 환경을 조성하도록 한다. 급성 정신과 병동에 입원한 많은 환자들은 그들이 왜 입원을 했는지, 얼마나 입원하게 되는지, 어떠한 치료를 제공받는지, 또는 어떠한 것을 요구받게 되는지에 대해 알지 못한 채로 입원한다. 규칙과 관련하여 환자와 의사소통하는 것은 환자를 존중하고 환자의 존엄성을 보호하게 해준다. 많은 행동규칙은 일상생활 활동과 관련되어 있다. 예를 들면, 환자는 환경에 맞는 옷을 입고, 칫솔질을 하고, 머리를 빗고 목욕을 해야 한다. 또 다른 규칙은 책임감 강화에 관한 것으로 다음과 같다.

(1) 자신이나 타인을 해하지 말아야 한다.
(2) 집단회의와 기타 병동활동에 참여한다.
(3) 개인적인 치료계획에 관심을 가진다.

강제 입원한 환자와 규칙에 대해 의사소통하는 것은 특별히 중요하다. 가능하다면 치료팀은 환자가 주도권을 갖도록 하고, 인내심과 회복력이 약한 환자와 다투는 것을 피해야 한다. 병동 원칙과 활동에 관련된 규칙은 환자와 함께 만드는 것이 효과적이다.

Clinical example

간호사와 환자가 함께 개방적 대화, 협상, 협조, 상호관계적인 중재를 개발한다. 예를 들면, 간호사가 쉽게 초조해하고 혼란스러워하는 환자를 무시하기보다는 "당신이 사워를 한다면 무슨 일이 일어날지 궁금합니다" 또는 "언제 사워하고 싶은지 궁금합니다"라고 말한다.

4) 한계 설정

한계 설정(limit setting)은 정신건강 실무에서 광범위하게 적용되는 중요한 치료적 방법이다. 한계 설정은 간호사의 언어적·비언어적 의사소통, 빠른 효과의 진정제, 격리나 억제의 환경방식을 통하여 환자의 행동을 조절하는 것이다. 한계 설정의 목적은 (1) 환자와 치료자 개인의 안전, (2) 환자의 성장과 발달 촉진 등이다. 이는 대개 부적절하고 공격적이거나 위험한 환자의 행동을 제한하고 예방하기 위해 적용된다. 과도한 요구나 성적 도발, 치료적 활동 참여 거부 등의 행동을 제한 또는 조절할 때도 필요하다. 설득과 같은 한계 설정 전략은 환자가 병동규칙에 적응하도록 할 때 활용된다.

CRITICAL THINKING QUESTION

1. 급성 정신과 병동에 입원해 있는 환자의 입장에서 어떠한 경우 한계 설정이 강압적으로 보일 수 있겠는가?

5) 균형

균형(balance)은 치료적 환경에서 간호의 숙련도를 향상시키기 위해 더욱 요구되는 대표적인 가치이다. 균형은 의존적 상황에서 천천히 점진적으로 독립적 행동을 허용하는 과정을 포함한다. 환자가 스스로 자가간호를 책임질 준비가 되었는지, 혹은 간호사의 도움을 필요로 하는지에 대한 특별한 판단이 요구된다. 이러한 의사결정을 위해 간호사는 해당 환자의 다양하고 복잡한 요구를 병동 내 다른 환자와 치료진의 요구와 비교할 수 있어야 한다. 간호사가 공격적인 사건을 지각하고 관리하는 방식은 균형적인 접근방식의 중요성을 보여준다. 예를 들면, Duxbury(2002)는 환자의 언어폭력을 다루는 좋은 방법이 진정이라고 할지라도, 환자의 감정이 고조되기 전에 간호사가 개입하여 중재하는 것이 더 중요하다고 강조하였다. 환자와 시간을 보내고 환자의 관점을 이해하려는 노력은 오해와 추후 공격 행동을 예방하는 데 도움이 되며, 이러한 방법은 불안하고 우울한 환자에게 더 효과적이다. 간호사는 환자의 행동에 집중하기보다는 병동 상황의 맥락에서 환자 문제의 본질을 찾아야 한다. 간호사의 전반적인 예방적 자세는 정확하고 심층적인 평가를 바탕으로 환자의 결핍과 욕구에 접근할 수 있게 한다. 환자의 행동과 요청에 대하여 일관적으로 반응하는 것은 안전하고 치료적인 환경을 제공하는 데 필수적이다.

CRITICAL THINKING QUESTION

2. 간호사의 일관성과 후속 조치가 치료 환경에 어떻게 기여할 수 있는가?

3. 치료적 환경 간호

나이팅게일(Florence Nightingale)은 환자의 회복을 위한 환경의 중요성을 강조하였다. 간호사는 전통적으로 병동 환경 관리를 포함한 환경과 관련된 모든 활동에 책임이 있다.

환자들은 다른 사람과 함께 겪는 일상생활의 문제를 해결하고 새로운 행동을 시도할 기회를 가질 수 있기 때문에 치료적인 환경이 도움이 된다. 간호사들은 치료적인 환경에서 교정적인 학습경험을 할 수 있도록 하기 위해 환자와의 치료적인 관계를 유지한다. 환자와 간호사의 상호작용은 환자가 일상생활에서의 문제에 대해 적응하고 배울 수 있는 기회를 제공한다. 왜곡, 갈등, 부적절한 행동은 '지금-여기(here and now)'의 상호작용에서 다루어지며 환자의 치료계획에 포함시킨다.

정신간호사는 환경이 치료적일 수 있도록 능동적으로 역할을 해야 한다. 개인적인 가치, 반응, 선입견에 주의를 기울이는 것도 치료환경을 유지하는 요소이다. 다른 중요한 요소들은 구조화된 치료적 활동과 상호작용을 제공하기 위해 신중하고 능동적이며 협조적인 과정을 통하여 환경을 변화시키는 것이다. 예를 들면, 입원시 환자 교육은 환자의 안녕과 질병에 대처하는 능력에 긍정적인 영향을 미친다(Hatonen et al., 2008). 환자가 자신의 치료과정과 관련된 의사결정에 참여하는 것도 간호사의 효과적인 의사소통 및 긍정적인 간호사-환자 상호작용을 촉진한다.

1) 치료적 환경에서 간호사의 역할

환경 수정은 정신간호사의 중요한 중재이다(Baker, 2000; Norton, 2004). 환자의 치료목표를 달성하기 위해 안전, 구조, 규칙, 한계 설정, 균형을 사용한다. 환경 수정을 통하여 환자의 치료적 환경을 개선할 수 있다. 정리정돈, 안전문제 등은 새로운 행동을 배우거나 자신의 강점을 깨닫도록 환경을 만든다. 환경 수정 및 관리는 간호사가 지속적으로 환경규칙들을 검토하여 환자의 요구에 대해 반응하는 것이다.

간호사에 의한 강압적인 치료활동은 간호사-환자 관계의 발전에 방해가 된다. 규칙 위반은 환자의 공격성을 촉발한다. 병동규칙은 안전을 위한 것이지만, 가끔은 병동 통제를 위한 전쟁터가 되기도 한다. 환자와 간호사의 관계 증진과 병동규칙 이행 간의 섬세한 균형을 유지해야 하기 때문에 치료환경에서 규칙을 집행할 때 간호사는 고난도 기술이 필요하다. 어떤 간호사는 규칙과 효율성에 대해 지대한 관심을 갖지만, 다른 간호사는 치료적 관계 유지를 가장 우선적으로 중요하게 생각할 수 있다. 숙련된 간호사는 이전의 경험을 바탕으로 본능적으로 환자 각각의 독특함을 이해한다. 이렇듯 간호사의 일관성, 독창성과 결부하여 환자의 관점을 이해하는 것은 안전한 치료적 환경을 조성하고 이를 오랫동안 지속할 수 있게 해 준다.

4. 활동요법

입원 및 외래 정신과 치료시설은 정신질환자의 다양하고 고유한 요구를 충족시킨다. 치료적 환경은 다학제적 팀의 다양한 구조화된 활동을 통해 향산된다. 여기에서는 다양한 입원환자 및 외래환자 치료시설에 대한 설명과 함께 주요활동을 설명하고자 한다. 입원 및 외래의 정신과 시설의 주요 활동요법으로는 (1) 작업요법, (2) 오락요법, (3) 정신건강교육, (4) 집단치료, (5) 병동회의(community meetings) 등이 있다.

1) 작업요법

작업치료사들은 환자의 기능적 능력 향상과 관련하여 훈련된 전문가이다. 이러한 능력은 일을 하고 일상생활의 과업을 수행하는 역량에 영향을 미치므로 환자에게 중요한 요소이다. 작업치료사는 환자들이 자가간호, 업무, 오락에 필요한 기술을 습득할 수 있도록 도와준다. 이들은 일상생활 활동요법을 통해 정신장애인들이 집과 직장에서 최대한 기능적이고 독립적으로 활동하도록 돕는다. 작업요법의 종류는 환자의 약점과 강점의 기능평가를 중심으로 신중하게 선택되어야 한다. 예를 들면, 미술공예요법은 환자의 집중력을 향상시키고, 오락요법은 재미와 다른 사람과의 사회화를 촉진시킬 수 있다. 즐거움과 재미를 위한 활동도 정신질환으로 인해 복잡한 삶의 스트레스를 경험하는 대상자에게 도움이 된다. 이러한 작업요법 활동은 치료팀 회의에서 결정한 후 작업치료사와 환자가 함께 선택한다.

2) 오락요법

여가시간은 모든 사람에게 중요하고 정신건강 증진에도 유용하다. 정신질환자에게 오락요법(recreational therapy)은 치료결과를 위해서도 중요하다. 오락치료사와 작업치료사는 환자가 일과 오락의 균형을 잡을 만한 관련 활동을 찾도록 돕는다. 구체적인 오락요법 활동으로 에어로빅, 체력단련과 같은 운동이 포함된다. 운동의 수준과 종류는 환자의 능력에 따라 결정된다. 운동은 우울증과 불안감을 조절해 주며, 초조함과 공격성에도 치료적이다.

3) 정신건강교육

정신건강교육(psychoeducation)은 환자와 가족들에게 질병인식을 돕고, 질환 및 증상 관리 등에 관한 지식을 가르쳐주는 치료적 활동이다. 교육목표는 사회적 지지와 정신질환 관련 정보를 제공함으로써 환자들이 만성 질환을 가지고 생활에 적응하며 안정적으로 지낼 수 있는 방법을 찾도록 하는 것이다. 교육의 효과는 다음과 같다.

- 환자나 가족의 정신질환에 대한 이해와 질병에 대한 긍정적 대처
- 삶의 질 향상
- 재발방지
- 부정적 가족반응의 변화
- 치료 순응도 향상

표 13-2는 정신건강교육 주제의 예이며, 정신간호사는 퇴원준비 시 환자와 가족을 위해 활용할 수 있다.

표 13-2 정신건강교육의 주제
• 재발 징후 인지하기
• 대중교통 이용하기
• 치료사, 사례관리자, 정신과 의사와 면담하기
• 스트레스 대처하기
• 꾸준히 약물 복용하기
• 증상 대처하기
• 언제 정신과 의사에게 연락해야 하는지 파악하기
• 가족과 잘 지내기
• 업무 복귀하기
• 분노 조절하기
• 대인관계 기술 익히기
• 일상생활 기술 익히기

4) 집단치료

집단치료는 많은 정신과 시설에서 사용되는 유익하고 효과적인 치료법으로, 여러 환자들을 함께 치료하는 경제적인 방법이다. 집단치료는 치료환경의 한 종류로서 개방성, 피드백 주고받기, 존중, 프라이버시, 수용, 독립심 및 책임감 등 정신질환자들에게 유용한 주요원칙을 다룬다.

집단은 개방 또는 폐쇄, 과정 지향 또는 정신건강교육, 한시적 또는 지속적 등 다양한 목적에 의해 만들어진다. 예를 들어, 과정 지향적 집단은 자존감과 불안 같은 문제들을 다룰 수 있다. 집단치료의 종류는 의도하는 목적에 따라 달

라진다. 집단치료의 종류로 인지-행동, 정신역동, 게슈탈트, 대인관계, 가족체계 등이 있고, 아동·성인·노인·정신질환 등 다양한 대상자에게 적용 가능하다. 집단치료의 장점은 다음과 같다.

(1) 다른 사람들과 다양한 문제들을 다룰 수 있는 기회가 주어진다(새로운 시각, 지식, 관점을 얻을 수 있음).
(2) 소속감과 수용되는 느낌을 경험한다.
(3) 비슷한 경험을 해본 사람들에게 자신의 문제를 설명해 본다.

5) 병동회의

병동회의(community meeting)는 입원병동이나 지역사회에서 공동사회 생활과 관련된 일상적인 요구를 해결하기 위한 회의를 한다. 예를 들면, 중간 시설(halfway house)에서는 매일 아침 모임을 통해 새로운 환자 환영, 프로그램 규칙 검토, 하루의 활동 소개 등의 내용을 다룬다. 또한 병동회의를 통해 환자는 집단이나 개인의 관심사를 이야기하고 다른 사람들의 피드백을 받을 수 있다. 논의 중 환자와 환자 혹은 환자와 직원 간 충돌이 발생할 수 있으므로 숙련된 집단 리더가 긍정적인 방식으로 갈등을 해결할 수 있도록 중재해야 한다. 일반적인 환자들의 관심사는 텔레비전 채널 변경, 라디오 소음, 개인위생과 같은 소소한 문제들이다. 병동회의는 개인의 치료 요구나 문제를 다루기보다 치료환경의 일상적인 측면을 다루는 역할을 한다.

5. 치료적 환경의 응급상황

1) 폭력

정신질환으로 입원한 환자들은 병이 심각하고 병식이 낮으며, 예측할 수 없는 행동을 하는 경향이 있다. 환자들은 갇혀 있기를 거부하고 사회적 지지체계가 취약하며 자주 재입원하기도 한다. 정신과 환자의 중증도는 높아지고 있으며 이와 더불어 격리와 강박에 대한 문제도 대두되고 있는데, 정신과적 치료에서 격리와 강박 사용은 윤리적 문제의 가능성으로 인해 신중하게 고려되어야 한다. 정신과 환자의 폭력성과 공격행동을 관리하기 위한 다양한 간호전략이 요구된다.

(1) 공격성과 폭력

잠재적 폭력은 정신과 병동에서 빈번하게 발생하는 환경적 위험이다. 폭력행동을 보이는 환자는 자신, 동료, 치료자를 위험하게 만들고 치료적 환경을 파괴하며, 심지어 부상이나 사망을 일으킬 수 있다. 정신과 병동 입원환자의 폭력성은 예측하기 어렵지만, 확실한 경고신호가 나타날 때 이를 바로 중재하는 것이 중요하다. 간호사는 환자의 부적절한 행동에 대해서는 정신병리에 대한 지식과 맥락 안에서 전문적 기술과 경험을 이용하여 상황을 해석하고 조정해야 한다. 환자의 경험을 이해하는 것이 공격행동을 예상하는 중요한 요소이다.

간호사에 대한 폭력 문제가 절대 발생하지 않도록 보장할 수는 없지만, 간호사의 태도는 공격 위험성에 영향을 미치는 변수가 된다. 정신과 병동의 폭력은 환자, 간호사 및 특수부서 간의 복잡한 상호작용에서 비롯된다. 폭력의 가능성을 감소시키기 위한 전략은 의사소통기술 향상, 대상자 옹호, 철저한 대비, 임상평가기술 활용, 개방형 대화를 통한 환자교육 제공, 환자와의 상호협동적 치료계획 등으로, 간호사-환자의 관계를 증진시키는 것이 핵심이다.

폭력적으로 변할 수 있는 정신과 환자들을 다루는 간호사는 자신의 공격적 충동을 경계하고 분노를 조절하거나 건설적이고 생산적인 활동으로 전환하는 방법을 익혀야 한다. 간호사가 정서적 위기와 공격행동을 보이는 환자에 대한 대처방법을 아는 것은 중요하다. 간호사가 환자의 적대감이나 요구에 의해 위축된다면, 환자의 격한 감정과 행동을 조절하는 역할을 할 수 없다. 또한 간호사가 환자와 유사하게 자신의 분노와 공격성을 진정시킬 수 없다면, 문제를 악화시킬 수 있다.

환자가 공격적으로 변하면, 간호사는 전문가로서의 능력 부족, 좌절감, 실패감을 느낄 수 있다. 간호사가 폭력적인 환자를 힘으로 지나치게 통제하고자 한다면, 치료적 관계를 저해할 수도 있다. 반면, 환자의 공격적 행동을 비효과적인 의사소통 방법의 한 형태로서 인식한다면, 치료적 관계가 강화되고 효과적인 방안을 찾을 수 있을 것이다.

CRITICAL THINKING QUESTION

3. 병동의 방문객이 병동 내 환자를 폭행하였다. 당신은 이 상황에 어떻게 대처할 것인가?

(2) 공격성 관리

격리 및 강박은 원래 잠재적 위험행동을 통제하거나 부상을 예방하고 동요하는 것을 줄이기 위한 필수중재로 알려져 왔다(Hoekstra et al., 2004). 그러나 이에 대한 부작용의 근거들이 축적되면서 반대 입장이나 관련 규정이 등장하게 되었다. Taylor 등(2012)은 급성 정신질환 관리 병동에서 사용할 수 있는 새로운 격리 및 강박 사용 프로그램과 더불어 의료진의 태도와 문화의 변화가 요구된다고 제시하였다. 입원 시 주의 깊은 사정, 의사소통, 직원교육 및 치료적 관계 등은 격리와 강박 사용을 75% 감소시킨다고 보고하였다. 예를 들어, 개별화된 간호계획 시 환자가 과거에 감정폭발을 조절하는 데 효과적이었던 방법에 관한 정보를 파악하여 활용하는 것이다. 입원 중 공격행동에 대한 취약성이나 촉발요인을 판단하기 위해 외상 이력을 평가하는 것은 병동 내 외상의 재발과 이에 따른 재피해(revictimization)를 방지하는 데 도움이 된다.

(3) 폭력주기에 기초한 간호중재

폭력주기(assault cycle)는 공격성과 폭력을 예방하기 위한 간호중재의 틀로 사용될 수 있다. 모든 개입의 목표는 환자와 직원에게 신체적·정서적 피해를 주지 않는 것이다. Smith(1981)의 스트레스 모델은 폭력주기를 정서적 또는 육체적 스트레스에 대한 예측 가능한 양상이나 공격적인 반응의 5단계로 설명한다. 5단계의 폭력주기는 다음과 같다(표 13-3).

- 1단계. 촉발 단계(triggering phase): 스트레스 촉발사건이 발생하면 스트레스 반응이 시작된다.
- 2단계. 상승 단계(escalation phase): 조절력 상실을 암시하는 것으로 행동악화 반응이 나타난다.
- 3단계. 위기 단계(crisis phase): 감정적·신체적 위기 기간 동안 통제력을 상실한다.
- 4단계. 회복 단계(recovery phase): 진정되는 시기로 점차 정상적인 반응으로 돌아온다.
- 5단계. 위기 후 해빙 단계(postcrisis depression phase): 이 시기에 타인들과 화해를 시도한다.

이상의 폭력주기에 따른 간호중재는 점감(de-escalation)법을 토대로 설명할 수 있다. Cowin 등(2003)은 점감법에 대하여 '존중을 바탕으로 한 공감, 동맹 및 비대립적인 한계설정의 언어적·물리적 표현을 통해 잠재적으로 폭력적이거나 공격적인 상황을 점진적으로 해결하는 것'으로 정의하였다. 즉, 공격적이거나 폭력적인 행동을 예방하기 위해 환자를 진정시키거나 목소리를 낮추어 안정된 상태로 만드는 것이다.

① 촉발 단계

환자가 입원해 있는 동안 경험하는 스트레스 상황에 대하여 자동적이고 부정적인 정서적 반응을 보이는 것이 이 단계의 특징이다. 대개 부정적 감정이 시작되는 초기에는 폭력적이거나 타인에게 위해를 가하지 않는다. 이 단계에서 환자는 평소의 대처 및 방어기전을 사용하게 된다. 간호사는 환자의 부정적인 감정이 촉발되었을 때, 그들이 자신의 감정에 적절하게 반응하도록 돕기 위해 과거 부정적인 감정에 대한 대처방법을 사정해야 한다. 예를 들어, 환자의 스트레스 요인이 주변의 다른 사람일 경우, 이들을 서로 분리시키고 환자와 개별적으로 대화하여 안전하게 감정을 환기하도록 촉진할 수 있다. 분노와 같은 부정적인 감정의 환기를 돕기 위해서는 공감적이고 지지적인 태도가 중요하다. 간호사는 환자에게 도전적이지 않으면서, 조용하고 분명하며 간단한 말로 부드럽게 말한다. 공격적·대립적이며 위협적인 접근방식은 다음 단계로의 악화로 이어질 수 있다. 그 외에 심호흡과 같은 완화기법도 유용하다.

환자의 분노 표출은 그들의 대인관계를 비생산적이고 난처한 상황에 빠뜨리며, 결국 환자 자신에 대한 상실감을 남긴다. 환자 자신의 존엄성과 타인의 권리 및 안전을 위해, 환자에게 방에서 '타임아웃(time out)'을 하거나 조용한 장소로 이동하도록 하는 것도 고려할 수 있다. 또는 다른 환자들이 그 장소를 벗어나게 하는 것도 사용할 수 있는 방법이다. 환자가 스스로 적절한 해결책을 찾는 경우, 이를 칭찬하는 것도 간호사의 역할이다. 또한 환자가 과거에 효과적이었던 생산적인 대처방법을 인식하도록 도울 수 있다. 일지쓰기, 운동, 베개를 차거나 점토를 치도록 하거나 복도를 걷는 것 등이 그 예가 될 수 있다. 필요시 항불안제나 항정신병 약물이 제공될 수 있다. 이러한 과정을 통해 이루어지는 폭력 조절방법 적용 시 병동 내 치료자들 간에 일관성을 유지하는 것이 중요하다.

표 13-3 폭력주기에 기초한 간호중재

단계	행동	간호 중재
촉발 단계(triggering phase) 불안의 +1 ~ +2 수준	근육긴장, 목소리의 변화, 손가락 두드리기, 서성거리기, 반복적인 말, 좌불안석, 신경질적임, 불안, 의심, 땀, 떨림, 날카로움, 호흡의 변화	• 공감적 지지를 전달한다. • 환기를 격려한다. • 명확하고 차분하며 간단한 용어를 사용한다. • 환자가 통제력을 갖도록 한다. • 대안적 방법에 대해 논의하여 문제해결을 촉진한다. • 필요시 환자를 조용한 곳으로 이동시킨다. • 안전한 이완요법을 제안한다. • 필요시 경구용 약물을 제공한다.
상승 단계(escalation phase) 불안의 +2 ~ +3 수준	창백하거나 홍조 띤 얼굴, 비명 지름, 분노, 욕설, 흥분, 과민반응, 협박, 요구, 보복 준비, 팽팽한 긴장감, 합리적 능력 상실, 도발적인 행동, 꽉 쥔 주먹	• 침착하고 단호한 태도로 대한다. • '타임아웃'을 위해 환자를 안정실로 안내한다. • 처방된 경구용 약물을 투여한다. • 간호사와의 적정거리를 유지한다. • 주시한다.
위기 단계(crisis phase) 불안의 +3 ~ +4 수준	자제력 상실, 싸움, 때림, 격노, 발로 참, 할큄, 물건을 던짐	• 처방된 비자발적 격리, 억제, 근육주사를 처치한다. • 집중간호를 시작한다.
회복 단계(recovery phase) 불안의 +3 ~ +2 수준	낮아진 목소리, 신체 긴장 감소, 대화 내용 변화, 보다 정상적인 반응, 이완, 기소, 맞고소	• 집중간호를 유지한다. • 치료자, 다른 환자와 사건에 대해 이야기한다. • 환자와 치료자의 손상을 조사한다. • 환자의 자기조절 과정을 평가한다.
위기 후 해빙 단계(postcrisis depression phase) 불안의 +2 ~ +1 수준	울음, 사과, 화해적 상호작용, 공격적 감정 억제(이후 적대감, 수동공격성으로 나타날 수 있는)	• 환자와 사후 처리를 한다. • 해당 상황에 대한 대안방법과 느낌에 대해 논의한다. • 점진적으로 격리와 억제 정도를 감소시킨다. • 병동으로 다시 올 수 있도록 격려한다.

출처: Maier, G. J. (1996). Managing threatening behavior: the role of talk up and talk down. Journal of Psychosocial Nursing and Mental Health Services, 34, 25; Smith, P. (1981). Empirically based models for viewing the dynamics of violence. In K. Babich (Ed.), Assessing patient violence in the health care setting. Boulder, CO: Western Interstate Commission for Higher Education; Stevenson, S. (1991). Heading off violence with verbal de-escalation. Journal of Psychosocial Nursing and Mental Health Services, 29, 6.

Clinical example

조OO 님은 입원 3일째 환자이다. 아내와 전화 통화를 하는 동안 그는 화가 나서 언성을 높였다. 간호사는 아내에게 나중에 전화하여 대화할 것을 침착하게 제안하였고, 환자는 전화를 끊은 후 복도에서 서성거리기 시작하였다. 간호사는 "당신이 무엇에 대해 화가 났는지 말해 주세요"라고 말했다. 환자는 15분 동안 전화 통화 내용에 대해 자세히 설명하고, 아내에 대한 분노를 표현하였으며, 아내가 이혼하자고 할까봐 두렵다고 말했다.

② 상승 단계

환자의 욕설, 소리 지르기, 위협 등의 부적절하거나 비이성적인 행동이 증가하는 단계이다. 이 단계에서의 점감법은 환자의 화, 두려움, 분노를 감소시키는 데 필요한 시간을 허용하는 것도 포함한다. 간호사가 공격적인 환자에게 "나는 환자를 지지하기 위해 있다"고 말하는 것은 대결상황을 협력적인 상황으로 재구성하도록 돕는다(Goetz & Taylor-Trujillo, 2012). 예를 들어, 간호사는 안전한 거리에서 환자가 스스로 감정을 이겨낼 수 있도록 침착하고 단호한 어조로 환자의 이름을 부르는 것이 좋다. 간호사는 환자에게 공격하지 않을 것임을 알리기 위해 갑작스러운 움직임이나 큰 소리를 내는 것을 피해야 한다. 이 단계에서는 환자가 항우울제나 항정신병 약물을 요청하는 경우 약물이 제공될 수 있다. 환자가 경구약 복용을 거부하거나 공격행동이 빠른 속도로 진행되는 경우에는 근육주사 투여가 보다 효과적일 수 있다. 로라제팜(lorazepam)과 알프라졸람(alprazolam)은 보다 빠른 효과를 내고 부작용은 거의 없기 때문에 흔히 선택되는 약물이다. 로라제팜은 근육주사로 투여될 수도 있다. 항정신병 약물 중에서 경구투약[쿠에티아핀(quetiapine)] 또는 근육주사[할로페리돌(haloperidol), 지프라시돈(ziprasidone)] 투여 약물들은 진정효과가 낮으나 흥분을 줄이는 데 도움이 된다.

최소 제한적 환경(least restrictive environment)의 원칙에 따라 조용한 방에서의 타임아웃을 고려하되, 친절하고 단호한 태도를 유지해야 한다. 이 방법이 효과적이지 않다면, 안전을 위해 좀 더 제한적인 조치를 취할 수 있다. 다른 직원들을 대기시켜 호출할 수도 있지만, 초기에는 안전요원을 환자의 시야에서 벗어나 있도록 하는 것이 좋다. 환자가 잠재적으로 폭력적일 때, 타인에 대한 거리가 실제보다 훨씬 더 가깝게 인식되어 위협을 느낄 수 있기 때문이다. 환자가 자신의 대처능력을 효과적으로 사용할 수 없고 안전에 위협을 느끼는 경우, 간호사는 더 강한 '관심표명(show of concern)'을 위해 다른 인력의 지원을 요청한다(Goetz & Taylor-Trujillo, 2012). 이때 간호사는 환자의 시야 범위 내에 4~6명의 직원을 배치하되, 환자를 공격하는 것으로 보이지 않도록 간호사보다 먼 위치에 있도록 한다. 환자가 이 상황을 인식하고 추가로 들어온 직원이 자신의 행동을 조절하는 데 도움을 줄 것이라는 것을 이해하게 되면, 환자는 편안해진 마음으로 간호사의 요청(예: 약물을 복용하고 조용한 방으로 들어가는 것)에 협조적인 태도를 보일 것이다(Lindsey, 2009). 이러한 중재가 효과를 발휘하지 못하면, 환자는 대개 위기 단계로 진입하게 된다.

③ 위기 단계

환자가 환경, 자기 자신, 다른 환자 또는 직원에 대한 공격적인 방식이 나타나는 단계이다. 위기 또는 비상 상황으로 언어적 제한은 효력이 없고, 직원의 외부적 통제(예: 억제, 격리)가 필요한 시기이다. 약물 투여는 필수적이다. 환자는 약물 복용을 거부할 권리가 있지만, 치료자는 환자가 다른 사람들에게 신체적 위해를 가할 위험이 있는 경우 약물을 투여할 수 있다. 이러한 조치는 기관 차원의 승인을 받은 비상 프로토콜에 의해 진행되어야 하며, 모든 조치사항은 철저하고 구체적으로 기록되어야 한다. 정신과적 응급(psychiatric emergency)은 협조적이고 체계적인 방법으로 처리되어야 하며, 치료자는 위기가 오기 전에 그들의 접근 방식과 역할에 대한 훈련과 연습을 해야 한다. 병동의 모든 직원들이 환자가 발로 차고 때리거나 물어뜯는 등의 공격 행동으로부터 자신을 보호하는 기술을 익혀야 한다. 기관장은 전 직원에게 점감법 프로그램을 제공해야 하고, 이에 대한 보수교육도 필요하다. 점감법 훈련이 잘 되어 있는 직원은 공격행동의 희생자가 될 가능성이 적다.

격리

격리(seclusion)는 관찰을 위해 보안 창문이나 카메라가 장착된 특수 설계의 잠금식 병실에 환자를 혼자 두는 것이다. 간호사는 프로토콜에 따라 환자 격리를 시작하거나 종료하고, 격리의 시간 동안 환자 돌봄을 유지해야 한다. 격리의 원칙은 차단이다. 즉, 환자가 자신이나 다른 사람을 해치지 않도록 제한하고, 자극을 줄이며, 집중적인 간호를 늘리는 것이다. 격리의 또 다른 이유는 초조함과 파괴적인 행동 혹은 부적절한 성적 행동들이다. 격리는 공격성에 따른 폭력과 반응적 행동들을 피하기 위한 예방 전략이다. 타임아웃, 밀착 관리감독, 침묵의 상호작용, 약물치료 등을 함께 적절히 사용하는 것이 효과적이다.

격리의 정도는 환자의 상태에 따라 달라진다. 자발적으로 타임아웃을 선택할 수 있는 환자는 자신의 방에 있도록 한다. 다른 경우, 2명의 치료자가 신체접촉 없이 침대(바닥에 고정된)와 매트리스 또는 바닥에 매트리스만 있는 격리실로 안내할 수 있다. 이때 위험한 물품(예: 벨트, 펜이나 열쇠 같은 뾰족한 물체, 신발, 안경)들은 환자의 몸에서 제거한다. 격리실은 자극을 줄여 환자의 손상을 예방하고, 기물 파손을 방지하며, 환자의 사생활을 보호한다. 외부에서 잠그는 문은 환자가 마음대로 격리실에서 나가지 못하게 한다.

강박

일단 환자의 폭력행동이 발생하면, 간호사는 강박(restraint)과 같은 즉각적인 조치를 취해야 한다. 환자를 안전하게 제어하고 직원과 다른 환자들의 부상이 발생하지 않도록 막기 위해서는 6~8명의 직원(예: 치료자, 직원, 병원의 보안 담당자)이 필요하다. 환자의 체구, 연령 또는 성별을 고려하여 필요한 직원의 수를 정확하게 파악하도록 하며, 이는 과소평가 되어서는 안 된다. 일부 기관은 입원 양식에 환자의 운동 관심사나 경력에 대한 정보를 포함하고 있다. 강박 사용의 의사결정 주체와 시기, 의사의 직접 대면 평가 및 처방, 제한 시간과 기록 등에 관한 병원규정 및 정부정책이 마련되어 있어야 하고, 치료진과 직원은 이를 준수해야 한다.

일반적인 억제 및 강박 절차에 관한 개요는 다음과 같다.

치료자는 환자를 제어하기 전에 자신의 안경, 귀걸이, 펜, 시계, 열쇠 및 환자나 직원에게 부상을 입히고 무기가 될 수 있는 모든 기구나 물건을 제거한다. 팀 리더인 치료자는 체계적인 계획과 접근을 지시하는 한편, 담당간호사는 환자와 계속해서 대화를 나눈다. 최소한 한 명 이상의 치료자가 다른 환자들을 안전한 장소로 데려가서 그들과 함께 있어 주어야 한다. 팀은 '관심 표명'을 통해 환자에게 침착하게 접근한다. 우리는 환자를 돕기 위해 여기에 있으며, 환자에게 타인을 해치는 것을 허락하지 않는다는 것을 알린다. 또한 환자에게 최후의 수단으로 신체적 접촉을 적용하지만, 모든 사람들의 안전을 보장하기 위해 최소한의 힘을 사용할 것임을 전달한다. 가능한 한 번에 신체적 접촉을 끝낼 수 있도록 한다. 두 직원이 양측에서 접근하여 환자의 팔을 제어하면, 다른 직원 3명은 환자의 목과 머리를 제어하여 환자를 방으로 옮기거나 침대가 도착하기 전까지 바닥에 눕힌다. 신체접촉은 보호적이고 방어적이지만, 공격적이어서는 안 된다. 다른 한 직원이 구속 수갑을 채우고, 문을 열어 장애물을 치우며, 간호사는 근육주사 투여를 준비한다. 격리실에서는 환자를 주로 침대에 눕힌다. 4명 이상의 직원들이 환자의 양 손발, 목과 머리를 안전하게 고정시키는데, 환자의 관절을 과도하게 제어하지 않도록 한다. 손목과 발목의 억제장치를 적용하여 침대 프레임에 고정한다. 환자의 팔은 몸에 고정하여 묶는다. 억제 장치에서 빠져나가지 않을 만큼 단단히 묶되, 혈액순환이 이루어지도록 해야 한다. 환자가 자신이나 타인을 해칠 수 있는 소지품을 가지고 있지 않도록 한다. 이때 약물을 투여할 수 있다. 허리 억제장치, 발목 사이의 억제장치 또는 억제담요(또는 이들의 모든 조합)는 환자가 억제장치를 벗어나려다 부상을 입을 위험이 있는 경우에만 적용한다. 직원이 떠나기 전에 환자의 부상 여부와 억제장치 내에서 안전하게 움직일 수 있는지 확인한다.

격리 및 강박 환자 간호

환자에게 격리 및 억제를 적용하는 경우, 그에 따른 집중간호가 필요하다. 직접 또는 모니터링 장치를 통해 환자를 지속적으로 관찰해야 한다. 다른 환자들이 격리된 환자의 주변에 있지 않도록 한다. 환자의 정신상태, 약물반응과 부작용, 수분, 영양, 배설, 관절운동범위, 활력징후 및 위생을 확인한다. 격리 및 강박 장치로 인한 부상을 사정하고, 부상이 있는 경우 즉각 대처하는 것이 중요하며 이에 대한 기록이 필요하다. 2시간마다 두 명의 직원이 한 번에 한 개의 강박 장치를 제거하고, 10분씩 관절운동을 교대로 시행한다. 체위변경 및 피부간호도 필요하다. 방문객, 전화통화 및 라디오나 잡지 등을 제한하는 것은 불필요한 자극을 방지하고, 직원의 규칙적인 접촉은 환자의 고립감과 외로움을 감소시킨다.

④ 회복 및 위기 후 해빙 단계

이 단계에서는 환자로 하여금 격리나 강박이 처벌(punishment)이 아니라 가능한 한 빨리 정상적인 상태와 본래 환경으로 복귀하기 위한 시도라는 확신을 갖도록 하는 것이 중요하다. 진정과 화해의 단계로 환자가 휴식, 수면, 기타 이득을 얻도록 돕는다. 간호사는 격리나 강박을 적용하는 동안 환자가 경험한 것에 대해 지지를 제공하고, 그것으로부터 회복하도록 한다. 그렇지 않으면 환자는 두려움과 좌절, 분노 속에 있다가 다시 공격행동을 보일 수 있다. 환자가 안정되면, 조절력을 잃게 만든 환경과 앞으로 유사한 환경자극 시 대처방안에 대해 이야기하는 것이 유용하다.

강박을 해제하는 시기는 환자들이 불안과 초조가 감소되었다고 말할 수 있고, 집중력, 현실 지남력, 판단력이 증가한 때이다. 격리실 안에서 억제대를 풀고 나서 환자의 반응을 신속히 평가한다. 이때 환자가 병동으로 돌아오는 것에 느낄 수 있는 두려움과 당황스러움을 최소화하도록 돕는다. 또한 다른 환자들이 격리된 환자를 수용할 수 있도록 도와야 한다.

환자에게 격리 및 억제를 시행한 직후에는 직원의 부상 여부를 확인하고, 상황 처리 절차를 평가하며, 상호 지원 및 피드백을 제공하는 시간을 갖는다. 사건 제반에 대한 평가와 함께 성공적으로 사용했거나 사용하지 않은 방법에 대해 검토하는 것이 포함된다. 환자의 공격성 수준, 대응효과, 안전문제 및 향후 권장사항 등을 수집한다. 이러한 과정은 안전교육을 강화하고 개선이 필요한 부분을 파악하는 데 도움이 된다. 또한 사건 전·중·후 과정에서 신체적 제어, 격리 및 강박 장치를 사용한 근거가 포함된 자세한 기록이 필요하다. 직원들 간에 사건에 대한 인식을 비교하면서 정확성을 기한다. 기록은 보고 듣고 느낀 내용, 직접적 발언, 보고를 받은 사람, 의사의 처방과 승인, 시행 및 시행 예정인 조치 등을 순차적으로 구성하고 구체적으로 기술한다.

병동회의에서 억제 및 강박 상황에 대한 다른 환자의 반응에 대해 공개적으로 논의해야 한다. 격리 및 강박의 이유와 목적에 관한 토의는 사실적이고 정직하게 이루어져야 한다. 환자들은 자신의 걱정, 반응, 조절력 상실에 대한 두려움을 공유할 수 있는 기회를 가져야 한다. 만일 그들이 화가 나고 흥분하기 시작하면, 치료자에게 와서 도움을 요청하도록 상기시킨다. 환자로 하여금 이러한 과정의 목적이 처벌이나 행동 통제가 아니라 안전이라는 사실을 알게 하는 것이 중요하다. 격리와 강박이 필요한 경우가 있지만, 이는 최후의 수단이 되어야 한다.

최근 정신과 병동의 환자안전 문화에 관한 연구주제가 대두되고 있다. McLoughlin 등(2013)은 간호사와 환자에게 회복모델(recovery model)에 대한 공식적인 교육이 필요함을 제안하였다. 간호사들은 안전상의 이유로 자기관리나 책임 등의 회복 지향적인 임상간호를 급성기 정신병동 환자들에게 적용하는 것을 꺼려할 수 있다. 간호사는 상황을 지속적으로 평가하고, 환자가 스스로 자율적인 의사결정을 할 수 있도록 도와주어야 한다. 즉, 안전과 삶의 질에 관해 환자가 스스로 올바른 의사결정을 내리도록 격려하거나 도와야 한다.

이 장에서는 급성기 정신병원의 공격성 및 폭력에 관한 간호중재에 대해 주로 논하였지만, 폭력은 내과 및 외과 병동, 요양원, 지역사회 보건시설, 의원, 그리고 특히 응급부서를 포함한 모든 병원 환경에서 발생할 수 있다. Gacki-Smithetal(2009)은 응급실 간호사들을 대상으로 한 조사에서 25%가 신체적으로 폭행을 당했다는 결과를 보고하였다. 정신과 이외 부서의 간호사는 환자의 분노를 다루고 공격적인 행동을 안전하게 제어하는 훈련을 받은 정신간호사에 비해 상대적으로 공격을 예측 및 예방하고 관리하는 전략이 미숙할 수 있다.

? CRITICAL THINKING QUESTION

4. 다른 환자들과 함께 한 환자의 억제와 격리에 대한 반응과 의견을 나누는 것이 왜 중요한가?

2) 자살

모든 인간은 일생 동안 심리적 부담, 고통, 스트레스를 주기적으로 경험하고, 일시적으로 죽고 싶다는 생각을 할 수 있다. 이는 정신적 고통에 대한 자연스러운 반응일 수 있다. 대부분의 사람들은 인생에서 피할 수 없는 고통에 대처하기 위한 비자살적 전략(nonsuicidal strategy)을 개발하지만, 일부 사람들에게는 자살(suicide)이 압도적인 감정에 대한 해결책이 된다. 심리적 고통의 한가운데에서 자살은 탈출의 확실한 수단이 될 수 있다.

자살행동은 세상을 대하는 개인의 방식을 반영하는 문제해결 행동으로 간주된다. 예를 들어, HIV에 걸린 사람이 삶을 통제하기 위해 자살을 선택할 수 있다. 자살은 탈출, 조절의 수단, 해결책, 도움 요청의 기능을 할 수 있다. 예를 들어, 자신의 죽음에 대한 시간, 장소, 방법에 대해 상상하는 것은 고통으로부터 탈출하는 느낌을 경험하게 할 수 있다.

자살학자 슈나이드먼(Shneidman)은 자살과 관련된 고통을 묘사하기 위해 'psychache'란 용어를 사용하였는데, 이는 마음을 사로잡는 상처, 괴로움, 아픔을 의미한다. 이것은 본질적으로 과도한 수치심, 죄책감, 두려움, 불안, 외로움, 불안, 늙어가거나 죽어가는 것에 대한 두려움 등이다. 자살은 더 이상 견딜 수 없고, 끊임없는 고통스러운 의식의 흐름을 막기 위해 적극적으로 나설 때 일어난다(Shneidman, 1996). 자살 위험이 있는 사람이 더 이상 고통을 견딜 수 없을 때, 적극적인 위기 개입이 필요하다.

(1) 자살의 위험요인

자살의 일반적인 위험요인은 최근 상실 경험, 자살시도 경험, 물질 남용, 가족력 및 정신질환 과거력, 희망 없음, 부적절한 충동조절, 사회적 지지 부족 등이다. 자살 위험과 가장 밀접하게 관련된 만성 정신질환은 주요우울장애, 조현병, 물질 남용이다. 자살과 정신질환의 관계는 복잡하지만, 일반인과 비교할 때, 정신질환자의 자살 성공 및 자살 시도율이 보다 높게 나타난다. 정신과적 진단은 가장 신뢰성 있는 자살의 위험요인이다. 자살은 우울증, 조현병, 알코올 의존 환자의 사망 원인의 10~15%에 해당된다. 자살충동이 빈번한 조현병 환자들은 입원 횟수와 기간이 더 많은데, 자살충동을 느끼는 환자의 약 50%가 자해에 관한 환청에 시달린다. 자살은 정신병원 내 사망의 주요 원인이며, 가장 불미스러운 사건이다. 병원 내 자살에 영향을 미치는 것으로 알려진 환경요인으로 입원 시 불충분한 사정, 직원 부족, 불충분한 직원 교육과 훈련, 환자관찰 부족, 부적절한 의사소통 및 환자교육 등이 있다. 입원 환경에서 가장 빈번한 자살 방법은 목 매기, 질식, 뛰어내리기 등으로 알려져 있다. 파이프, 화재 안전 스프링클러 헤드, 커튼 등도 환경적 위험요소이다. 벨트, 신발 끈, 고무줄 바지와 같은 환자 용품 또한 잠재적으로 위험하다. **표 13-4**는 입원환자의 자살시도 가능성을 줄이기 위한 예방조치이다.

표 13-4 | 입원환자의 자살예방을 위한 지침

- 분리 가능한 막대, 봉, 샤워꼭지 설치
- 안전이 확인된 변기 사용
- 위험 지역의 충분한 시야 확보
- 감시 장치 사용(예: CCTV)
- 정신상태 사정을 포함한 자살위험 평가
- 입원 시 반입금지 물품 확인
- 처방된 빈도로 위험 관찰
- 가족 및 친구의 참여
- 고위험군 식별
- 관찰 체크리스트 규정 준수
- 교대순번, 업무량 및 시간압박을 고려한 직원 배정
- 직원 성과 검토 및 질 개선 프로토콜
- 근무 조 변경을 위한 조항
- 자살 위험을 유발하는 증상 치료를 위한 약물 사용

출처: Joint Commission on Accreditation of Healthcare Organizations (2001). Comprehensive accreditation manual for hospitals. Chicago: JCAHO.

(2) 자살환자의 사정

기본적인 자살예방 활동은 자살 평가를 자주 실시하는 것이다. 미국 의료기관 평가위원회(The Joint Commission)는 입원 시, 경고나 권익등급 수준, 정신상태, 약물 또는 치료 프로토콜의 변경 시, 그리고 병원에서 퇴원하기 전에 자살 평가를 시행할 것을 권고한다. 자살 위험 사정은 자살사고, 의도, 계획과 자살 방법의 치사율을 파악하는 것이다.

자살은 자살사고부터 자살 성공에 이르기까지 과정을 포함하는 연속적 개념이다. 자살사고(suicidal idea)는 죽기를 원하는 사람의 생각과 소망을 포함한다. 이는 삶이 무가치하다는 생각부터 의도와 계획을 포함한 보다 구체적인 생각까지 다양하다. 또한 자살위협, 자살제스처, 그리고 자살시도를 동반할 수 있다. 자살위협(suicidal threat)은 한 개인이 삶을 끝내려는 의지를 표명하는 것이다. 자살제스처(suicidal gesture)는 자살사고에 대한 대처방안으로 날카로운 것으로 피부를 긋거나 화상을 입히고 소량의 약물을 섭취하는 등 덜 치명적인 자해 행동을 포함한다. 자살시도(suicidal attempt)는 삶을 끝내려는 명백한 목적을 가진 자해 행동의 실제적인 수행이다. 이는 의료적 개입이 반드시 필요한 심각한 행동으로 간주된다. 자살완수(completed suicide)는 개인이 성공적으로 자신의 삶을 끝냈을 경우를 뜻하는 용어이다. 자살 환자는 대개 양가감정, 특히 미래에 대한 모호함으로 가득 차 있다. 우울과 절망감이 높은 환자일수록, 계획이 구체적일수록, 방법이 치명적이고 접근이 용이할수록, 자살 노력이 성공으로 이어질 가능성이 크다.

(3) 자살 중재

일반적인 자살 중재는 다음과 같다:

(1) 신뢰와 이해를 바탕으로 구축된 간호사-환자 관계를 발전시키는 것이 가장 중요하다. 신뢰가 발달함에 따라 환자는 자살충동과 관련하여 임박한 위기의 가능성을 결정하는 데 필수적인 정보를 드러내기 쉽다.

(2) 잠재적 자살의 평가의 첫 번째 단계는 환자에게 자살에 관한 생각을 묻는 것이다. 자살사고를 선별하는 것은 환자의 자살 가능성의 수준을 결정하는 데 필수적이다. 간호사는 선별검사의 일환으로 자살에 대한 생각을 직접적으로 묻는다. 예를 들어, "자신을 해치고 싶다는 생각을 해 본 적이 있나요?", "더 이상 살고 싶지 않다고 느낀 적이 있나요?"와 같이 질문할 수 있다.

(3) 만약 환자가 자살사고에 대해 긍정적이라면, 자살계획에 대해 묻는다. 잘 준비된 계획을 가진 환자들은 자살시도와 자살완수의 위험이 높은 것으로 간주된다.

- 자살 관련 치사율은 자살수단에의 접근성과 관련이 있다.
- 환자가 특정 수단(예: 칼, 총, 고층)을 사용하는 것에 대해 언급하면, 가정이나 병원에서 해당되는 물건 또는 상태를 제거하는 것이 필요하다.
- 환자가 약물 과다복용을 언급하면, 잠재적으로 치명적인 처방약, 일반의약품, 알코올에 대한 접근을 제한해야 한다.

(4) 자살계획에 대해 질문할 때, 다음의 사항을 이해하는 것이 중요하다. 환자로 하여금 자살의도에 대해 말하도록 하는 것은 자살을 유도하는 것이 아니며, 환자에게 직접 질문함으로써 유용한 정보를 이끌어내고 환자에게 안도감을 제공할 수 있다(예: '마침내 누군가 나의 이야기를 듣는다'). 자살로 사망한 많은 사람들이 실제로 죽음을 의도한 것이 아니었던 경우가 많다. 즉, 비극적으로 잘못 계산된 사고와 같이 뜻하지 않게 죽음을 맞게 된 것이다.

(5) 이전의 자살시도 경험은 중요한 위험요인으로, 이에 대해 확인해야 한다.

- 환자에게 이전의 자살시도 여부와 방법에 대해 질문한다.
- 환자가 당시 어떻게 구조되었는지 묻는다.
- 당시의 치료와 추후관리에 대한 환자의 반응을 확인한다.

(6) 환자로부터 주요우울증, 최근 상실, 알코올이나 약물 남용, 명령 환청 등 정신과 병력과 관련된 모든 위험요인을 사정해야 한다.

(7) 자살 환자의 감정과 삶의 상황에 대해 개방적이고 수용적인 의사소통이 이루어져야 한다. 간호사는 환자가 정서적으로 안전한 치료적 관계에서 환자의 문제를 보다 잘 이해하고, 자살과 관련된 감정을 탐색하며, 개방적으로 표현하도록 격려해야 한다.

(8) 일대일 관찰을 의미하는 밀착 관찰(close observation)은 자살사고, 심각한 불안과 초조감을 경험하는 환자들을 위한 간호표준이다. 정신병동에 입원한 자살 환자에서 다음의 2가지 **자살예방 단계** 중 하나를 사용하여 정기적으로 평가하는 것이 필요하다.

1단계: 잦은 관찰(frequent observation)

자살의 즉각적 위험군이 아닌 환자들을 위해 사용된다. 간호사는 환자 상태를 15분마다 규칙적으로 관찰하고, 약물 복용, 식기류, 면도 장비, 그 외 위험 물품들을 점검한다. 직원은 환자와 환경을 면밀히 관찰하면서 관심과 통제를 전달한다. 환자가 입원 중 자해하지 않을 것이고, 자해충동이 생기면 직원에게 도움을 요청하겠다는 자살금지 서약서를 작성할 수 있다. 법적 구속력은 없지만, 자살금지 서약은 환자의 자필서명을 통해 해롭고 치명적인 행동을 억제하는 역할을 할 수 있다. 입원환자는 대개 즉시 상태가 호전된다. 입원 시 안전한 환경이 제공되기 때문에, 환자들은 입원 직후 빠르게 자살에 관한 생각을 멈춘다. 구조적이고 안전한 환경을 제공하는 것은 희망과 미래에 대한 낙관적인 태도를 유도할 수 있다. 환자들은 스트레스 상황에서 벗어나 정신건강전문가들과 객관적으로 상호작용하는 기회를 가지기 때문에, 더 명료하게 생각하고 미래의 잠재적 선택에 대한 기회를 인식할 수 있다. 간호사는 환자의 긍정적인 감정과 생각의 주요 원인이 안전한 환경의 유지라는 것을 인식해야 한다. 환자가 입원 중 더 이상 자살사고가 없다고 해도 잦은 관찰과 다른 안전 조치는 계속되어야 한다.

2단계: 지속 관찰(continuous observation)

자살행동의 즉각적이고 심각한 위협을 나타내는 환자에게 적용된다. 자살금지 서약을 거부하는 경우도 이에 해당된다. 일반적으로 관찰이 시작되면 이를 중단하지 말아야 한다. 이 접근법은 인적 자원으로 인해 고비용이 소요되지만, 필요한 통제와 상호작용을 제공한다. 환자를 병동 내에 머무르게 하거나 방문객 및 식사장소의 제한, 욕실 감독과 같은 방법을 병행할 수 있다.

자살을 경험한 환자는 결국 병원에서 지역사회로 이동하게 된다. 치료의 연속성 측면에서 퇴원계획 시 환자와 가족에게 자살 예방조치에 대한 주의 깊은 교육이 이루어져야 한다. 권장되는 **퇴원계획 지침**은 다음과 같다(The Joint Commission, 2007).

- 정신질환마다 회복경로가 다름을 고려하여 적절한 대처방법을 설명한다(예: 우울증의 경우 "기분이 더 나빠질 때도 있고 더 좋아질 때도 있을 거예요. 만약 우울한 생각을 대처하기가 어려워지면 전문가를 찾으세요").
- 가족과 친구들에게 자살 위험의 징후(예: 수면장애, 불안, 초조, 자살 표현과 행동)를 알리도록 한다.
- 환자가 가족과의 접촉을 허용하지 않는 경우에 대하여 문서화한다.
- 필요시 병원에 연락하거나 예약하기 위한 정보를 제공한다.
- 총기류 소지가 확인되면, 환자와 중요한 다른 사람에게 대응지침을 문서화하여 제공한다.
- 투약이 추후 예약 시까지만 일정에 맞게 이루어지도록

처방한다.

- 비상시 이용 가능한 지역사회 자원에 관한 정보를 제공한다.

CRITICAL THINKING QUESTION

5. 입원치료가 환자의 정서적 회복에 대해 미치는 긍정적이거나 부정적인 영향은 무엇인가?

6. 치료적 환경의 종류

1) 집중간호 혹은 급성 정신병동(폐쇄병동)

급성 정신과 병동은 폐쇄된 환경에서 24시간 구조화된 치료, 즉 단기간, 집중치료 중재로 환자에게 신속한 평가와 증상 안정화를 제공한다. 입원 기준은 자신과 타인에 대한 위험, 심각한 장애의 경우이다. 환자들은 자발적 또는 비자발적으로 입원하는데, 질병의 중증도는 간호사들의 철저한 감독과 중재를 필요로 할 정도로 매우 높다. 주호소는 급성이고 심각하거나 지속적인 정신질환, 기질적 뇌증후군, 알코올이나 약물의 해독, 급성의 상황적 및 정서적 고통, 자살 위협 및 시도 등이 있다.

2) 아동-청소년 입원병동

아동-청소년 입원병동에서는 복잡한 정신상태의 만 2~17세 사이의 아동과 청소년들에게 심층적인 정신과적 사정, 안정화 및 단기 집중치료를 제공한다. 이 병동에서 심각한 우울증, 조울증, 충동조절 장애, 공포증 및 기타 불안장애, 조현병 및 기타 정신증적 장애와 섭식장애 등을 치료한다. 치료팀은 영양사, 교육자, 간호사, 작업치료사, 소아정신건강전문가, 의사, 심리학자, 사회복지사, 언어치료사 등 광범위한 다학제간 팀으로 구성되어 있다.

아동-청소년 입원병동의 치료활동과 물리적 환경은 환자의 나이에 적합해야 한다. 환자의 일정은 개인·집단·가족 치료, 정신약리학적 협의 및 학업시간 등을 고려하여 설계되며, 환자가 다른 환자들과 어울려 놀이하는 시간도 포함된다. 행동관리는 일부 아동과 청소년에게는 최우선의

간호과정

조현병(편집형) 진단을 받은 23세 남성이 자살하라는 환청 때문에 정신과 병원에 입원하였다. 환자는 아들의 자해를 막지 못하는 자신의 능력을 속상해 하는 어머니와 살고 있다. 이 환자와 가족을 돕기 위해 어떻게 간호할 것인가?

사정	**문제:** 환청이 그에게 자살하라고 말한다는 것을 인정함, 쉽게 초조해 하고 점점 의심이 많음, 자기 방에서 혼자 있으려고 함, 종교에 몰두해 있음, 논리적, 순차적, 조직적, 일관적임, 입원 중 자살에 대한 계약이 가능하지만 퇴원 후에는 해당되지 않는 점, 약물 남용과 의존을 부정함
진단	자살을 명령하는 환청과 관련된 자기주도적 폭력의 위험성
간호목표	**단기 목표**
날짜: _______	환자는 직원과 자살에 대한 생각을 탐색할 것이다.
날짜: _______	환자는 근무조마다 간호사와 안전 계약을 할 것이다.
날짜: _______	환자는 자살사고를 현재 스트레스원과 연결시킬 것이다.
	장기 목표
날짜: _______	환자는 자살사고의 조절 능력에 대한 자신감을 말할 것이다.
날짜: _______	환자는 추후 개인 및 가족 정신치료에 참여할 것이다.
계획 및 중재	**간호사-환자 관계** • 자살사고의 유무를 평가한다. • 자살의 심각성을 평가하고, 자살사고와 관련된 의도와 계획에 대해 묻는다. • 근무조마다 안전 계약을 맺는다. • 절망감, 무력감, 수치심, 좌절감과 같은 감정을 환자가 치료자와 공유할 수 있도록 한다. • 환자가 자살사고를 현재의 스트레스원과 연결시키도록 돕는다. **약물치료:** Paliperidone(Invega) 매일 아침 12mg 경구투여, 약물복용의 작용과 부작용에 대해 이야기함 **치료적 환경관리:** 병동 내 머물기와 같은 제한을 하면서 지속 관찰을 진행함, 환경 내 위험한 물건들을 제거함, 낮 동안 휴게실에서 다른 환자들과 상호작용하며 지내도록 격려함, 진행되는 치료계획을 환자와 함께 상의함

문제이며, 환자를 비롯한 다른 사람에게 해를 끼치지 않도록 하기 위해서 타임아웃, 단계 프로그램, 기술훈련 집단, 격리 방법 등을 적용한다.

병원에 입원한 아동을 간호하는 데 필수적인 요소는 가족중심의 간호이며, 개인 및 집단 부모교육과 가족사정 및 치료가 포함된다(Regan et al., 2006). 치료는 입원으로 이어진 문제를 해결하고, 환자와 가족이 직원들과 협력하여 공유 목표를 설정하고 치료교육을 세움으로써 입원 아동과 의미있는 시간을 보내는 것에 초점을 맞춘다. 부모의 적극적인 참여는 모든 관리의 측면에서 매우 중요하게 작용하며, 아동을 원래의 집, 학교, 지역사회로 성공적으로 복귀시키는 데 큰 역할을 담당한다.

3) 급성 물질남용 치료센터

물질남용 치료센터는 약물이나 알코올 문제로 도움을 구하는 사람들을 치료하는 곳으로, 해독과 급성 입원환자의 의료 및 정신적 안정화를 담당한다. 치료활동에는 엄격한 환자교육, 민감집단, 직면적 피드백 등이 포함된다.

Clinical example

최OO 님은 37살의 여성으로 20대 초반부터 우울증을 앓아왔고, 현재 우울증을 치료하기 위해 매일 25mg씩 Paxil을 복용한다. 최근 그녀는 경제적으로 무능력한 알코올 중독인 남편으로부터 이혼을 요구받았다. 그녀는 절망에 빠진 채로 Paxil을 과용하고 남편에게 전화하여 응급실에 왔다. 응급실을 통해 정신병동에 입원하게 된 그녀는 여러 형태의 치료를 받게 되었나. 집단치료 동안 그녀는 자신의 감정을 일지에 기록하도록 안내받았다. 오락요법 시 그녀는 기분이 나아질 수 있도록 헬스자전거를 타고, 작업치료사와 함께 도자기를 만드는 활동에도 참여하였다. 사회복지사와 함께 개인치료에 참여하는 동안 그녀는 자신의 행동이 아이들에게 어떻게 영향을 미치는지에 대해 인식하게 되었다. 간호사는 그녀와 함께 협업하여 모든 치료활동을 강화하고 일대일 치료적 상호작용에서 함께 문제가 되는 부분을 식별하기 위해 노력하고 있다.

7. 기타 치료적 환경

1) 내과적 정신병동

내과적 정신병동(medical-psychiatric hospital units)은 내과적 문제를 가진 정신질환 대상자를 위한 병동이다. 이러한 전문 병동은 공존이환 상태를 치료할 수 있는 장비를 갖추고 있으며, 간호사들은 정신질환, 항정신병 약물, 기타 질환과 약물에 대한 지식을 갖추고 있어야 한다. 치료활동의 초점은 정신적·의학적 질환의 특성에 따라 달라진다. 일부 노인 정신과 병동은 노인이 대상일 때 치료해야 하는 의학적 문제가 많기 때문에 내과적 정신병동으로 재분류되었다(Inventor et al., 2005).

Clinical example

박OO 님은 47세의 조울증, 중증의 당뇨, 울혈성 심부전을 앓고 있다. 심한 탈수증으로 응급실에 이송되었을 때 그의 혈당치는 643mg/dL 이었는데, 사정 시 그가 최근 약을 복용하지 않아도 스스로 질환을 치료할 수 있다고 믿기 시작하여 복용을 중단한 것을 알게 되었다. 또한, 거리를 방황하고 패스트푸드 식당에서 사람들에게 설교하는 등의 이상증세를 보였다고 한다. 어제 밤, 패스트푸드점의 매니저는 그가 횡설수설하며 취한 사람처럼 행동하는 것을 발견하여 경찰을 불렀고, 경찰은 그를 지역 응급병동에 데려다 주었다. 먼저 응급실에서 수분을 공급하고 혈당치를 회복시킨 후, 의료진은 그의 의학적인 상태를 면밀하게 관찰하고 동시에 정신적인 치료활동에 참여시키기 위해서 내과적 정신병동에 입원시켰다. 그는 현재 심각한 수준의 다른 환자들(물질남용과 의학적인 문제를 악화시키는 행동을 반복함)과 함께 정신건강교육 집단에 참여하고 있다. 그가 의학적으로 안정되면 다른 치료활동에도 참여하게 될 것이다.

2) 노인 정신병동

노령화가 진행되면서 의학적으로 복잡한 문제를 가진 인구가 증가하고 있다. 노인 정신병동의 환자들은 정신질환을 앓고 있는데다, 하나 이상의 급·만성적인 건강문제도 가지고 있으며, 연령과 관련된 다양한 신체적 변화를 경험하게 된다. 가장 흔하게 발생하는 정신질환은 알츠하이머병, 우울증, 조울증, 불안장애, 섬망, 조현병이다. 또한 노인환자의 경우 고혈압, 신장병, 파킨슨병, 심장질환 및 그 외의 수많은 만성적인 신체 문제와 관련된 합병증이 발현될 위험성이 높다(Inventor et al., 2005).

치료환경에 관한 구체적인 사항은 정신적인 문제가 있고 의학적인 치료가 필요한 노인환자의 개인적인 요구를 고려하여 결정된다. 노인 정신질환 병동의 물리적 구조는 쇠약하며 인지적 손상을 입은 환자의 상태를 염두에 두고 설계되어야 한다. 예를 들어, 이러한 병동에서는 노인환자가 감각과잉 자극에 노출되는 것을 방지하기 위해 불필요한 잡음이 없도록 해야 한다. 또한 수용된 환자 수가 적을수록 환자-환자 또는 환자-직원 사이의 상호작용이 개선될 수 있다(Day et al., 2000; Teresi et al., 2000). 치매가 있는 노인환자들은 혼돈과 지남력 손상 때문에 병원환경에서 길을 찾는 것이 어려울 수 있는데, 이때 다음의 환경적 단서와 같은 중재가 도움이 된다.

- 일상적인 일정의 날짜, 시간, 장소를 적어놓은 대형 게시판
- 명확하게 표시된 이름 또는 그래픽 이미지(예: 화장실, 침실 문에 환자의 이름을 적어둠)
- 방마다 다른 색깔 표시

낙상은 노인 정신병동에서 가장 중요한 문제이다. Inventor 등(2005)은 노인 정신병동에 입원한 노인환자의 22%가 4개 이상의 약물을 함께 복용하기 때문에 약물 상호작용 및 낙상의 위험이 상승한다고 보고했다. 노인환자는 이동성, 균형 및 시력의 손상 가능성이 높기 때문에 조명을 적절하게 설치하고 단순하게 정돈된 방을 제공하여 안전을 도모해야 한다.

시설 설계 및 계획에 대한 연구가 늘어남에 따라, 노인 정신병동에서 환자를 위한 환경을 구성하는 것이 중요하다는 사실이 점차 명확해지고 있다. 이러한 연구들은 자가간호, 불안 및 기분과 같은 변수에 관하여 병동의 환경 설계와 환자의 치료적 개선 수준이 밀접한 관계를 갖고 있음을 증명하였다. 집단치료 시 환자들의 슬픔과 상실과 같은 문제들을 포함할 수 있다. 인지기능이 감소한 환자의 경우 집단치료는 지남력 및 기억력 증진 활동을 좀 더 구조화된 형식으로 포함시킬 수 있다.

CRITICAL THINKING QUESTION

6. 정신질환으로 입원한 환자들이 과거보다 현재 갑자기 급성 증상을 보이는 경향이 있다면 간호에 어떤 영향을 미칠 것인가?
7. 사회가 극악한 범죄를 저지른 환자들의 치료에 재원을 투자해야 하는가? 환자가 교정되었는지 여부는 어떻게 판단할 것인가?

STUDY NOTES

1. 환경치료는 치료적 환경 조성을 통해 정신질환자의 정신건강을 향상시키기 위해 모든 대인관계적 및 환경적 요소를 의미있게 활용하는 것이다.
2. 간호사는 환경 수정을 환자를 돕는 도구로 이용하기 때문에 치료적 환경 조성에 중요한 책임을 맡고 있다.
3. 의료기관 평가위원회는 입원정신병동의 환경치료 효과의 기준을 제시하고 있다. 환자간호와 연결된 안전과 기능적 환경은 환경치료의 주요 우선순위이다.
4. 전통적으로 간호사는 보호관리 간호를 제공했지만, Jones(1953) 등은 정신질환자의 정신건강이 증진되는 환경을 개념화하였다(환경치료).
5. 정신간호사는 5가지 요소(안전, 구조, 규칙, 한계 설정, 균형)에 의해 치료적 환경을 관리한다.
6. 치료적 환경을 조성하고 관리하기 위해서는 정신간호사가 적극적으로 참여해야 한다.
7. 폭력주기는 공격 단계를 예측하게 해준다. 폭력주기에는 촉발, 상승, 위기, 회복 후 해빙 단계가 있다.
8. 언어적·신체적 공격성은 최소한의 제한이라는 원칙을 바탕으로 안전하고 즉각적인 중재를 필요로 한다.
9. 긴장 완화, 약물투여, 물리적 통제, 격리 및 억제는 폭력주기의 증가 및 위기 단계에서 신중하게 사용된다.
10. 격리 및 억제 시 환자는 집중적인 신체적·정서적 간호를 필요로 한다.
11. 자살은 자살사고부터 자살완수까지 이르는 스펙트럼의 복잡한 문제이다.
12. 자살은 대처기전이면서 대처 실패이다.
13. 입원병동에서 자살 위험이 임박한 환자를 확인하는 것은 중요한 임상적 과제이다.
14. 간호사가 자살환자의 감정과 삶의 상황에 대해 개방적이고 수용적인 의사소통을 하는 것이 중요하다.
15. 자살충동에 대한 개방적 표현은 환자가 정서적으로 안전한 간호사-환자 관계 내에서 자신의 문제를 이해하도록 돕는다.
16. 절망, 무의미함, 그리고 통제할 수 없음을 느끼는 것은 자살사고와 관련된 일반적 감정이다.
17. 의사, 간호사, 심리학자, 사회복지사, 성직자, 작업치료사, 오락치료사 등 다양한 정신건강전문가가 정신과적 치료환경에 참여한다.
18. 병동 회의에서는 치료팀과 환자들이 새로운 환자를 환영하고 프로그램 규칙을 검토하며, 당일의 활동에 대해 개괄적인 발표를 할 수 있다.
19. 정신과적 시설에서의 치료활동은 다양한 유형이 있는데, 집단치료, 오락치료, 운동치료, 영성 집단과 정신건강교육 등이 해당된다.
20. 집중간호를 받거나 급성 및 폐쇄 병동에 있는 환자들은 대개 비자발적으로 입원을 하게 되고, 특히 직원들의 세심한 감독과 중재가 필요하다.
21. 아동-청소년 입원병동의 주안점은 치료 프로그램에 부모를 적극적으로 참여할 수 있도록 설계·유도하는 것이다.
22. 일반 내과적 정신병동은 만성적인 내과적 질환을 앓고 있으며 동시에 정신과적 문제가 있는 환자의 요구를 다루는 특수한 정신과적 환경이다.
23. 물질남용 치료센터에서는 환자 자신이 물질남용 문제를 갖고 있다는 사실을 대부분 부정하기 때문에 직면기법을 활용하는 경향이 있다.
24. 물질남용 문제와 정신과적 질환 진단을 함께 받은 환자들에게는 직면 및 지지적인 기법을 균형 있게 활용해야 한다.

〈계속〉

25. 노인 정신병동은 환자의 감각 손상 및 기타 안전요소를 고려하여 물리적 환경을 조정해야 하고, 대상자가 노인이기 때문에 발생하는 특별한 요구를 살펴보아야 한다.
26. 집중적인 치료가 이루어지는 입원환경 외, 그룹 홈, 부분입원 프로그램 및 기타 지역사회 환경에서도 상당한 수준의 정신과적 치료가 제공된다.
27. 환자들이 정신과적 시설에서 퇴원하여 지역사회에서 함께 생활할 수 있도록 하기 위해 사회적 기술, 독립적인 일상생활기술, 재발 · 재입원 예방 교육에 중점을 두어야 한다.

참고문헌 REFERENCES

American Nurses Association. (2003). Nursing's social policy statement. Washington, DC: Author.

Baker, J. A. (2000). Developing psychosocial care for acute psychiatric wards. Journal of Psychiatric and Mental Health Nursing, 7, 95.

Baker, J. A., et al. (2002). The construction and implementation of a psychosocial interventions care pathway within a low secure environment: A pilot study. Journal of Psychiatric and Mental Health Nursing, 9, 737.

Birkmann, J., et al. (2006). A collaborative rehabilitation approach to the improvement of inpatient treatment for persons with a psychiatric disability. Psychiatric Rehabilitation Journal, 29, 157.

Bond, G., & Campbell, K. (2008). Evidence-based practices for individuals with severe mental illness. Journal of Rehabilitation, 74, 33.

Bowring-Lossock, E. (2006). The forensic mental health nurse. A literature review. Journal of Psychiatric and Mental Health Nursing, 13, 780.

Carlen, P., & Bengtsson, A. (2007). Suicidal patients as experienced by psychiatric nurses in inpatient care. International Journal of Mental Health Nursing, 16, 257.

Carlsson, G., et al. (2004). Violent encounters in psychiatric care: A phenomenological study of embodied caring knowledge. Issues in Mental Health Nursing, 25, 191.

Citrome, L., et al. (2008). Integrating state psychiatric hospital treatment and clinical research. Psychiatric Services, 59, 958.

Colom, F., et al. (2004). Psychoeducation in bipolar patients with comorbid personality disorders. Bipolar Disorders, 6, 294.

Copeland, M. (n.d.). The wellness recovery action plan (WRAP). Retrieved on January 12, 2014 from: http://copelandcenter.com/ wellness-recovery-action-plan-wrap.

Cowin, L. S., et al. (2003). De-escalating aggression and violence in the mental health setting. International Journal of Mental Health Nursing, 12, 64.

Curran, S. S. (2007). Staff resistance to restraint reduction: Identifying and overcoming barriers. Journal of Psychosocial Nursing and Mental Health Services, 45, 45.

Cutcliffe, J., & Barker, P. (2002). Considering the care of the suicidal client and the case for 'engagement and inspiring hope' or 'observations.' Journal of Psychiatric and Mental Health Nursing, 9, 611.

Cutcliffe, J., & Links, P. (2008). Whose life is it anyway? An exploration of five contemporary ethical issues that pertain to the psychiatric nursing care of the person who is suicidal: Part two. International Journal of Mental Health Nursing, 17, 246.

Day, K., Carreon, D., & Stump, C. (2000). The therapeutic design of environments for patients with dementia: A review of the empirical research. Gerontologist, 40, 397.

Dickinson, T., & Wright, K. (2008). Stress and burnout in forensic mental health nursing: A literature review. British Journal of Nursing, 17, 82.

Dixon, L., Adams, C., & Lucksted, A. (2000). Update on family psychoeducation for schizophrenia. Schizophrenia Bulletin, 26, 5.

Duxbury, J. (2002). An evaluation of staff and patient views of and strategies employed to manage inpatient aggression and violence on one mental health unit: A pluralistic design. Journal of Psychiatric and Mental Health Nursing, 9, 325.

Edwards, D., et al. (2006). Clinical supervision and burnout: The influence of clinical supervision for community mental health nurses. Journal of Clinical Nursing, 15, 1007.

Gacki-Smith, J., et al. (2009). Violence against nurses working in US emergency departments. The Journal of Nursing Administration, 39, 340.

Goetz, S. B., & Taylor-Trujillo, A. (2012). A change in culture: Violence prevention in an acute behavioral health setting. Journal of the American Psychiatric Nurses Association, 18, 96.

Gullick, K., et al. (2005). Seclusion of children and adolescents: psychopathological and family factors. International Journal of Mental Health Nursing, 14, 37.

Handa, K., et al. (2009). Continuous day treatment programs promote recovery in schizophrenia. A case-based study. Psychiatry, 6, 32.

Hatonen, H., et al. (2008). Mental health: Patients' experiences of patient education during inpatient care. Journal of Clinical Nursing, 17, 752.

Herz, M. I., et al. (2000). A program for relapse prevention in schizophrenia: A controlled study. Archives of General Psychiatry, 57, 277.

Hoekstra, T., Lendemeijer, H., & Jansen, M. (2004). Seclusion: The inside story. Journal of Psychiatric and Mental Health Nursing, 11, 276.

Huckshorn, K. A. (2004). Reducing seclusion and restraint use in mental health settings: Core strategies for prevention. Journal of Psychosocial Nursing and Mental Health Services, 42, 22.

Huckshorn, K. A. (2006). Re-designing state mental health policy to prevent the use of seclusion and restraint. Administration and Policy in Mental Health, 33, 482.

Inventor, B., et al. (2005). The impact of medical issues in inpatient geriatric psychiatry. Issues in Mental Health Nursing, 26, 23.

Janner, M., & Delaney, K. R. (2012). Safety issues on British mental health wards. Journal of the American Psychiatric Nurses Association, 18, 104.

Joint Commission on Accreditation of Healthcare Organizations. (2001). Comprehensive accreditation manual for hospitals. Chicago: JCAHO.

Jones, M. (1953). The therapeutic community. New York: Basic Books.

Keats, P., & Sabharwal, V. (2008). Time-limited service alternatives: Using therapeutic enactment in open group therapy. The Journal for Specialists in Group Work, 33, 297.

Keller, M. B. (2004). Improving the course of illness and promoting continuation of treatment of bipolar disorder. Journal of Clinical Psychiatry, 65(Suppl. 15), 10.

Khadivi, A. N., et al. (2004). Association between seclusion and restraint and patient-related violence. Psychiatric Services (Washington, D.C.), 55, 1311.

Kozob, M. L., & Skidmore, R. (2001a). Seclusion and restraint: Understanding recent changes. Journal of Psychosocial Nursing and Mental Health Services, 39, 25.

Kozob, M. L., & Skidmore, R. (2001b). Least to most restrictive interventions. Journal of Psychosocial Nursing and Mental Health Services, 39, 32.

Lakeman, R., & FitzGerald, M. (2008). How people live with or get over being suicidal: A review of qualitative studies. Journal of Advanced Nursing, 64, 114.

Launer, J. (2007). Moving on from Balint: Embracing clinical supervision. British Journal of General Practice, 57, 182.

Lim, K., Morris, J., & Craik, C. (2007). Inpatients' perspectives of occupational therapy in acute mental health. Australian Occupational Therapy Journal, 54, 22.

Lindsey, P. L. (2009). Psychiatric nurses' decision to restrain. Journal of Psychosocial Nursing and Mental Health Services, 47, 41.

Lynch, M. A., et al. (2008). Assessment and management of hospitalized suicidal patients. Journal of Psychosocial Nursing and Mental Health Services, 46, 45.

Maier, G. J. (1996). Managing threatening behavior: The role of talk up and talk down. Journal of Psychosocial Nursing and Mental Health Services, 34, 25.

Mann, S., & Cowburn, J. (2005). Emotional labour and stress within mental health nursing. Journal of Psychiatric and Mental Health Nursing, 12, 154.

McKinnon, B., & Cross, W. (2008). Occupational violence and assault in mental health nursing: A scoping project for a Victorian Mental Health Service. International Journal of Mental Health Nursing, 17, 19.

McLoughlin, K. A., et al. (2013). Recovery-oriented practices of psychiatric-mental health nursing staff in an acute hospital setting. Journal of the American Psychiatric Nurses Association, 19, 1.

Milne, D. (2007). An empirical definition of clinical supervision. British Journal of Clinical Psychology, 46, 437.

Minkoff, K. (2001). Best practices. Developing standards of care for individuals with co-occurring psychiatric and substance use disorders. Psychiatric Services, 52, 597.

Motlova, L. (2000). Psychoeducation as an indispensable complement to pharmacotherapy in schizophrenia. Pharmacopsychiatry, 33(Suppl. 1), 47.

Norton, K. (2004). Re-thinking acute psychiatric inpatient care. The International Journal of Social Psychiatry, 50, 274.

O'Donovan, A. (2007). Patient-centred care in acute psychiatric admission units: Reality or rhetoric? Journal of Psychiatric and Mental Health Nursing, 14, 542.

Paterson, B., et al. (2008). Managing the risk of suicide in acute psychiatric inpatients: A clinical judgment analysis

of staff predictions of imminent suicide risk. Journal of Mental Health, 17, 410.
Pearlman, L., & Mac Ian, P. (1995). Vicarious traumatization: An empirical study of the effects of trauma work on trauma therapists. Professional Psychology, Research and Practice, 26, 558.
Pekkala, E., & Merinder, L. (2000). Psychoeducation for schizophrenia. Cochrane Database of Systematic Reviews, (4), CD002831.
Pratt, R., et al. (2013). Experience of wellness recovery action planning in self-help and mutual support groups for people with lived experience of mental health difficulties. The Scientific World Journal. Retrieved January 12, 2014 from, http:dx.doi.org/10.1155/2013/180587.
Pray, M., & Watson, L. (2008). Effectiveness of day treatment for dual diagnosis patients with severe chronic mental illness. Journal of Addictions Nursing, 19, 141.
Poster, E. C. (1996). A multinational study of psychiatric nursing staffs' beliefs and concerns about work safety and patient assault. Archives of Psychiatric Nursing, 10, 365.
Rask, M., & Brunt, D. (2007). Verbal and social interactions in the nurse-patient relationship in forensic psychiatric nursing care. A model and its philosophical and theoretical foundation. Nursing Inquiry, 14, 169.
Regan, K., Curtin, C., & Vorderer, L. (2006). Paradigm shifts in inpatient psychiatric care of children. Approaching child- and family-centered care. Journal of Child and Adolescent Psychiatric Nursing, 19, 29.
Richards, P., Hardman, R., & Berrett, M. (2007). Spiritual approaches in the treatment of women with eating disorders. Washington, DC: American Psychological Association.
Richter, D., & Berger, K. (2006). Post-traumatic stress disorder following patient assaults among staff members of mental health hospitals: A prospective longitudinal study. BMC Psychiatry, 6, 15.
Robinson, J., Clements, K., & Lands, C. (2003). Stress among psychiatric nurses: Prevalence, distribution, correlates, and predictors. Journal of Psychosocial Nursing and Mental Health Services, 41, 33.
SAMHSA. (2006). National consensus statement on mental health recovery. http://www.samhsa.gov/samhsa_news/volumexiv_2/article4.htm, Accessed 27.10.12.
Sajatovic, M., Davies, M., & Hrouda, D. R. (2004). Enhancement of treatment adherence among patients with bipolar disorder. Psychiatric Services, 55, 264.
Salzer, M., Kaplan, K., & Atay, J. (2006). State psychiatric hospital census after the 1999 Olmstead decision. Evidence of decelerating deinstitutionalization. Psychiatric Services, 57, 1501.
Schimmel-Spreeuw, A., Linssen, A. C., & Heeren, T. J. (2000). Coping with depression and anxiety: Preliminary results of a standardized course for elderly depressed women. International Psychogeriatrics/IPA, 12, 77.
Schreiber, R., & Lutzen, K. (2000). Revisiting nursing in a nontherapeutic environment. Issues in Mental Health Nursing, 21, 257.
Shneidman, E. (1996). The suicidal mind. Oxford: Oxford University Press.
Simms, J., et al. (2007). Correlates of self-harm behavior in acutely ill patients with schizophrenia. Psychology and Psychotherapy, 80, 39.
Smith, M., Specht, J., & Buckwalter, K. (2005). Geropsychiatric inpatient care: What is the state of the art? Issues in Mental Health Nursing, 26, 11.
Smith, P. (1981). Empirically based models for viewing the dynamics of violence. In K. Babich (Ed.), Assessing patient violence in the health care setting. Boulder, CO: Western Interstate Commission for Higher Education.
Stevenson, S. (1991). Heading off violence with verbal deescalation. Journal of Psychosocial Nursing and Mental Health Services, 29, 6.
Taylor, K., et al. (2012). Characteristics of patients with histories of multiple seclusion and restraint events during a single psychiatric hospitalization. Journal of the American Psychiatric Nurses Association, 18, 160.
Teresi, J., Holmes, D., & Ory, M. (2000). The therapeutic design of environments for people with dementia: Further reflections and recent findings from the National Institute on Aging Collaborative Studies of Dementia special care units. Gerontologist, 40, 417.
The Joint Commission, (2007). A resource guide for implementing the Joint Commission on Accreditation of Healthcare Organizations (JCAHO) 2007 patient safety goals in suicide. http://www.naphs.org/Teleconference/documents/ResourceGuide_JCAHOSafetyGoals2007_final.pdf, Accessed 01.10.09.
Thomas, R. B., & Wilson, J. P. (2004). Issues and controversies in the understanding and diagnosis of compassion fatigue, vicarious traumatization, and secondary traumatic stress disorder. International Journal of Emergency Mental Health, 6, 81.
Thomas, S., Martin, T., & Shattell, M. (2005, February 3). Longing to make a difference: Nurses' experience of the acute psychiatric inpatient environment. Presented at the 19th Annual Convention of the Southern Nursing Research Society, Atlanta, GA.
Timko, C., et al. (2006). Dual disgnosis patients in

community or hospital care: One year outcomes and health care utilization and costs. Journal of Mental Health, 15, 163.

Yanos, P., et al. (2009). Partial hospitalization. Compatible with evidence-based and recovery-oriented treatment? Journal of Psychosocial Nursing and Mental Health Services, 47, 41.

Young, A., et al. (2005). Use of a consumer-led intervention to improve provider competencies. Psychiatric Services, 56, 967.

CHAPTER

14

지역사회 정신건강간호

Community Mental Health Nursing

evolve WEBSITE

http://evolve.elsevier.com/Keltner

학습목표

- 지역사회 정신건강간호의 개념을 설명한다.
- 지역사회 정신건강간호의 역사적 배경을 설명한다.
- 국내 정신보건의 현황을 설명한다.
- 지역사회 정신건강간호의 1, 2, 3차 예방 간호중재를 설명한다.
- 지역사회 정신건강간호의 요구를 사정한다.
- 지역사회 정신건강간호의 역할을 이해하고 설명한다.
- 정신사회재활의 필요성을 인식하고 설명한다.
- 지역사회 자원을 활용한 정신건강 관련 서비스를 설명한다.

1. 지역사회 정신건강간호의 개념

지역사회 정신건강간호는 지역사회 주민의 정신질환 발생을 예방하고 정신건강의 향상을 위해 행해지는 지역사회 기반의 모든 간호활동을 의미한다. 이러한 활동은 정신장애인뿐만 아니라 지역사회 전체 주민을 대상으로 정신건강 증진, 정신질환 발생의 예방과 조기발견, 정신장애인의 지역사회복귀 촉진 및 재활을 위한 통합적이고 지속적인 체계적 접근을 의미한다.

2. 지역사회 정신건강간호의 역사적 배경

미국 내 지역사회 정신건강운동은 1940년대부터 추진되었다. 국가정신건강법(National Mental Health Act)이 1946년에 실행되면서 주정부를 비롯한 정신병원에 지원이 시작되었고 종합병원 내 외래 진료소가 개소되었다. 1949년 국립정신건강연구소(National Institute of Mental Health, NIMH)가 설립되어 미국 정신건강 정책에의 대한 연구와 사업을 시작하였으며, 이후 1955년 정신질환 평가위원회를 설립하고, 1961년 정신장애인을 위한 치료법, 돌봄제공자들을 위한 교육, 정신질환에 대한 교육과 연구 등을 담은 'Action for Mental Health' 보고서를 발표하였다. 이 보고서를 계기로 1963년 지역사회 정신건강센터 건설법(Community Mental Health Centers Construction Act; 지역사회 정신건강센터법이라고도 함)이 제정되었다. 이 법으로 인하여 지역사회 내에서 정신장애인 관리를 위해 종합적인 역할을 하는 지역사회 정신건강센터들을 만들었으며, 이로부터 '탈원화(deinstitutionalization)' 운동이 시작되었다.

이러한 변화는 1952년 항정신병 약물인 클로르프로마진(chlorpromazine)의 발명으로 심각한 정신질환의 증상이 완화된 것과 인도주의적 치료의 개념이 확산되면서 시설에서 비인간적인 치료를 받던 장기수용된 정신장애인에게 인간의 존엄성을 유지할 수 있는 환경이 강조되면서 비롯되었다.

3. 국내 정신보건 현황

우리나라의 경우 1980년대 초반까지도 정신장애인 치료를 위한 시설이 부족했고, 정신장애인의 돌봄을 전적으로 가족이 담당해왔다. 장기화된 환자의 치료비를 담당해오기 어려워 점차 인허가를 받지 않은 시설들이 난무하였고, 이는 의료의 사각지대에서 비인간적인 치료행위로 이어졌다.

이러한 어려운 환경에서도 1970년대 초 가톨릭 병원에 낮병원이 처음으로 개소되었고, 1974년 광주 성 요한병원에서 가톨릭단체에 의해 정신보건서비스 모형을 도입하기 시작하였다. 1995년 정신보건법이 최초로 제정되어 1996년 12월부터 시행되면서, 지방자치단체들이 시행하는 지역사회 정신건강운동이 전국적으로 확산되기 시작했다. 정신보건법은 정신질환의 예방과 정신장애인의 치료 및 사회복귀에 관하여 필요한 사항을 규정함으로써 국민의 정신건강에 이바지함을 목적으로 하고 있다(정신보건법 제1조). 즉, 모든 정신장애인은 인간으로서 존엄과 가치를 보장받고, 최적의 치료를 받을 권리가 있으며, 정신질환이 있다는 이유로 부당한 차별 대우를 받지 않는다는 것을 기본 개념으로 정하고 있다(정신보건법 제2조). 정신보건법 제정은 국가가 주체가 되어 입원중심의 정신보건 정책에서 지역사회 중심, 사회복귀와 재활 위주의 정책으로 변화하는 전기가 마련되었다는 점에서 의의가 있다. 1997년 보건복지부에 정신보건과가 설립되었다. 정신보건법은 17차례의 개정을 거쳐 2016년 5월 '정신건강증진 및 정신질환자 복지서비스 지원에 관한 법률'로 명칭이 전면 개정되어 2017년 5월부터 시행되고 있다. 개정의 핵심은 비자발적 입원 절차를 엄격하게 하는 것을 골자로 하고 있다. 법률에서는 정신건강 분야에 관한 전문지식과 기술을 갖춘 정신건강전문요원의 자격 등도 다루고 있는데, 그 전문분야에 따라 정신건강간호사, 정신건강임상심리사, 정신건강사회복지사로 구분한다.

현재 우리나라 지역사회 정신건강사업은 민·관·학의 협력관계로 이루어져 여러 기관이 협력할 수 있도록 하고 있다. 국민의 정신건강 문제 해결을 통해 개인 삶의 가치를 향상시키고 사회적 비용을 절감하여 국가 경쟁력을 확보하고자 하는 비전을 가지고 크게 4가지 기본 추진방향을 설정하고 있다. 4가지 기본 추진방향은 첫째, 정신질환에 대한 인식 개선과 정신건강증진시설에 대한 접근성을 강화하여 정신질환에 대한 편견을 해소하고 우호적인 환경을 조성하는 것, 둘째, 정신질환을 조기 발견하고 정신건강복지센터의 기능을 강화하여 다양한 대상군에 대한 정신질환의 예방과 건강을 증진하는 것, 셋째, 사회복귀 및 직업재활 프로그램

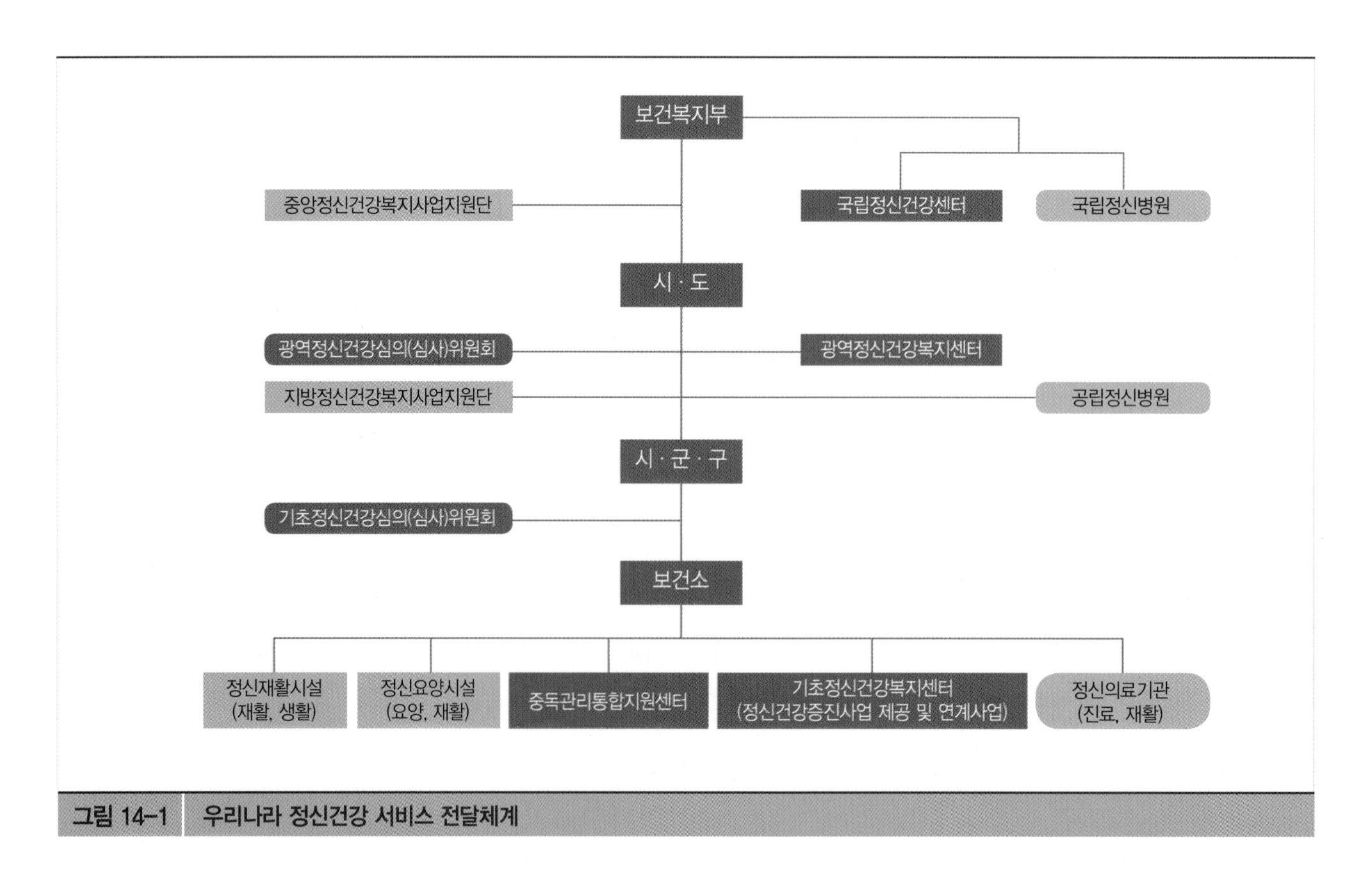

그림 14-1 우리나라 정신건강 서비스 전달체계

확충과 알코올, 인터넷, 도박 등의 중독에 대한 치료와 상담기반 구축, 전문인력 양성, 인권교육 강화를 통해 중증 정신질환 치료수준을 향상시키고 재활체계를 구축하는 것, 넷째, 자살 고위험군에 대한 관리와 자살 관련 유해정보 차단 및 보도방식 개선을 통한 자살예방 조기 개입체계 구축을 포함하고 있다. 이를 위하여 국가정신보건사업 체계를 설정하여 이에 따라 정신보건사업이 운영되어 오고 있다(그림 14-1).

우리나라의 정신보건사업은 위와 같은 시스템을 기반으로 하여 자살예방, 중증정신질환자 관리, 아동청소년 정신건강, 정신건강증진사업, 중독관리 사업 등으로 세분화되어 실시되고 있다. 정신질환 치료를 위한 정신의료기관은 2019년 국공립 54개소, 민간 1,774개소가 있다. 정신장애인의 사회복귀촉진을 위한 정신재활시설은 1986년 태화복지관 '샘솟는 집'을 시작으로 2019년 345개소가 설치 · 운영되고 있다. 또한 정신건강복지센터 255개소, 정신요양시설 59개소, 중독관리센터 50개소가 설치되어 총 2,537개 기관이 운영되고 있다(보건복지부, 2020).

4. 정신보건의 예방

지역사회에서의 1차 예방과 2차 예방, 3차 예방에 대해 알아보고자 한다. 지역사회 정신보건은 질병의 예방과 지역사회의 건강증진에 중요성을 두고 있다. 캐플란(Gerald Caplan, 1964)은 정신질환 및 정서장애와 관련된 예방수준을 기술하였다. 이 개념들은 정신건강간호와 관련이 있을 뿐만 아니라, 의료 및 간호 분야의 지역사회 보건사업을 안내하는 원칙으로서 널리 적용되었다. 지역사회 정신건강간호사는 지역사회의 정신건강을 유지하고 확인하기 위한 예방단계를 활용해야 한다.

1) 1차 예방

1차 예방은 사람들 중에서 정신장애의 발생률을 감소시키는 것을 목표로 하는 서비스로서 건강증진과 질병예방 두 개념으로 구성된다. 건강증진은 건강한 사람들의 안녕과 지역사회의 안녕을 유지하는 데 목적이 있다. 질병예방은 잠재적인 위험에 대한 보호에 중점을 두며, 위험한 건강위협의 결과로부터 가능한 한 사람들을 보호하는 것이다.

지역사회 내의 1차 예방은 위기를 야기하는 스트레스성 일상생활 사건을 확인하고 위험도가 높은 집단을 표적으로 분류하여 유해한 결과를 예방하거나 최소화하기 위해 위험도가 높은 집단에 개입하는 것이다. 예방뿐만 아니라 정신건강 증진을 위한 고위험군에 대해서도 관심을 가져야 한다.

1차 예방 활동은 정신건강을 유지 및 증진시키고 정신질환을 예방하는 데 필요한 지속적 · 포괄적 서비스이며, 정신적 · 일반적 건강문제를 위한 관리와 의뢰를 포함한다. 정신건강간호사의 역할은 부모 · 자녀 애착 증진, 연령에 알맞은 사회적 기술 개발, 정신건강 원리 및 성교육과 같은 정신건강 교육, 정신건강에 영향을 미치는 환경적 · 사회적 환경의 변화, 정신건강과 관련된 지역사회 활동에 적극적으로 참여하는 등 건강증진을 위해 노력해야 하고 안녕 상태를 유지 · 증진하도록 해야 한다.

2) 2차 예방

지역사회 정신건강사업에서 2차 예방 활동은 정신질환의 증상을 경험하고 있는 개인들에 대한 조기 발견 및 신속한 개입과 관련되어 있으며, 정신건강 문제를 조기에 확인하고 정신질환의 유병 기간을 감소시키는 중재에 초점을 둔다. 조기진단과 적절한 치료 및 불능을 예방하는 것을 포함한다.

정신건강간호사는 학교나 지역사회에 있는 사람들을 대상으로 정신질환 여부를 확인하는 사전조사를 통해 치료를 받을 수 있도록 대상자를 의뢰하고 위기중재를 수행한다. 구체적으로 2차 예방활동에는 정신건강 검진과 평가서비스, 입원 전이나 치료서비스를 위한 가정방문, 일반병원에서의 응급치료 및 정신과적 서비스, 치료적 환경의 조성, 투약 및 감독, 자살상담 서비스, 위기중재, 개인 · 가족 및 연령별 집단에 대한 정신치료, 확인된 문제에 기초를 두고 지역사회 및 기관에 대한 중재활동 등이 있다.

3) 3차 예방

3차 예방은 예방 활동의 마지막 단계로 재활과 정신건강 문제를 최소화하는 데 중점을 둔다. 정신건강간호사는 정신장애인들을 대상으로 질병 때문에 불편, 불구 등 장애로 겪을 수 있는 고통을 감소시킬 수 있도록 재활을 돕는다. 사회기술 훈련, 직업재활, 약물·증상관리 교육, 대인관계 기술 훈련, 자조그룹, 아동과 가족에 대한 체계적 간호, 충분한 주거시설과 독립적인 생활서비스 등이 있다.

5. 지역사회 정신건강 요구 사정

지역사회 정신건강간호사는 대상자가 지역사회에 적응하며 지낼 수 있게 하는 효과적인 중재를 계획하고 적용하기 위하여, 지역사회에 거주하면서 요구에 대처하는 대상자의 능력에 대해 전반적으로 이해해야 한다.

1) 지역사회 정신간호 요구 측정

지역사회 정신간호 요구 측정의 목적은 지역사회 정신간호 요구와 자원을 사정하는 것이다. 1차 자료와 2차 자료를 활용하여 측정할 수 있다. 이를 통해 얻어진 정보는 프로그램 계획 및 수행의 우선순위를 결정하는 데 활용할 수 있다.

(1) 1차 자료

① 대상자 조사

대상자 조사는 지역주민을 대상으로 질문지나 면담계획표를 작성하는 것으로, 질문지의 문항은 대상자의 요구를 파악할 수 있는 내용으로 구성된다. 자료 수집을 위해서 개인면담, 전화면담, 메일 등을 이용한 설문지 작성 방법을 사용할 수 있다. 간호사정의 주요 요소에는 건강상태와 치료, 결혼상태, 정신의학적 진단(DSM-5), 정신 증상, 의사소통기술, 지지체계 이용 가능성, 지지를 받아들이는 대상자의 의지, 지역사회 자원 이용 가능성과 자원을 독립적으로 또는 도움을 받으며 이용하려는 대상자의 능력, 치료를 받고 처방된 약물을 구입할 경제적 능력, 안전한 주거 능력, 구조화된 활동의 이용 가능성과 활동에의 참여, 음식을 구입하고 준비할 능력 등이 포함된다.

② 지역사회 모임 이용

지역의 공공모임에 참여한 지역사회 주민으로부터 직접 자료를 얻는 것으로, 모임의 목표에 기초하여 질문지를 구성한다. 지역사회 모임을 이용한 자료수집 방법의 장점은 비용을 줄일 수 있고 비교적 간단하다는 점이다. 그러나 지역사회 모임에 참석하는 사람들이 전체 주민을 대표하지 못하므로 일반화에 제한이 있다.

(2) 2차 자료

① 이환율

이환율은 일정 기간 관찰한 인구수에 대한 환자 수를 나타내는 지표를 말한다. 지역사회 정신장애인의 수를 파악하기 위해 지역사회 내에서 치료 중인 환자 수를 확인하는 것은 쉽게 자료를 얻을 수 있어 효율적이다. 그러나 정신건강 문제를 가지고 있음에도 불구하고 치료를 받지 않고 있는 사람들이 제외되거나 여러 기관에서 서비스를 받고 있는 사람들의 경우 중복될 수 있다는 단점이 있다. 또한 지역주민을 대상으로 무작위 표본을 추출하여 정신장애 설문지를 배부하여 조사하는 방법의 경우 광범위하게 이환율을 조사 할 수 있는 반면, 정신장애에 대한 정의가 각기 다르고 시간과 비용이 많이 들며 응답률이 낮아 일반화의 어려움이 있다.

② 사회적 지표

소득수준, 취업률, 범죄율, 사망률, 이환율 및 특정 지역사회 내의 인구 밀집도와 같은 자료를 분석하는 것이다.

③ 2차적 정보원

지역사회 정신간호 요구와 자원에 대해 파악할 수 있는 위치의 사람을 말한다. 즉, 지역사회 의사, 간호사, 심리학자, 사회사업가, 지역사회 관련 업무 종사자를 통해 지역사회 정신간호 요구를 파악할 수 있다.

위와 같이 확인된 지역사회 정신건강 요구도를 근거로 취약계층 선정, 중증정신질환자의 사회복귀와 재활을 위한 관리 및 지원, 고위험군의 조기 발견 등의 지역사회 정신건강사업이 이루어진다. 이 중에는 아동·청소년 정신보건사업 우선의 원칙으로 하며, 지역별 지역사회의 요구와 전문가 합의 등의 합리적 기획과정을 거쳐 세부사업 우선순위를 결정한다.

6. 정신사회적 재활

1) 정신사회적 재활의 정의

정신사회적 재활은 정신건강의 3차 예방 활동으로서 대상자가 최상의 가능한 수준으로 회복할 수 있도록 돕는 과정이다. 만성 정신질환이 있는 대상자의 강점과 약점을 평가하고 지역사회에서 최적의 기능을 하며 살아갈 수 있도록 돕는 서비스로, 개인의 능력을 최대한 개발하는 것과 사회기술 및 환경적 지지자원의 개발에 초점을 둔다. 정신사회적 재활의 목표는 정신질환 때문에 무능해진 개인을 독립적으로 생활하도록 하고 장애를 극복하며, 가능한 상위 수준의 안녕을 유지하고 회복하기 위해 생활양식을 이행하도록 교육하는 것이다.

2) 정신사회적 재활의 특성

- 잠재력: 모든 대상자들은 변화하고 발전할 수 있는 잠재능력을 가지고 있다.
- 개별화: 한 집단이 아닌 한 개인을 대상으로 하며, 각 개인마다 자신의 능력을 최대한 개발할 수 있도록 한다. 또한 병리학적인 것보다 대상자 개인의 능력을 강조한다.
- 환경: 서비스는 가능한 한 일상적인 환경(정상적인 환경)에서 제공되어야 한다. 또한 전문적이고 권위적인 방어나 장애요인이 없는 친밀한 환경에서 제공된다.
- 수제성: 대상자는 의사결성을 할 수 있는 권리와 그에 따른 책임을 가지고 있다.
- 적응성: 각 개인은 주위환경에 적응할 수 있는 능력을 개발하거나 환경을 각 개인의 능력에 맞도록 변화시킬 수 있다.
- 대인관계: 다른 사람과의 의사소통 과정은 변화를 일으키는 데 필수적이다.
- 현재성: 과거의 문제보다 현재의 문제(지금 그리고 여기, here and now)에 초점을 둔다.
- 의학적 건강관리 모델보다 사회적 건강관리 모델을 더 강조한다.
- 대상자와 가족이 재활의 주체가 된다.

3) 정신사회적 재활의 간호과정

(1) 사정

① 개인

정신사회적 재활에서 개인에 대한 사정은 정신건강간호사가 대상자를 처음 만났을 때부터 시작된다. 이는 대상자가 가능한 최대의 기능수준으로 회복할 수 있도록 도와줄 수 있는 정보를 찾는 것이다. 간호사는 개인의 정신건강에 방해되는 스트레스원, 자신의 경험에 대한 지각, 의미 있는 생활의 변화 등에 대한 개인의 반응을 확인해야 한다. 또한 대상자의 강점을 인식하고 강화시켜 주어야 한다. 간호사는 대상자를 사정할 때 다음 사항을 확인한다.

일상생활활동: 대상자들은 독립적인 생활을 위한 필수적인 기술로 가사나 장보기, 음식 준비, 금전관리, 개인위생, 대중교통 이용하기 등의 일상생활기술이 저하되어 있는 경우가 많다.

대인관계: 중증정신질환자는 무감동, 위축된 행동으로 대인관계 형성이 어려워 사회적으로 고립되어 생활하는 경향이 있다. 이는 일차적 증상과 연관되어 있으며 친밀한 관계 형성을 어렵게 한다.

자존감: 취업 상태, 독립적인 생활, 결혼생활 등을 유지할 능력이 부족한 것은 낮은 자존감의 원인이 되며, 자신의 질병이 성격적인 결함이라고 생각할 때 자존감은 더욱 낮아진다.

동기유발: 대상자들은 실패에 대한 두려움, 에너지 부족, 질병 및 약물의 영향에 의해 동기유발의 현저한 저하를 보인다.

대상자의 강점: 재활은 강점을 활용하여 잠재력을 개발하고 질병을 조절하도록 돕는다. 대상자의 취미 및 여가활동, 직업, 학력, 자가간호 능력, 특별한 흥미와 재능, 긍정적인 대인관계 능력 등이 포함된다.

불이행: 자신의 질병에 대해 부정적이거나 약물에 대한 지식부족 등은 약물투여 중단을 가져올 수 있다. 대상자가 약물 부작용에 대한 거부감과 불편감에 대해 담당의사에게 표현하고 문제가 해결될 수 있도록 자기주장 훈련을 제공할 수 있다.

사회생활기술: 중증정신질환자를 사정하기 위해서는 지역사회에서 성공적으로 기능하도록 학습·직장 생활에 필요한 신체적·정서적·지적 사회기술을 분석하는 과정이

필요하다.

② 가족

간호사는 대상자가 치료를 잘 이행할 수 있도록 지지적 동반자로서 가족을 참여시킨다. 간호사는 치료계획에 맞추어 가족과 주기적으로 만나게 된다.

가족 사정 요소

발달단계, 역할, 책임, 규범, 가치, 정신질환이 있는 구성원에 대한 가족의 태도, 가족의 정서적 분위기, 가족이 이용할 수 있는 사회적 지지, 정신보건서비스와 관련된 가족의 과거 경험, 대상자의 문제에 대한 가족의 이해 등을 사정한다.

가족의 부담감

가족구성원 중에 만성 정신질환 대상자가 있는 경우 가족의 역할과 기능에 변화가 생기고, 가정의 일상적인 평형 상태가 깨지며, 긴장과 불안을 초래하여 가족구성원 전체에 영향을 미친다. 가족의 부담감으로는 대상자의 행동, 역할수행, 가족의 역반응, 지지요구, 재정적인 부담감이 있다. 가족 부담감이 높은 경우 비통, 분노, 죄책감, 무력감, 두려움이 대표적인 정서이다.

사회적 지지에 대한 요구

가족들의 사회적 지지에 대한 요구는 피드백, 정서적·정보적·수단적 지지 등이 포함된다.

③ 지역사회

지역사회에 대한 사정은 지역사회의 참여를 유도하기 위한 과정이다. 간호사는 지역 내 다양한 자원을 파악하고 가용한 자원을 활용하게 된다. 정신건강간호사는 재활을 성공적으로 이끌기 위해 지역사회 관련 기관과 협력적인 관계를 유지해야 한다.

(2) 간호계획과 수행

① 개인

재활을 위한 정신간호에서 계획과 중재는 개인의 강점을 최대화하여 독립성을 기르는 데 중점을 둔다. 기본적인 일상생활 기능이 떨어져 있는 급성기 대상자의 경우는 기본적인 생활기능을 제공해야만 하나, 대상자의 질병이 호전되어 의존성이 감소되면 남아있는 기능장애를 극복하는 방안을 모색하기 위해 간호사와 대상자가 함께 노력해야 한다.

강점과 잠재력 개발

대상자의 강점과 잠재력을 개발하는 간호수행은 대상자의 독립적인 생활기술과 대인관계, 긍정적인 대응자원을 개발함으로써 대상자의 욕구 충족을 도와 대상자의 자아개념을 변화시키고 자존감을 증진시키는 것이다.

사회기술 훈련

인지행동기술을 이용한 사회기술 훈련은 가장 효과적인 정신사회 재활프로그램 중 하나로 지역사회에서 다른 사람들과 함께 관계를 형성하고 효과적으로 상호작용하며 사회적인 상황에서 적절히 행동하는 데 필요한 기술을 습득하도록 돕는다. 이를 위해 동영상, 역할연기, 연습, 실전 문제를 중심으로 한 과제 활동으로 진행된다.

정신건강 교육

대상자와 가족을 대상으로 증상과 징후, 질병의 경과, 가능한 원인, 생활양식 변화의 적용, 치료 선택, 약물의 효과와 부작용, 치료적 전략, 적절한 대응방법, 치료이행에 관한 문제, 재발의 조기 경고증상, 기대되는 치료결과 등이 포함된다.

환경적 지지

환경적 지지 프로그램은 정신건강복지센터나 사회복귀시설을 통해 제공되는 주거서비스, 직업교육, 위기중재, 현장출동, 사례관리 등이 있다. 이러한 서비스 제공은 장기 입원생활을 한 대상자들이 지역사회에 성공적으로 정착할 수 있도록 돕는다.

a. 낮병원

주로 병원에 부속되어 있으며, 대상자는 집에서 통근하면서 신체적·정신적·심리사회적 치료와 사회복귀를 위한 서비스를 받는다.

b. 주거 서비스

퇴원은 하지만 독립적인 생활이 불가능한 대상자 또는 보호자가 없거나 돌보기를 거부할 경우에 이용할 수 있는 시설로, 안전하고 인간적으로 생활할 수 있으며 치료 기능도 갖고 있다. 주거시설은 주거기간, 정신과 관련 인력의 감독 수준, 거주자의 생활에 대한 지지 정도에 따라 장기 주거시설과 임시 주거시설로 나눌 수 있다. 임시 주거시설로는 그룹홈, 지역사회전환시설(단기사회복귀시설), 공동주거센터 등이 있다.

그룹홈(group home; 집단가정)은 전문적이며 비임상적인 직원들이 언제나 가정과 비슷한 시설 내에서 전문화된 서비스들을 제공하는 구조화된 서비스 프로그램으로, 24시간 동안 감독을 받는다. 보통 6~12인으로 구성된 규모로, 대상은 독립적인 생활이 어려운 아동, 청소년, 또는 적절한 심리적 요구사항을 가진 성인들이다. 그룹홈의 목적은 신체적·감정적·심리적으로 안전한 환경을 제공하는 것이다. 그룹홈 내의 규칙을 준수해야 하며 지역사회에서 살아가는 데 필요한 기술을 배운다.

중간거주시설(halfway house)은 거주지 제공과 사례관리를 받을 수 있는 곳으로, 단기 재활프로그램 실시 후 퇴소(3~6개월)하는 기관이다. 집단가정보다는 덜 구속적이며 지역사회에서 필요한 기술을 더 배우게 된다. 치료팀의 보호관찰 아래 대상자는 대인관계 기술, 자기통제 기술 등을 배운다.

중간치료소에서 진행되는 주간치료프로그램은 지역사회 환경에서 환자 안정화, 재활 및 회복에 초점을 맞춘다. 이 프로그램은 현재의 기능수준을 유지하거나 향상시키며, 공동체 생활을 유지할 수 있도록 돕고, 환자의 대인관계와 관련된 강점을 탐색하고 향상시켜 자기인식(self-awareness)을 강화한다.

c. 사례관리

사례관리(case management)란 정신장애인에게 원하는 서비스를 통합하고, 효과적이며 효율적으로 제공받을 수 있도록 보장하는 과정 또는 방법이다. 의료진 중심 체계의 목표에 따라 움직이는 것이 아닌 대상자의 목표에 따라 움직인다.

사례관리의 목표는 현재 분리되어 있는 정신건강관리 체계를 통합하고, 대상자들이 자신의 건강관리 문제를 결정할 때 적극적으로 참여하도록 하는 것이다. 또한 정신장애인이나 그들의 가족의 이익을 옹호하며, 대상자의 설정된 건강관리 목표에 따른 신체적·정신적 성과를 성취하는 것이다.

장기간에 걸쳐 서비스가 제공되며 복잡하고 다양한 문제해결을 위해 필요한 서비스를 지속적으로 제공한다(서비스의 지속성). 개인의 다양한 욕구가 충족될 수 있도록 지역사회 기반의 서비스를 제공하며(서비스의 포괄성), 복잡하고 분리되어 있는 서비스 전달체계를 연결한다(서비스의 연계성). 대상자 개개인의 고유한 문제해결을 위해 적절한 서비스를 제공하게 되며(서비스의 개별성), 대상자의 자기결정권, 개인에 대한 존중, 상호 간의 자기결정에 관한 책임을 지닌다(서비스의 책임성).

주요 활동으로 만성 정신장애인 방문, 상담, 전화관리, 치료 중단이나 방치된 환자의 의료기관 연계, 사회복귀 프로그램 제공, 약물 및 증상관리, 가족교육과 지지모임, 위기 개입 및 중재, 정신건강 증진을 위한 교육 및 상담, 활용 가능한 지역사회 자원개발 등이 포함된다.

사례관리자는 대상자 욕구의 포괄적인 평가, 대상자에게 개별화된 서비스 제공, 서비스가 적절하게 제공되는지 확인, 서비스 질 모니터링, 장기적으로 융통성 있는 지지 제공의 역할을 한다.

재활 프로그램

정신사회적 재활 프로그램은 독립적으로 생활하는 데 필요한 기술과 자원이 부족한 퇴원 대상자들을 위해 개발되었다. 주간재활 프로그램에서 제공하는 것들은 다음과 같다.

a. 일상생활기술 훈련

의복관리, 청결관리, 간단한 요리 등 일상생활의 기본적인 기술을 훈련함으로써 독립적인 생활을 할 수 있도록 돕는다.

b. 약물 및 증상관리 교육

대상자 스스로 자신의 질병을 이해하고 자기 스스로 돌볼 수 있는 실제적 방법을 제시함으로써 치료에 적극적인 태도를 갖게 돕는다.

c. 사회기술 훈련

자기표현 훈련, 대인관계 훈련, 스트레스 대처법, 분노조절 훈련 등 사회 적응에 필요한 적절한 기술 등을 학습하고, 구체적인 상황에서 활용하도록 배움으로써 대상자들이 사회구성원으로서 살아갈 수 있도록 다양한 기술을 훈련한다.

d. 여가활동 훈련

일상의 여가시간을 효과적으로 활용할 수 있는 활동 프로그램으로 구성한다. 노래방, 탁구장, 볼링장 이용하기, 영화감상, 꽃꽂이 등이 정서함양과 스트레스 감소, 그리고 대처능력 개발에 유용한 활동들이다.

직업 재활서비스

만성 정신장애인에게 일할 수 있는 능력은 재활이 가능한가를 알려주는 중요한 지표이다. 직업은 대상자에게 자존감을 갖게 하고, 퇴행을 방지하면서 환자 역할에서 벗어나 정상 성인으로서 역할할 수 있게 하고 대인관계를 지속시키며 소속감을 주게 된다. 직업 재활에서 고려해야 할 원칙은 다음과 같다.

- 증상의 완화보다는 능력 향상이 목적이다.
- 대상자의 참여와 선택을 중시하며 평가에서 대상자의 만족 정도를 평가한다.
- 직업재활 결과는 대상자 자신의 능력, 가치관, 선호도에 따라 적합한 일자리에 고용되었을 때 성공적이다.
- 대상자에게 성공 가능한 잠재력이 있고 희망적이라는 개념이 중요하며, 치료결과는 기능의 향상과 전문가의 최소한의 지지와 개입만으로도 자립이 가능한 상태이다.

취업지원 프로그램의 단계는 다음과 같다. (1) 목표설정 단계로 직업을 가지는 것에 대한 자신감을 회복할 수 있도록 자신의 직업 가치관, 적성, 직업적 강점과 약점을 파악하여 자신에게 알맞은 직업목표를 선택하도록 한다. (2) 구직 단계는 구직활동에 필요한 기본적인 기술을 습득한 후 각종 매체나 정부의 고용촉진 기관을 통하여 직업을 구할 수 있도록 돕는다. (3) 직업유지 단계는 구직 단계에서 직업을 구한 사람들이 성공적으로 직장생활을 할 수 있도록 작업기술, 대인관계 기술, 문제해결 기술 등을 가르친다.

② 가족

가족 지지(family support)는 정신질환의 성공적인 재활에 매우 중요한 요인이 된다. 가족 중 한 구성원이 정신질환을 앓고 있다는 것만으로도 가족에게는 충격이고 스트레스원이 된다. 간호사는 가족이 스트레스에 대처하고 가족 구조 변화에 적응할 수 있도록 도와줄 수 있다.

역량 강화

가족들이 호소하고 있는 문제점들, 예를 들어 붕괴된 의사소통, 정신질환 문제행동에 대한 대처, 알코올이나 약물 문제 등을 다루는 방법을 배우게 되면 가족 스스로 자신들의 삶을 통제할 수 있게 되어 역량이 강화(empowerment)된다.

가족교육

가족교육은 중증 정신장애인의 가족에게 재활서비스를 제공하는 일차적인 간호중재이다. 정신건강간호사는 가족들을 위해 프로그램을 제공하고 가족들의 대처를 돕는다. 정보와 기술 습득을 위한 연습 등이 포함되며, 다양한 대처전략을 이용한 자신의 성공과 실패 경험을 나누거나 비슷한 상황에 놓여있는 다른 가족을 만나 필요한 사회적 지지를 제공할 수 있는 기회를 갖게 된다.

③ 지역사회

지역사회에서 3차 예방 활동으로 간호사가 수행할 수 있는 중재 프로그램은 정신건강 교육, 옹호집단의 구성원, 사회적 지지망과 정책적 활동이 있다. 정신질환에 대한 활발한 교육은 낙인을 감소시키고 편견을 줄일 수 있으므로 지역사회에서 정신건강교육의 기회를 확장하는 것이 필요하다. 정신건강간호사는 정신장애인에 대한 편견을 인식하고 차별 및 인권침해 예방을 위한 노력을 기울여야 한다.

(3) 평가

정신사회적 재활 서비스의 평가는 대상자와 가족에게 미치는 영향과 지역사회 서비스 체계의 효과를 다룬다.

① 대상자 평가

대상자와 가족에게 제공된 서비스의 평가는 중재의 기대되는 결과 달성에 역점을 두어야 한다. 정신사회적 재활 서비스의 대상자 평가 질문을 통해 서비스의 성공적인 달성 정도를 확인할 수 있고, 향후 계획의 기준이 되므로 참여자와 가족이 함께 논의한다.

② 프로그램 평가

프로그램 평가는 제공하는 서비스의 적절성과 비용 효과성에 대해 행정가들에게 정보를 주기 위해 시행된다. 지역사회 자문기관, 입법자, 소비자와 옹호자들은 개별적 프로그램과 서비스 체계의 효과성을 검토하는 것에 대한 중요성을 인식하고 있다.

STUDY NOTES

1. 지역사회 정신건강간호는 지역사회 주민의 정신질환 발생을 예방하고 정신건강의 향상을 위해 행해지는 지역사회 기반의 모든 간호활동을 의미한다.
2. 지역사회 정신건강간호는 미국의 1960년대 탈원화와 1952년 항정신병 약물의 발견으로 가속화되어 지역사회 정신건강운동으로 이어져 발전하였다.
3. 우리나라의 정신보건사업은 1995년 정신보건법 제정 이후 체계적인 시스템을 갖추며 발전해오고 있다.
4. 지역사회 정신보건은 질병의 예방과 지역사회의 건강증진에 중요성을 두며, 카플란의 이론을 기반으로 1, 2, 3차 예방 사업이 두고 발전해오고 있다.
5. 지역사회 정신건강간호사는 대상자가 지역사회에 적응하며 지낼 수 있도록 효과적인 중재를 계획하고 적용하기 위하여 지역사회에 거주하면서 외부에서 오는 각종 요구에 대처하는 대상자의 능력에 대해 전반적으로 이해해야 한다.
6. 정신사회재활은 가능한 대상자가 최상의 가능한 기능 수준으로 회복하도록 돕는 과정이다.
7. 정신사회재활은 정신질환 때문에 무능해진 개인을 독립적으로 생활하도록 하고, 장애를 극복하며 가능한 상위 수준의 안녕을 유지하고 회복하기 위해 생활양식을 이행하도록 교육하는 것을 목표로 한다.
8. 낮병원, 주거서비스, 사례관리서비스, 직업재활서비스 등 지역사회 내 다양한 자원을 활용한 정신건강서비스 전달체계가 구성되어 있다.

참고문헌 REFERENCES

American Nurses Association (ANA). (2008). Home health nursing: Scope and standards of practive. Silver Spring, MD: ANA.

American Psychiatric Association (APA). (2013). Diagnostic and statistical manual of mental disorders (5th ed.). Washington, DC: American Psychiatric Publishing.

Case Management Society of America (CMSA). (2010). Standards of practive for case management. Little Rock, AR: CMSA.

Centers for Disease Control and Prevention (CDC). (2012, March 23). Tuberculosis outbreak associated with a homeless shelter. Morbidity and Mortality Weekily, 61(11), 186-189.

Centers for Medicare & Medicaid Services (CMS). (2011). Medicare Benefit Policy Manual. Baltimore, MD: CMS.

Jans, L., Stoddard, S., & Kraus, L.. (2004). Chartbook on Mental Health and Disability in the United States. An InforUse Report. Washington, DC: U.S. Department of Education, National Institute on Disability and Rehabilitation Research.

Lamb, H. R. (1993). Perspectives on effective advocacy for homeless mentally ill persons. Hospital and Community Psybiatry, 43(12), 1209-1212.

Langley, C. (2002). Community-based nursing practive: An overview in the United States. In J.M. Sorrell & G.M. Redmond(Eds.), Community-based nursing practice: Learning through students' stories (pp. 3-19). Philadelphia: F.A. Davis.

Ling, C., & Ruscin, C. (2013). Case management basics. Nurse.com. Continuing Education Course #60102. Retrieved March 6, 2013, from http://ce.nurse.com/60102/Case-management-Basics.

Mandleco, B. L. (2004). Growth & development handbook: Newborn through adolescent. New York, NY: Delmar Learning.

Miller, M. A., & Rahe, R. H. (1997). Life changes scaling for the 1990s. Journal of Psychosomatic Research, 43(3), 279-292.

Murray, R. B., Zentner, J. P., & Yakimo, R. (2009). Health promotion strategies through the life span (8th ed.). Upper Saddle River, NJ: Prentice Hall.

National Alliance on Mental Illness (NAMI). (2012a). NAMI Public Policy Platform (10th ed.). Arlington, VA: NAMI.

National Coalition for the Homeless (NCH). (2009a). HIV/AIDS and homelessness. Retrieved September 14, 2012, from www.nationalhomeless.org.

National Coalition for the Homeless (NCH). (2009b). Homeless families with children. Retrieved September 14, 2012, from www.nationalhomeless.org.

National Coalition for the Homeless (NCH). (2009c). How many people experience homelessness? Retrieved September 14, 2012, from www.nationalhomeless.org.

National Coalition for the Homeless (NCH). (2009d). Who is homeless? Retrieved September 14, 2012, from www.nationalhomeless.org.

Nationall Coalition for the Homeless (NCH). (2009e). Why are peoeple homeless? Retrieved September 14, 2012, from www.nationalhomeless.org.

Pittman, D. C. (1989). Nursing case management: Holistic care for the deinstitutionalized chronically mentally ill. Journal of Psychosocial Nursing, 27(11), 23-27.

President's New Freedom Commission on Mental Health. (2003). Achieving the Promise: Transforming Mental Health Care in America. Retrieved April 26, 2012, from http://govinfo.library.unt.edu/mentalhealthcommission/reports/reports.htm

Sadock, B. J., & Sadock, V. A. (2007). Synopsis of psychiatry: Behavioral sciences/clinical psychiatry (10th ed.). Philadelphia: Lippincott Williams & Wilkins.

Scanlon, V. C., & Sanders, T. (2011). Essentials of anatomy and physiology (6th ed.). Philadelphia: F.A. Davis.

Spock, B. (2012). Baby and child care(9th ed.). New York: Gallery Books.

Substance Abuse & Mental Health Services Administration (SAMHSA).(2009). Transforming mental health care in America: The Federal Action Agenda First Steps. Retrieved September 14, 2012, from www.samhsa.gov/Federalactionagenda/NFC_TOCK.aspx.

Substance Abuse and Mental Health Services Administration (SAMHSA). (2011). Current statistics on the prevalence and characteristics of people experiencing homelessness in the United States. Retrieved September 14, 2012, from http://homeless.samhsa.gov/ResourceFiles/hrc_factsheet.pdf.

U. S. Conference of Mayors (USCM). (2012). A status report on bunger and homelessness in America's cities: 2012. Washington, DC: USCM.

Von Esenwein, S. A., Bornemann, T., Ellingson, L., Palpant, R., Randolph, L., & Druss, B. G. (2005). A survery of mental health leaders one year after the President's New Freedom Commission Report. Psychiatric Services, 56(5), 605-607.

World Health Organization (WHO). (2004). Prevention of mental disorders: Effective interventions and policy options. Retrieved September 14, 2012, from www.who.int/mental_health/evidence/en/prevention_of_mental_disorders_sr.pdf.

Wright-Berryman, J., McGuire, A., & Salyers, M. (2011). A review of consumer-provided services on assertive community treatment and intensive case management teams: Implications for future research and practive. Journal of the American Psychiatric Association, 17(1), 37-44.

보건복지부(2018). 2018년도 정신보건사업안내.

양수 등(2017). 정신건강간호학. 현문사, 627-635.

이경희 등(2013). 정신건강간호학. 퍼시픽북스, 349-357.

한금선 등(2017). 정신건강간호학. 수문사, 20-21.

15 위기와 재난 관리

Crisis and Disaster Management

evolve WEBSITE

http://evolve.elsevier.com/Keltner

학습목표

- 발달위기와 상황위기를 구분하고 각 유형의 예를 제시한다.
- 1차, 2차, 3차 위기중재의 차이점을 비교한다.
- 위기상황을 최소화할 수 있는 중재의 구체적인 예를 제공한다.
- 재난의 발생과 관리에 대한 세계적인 추세를 이해한다.
- 대상자가 위기상황에 처했을 때 지역사회에서 이용할 수 있는 자원을 열거한다.
- 재난의 유형을 구분한다.
- 간호사의 재난-대비 훈련에 대한 필요성을 설명한다.
- 재난간호의 정의를 설명한다.
- 재난의 유형을 구분한다.
- 재난에 대한 반응과 발생가능한 문제를 설명한다.
- 재난간호에 대한 과정을 설명한다.
- 간호사의 재난-대비 훈련의 필요성을 설명한다.

미국의 국토안보부(Homeland Security Department)는 테러에 대한 경고 수준을 상향 조정하고, 미국 시민들에게 모든 의심스러운 행동에 내해 주의 깊게 관찰하노록 경고하고 있다. 토네이도가 마을을 휩쓸고 지나가면서 10명의 사망자를 내고, 그보다 더 많은 사람들이 집을 잃었다. 허리케인이 해안선에 들이닥치며 제방이 무너지고, 도시의 80%가 물에 잠겼으며, 거의 2천 명이 사망하였다. 10대 소년이 자동 소총을 메고 극장에 들어가 사람들에게 총을 쏘았다. 이러한 상황들이 가지고 있는 공통점은 무엇인가? 개인, 가족, 그리고 지역사회 전체가 그 사건에 대처해야만 하는 위기의 원인(precipitant)이 될 수 있다는 점이다.

위기(crisis)는 그 자체를 경험하는 것으로서 정의되는 것이 아니라, 위기에 따른 영향에 적응하고 평형상태를 유지하기 위한 노력까지 포함하는 것이다. Roberts(2005)는 위기를 개인의 심리적 평형상태가 심각하게 붕괴된 것으로 정의하였다. 정상적 대처기전이 스트레스를 다루는 데 실패하고, 그 결과 평상시처럼 기능할 수 없는 것이다. 위기의 일차적인 원인은 실제적으로 일어난 충격적인 사건이지만, 다음의 2가지 조건이 포함된다.

(1) 개인이 그 사건을 상당한 스트레스로 인식하는가?

(2) 개인이 이전에 사용해 왔던 대처기전으로 그 문제를 해결할 수 없는가?

위기는 개인에게 위협적인 측면만이 아닌 성장과 발전의 기회를 제공하기도 한다. 위기의 성공적인 해결은 적응적 대처기전을 이용하고, 자아의 성장과 신체적, 심리적, 사회적 자원의 적용을 나타내는 것이다. 위기는 실제적이고 시간제한적(time-limited)이며, 대개 4~6주 정도 지속된다. 심한 긴장감, 무력감, 혼란과 같은 압도적인 감정이 동반된 사건과 관련되어 있다. **그림 15-1**에서와 같이(Aguilera, 1998), 위기의 결과는 (1) 사건에 대한 현실적인 지각, (2) 적절한 상황적 지지, (3) 적절한 대처기전에 달려있다.

- **사건에 대한 지각:** 사람들은 환경으로부터 정보를 받아들이고, 처리하고, 사용하는 방식이 저마다 다양하다. 일부 사람들은 작은 사건에 대해 그것이 삶을 위협하는 것처럼 반응하기도 한다. 반면, 일부 사람들은 삶을 위협하는 사건을 충분히 사정하고 선택권에 대해 세심하게 고려한다.
- **상황적 지지:** 상황적 지지는 위기에 처한 대상자를 돕기 위해 위기중재를 제공하는 간호사 및 다른 건강 전문가(health professionals)를 포함하는 것이다. 위기중재는 '개인적, 가족적, 또는 환경적 자원을 이용하여 당면한 위기 혹은 응급 상황의 빠른 해결에 초점을 둔 단기간의 치료과정'이다(American Psychiatric Nurses Association, 2007, p. 65).
- **대처기전:** 대처기전과 기술은 문화적 반응(cultural responses), 타인의 행동에 대한 모델링, 경험을 확장하는 삶의 기회와 같은 다양한 자원을 통해 얻어지는 것이며, 새로운 대처반응의 적응적 발달을 증진한다 (Aguilera, 1998). 많은 요인들이 위기에 대처하는 개인의 능력을 구성한다. 여기에는 개인이 현재 적응하고 있는 스트레스 생활사건, 다른 해결되지 않은 상실들, 공존하는 정신과적·의학적 문제들, 과도한 피로나 통증, 개인의 평상시 대처기술의 양과 질이 포함될 것이다.

1. 위기 이론

초기 위기 이론가인 Erich Lindemann은 1940년대에 보스턴에서 발생한 Cocoanut Grove 나이트클럽 화재에서 사망한 492명의 희생자의 가까운 친척들을 대상으로 애도 반응에 관한 고전적인 연구를 수행했다. 이 비극적인 사건은 손님들이 돈을 지불하지 않고 도망가는 것을 방지하기 위해 비상구를 막아둔 것이 원인이 되었다. 또한 사람들이 나갈 수 없도록 들어오는 방향으로만 설계된 회전문으로 인해 사람들이 탈출하지 못해 인명피해가 더욱 심했다. 따라서

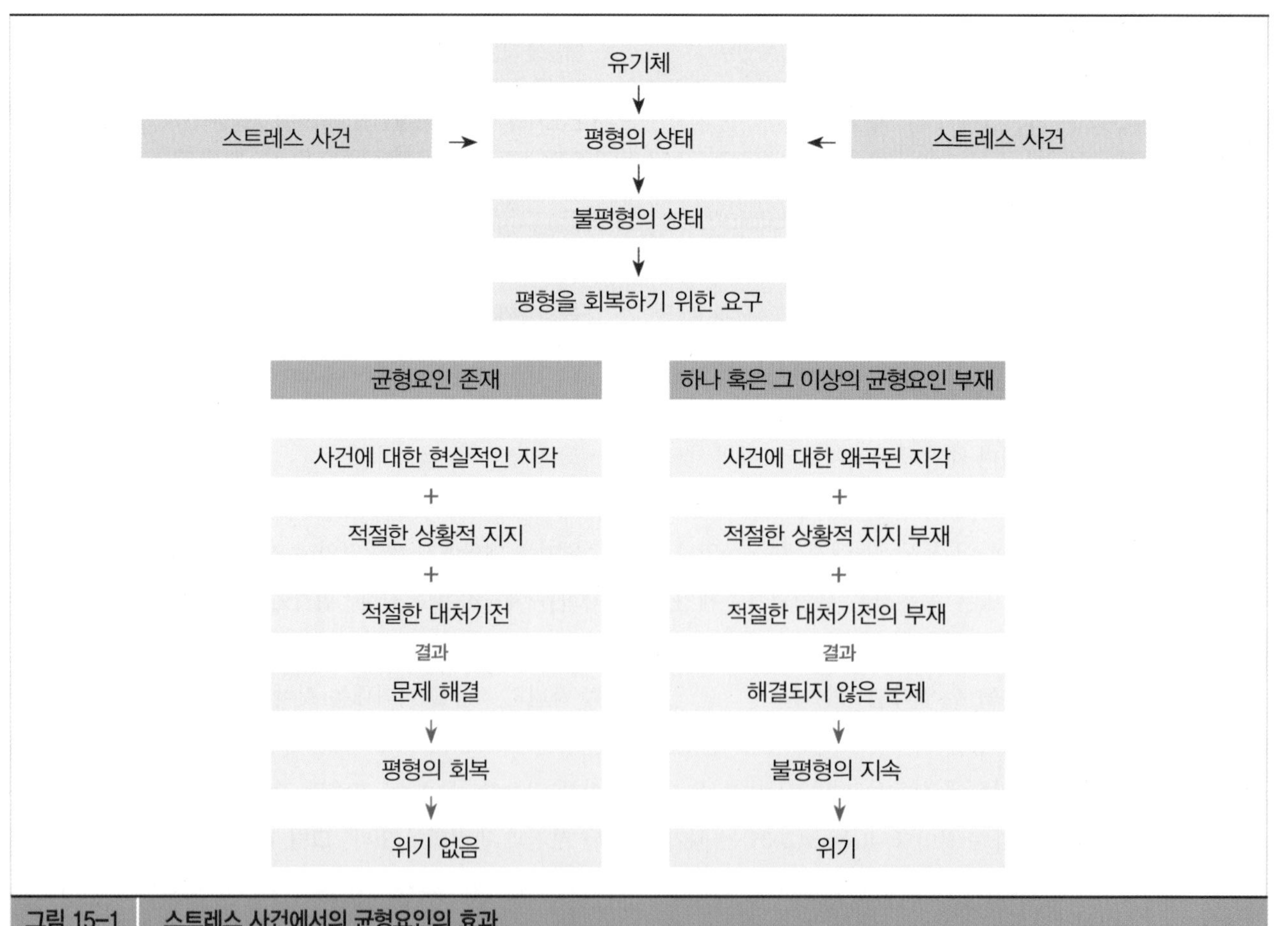

그림 15-1 스트레스 사건에서의 균형요인의 효과

출처: Aguilera, D.C. [1998]. Crisis intervention: Theory and methodology [8th ed.]. St. Louis, MO: Mosby.

이 사건을 계기로 나가는 방향의 회전문을 설치하도록 관련 법이 개정되었다.

이 연구는 위기 이론과 임상적 중재의 기초를 형성하였다. Lindemann은 극심한 애도가 스트레스 상황에 대한 정상적인 반응일지라도, 예방적 중재가 심각한 인격의 황폐화나 불안으로 인한 파괴적인 심리적 상태를 제거하거나 감소시킬 수 있다고 확신하게 되었다. 그는 사별 경험에 도움이 되는 중재들이 다른 종류의 스트레스 사건을 다루는 데에도 도움이 될 것이라고 생각했고, 위기중재 모델을 지역사회 예방정신의학의 주요한 요소로서 제안하였다.

1960년대 초반, 카플란(Gerald Caplan, 1964)은 위기 이론을 발전시키고, 위기중재 전략의 윤곽을 제시했다. 이후, 위기와 효과적인 중재에 대해 수많은 임상가 및 이론가들에 의해 체계화되고 있다(Behrman & Reid, 2002; Roberts, 2005). Joint Commission은 Mental Illness and Health 보고서(1961)에서 국가적인 지역사회 정신건강센터의 필요성을 언급했다. 이 보고서는 위기중재 서비스의 수립을 촉진하였고, 이는 현재 병원과 지역사회 정신건강 프로그램의 중요한 부분이 되었다.

Donna Aguilera와 Janice Mesnick(1970)은 간호사를 위한 위기 사정과 중재의 체계를 제공하였고, 이것은 간호의 영역과 실무에서 발전하고 있다. Aguilera는 위기 사정과 중재의 실무에서 표준을 형성하기 위해 지속적으로 노력하였다. Roberts의 위기중재 7단계 모델(Roberts, 2005; Roberts & Ottens, 2005)은 급성 스트레스장애로 진단받은 대상자뿐만 아니라 급격한 상황적 위기를 겪은 대상자를 돕는 데 유용하다(**그림 15-2**).

집단 외상 중재원칙에 대한 합의를 도출하기 위한 노력의 일환으로, Hobfoll 등(2007)은 필수적이고 경험적으로 지지되는 집단 외상 중재의 5가지 요소를 다음과 같이 제시하였다.

(1) 안전감
(2) 진정
(3) 자기 효능감과 집단적 효능감
(4) 연결성
(5) 희망

2001년 미국의 911 세계무역센터(World Trade Center) 테러 공격과 국내의 2014년 세월호 사건, 2017년 제천 스포츠센터 화재 등의 재해 사건의 영향으로, 지역사회 및 정신건강서비스 제공자에 의한 위기 사정 및 중재의 필요성이 강조되었다. 위기의 유형이나 외상을 입은 개인이 희생자, 가족, 구조자 또는 관찰자인지 여부와 관계없이, 위기 사정 및 중재 서비스에 접근할 수 있는 사람들은 안전과 지지, 힘이 생긴다고 느낄 것(empowering)이다.

위기 사정의 구성요소는 위기이론에 근거하며, 위기에 처한 대상자에게 간호과정을 적용하기 위한 지식 기반을 구성한다. 위기의 유형과 단계에 대한 이해는 간호과정의 적용을 위한 토대를 마련하는 것이다.

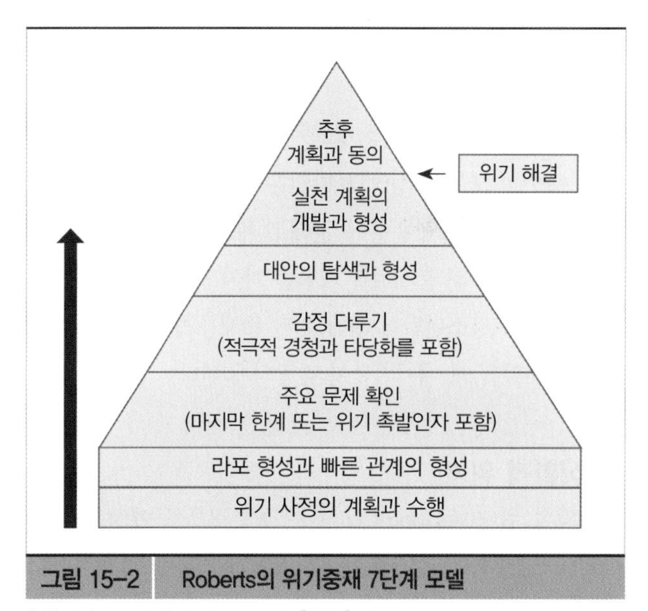

그림 15-2 Roberts의 위기중재 7단계 모델

출처: Roberts, A. R., & Ottens, A. J. [2005]. The seven-stage crisis intervention model: A road map to goal attainment, problem solving, and crisis resolution. Brief Treatment and Crisis Intervention, 5(4), 329-339.

2. 위기의 유형

1) 발달적 위기

에릭슨(Erik H. Erikson, 1902~1994)은 자아 성장과 발달의 8단계를 확인함으로써 그 과정을 개념화했다. 각 단계는 신체적, 인지적, 본능적 및 성적 변화가 내적 갈등이나 위기를 촉발시키고, 그 결과 심리적 성장 또는 퇴행이 나타난다. 따라서 각 발달단계는 취약성이 증가하는 동시에 잠재력이 높아지는 발달적 위기를 가진다.

발달적 위기(maturational crisis) 사건의 예로는 결혼, 출생, 은퇴, 부모의 사망 등이 있다. 이러한 발달적 과업을 성공적으로 해결함으로써 기본적인 인간적 자질이 발달된다.

에릭슨은 이러한 위기가 한 단계에서 해결되는 방식이 다음 발달단계를 통과할 수 있는 능력에 영향을 미친다고 하였다. 왜냐하면 각 위기는 다음 단계로 나아갈 움직임의 출발점을 제공하기 때문이다. 만약 개인이 지지체계와 적절한 역할모델이 부족한 경우, 성공적인 해결이 어려울 수도 있고 실패를 겪게 될 수도 있다. 과거에 해결되지 않은 문제들과 부적절한 대처기전은 각 발달단계에서 부정적인 영향을 미친다. 발달적 위기 동안 개인이 심한 어려움을 겪을 때 전문적인 중재가 필요할 수 있다.

여러 가지 요인들이 발달단계를 통한 개인의 성장을 저해할 수 있다. 예를 들면, 알코올 및 마약 중독이 바로 그러한 방해요소일 수 있다. 불행히도, 이러한 요소는 청소년기에 자주 나타난다. 중독성 행위가 조절되면(10대 후반 또는 20대 중반), 그들의 성장과 발달은 중단 시점에서 재개된다. 예를 들어, 22세에 중독 문제로 체포된 청년은 14세 때의 심리사회적 및 문제해결 기술을 가지고 있을 수도 있다. 이러한 10대 청소년들이 제대로 된 중재를 받지 못할 경우, 성인이 되었을 때 대처기술이 결핍되게 된다.

2) 상황적 위기

상황적 위기(situational crisis)는 돌발적으로 예상치 못한 사건이 발생하는 것으로, 내재적이기보다는 외재적이다(Roberts, 2005). 상황적 위기의 예로 직업의 상실이나 변화, 사랑하는 사람의 죽음, 낙태, 재정적 상황의 변화, 이혼, 심각한 신체적 또는 정신적 질환 등이 있다. 이러한 사건이 위기를 초래하는지 여부는 친구, 가족 및 다른 사람들로부터의 지지 정도와 같은 요인에 달려 있다. 또한 정서적·신체적 상태, 스트레스가 되는 사건의 의미를 이해하고 그에 대처하는 능력도 위기 발생에 영향을 미친다. 모든 위기와 마찬가지로 상황적 위기에서도 스트레스가 되는 사건은 개인의 자아 개념과 자아존중감을 위협하는 손실이나 변화를 수반하며, 상황적 위기의 성공적인 해결은 상실과 관련된 슬픔의 해결 여부에 달려있다.

3) 우발적 위기

우발적 위기(adventitious crisis)는 일상생활의 일부가 아니며, 계획되지 않았거나 사고로 인한 것, 자연에 의한 것 또는 인간에 의한 것일 수 있다. 이러한 유형의 위기는 (1) 자연재해(예: 홍수, 화재, 지진) (2) 국가재해(예: 테러, 전쟁, 폭동, 항공기 충돌) (3) 폭력 범죄(예: 직장이나 학교에서의 강간, 폭행, 살인, 폭파, 배우자 또는 아동 학대)를 말한다.

흔히 경험하는 외상 후 현상은 급성 스트레스장애, 외상 후 스트레스장애, 우울증이다. 따라서 모든 연령대의 위기 상황 이후 심리적 응급처치 및 디브리핑(debriefing)의 필요성은 아무리 강조해도 지나치지 않는다.

동시에 여러 가지 유형의 위기상황을 경험할 수도 있으며, 예상할 수 있듯이 한 가지 이상의 위기가 존재하면 개인의 대처기술은 더 많이 요구된다. 남편이 암으로 갑자기 사망하고(상황적 위기), 자신은 폐경을 경험하게 되는(발달적 위기) 51세의 여성의 예가 바로 그것이다.

3. 위기의 단계

위기를 겪고 있는 개인에 대한 광범위한 연구를 통해 카플란은 상당히 다른 형태의 행동 양상을 확인했다. 이러한 행동은 위기의 4단계로 분류된다.

- 1단계

갈등이나 자아 개념을 위협하는 문제에 직면한 개인은 불안감이 커짐에 따라 반응한다. 개인은 불안을 줄이기 위해 문제해결 기법과 방어기전의 사용을 촉진한다.

- 2단계

일상적인 방어기전이 실패하고 위협이 지속되면 불안은 계속해서 증가하고 극도의 불편감을 유발한다. 개인의 기능이 혼란에 빠지며, 문제를 해결하고 정상적인 균형을 회복하기 위한 시행착오가 발생한다.

- 3단계

시행착오가 실패하면 불안은 중증 상태와 공황 상태에 이르러, 퇴행 및 도피(withdrawal and flight)와 같은 자동적인 완화 행동(automatic relief behaviors)을 동원한다. 이 단계에서 어떤 형태의 해결책(예: 욕구를 절충하거나 수용 가능한 해결책에 도달하기 위한 상황의 재정의)이 형성될 수 있다.

- 4단계

문제가 해결되지 않고 새로운 대처기술이 효과가 없다

면, 불안은 대상자를 압도하여 심각한 성격의 분열, 우울증, 혼란, 다른 사람들에 대한 폭력, 또는 자살행동으로 이어질 수 있다.

간호사는 삶의 혼란을 겪고 있는 사람들을 다른 어느 건강전문가보다 많이 접할 것이다. 사람들은 내·외과 및 정신과 병동 등의 환경뿐 아니라 지역사회 환경에서 스트레스와 불안을 경험하기 때문에, 간호사는 위기중재에 주도적으로 참여하기 위한 준비를 해야 한다. 위기 이론은 위기중재의 기초가 되며, 간호사와 관련된 위기의 측면을 정의하고 있다(**표 15-1**).

표 15-1 위기중재를 위한 기초

- 위기는 제한적이며 보통 4~6주 이내에 해결된다.
- 위기를 해결할 때 대상자는 3가지 다른 기능적 수준 중 하나를 나타낼 것이다.
  - 높은 수준의 기능
  - 같은 수준의 기능
  - 낮은 수준의 기능
- 위기중재의 목적은 적어도 위기 이전의 기능수준으로 대상자를 복귀시키는 것이다.
- 위기해결의 형태는 대상자의 행동과 다른 사람들의 중재에 달려 있다.
- 위기상황에서 대상자는 종종 외부의 개입에 대해 평소보다 수용적이다. 중재를 통해 대상자는 부적절한 해결책을 수정하기 위해 적응적 문제해결 방법을 배울 수 있다.
- 위기상황에 처한 대상자는 정신적으로 건강하고, 과거에는 잘 기능했으나, 현재 불안정한 상태에 있다고 추정한다.
- 위기중재는 대상자의 현재 문제와 즉각적인 위기의 해결(지금, 현재)만 다룬다.
- 간호사는 수동적이고 비지시적인 역할을 강조하는 기존의 치료적 개입과 대조적으로, 중재에서 적극적이고 지시적인 역할을 기꺼이 해야 한다.
- 조기 중재는 보다 좋은 예후의 가능성을 높인다.
- 간호사와 함께 현실적인 목표를 세우고 초점화된 중재를 계획하도록 대상자를 격려한다.

4. 간호사정

1) 일반적인 사정

그림 15-1에서 제시되었듯이, 개인의 평형 상태는 다음의 한 가지 혹은 그 이상에 의해 부정적인 영향을 받는다. (1) 촉발 사건에 대한 비현실적인 인식, (2) 부적절한 상황적 지지, (3) 부적절한 대처기전(Aguilera, 1998). 위기상황을 평가할 때 이러한 요소를 평가하는 것이 중요하다. 왜냐하면 사정으로부터 얻은 자료가 간호사와 대상자로 하여금 현실적이고 의미 있는 목표를 설정하고 문제 상황에 대하여 가능한 해결책을 계획하도록 안내하기 때문이다.

간호사의 초기 임무는 대상자의 자살 또는 살인 가능성을 평가하여 안전을 증진시키는 것이다. 대상자가 자살, 살인, 또는 개인적 욕구를 통제할 수 없는 경우 입원을 고려해야 한다(Aguilera, 1998). 사정을 위한 질문의 예시는 다음과 같다.

- 당신 자신을 안전하게 지킬 수 있다고 생각하십니까?
- 당신 자신이나 다른 사람을 해칠 생각이 있습니까? 그렇다면 어떻게 할 것인지 생각해 보았습니까?

대상자가 자신이나 타인에게 아무런 위험을 주지 않는다는 것을 확인한 후, 간호사는 (1) 대상자의 촉발 사건에 대한 인식, (2) 대상자의 상황적 지지, (3) 대상자의 대처기술 등의 3가지 주요 영역을 사정한다.

Clinical example: 가정폭력에 따른 위기

25세 여성 김OO 님은 남편에게 폭행을 당한 후 경찰에 의해 응급실로 이송되었다. 대상자는 가장 먼저 응급실에서 일하는 정신간호사와 면담을 하였다. 간호사는 차분한 태도로 자신을 소개하고 대상자에게 "굉장히 두려운 것처럼 보이네요. 기분이 어떠세요?"라고 물었다. 간호사는 대상자가 폭력적인 남편과 함께 있을 경우 상황이 매우 나빠진다는 것을 관찰하였다. 대상자는 무릎에 손을 얹고 의자에 주저앉아 머리를 숙이고 눈물을 흘렸다.

2) 촉발사건에 대한 인식 사정

이제 간호사의 업무는 개인이나 가족의 문제를 평가하는 것이다. 문제를 보다 명확하게 정의할수록 더 효과적인 해결책을 마련할 수 있다. 사정을 용이하게 하는 질문은 다음과 같다.

- 지난 며칠 또는 몇 주 이내에 특히 혼란스러운 일이 있었습니까?
- 이런 감정을 느끼기 전에 당신의 삶에서 어떤 일이 일어났습니까?
- 지금 당신이 도움을 청하는 방법은 무엇입니까?
- 지금 당장 어떻게 느끼는지 설명해 주십시오.

- 이 상황이 당신의 삶에 어떤 영향을 미칩니까?
- 이 사건이 당신의 미래에 어떠한 영향을 미칠 것이라고 생각합니까?
- 이 상황을 해결하려면 무엇이 필요합니까?

간호사: "김OO 님, 무슨 일이 있었는지 말해 주세요."
김OO: "나는 집으로 돌아갈 수 없어요. 돌봐줄 사람이 아무도 없고, 아무도 나를 믿지 않아서 다시 해나갈 수 없어요."
간호사: "다시 해나갈 수 없다는 것에 대해 말씀해 보시겠어요?"(대상자가 흐느껴 울기 시작했다. 간호사는 잠시 가만히 곁에 앉아 있었다)
간호사: "무엇이 그렇게 끔찍한지 말해 보세요. 함께 해결해보도록 해요."

잠시 후, 대상자는 간호사에게 남편이 술을 마시고 난 후 자신을 때린다고 말했다. 폭력은 시간이 지나면서 훨씬 더 심해졌으며, 대상자는 "결국 맞아 죽을까 봐 두려워요"라고 공포를 호소했다.

3) 상황적 지지 사정

간호사는 대상자의 지지체계를 사정하여 사용 가능한 자원을 확인한다. 가족과 친구들은 물질적 또는 정서적 지원을 제공함으로써 대상자를 도울 수 있다. 만약 이러한 자원을 이용할 수 없으면 간호사나 상담가가 임시 지지체계의 역할을 수행하는 동시에, 지역사회 내에서 개인이나 그룹과의 관계가 형성되도록 한다. 사정을 위한 질문은 다음과 같다.

- 당신은 누구와 함께 살고 있습니까?
- 당신이 두려울 때 누구에게 이야기할 수 있습니까?
- 누구를 믿을 수 있습니까?
- 누가 당신을 도울 수 있습니까?
- 당신의 삶에서 영성은 얼마나 중요합니까?
- 당신은 종교 활동에 참여하고 있습니까?
- 학교 또는 기타 지역사회 기반 활동을 어디에서 하십니까?
- 과거 어려운 시기에 누가 당신에게 가장 도움을 주고 싶어 했습니까?
- 가장 도움이 되는 사람은 누구입니까?

간호사: "당신은 지금 남편을 떠나 다른 누구에게 갈 수 있나요? 다른 가족이 있나요?"
김OO: "아니요. 다른 가족은 멀리 떨어져 살고 있어요. 주변에 아무도 없어요."
간호사: "이야기할 수 있는 사람은 있어요?"
김OO: "저는 친구가 없어요. 남편이 통제하기 때문에 친구 만들기가 힘들었어요. 남편은 자기 외에 다른 사람들과 만나는 것을 좋아하지 않았어요."
간호사: "종교적인 모임이나 직장 동료와의 관계는 어떤가요?"
김OO: "동료들은 좋은 사람들이지만, 이런 상황들을 말할 수 없어요. 내 말을 믿지 않을 거예요."

간호사는 대상자가 직장생활을 잘해왔다는 것과 직장생활이 그녀의 가정문제를 잊어버리는 데 도움이 된다는 것을 알았다. 직장생활이 주는 또 다른 보상은 남편이 유일하게 그녀의 직장생활을 칭찬한다는 것이다.

4) 대처기술 사정

마지막으로, 간호사는 대상자의 불안 수준과 대처 양상을 확인함으로써 대상자의 개인적 대처기술을 사정한다. 사람들의 일반적인 대처방법으로 과식, 음주, 흡연, 철회, 대화 상대 찾기, 소리 지르기, 다른 신체활동에 몰두하기 등이 있을 수 있다. 사정을 위한 질문은 다음과 같다.

- 기분을 좋아지게 하기 위해서 보통 무엇을 하십니까?
- 이번에도 그것을 해보셨습니까? 그렇다면 무엇이 달라지나요?
- 과거 어려운 시기를 헤쳐나가는 데 무엇이 도움이 되었습니까?
- 지금 무엇이 일어날 것이라 생각합니까?

간호사: "무엇이 당신의 상황을 도울 것이라고 생각하나요?"
김OO: "나는 더 이상 학대받으며 결혼생활을 이어나가고 싶지 않아요. 어디에서부터 되돌려야 할지 모르겠어요."

간호사는 대상자에게 함께 해결책을 찾기를 원하며, 대

상자의 안전과 안녕을 걱정하고 있다고 말했다.

5) 자기 평가

간호사는 지속적으로 자신을 모니터링하고, 위기에 처한 대상자를 대할 때 자신의 감정과 생각에 대해 인지하고 있어야 한다. 대상자가 간호사에게 고통스러운 감정을 표현하는 것을 방해하지 못하도록, 간호사 자신의 불안감을 인식하는 것이 중요하다. 부정적인 감정과 반응에 대한 자기 인식은 간호사의 불편감을 관리하기 위한 노력으로, 대상자의 고통에 대한 무의식적인 억압을 막을 수 있다. 간호사의 개인적인 이유로 인해 대상자의 상황을 효과적으로 처리할 수 없다고 생각할 수 있다. 이러한 경우에는 다른 동료에게 대상자와 함께 일해 줄 것을 요청하도록 한다. 경험이 많은 동료나 멘토 또는 감독관의 자문을 통해, 대상자의 요구와 간호사 자신의 것을 구분하고, 불편하고 고통스러운 개인적 문제를 해결하는 방법을 찾거나, 보다 나은 돌봄을 제공하기 위해 간호사 자신의 불편하거나 고통스러운 개인적 이슈나 편견을 다룰 수 있도록 도움을 받을 수 있을 것이다. 간호사들은 위기 상담가의 역할을 수행하는 데 있어 일반적으로 다음과 같은 어려운 문제에 직면할 수 있다.

(1) 간호사가 필요하다고 생각하는 일 위주로 수행한다.
(2) 대상자에게 비현실적인 목표를 설정한다.
(3) 자살 문제를 다루는 데 어려움이 있다.
(4) 간호사-대상자 관계를 종료하는 데 어려움이 있다.

표 15-2는 간호사가 간호사-대상자 관계에서 직면하는 공통적인 문제의 예시, 결과, 적절한 중재 및 바람직한 성과를 보여준다. 위기중재 훈련 과정에서 그것의 통합적인 부분으로서 전문가 지도감독(supervision)이 가용한 것이 중요하다.

재난 상황에서 근무하는 간호사들은 대상자 이상으로 끔찍한 인명손실(예: 테러, 비행기 사고, 학교 내 총기사건)이나, 집 또는 재산의 엄청난 손실(예: 홍수, 화재, 토네이도)을 목격했을 때 두려움에 압도될 수 있다. 정신보건서비스 제공자들은 외상 피해자들을 돌볼 때 이러한 심리적 스트레스를 경험하는데, 이를 '2차적 외상 스트레스(secondary traumatic stress)' 혹은 '대리 외상(vicarious traumatization)'이라고 한다(Dunkley & Whelan, 2006). 스트레스를 경험하기 전에 간호사는 위기상황에 있는 대상자들을 돌볼 때 자신의 감정과 사고를 지속적으로 모니터할 필요가 있고(Phoenix, 2007), 재난 간호사들은 지지적 유대관계와 디브리핑에의 접근이 필요하다.

디브리핑은 압도적인 폭력이나 재난 상황을 받아들여야 하는 현장 종사자들에게 중요한 단계이다. 이러한 중재는 현장 종사자들로 하여금 위기를 거시적으로 바라보고, 그들 고유의 회복을 시작하도록 돕는다.

표 15-2 간호사-대상자 관계에서 흔히 나타나는 문제들

예시	결과	중재	성과
문제 1. 간호사가 필요하다고 생각하는 일 위주로 수행한다.			
간호사: • 세션 간에 과도한 전화 통화를 허용한다. • 대상자의 상황에 대한 충분한 지식 없이 직접 조언을 제공한다. • 간호사의 판단 기준에 따라 대상자의 생활방식에 영향을 미치려고 한다.	• 대상자는 고유한 자신의 능력에 의존하지 않고, 간호사에게 의존하게 된다. • 간호사는 좌절과 분노의 느낌을 대상자에게 투사함으로써 대상자가 '완치'되지 않는 것에 반응한다.	간호사: • 경험이 풍부한 전문가와 함께 대상자에게 필요한 것과 개인적인 요구사항을 비교한다. • 대상자의 의존성을 낮추도록 한다. • 대상자 스스로의 목표 설정 및 문제해결을 격려한다. 대상자가 자살 또는 타해의 경향을 보일 경우에만 통제하도록 한다.	• 대상자는 스스로 성장할 수 있으며, 자신의 삶의 위기를 해결할 수 있다. • 간호사의 기술과 효율성은 역할이 늘어남에 따라 함께 성장하고, 고유의 목표를 명확히 한다.

〈계속〉

문제 2. 대상자에게 비현실적인 목표를 설정한다.			
간호사: • 신체적으로 학대당하는 여성이 배우자를 떠날 것으로 예상한다. • 가족이나 직장의 상실이 임박했을 때, 알코올남용 대상자가 음주를 중단할 것으로 기대한다.	• 간호사는 기대가 충족되지 않을 때 불안해지고 책임감을 느낀다. 부적절한 감정으로 인한 불안은 좌절과 분노의 형태로 대상자에게 투사된다.	간호사: • 경험이 풍부한 전문가를 통해 자신과 대상자의 현실적인 기대를 확인한다. • 대상자의 기능수준을 재평가하고 대상자와 함께 그의 수준에서 협력한다. • 대상자로 하여금 목표를 직접 설정하도록 격려한다.	• 대상자는 소외감을 적게 느끼고 간호사와의 협력적인 관계가 지속될 수 있다. • 간호사의 사정 및 문제해결 능력은 증가하고, 분노와 좌절감은 줄어든다.
문제 3. 자살 문제를 다루는 데 어려움이 있다.			
간호사는 다음과 같은 경우 선택적으로 부주의해질 수 있다. • 가능한 단서를 부인한다. • 말로 하는 자살 암시를 무시한다. • 자기 파괴적인 주제가 나타날 때 이를 위협적이지 않은 주제로 바꾼다.	• 대상자는 참을 수 없는 상황에 대한 감정을 공유하고 대안을 찾을 수 있는 기회를 놓치게 된다. • 대상자는 여전히 자살충동을 느낀다. • 간호사의 위기중재가 더 이상 효과적이지 않다.	간호사: • 숙련된 전문가의 도움을 받아 자신의 감정과 불안을 평가한다. • 모든 단서 또는 경미한 의혹을 평가하고 그에 대한 행동을 취한다(예: "당신은 자살에 대해 생각하고 있습니까?" 만약 그렇다면, 간호사는 자살 가능성 및 입원 필요성을 사정한다).	• 대상자는 감정을 공유하고 대안을 평가하는 데 수월함을 느낀다. • 자살 가능성은 최소화될 수 있다. • 간호사는 단서를 알아차리고, 자살 가능성을 최소화하는 데 능숙해진다.
문제 4. 간호사-대상자 관계를 종결하는 데 어려움이 있다.			
간호사는 대상자와의 접촉을 유지하기 위해 대상자의 삶에서 다른 문제를 해결하려고 한다.	간호사가 적절한 훈련이나 경험 없이 전통적인 치료의 영역으로 들어간다.	간호사는 숙련된 전문가와 함께 다음과 같은 작업을 수행한다. • 분리와 종결에 대한 자신의 감정을 탐구한다. • 위기 모델을 강화한다. 위기중재는 정신치료가 아니라 예방적 조치이다. • 간호사는 자신의 감정을 인식할 때, 대상자를 더 효과적으로 도울 수 있게 된다.	대상자는 자신에게 중요한 다른 문제를 다루기 위해, 자신의 삶의 현장으로 돌아가거나 적절한 연계를 요청한다.

출처: Wallace, M. A ., & Morley, W. E. (1970). Teaching crisis intervention. American Journal of Nursing, 70(7), 1484-1487.

위기의 사정

1. 대상자의 위기에 대한 반응이 자살시도, 정신증적 사고, 폭력행동 등을 최소화하기 위한 입원이나 정신과적 치료가 필요한 정도인지 사정한다.
2. 대상자가 상황을 악화시키는 사건을 확인할 수 있는지 사정한다.
3. 현재의 상황적 지지에 대한 대상자의 이해 정도를 사정한다.
4. 대상자의 대처방식을 확인하고, 어떤 대처기전이 현재 상황에 도움이 될 것인지 확인한다.
5. 대상자의 위기를 사정하고 중재하는 데 있어 고려해야 하는 특정한 종교적 혹은 문화적 신념이 있는지 확인한다.
6. 현재 상황이 대상자에게 1차적 중재(교육, 환경적 조정 혹은 새로운 대처기술)가 필요한 상황인지, 2차적 중재(위기중재), 혹은 3차적 중재(재활)가 필요한 상황인지 사정한다.

5. 간호진단

NANDA-I(The North American Nursing Diagnosis Association International, Herdman, 2012)은 불안과 불안장애를 경험하는 대상자에게 고려될 수 있는 간호진단을 제시하였다. 대상자가 위기상황에 처해 있을 때, 비효율적 대처의 간호진단이 유용하다. 불안은 중등도 혹은 중증 불안의 수준까지 악화될 수 있기 때문에, 대개 문제해결 능력이 손상된다. 비효율적 대처로 진단을 내릴 수 있는 근거는 기본적인 욕구 충족능력의 결여, 역할기대 충족능력의 결여, 사회적 참여의 변화, 부적절한 대처기전의 사용, 의사소통 방식의 손상 등이다. 관련 요인은 각각의 대상자에게 있어 다양할 것이다.

Clinical example

앞선 사례에서 김OO 님의 (1) 촉발 사건에 대한 인식, (2) 상황적 지지, (3) 개인의 대처기술은 간호사로 하여금 2가지 진단을 내리고, 대상자와 협력하여 목표를 설정하고 중재를 계획할 수 있도록 충분한 정보를 제공한다.

- 비효율적인 문제해결과 피할 수 없는 비극적 운명의 감정으로 입증된 정신적, 신체적 학대와 관련된 불안(중등도/중증)
- 끊임없는 폭력의 위협과 관련하여 손상된 가족 대처

6. 간호성과 규명

위기를 겪는 대상자에게서 고려할 수 있는 성과로 간호성과분류체계(Nursing Outcomes Classification, NOC)에서의 대처, 의사결정, 역할 수행 및 스트레스 수준을 들 수 있다. 현실적인 간호성과를 계획하는 것은 대상자 중심적이면서 대상자와 가족을 포함하는 것으로, 대상자의 문화적 및 개인적 가치와 일치해야 한다. 대상자의 참여가 없다면, 성과의 기준(4~8주간 목표)은 그 사람의 위기상황에 부적절하거나 받아들일 수 없는 해결책일 수 있다. 표 15-3은 위기상황에서 일반적으로 경험하게 되는 징후와 증상을 확인하고, 잠재적인 간호진단을 제공하며, 성과를 제안한다.

7. 간호계획

간호사는 재난간호, 모바일 위기, 그룹 활동, 보건교육 및 위기 예방, 피해자 지원 프로그램 및 전화 핫라인과 같은 다양한 위기개입 양식을 통해, 중재를 계획하고 수행해야 한다. 따라서 간호사는 개인(예: 신체적 학대), 집단(예: 동급생의 자살 또는 총격 사건 이후 학생들) 또는 지역사회(예: 토네이도, 총격 사건, 비행기 사고 이후 재난간호)에 대한 계획 및 중재에 참여할 수 있다. 다음 질문에 대한 답변 자료는 간호사가 즉각적인 행동을 결정하는 데 도움이 된다(Aguilera, 1998).

- 현재 위기는 대상자의 삶에 어느 정도 영향을 미칩니까? 대상자가 여전히 일, 학교생활, 가족들을 돌보는 것이 가능합니까?
- 비평형 상태는 대상자의 삶에서 중요한 사람(아내, 남편, 아이들, 다른 가족구성원, 상사, 남자친구, 여자친구 등)에게 어떠한 영향을 미칩니까?

문화적 고려

미국의 총기 문화에 대한 검토

2012년 12월 12일, 24세의 Adam Lanza가 총으로 어머니를 살해했다. 그러고 나서 그는 코넥티컷주, 뉴타운에 있는 Sandy Hook 초등학교로 향하여 반자동 소총으로 20명의 아이들과 6명의 직원들을 살해했다. 경찰이 그 현장에 도착했을 때, 그는 자신의 머리에 총을 쏘았다. 울면서 공포에 떠는 아이들의 모습이 미국인들의 기억 속에 각인되어 있다. 1학년 피해 아동과 선생님들의 사진이 신문과 뉴스에 실렸다. 아무 잘못이 없는 그들의 얼굴을 보는 것은 너무 고통스러운 일이었으므로, 많은 사람들은 신문과 뉴스를 보기를 꺼려했다.

이 사건은 미국의 총기 규제와 총기 문화에 대한 논쟁으로 이어졌다. 페이스북의 한 포스팅은 '이 비극에 대해 소총 소지 여부를 비난하기 전에, 그(Lanza)가 총을 사용한 것에 초점을 둬야 한다'라고 말했다. 다른 이들은 '더 많은 사람들이 소총보다는 망치나 곤봉으로 살해당한다'라고 말하기도 했다. 이 포스팅에 대한 반응은 '만약 Lanza가 망치를 가지고 학교에 들어왔다면, 6명의 직원이 그를 막을 수 있었을 것이다'였다.

미국에는 강력한 총기 문화가 있다. 서부 문화는 총기 사용을 낭만적인 것으로 만들었고, 전쟁은 역사의 한 부분이었기 때문에 총은 힘과 남성성의 의미를 담고 있었다. 헌법 수정 제2조는 무기에 대항할 권리로서 총기가 자주 인용되고 있다. 만약 악한 사람들만 총을 가지고 있다면 선량한 사람들은 자신을 방어할 수 없다는 것에 논점을 두고 있다.

오늘날 총기 소유자의 권리는 전례가 없는 방식으로 도전받고 있다. 총격 사건과 그에 뒤따르는 위기에 대응하여 오바마 대통령은 총을 구입하는 사람들을 대상으로 엄격한 배경 조사와 규제를 촉구했다. 특히 정신증적 장애가 있다고 여겨지는 경우 총을 소지하지 못하도록 집중적으로 주의를 기울이고 있다. 젊은 남성이 가상 살인을 저지르는 폭력적인 비디오 게임도 전면 금지의 대열에 올라섰다.

두 문화, 즉 총기 문화 및 총기 규제 문화 사이의 이러한 충돌이 어떻게 나타날지는 아직까지 알 수 없다. Sandy Hook 초등학교에서 일어난 살인사건은 한 국가에 극적으로 영향을 미치고, 이는 미국의 총기 문화에 대한 법률 수정으로 이어질 것으로 보인다.

표 15-3 위기중재와 관련된 증상과 징후, 간호진단, 성과

증상과 징후	간호진단	성과
기본적 욕구충족의 불능, 사회적 지지체계의 이용 감소, 부적절한 문제해결, 정보에 주의를 기울이지 못함, 고립	• 비효율적 대처 • 극복력 장애의 위험	필요시 생활방식을 교정함, 효과적인 대처전략을 사용함, 스트레스로 인한 신체적 증상의 감소를 보고함, 부정적인 감정의 감소를 보고함
부정, 경악 반응의 악화, 플래시백, 공포, 과민성, 침투적 사고와 꿈, 공황발작, 무감각, 물질남용, 혼돈, 비일관성	• 외상 후 증후군 • 강간-상해 증후군 • 불안(중등도, 중증, 공황) • 급성 혼돈 • 수면 박탈	불안정한 정서를 보이지 않음, 충동 조절이 가능함, 적절한 수면 상태를 보고함, 집중이 가능함, 일상생활의 수행이 가능함, 주변에 관심을 보임
증상의 축소, 돌봄 요청의 지연, 부적절한 정서표현, 스트레스 사건을 무시하는 언행	• 비효과적 부정	건강 상태에 대한 현실적인 인식, 관계를 유지함, 건강 상태에 대처함, 건강에 관한 의사결정을 함, 살아갈 가치가 있는 삶이라고 보고함
압도됨, 우울함, 인생에서 가치 있는 것이 없다고 표현함, 자기-증오, 무능력하다는 느낌, 대안이 제한적이라고 보는 것, 낯선 느낌, 통제력 상실에 대한 두려움	• 자살 위험성 • 만성적 자존감 저하 • 자아 정체감 혼란 • 절망감 • 무력감	위해로부터 벗어남, 자기-가치감 및 정체감을 표현함, 삶에서의 의미를 표현함, 목표를 설정함, 행동이 결과에 영향을 줄 것이라고 믿음
대인관계에서의 어려움, 고립, 사회적 지지가 부족하거나 전혀 없음	• 사회적 고립 • 사회적 상호작용 장애	소속감을 표현함, 의미 있는 관계를 맺음
가족관계와 기능의 변화, 가족 돌봄제공자 역할 수행의 어려움	• 손상된 가족대처 • 가족과정 손상 • 돌봄제공자 역할 긴장	가족의 문제를 관리함, 가족구성원 사이에 감정을 자유롭게 표현함, 돌봄제공자를 위한 임시 간호, 돌봄제공자를 위한 조정

8. 간호수행

위기중재는 간호사의 기본적 수준의 기능이다. 초점은 오직 현재 당면한 문제에 있으며, 2가지 초기 목표가 있다.

(1) **대상자 안전:** 대상자가 자살 또는 살인의 가능성을 보일 경우, 위기에 처한 대상자를 보호하기 위해 외적인 통제가 적용될 수 있다.

(2) **불안 감소:** 불안완화 기술을 사용하여 대상자의 내적 자원이 작동되도록 한다.

초기 인터뷰에서 위기에 처한 대상자는 먼저 안전하다고 느껴야 한다. 대상자가 다른 방안을 인지할 수 있도록 위기 해결방법이 제공될 수 있다. 지지와 희망을 느끼면 일시적으로 불안감이 줄어든다. 간호사는 도움을 줄 수 있다는 표시로 적극적인 역할을 해야 한다. 도움의 가용성은 위기중재의 기술과 순수한 관심 및 지지를 통해 대상자에게 전달되며, "모든 것이 다 잘 될 거예요"와 같은 거짓 확신은 도움이 되지 않는다. 위기중재는 전통적, 비전통적인 치료방법을 사용한 창조적이고 유연한 접근법이 필요하다. 간호사는 교육자, 조언자 및 역할모델로 활동할 수 있으며, 문제해결의 주체는 간호사가 아니라 대상자이어야 함을 항상 염두에 두어야 한다. 다음은 위기상황에서 대상자와 협력할 때 중요한 가정들이다.

- 대상자는 자신의 인생에 책임이 있다.
- 대상자는 스스로 결정을 내릴 수 있다.
- 위기 상담의 관계는 파트너 관계이다.

간호사는 대상자가 상황에 대한 새로운 시각을 얻도록 도우며, 문제를 해결하거나 대처할 수 있는 건설적인 방법을 찾는 과정에서 대상자를 지지한다. 또한 간호사는 대상자가 행동을 수정하는 것이 얼마나 어려운지에 대해 알고 있어야 한다. **표 15-4**는 간호중재 및 그에 따른 근거에 대한 지침을 제공한다.

Clinical example

간호사와 사회복지사가 이야기한 후, 대상자는 학대 여성들을 위한 안전한 쉼터에 가는 것이 가능하다고 판단되었다. 그녀 또한 정신건강 시설의 상담가와 상담을 하는 데 동의하였다. 간호사는 대상자, 상담가와의 면담을 약속하고, 자신은 일주일에 2번씩 대상자를 계속 만나기로 하였다.

1) 상담

(1) 1차 돌봄

정신치료적 위기중재는 1차, 2차, 3차, 총 3가지 수준의 돌봄을 지향한다. 1차 돌봄(primary care)은 정신건강을 증진시키고 정신질환을 줄여 위기의 발생률을 줄인다. 이 수준에서 간호사는 다음의 활동을 수행할 수 있다.

- 스트레스가 많은 삶의 사건에 대한 대상자의 경험을 평가함으로써 대상자와 협력하여 잠재적 문제를 인지한다.
- 의사결정, 문제해결, 자기주장 능력, 명상 및 이완기술과 같은 특정 대처기술을 대상자에게 교육한다.
- 스트레스의 부정적 영향을 가능한 줄이기 위해 대상자가 삶의 변화의 감소 또는 시간대를 평가할 수 있도록 돕는다. 대상자와 협력하여 환경의 변화를 계획하고, 중요한 대인관계상의 의사결정을 내리며, 직업적 역할의 변화를 재고하는 것을 포함한다.

(2) 2차 돌봄

2차 돌봄(secondary care)은 급성 위기상황에서 개인의 효율성과 성격의 조직화(personality organization)가 감소되어 장기간 불안이 지속되는 것을 예방하기 위한 중재이다. 간호사의 주요 초점은 대상자의 안전을 보장하는 것이다. 안전 문제가 처리된 후 간호사는 대상자 문제, 지지체계 및 대처방식을 평가하기 위해 대상자와 협력한다. 원하는 목표를 확인하고 중재를 계획한다. 2차 돌봄은 대상자가 위기 중에 정신적으로 불능이 되는 시간을 감소시킨다. 2차 돌봄은 보통 낮 시간에 병원, 응급실, 진료소 또는 정신건강센터에서 이루어진다.

표 15-4 위기중재 가이드라인

중재	근거
자살 또는 타해에 대한 생각 또는 계획을 사정한다.	안전은 항상 첫 번째 고려사항이다.
대상자가 안전하고 불안감을 덜 느낄 수 있도록 초기 조치를 취한다.	안전하고 불안감을 적게 느끼는 대상자는 간호사와 함께 문제를 더 효과적으로 해결할 수 있다.
경청한다(예: 눈을 마주치고, 이해를 확인하고 전달하며 대상자가 말한 것을 요약하기 위해 잦은 피드백을 제공함).	대상자가 누군가 자신의 이야기를 경청한다고 믿게 되면, 자신의 상황에 누군가 관심을 갖고 있으며, 도움을 받을 수 있다고 믿을 가능성이 더 크다. 이는 희망을 제공한다.
위기중재는 지시적이고 창의적인 접근이 필요하다. 처음에는 간호사가 베이비시터를 주선하거나, 간호사를 방문하는 계획을 세우거나, 쉼터를 찾거나, 사회복지사에게 접촉하기 위해 전화를 걸 수 있다.	혼란스럽거나 두려워하거나 압도된 대상자는 일시적으로 일상적인 작업을 수행하지 못할 수도 있다.
(대상자의 의견을 반영하여) 필요한 사회적 지지를 확인하고 우선순위를 선정한다.	대상자가 쉼터를 필요로 하는지, 어린이 또는 노인을 돌보는 데 도움이 필요한지, 의학적 도움, 응급의료 조치, 입원, 음식, 안전한 주거, 자조그룹이 필요한지 결정된다.
필요한 대처기술(문제해결, 이완, 자기주장, 직업훈련, 신생아 간호교육, 자존감 강화 등)을 확인한다.	대처기술을 향상시키고 새로운 기술을 습득하면 현재의 위기에 도움이 되고 미래의 위기를 최소화할 수 있다.
현실적이고 수용 가능한 중재를 확인하는 데 있어 대상자를 참여시킨다.	계획 과정에 참여한 대상자는 조절감, 자존감 및 계획에 대한 실천 가능성이 향상된다.
대상자의 진행 상황을 사정하기 위해 정기적인 후속 조치(예: 전화, 진료소 방문, 가정 방문)를 계획한다.	계획 중 어떤 것이 효과적이고, 효과적이지 않은지 평가할 수 있다.

(3) 3차 돌봄

3차 돌봄(tertiary care)은 심각한 위기를 겪었고 정신장애 상태로부터 회복하고 있는 대상자들에게 지지를 제공한다. 3차 중재를 제공하는 사회 및 지역사회 시설에는 재활센터, 쉼터, 낮병원 및 외래 진료소가 포함된다. 주요 목표는 최적의 기능수준을 촉진하고 정신적인 혼란을 예방하는 것이다. 심각하고 지속적인 정신적 문제를 가진 사람들은 종종 위기에 매우 취약하므로, 지역사회 시설은 문제 상황을 예방하는 데 도움이 되는 구조화된 환경을 제공한다. **표 15-5**는 위기에 대응하기 위한 간호중재분류체계(Nursing Intervention Classification, NIC)에서의 중재를 제시한 것이다.

① 위기상황 스트레스 디브리핑

위기상황 스트레스 디브리핑(critical incident stress debriefing, CISD)은 위기를 경험한 집단에 대한 3차 돌봄의 한 예시이다. CISD는 개인에게 안전하고 통제된 환경에서 자신의 사고와 감정을 나눌 수 있는 기회를 제공하는 7단계 그룹 미팅으로 구성된다. 이는 대상자 자살이나 폭력 사건이 있었던 병동 직원, 위기 핫라인 봉사자들, 학교 총격사건 이후 아동 및 교직원, 자연재해나 9·11 테러사건과 같은 테러 공격에 투입되었던 구조 및 의료 종사자들을 위한 디브리핑을 위해 사용된다(Hammond & Brooks, 2001).

② 위기상황 스트레스 디브리핑의 단계

소개 단계(introductory phase)

만남의 목적을 설명한다. 디브리핑 절차에 대한 개요, 기밀유지 보장, 기타 지침이 전달된다. 또한 팀 구성원을 확인하고 관련 질문을 받는다.

사실 확인 단계(fact phase)

참여자들은 사건의 사실에 대해 논의한다. 참여자들은 자신을 소개하고, 사건에 대한 자신의 경험과 그 정도를 말하며, 자신의 관점에서 사건을 기술한다.

사고 단계(thought phase)

참여자는 사고에 대한 첫 번째 생각을 논의한다.

반응 단계(reaction phase)

참여자는 사고에 대해 최악의 상황, 즉 잊고 싶은 것과 가장 고통스러웠던 것에 대해 이야기한다.

증상 단계(symptom phase)

참여자는 사고 현장에서의 인지적, 신체적, 정서적 또는 행동적 경험을 설명하고, 초기 경험 후에 그들이 느끼는 증상을 설명한다.

교육 단계(teaching phase)

표현된 증상의 정상성(normality)이 인정되고 확인된다. 미래의 증상에 관한 지침이 제공되고, 그룹은 스트레스 관리기술 교육에 참여하게 된다.

재진입 단계(reentry phase)

참여자는 논의된 자료를 검토하고, 새로운 주제를 소개하고, 질문하고, 어떻게 디브리핑을 종결하고 싶은지 논의한다. 디브리핑 팀원은 질문에 답하고, 정보를 제공하고 안심한다. 서면 자료와 출처에 대한 정보를 제공한다. 격려, 지지 및 감사로 디브리핑을 요약한다.

표 15-5 | 위기중재

정의

대상자가 위기에 대처하고, 위기 전 상태와 비슷하거나 더 나은 기능 상태를 회복하도록 돕기 위해 단기 상담을 사용한다.

활동

- 지지적인 분위기를 조성한다.
- 거짓된 확신을 주지 않는다.
- 안전한 피난처를 제공한다.
- 대상자가 자신이나 타인의 안전에 있어 위험성을 확인한다.
- 신체적 위험에 노출되어 있는 대상자나 다른 사람들을 보호하기 위해 필요한 사전 예방조치를 취한다.
- 비파괴적인 방식으로 감정을 표현하도록 격려한다.
- 위기의 촉발요인과 역동을 확인하도록 돕는다.
- 대상자가 한 번에 한 가지 결과에 집중하도록 격려한다.
- 위기를 해결하는 데 사용할 수 있는 대상자의 강점과 능력을 확인한다.
- 과거/현재의 대처기술과 그 효과를 확인하도록 돕는다.
- 필요시 새로운 대처방법 및 문제해결 기술을 개발하도록 돕는다.
- 이용 가능한 지지체계의 확인을 돕는다.
- 필요시 대상자와 가족을 지역사회 자원과 연결시킨다.
- 지지체계를 개발하고 유지하는 방법에 대한 지침을 제공한다.
- 대상자에게 같은 경험을 성공적으로 극복한 사람(또는 그룹)을 소개한다.
- 위기를 해결하기 위한 대안적 행동을 확인하도록 돕는다.
- 행동의 다양한 과정에 대해 가능한 결과를 평가하도록 돕는다.
- 대상자가 행동의 특정 과정을 결정하도록 돕는다.
- 선택된 행동방침의 실행을 위한 시간표를 공식화하는 것을 돕는다.
- 선택한 행동과정에 의해 위기가 해결되었는지 여부를 대상자와 함께 평가한다.
- 적응적 대처기술이 미래의 위기를 해결하는 데 어떻게 사용될 수 있는지 대상자와 함께 계획한다.

출처: Bulechek, G. M., Butcher, H. K., Dochterman, J. M., & Wagner, C. (2013). Nursing interventions classification (NIC) (6th ed.). St. Louis, MO: Mosby.

Clinical example

간호사는 2차 위기중재를 수행하고, 4주 동안 매주 2번씩 대상자와 만났다. 대상자는 사회복지사 및 간호사와 함께 남편을 떠나 다른 살 곳을 찾겠다는 동기를 갖게 되었다. 간호사는 대상자가 위기 이후에 외래 진료소의 상담가에게 자신의 고통에 대해 털어놓기를 몇 차례 권유했지만, 대상자는 양가감정을 갖고 있고, 이미 남편에게 돌아갈 것이라고 생각하고 있다.

9. 간호평가

NOC에는 각 성과와 그 성과를 지지하는 지표에 대한 기본 측정 값이 포함되어 있다. 각 지표는 5점 리커트 척도(Likert scale)로 측정되며, 간호사가 위기중재의 효과를 평가하는 데 도움이 된다. 이 평가는 비록 중재가 일찍 끝날 수 있더라도, 일반적으로 초기 인터뷰 후 4~8주에 걸쳐 수행된다. 중재가 성공적이라면, 대상자의 불안 수준과 기능 수준은 위기 이전의 수준으로 회복되어야 한다. 종종 대상자는 추가적인 걱정에 대해 후속 조치를 선택하고, 보다 장기적인 작업을 위해 다른 기관에 의뢰된다. 위기중재는 추가적인 치료를 위해 대상자를 준비시키는 데 도움이 된다.

Clinical example

대상자는 폭행사건 3주 후에 남편에게 돌아갔다. 그녀는 남편이 자신의 분노를 통제하기 위해 어떤 외부적인 도움도 구하지 않았다는 사실에도 불구하고, 그가 날라졌다고 확신했다. 6수 후 대상자와 간호사는 위기가 종료됐다고 결정하였다. 대상자는 간호사에게 냉담했고 거리를 두었다. 간호사는 대상자가 중등도의 감정적 고통 속에 있다고 평가했지만, 대상자는 자신이 잘하고 있다고 느꼈다. 간호사의 사정에 따르면, 대상자는 여러 심각한 문제(예: 낮은 자존감, 아동기 학대)를 가지고 있으며, 간호사는 더 많은 상담이 그녀에게 도움이 될 것이라고 강력히 제안했다. 하지만 대상자는 추후 문제가 생기면 가정 상담원과 접촉할 수 있고, 그것이면 충분하다고 말했다.

10. 정신간호학 맥락에서의 재난

1) 재난간호에 대한 이해

재난은 전혀 예측하지 못한 상태에서 갑작스럽게 발생하며 생명과 생활 터전에 심각한 물적 손실을 가져다주는 것으로, 외부의 도움 없이는 극복하기 어려운 상황을 말한다. 유엔국제재해경감기구(United Nations Office for Disaster Risk Reduction, UNDRR or [formerly] UNISDR): "갑작스러운 지역사회의 기본조직과 정상 기능을 파괴시키는 불행한 사건으로 인해 일상적인 능력으로 처리할 수 없는 피해를 입고 생명, 재산 ,경제, 생활 시설, 주거 환경 등에서 외부의 도움 없이는 극복할 수 없는 상태", 세계보건기구(World Health Organization [WHO]): "심각한 파괴로 인하여 피해 지역은 생태학적으로나 사회심리학적으로 자신의 대처 능력을 초과한 상태", 재난 및 안전관리기본법: "국민의 생명, 신체, 재산과 국가에 피해를 주거나 줄 수 있는 것"이라 했다.

재난 연구는 현재와 과거의 재난 경험으로부터 배우려는 전세계적인 시도를 반영한다. 세계 지도자 및 국가, 국제기구와 함께 국제적 교류와 소통을 증진시키는 정보 회의에 참석하는 전문가들은 모든 이해 관계자들이 협력해야 할 필요성을 강조한다(WHO, 2010).

국제 사회의 모든 구성원들 사이에 존재하는 상호 의존성에 대한 인식이 커지고 있다. 연속적으로 일어나는 대규모 지진, 쓰나미, 허리케인, 홍수, 산불은 세계 어디에서 발생하든 상관없이 파급 효과가 있다. 직접적으로 또는 간접적으로 우리는 인적, 경제적 및 자연적 자원의 고갈에 대한 일부 요소를 경험한다. 국제 주식의 감소하는 가치, 병으로 황폐해진 아이티의 시민들, 미국 걸프만의 홍수 피해자들의 황폐화를 고려해보자.

21 세기의 재난 관련 문헌은 탄력적인 지역사회를 개발하고 지역 차원에서 재난의 위험도를 사정함으로써 재난 대비를 지원한다. 모든 재난과 관련된 황폐화의 독특한 형태를 고려할 때, 지역 공동체 내에서의 위험을 줄이는 것이 바람직하며, 결국에는 지역사회의 네트워킹으로 확장되고, 이후 더 큰 사회적 및 국가적 프로그램으로 확장된다(Federal Emergency Management Agency [FEMA], 2012).

(1) 재난간호

재난의 발생은 세계적으로 증가하는 추세이며 이에 따라 재난으로 부상을 입는 사상자에게 간호를 제공하는 요구도 증가하고 있다. 재난간호는 다른 전문 분야와 함께 재난으로 야기된 생명에 대한 위협과 건강에 대한 위험을 줄이기 위한 다양한 활동으로 재난과 관련된 간호에 전문화된 기술, 지식의 체계적이고 유연한 이용으로 설명되었다.

재난간호는 크리미아전쟁에서의 플로랜스 나이팅게일의 간호활동에서 다양한 재난현장에서의 간호사활동을 포함하고 있다. 재난현장은 예상치 못한 긴박한 상황 속에서 간호를 수행하는 데 필요한 장비, 대량 인명 사고에서 기대되는 역할, 권한, 지식, 기술을 포함하여 문제해결능력과 지역사회에서 발생한 재난참여 등을 필요로 한다. 재난 시 간호사의 참여는 자발적으로 판단하여 이루어지지만, 간호사들은 임상능력, 개인의 안전 및 가족과 그 외 중요한 사람들의 안전에 대한 자신감에 따라 상황마다 다르게 대응한다.

현재 세계 도처에서 지속적으로 발생하고 있는 재난은 재난에 대한 관심을 증폭시켰고 이에 재난교육의 필요성이 대두되었다. 최근 직접적으로 재난을 경험한 미국, 인도 등의 국가에서는 이러한 문제의 심각성을 인식하여 간호사교육에 대한 논의와 워크숍이 실시되고 있다.

미국의 경우도 911 테러 이후 500개 병원 이상이 재난대비 준비의 중요성을 인식하고 기존의 프로토콜을 수정하였다. 재난에 대비하기 위한 교육이 강조되었으며, 간호사 대상의 재난교육이 무엇보다 중요하다는 인식을 갖게 되었다. 그 이유는 첫째, 간호사는 보건 의료 전문인 중 가장 많은 부분을 차지하며, 둘째, 간호사는 재난상황 발생 시 '환자를 포기하지 않는다'는 대상자에 대한 책임감이 투철하고, 셋째, 간호사는 재난상황에서의 복잡한 임무를 수행할 지식과 기술을 이미 충분히 보유하고 있으므로 재난이라는 특수한 상황 관리를 위한 교육만 추가하면 되기 때문이다.

재난간호는 다수의 사상자나 재산상의 피해를 발생시켜 지역사회 전체에 영향을 미치는 자연 또는 인위적 재난에 대한 대비 및 대응을 하는 것이다. 따라서 재난간호는 상황발생에 따른 대응 개념뿐만 아니라 예방, 대비, 복구의 개념까지 포함하는 포괄적인 것으로 간호사의 다양한 역할이 요구된다.

2) 재난의 유형

(1) 자연재난

자연 현상으로 유발된 재앙으로 태풍, 홍수, 호우, 강풍, 풍랑, 해일, 대설, 낙뢰, 가뭄, 지진, 황사, 조류 대발생, 조수, 그 밖에 이에 준하는 자연 현상으로 인하여 발생하는 재해를 말한다.

(2) 사회재난

우리나라 「재난 및 안전관리 기본법」은 과거 '인위적 재난'을 '인적 재난'과 '사회 재난'으로 각각 구분하여 정의하였지만, 최근 개정 내용에는 '사회 재난'으로 통합하여 소개한다.

① 화재, 붕괴, 폭발, 교통사고, 화생방 사고, 환경오염 사고 등으로 인하여 발생하는 대통령령으로 정하는 규모 이상의 피해, ② 에너지, 통신, 교통, 금융, 의료, 수도 등 국가 기반 체계의 마비, ③ 감염병의 예방 및 관리에 관한 법률에 따른 감염병 또는 가축전염병 예방법에 따른 가축전염병의 확산 등으로 인한 피해, ④ 개인이나 집단 간 폭력은 더 흔한 외상 경험을 야기하는 것을 의미한다.

3) 재난에 대한 반응

(1) **충격기**(impact phase): 충격, 공황, 극심한 두려움, 낮은 판단력과 현실 검증력, 자기파괴적 행동 등이 나타난다.

(2) **구조/영웅기, 과장된 표현기**(heroic phase): 높은 수준의 활동과 낮은 생산성을 특징으로 하는 시기이다. 협조정신과 건설적 행동을 통해 불안과 우울을 극복하거나 지나친 활동으로 인한 소진이 나타날 수 있다.

(3) **교정/밀월기, 감정통합기**(honeymoon phase): 감정의 극적인 변화가 특징인 시기로 재난 지원을 즉시 이용할 수 있고 모든 것이 빨리 정상으로 돌아올 것이라는 낙관주의가 존재한다. 상호협력의 온화한 분위기가 형성되지만, 재난 희생자의 가능한 정서행동적 문제가 간과될 수 있다.

(4) **재고/환멸기**(disillusionment phase): 밀월단계와 대조적으로 재난을 겪은 개인과 지역사회가 재난 지원의 한계를 깨닫는 시기이다. 낙관주의가 낙담으로 바뀌고 스트레스로 인한 다양한 부정적인 반응이 나타날 수 있다. 비애, 혐오, 수면장애, 재해 사건에 대한 환멸의 기억 등 분노의 표현 시기로 수 개월에서 수 년 간 지속될 수 있다.

(5) **재구성/재인식기, 재통합기**(reconstruction phase): 자신의 문제를 받아들이고 건설적으로 재조직하는 단계로 재난 후 몇 년 동안 지속될 수 있다. 생존을 향한 용기, 자신감 회복, 지역사회에서의 기능을 복구하기 위한 적응이 요구된다.

4) 발생가능한 문제들

(1) 정신적 외상(trauma)

재난 경험 자체에 의한 충격으로 정신적 외상은 충격적이거나 두려운 사건을 당하거나 목격하는 것으로 인해 초래되는 심리적인 부정적 결과이다. 한 개인이 신체적, 정신적으로 해롭거나 위협적인 사건이나 상황을 겪은 후 신체적, 사회적, 정서적, 영적 건강과 기능에 지속적으로 부정적인 영향을 받는 것이다.

① 재난의 경험: 지진의 흔들림이나 소리, 화재의 불꽃이나 열, 폭발의 소리나 열풍 등을 경험한 경우, ② 재난에 의한 피해: 부상, 근친의 사상, 주택 파손 등, ③ 재난의 목격: 시체, 화염, 가옥의 붕괴, 사람들의 혼란 등을 목격한 경우이다.

(2) 슬픔, 상실, 분노, 죄책

사별, 부상, 가산 손실 등에 의한 슬픔, 상실이 있고, 자신만이 살아남은 점이나 적절하게 대처하지 못한 것에 대한 죄책(Survival guilt)감이 있다. 늦은 원조 또는 정보의 혼란 등으로 주위에 대한 분노가 생기기도 한다. 또한 과실에 의한 재난의 경우에는 책임기관 · 책임자에 대한 분노가 일고, 범죄자가 관여된 경우에는 범인에 대한 분노감이 생긴다.

(3) 사회 · 생활 스트레스

새로운 생활환경에 의한 스트레스로, 다양한 심신의 문제를 말한다. 원인을 알 수 없는 고통, 불면, 피난 · 이사(새로운 주거환경에서의 스트레스, 집단활동 등), 일상생활의 어려움(학교, 직장, 지역 생활, 지금까지의 질병 치료, 유아나 노인 · 장애인의 치료 등), 재난과 관련된 대인관계, 정보에 대한 부담, 재난피해자로 주목받는 것에 대한 부담(남의 눈에 띄는 것에 대한 스트레스, 동정이나 호기심의 대상이 되어 있는 것 같은 불안 등이 포함된다.

5) 외상 스트레스의 피해자

일반적인 반응으로는 믿을 수 없음과 충격, 공포와 미래에 대한 불안, 지남력 장애(혼미), 무관심 및 감정적 마비, 신경질적인 반응(과민성) 및 분노, 슬픔과 우울함, 무기력감, 극심한 배고픔 혹은 식욕 상실, 의사결정의 어려움, (명확한 이유 없이 나타나는) 울음, 두통 및 위장장애, 수면장애, 과도한 음주나 약물 사용 등이 있다. 이러한 반응은 대부분의 경우 시간이 흐름에 따라 점차 감소하게 되고 다시 일상적인 활동에 주의를 집중할 수 있게 된다. 스트레스에 따른 경험이나 대처 방법은 개인마다 다르므로 주변의 다른 사람과 비교하거나 피해자의 반응이나 감정을 평가하지 않도록 한다.

(1) 1차 재난 피해자

대부분 위기, 재난 또는 외상에 의해 직접적인 영향을 받은 사람들을 말한다. 이들의 심리적 반응과 요구는 다음과 같다.

- 자신의 기본적인 생존을 위한 걱정
- 사랑하는 사람, 가지고 있는 의미 있는 소유물에 대한 상실감
  - 자신과 사랑하는 사람들의 안전에 대한 걱정과 불안
  - 악몽, 재난 상황의 재경험으로 인한 수면장애
  - 이주와 그에 따른 고립이나 악화된 주거 환경에 대

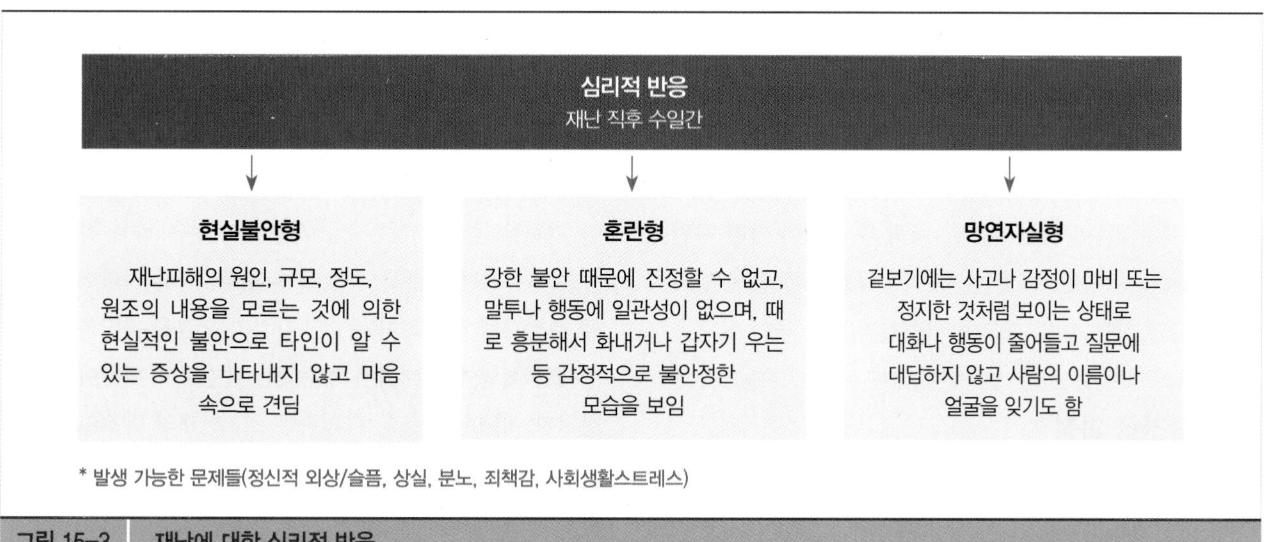

그림 15-3 재난에 대한 심리적 반응

한 염려

– 재난 관련 사건과 감정에 대해 자주 이야기하고자 하는 심리적 요구

– 자신이 사회의 일원이며 재난 복구를 위한 사회적 지지를 받고 있음을 느끼고자 하는 심리적 요구

(2) 2차 재난 피해자: 친구, 가족, 동료 등

1차 피해자에 대한 직접적인 외상적 사건을 관찰한 사람들을 말한다. 유족들의 심리적 특징은 트라우마, 우울, 불안, 불면, 시신에 대한 집착, 죄책감, 원망 등이다. 냉정함을 보일 수 있으나 이는 효율적인 냉정함이 아닌 정서적 해리 상태이다.

- 유족의 심리적 단계

  I. 쇼크: 멍한 상태, 평정을 가장한 상태

  II. 사망 사실의 부인: 객관과 주관의 혼란

  III. 분노: 가해자나 부당한 운명에 대한 분노

  IV. 우울: 이 시기가 지난 후 배상이나 교섭이 가능함

  V. 사별의 수용

(3) 3차 피해자: 재난 지원인력

재난 현장과 피해자를 지원하는 과정에서 1차 또는 2차 피해자들의 노출에 의한 트라우마로 간접적인 영향을 받은 사람들을 말한다. 구조인력, 의료인, 사회복지사, 상담사 등의 지원인력과 그들의 가족과 지인들이 외상 사건의 3차 피해자가 될 수 있다.

(4) 4차 피해자: 전 국민

재난으로 인한 피해는 정신건강의 취약계층, 재난과 관련된 사업, 미디어에 노출된 일반인, 지역사회와 사회 전반에 걸쳐 확산될 수 있다. 고려해야 할 취약계층들로 노인, 소아·청소년(특히 보호자와 헤어진 아동), 신체적·정신적인 장애가 있는 사람, 임산부, 시력 및 청력이 약한 사람, 기관 입소자들(병원, 요양원, 형무소 등), 외국인, 이민자, 한국어를 못하는 사람, 재난구조인력, 의료인 등이 있다.

6) 재난간호 과정

(1) 간호사정

전반적 사정, 환자의 중증도 분류, 정보파악과 신체사정

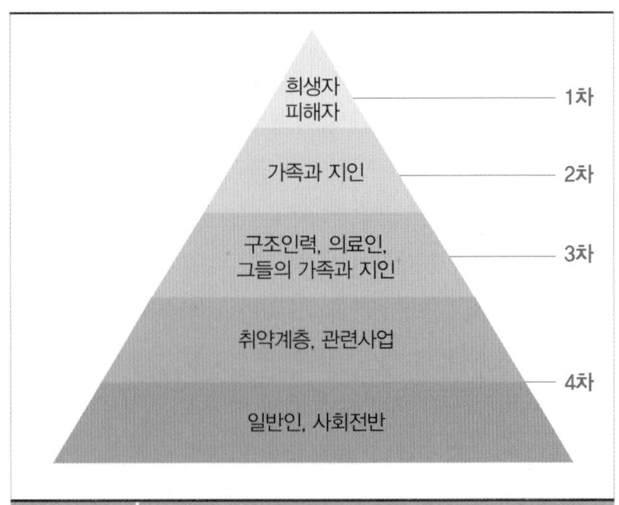

그림 15-4 심리적 외상으로 인한 재난 충격의 피라미드

(1차: 응급상태, 2차: 신체부위별)이 필요하다. 또한 심리적 반응으로 의식수준, 부정, 불안 및 공포, 슬픔, 우울에 대한 사정이 필요하다.

(2) 간호진단

가능한 간호진단으로 불안, 비효율적 호흡 양상, 개인 또는 가족의 비효율적 대처 등이 있다.

(3) 간호중재

우선 심리적 응급처치로 경청하는 것이 필요하다. 위기중재는 외상사건의 6–8주 안에 언제든 제공될 수 있고, 재난 간호사의 역할은 최대 다수를 위한 최대 선을 이루는 것이다. 심리적 반응으로서 동정심, 상실, 소진(burn out)에 대해 중재하고, 심리적 대책으로는 동료의 지지와 스스로 돌보기 등에 대한 중재가 이루어져야 한다. 희생자와 지역사회의 회복에 도움이 되는 지지적 행동은 대상자를 존중하는 것, 대상자의 눈을 응시하고 몸짓을 주시하는 것, 대상자에게 솔직하게 대하는 것, 할 수 있는 것과 할 수 없는 것에 대해 현실적으로 대처하는 것, 대상자의 장점을 강조할 기회를 놓치지 않는 것, 개방식 질문을 하여 자신의 고통을 자유롭게 표현할 수 있도록 한다, 다른 사람이 개입될 때 대상자의 허락을 받는 것, 감정의 요점을 파악하되 너무 상세한 설명에 얽매이지 않는 것, 경청하고 되물어보아 대상자가 이해한 내용을 확인하는 것, 현재의 감정이나 정서를 외부로 표출하도록 하는 것, 언제 끝내야 할지를 알게 하는 것 등이다.

표 15-6 재난 충격 이후 나타날 수 있는 다양한 증상
정서적문제
• 불안
• 우울
• 불안한 정서
• 예민, 짜증
• 죄책감, 수치심
• 무감각
• 좌절에 대한 내성 부족
• 자아도취, 지나친 자신감
• 생존자들에 대한 동일시
신체적문제
• 불면
• 악몽
• 통증(두통, 복통, 근골격계 등)
• 식욕변화, 소화불량
• 감기, 감염 등 면역력 저하
• 만성피로
• 눈가, 입가의 근육 떨림
• 생리주기 변화
• 체중변화
• 탈모
인지적문제
• 기억력 감소
• 사고의 속도와 이해 저하
• 우선순위 선정, 의사결정의 어려움
• 반복된 외상 사건 기억
• 새로운 생각에 대한 저항
• 경직된 사고, 집중력 부족
행동장애
• 외상 사건을 연상시키는 상황 회피
• 위축된 대인관계
• 활동 감소
• 알코올, 약물 사용 증가
• 잦은 지각, 업무 회피
• 분노 폭발, 잦은 다툼
영적문제
• 삶을 영위해나갈 자신감 상실
• 삶에 대한 의미 상실, 회의감
• 세상으로부터의 소외감
• 중대한 가치관의 변화

구호자 스트레스는 비참한 상황에 있거나 자녀를 연상시키는 시체를 다룰 때, 피해자가 본인과 아는 사이의 경우, 본인 또는 동료가 활동 중에 부상을 당하거나 또는 순직했을 때, 구조 활동에도 불구하고 충분한 성과를 얻지 못했을 때, 과거에 경험하지 못했던 구조 상황일 때 나타날 수 있다.

재난간호는 재난 직후 현장에서의 직접적인 중재, 짧은 시간 내에 많은 사람에게 중재를 제공할 수 있는 시스템과 프로그램, 훈련된 전문가가 필요하다.

간호사는 지역사회의 일원으로서 지역사회에서 돌발적 위기사건이 일어났을 때 자신의 전문적 역량을 이용하여 개입해야 한다. 또한 재난 직후 피해자들이 있는 수용소, 병원, 대피소 등 현장에 가서 직접적인 중재를 제공해야 한다. 재난 동안 가능한 많은 사람들이 단기간에 도움을 받을 수 있도록 포괄적 위기중재를 사용하는 것이 중요하다. 특히 적절한 우선순위를 선정해야 하고, 돌봄 제공자에 대한 위기중재 전략도 필수적이다. 또한, 필요할 때 좀 더 복합적인 서비스를 받을 수 있는 유관 기관에 연계 및 의뢰하는 것이 중요하며, 피해자들에 대한 교육, 감정이입적 지지, 정보와 법적 체제 내에서의 도움 등이 필요하다.

(4) 간호평가

간호평가 단계에서는 조직 전체의 수행 정도를 평가해야 한다. 전문 간호사는 전세계의 재난 구호 활동 및 복구 활동의 여러 측면에 강력하고 역동적이며 핵심적으로 기여할 수 있다. 이들은 돌봄 제공자 및 돌봄 관리자이며, 비판적 사고에 기반한 적응적인 문제해결 전문가이다. 또한 재난 연구자 및 저자로서, 그리고 재난 관리 계획 분야에서 중추적인 대변인으로서 전 세계적으로 두각을 나타내고 있다(Powers, 2010). 탄력적인 공동체 구축의 중추적인 측면을 강조하는 지속적인 연구를 고려할 때, 전세계적으로 필요로 하는 사람들에게 체계적이고 포괄적인 정신건강 서비스를 제공하는 정신 간호사의 기여에 대한 요구가 증가할 것으로 보인다(Herman, 2012; WHO, 2010).

지역사회의 능력을 초과하는 삶과 재산에 심각한 피해를 주는 절정의 사건은 자연 재해이다(Powers, 2010). 자연 재해 및 인재 사고의 구체적인 특성에 대해 명확하게 이해하면, 재난 계획에서 정보의 유용성이 높아진다. 지진, 산불, 홍수, 쓰나미, 토네이도, 가뭄, 극심한 더위 및 추운 날씨, 폭설은 최근의 전세계적인 사건 중 일부이다. 인재는 직접적으로 확인 가능한 인간의 의도적인 또는 비의도적인 행동의 결과로서 정전, 주요 산업 재해 또는 계획되지 않은 핵 에너지의 방출과 같은 기술적인 사건을 포함한다. 보다 복잡한 사건으로는 전쟁, 시민 혹은 정치 투쟁, 또는 자연 재해와 인재의 혼합에 의한 사고 등이 포함된다.

각각의 치명적인 사건은 다음과 같은 5단계 재난 관리 연속체계를 작동시킬 것이다:

① **준비(preparedness)**: 반응을 구조화하고, 위험을 사정하며, 피해를 평가하기 위해 사건 이전에 설계된 보호적 계획
② **완화(mitigation)**: 인간 건강 및 지역사회 기능에 대한 재난의 영향을 최소화하기 위한 시도
③ **대응(response)**: 재난 계획의 실제적 실행
④ **회복(recovery)**: 지역사회를 안정화시키고 이전의 상태로 되돌리는 데 중점을 둠
⑤ **평가(evaluation)**: 미래를 준비하기 위한 대응 노력의 평가(FEMA, 2012)

도움 없이 해결할 수 있는 희생자의 능력을 넘어서는 예기치 않은 사건은 위기 경험을 가져올 것으로 예상된다. 모든 사람들은 언젠가는 위기를 경험할 수 있다.

7) 재난관리의 맥락

2002년 11월 25일, 911 테러 사건은 미국의 재난, 특히 지역 및 주정부 차원의 자원이 현존하는 어려움에 부적합한 상황임을 인식시켜 주었는데, 이에 대하여, 대응을 조정하고 FEMA를 포괄하는 정부 내각인 국토 안보부(Department of Homeland Security, DHS)의 창설을 촉구했다. 결과적으로 DHS는 미국 시민과 영토의 안전에 대한 궁극적인 범정부적 책임을 지니며 적절한 대비, 대응 및 회복 프로토콜의 즉시 사용을 보장하는 역할을 하였다. DHS는 그 목적을 달성하기 위해 민간인 전문가(first responders), 자연 재해 또는 테러리스트의 위협 또는 기타 대규모 사건을 대비하고 준비하는 현지 비상 대응 전문가를 이용한다. 2004년, DHS는 국가 안보 관리 시스템(National Incident Management System, NIMS)을 개발하여 지역사회가 대규모 재난에서 자원을 다 써 버렸을 때, 다양한 학문과 분야의 전문가가 효과적으로 협력할 수 있도록 지원했다. NIMS 체계를 이해하려면, 사고 명령 시스템(incident command system, ICS)에 대한 교육이 필요하다. ICS는 사건 현장에서 사람과 장비의 조정을 지원하는 명확한 명령 체계를 수립함으로써, 사건 발생에 대한 즉각적인 대응을 용이하게 하는 공통적인 조직 구조를 제공한다. 사건에 참여하는 개인에 대한 최소한의 핵심 역량이 DHS에 의해 개발되었으며, 기존 교육 프로그램이 포함된다(FEMA, 2012). 2002 년 George W. Bush 대통령이 창안한 Citizen's Core는 미국 시민들이 지역사회 수준에서 더 큰 탄력성을 발휘할 수 있는 비상 사태 대비 활동에 참여할 수 있는 기회를 제공한다(Office of the Press Secretary, Citizen Corps Guide Book).

근거 기반 실무 Evidence-based practice

재해가 고등 교육과정에 미치는 영향

Watson, R G., Loffredo, V J., & McKee, J. C. (2011). When a natural disaster occurs: Lessons learned in meeting students' needs. Journal of Professional Nursing, 27(6), 362-369.

문제

극단적인 기상 조건은 종종 재앙적인 사건과 삶의 혼란을 가져온다. 그러한 사건을 경험한 대학과 대학의 학생들은 이러한 사건에 준비가 되어 있지 않을 수 있어 심각한 고통을 경험할 수 있다.

연구의 목적

이 연구는 비상 대피와 이후 학업에 복귀한 학생들의 경험을 이해하기 위해 수행되었다.

연구 방법

Hurricane Needs Survey는 허리케인 당시 텍사스 캠퍼스에서 비상대피를 한 7개월 후 학생들에게 실시되었다. 26개의 구조화된 질문과 다음의 3가지 개방형 질문이 포함되었다.

1. 폭풍 대비를 위해 어떤 정보가 도움이 되었습니까?
2. 폭풍 직후에 캠퍼스를 떠나 있는 동안 어떤 정보가 도움이 되었습니까?
3. 폭풍 후 캠퍼스로 돌아올 때 어떤 정보가 도움이 되었습니까?

513개의 응답은 텍사스 메디컬 브랜치(Texas Medical Branch) 대학 학생의 37.2%에 해당하는 것이었다.

주요 결과

- 513명의 응답자 중 대다수는 건강 서비스 제공자를 만나지 않았으며, 신체적, 정신적으로 폭풍 전 수준의 기능이라고 보고했다.
- 대상자의 거의 25%가 대피 후 신체적 고통과 피로를 보고했다.
- 거의 모든 학생들이 폭풍이 학업 성적에 부정적인 영향을 미쳤다고 보고했다.
- 타 국적자와 대학원생은 중등도의 재정적 손실과 조금 더 높은 수준의 어려움을 보고했다.
- 개방형 질문에서 세 가지 주제가 확인되었다: 학생들은 기상 관련 재난에 준비된 대학을 원한다; 그들은 폭풍 이후 대학과 연결되기를 원한다; 그러한 혼란 이후 정상 상태로 돌아오는 것이 중요하다.

간호에의 적용

각 재앙적인 사건의 독특함을 감안할 때, 간호사에게 재난 희생자의 경험에 대한 지속적인 질적 연구결과가 도움이 된다. 건강 관리 지도자로서 간호사는 전국 대학의 보건 서비스 프로그램을 통해 육체적, 정신적 웰빙을 증진한다. 간호사는 재난 연구, 계획 및 준비에 대한 참여를 통해 대학 공동체의 탄력성에 영향을 미치고 강화하는 중추적인 위치에 있다.

사례 연구와 간호 중재 계획

위기

정신과 임상 전문 간호사인 Ms. Greg는 신경과로부터 전화를 받았다. 그녀는 길리안바레 증후군을 앓고 있는 43세의 Raymond씨가 심각한 정신간호 문제를 가지고 있으며, 이에 관해 일반 간호사가 상담을 요청했다고 들었다. 이 질병은 Raymond에게 마비를 일으킬 수 있는 심각한 근육 약화를 야기하지만, 그는 스스로 호흡은 가능한 상태이다. 간호 관리자는 Raymond씨가 적대적이고, 성적으로 모욕적이며, 그의 모욕적인 언어, 품위 없는 태도, 분노 표출이 병동 전체에 악영향을 미치고 있다고 말했다. 일반 간호사들은 인내심을 갖고 이해하려고 노력했지만, 분노를 느끼며 아무것도 그에게 전달되지 않는 것 같다고 말했다. 간호사들은 그 상황이 간호사의 사기와 간호의 질에 영향을 미친다고 생각했다.
아메리칸 인디언인 Raymond는 택시 기사로 일했다. 그는 수년간의 알코올 남용 후, 입원 전 6개월 동안 술을 마시지 않았다. 약혼녀가 매일 그를 방문한다. 그는 일상 생활의 모든 면에서 많은 도움이 필요하다. 근력의 약화로 인해 2시간마다 자세를 변경하고 위장관을 통해 영양을 공급해야 한다.

사정

Ms. Greg는 Raymond씨와 그의 약혼녀와 담당간호사로부터 자료를 수집한다.
Raymond의 무의식적인 전치 사용은 스트레스를 야기하는 문제들을 실질적으로 해결하는 데 도움이 되지 않으므로, 부적응적인 반응에 속한다. 그의 불안은 계속해서 악화될 것이고, 그의 행동은 다른 사람들로 하여금 그와의 상호작용을 최소화하도록 유도하여 그의 고립감과 무력감을 증가시킨다.

자기-사정

Greg은 간호사들과 두 번 만났다. 간호사들은 Raymond씨에 의해 거부당한다고 느끼는 것에서 기인하는 무력감과 통제력 부족에 대해 이야기하였다. 그들은 Raymond씨의 품위 없는 행동과 상황에 대한 좌절로 인한 분노를 경험하고 있다고 하였다.
Greg은 간호사들에게 Raymond씨가 느끼는 무력감, 통제력 부족, 상황에 대한 분노가 직원들이 경험하는 것과 같은 감정임을 알려주었다. 직원들을 협박함으로써 무력감과 좌절감을 전치한 Raymond씨는 통제력을 잠깐이나마 느낀다. 그것은 또한 그로 하여금 절망감에서 멀어지게 한다.
간호사들은 Raymond가 중등도에서 중증의 불안에 대처하기 위해 취하는 행동에 대한 동기를 더 잘 이해하게 되었다. 그들은 개인의 반응보다는 대상자에게 더 집중하고, 그룹으로 시도할 수 있는 두 가지 접근법을 결정하였다. 첫째, 그들은 Raymond씨의 행동을 개인적으로 받아들이지 않을 것이다. 둘째, Raymond씨의 전치된 감정은 그 자신에게 돌아가 다시 집중될 것이다.
사정에 기초하여 Greg는 중요한 세 가지 주요 문제 영역을 확인하고, 다음과 같은 간호진단을 내렸다.

〈계속〉

위기

촉발사건에 대한 인식

초기 인터뷰에서 Raymond는 Greg에게 음란한 성적 제안을 하면서 모욕하고, 화를 내며 말하였다. 또한 그는 머리를 긁고, 코를 풀어주는 간호사가 필요하다고 말하면서 분노를 표현하였다. 그는 어떻게 자신의 병이 갑자기 악화되었는지 아직도 알지 못한다. 그는 의사가 그에게 완전하게 회복할 수 있을지 알기에는 너무 이르다고 했지만, 예후는 좋았다고 말한다.

지지 체계

Greg은 Raymond씨의 약혼녀와 이야기를 나누었다. Raymond와 그의 약혼녀 및 아메리칸 인디언 문화 그룹과의 관계는 강하다. Raymond와 약혼녀는 지지 체계에 대한 많은 정보를 가지고 있지 않다.

개인의 대처 기술

Raymond씨는 남성이 강력한 지도자가 될 것으로 기대되는, 강한 남성 지배 문화에서 자랐다. 자신의 삶의 방향에 영향을 줄 수 있는 힘을 가진 독립적인 사람이 되는 능력이 있어야 사람으로서 받아 들여질 수 있다고 인식하고 있다.

Raymond씨는 무력감, 통제 불능을 느끼고, 격분했다. 그는 이러한 감정을 환경, 즉 간호사와 약혼녀에게 옮겨 표출함으로써 불안을 다루고 있다. 이러한 분노의 방향 전환은 일시적으로 불안감을 줄이고 고통스러운 감정을 분산시킨다. 그가 다른 사람들을 협박할 때, 그는 일시적으로 통제감과 힘의 착각을 경험한다. 즉, 그는 두려움을 느낄 때 고통스러운 수준의 불안감을 해소하기 위해 전치(displacement)를 사용하고 있다.

진단

1. 부적절한 방어 기전(전치)의 사용으로 입증된, 부적절한 대처 방법과 관련된 비효율적 대처
   - 간호사와 약혼녀에게 향한 분노
   - 간호사를 겨냥한 욕설과 성적인 말
   - 간호사의 철회와 관련된 고립
   - 불안의 지속적인 악화
2. 이전에 단순한 과제를 수행하지 못하는 무능력에 대한 좌절감으로 입증된, 건강관리 환경에 대한 조절감의 부족과 관련된 무력감
   - 머리를 긁고, 코를 풀어주는 간호사가 필요한 것에 대한 분노
   - 지역사회에서 이용 가능한 자원에 대한 낮은 인식

결과 확인

Greg는 Raymond씨에게 매일 아침 15분 동안 그와 함께 시간을 보내고 싶다고 말하면서, 그의 걱정에 대해 이야기하였다. 그녀는 그가 감정을 다른 방법으로 처리할 수 있으며, 함께 지역사회 자원을 탐색할 수 있다고 제안한다. Raymond씨는 이 제안을 수용하였고, 그들은 매일 아침 7시 30분에 15분 동안 상담하기로 약속하였다.

각 간호진단에 대해 다음과 같은 결과가 설정된다.

간호진단	단기 목표
1. 부적절한 방어 기전(전치)의 사용으로 입증된, 부적절한 대처 방법과 관련된 비효율적 대처	1. Raymond씨는 이번 주말까지 자신의 질병과 부동성에 대하여 최소한 두 가지 감정을 명명하고 표현할 수 있다.
2. 복잡하지 않은 과업을 수행하지 못하는 것에 대한 좌절로 입증된, 건강관리 환경에 대한 통제 부족과 관련된 무력감	2. Raymond씨는 2주 후에 정보와 지원을 제공받을 수 있는 두 개의 지역사회 단체를 말하고 논의할 수 있다.

〈계속〉

위기

계획

Greg는 간호계획을 작성하여 간호사들과 공유하였다.

간호진단

부적절한 방어 기전(전치)의 사용으로 입증된, 부적절한 대처 방법과 관련된 비효율적 대처

자료

- 간호사와 약혼녀를 향한 분노
- 간호사를 겨냥한 욕설과 성적인 말
- 간호사 철회와 관련된 고립
- 불안의 지속적인 악화

결과 기준: 퇴원 시, Raymond씨는 자신의 부정적인 감정에 대해 더 편안하게 이야기할 수 있다고 말한다.

단기 목표	중재	근거	평가
1. Raymond씨는 이번 주말까지 자신의 질병과 부동성에 대한 최소한 두 가지 감정을 명명하고 표현할 수 있다.	1a. 간호사는 오전 7시 30분에 매일 15분 동안 대상자를 만난다. 1b. 대상자가 화를 내더라도, 간호사는 평온을 유지한다. 1c. 간호사는 지속적으로 분노를 환경으로부터 대상자에게 재지향하고 재초점화한다.(예: "이 상황에 있기가 어려운 게 틀림없군요.") 1d. 간호사는 매일 같은 시간에 올 것이고, 할당된 시간 동안 머무를 것이다.	1a. 밤은 보통 대상자에게 있어 가장 무서운 것이다. 이른 아침에 감정이 잘 드러난다. 1b. 대상자는 간호사가 자신의 감정을 조절하고 있다고 인식한다. 이것은 대상자를 안심시키고 안전감을 높일 수 있다. 1c. 재초점화된 감정은 대상자에게 자신의 불안에 효과적으로 대처할 수 있는 기회를 제공하고 행동화의 필요를 감소시킨다. 1d. 일관성은 신뢰를 위한 단계이고, 대상자의 분노로 인해 간호사가 대상자를 멀리 하지 않을 것임을 말한다.	일주일 안으로, Raymond씨는 자신의 감정에 대해 좀 더 솔직하게 말한다.

간호진단

복잡하지 않은 과업을 수행하지 못하는 것에 대한 좌절로 입증된, 건강관리 환경에 대한 통제 부족과 관련된 무력감

자료

- 머리를 긁고, 코를 풀어주는 간호사가 필요한 것에 대한 분노
- 지역사회에서 이용 가능한 자원에 대한 낮은 인식

결과 기준: 퇴원할 때까지 Raymond씨는 적어도 하나의 지역사회 지지 체계와 접촉할 것이다.

단기 목표	중재	근거	평가
1. Raymond씨는 2주 후에 정보와 지원을 제공할 수 있는 두 개의 지역사회 단체를 말하고 논의할 수 있다.	1a. 간호사는 대상자와 약혼자가 함께 할 것이고, 특정 기관의 역할과 사용에 관해 논의할 것이다. 1b. 간호사는 한 번에 한 기관을 소개한다. 1c. 간호사는 대상자에게 어떤 기관에 연락하도록 강요하지 않는다.	1a. 대상자와 약혼녀 모두 간호사에게 바로 질문을 할 수 있는 기회를 갖는다. 1b. 점진적인 소개는 정보가 축적될 시간을 허용하고 압박감이나 압도되는 느낌을 최소화한다. 1c. 대상자는 적절한 정보를 얻으면 스스로 결정을 내릴 수 있다.	10일 후까지, Raymond씨와 약혼녀는 관심있는 두 개의 지역사회 자원을 말할 수 있다. 6주 후에, Raymond씨는 Guillain–Barre Society와 접촉했다.

〈계속〉

위기

수행

Greg는 다음 날 아침 7시 30분에 Raymond씨의 방에 들어가서 앉았다. 처음에 Raymond씨의 말은 적대적이었다.

대화	치료적 도구/코멘트
간호사: "Raymond씨, 우리가 상의한 대로 저는 여기 있습니다. 매일 아침 15분 동안 당신과 함께 있을 거예요. 우리는 이 시간에 당신의 걱정거리에 대해 이야기할 수 있어요."	간호사는 자신을 자원으로 제공하고, 정보를 제공하며, 자신의 역할과 대상자의 기대치를 명확히 한다. Raymond씨는 밤에 가장 힘들다. 이른 아침에 그는 가장 취약하고, 치료 중재와 지지에 개방적일 것이다.
Raymond: "들어 봐, 자기야, 내 유일한 관심사는 어떻게 성적인 안정을 얻느냐 하는 거야, 이해했어?" 간호사: "병원에 입원한 것과 부분적으로 마비된 것은 누구에게나 압도적인 경험일 것입니다. 아마도 당신은 자신의 상황에서 약간의 안도감을 찾을 수 있기를 바라는 것 같군요."	간호사는 성적인 내용이 아닌 "안심에 대한 요구"의 과정에 중점을 두고, 감정에 대한 논의를 격려한다. 성적인 이슈는 종종 신입 간호사에게 도전적이다. 경험 있는 전문가와 함께 적절히 중재하고 대상자의 감정을 논의하는 것은 그들이 제공하는 돌봄의 질을 높이고 그들이 성장하는 데 중요하다.
Raymond: "무엇을 안다고 그래요, Know-it-all씨? 나는 발로 해야만 코를 풀 수 있어, 그 여자들은 근무 시간의 반 정도는 내 주변에 있지도 않는다고." 간호사: "사람들에게 당신을 위해 모든 것을 하도록 요구하는 것은 어려운 일이 분명해요."	간호사는 대상자가 자신의 감정에 대해 말한 것을 재진술하고, 환경으로부터 대상자에게 재초점화한다.
Raymond: "그래... 어느날 밤, 파리가 계속 내 얼굴에 붙어 있었지. 그 멍청한 조무사 중 한 명이 들어오기까지 나는 5분 동안 소리를 질렀어. 단지 이 방에서 파리를 내쫓기 위해서 말이야." 간호사: "모든 것을 다른 사람에게 의지해야 한다는 것은 누구에게나 끔찍한 경험이 될 수 있습니다. 그것이 당신을 매우 좌절하게 만드는 것 같군요." Raymond: "그래... 지옥처럼 사는 것처럼..."	간호사는 좌절감과 분노가 이 상황에 처한 사람에게는 자연스러운 반응이라고 인정한다. 이것은 대상자로 하여금 이러한 감정을 행동화하기보다는 적절한 말로 표현하도록 격려한다.

Greg는 Raymond씨와 시간을 함께 보내는 것을 지속하였다. 그는 점차적으로 간호사들에 대한 적대감을 줄이고, 자신의 감정과 행동에 대해 더 많이 이야기하였다. 그는 더 많은 통제력을 느끼기 시작하면서, 다른 사람들이 그를 돌보는 것에 대해 덜 방어적인 태도를 보였다. 2주 후, Greg는 방문 횟수를 일주일에 두 번으로 줄였다. Raymond씨는 대근육이 움직이기 시작했지만, 아직 걷지는 못한다. 그는 여전히 자신의 좌절감과 통제력 부족을 환경으로 전치한다. 그러나 그는 자신의 상황에 대한 현실을 더 잘 인식한다. 그는 또한 자신의 감정을 확인하고 말로 이야기할 수 있게 되었다.

대화	치료적 도구/코멘트
간호사: "오늘 무슨 일이 있나요? 얼굴이 긴장되어 보이네요, Raymond씨." Raymond: "나는 지난 밤에 변기를 10분 동안 기다려야 했습니다."	간호사는 대상자의 꽉 쥔 주먹, 경직된 자세 및 긴장한 표정을 관찰한다.
간호사: "당신은 그것에 대해 화가 났군요." Raymond: "30명의 환자를 돌보는 간호사가 두 명뿐이었습니다. 조무사는 쉬는 시간이었고요... 당신은 그들이 어디에나 있을 것이라고 기대할 수 없다고 했지만... 하지만 여전히..."	간호사는 함축된 의미를 말로 표현한다.
간호사: "사람들이 당신을 위해 항상 거기에 있을 수 없다는 것을 받아들이기가 어려울 수 있습니다." Raymond: "음... 그게 이곳에 있는 방식입니다."	간호사는 대상자가 변화시킬 힘이 없는 상황에 대해 분노할 때, 상황을 받아들이는 것이 어려운 점을 타당화한다.

〈계속〉

위기

평가

6주 후에, Raymond씨는 도움을 받아 걸어다닐 수 있게 되었고, 일상생활을 수행할 수 있는 능력이 향상되었다. Raymond씨는 여전히 분노를 느끼고 압도되었지만, 그는 자신의 감정을 더 많이 인식하고 행동화는 덜 할 수 있게 되었다. 그는 자신의 감정에 대해 약혼녀와 이야기 할 수 있으며, 이제 그녀를 덜 괴롭힌다. 그는 집으로 돌아갈 것을 고대하고 있으며, 그의 직장 상사는 그의 자리를 유지해주고 있다. Raymond씨는 Guillain-Barre Society와 모임 약속을 하며, 익명의 알코올중독자 모임(Alcoholics Anonymous)에 대해서도 생각하고 있지만, 이 문제는 직접 다룰 수 있다고 생각한다.

간호사들은 Raymond씨와의 관계에서 보다 편안하고 유능한 기분을 느끼게 되었다. Raymond씨와 Greg는 위기가 끝났다는 데 동의하고, 방문을 종료하였다. Raymond씨에게 위기 부서의 전화번호를 제공했으며, 질문이 있거나 대화의 필요성을 느끼면 전화하도록 격려하였다.

Key points to remember

- 위기는 혼란을 초래할 수 있지만, 또한 성장의 기회를 제공한다.
- 위기에는 세 가지 종류가 있다: 발달적, 상황적, 그리고 우발적 위기.
- 위기는 보통 4주에서 6주 이내에 해결된다.
- 위기 중재는 1~6주로 단기간에 걸쳐 이루어지고, 현재의 문제에만 초점을 맞춘다.
- 위기 해결은 세 가지 형태를 취한다: 대상자가 높은 수준의 기능, 위기 이전 수준의 기능 또는 낮은 수준의 기능을 보인다.
- 사회적 지지와 중재는 성공적인 해결을 촉진시킬 수 있다.
- 위기 중재자는 위기에 처한 대상자에게 적극적이고 직접적인 접근 방식을 취한다.
- 대상자는 목표를 설정하고 가능한 해결책을 계획하는 데 적극적인 참여자이다.
- 위기 중재는 일반적으로 잘 기능하지만, 일시적으로 압도되어 기능하지 못하는 정신적으로 건강한 자를 대상으로 한다.
- 위기 모델은 장기적이고 지속적인 정신적 문제가 있는, 위기에 처한 대상자의 요구를 충족시키기 위해 적용될 수 있다.
- 위기 중재의 단계는 간호 과정의 단계와 일치한다.
- 효과적인 중재를 용이하게 할 수 있는 간호사의 특별한 자질은 돌보는 태도, 돌봄 계획의 유연성, 경청하는 능력 및 적극적인 접근이다.
- 위기 중재의 기본 목표는 개인의 불안 수준을 낮추고, 대상자의 기능을 위기 이전의 수준으로 회복하려는 노력을 지지하는 것이다.
- 중대한 사건 스트레스 디브리핑은 위기 상황에 노출된 사람들의 집단을 돕는 그룹 접근법이다.
- 재해 발생 및 관리는 간호를 포함한 전 세계적 관심사이다.
- 재난 관리의 최근 경향은 대비책을 마련하고 탄력적인 지역 사회를 개발하는 데 중점을 두고 있다.
- 재난간호는 상황발생에 따른 대응 개념뿐만 아니라 예방, 대비, 복구의 개념까지 포함하는 포괄적인 것으로 간호사의 다양한 역할이 요구된다.
- 재난의 유형과 재난에 대한 반응 및 발생 가능한 문제들을 인식하고, 특히 심리적 반응에 대한 사정을 통해 대상자들에 대한 접근방식을 결정할 수 있다.
- 외상 스트레스의 피해자에 대한 구체적인 이해를 통해 접근법을 익힌다.
- 재난간호에 대한 간호과정을 적용할 수 있다.
- 재해 대비 훈련은 재난 계획 및 관리에 대한 간호의 기여를 최적화할 수 있다.

참고문헌 REFERENCES

Aguilera, D. C. (1998). Crisis intervention: Theory and methodology (8th ed.). St. Louis, MO: Mosby.

Aguilera, D. C., & Mesnick, J. (1970). Crisis intervention: Theory and methodology. St. Louis, MO: Mosby.

American Nurses Association, American Psychiatric-Mental Health Nurses Association, & International Society of Psychiatric-Health Nurses. (2007). Psychiatric mental health nursing: Scope and standards of practice. Silver Spring, MD: American Nurses Association.

Bulechek, G. M., Butcher, H. K., Dochterman, J. M., & Wagner, C. (2013). Nursing interventions classification (NIC) (6th ed.). St. Louis, MO: Mosby.

Caplan, G. (1964). Symptoms of preventive psychiatry. New York, NY: Basic Books.

Dunkley, J., & Whelan, T. (2006). Vicarious traumatization: Current status and future directions. British Journal of Guidance and Counselling, 34(1), 107-116.

Everly, G. S. Jr., Lating, J. M., & Mitchell, J. T. (2000). Innovations in group crisis intervention: Critical incident stress debriefing (CISD) and critical incident stress management (CISM). In A. R. Roberts (Ed.). Crisis interventions handbook: Assessment, treatment, and research (pp.77–100). New York, NY: Oxford University Press.

Federal Emergency Management Agency (FEMA). (2012). FEMA: Plan and prepare. Retrieved from http//www.fema.gov/plan-prepare-mitigate/and www.fema.gov/preparedness-1.

Hammond, J., & Brooks, J. (2001). The world trade center attack: Helping the helpers: the role of critical incident stress management. Critical Care, 5(6), 315–317.

Herdman, T. H. (Ed.). (2012). NANDA international nursing diagnoses: Definitions and classification, 2012–2014. Oxford, UK: Wiley-Blackwell.

Herman, H. (2012). Promoting mental health and resilience after a disaster. Journal of Experimental and Clinical Medicine, 4(2), 82–87.

Hobfoll, S., et al. (2007). Five essential elements of immediate and mid-trauma mass trauma intervention: Empirical evidence. Psychiatry, 70(4), 283–315.

Joint Commission on Mental Illness and Health. (1961). Action for mental health: Final report, 1961. New York, NY: Basic Books.

Moorhead, S., Johnson, M., Maas, M. L., & Swanson, E. (2013). Nursing outcomes classification (NOC) (5th ed.). St. Louis, MO: Elsevier.

Phoenix, B. (2007). Psychoeducation for surviviors of trauma. Perspectives of Psychiatric Care, 43(3), 123–131.

Powers, R. (2010). Introduction to disaster nursing. In R. Powers, & E. Daily (Eds.). International disaster nursing (pp. 1–55). New York, NY: Cambridge University Press.

Roberts, A. R. (2005). Crisis intervention handbook: Assessment, treatment, and research (3rd ed.). New York, NY: Oxford.

Roberts, A. R., & Ottens, A. J. (2005). The seven-stage crisis intervention model: A road map to goal attainment, problem solving, and crisis resolution. Brief Treatment and Crisis Intervention, 5(4), 329–339.

Wallace, M. A., & Morley, W.E. (1970). Teaching crisis intervention. American Journal of Nursing, 70(7), 1484–1487.

World Health Organization (WHO). (2010). Mental health and development: A model for practice. Geneva, CH: WHO press. Retrieved from http//www.who.int/mental_health/policy/mhtargeting/en/index.html.

Watson, R. G., Loffredo, V J., & McKee, J. C. (2011). When a natural disaster occurs: Lessons learned in meeting students' needs. Journal of Professional Nursing, 27(6), 362–369.

UNIT 3

정신장애별 간호

1. 정신병리학 개론

Reeves 등(2013)은 1년 간의 연구기간 동안에 미국 성인인구의 약 25%가 정신장애의 영향을 받고 있는 것을 확인했다. Table 1에서 제시된 바와 같이, 불안장애가 가장 흔히 나타나고 있으며, 그 다음으로 기분장애, 충동조절장애, 물질사용장애가 뒤따르고 있다. Unit 3의 대부분에 수록된 이 표는 1년 동안의 정신장애 유병률을 보여주고 있는데, 주요우울장애(기분장애의 한 유형)와 공포증이 가장 흔하게 나타났다. 또한 이러한 장애들의 평생 유병률이 계속 조금씩 더 높아지고 있는 실정이다(Kessler et al, 2005b; National Institute of Mental Health, 2005; U.S. Surgeon General, 1999).

Table 2는 가장 흔한 정신장애 및 물질남용 장애의 평생 유병률을 보여주고 있다. 또한 많은 사람들이 공존이환 상태(comorbid status)임이 확인되었다. 예를 들면, 어떤 환자는 우울하면서 불안한 상태로 물질을 남용할 수 있으며, 또 다른 환자는 여러 장애들이 공존하며 상호작용하는 상태일 수 있다. 정신질환으로 인한 사망률은 공존질환의 이력과 밀접한 관련이 있으며, 3가지 이상의 공존이환 과거력을 가진 집단에서 약 23%는 사망으로 이어지는 것이 확인되었다(Kessler et al., 2005a). 이 환자 집단의 대부분은 전문적인 도움을 구하지 않은 것으로 나타났다. 이 지표는 현재 미국에서 정신건강의 요구가 제대로 충족되지 않고 있으며, 정신건강의 중요성과 필요성을 시사하고 있다.

Table 1 미국의 정신장애 일년 유병률

정신장애	17세 이상에서의 대략적 비율(%)	성별 우위
불안장애	18.1(전체)	
광장공포증	1.7	여성
공황장애	2.4	여성
공황발작	11.2	여성
사회불안장애(사회공포증)	7	여성
특정공포증	7~9	여성
분리불안장애	1.2	동일
범불안장애	2	여성
외상후 스트레스장애	3.4	여성
강박장애	1.2	동등
주요우울장애	8.6	여성
제I형, 제II형 양극성장애	1.8	제I형 양극성장애: 동일 제II형 양극성장애: 여성
자폐스펙트럼장애	1(아동)	남성
파괴적, 충동조절 및 품행 장애	8.9(전체)	
품행장애	4(아동)	남성
주의력결핍 과잉행동장애	5(아동), 2.5(성인)	남성
물질사용장애	8.9(전체)	
알코올사용장애	8.5(성인), 2.5(12~17세)	남성
약물사용장애	1.4	남성
조현병	1.1	동일

출처: Kessler, R.C., et al. (2012). Twelvemonth and lifetime prevalence and lifetime morbid risk of anxiety and mood disorders in the United States. International Journal of Methods of Psychiatric Research, 21, 169; Substance Abuse and Mental Health Services Administration (2009). Results from the 2008 national survey on drug use and health: national findings. 〈http://www.samhsa.gov/data/nsduh/2k8nsduh/2k8Results.htm〉 Accessed November 13, 2013; American Psychiatric Association (2013). Diagnostic and statistical manual of mental disorders (5th ed.). Arlington, VA: APA.

Table 2 미국 정신장애 평생 유병률

정신장애	평생 유병률(%)
불안장애(전체)	28.8
공황장애	6.8
광장공포증	3.7
사회불안장애(사회공포증)	13
분리불안장애	8.7
특정공포증	18.4
범불안장애	9
외상후 스트레스장애	10.1
강박장애	2.7
기분장애(전체)	20.8
주요우울장애	29.9
제I형, 제II형 양극성장애	4.1
지속성우울장애(기분저하증)	2.5
순환성장애	0.4~1
조현병	0.3~0.7
조현정동장애	0.34
물질남용장애(전체)	14.6
알코올사용장애	13.2
약물사용장애	7.9
주의력결핍 과잉행동장애	8.1
기타 정신장애 또는 약물남용장애	46.4

출처: Kessler, R.C., et al. (2012). Twelvemonth and lifetime prevalence and lifetime morbid risk of anxiety and mood disorders in the United States. International Journal of Methods of Psychiatric Research, 21, 169; Substance Abuse and Mental Health Services Administration (2009). Results from the 2008 national survey on drug use and health: national findings. 〈http://www.samhsa.gov/data/nsduh/2k8nsduh/2k8Results.htm〉 Accessed November 13, 2013; American Psychiatric Association (2013). Diagnostic and statistical manual of mental disorders (5th ed.). Arlington, VA: APA.& Barnhill (2008).

우리나라의 경우 보건복지부에서 발표한 '2016년도 정신질환실태 역학조사(2017)'에 의하면, 17개 정신질환의 일년 유병률(지난 1년 동안 한 가지 이상의 정신질환에 한 번 이상 이환된 적이 있는 비율)은 11.9%(남자 12.2%, 여자 11.5%)로, 9명 중에 한 명이 이환되었다고 발표하였다. 주요 정신질환군별 일년 유병률을 보면, 불안장애가 5.7%, 알코올사용장애가 3.5%, 니코틴사용장애가 2.5%, 기분장애가 1.9%, 조현병 스펙트럼장애는 0.2%였다. 약물사용장애는 지난 1년 중에는 남용 및 중독에 해당되는 사례가 없었다. 일년 유병률에서는 불안장애의 비율이 가장 높았고, 알코올사용장애보다 더 흔하였다. 성별 차이에서 남자는 알코올사용장애가 높았고, 여자는 불안장애가 가장 높았다(Table 3).

17개 정신질환의 평생 유병률(평생 동안 한 가지 이상의 정신질환에 한 번 이상 이환된 적이 있는 비율)은 25.4%이며, 이는 18세 이상의 남녀에서 25.4%는 평생 중 한 번 이상은 17가지 정신질환 중 한 가지 이상을 경험하였다는 의미이다. 남녀별로는 남자 28.8%, 여자 21.9%로 남자의 평생유병률이 여자의 약 1.3배였다. 알코올과 니코틴 사용장애를 제외한 모든 정신장애 평생 유병률은 13.2%로 나타났다(Table 4).

Table 3 우리나라 정신장애 일년 유병률[a]

진단	남자		여자		전체	
	유병률(%)	SE(%)[b]	유병률(%)	SE(%)[b]	유병률(%)	SE(%)[b]
알코올사용장애	5.0	0.6	2.1	0.4	3.5	0.4
알코올 의존	2.2	0.4	0.9	0.2	1.5	0.2
알코올 남용	2.8	0.5	1.2	0.3	2.0	0.3
약물사용장애	0.0	0.0	0.0	0.0	0.0	0.0
니코틴사용장애	4.5	0.5	0.6	0.1	2.5	0.3
니코틴 의존	3.8	0.5	0.5	0.1	2.1	0.3
니코틴 금단	1.6	0.3	0.3	0.1	0.9	0.2

〈계속〉

조현병 스펙트럼장애	5.0	0.6	2.1	0.4	3.5	0.4
조현병 및 관련 장애[c]	2.2	0.4	0.9	0.2	1.5	0.2
단기 정신병적 장애	2.8	0.5	1.2	0.3	2.0	0.3
기분장애	1.3	0.3	2.5	0.3	1.9	0.2
주요우울장애	1.1	0.3	2.0	0.3	1.5	0.2
지속성우울장애(기분저하증)	0.2	0.1	0.3	0.1	0.2	0.1
양극성장애	0.0	0.0	0.3	0.1	0.1	0.1
불안장애	3.8	0.5	7.5	0.6	5.7	0.4
강박장애	0.1	0.0	0.7	0.2	0.4	0.1
외상후 스트레스장애	0.2	0.1	0.8	0.2	0.5	0.1
공황장애	0.2	0.1	0.3	0.1	0.2	0.1
광장공포증	0.3	0.1	0.1	0.0	0.2	0.1
사회불안장애(사회공포증)	0.4	0.2	0.5	0.1	0.4	0.1
범불안장애	0.4	0.1	0.5	0.2	0.4	0.1
특정공포증	2.8	0.4	5.5	0.5	4.2	0.3
모든 정신장애[a]	12.2	0.9	11.5	0.7	10.2	0.5
모든 정신장애[a] 니코틴사용장애 제외	9.3	0.8	11.1	0.7	10.2	0.5
모든 정신장애[a] 니코틴/알코올 사용장애 제외	5.0	0.6	9.5	0.7	7.2	0.4

출처: 홍진표 외(2017), 2016년도 정신질환실태 조사, 보건복지부, 12쪽, 15쪽.

[a]지역사회에 거주하고 있는 정신장애 환자의 유병률. 조사 당시 정신의료기관, 정신요양시설 등에 입원 혹은 입소 중인 환자는 포함되지 않음.

[b]SE(Standard Error): 표준 오차.

[c]조현병과 유사장애인 조현양상장애, 조형정동장애, 망상장애를 포함.

*무응답, 조사상황, 표본가구 내 성인가구 수, 광역도시, 성별, 연령에 가중치를 부여한 값임.

Table 4 우리나라 정신장애 평생유병률[a]

진단	남자		여자		전체	
	유병률(%)	SE(%)[b]	유병률(%)	SE(%)[b]	유병률(%)	SE(%)[b]
알코올 사용장애	18.1	1.1	6.4	0.6	12.2	0.6
• 알코올 의존	6.4	0.7	0.4	0.4	4.5	0.4
• 알코올 남용	11.8	0.9	0.4	0.4	7.7	0.5
약물 사용장애	0.3	0.1	0.2	0.1	0.2	0.1
니코틴 사용장애	10.6	0.8	1.4	0.2	6.0	0.4
• 니코틴 의존	8.3	0.7	1.0	0.2	4.7	0.4
• 니코틴 금단	4.4	0.6	0.6	0.2	2.5	0.3
조현병 스펙트럼장애	0.5	0.2	0.4	0.1	0.5	0.1
• 조현병 및 관련 장애[c]	0.2	0.1	0.2	0.1	0.2	0.1
• 단기 정신병적 장애	0.3	0.1	0.2	0.1	0.3	0.1
기분장애	3.3	0.5	7.2	0.6	5.3	0.4
• 주요우울장애	3.0	0.5	6.9	0.6	5.0	0.4
• 지속성우울장애(기분저하증)	0.8	0.2	1.8	0.3	1.3	0.5
• 양극성장애	0.0	0.0	0.3	0.1	0.1	0.1

〈계속〉

불안장애	6.7	0.7	11.7	0.7	9.3	0.5
• 강박장애	0.1	0.1	1.0	0.3	0.6	0.1
• 외상후 스트레스장애	1.3	0.3	1.8	0.3	1.5	0.2
• 공황장애	0.4	0.1	0.6	0.2	0.5	0.1
• 광장공포증	0.8	0.3	0.6	0.2	0.7	0.2
• 사회공포증	1.2	0.3	2.0	0.3	1.6	0.2
• 범불안장애	1.9	0.4	2.8	0.3	2.4	0.3
• 특정공포증	3.6	0.5	7.5	0.6	5.6	0.4
모든 정신장애[a]	28.8	1.2	21.5	0.9	25.4	0.8
모든 정신장애[a] • 니코틴사용장애 제외	24.7	1.2	21.1	0.9	23.1	0.7
모든 정신장애[a] • 니코틴/알코올 사용장애 제외	9.1	0.8	17.2	0.8	13.2	0.6

출처: 홍진표 등(2017). 2016년도 정신질환실태 역학조사. 보건복지부. 12쪽, 14쪽.

[a]지역사회에 거주하고 있는 정신장애 환자의 유병률. 조사 당시 정신의료기관, 정신요양시설 등에 입원 혹은 입소 중인 환자는 포함되지 않음.

[b]SE(Standard Error): 표준 오차.

[c]조현병과 유사장애인 조현양상장애, 조형정동장애, 망상장애를 포함함.

*무응답, 조사상황, 표본가구 내 성인가구 수, 광역도시, 성별, 연령에 가중치를 부여한 값임.

정신질환의 발병률은 계속해서 높아지고 있으며, 정신장애에 대한 효과적인 치료 및 간호중재를 위해 정신병리학에 대한 간호사의 이해가 필요하다. 이를 위해서는 다음의 3가지 기준이 충족되어야 한다.

(1) 지식이 조직화되어야 한다.

(2) 조작적 정의가 마련되어야 한다.

(3) 진단을 위한 기준이 개발되어야 한다.

현재까지 개발된 진단 시스템 중 이 장에서는 미국정신의학회(American Psychiatric Association, APA)가 만들어 미국 내 공식적인 진단 매뉴얼로 사용되는 정신질환의 진단 및 통계 편람(Diagnostic and Statistical Manual of Mental Disorder, DSM)의 기준을 따르고 있다. 현재 최신 버전인 DSM-5(American Psychiatric Association, 2013)는 1952년 DSM(DSM-I, DSM-II, DSM-III, DSM-III-R, DSM-IV, DSMIV-TR)이 처음 발표된 이래 일곱번째 버전이다. 임상의들에게 진단의 일관성이 매우 중요하기 때문에, 정신의학 전문가들은 지속적으로 이 매뉴얼에 관련한 기준을 평가 및 갱신하고 있다.

1) 행동특성

행동(behavior)은 환자의 증상 양상을 확인하는 데 도움이 되도록 기술되어야 한다. 일부 행동은 객관적으로 관찰될 수 있는 반면(객관적 평가 또는 징후), 일부 행동은 환자의 보고를 통해서만 알 수 있다(주관적 평가 또는 증상). 이러한 징후 및 증상에 대한 지식은 간호사가 적절한 중재를 계획하고 예측하는 데 있어 도움이 된다.

2) 원인

오랫동안 정신장애의 유발원인(etiology)에 대한 입장에서 정신의학 임상의들은 다음의 두 부류로 나눠지는 것이 일반적이었다. 즉 정신장애가 선천적으로(기질적, 생물적, 유전적) 유발되는 것으로 믿고 선천적 원인에 초점을 맞추는 학파와, 정신장애는 후천적인 것으로 양육(정신역학, 기능, 환경적 스트레스 요인, 어린 시절의 경험 등)에 의해 유발되며, 이에 대한 양육환경적 원인을 수집해야 한다고 믿는 학파가 대립했다. 하지만 최근 들어서는 대부분의 임상의들이 두 견해 모두가 복잡한 정신세계를 이해하는 데 가치 있는 식견을 제공한다고 인식하기 시작했다. 최신 연구들은 삶의 일부 경험(양육)이 생물학적 활동(선천적 요인)을 변화시키며, 정신질환에 대한 보다 전체적인 견해를 강조한다고 보여주고 있다. '선천성 대 양육'(또는 '생물학 대

정신역학')에 관한 논의가 이 단원에서 이루어지고 있지만, 무엇보다 중요한 것은 각 병인 요소가 통합적으로 작용하여 증상을 나타낸다는 것을 인식하는 것이다.

3) 치료 및 간호중재

각 장의 치료 및 간호중재는 Unit 3에서 장애별 중재를 설명하기 위해 수록된 일반적 중재법을 적용하고 있다. 또한 사례연구와 더불어 이와 관련된 치료 및 간호계획이 각 장애별로 수록되어 있고, 간호과정을 적용한 예시를 확인할 수 있다.

다음은 정신장애에 대한 치료 및 간호중재의 모든 측면들과 관련된 지침이다.

- 환자를 지지하고 필요한 자원을 제공한다.
- 환자의 자존감을 강화한다.
- 환자를 그 나이에 맞게 대우한다(예: 성인 환자가 퇴행적 증상을 보인다 해도 성인으로서 대함).
- 좌절감이나 수치심을 느낄 수 있는 상황을 방지한다.
- 환자를 고유한 특성을 지닌 한 인간으로서 바라본다.
- 현실 검증을 제공한다.
- 환자가 보이는 적개심에 치료적으로 대처한다.
- 규범과 제한에 대해 있는 그대로 침착하게 대응한다.

간호과정

이름:		**입원일:** ______
DSM-5 진단:		
사정	**강점:** **간호문제:**	
진단	1. ______ 2. ______ 3. ______	
간호목표 날짜: ______ 날짜: ______	**단기 목표** ______ ______	
날짜: ______ 날짜: ______	**장기 목표** ______ ______	
계획 및 중재	**간호사-환자 관계** ______ ______ ______ **약물치료:** ______ **치료적 환경관리:** ______ ______	
평가	______ ______	
의뢰	______	

CHAPTER

16

조현병 스펙트럼 및 기타 정신병적 장애

Schizophrenia Spectrum and Other Psychotic Disorders

http://evolve.elsevier.com/Keltner

학습목표

- 조현병의 DSM-5 기준과 용어를 기술한다.
- 조현병의 행동특성을 설명한다.
- 양성증상과 음성증상을 구별하여 기술한다.
- 조현병의 객관적, 주관적 증상을 인식하고 설명한다.
- 조현병에 대한 생물학적 이론과 정신역동 이론을 설명한다.
- 조현병 환자의 환각 경험, 망상 경험, 자가간호, 폭력위험성, 사회적 고립, 비효과적 대처, 의사소통장애에 대해 간호과정을 적용한다.
- 조현병 치료에 사용되는 주요 약물, 약리기전, 표적증상 및 주요 부작용을 설명한다.
- 조현병과 기타 정신병적 장애(조현양상장애, 단기 정신병적 장애, 조현정동장애, 망상장애 등)를 구분한다.
- 기타 정신병적 장애 환자에게 간호과정을 적용한다.
- 정신병적 장애 환자에게 환경치료를 설명하고 적용한다.
- 환자의 가족에게 증상에 대처하는 기술을 교육한다.

1. 개요

조현병과 관련하여 중요하게 인식해야 하는 3가지 내용은 다음과 같다(Weinberger, 1987).

1. 대부분의 발병 시기는 청소년 후기 또는 성인 초기이다.
2. 발병과 재발은 대부분 스트레스와 관련이 있다.
3. 도파민 수용체 차단 약물이 치료에 효과적이다.

정신증(psychosis)은 '사고, 언어, 감정, 의지 및 인지 등과 같은 고차원적 정신기능의 급격한 파괴가 있는 장애'로 정의된다(Nasrallah, 2012). 정신증은 뇌 손상으로 인해 발생할 수 있으며, 정신증의 증상으로 환각, 망상, 및 사고 구성의 어려움이 포함된다. 이러한 증상들은 조현병, 급성 조증, 우울장애, 약물 중독, 신경인지장애, 섬망 등에서 나타난다. 조현병은 정신증의 가장 흔한 원인들 중 하나이다.

조현병(schizophrenia)은 흔히 분열된 성격(split personality)으로 정의되는데, 분열된 성격은 지킬과 하이드(Jekyll and Hyde) 또는 해리성 정체성장애에 해당되는 것으로, 조현병을 설명하는 데 적절한 비유는 아니다. 조현병은 성격의 변화를 특징으로 하는 것이 아니라, 성격이 악화되는 것이 특징이다. 조현병에서 보여지는 성격 양상은 분열된 성격처럼 극적인 성격 변화를 갖기보다는 개인과 그 개인이 속한 가족의 삶에서 상당히 혼란스럽고, 파괴적인 효과를 준다. 조현병은 간호사가 만나게 될 가장 심각한 정신적 또는 신체적 장애를 초래하는 질병 중 하나이다. 비록 조현병이 성인 인구의 1%에만 영향을 미친다 하더라도, 사회의 불균형을 초래하는 파괴적인 장애로써 그 파급 효과가 상당하다.

다음은 조현병의 주요 정신증적 증상이 나타날 수 있는 영역이다.

- 지각(예: 환각)
- 사고과정(예: 사고 이탈)
- 현실 검증력(예: 망상)
- 감정(예: 편평하거나 부적절한 정동)

- 행동(예: 사회적 위축)
- 주의(예: 집중력 저하)
- 동기부여(예: 목적 지향적인 활동을 시작하거나 지속할 수 없음)

조현병의 정신증적 양상은 전형적으로 청소년 후기 또는 초기 성인기에 처음 발병하며, 청소년기 이전의 발병은 드물다. 조현병의 유병률은 전 세계 인구의 약 1% 정도이며, 조현병의 발병률과 평생 유병률은 전 세계에 걸쳐 비슷하다고 알려져 있다(Thacker, 2009). 남성과 여성의 발병 비율은 거의 같으며(Seeman, 2010), 성별에 따른 차이는 **표 16-1**과 같다.

표 16-1 성별에 따른 차이
• 남성에서 4~6년 더 일찍 발병함 • 남성은 더 심한 경과를 경험함 • 여성은 양성증상(예: 환각)을 더 많이 나타냄 • 에스트로겐은 도파민 기능 조절에 관여하며, 여성성을 보호하는 역할을 하는 것으로 예측됨 • 여성이 약물치료를 잘 이행함 • 여성은 약물 반응 시 혈중 농도가 낮고 반감기가 긴 경향이 있음

조현병의 위험 인자로 산전, 주산기 사건이 보고되고 있다(**표 16-2**). 또한 도심지역의 빈민 거주자, 사회경제적 수준이 낮은 사람들, 산전관리의 어려움을 경험한 사람들이 더 큰 영향을 받는 것으로 나타났다(American Psychiatric Association, 2013).

표 16-2 산전, 주산기 사건
• 산모의 인플루엔자 노출 • 늦은 겨울 또는 이른 봄에 출생한 경우 • 산과적 합병증 • 출산 전 납에의 노출 • 산모의 기아 상태 • 주산기 고양이에의 노출(바이러스 감염증)

출처: Bachmann et al. (2008), Opler et al. (2004), and APA (2013).

조현병의 진단 및 통계적 역학의 개요는 **표 16-3**과 같다. 1887년 크레펠린(Emil Kraepelin)은 조발성 치매(dementia praecox)라는 용어를 사용하여 조현병의 정신병리적 증상을 명명하였으며, 조현병에 대한 연구를 심도 있게 진행하였다. 크레펠린은 3가지 정신장애(긴장증, 파과병, 편집증)에서 나타나는 공통점을 발견했고, 조현병이 신경병리학적 요인의 결과라고 믿었다. 또한, 정신병리적 진단을 받은 사람은 회복의 가능성이 거의 없고, 정신장애인으로서 질병이 계속적으로 악화되는 과정을 겪을 것이라고 생각했다.

1911년에 블로일러(Eugen Bleuler)는 「조현병 집단(The Group of Schizophrenias)」이라는 제목으로 발간한 저서에 '조현병(schizophrenia)'이라는 용어를 처음으로 명명하였다. 블로일러는 조현병이 항상 악화의 과정을 초래하는 것은 아니므로 '치매(dementia)'라는 용어가 적합하지 않으며, 또한 항상 일찍 발병하는 것도 아니기 때문에 '조발성(praecox)'이라는 용어의 사용 또한 적합하지 않다고 생각했다. 블로일러는 증상에 초점을 둔 크레펠린의 개념을 확대하였고, 조현병 환자들에게 존재하는 4가지 주요 증상들을 다음과 같이 정의하였다. 전형적인 증상 4가지 모두 'A'로 시작하여 블로일러의 '4A'로 불리며, 그 증상은 정동장애(affect disturbance), 자폐증(autism), 연상의 이완(associative looseness), 양가감정(ambivalence)이다.

역사적으로 정신의학계의 거장이었던 크레펠린과 블로일러는 조현병에 대한 2가지 관점을 발견했다. 이는 조발성 치매의 진단적 범주 안에서 사용하였던 개념들을 분류한 것인데, 크레펠린은 조현병과 예후가 좋지 않은 치매와 같은 인지장애 사이에 개념적인 차이를 발견했다. 블로일러는 크레펠린보다 좀 더 광범위하면서 조현병의 예후에 대한 낙관적인 사고를 갖도록 개념을 발전시켰다. 블로일러의 많은 근거들은 비관적 예후에 대한 생각을 긍정적으로 전환시켰고, 임상의들에게 환자가 개선될 수 있음을 인식하도록 도왔다. 크레펠린은 조현병의 원인에 대한 생물학적 관점뿐 아니라, 정신장애의 원인을 심리학적 요인에 초점을 둔 정신분석가인 프로이트(Sigmund Freud)나 다른 정신역동 이론가들에게도 상당한 영향을 끼쳤다. 20세기에 이르러 대부분의 학자들 사이에서 프로이트의 정신분석 이론에 근거하여 조현병의 원인이 설명되었으며, 이후 블로일러의 이론은 조현병을 이해하는 데 큰 역할을 하게 되었다. 그러나 21세기가 되면서 생물학적 관점이 정신질환의 근거로 이해되기 시작했다. 이에 정신분석가들이 주로 사용했던 '상담' 치료법에 대한 한계가 지적되기 시작했고, 정신건강전문가들은 정신역동적 접근에 관심을 덜 갖게 되었다. 지난 30년간 생물학적 이론의 재발견은 크레펠린의 경이로운 업적을 기초로 이루어진 것이기도 하다.

표 16-3 조현병의 아형(subtype)의 발전

• 1887년	크레펠린은 '조발성 치매(dementia praecox)'라고 명명함
• 1911년	블로일러는 '조현병(정신분열증)'이라는 용어를 소개함
• 1952년	DSM-I: 조현병에 9개의 아형을 포함시킴
• 1968년	DSM-II: 11개의 아형을 포함시킴
• 1980년	DSM-III: 5개의 아형으로 축소시킴 :파과형(disorganized), 긴장형(catatonic), 편집형(paranoid), 미분화형(undifferentiated), 잔류형(residual)
• 1982년	Andreasen과 Olsen(1982), Crow(1982) 등은 조현병을 증상에 따라 분류함: 양성(I형), 음성(II형)
• 1994년	DSM-IV: DSM-III와 동일한 아형을 포함시킴
• 1997년	미국정신의학회(APA)는 '파과형' 아형에 양성 및 음성 아형 개념을 추가하여 이를 인정함
• 2000년	DSM-IV-TR: 동일한 아형을 포함시킴
• 2013년	DSM-5: 아형을 삭제함

DSM, Diagnostic and Statistical Manual of Mental Disorders.

1) 정신분열병의 새로운 명칭, 조현병

정신분열병은 한자 그대로 해석하면 마음이 찢어지고 갈라진 병이라고 할 수 있는데, 이름만 보면 인격이 와해되고 극도로 퇴행된 행동양상을 보이게 되는 무서운 질병으로 오해할 수도 있다. 이는 환자와 가족들 마음에 커다란 고통을 주고 있다.

그동안 몇 년에 걸쳐 '정신분열병 병명개정위원회'는 명칭 개정 작업을 시행하였고, 대한신경정신의학회 회원을 대상으로 한 투표와 대한정신분열병학회 및 대한신경정신의학회 이사회의 토의를 거쳐 조현병(調絃病)을 최종 후보로 선정하였다.

조현병에서 조현은 "현악기의 줄을 고르다"라는 뜻을 가지고 있다. 조현병이라는 명칭은 신경계 혹은 정신의 튜닝이 적절하게 이루어지지 않아 마음의 기능에 문제가 생긴

DSM-5 진단기준: 조현병

A. 다음 중 2개 이상의 증상이 1개월 동안(성공적으로 치료되었을 경우에는 그 이하일 수도 있음) 상당 부분의 시간 동안 나타나야 함(반드시 증상 1, 2, 3 중 하나를 포함).
1. 망상
2. 환각
3. 와해된 언어(예: 빈번한 주제 이탈이나 지리멸렬)
4. 극도로 와해된 또는 긴장성 행동
5. 음성증상들(예: 감소된 정서표현이나 무의욕증)

B. 이러한 장애가 시작된 후 상당 부분의 시간 동안, 주요한 영역(직업, 대인관계, 자기 돌봄)의 기능수준 중 한 가지 이상이 장애의 시작 전보다 현저하게 저하되어야 함(아동기나 청소년기에 시작될 경우에는 대인관계, 학업적 또는 직업적 기능에서 기대되는 수준에 이르지 못해야 함).

C. 장애가 계속 진행되고 있다는 징후가 최소한 6개월 이상 지속되어야 함. 이 6개월의 기간에는 기준 A를 충족시키는 증상들(즉, 활성기의 증상)을 나타내는 기간이 최소 1개월 포함되어야 하며, 이와 더불어 전구기 또는 관해기의 증상이 나타나는 기간을 포함함. 이러한 전구기나 관해기 동안, 장애의 징후는 단지 음성증상만으로 나타나거나 기준 A의 증상 중 2개 이상의 증상이 약화된 형태(예: 이상한 믿음, 비일상적인 지각경험)로 나타날 수 있음.

D. 조현정동장애와 정신병적 특성을 동반한 우울장애 또는 양극성장애의 가능성이 배제되어야 함. 즉, (1) 활성기 증상과 주요우울 삽화나 조증 삽화가 동시에 나타난 적이 없어야 함. (2) 만약 기분 삽화가 활성기 증상과 함께 나타났었다면, 이는 활성기와 잔류기의 전체 기간 중 짧은 기간 동안에만 나타난 것이어야 함.

E. 이러한 장애는 물질(예: 남용물질, 치료약물)이나 다른 신체적 질병의 생리적 효과에 의한 것이 아니어야 함.

F. 아동기에 시작하는 자폐스펙트럼장애나 의사소통장애를 지닌 과거병력이 있을 경우, 조현병의 진단에 필요한 다른 증상에 더해서 현저한 망상이나 환각이 1개월 이상(성공적으로 치료되었을 시 1개월 미만) 나타날 경우에만 조현병을 추가적으로 진단하게 됨.

다음의 경우 명시할 것

다음의 경과 특성들은 장애 지속기간이 1년이 지난 후에 그리고 진단적 경과 기준에 모순되지 않을 경우에만 사용됨.

첫 삽화, 현재 급성 삽화 상태: 장애의 첫 발현이 정의된 진단적 증상과 시간 기준을 충족함. 급성 삽화란 증상 기준이 충족되는 시간적 기간을 일컬음.

첫 삽화, 현재 부분관해 상태: 부분관해란 이전 삽화 이후 호전이 유지되고, 정의된 장애의 기준이 부분적으로만 충족되는 기간을 일컬음.

첫 삽화, 현재 완전관해 상태: 완전관해란 이전 삽화 이후 더 이상 장애 특이적 증상이 존재하지 않는 시간적 기간을 일컬음.

다중 삽화, 현재 급성 삽화 상태: 다중 삽화는 최소 2회의 삽화(예: 첫 삽화 이후, 관해와 최소 1회의 재발) 이후에 결정될 수 있음.

다중 삽화, 현재 부분관해 상태

다중 삽화, 현재 완전관해 상태

지속적인 상태: 장애의 진단기준을 충족하는 증상들이 질병 경과의 대부분에서 그대로 남아 있고, 역치 아래의 증상 기간은 전체 경과에 비해 매우 짧음.

다음의 경우 명시할 것

긴장증 동반

부호화 시 주의점: 동반한 긴장증의 존재를 지정하기 위해서는 조현병과 연관된 긴장증을 위한 추가적 부호 293.89(F06.1)를 사용함.

현재의 심각도를 명시할 것: 심각도를 망상, 환각, 와해된 언어, 비정상적 정신운동 행동, 음성증상 등과 같은 정신병의 일차 증상에 대한 양적 평가를 통해 등급화함. 이러한 증상의 각각은 현재 심각도(지난 7일 중 가장 심한)에 대하여 0(증상 없음)부터 4(고도의 증상이 있음)까지의 5점 척도를 이용해 등급화할 수 있음.

주의점: 조현병의 진단은 이러한 심각도를 명시하지 않고 내려질 수 있음.

출처: American Psychiatric Association. (2013). Diagnostic and statistical manual of mental disorders (5th ed.). Washington, DC: APA.

질환이라는 과학적 해석을 은유적으로 표현한 것이다. 즉 분열이나 실조처럼 돌이키기 어려운 파국적인 상황이 아니라, 다시 튜닝하면 된다는 치료의 희망을 내포한 명칭이라고 할 수 있다. 대한정신분열병학회는 2011년 3월 17일 대한의사협회로부터 "정신분열병" 개정 심의 인준 받아 조현병(調絃病)이라는 용어를 사용하기 시작하였다.

2. 임상 경과

조현병환자의 약 20%가 호전되며, 일부 환자에서는 완전회복이 보고되기도 한다. 그러나 조현병 환자는 공식적 혹은 비공식적인 일상적 지지를 필요로 한다. 많은 환자들은 증상의 악화와 관해를 반복하면서 만성적으로 질병상태를 유지하는 반면에, 일부는 점진적 황폐화의 경과를 밟는다.

1) 발병전기

발병전기에는 안절부절못함, 모순된 사고와 행동, 사회적 위축, 사회적 부적응 등 수동적이고 내성적인 모습이 흔하며, 발병 전 조현성 또는 조현형 성격장애를 겪은 병력이 있다. 아동의 경우, 친구가 거의 없고 팀 운동과 같은 활동을 회피하며 주로 혼자 하는 활동을 한다.

2) 전구기

전구기는 발병 전 기능이 변하는 것에서부터 시작하여 정신증적 증상이 시작될 때까지이다. 전구증상에는 주로 기능 변화와 함께 수면장애, 불안, 우울, 초조, 주의집중의 어려움 등이 있다. 전구기의 후반에는 지각이상, 관계사고, 의심 등의 양성증상이 나타나는데, 이는 정신증의 시작을 알리는 신호이다(Lehman et al., 2006). 전구기의 기간은 평균 2년에서 5년 사이이다.

3) 정신병 활동기

DSM-5에 제시된 조현병의 진단기준과 같이, 양성증상이나 음성증상이 나타나며, 사회적, 직업적 기능이 현저하게 저하된다.

4) 잔류기

잔류기는 활동기 이후에 나타나며, 이상한 믿음, 유별난 지각경험을 하기도 하며, 언어는 이해할 수는 있으나 모호하다. 음성증상이 흔하며 심할 수도 있다.

3. DSM-5 용어 및 기준

조현병을 진단한 후 이를 아형으로 나누려는 시도가 있었다. 그러나 미국정신의학회(American Psychiatric Association, 2013)는 아형의 분류가 임상적으로 유용성이 낮아 도움이 되지 않을 뿐 아니라 제한적이라고 판단해(**표 16-3 & DSM-5 기준**) DSM-5에서는 조현병의 아형을 삭제하였다. 그러나 I형(양성)과 II형(음성) 증상에 기반하여 아형에 접근하는 방법은 약물반응을 예측할 수 있어 임상적으로 유용하다고 확인되었다. 대부분의 환자가 양성증상과 음성증상이 혼합되어 있거나 또는 그 중 하나의 증상을 가지고 있다.

4. 조현병: 양성증상 vs 음성증상

양성(I형) 조현병은 음성(II형) 조현병과는 다른 증상들을 보인다(**표 16-4**). I형은 양성증상으로, 정상적인 인지와 지각을 벗어난 환각, 망상, 와해된 언어, 극도로 와해된 또는 긴장성 행동 등을 말한다. 양성증상은 도파민 수치가 상승되어 뇌의 변연계에 영향을 미친 결과로 나타나는 것으로 생각된다.

Clinical example: 양성증상

환자는 눈동자가 앞뒤로 분주하게 움직이며 불안이 점점 더 커지는 양상을 보이며 정신과 병동 휴게실에 앉아 있었다. 간호사는 "나는 아무 소리도 들리지 않는데 환자분은 무슨 소리를 듣고 계신 거예요?" 라고 물었다. 그러자 환자는 "간호사 선생님도 들리나요? "그들이 나를 데려가려 해요"라고 대답했다. 환자는 실제 외부 감각자극에서 벗어난 양성증상으로 환청(청각의 자극이 없어도 들을 수 있음)이 있는 것으로 확인되었다.

Clinical example: 음성증상

환자는 오랫동안 정신장애가 있어 시립병원에 입원해 있다. 간호사가 관찰한 결과, 환자는 고립되어 있고 대부분 무표정인 상태로 장시간 앉아 창밖을 쳐다보며 시간을 보낸다. 또한 병동 활동에 참여하려고 시도하나 성공적이지 못했다.

표 16-4 조현병의 양성증상 vs 음성증상*
양성증상: 중변연계 경로에서의 도파민 과잉에 의한 것*
• 이상한 생각(abnormal thoughts)
• 초조(agitation)
• 기괴한 행동(bizarre behavior)
• 망상
• 흥분
• 피해의식
• 과대성
• 환각
• 적대감
• 착각
• 불면증
• 의심
음성증상: 중피질 경로에서의 도파민 감소에 의한 원인*
• 무언어증(alogia)
• 무반응, 무력증(anergia)
• 사회성 저하(asocial behavior)
• 주의력 결핍
• 무의욕증(avolition)
• 둔마된 정동(blunted affect)
• 의사소통의 어려움
• 추상적 사고의 결여
• 수동적인 사회적 철회
• 몸치장 및 개인위생 결핍
• 신뢰관계(라포) 형성의 어려움
• 언어 빈곤(poverty of speech)

* 뇌의 변연계와 전두엽에서 발생하는 증상을 요약한 것이다.

II형은 음성증상으로, 무의욕증, 감소된 정서표현 등과 같이 본질적으로 인지나 지각의 감소 또는 부재(예: 정동의 부족, 에너지 부족)를 보인다. II형은 도파민 감소와 관련되며, 이러한 증상은 뇌 혈류 감소 및 뇌실 용적 증가와 같은 대뇌피질의 구조적 변화에 의해 야기될 수 있다. 전두엽의 혈류 감소는 대부분 외측 전전두엽 피질에서 두드러지게 나타난다. 뇌실 확대는 컴퓨터 단층촬영(CT)과 자기공명영상(MRI)으로 확인할 수 있으며, 다른 병리해부학적 특징으로는 뇌의 무게 감소와 위축이 음성증상과 관련되는 것으로 보인다.

양성증상과 음성증상으로 분류하는 접근에서 전문가들은 II형 조현병 환자의 예후를 너무 비관적으로 보고 있다. 반면, Kopelowicz와 Bidder(1992)는 보다 긍정적인 견해로 음성증상을 일차적, 이차적 증상으로 나누었다. 이 중 이차적 증상은 질병의 초기에 치료적 접근이 가능한데, 이것이 약물, 입원, 사회적 지지 상실, 사회경제적 쇠퇴 등에 의한 결과로 나타날 수 있기 때문이다.

Clinical example: 유대감 부족

장기간 정신과적 병력을 가진 노숙자인 환자는 수년 동안 가족을 보지 못했다. 그의 가족은 한 때 그를 위한 지지체계로서 역할을 하며, 환자와 함께 증상에 대처하기 위해 노력했으나 점차 지쳐갔다. 현재 환자는 그를 지지하던 가족과 사회적 지지의 부족으로 정신건강의 개선이 어려운 상태이다.

생물학적 이론에 따르면, 정형 항정신병 약물(주로 도파민 D_2 수용체에 길항하는 약물)은 도파민 과다로 인한 양성증상에 효과적이다. 조현병의 양성증상이 심할수록 항정신병 약물 효과가 더 크게 나타나는 것으로 알려져 있다. 이와는 반대로, 조현병의 음성증상은 해부학적·구조적 문제나 도파민 감소와 좀 더 관련이 있다. 음성증상은 정형 항정신병 약물에는 상대적으로 효과가 적게 나타나며, 정형 항정신병 약물이 오히려 음성증상을 악화시키는 원인이 되기도 하는 것으로 알려졌다. 하지만, 클로자핀[clozapine(Clozaril)], 리스페리돈[risperidone(Risperdal)], 올란자핀[olanzapine(Zyprexa)], 쿠에티아핀[quetiapine(Seroquel)], 지프라시돈[ziprasidone(Zeldox)], 아리피프라졸[aripiprazole(Abilify)]과 같은 비정형 항정신병 약물은 도파민 수용체에 영향을 미치고 대뇌피질 영역의 도파민을 유리시키는 세로토닌 5-hydroxytryptamine 2A 수용체에 길항하여 도파민 결핍상태를 교정하므로 음성증상에도 효과적이다.

5. 행동특성

정신과적 문제를 가진 사람들은 정신건강전문가의 도움을 구하기 위해 치료기관에 방문하게 되는데, 이 경우에 2가지 유형이 있다. 첫 번째 유형의 환자들은 전문적인 치료를 필요로 하는 힘들고 고통스러운 주관적 증상을 경험한 후 스스로 전문가의 도움을 구한다. 두 번째 유형의 환자들은 친구 및 가족들이 환자의 병적 증상을 감당하지 못해 지칠 때쯤 돼서야 전문가의 도움을 요청한다. 이런 경우 환자는 치료적 도움에 저항하고, 비자발적으로 치료를 받게 된다. 즉, 이상행동으로 다른 사람들을 괴롭히거나 위협하여 강제로 건강관리체계에 방문하게 된다. 이러한 이상행동은 타인에 의해 관찰될 수 있는데, 이는 병적 증상의 객관적 징후(objective signs)가 되며 정신장애를 진단하는 지표가 된다. 그러나 질병의 초기에 나타나는 이상행동에서 객관적인 징후와 주관적 증상(subjective symptoms)을 구분하기란 쉽지 않다. 예를 들어, 환각은 주관적인 현상이지만 객관적인 징후를 초래해 다른 사람의 주의를 끌게 된다(예: 환청을 경험하는 환자). 그럼에도 불구하고, 조현병에서 나타나는 주관적 증상과 객관적인 징후로 구분하는 것은 정신장애를 이해하는 데 있어 합리적이고 편리한 접근방법이 될 수 있다.

조현병에서 발생하는 6가지 주요 임상 변화를 주관적 증상 또는 객관적 징후로 분류할 수 있다(표 16-5). 대인관계 및 활동의 변화는 다른 사람들이 객관적인 신호로 볼 수 있는 징후인 반면, 지각, 사고, 의식 및 정동의 변화는 보다 주관적으로 나타날 수 있다.

표 16-5 | 조현병에서 나타나는 객관적 및 주관적 행동장애

객관적 징후

대인관계 변화
- 외모에 대한 관심 부족과 자폐적 세계에 대한 몰두로 사회적 상호작용 결핍
- 부적합하고 부적절한 의사소통
- 적대감
- 사회적 위축

활동의 변화
- 정신운동 초조
- 긴장성 강직
- 반향행동(반복적 움직임)
- 상동증(반복적인 행동 또는 말)

주관적 증상

지각의 변화
- 환각
- 착각
- 편집증적 사고

사고의 변화
- 연상의 이완
- 사고지연
- 사고차단
- 자폐증
- 양가감정
- 망상
- 언어빈곤
- 관계사고
- 함구증

의식의 변화
- 혼란
- 지리멸렬한 언어
- 의식혼탁
- 미쳐가는 느낌

정동의 변화
- 부적절한, 둔마된, 편평한, 불안정한 정동
- 무감동
- 양가감정
- 과민반응
- 무쾌감증

1) 객관적 징후

(1) 대인관계의 변화

조현병으로 진단되기 훨씬 이전부터 장기간 대인관계의 문제가 있었을 수 있으며, 병이 진행됨에 따라 더 두드러지게 나타난다. 진단을 받기 이전부터 대상자는 사회성이 결여되어 있거나 부적절하다는 말을 흔히 듣게 된다.

식사예절이 적절하지 못한 것과 같은 사회기술의 부족으로 환자는 다른 사람에게 불쾌감을 줄 수 있다. 환자는 외모에 관심이 적어지며, 의욕 또한 사라져 목욕을 하지 않기도 한다. 이러한 행동은 자폐적 사고 및 무감동과 관련이 있다. 환자는 자신의 내적 세계에 너무 집중한 나머지 정신에너지가 외부로 향하지 못하고(무반응), 사회적 상호작용이 어렵게 되며, 이는 사회화 붕괴로까지 이어진다.

대인 간 의사소통 역시 내적 세계에의 몰두로 인해 부적합하고 부적절해진다. 환자들은 타인에 대한 적대감을 나타낼 수 있는데, 이로 인해 다른 사람들과 거리를 두게 되면서, 의미 있는 사회적 상호작용 능력이 더욱 손상되기도 한다.

Clinical example: 고립감과 조현병

조현병 환자인 40대 초반의 남성이 대학 근처에서 가끔 배회하는 모습이 목격되었다. 그는 거의 매일 항상 같은 옷을 입고 이른 아침마다 카페에 도착한다. 그는 어떤 말도, 주문도 하지 않는다. 단지 젊은 직원이 주는 물 한잔만을 조용히 앉아서 한 모금씩 마실 뿐이다. 그는 상당히 살이 쪄 있으며 몸에서는 좋지 않은 냄새가 난다. 어디로 갈 곳도 없고 만날 사람도 없으며, 친구도 없는 상태이다.

(2) 활동의 변화

조현병 환자는 활동의 변화를 보이는데, 과도하게 활동적이어서 가만히 앉아있는 것조차 힘들 수 있는 정신 운동 초조, 전혀 활동하지 않거나 움직이지 않는 긴장증을 보일 수도 있다. 이 증상들은 약물치료로 호전되지만 약의 부작용에 의해서도 이러한 증상이 발생할 수 있다.

- **정신운동초조(psychomotor agitation)**: 의지와 욕구의

항진이 표출된 상태로, 증가된 행동의 의도를 이해할 수 없고 주위 사건과 무관함

- **긴장증(catatonia)**: 정신운동(psychomotor) 장애의 일종으로, 움직이지 못하거나 한 자세를 오래 유지하는 혼미형(stupor type)과 지나친 움직임이나 난폭한 행동을 보이는 흥분형(excessive type)이 있음
- **긴장성 강직(catalepsy)**: 꼼짝하지 않고 계속 한 자세를 취하는 것
- **반향행동(echopraxia; 반복적 운동)**: 남이 하는 행동을 그대로 따라 하는 것
- **상동증(sterotype; 반복적인 행동 및 말)**: 강박장애나 조현병에서 한 가지 행동을 시작하면 끝없이 그 행동을 반복하는 경향으로, 개인에 따라 정도에 따라 나타나는 정도가 다를 수 있음
- **반향언어(echolalia)**: 자신이 듣는 말을 반복하는 것으로, 이는 말하는 사람과 자신을 동일시하기 위한 시도임

Clinical example: 증상인가? 아니면 부작용인가?

간호사는 환자를 사정할 때 활동의 변화에 주의해야 한다. 초조는 정좌불능[항정신병 약물의 추체외로 부작용(extrapyramidal side effect, EPSE)] 또는 조현병의 징후일 수 있다. 또한 근육긴장은 긴장증이 아닌 신경이완제 악성증후군(neuroleptic malignant syndrome, NMS)의 경고 징후일 수 있다. 항정신병 약물의 부작용으로 추체외로 증상과 신경이완제 악성증후군이 초래될 수 있기 때문에 2가지 모두를 염두에 두어야 한다. 이때 정확한 평가가 중요한데, 정신운동초조나 긴장증을 감소시키기 위해 할루페리돌(haloperidol)을 투여하는 것이 적절할 수 있지만, 오히려 약물 부작용으로 나타나는 정좌불능을 악화시킬 수 있으며, 신경이완제 악성증후군을 가진 환자에게는 치명적일 수 있다.

2) 주관적 증상

주관적 증상은 환자가 개인적으로 경험하는 것이므로 다른 사람들에게 숨길 수 있다. 예를 들어, 환자 자신이 유명한 사람이라는 과대망상을 경험한다면, 그러한 감정을 지속적으로 유지하려고 한다. 일부 임상의들은 정신과적 치료를 거부하는 환자에게 '자신의 증상을 지키려고 아무에게도 알리지 않으면 아무도 도움을 줄 수 없다'라고 조언한다. 일부 환자들은 자신의 주관적 증상을 다른 사람에게 알리지 않을 뿐더러 정신과적 치료를 피하고 있을 수 있다. 그러나 조현병 환자들 자신의 경험이 주관적 증상일지라도 간호사는 환자의 행동을 주의 깊게 관찰함으로써 이상행동을 쉽게 알 수 있다. 주관적 증상은 지각, 사고, 의식, 정동 4가지 범주의 변화로 분류할 수 있다.

(1) 지각의 변화

지각의 변화는 조현병 환자들이 외부에서 들어오는 감각을 조직화하고 해석하는 능력에 변화가 온 것으로 환각과 착각이 포함된다. 환각은 잘못된 감각 지각으로 청각, 시각, 후각, 촉각, 미각의 지각 변화 또는 신체화(이상한 신체 감각)가 나타날 수 있다. 이러한 환각은 변연계 부위의 도파민 과잉분비로 인해 발생하는 것으로 여겨진다.

① 환각

환각(hallucination)이란, 외부의 자극 없이 일어나는 유사 지각경험으로 착각과는 다르다.

- **환청(auditory h.)**: 환청은 소리에 대한 잘못된 지각으로, 조현병 및 관련 장애에서 가장 흔하게 나타나는 증상이다. 가장 흔하게는 음성으로 경험되는데, 그 음성은 익숙할 수도 있고 생소할 수도 있다. 환청은 종종 비난(예: "나쁜 O아", "야, 괴짜야") 또는 명령(예: "이 사람들에게서 떠나 버려")의 형태를 취한다.
- **환시(visual h.)**: 잘못된 시각적 지각으로, 사람이나 동물처럼 형태가 있거나 형태가 없을 수도 있다. 죽은 사람과 같은 형상, 사람 형태의 이미지나 귀신, 저승사자, 벌레 등 좋지 않은 것들이 보이는 경우가 많다. 환시는 환청보다는 덜 흔하게 나타난다.
- **환취(olfactory h.)**: 냄새에 대한 잘못된 감각으로, 악취와 같은 역겨운 냄새인 경우가 많다.
- **환미(gustatory h.)**: 맛을 다르게 지각하는 것으로, 그 맛은 금속성이거나 불쾌한 맛, 상한 음식 맛 등이 있으며, 환취와 함께 나타나는 경우가 많다.
- **환촉(tactile h.)**: 접촉에 대한 잘못된 지각으로, 피부에 벌레가 기어 다니는 느낌, 전기가 흐르는 느낌을 경험한다. 조현병 환자보다는 알코올 금단 시에 더 흔하다.

② 착각

착각(illusion)은 실제 외부 자극에 대한 그릇된 해석이다. 예를 들어, 나무를 위협적인 사람으로 오인하는 경우이다. 착각은 조현병뿐만 아니라 신체적 질병과 연관되어 종종 나타날 수 있다.

Clinical example: 섬망과 조현병에서의 지각변화 차이

- 섬망: 미열로 침상에 누워있는 68세의 환자는 자식에게 "벽에 거미줄이 있는 거야?"라고 물었다. 이에 아들은 "아니에요. 그건 그림자일 뿐이에요"라고 대답했다. 그러자 환자는 웃으며 "자꾸 거기에 신경이 쓰여"라고 말했다.
- 조현병: 낮병원 치료 프로그램에 참여하고 있는 조현병 환자는 현관에 있는 테니스화를 쥐로 착각했다.

Clinical example: 지각의 변화

환자는 7층 창문 밖을 바라보고 있었다. 간호사는 환자가 무엇을 보고 있는지 확인하기 위해 창문 근처로 다가갔으며, 창문 아래로 보이는 사람들의 행동을 확인했다. 간호사는 환자 또한 자신과 동일하게 사람들의 활동이나 상황을 보고 있다고 추측했지만, 환자는 창살 너머를 보는 것이 아니었다. 자신에게만 들리는 환청에 몰두하고 있었으며, 외부 세계에서의 자극에는 주의를 기울이지 못하였다.

(2) 사고의 변화

사고의 변화는 조현병에서 흔히 발생하는데, 때로는 혼란스럽거나 두려움을 유발한다. 이러한 증상에 항정신병 약물이 효과적일 수 있다. 일반적인 사고장애는 사고지연, 사고차단, 사고주입, 자폐증, 양가감정, 연상의 이완, 망상, 언어의 장애 등이 포함된다.

① 사고형태의 변화

- **사고지연**(thought retardation): 정신 활동이 느려진 것으로, 환자는 "나는 생각할 수 없다"라고 말하기도 한다.
- **사고차단**(thought blocking): 사고의 연상이 갑자기 중단된 상태로서, 자신이 무엇을 말하려고 했는지 완전히 잊어버려 대화를 중단하게 된다. 이 장애로 인해 환자가 매우 불안해하고 때로는 두려워할 수 있는데, 환각, 망상 또는 정서적 요인으로도 야기될 수 있다. 다음은 모든 사람에게 일어날 수 있는 사고차단의 일반적인 예시이다.

Clinical example: 사고차단

교사로 재직 중인 49세 남자 환자는 수업 중간에 자신이 이야기하던 내용을 잊어버렸다. 순간 그는 자신이 말하려고 한 것이 무엇인지와 어디를 가르쳐야 할지 알 수 없었다. 그는 자신이 곤란한 상황에 처해 있다는 것을 깨닫고 잠시 시간을 끌어보았다. 그리고 마침내, 자신이 작성한 내용들을 확인하고 잠시 산만하고 혼란스러웠던 상황에서 벗어나 수업을 계속 진행할 수 있었다.

- **사고 주입**(thought insertion): 자신의 사고가 자신의 것이 아니라고 믿거나, 누군가가 자신의 머리 속에 생각을 집어넣었다고 믿는 것이다.
- **자폐증**(autism): 환자 자신의 내면에만 집중하고 외부 사건에는 관심을 두지 않는 것으로, 결국 환자는 자신에게 너무 몰두한 나머지 주변의 현실을 인식하지 못하게 되는 것이다.
- **연상이완**(loose association): 한 사람의 생각이 전혀 관련이 없거나 매우 관련성이 낮은 주제로 옮겨가는 언어 패턴이다. 대화 중 연관성 없는 주제 변경이 가끔씩만 나타난다면 이는 연상이완을 나타낸다고 볼 수 없다.

Clinical example: 연상이완

낮병원 치료에 참여하고 있는 46세 남자 환자와의 대화 일부이다. 그의 장애는 심각한 수준이라 시립병원에 입원한 상태이다.
- 간호사: "오늘 어떻게 지내셨어요?"
- 환자 : "어서 해. 괴물 여인과 함께 해. 하라니깐! 확실하니깐 해. 막아야지. 해라. 당연하지. 의사가 간다. 여자를 죽여서 아이를 낳는다. 물고기 여자. 자주색 소시지. 좋았어. 저것은 38, 25, 44~45 샴페인?, 흰 머리카락, 돼지, SNS, 마트, 봉급, 돈, 재밌어, 돈, 고기, 아놀드 초콜릿, 헤라클레스. 아몬드 초콜릿을 파괴했어요. 야경, 토마토 소스, 백인, 프랑켄스타인 혈통의 신부"
- 확연히 알 수 있듯이 현재 환자의 의사소통 양상은 일관성이 없다. 이해하려 노력해 보았지만 그가 사용하고 있는 단어와 구문은 연결되지 않으며, 또한 서로 연결된 듯 보이지만 전체적으로 대화가 무엇을 의미하는지 알 수 없다.

- **음연상**(clang association): 말의 의미와는 상관없이, 발음되는 소리에 따라 사고가 연상되는 것을 말한다. 예를 들면, 환자가 '그 사람이 내게 천원을 준 것은 내가 천하다는 뜻이다'라고 말하는 것이다.
- **말비빔**(word salad): 극단적인 혼란으로 인해 무의미한 단어들을 뒤범벅으로 나열한다.
- **신어조작증**(neologism): 다른 사람은 알아듣지 못하는 자신만이 아는 단어를 만드는 것이다.
- **우원증**(circumstantiality): 대화에 불필요하고 장황한 세부 묘사로 인해 말하고자 하는 목적에 도달하는 것이 지연되는 것이다.
- **사고이탈**(tangentiality): 대화가 주제에서 벗어나 다른 방향으로 흘러가는 것으로, 목적한 사고로 돌아오지 못한다.

- **사고비약**(flight of ideas): 한 사람의 생각이 한 주제에서 다른 주제로 연상이 너무 빨리 이동하는 것으로, 다른 사람이 대화를 따라가기 어렵게 만든다.

② 사고내용의 변화

망상은 고정되어 있고 잘못된 믿음을 가지며, 여러 가지 형태를 취할 수 있다. 이는 논리적 설득에 의해 바뀔 수 없으며, 현실에 근거하지 않기 때문에 거짓된 현실에 대한 고정된 믿음으로 묘사된다. 망상의 내용은 종종 일상생활의 경험과 관련이 있으며 성적인 부분에 관한 것이거나, 신체화, 과대성, 종교, 허무주의, 대인관계 및 편집증적 내용과 같은 것을 포함한다. 각 유형의 예는 다음과 같다.

- **색정망상**(erotomanic delusion): 다른 사람이 자신을 사랑하고 있다고 잘못 믿을 때 나타난다. 이런 확신을 두는 대상은 대개 높은 지위에 있거나 완전히 낯선 사람일 수도 있다. 환자는 간호사가 자신을 사랑한다고 믿기도 한다.
- **신체망상**(somatic delusion): 건강과 장기 기능에 대한 집착에 치중하여 의학적 검사에서 문제가 없음을 확인한 후에도 계속해서 신체증상이 있다고 믿는 망상이다. 환자는 "위장에 암이 있다"고 계속해서 주장하기도 한다.
- **과대망상**(grandiose delusion): 자신의 중요성, 힘, 지식 또는 신분에 대해 과장된 느낌을 가지고 있고, 또한 유명한 사람이나 연예인과 연관되어 있다고 믿는 망상이다. 환자가 "나는 대통령이다"라고 주장하는 경우가 이에 해당한다.
- **종교망상**(religious delusion): 자신을 신이라고 믿거나 신이 자신에게 말한다고 믿는 망상이다. 한 여성이 "악마가 나에게 속삭여요. 나에게 내 아이를 죽여야 속죄할 수 있다고 말을 했어요"라고 말하는 경우가 이에 해당한다.
- **허무망상**(nihilistic delusion): 자신의 존재가 쓸모 없다고 믿거나 살 가치가 없다고 믿는 망상이다. 예를 들어, 환자가 "나는 이미 죽은 사람이예요"라고 말해 환자에게 "만약에 당신이 죽었다면, 어떻게 이야기할 수 있습니까?"라고 질문을 하자, 환자는 "그건 잘 모르겠지만, 나는 죽은 사람이예요"라고 말하는 경우가 이에 해당한다.
- **관계망상**(delusions of reference): 환경 내에서 일어나는 모든 사건을 자신과 관련지으면서 TV 방송이나 신문기사가 자신에게 특별한 의미가 있다고 믿는다. 예를 들어, "TV에서 나에 대해 떠들고 있어요. TV 쇼에 참여한 방청객들이 나를 놀리고 있어요"라고 말하는 경우가 이에 해당한다.
- **조종망상**(delusions of control): 특정한 대상이나 사람들이 자신의 행동을 통제한다고 믿는다. 예를 들어, "그들이 내 머릿속에 칩을 심어 내 생각과 행동을 조종해요"라고 말하는 경우이다.
- **피해망상**(persecutory delusion): 자신이 어떤 사람이나 조직 혹은 다른 집단에 의해 해를 입거나 괴롭힘을 당하고 있다는 믿음이다. 피해망상 대상자는 소송이나 입법조치로 만족을 얻기 위한 반복적 시도에 몰두하며, 자신에게 해가 되고 있다고 믿는 대상에게 폭력을 쓰기도 한다.

Clinical example: 편집성 성격장애와 편집형 조현병

- 편집성 성격장애(paranoid personality): 성인병동에 자의입원한 환자는 직장과 가정에서의 문제로 도움을 요청했다. 사람들과 어울리는 대인관계 능력의 부족으로 증상은 악화되었다. 지난 몇 년 동안 그는 아내가 바람을 피우고 있다는 생각에 사로잡혀 있었다. 아내가 집을 나서면 그녀를 따라갔고, 때로는 아내의 전화에 도청장치를 설치하여 감시하였으며, 증거가 없음에도 불구하고 아내가 부정을 저지르고 있다며 비난했다. 자신이 틀린 것을 알게 될 때마다 잠시 동안 안심을 하고 아내를 신뢰하지 않았다는 점에 사과를 하였지만, 곧 다시 편집증적인 사고를 갖기 시작했다. 그의 편집증적 사고는 대인관계의 변화를 가져왔다. 그의 아내는 이혼 절차를 밟기 시작했고, 그는 아내가 자신과 이혼하지 않기를 희망하면서 치료를 요청했던 것이다.
- 편집형 조현병: 실업자인 28세의 환자는 경찰에 의해 응급실에 내원하였다. 최근 그는 시내버스 정류장에 서서 지나가는 모든 사람들에게 설교하듯 큰소리로 미국인과 일본인들이 한국을 장악하려는 음모가 있다고 외쳤다. 그는 응급실에서도 간호사에게 위험하다고 말하며 자신이 김구 선생의 암살에 대한 증거를 갖고 있다고 덧붙였다.

(3) 의식의 변화

의식의 변화는 환자들에게 나타나는 가장 주요한 증상으로, 항정신병 약물에 의한 반응일 수도 있다. 의식 변화의 징후에는 혼돈, 일관성 없는 언어, 혼탁, 혼란스러운 감각이 포함된다.

- **혼돈**(confusion): 의식의 장애 중 가장 가벼운 상태로,

지남력 장애(disorientation)를 보인다.

- **의식혼탁(clouding)**: 지각력에 상당한 장애가 있고, 주의력이 떨어진다. 상대방의 질문을 이해할 수 없으며, 기억하지도 못한다.

(4) 정동의 변화

정동(affect)은 개인의 내적인 감정 상태를 밖으로 표현한 것으로, 정동의 변화는 조현병 환자에게 흔히 나타난다.

- **부적절한 정동(inappropriate a.)**: 실제 생각이나 상황과 일치하지 않는 정동이 나타나는 것이다. 예를 들어, 환자가 나쁜 소식을 듣고도 웃는 반응을 보인다면, 이는 상황에 부합하지 않은 부적절한 정서 반응이라고 할 수 있다.
- **편평한 정동(flat a.)**: 감정 반응이 고정되어 나타나는 것으로, 주변에 냉담함, 무감동 증상으로 나타날 수 있다.
- **둔마된 정동(blunted a.)**: 감정 반응이 감소되거나 최소한의 감정 반응이 나타나는 것으로, 어떤 상황에도 필요한 만큼의 충분한 정서적 반응을 보이지 못하는 경우이다.
- **불안정한 정동(labile a.)**: 어떤 자극에도 쉽게 감정이 변하는 상태로써, 예를 들면 환자가 행복하게 이야기를 하다가 갑자기 울었다 다시 행복한 상태로 빠르게 되돌아가는 경우이다.
- **무감동(apathy)**: 외부 세계에 흥미나 관심이 전혀 없는 상태로서, 사람, 상황 또는 환경에 정상적인 반응을 할 수 없는 경우이다.
- **무쾌감증(anhedonia)**: 통상적으로 즐거운 활동이나 상황에서 즐거움을 느끼지 못하는 증상 또는 행복을 느끼지 못하는 무능력이다.
- **양가감정(ambivalence)**: 2가지 정반대의 강한 감정이 동시에 존재하는 상태이다. 환자는 사람이나 특정 대상 또는 어떤 목표에 끌리기도 하고 동시에 싫어할 수도 있다. 양가감정은 지배적 성향을 가진 부모에게 향하는 것(예: 사랑과 증오)이 일반적이다. 또한 사람들을 필요로 하면서도 동시에 두려워하여 아무것도 할 수 없게 하는 결과를 초래한다. 예를 들면, 조현병 환자는 양가감정으로 인해 아침 식사로 오렌지 주스 또는 사과 주스를 마실 것인지 결정을 내리는 것 조차 할 수 없게 된다. 이에 간호사는 환자들이 스스로 결정을 내리도록 돕는 방법을 적용해야 한다. 다음은 양가감정을 보여주는 예시이다. 이는 꼭 조현병 환자의 경우에서 나타나는 양가감정에만 국한하여 묘사된 것은 아니다.

Clinical example: 아버지를 향한 양가감정

38세 사서인 여자 대상자는 아버지에 대해 양가감정을 갖고 있다. 아버지는 딸에게 여러 상황에서 무엇을 해야 할지를 지시했기 때문에 그녀는 성인이 되었어도 스스로 독립하기 힘들었다. 그녀는 정기적으로 재정의 일부를 지원해줄 사람이 필요했고, 그 대상이 아버지라고 인식하고 있었다. 그러나 그녀는 아버지와 만나고 싶어 하지 않았는데, 아버지가 자신이 하는 일에 지나치게 간섭해왔기 때문이다. 그녀는 사사건건 전화로 묻는 아버지로 인해 진절머리가 난다고 했다. 그녀는 조현병 환자가 아니지만 양가감정을 경험하고 있으며, 아버지를 사랑하지만 아버지의 간섭은 자신을 미치게 만든다고 했다.

- **과잉반응(overreaction)**: 어떠한 사건에 과잉반응하는 경우이다. 예를 들면, 어린 아이의 경우 자동차 문을 닫기 위해 가능한 한 온 힘을 다해 힘껏 밀어야 한다. 어른과 비교하였을 때 몸집이 작으며 신체적 한계가 있기 때문이다. 그러나 이때 문이 쾅 닫히는 소리는 주변 사람의 청각과 신경에 불쾌감을 줄 수 있다. 이와 같이 조현병 환자는 감정적인 한계가 있기 때문에 사회적·정신적 문제를 극복하기 위해 정상적인 일에도 일반 사람들에 비해 과잉반응을 보일 수 있다. 이는 어린아이의 행동과 마찬가지로 주변 사람들에게 불쾌감을 줄 수 있다.

6. 원인

조현병은 단순히 하나의 원인으로 설명할 수 없으며, 여러 요소가 관련되어 발생한다고 본다. 이는 생물학적 또는 심리적(정신역동적) 원인들을 광범위하게 분류하여 설명할 수 있다. 이 장에서는 정신역동 이론, 생물학적 이론과 더불어 취약성-스트레스 모델에 근거하여 조현병의 발생 기원과 주요 요인을 설명한다.

1) 생물학적 이론

생물학적 이론가들은 조현병이 해부학적 또는 생리학적 이상에 의해 발생한다고 가정하였다. 생물학적 설명에는 생화학적, 신경구조적, 유전적, 주산기 위험요인 및 기타 이론이 포함된다. 생물학적 이론은 항정신성 약물과 같은 생물학적 치료의 발전을 이끌어 왔다. 일부 임상의들은 대인관계적인 요소가 배제되는 것에 우려를 표하기도 하며, 심리학적 모델이나 생물학적 모델 양쪽 모두 중요한 영향을 미치고 있다고 인식하고 있다.

생물학적 이론의 긍정적인 부분은 다른 원인적 요소에서 나타날 수 있는 잠재적인 비난을 최소화한다는 것이다. 대상자나 가족의 잘못으로 질병이 유발된 것이 아닌, 생물학적 원인에 의한 알코올 중독은 환자와 가족에게 향할 수 있는 비난을 최소화하며, 임상적 치료를 시도할 수 있는 관점을 제공하여 그들에게 도움을 준다. 조현병의 치료 또한 생물학적 이론을 통해 촉진되었다. 예를 들어, 당뇨병 환자가 자신의 질병에 대처하는 법(예: 생활방식의 변화)을 배워야 하는 것처럼, 정신과 환자도 자신의 질병이 생물학적 원인에 의한 것임을 인식하고 대처하는 법을 배워야 한다.

(1) 생화학 이론

1952년, Delay와 Deniker는 도파민 수용체 길항제인 클로르프로마진(chlorpromazine)의 항정신증적 효과를 보고하였다. 이에 대한 생화학적 설명은 도파민 가설과 연관된다. 이 가설에 따르면, 변연계에서의 과도한 도파민 작용은 조현병의 급성 양성(I형) 증상(환각, 망상 및 사고장애)을 일으킨다. 과도한 도파민은 도파민 합성의 증가, 과도한 도파민 방출, 또는 도파민 수용체의 수 및 활성 증가의 결과일 수 있다. 레보도파(levodopa), 바레니클린[varenicline(Chantix)], 암페타민(amphetamine)과 같은 도파민을 증가시키는 약물이 정신증 상태를 일으킬 수 있다는 것도 알려져 있다. 이 가설은 도파민을 차단하는 약물이 조현병 치료에 매우 효과적이기 때문에 지지되고 있다. 그러나 중추신경계의 도파민 수용체는 몇 분 내에 차단되는 반면, 이러한 약물의 임상적 효과를 나타내는 데에는 며칠, 몇 주 또는 몇 달까지 소요된다. 따라서 도파민 가설은 조현병의 원인적 요소를 모두 설명하기에는 너무 단순하고, 다른 요소들이 항정신병 약물의 효과를 설명하는 데 연관되어 있는 것으로 추측된다. 도파민 가설이 비록 설명에 있어 한계가 있지만, 다음과 같은 이유로 교육적 가치가 높다.

- 도파민을 증가시키는 약물(즉, levodopa, Chantix, amphetamine과 같은 도파민성 약물)은 정신증적 증상을 유발할 수 있다.
- 도파민을 차단하는 약물(즉, 항정신병 약물)은 정신증적 증상을 완화시킨다.

조현병과 관련된 다른 신경전달물질로 세로토닌과 글루타민산염(glutamate) 등이 있다. 세로토닌은 도파민 합성과 방출을 억제한다. 그리고 세로토닌 길항제는 잠재적으로 도파민 수치를 증가시킨다. 이 특성은 비정형 항정신병 약물을 효과적으로 만드는 것으로 추정되는 신경생리학적 특성 중 하나이다. 이러한 효과와 관련하여 세로토닌-도파민 길항제가 조현병 약물로 개발되어 사용되고 있다.

크렙스 회로(Krebs cycle)의 생성물질인 글루타민산염도 조현병의 한 요인으로 제안되어 왔다. 글루타민산염은 인지 과정에 필요한 *N*-methyl-D-aspartate(NMDA) 수용체를 조절한다. 글루타민산염이 너무 적으면 환각을 초래할 수 있다. 예를 들어, 환각제의 일종인 phencyclidine(PCP)은 NMDA 수용체에 길항하여 정신증 상태를 유발할 수 있다. 과도한 수준의 글루타민산염은 NMDA 수용체의 과잉자극으로 이어져 세포 내 칼슘 수준을 증가시키고 신경세포 발화를 증가시킨다. 이 세포과다는 일명 흥분독성(excitotoxicity)이라고도 불리는데, 이는 신경세포의 죽음을 초래한다. 세포사멸은 조현병에서 중요한 역할을 한다(Keltner & Lillie, 2009).

(2) 신경구조 이론

뇌 구조 이론가들은 조현병, 특히 음성증상이 주를 이루는 조현병의 원인은 병리해부학에 있다고 제안한다. 가장 흔히 언급되는 3가지 구체적인 신경조직의 변화는 뇌실의 비율 증가, 뇌 위축 및 뇌 혈류 감소이다. CT, MRI, 양전자방출 단층촬영(PET) 및 단일광자방출 단층촬영(SPECT)은 뇌를 시각적으로 보여주는 데 사용되는 기술이다. CT와 MRI는 뇌 구조의 이미지를 제공하며(예: 뇌실 비율 및 뇌 위축), PET와 SPECT는 뇌 구조 및 뇌 활동에 대한 정보를 시각적으로 나타낸다.

조현병에서의 구조적 뇌 영상 검사

1. 뇌실 확대
2. 대뇌 및 두개골 크기가 더 작음
3. 내측(변연계) 측두 구조의 형성 부전, 특히 해마의 발육부전

출처: Nasrallah, H.A. (1993). Neurodevelopmental pathogenesis of schizophrenia. Psychiatric Clinics of North America, 16, 269.

① 뇌실 비율

1976년 Johnstone 등에 의해 조현병 환자의 뇌에서 뇌실이 확장되어 있다는 사실이 처음 보고되었다. 뇌실이 확장된 환자에서는 음성증상이 나타났으며, 예후가 좋지 않았다. 뇌실 확장은 조현병에서만 나타나는 것은 아니지만, 해부학적 소견은 알츠하이머병과 같은 신경퇴행성 질환의 양상과는 크게 달랐다. 조현병에서의 뇌실 확장은 신경퇴행 과정과 관련이 없었다(Bogerts et al., 1993; Marsh et al., 1994). 즉, 조현병 환자는 시간이 경과함에 따라 뇌실의 크기가 점차적으로 증가하지 않는다. 알츠하이머병 환자의 경우 뇌세포가 사멸함에 따라 뇌실의 크기가 계속 증가하지만, 조현병에서는 모든 환자가 비정상적으로 뇌실이 확장된 것은 아닌 것으로 나타났다. 조현병 환자의 약 50%는 정상 소견을 보였다(Cannon & Marco, 1994). 이러한 상반되는 연구 결과 때문에 연구자들은 이후 일란성 쌍생아 연구를 통해 조현병의 원인을 규명하고자 했다. 일란성 쌍생아를 통한 연구에서 쌍생아 중 조현병인 사람의 뇌실이 정상 소견의 범주에 있지 않은 반면, 조현병이 아닌 사람의 뇌실은 정상 범주에 있어, 두 사람 간의 병리해부학적 편차를 증명할 수 있었다. Roberts 등(1993)은 정상적으로 보이는 뇌실이 완전한 대조군(일란성 쌍생아의 뇌실)에 비해 확장되어 있음을 입증했다.

② 뇌 위축

약 100년 전, 알츠하이머(Alzheimer)는 조현병에서 뇌세포가 손실되어 있음을 보고했다. 조현병 환자의 사후에 시행한 뇌 영상검사를 통해 대뇌피질 및 피질하부 영역의 위축 소견을 확인할 수 있었다. 또한 변연계, 해마, 시상 및 시상하부 구조, 측두엽, 편도체, 흑질 부위에서 신경병리학적 변화도 관찰되었다.

③ 뇌 혈류

뇌의 위축성 변화가 나타나는 경우 대뇌피질의 혈류가 감소되며, 특히 전두엽 피질에서 대사활동의 감소를 초래한다(British Columbia Schizophrenia Society, 2008a). 조직화, 계획 세우기, 경험을 통한 학습, 문제해결, 자기성찰 및 비판적 사고와 같은 인지적 기능에 문제가 발생할 수 있다.

(3) 유전 이론

조현병의 유전적 영향은 70~90%로 추정된다(Zhang & Malhotra, 2013). 발병률은 조현병에 이환되지 않은 가족에 비해, 조현병 환자의 가족에서 더 높게 나타났다. 조현병의 유전적 원인을 찾아내기 위해 다양한 연구가 진행되었지만, 그 결과는 구체적이지 않았다. 거의 모든 염색체는 조현병과 관련이 있는 것으로 나타났고(Williams, 2003), 유전학 연구에서 큰 성과가 있을 것으로 기대했지만, 확실히 밝혀진 바는 없다. 현재로는 조현병의 발병은 다양한 유전적 결함으로 인해 나타나는 것이라는 관점이 가장 유력한 상황이다.

조현병의 유전적 위험요인은 **표 16-6**에 제시되어 있다. 두 부모 모두에게 조현병이 있을 경우 자식에게서도 조현병이 나타날 위험이 35%에 이르지만, 이 발병률만으로는 환경적(양육) 원인과 생물학적(유전학) 원인에 대한 논쟁에 대해 적절하게 설명하기 어렵다. 예를 들어, 정신장애가 있는 부모가 아동을 부적절한 방식으로 양육하여 발병되었을 가능성을 배제할 수 없기 때문이다.

양육이라는 변수를 통제하기 위해 연구자들은 일란성 쌍생아와 이란성 쌍생아를 연구했는데, 일란성 쌍생아에게서 지속적으로 높은 발병 일치율이 나타났다. 일란성 쌍생아의 경우 발병 일치율은 50%로 나타났으며, 이 비율은 일반 인구의 발병률보다 50배 더 높은 수치였다.

이러한 결과는 조현병의 발병이 유전적 또는 양육방식 등의 후천적 원인에 의해 나타난다는 사실을 입증하는 것으로 보인다. 그러나 아직 설명할 수 없는 외생 변수가 있다. 예를 들어, 많은 일란성 쌍생아의 양육방식은 동일할 수 있어, 일부 전문가들은 일란성 쌍생아가 높은 발병 일치율을 보이는 것이 놀라운 일은 아니라고 주장한다. 연구자가 환경 변수를 통제할 수 없다면, 환경적 요인이나 생물학적 요인 중 어느 한쪽이 전적으로 영향을 미친다고 확신할 수 없다. 그래서 이후 이러한 환경 변수를 통제하기 위해 출생 시부터 분리되어 양육을 받았던 일란성 쌍생아에 대한 연구가 수행

되었는데, 분리되어 서로 다른 환경에서 양육되었음에도 불구하고 일란성 쌍생아에게서 유의하게 일치율이 높았으므로, 유전적 요인이 관여함을 말해주고 있다.

표 16-6	조현병의 유전적 위험요인
일란성 쌍생아	50%
이란성 쌍생아	15%
형제 또는 자매	10%
한쪽 부모	15%
양쪽 부모 모두	35%
이촌	2~3%
영향을 받은 친척이 없음	1%

출처: Roberts, G.W., Leigh, P. N., & Weinberger, D. R. (1993). Neuropsychiatric disorders. London: Mosby Europe.

(4) 주산기 위험 요소

여러 가지 비유전적 요인이 조현병의 발병에 영향을 준다. 일부 연구자들은 태아기 인플루엔자에의 노출이 조현병의 발병과 관련이 있다고 믿는다. 예를 들면, 겨울에 출생한 경우, 태아기 동안 납에 노출된 경우, 초기 임신 기간 동안 소기형(minor malformation)으로 발달한 경우, 애완동물로부터 바이러스에 노출된 경우, 임신 및 분만 관련 합병증이 발생한 경우이다(Andreasen, 1999; Torrey & Yolken, 1995). 인플루엔자 감염에 대한 연구는 결정적이지 않지만, 조현병 환자들이 겨울철에 태어난 경우가 많았다는 것이 그 증거이다(American Psychiatric Association, 2013). 치명적인 인플루엔자 전염병이 있는 기간에 임신한 산모로부터 출생한 아이에게서 조현병의 발생 빈도가 의미 있게 높은 것으로 나타났다. 다른 연구자들은 조현병 환자들에게서 출산 시 외상 및 상해가 많이 나타났음에 주목했다. 이러한 연구들은 조현병과 출산 문제 사이에 어떠한 관계가 있을 것이라고 제시하고 있다. 특히 임신 후기에 이상 반응이 발생할 때, 조현병과 출산 문제 사이의 관련성이 높은 것으로 나타났다(Roberts et al., 1993).

2) 정신역동 이론

조현병의 정신역동 이론은 오늘날에는 큰 비중을 두고 있지 않지만, 예전에는 꽤 의미 있게 다뤄졌다. 이 이론은 생활 사건에 대한 개인의 반응에 초점을 맞춘다. 이 이론들의 공통적인 주제는 삶의 스트레스 요인이나 갈등에 대한 내적 반응으로, 이러한 설명을 뒷받침하기 위해 발달 및 가족 이론이 포함되기도 한다.

(1) 조현병 발달 이론

20세기 초반, 마이어(Adolf Meyer)와 프로이트는 발달정신의학의 중요성을 강조했다. 그들은 정신건강과 질병의 씨앗이 어린 시절에 뿌려졌다고 믿었다. 그들은 삶의 초기에 겪은 사건이 조현병과 같은 심각한 문제를 일으킬 수 있다고 보았다. 프로이트가 언급한 약한 자아경계, 약한 자아, 자아 붕괴, 부적절한 자아발달, 퇴행 또는 본능적 행동, 양가감정 등의 개념은 조현병에 대해 논의할 때 의미 있게 적용된다.

후기의 발달 이론가인 에릭슨(Erik H. Erikson, 1968)과 설리반(Harry S. Sullivan, 1953)의 연구는 조현병을 보다 더 직접적으로 설명한다. 인간발달의 8단계 모델을 이론화한 에릭슨은 첫 번째 단계인 영아기에서 중요한 발달과업이 신뢰감을 획득하는 것이고, 적절하게 신뢰감을 획득하지 못하는 경우 불신감이 생기는데, 이러한 신뢰감은 이후 대인관계에 결정적인 영향을 미친다고 보았다. 사랑받는 환경이나 양육의 기회가 박탈되고 방치되거나 거부당한 아동은 정신적으로 불안정해져 정신질환에 취약해진다. 이 단계를 적절히 통과하지 못하면 사람에 대해 불신감을 가지게 되는데, 특히 조현병 환자에게서 나타나는 고립된 행동, 그리고 다른 정신사회적 행동이 이러한 영향을 받은 것으로 설명된다. 이에 치료적 중재들은 일관적이어야 하며, 안정적이고 불안이 없는 치료적 관계의 정립에 초점을 맞출 필요가 있다고 주장한다.

설리반은 다른 용어를 사용하면서도 본질적으로 같은 내용을 말했다. 생의 초기 양육과정에서 관심이나 따뜻함을 느껴본 적이 없다면, 성장 후 이와 유사한 감정적인 반응을 표현하는 데 장애가 발생된다고 보았다. 또한 이들은 대인관계 내 사회적 상호작용에서 혼란을 느끼게 되고, 이러한 상호작용은 고통을 유발하기 때문에 결국 대인관계를 회피하는 방법을 배운다.

(2) 조현병 가족 이론

조현병의 가족 이론은 발달 이론과 자연스럽게 연결되어 있다. 건강하지 못한 가족은 개인에게 부정적인 영향을 줄 수 있으며, 이러한 가족환경 안에서 정신건강이나 질병은 악화될 수 있다고 보기 때문이다. 일차 양육자의 돌봄이나 사랑의 부족, 모순적인 가족들의 행동, 의사소통 패턴의 결함은 후에 정신적인 문제를 일으키는 것으로 여겨진다. 그러나 일부 이론가들은 엄마로 인해 조현병이 초래된다는 이론(schizophrenogenic mother theory)과 이중구속 이론(double bind theory)은 구시대적인 이론이라고 보았다. 조현병을 초래한다(schizophrenogenic)는 단어는 문자 그대로 조현병의 원인을 의미한다. 이 정의는 정신역동 이론에 가장 크게 부정적인 영향을 주었다. 본질적으로 이 개념은 조현병에 대한 책임이 어머니에게 있다고 말하는 것과 같다. 또한 이중구속 이론은 자녀가 어떠한 행동을 해도 비난을 하고, 그 행동을 하지 않아도 비난을 하는 가족의 관행을 의미한다. 예를 들어, 자녀가 공부를 하지 않을 때 부모는 아이에게 학교에서 제대로 수업을 듣지 않았다고 혼을 내면서, 반대로 좋은 성적을 받으려는 아이가 방에서 혼자 공부를 해도 부모는 가족과 충분한 시간을 보내지 않는다며 아이를 비난하는 경우이다. 즉, 어떤 경우에도 부모가 아이를 비난함으로써 아이에게 정신과적 문제가 생긴다고 보는 이론인 것이다.

Acocella(2000)는 이러한 주장 뒤에 숨겨진 이념적 측면을 포착했다. 제2차 세계대전 후 정신분석은 미국 심리학의 주류로서 그 지배력과 위력이 매우 높았다. 이는 확실한 증거 없이 조현병, 자폐증 및 기타 여러 정신질환의 원인을 어머니에게 돌리고 비난하는 결과를 초래하였다.

Geiser 등(1988)은 가족 이론이 비판을 받을 수 있는 이론이라고 지적했다. 가족은 질병의 원인, 치료의 방해자, 부정적 영향요인으로 간주되어 전문가로부터 적대적이고 신뢰할 수 없는 시선을 받기도 했다. 그러나 가족들은 전문가의 치료 이후 환자와 함께 지내며 돌봄을 제공하는 중요한 자원이므로, 전문가는 환자뿐 아니라 가족과 함께 협업하여 치료를 진행해야 한다.

Clinical example: 믿을 수 없지만 사실이다.

많은 사람들이 어린 시절을 뒤돌아보면 숨바꼭질, 축구나 야구, 생일파티, 게임 등을 떠올린다. 그러나 이 환자의 과거는 온통 추행, 학대, 처벌 등으로 얼룩져 있었고, 20세 이후 조현병을 진단받았다. 그는 8명의 자녀 중 가장 어린 막내였는데, 형제 중 절반 이상이 주요 정신질환을 앓고 있었다. 그는 "어머니도 10년 동안 조현병을 앓았고, 그때 하나님이 어머니를 구해주셨다"고 말했으며, 아버지가 돌아가신 후 어머니가 나머지 가족을 남겨두고 떠났다고 했다. 아버지에 대해 질문을 하자, 아버지는 평소 어머니와 형제들을 폭행해왔고, 형이 아버지로부터 피가 날 정도로 심하게 맞기도 했다고 말했다. 자신이 아버지로부터 폭행당한 이유를 묻자 "아버지가 나에게 어떤 물건을 가져오라 했는데 제가 그걸 잊어버렸거든요. 아버지가 매우 화가 나서 때린 것 같아요"라고 대답했다. 환자가 처음으로 환청을 듣기 시작한 시기를 묻자 "내가 어렸을 때, 다른 친구들이 나에게 모멸감을 준 후부터인 것 같아요. 하루는 자전거를 수리하는 중에 마귀가 거듭해서 나에게 이야기하는 것을 들었어요"라고 대답했다. 그는 평생 동안 수많은 학대를 당한 것으로 나타났다. 그는 면담 도중 자신에게 조현병이 발생한 것은 자신이 한 일에 대해 하나님이 처벌을 내리는 것이라고 믿는다고 했다. 환자의 정신과적 삽화는 1980년대 초반 처음으로 기록되었다. 정신과 의사는 환자의 정신상태검사에서 환각과 망상을 확인했다. 그는 우주선과 명령 환각을 묘사했으며, 또한 "내가 그리스도를 죽였다"고 말했다. 그의 상태는 점점 악화되어 병원에 입원하게 되었고, 입원 기간 동안 조현병 진단을 받았다. 그는 시설에서 지내면서 낮병원 치료에 참석하였으며, 주 증상으로 반복적인 환청과 환시를 호소하였다. 2가지 종류의 비정형 항정신병 약물이 투여되고 있었지만, 증상 조절 양상은 매일 다르게 나타났다(Keltner et al., 2001).

3) 조현병의 취약성-스트레스 모델

일반적으로 대부분의 임상의와 연구자들은 조현병을 일으키는 요인이 다양하고, 그 중 환경요인과 상호작용하는 민감성 유전자 등이 관련이 있다고 믿어왔다. 미국 국립정신건강연구소(National Institute of Mental Health) 소장인 Insel(2004)은 조현병을 더할 수 없이 나쁜 상황, 즉 'perfect storm(위력이 세지 않은 태풍이 다른 자연현상을 만나 엄청난 파괴력을 가진 태풍으로 변하는 현상)'이라고 언급했다.

앞에서 언급했듯이 조현병의 원인은 한 가지 이론만으로는 설명할 수 없다. 취약성-스트레스 모델은 여러 형태의 조현병뿐 아니라 조현정동장애 및 조현병 관련 성격장애 등 보다 넓은 조현병 스펙트럼 장애를 유발하는 다양한 요인을 설명해준다. 이 모델은 생활 사건에서 유발되는 스트레스가 조현병에 대한 유전적·생물학적 경향과 정신역동적 경향 모두 조현병의 질병 과정을 촉진시킬 수 있다고 본다. 즉, 지속적으로 스트레스 요인에 노출되면 취약성이 증가하게 되는 것이다. 조현병이 발병할 가능성이 있는 사람들이 삶의 스트레스로부터 보호를 받으면 심각한 정신질환을 예방할 수 있다. 달리 말하면, 스트레스 요인에 노출되면 조현병이 발생할 가능성이 높아질 수 있는 것이다. 일반적으로, 부유한 사람은 경제적인 문제와 관련된 스트레스 요인을 피할 수도 있지만, 기본적인 욕구를 채우기 위해 고군분투하는 사람은 매일 스트레스 요인에 직면할 수 밖에 없다. 따라서 이 모델에 따르면, 사회경제적으로 낮은 수준에 위치하는 사람은 조현병의 증상이 발현될 가능성이 더 크다. 이처럼 사회경제적으로 힘든 상태는 지속적인 스트레스 요인에 노출되어 취약성을 강화한다.

7. 조현병과 관련된 특별한 이슈들

조현병 환자의 정신간호와 관련된 광범위한 문제를 해결하는 데 도움이 되는 쟁점들을 명확히 할 필요가 있다. 표 16–7은 환자와 가족이 함께 치료에 참여할 때 고려해야 할 주요 목표들을 나열하고 있다.

1) 내과적 질환 동반

조현병과 관련된 많은 쟁점이 있지만, 현재 가장 우려되는 문제는 다른 의학적 문제가 함께 발생할 비율이 높다는 것이다. 조현병 환자의 약 50~60%에서 다른 질환이 동반되는데(Batki et al., 2009), 특히 조현병 환자에서 고혈압, 당뇨병, 심혈관 질환 및 대사증후군이 더 많이 발생하였다(Cohn, 2012; Newcomer, 2008). 또한 이 진단을 받은 그룹 중 전체 평균수명은 약 20% 감소했다(Allison et al., 2009). 이처럼 건강이 좋지 않거나 조기 사망한 경우 지속적으로 건강하지 못한 생활방식이 유지된 것으로 조사되었다. 예를 들면, 조현병 환자는 좀 더 활동량이 적고, 영양 상태가 좋지 않았을 뿐만 아니라(고지방, 고탄수화물 식이), 일반 사람보다 약물을 더 남용하고, 더 높은 흡연율을 보이는 경향이 있다(Vreeland, 2007).

2) 조현병 환자의 가족구성원

많은 임상의들은 역기능적 가족이 조현병의 원인이 아니라, 오히려 조현병을 앓는 가족구성원으로 인해 역기능적 가족 형태가 나타난다고 본다(Ghosh & Greenberg, 2009). 그러나 가족 환경이 불안정해지면 역기능적 가족이 조현병 환자에게 부정적인 영향을 줄 가능성도 높아진다.

많은 조현병 환자의 가족들이 환자에게 부정적 태도(예: 정서적으로 과도한 간섭, 적대적, 비판적)를 보인다는 연구 결과들이 있지만, 대부분의 경우 환자에게 조현병이 확인된 이후 가족이 혼란에 빠지고 수년이 지난 후에 연구가 진행되었다. 따라서 이러한 문제는 '닭이 먼저인가? 아니면 달걀이 먼저인가?'로 이어진다. 즉, '파괴적인 가족이기 때문에 조현병이 초래되었는지, 아니면 조현병을 가진 개인으로 인해 가족이 파괴적으로 되었는지?'의 문제이다.

환자의 발병 시 가족들에게 그 책임을 묻고 가족을 비난하게 되면, 가족과 치료팀 사이의 관계나 대부분의 치료에 악영향을 미치게 된다. 간호사는 가족이 병원 밖에서 환자들을 간호하기 위해 상당한 부담감을 갖고 있다는 것을 기억해야 한다. 퇴원한 정신과 환자들은 대부분 가족에게로 되돌아가는데, 가족들이 환자를 간호하면서 갖게 될 어려움은 상당하다. 시간이 갈수록 가족들은 점점 더 고립되어 좌절감과 무력감을 느끼며 절망감에 빠질 가능성이 높다.

표 16–7 조현병 환자를 치료하기 위한 주요 목표
• 가족을 치료에 참여시키기
• 우울장애 치료하기
• 스트레스를 주는 대인관계는 최소화하기
• 약물 남용 치료하기
• 장황하고 집중적인 언어적 의사소통 피하기

Clinical example: 소진된 가족

24세인 환자는 19세에 증상이 나타나면서 조현병 진단을 받았다. 그는 부모와 함께 줄곧 살면서 여러 차례 입퇴원을 반복하고 현재 외래치료를 받고 있다. 그는 사람들이 자신을 해칠 것이라는 망상을 갖게 되었는데, 그의 편집증적 사고로 인해 가족들의 일상은 혼란과 부담감이 극도의 수준에 달했다. 환자는 자신의 방에서만 지내면서, 부모님이 자신을 감시하고 있으며 분명 음모가 있다고 믿고 가족들에게 점점 폭력적인 행동을 하기 시작했다. 2년이 지나, 4번째 입원을 시킨 환자의 부모님은 아들이 돌아오지 않았으면 좋겠다고 하였다. 환자가 집으로 돌아올 경우 어린 동생들에게 어떤 영향을 줄지 매우 걱정이 되며 두렵다고 말했다. 그가 입원한 병원은 집에서 멀지 않음에도 그의 부모님은 병원을 거의 방문하지 않았다.

CRITICAL THINKING QUESTION

1. 직계가족 중 조현병을 앓는 경우가 있을 때, 어떤 행동이 가족으로 하여금 환자와 함께 지내는 것을 어렵게 하는가?

3) 조현병에서의 우울장애와 자살

약 25%의 조현병 환자가 우울장애를 경험하며(Siris, 2012), 이러한 증상은 급성기 이후 수년을 포함하여 질병 중 언제라도 발생할 수 있다. 우울장애 증상에 대하여 항우울제가 효과적인 것으로 나타났다.

한편, 조현병 환자의 자살시도(20%)와 사망(5~10%)의 발생률이 높았다(American Psychiatric Association, 2013). 자살행동은 때로 자신이나 타인을 해치라는 명령 환각에 반응해 일어난다. 특히, 자살은 조현병 환자 중 조기 사망의 주요 원인이기도 하다. 자살 가능성을 높이는 위험요소는 다음과 같다(American Psychiatric Association, 2013).

- 조현병과 관련된 우울장애
- 조현병과 관련된 절망감
- 실직 상태
- 물질사용장애가 동반된 경우

4) 인지기능 장애

조현병 환자는 인지기능 장애로 인해 기억, 주의집중, 실행 능력이 저하된다. 인지기능 저하는 일상생활의 기본적인 활동에 참여할 능력이 떨어지는 것을 예고하는 지표이다. 인지능력은 삶을 정상적으로 유지하는 여러 측면에 영향을 미치므로 중요하다. 정형 항정신병 약물은 인지기능을 감소시키지 않지만, 부작용이 나타날 경우 이를 악화시킬 수 있다. 예를 들어, 운동불능과 같은 추체외로 부작용은 인지 저하를 유발한다. 비정형 항정신병 약물은 인지기능의 수준을 일부 향상시키는 것으로 알려졌다.

5) 재발

약물 불순응(nonadherence to medications)과 심각한 스트레스 요인에의 노출이 재발의 가장 흔한 원인이다. 정신건강 교육 시 이러한 문제를 다루는 것이 중요하다.

6) 스트레스

스트레스는 조현병의 발병과 재발에 중요한 역할을 한다. 취약성-스트레스 모델에 따르면, 조현병 환자는 일반인보다 스트레스에 취약하다. 질병으로 인해 유발되는 일반적인 스트레스 요인은 다음과 같이 분류할 수 있다.

- 생물학적 요인(예: 의학적 질병)
- 정신사회적 요인(예: 관계의 상실)
- 사회문화적 요인(예: 노숙자)
- 정서적 요인(예: 지속적인 비난)

스트레스에 취약한 환자를 치료할 때 스트레스의 영향을 줄이기 위한 노력이 필요하다. 이를 위한 기본전략으로 스트레스 요인 및 경험의 완화, 스트레스 대처기술 개발이 있다. 사회경제적 요인으로 인해 많은 조현병 환자들은 일상적으로 심각한 스트레스를 받는다. 스트레스에 가장 취약한 환자는 더 많은 스트레스와 마주하게 된다. 간호사는 환자의 스트레스 요인을 식별하고 줄이는 방법을 터득하도록 도와야 한다.

7) 조현병 환자의 물질남용

물질남용은 조현병에서 가장 흔히 공존이환되는 정신의학적 상태로 꾸준히 증가하고 있는 것으로 보인다. 높은 비율의 조현병 환자들이 술과 마약 또는 두 가지 모두를 남용한다. 특히 미국에서는 주로 알코올, 마리화나 및 코카인 등을 남용한다. 일반 인구집단과 달리 조현병을 앓는 사람들은 사회적 관계를 맺기 위한 수단으로 술을 이용할 가능성이 거의 없다. 이러한 남용은 덜 발달된 뇌 보상경로와 관련이 있을 수 있다(Anonymous, 2003).

물질남용은 조현병 환자의 치료에 부정적인 영향을 미치며 좋지 않은 결과를 초래할 수 있다. 물질남용이 동반되면 약물치료를 비롯한 여러 치료활동에 비협조적이고 좀 더 적대적·폭력적인 태도를 보이게 된다. 또한 이는 환자의 자살로 이어질 가능성이 크다(Anonymous, 2003). 불법 물질을 남용하여 수감된 조현병 환자들이 더욱 난폭한 행동을 보이는 이유를 말해준다. 예를 들어, 알코올은 통제불능과 공격성 및 판단력 저하를 유발하는데, 이러한 증상은 심한 정신질환을 앓고 있는 환자에게 이미 존재하는 것이므로, 이 증상이 물질남용으로 인한 것인지, 조현병으로 인한 것인지 구별하기 어렵다. 이러한 증상들과 관련된 사회기술 부족으로 인해 조현병 환자는 효과적인 자조집단(예: Alcoholics Anonymous, Narcotics Anonymous)과 같은 치료 프로그램의 혜택을 받지 못할 수 있다.

CRITICAL THINKING QUESTION

2. 조현병 환자의 물질남용 비율이 왜 높다고 생각하는가?

8) 일(직업)

조현병 환자는 일을 하지 않거나 일을 할 수 없는 상태 또는 일을 하려는 욕구가 부족한 것이 특징적이다. 조현병 환자에게 있어 생계를 위해 직업을 유지하는 것은 매우 어려운 일이다. 주요 문제는 기술의 부족이 아니라 직업적, 사회적으로 대처할 능력이 없는 것이다. 예를 들어, 누군가와 농담을 하거나 사람을 초대하고, 혹은 다른 사람에게 영향을 미치는 등의 일상적인 행동에 있어 무능하거나 대처가 미숙하기 때문에 생산적인 직장생활에 큰 방해가 된다.

9) 정신증에 의한 다갈증

정신증에 의한 다갈증(psychosis-induced polydipsia) 또는 강박적 식수(compulsive water drinking; 4~10L/일)는 정신증 환자의 6~20%에서 나타난다(American Psychiatric Association, 1997). 일부 조현병 환자는 갈증과 삼투성 조절장애 때문에 물을 계속 마시려고 하며, 물 섭취에 대한 강박행동을 특징적으로 보인다. 다갈증과 관련된 주요 문제는 저나트륨혈증이다. 저나트륨혈증은 어지러움, 허약, 근육경련, 오심과 구토, 혼란, 경련 및 혼수상태를 유발한다. 치료에는 빈번한 체중 측정, 수분섭취 제한, 나트륨 대체와 더불어 긍정적인 강화와 같은 행동치료가 포함된다.

8. 기타 조현병 스펙트럼장애

조현병 이외에도 DSM-5에서 알아야 할 몇 가지 다른 정신병적 장애가 있다. 이러한 장애에서도 현저한 증상이 나타날 때는 조현병에 대한 중재와 동일한 중재가 적용된다.

1) 망상장애

망상장애(delusional disorder)가 있는 사람은 조현병 환자에게서 나타나는 증상과 유사한 증상을 보인다. 그러나 둘 사이에는 상당한 차이가 존재하고 있기 때문에 진단적 구별이 필요하다. 다음 증상은 망상장애와 조현병 장애를 구분 짓는 기준이다(American Psychiatric Association, 2013).

- 망상은 적어도 1개월 동안 지속된다.
- 조현병 진단기준에 전혀 부합되지 않는다.
- 행동은 망상과 관련이 있는 경우를 제외하고는 비교적 정상적이다.
- 기분 삽화가 망상과 동시에 발생했다면 기분 삽화의 지속기간은 망상기에 비해 상대적으로 짧다.
- 증상은 물질에 의해 유발되거나 의학적 상태에 의한 직접적인 결과가 아니다.
- 환각이 있다 해도 두드러지지 않는다.

2) 단기 정신병적 장애

단기 정신병적 장애(brief psychotic disorder)는 정신병적 증상이 1개월 미만으로 지속되고, 기분장애, 일반적인 의학적 상태 또는 물질 유도 장애 등으로 더 잘 설명되지 않는 경우에 진단내린다(American Psychiatric Association, 2013). 망상, 환각, 와해된 언어(지리멸렬 또는 사고이탈) 또는 심하게 와해되거나 긴장증적 행동 중 하나는 증상으로 나타나야 한다. 단기 정신병적 장애는 흔히 조현병의 발병 초기에 나타나는 정신병적 양상과 유사하나, 4주 이내에 완전하게 회복될 수도 있다. 따라서 정신병적 증상이 나타난다고 해서 처음부터 조현병으로 진단내리지 않도록 주의가 필요하다. DSM-5는 이러한 행동이 수용 가능한 문화권의 사람들에게 특정 기준을 적용하는 것에 신중을 기해야 한다고 권고하고 있다.

3) 조현양상장애

조현양상장애(schizophreniform disorder)의 특징적인 증상은 조현병과 동일하다. 조현양상장애는 적어도 1개월에서 6개월 이내에 전형적인 조현병의 증상을 나타낸다. 6개월 이후에도 증상이 지속될 경우 조현병으로 진단을 내리지만, 전문의는 조현병의 진단을 절대적으로 확신할 수 있을 때까지 조현병의 진단에 신중을 기해야 한다.

4) 조현정동장애

조현정동장애(schizoaffective disorder)는 직업적, 사회적 기능의 상당한 상실과 함께 정동장애와 조현병의 증상을 둘 다 나타내는 정신증이다. 동반되는 정동장애의 유형에 따라 조현정동장애는 우울형과 조울형으로 나뉜다. 이는 조현병 유병률의 1/3이 될 정도로 흔하다(American Psychiatric Association, 2013). 조현정동장애의 평생 유병률은 남성보다 여성에게서 높은데, 주로 여성에서 우울형의 발생률이 증가했기 때문으로 생각된다. 조현정동장애는 서로 다른 생화학적 기원을 가진 것으로 여겨지는 2가지 장애의 혼합체이기 때문에 많은 임상의들에게 여전히 수수께끼이다. 정동장애는 극도로 우울하거나 기분이 고양되는 양상으로 나타나며, 조현병은 양성증상, 음성증상 또는 혼합증상으로 표현된다. 정동장애 환자도 양성 및 음성 증상을 경험할 수 있고, 조현병 환자도 기분변화를 겪을 수 있으므로, 조현정동장애 진단을 내리는 데에는 어려움이 있다. 조현정동장애는 조현병과 정동장애 사이에서 조현병 증상이 우세하지만 우울장애나 조울증이 동반될 때 진단된다.

조현정동장애가 있는 환자는 눈에 띄는 기분장애가 없는 상황에서 망상이나 환각을 경험할 수 있으나, 전체 장애에서 대부분의 기간 동안 기분장애의 증상이 나타난다(American Psychiatric Association, 2013). 조현정동장애의 예후는 조현병의 예후보다는 좋지만, 기분장애 예후보다는 덜 낙관적이다(American Psychiatric Association, 1997).

9. 치료 및 간호중재

Ruocchio(1989)는 "조현병 환자들은 자신에게 나타나는 증상보다 더 강해지기 위해 어느 누구의 도움 없이 홀로 고군분투하고 있다"라고 하였다. 조현병 환자를 돌볼 때마다 이 말을 기억하면 큰 도움이 될 것이다. 이들을 위한 치료와 간호중재는 환자가 그들의 증상보다 강해지도록 돕는 데 목적이 있다. 조현병 치료에 사용되는 간호중재는 적절한 간호과정 적용으로부터 시작된다.

1) 간호사-환자 관계

약물치료는 조현병의 증상 중 일부를 개선시킬 수 있지만, 조현병의 특징이자 기능 및 삶의 질을 제한하는 사회적 장애에 대한 약물치료의 효과는 한정적이다(Huxley et al., 2000).

간호사-환자 간의 치료적 관계의 목적은 환자와 치료적 동맹을 구축하는 것이다. 신뢰를 기반으로 한 장기간의 관계 형성은 특정 간호이론보다 더 중요하고 치료적일 수 있다. 장기적이고 신뢰할 수 있는 관계는 더 나은 약물 순응과 심리적 자원 효과를 낳는다. 또한 통찰치료가 이 집단에 대해 유용성이 제한적인 반면, 의미보다 행동에 초점을 맞춘 문제해결 및 사회기술 훈련이나 지지치료와 같은 덜 침습적인 방식이 보다 유용할 수 있다.

치료적인 간호사-환자 관계를 발전시키기 위한 일반적인 원칙(**표 16-8**)과 **핵심 간호중재**를 아래에서 확인할 수 있다.

2) 약물치료

Lieberman(1997)은 항정신병 약물의 발견을 인슐린 발견과 비교했을 정도로 이 약물의 개발은 정신증의 치료에 혁신적 변화를 가져왔다. 항정신병 약물에 대한 정보는 12장에서 자세하게 다루고 있다.

조현병 환자는 항정신병 약물을 처방대로 복용해야 하지만, 많은 경우 그렇게 하지 못한다. **표 16-9**는 약물치료 이행을 촉진하기 위한 몇 가지 전략들이다. 또한 **표 16-10**은 항정신병 약물의 주요 부작용을 제시하고 있다. 인종이나 민족의 다양성을 고려하여, 조현병이 있는 아시아인과 히스패닉계는 백인과 비교하였을 때 같은 효과를 얻으려면 더 낮은 용량의 항정신병 약물을 복용해야 한다(U.S. Surgeon General, 1999). 첫 2~4주 동안 환자가 처방된 항정신병 약물에 얼마나 잘 반응하는지 반드시 확인하도록 한다(Webster & Straley, 2014).

표 16-9 약물 순응을 증가시키기 위한 간호중재

- 환자의 부작용을 관찰하고 그에 따라 중재한다. 정좌불능(akathisia)은 환자가 견디기 어려운 부작용 중의 하나이다.
- 정제 또는 알약을 줄 때, 환자가 나중에 약을 뱉어내기 위해 뺨이나 혀 밑에 약물을 감추지 않는지 확인한다.
- 퇴원 시 환자와 그 가족에게 부작용, 상호작용 가능성 및 투여 일정을 포함한 약물의 용법에 대해 교육한다.
- 지속형 주사제는 약물 순응이 좋지 않은 환자에게 효과적이다.

표 16-8 치료적 간호사-환자 관계를 발전시키기 위한 일반적인 원칙

치료적 관계를 위한 원칙	이론적 근거
환자와 이야기할 때 차분함을 유지한다.	불안은 조현병 환자에게 강한 영향을 미치고 부작용을 초래할 수 있다.
환자를 있는 그대로 받아들이지만, 모든 행동을 수용하지는 않는다.	모든 사람은 자신이 받아들여지기를 원한다. 그러나 환자들이 바람직하지 못한 행동을 나타낼 때에는 이를 변화시키기 위해 긍정적 행동에 초점을 둘 필요가 있다.
약속을 지킨다.	믿고 의지할만 하다는 것(dependability)은 신뢰(trust)를 구축한다.
일관성을 유지한다.	일관된 태도는 신뢰를 증진시킨다.
정직하게 행동한다.	정직은 신뢰를 강화한다.
환각이나 망상을 강화하지 않는다.	간호사는 현실에 대한 환자의 지각을 간단히 진술하고, 환자의 지각에 대한 의문을 제기하며, 현실에서의 주제, 즉 사람이나 사건에 대해 이야기하는 것이 좋다.
필요한 경우 시간, 사람, 장소에 대해 환자에게 안내한다.	지남력은 현실을 강화시키므로 판단력을 증가시킨다. 지남력 상실은 정서적 혼란을 야기하기 때문에 지남력을 지속적으로 상기시키는 것이 도움이 된다.
예고 없이 환자와 접촉하지 않는다.	의심이 많은 환자는 접촉으로 인해 위협감을 느끼거나 이를 보복하는 것으로 인식할 수 있다.
환자가 대화 전반의 내용을 모두 들을 수 없을 때는 속삭이거나 웃지 않도록 한다.	주변에 있는 사람들이 속삭이거나 킥킥대고 웃을 때 의심이 많은 환자는 이러한 행동을 개인적 모욕으로 해석한다.
긍정적인 행동을 강화한다.	적절한 강화는 긍정적인 행동을 증가시킬 수 있다.
다른 환자와의 경쟁적인 활동을 피하도록 한다.	경쟁은 위협적이며 자존감의 저하를 초래할 수 있다.
환자를 당황하게 하지 않도록 한다.	조현병 환자는 종종 당혹감을 느끼기 때문에 사회적 접촉을 피할 수 있다.
위축된 환자의 경우 일대일 상호작용을 시작한다.	집단생활 시 환자끼리의 상호작용보다는 간호사-환자 상호작용이 보다 더 효과적일 수 있다. 간호사-환자 상호작용은 환자에게 덜 위협적이며, 이는 점차 보다 폭넓은 사회적 상호작용으로 발전할 수 있다.
감정의 언어화를 허용하고 격려한다.	간호사는 환자의 말을 중간에 끊지 않고, 그들이 생각하는 바를 말할 수 있도록 도와야 한다.

표 16-10 항정신병 약물의 주요 부작용

- 추체외로 증상: 흑질선조체 경로(nigrostriatal tract)의 도파민 D_2 차단에 의함
  - 파킨슨증
  - 정좌불능
  - 근긴장 이상
  - 신경이완제 악성 증후군
  - 피사증후군(Pisa syndrome)
- 항콜린성 효과: 부교감 신경계에서의 무스카린 차단에 의함
  - 입마름
  - 흐려진 시야
  - 변비
  - 배뇨 지연(요 정체)
  - 빈맥
- 지연성 운동장애: 흑질선조체 경로의 도파민 과민작용에 의함
- 고프로락틴혈증: 결절누두부 경로(tuberoinfundibular tract)의 도파민 차단과 관련됨. 무월경, 유즙 분비, 발기불능 및 성욕감퇴 초래
- 진정 작용: 히스타민 차단에 의함
- 기립성 저혈압: α-1 차단에 의함

조현병 환자 및 가족을 위한 교육 지침

질병

조현병은 지각, 사고, 감정 및 행동을 방해하는 뇌 질환이다. 현실 왜곡, 즉 망상, 환각뿐 아니라 언어 패턴, 기분, 행동의 변화를 일으킬 수 있다. 또한 그것은 환자의 사회적, 직업적 기능을 손상시킨다.

약물

- 조현병에 사용되는 일부 약물은 불편함을 유발할 수 있으나, 이는 대부분 일시적인 부작용이다. 이러한 부작용 중 일부는 다른 약물로 대체하거나 비약물적 중재방법에 의해 완화될 수 있다.
- 환자는 부작용 때문에 처방된 약물을 복용하고 싶어하지 않을 수 있다. 의사는 즉시 이를 알아채야 한다.
- 환자는 질병의 증상이 더 이상 느껴지지 않거나 분명하지 않아도 약물 복용을 지속해야 한다.

기타 교육사항

재발의 시작을 나타내는 초기 증상에 대해 환자와 상의해야 한다. 또 환자에게 적절한 도움을 주기 위해 가족이나 친구들이 취해야 할 행동에 대해 환자와 협의하도록 한다.

핵심 간호중재

간호사–환자 간 치료적 관계 발전 전략

다음은 간호사–환자 간 치료적 관계를 발전시키기 위한 적절한 응답으로 구성된 구체적인 중재 및 예시이다. 이 예시는 본문에 설명된 일반적인 상황 중 일부를 설명하기 위한 것이다. 각 환자는 고유한 특성을 가지므로 그에 따른 응답은 변경이 필요할 수도 있다.

중재	근거
망상에 대해 논쟁하지 않는다.	논쟁은 망상을 강화시키는 경향이 있으며 환자를 화나게 할 수 있다. 현실을 반영하고 사실에 입각한 대화를 통해 망상으로부터 벗어나도록 도와야 한다. 환 자: "FBI와 마피아가 나의 뒤에 있어요." 간호사: "당신은 그것을 진짜로 느끼는 것 같아요. 제가 보기에 그것은 합리적인 것 같지 않네요. 무엇보다 여기가 안전하다는 것을 당신이 알았으면 합니다. 치료실로 들어가서 이야기해 보죠."
환각을 강화하지 않는다.	• 환자의 현실 세계에 초점을 둔 작업치료의 노력(또는 유사한 주제)에 대해 이야기한다. – 환 자: "어떤 목소리가 들리는데 나를 엄청나게 욕하고 있어요." – 간호사: "제게는 당신과 나의 목소리 외에는 아무 것도 들리지 않아요. (작업치료를 통해 만들고 있던 물건을 가리키며) 점차 뭔가 만들어지고 있는 것이 기쁘지 않나요?" • 환자는 방의 한쪽 구석을 뚫어지게 응시하며, 방 안을 둘러보고 있다. – 간호사: "당신은 뭔가 듣고 있는 것 같아요. 어떤 소리를 듣고 있나요?" • 다음과 같은 대화로 환청을 촉발하는 사건을 파악함으로써, 환청 촉발요인을 피할 수 있도록 돕는다. – 환 자: "어제 잠자리에 들려고 하는데 목소리를 듣기 시작했어요." – 간호사: "지난밤 있었던 상황에 대해 말해 주시겠어요? 그때 일어난 일과 당신의 환청 사이에 뭔가 연관이 있을 수 있어요."
현실에서의 사람과 사건에 집중하도록 한다.	• 이는 환자가 현실감을 갖고 유지하는 데 도움이 된다. – 환 자: "누가 나한테 계속 말을 걸고 있어요." – 간호사: "이해합니다. 하지만 그 목소리에서 벗어날 수 있도록 도와 드릴게요. 치료실로 가서 이야기해 봅시다." • 일상생활에 관해 이야기함으로써 환자를 현실에 가까워지도록 이끌 수 있다.
환자를 이해하려고 노력한다.	• 환자가 자신이 말하고 싶은 것을 의사소통하도록 돕는 것은 치료적이지만, 적절한 판단이 필요할 수 있다. 한편, 너무 힘들게 또는 억지로 이해하고자 하는 것은 환자에게 실망스러울 수 있다. – 환 자: "나는 하마터면 물릴 뻔 했어요. 그날이 '개(dog)의 날'은 아니었어요." – 간호사: "당신이 하는 말이 무슨 의미인지 이해하기 어렵네요. 무엇을 말하고 있는지 이해하고 싶어요. 당신이 다칠 뻔 했다는 얘기인가요?"
부적절한 행동을 수용해주고 부서지기 쉬운 자아에 직면하는 것 사이의 균형을 맞춘다.	• 시간과 노력을 통해 간호사는 잠재적으로 부정적인 결과들 사이에서 조화롭게 조율하는 법을 배울 수 있다. – 환 자: "저 자식이 나에게 또 말을 걸면 때려버릴 거야." – 간호사: "그에게 화가 났다는 것을 알아요. 당신이 이 상황을 처리할 수 있는 다른 방법들에 대해서 이야기해 봅시다." • 환자가 부적절하게 행동을 하는 경우, 환자가 환각을 경험하고 있다고 추측되면 간호사는 환자에게 환각의 내용에 대해 질문해야 한다. • 환자가 환각이나 망상을 일으킬 수 있는 스트레스 요인을 파악하도록 돕는다.

3) 치료적 환경관리

환경치료는 조현병 환자의 정신간호에 있어 중요한 중재이다. 1950년대에 항정신병 약물의 도입으로 인해 환경치료와 같은 비약물적 중재가 평가절하되었다. 정신약리학자들은 수십 년 동안 자유롭게 약물치료를 해왔지만, 약물만으로는 충분치 않다는 것이 현재 명백한 사실이 되었다.

환경의 치료적 이용은 입원환자와 외래환자 모두에게서 효과를 볼 수 있으며, 환자의 기능을 향상시키는 데 도움이 된다. 일반적으로 자극이 적고 조용한 환경이 조현병 환자에게 필요하다. 조현병 환자를 위해 특별히 강조되는 환경치료의 일반적 원칙은 다음과 같다(표 16-11).

10. 향후 중재 방향

조현병의 조기 발견과 중재에 초점을 두고 연구가 발전되고 있다. 조현병 증상의 조기 치료는 더 나은 결과를 가져오는 것으로 알려져 왔다. 이와 유사하게, 조현병의 전조 징후를 확인하는 것이 질병의 경과에 변화를 줄 수 있다는 근거가 있다. 혈액 검사, 뇌 영상 검사, 손상된 후각 및 시선과 같은 사소하지만 간과하기 쉬운 확인사항 등을 포함하는 선별검사를 시행함으로써 조현병의 치유 가능성을 증가시킬 수 있다. 표 16-11은 조현병의 조기 위험징후를 나열한 것으로, 이러한 징후가 젊은 사람에게서 나타날 경우 간호사는 빠른 시간 내에 전문적인 평가를 시행해야 한다.

표 16-11 조현병의 조기 위험 징후
• 개인위생의 결핍 • 기괴한 행동 • 비논리적인 진술 • 사회적 위축, 격리 및 은둔 • 기본 성격의 변화 • 사회적 관계의 악화 • 사소한 문제에 집중하거나 대처할 능력의 결여 • 종교나 신비주의에 대한 극단적인 선입견 • 의미 없는 과도한 글쓰기 • 무관심(indifference) • 일상생활의 활동을 유지하지 못함. • 학업 또는 운동에 대한 흥미 감소

표 16-11 조현병 환자를 위한 환경치료의 일반적 원칙	
파괴적인 환자	• 파괴적인 행동에 대해 제한을 설정한다. • 환경적인 자극을 줄인다. 예를 들어, 부드럽거나 클래식한 음악은 환자를 진정시키는 반면, 락이나 랩 음악은 초조, 흥분을 일으킬 수 있다. • 흥분이 고조되고 있는 환자를 자주 관찰하고 중재하도록 한다. 흥분한 환자가 행동화(acting-out)를 보이기 전에 중재하여(예: 약물치료) 환자가 폭력적으로 변할 수 있는 상황을 예방하고, 다른 환자들을 폭력으로부터 보호한다. • 무기로 사용할 수 있는 물건을 최소화하도록 환경을 조성한다. 어떤 병동에서는 일부러 대부분의 사람들이 들 수 없는 무거운 가구를 사용한다. • 환자가 행동화하는 경우 직원이 수행할 것에 대해 분명하게 명시하도록 한다. 만일 환자가 병실 규칙을 위반하면, 직원 행동지침에 따라 수행한다(예: "당신이 창문을 부순다면, 우리는 당신에게 억제를 시행할 것입니다"). • 억제를 시행하는 경우 수화, 영양, 배설 및 순환 상태를 평가함으로써 환자의 안전에 유의한다. • 신체적 에너지를 건설적으로 쓸 수 있도록 전환 및 대처기술 교육을 제공한다. • 인지행동치료를 시행하고, 긴장을 말로 표현하도록 한다.
위축된 환자	• 환자가 참여할 수 있는 위협적이지 않은 활동들을 준비한다(예: 공원 산책, 그림 그리기). • 반원형이나 원형 테이블 주위에 가구를 배치하여 환자가 누군가와 함께 앉을 수 있게 한다. 이 상황에서 상호작용을 허용하되 강제되어서는 안 된다. 반응할 준비가 되어 있지 않은 환자들은 조용히 앉아 있는 것을 허용한다. 또한 일부 환자는 간호사의 노력에도 불구하고 멀리 떨어져 앉는 것을 선호할 수도 있다. • 환자는 간호사와의 상호작용에서 늦게 반응할 수 있으므로 일관성 있고 반복적인 접근이 중요하다. • 개방적인 질문을 사용하고 신뢰관계가 형성된 후 직접적인 질문을 한다. • 비언어적인 의사소통 방법을 사용하며, 편안한 거리를 유지한다. 신체접촉은 주의하여 사용해야 한다. • 환자가 적절한 의사결정에 참여하도록 돕는다. • 적절한 몸단장과 위생상태를 유지하도록 격려한다. • 사회로 복귀할 수 있는 재활치료(예: 일상생활훈련, 사회기술훈련 및 건강관리기술)를 제공한다.

〈계속〉

의심이 많은 환자	• 환자와 상호작용할 때 사실에 근거하여 행동해야 한다. • 환자가 직원들이 말한 것을 들을 수 없었던 상황이라면, 환자 주위에서 웃거나 속삭여서는 안 된다. 간호사는 환자가 가지고 있는 모든 오해들을 명료화 해야 한다. • 의심이 많은 환자에게 예고 없이 신체적인 접촉을 하는 것은 위협을 줄 수 있으므로 피하는 것이 좋다. • 모든 중재활동을 제공할 때 시간, 직원, 접근 방법에서 일관성을 유지한다. • 지나친 친절은 오히려 대상자에게 의심을 품게 할 수 있다. • 정직한 자세를 유지하고 가능하면 동일한 간호사가 환자를 돌보도록 한다. • 음식을 거부하는 경우, 캔 음식을 주거나 집에서 가지고 온 음식을 제공한다. • 경쟁적인 활동은 피하도록 한다. • 적절한 눈 맞춤을 유지한다.
의사소통 장애가 있는 환자	• 환자를 이해하기 위해 인내심을 가지며 환자에게 강요하지 않는다. • 환자를 좌절시키고 자존심을 손상시키거나 능력을 과하게 요구하는 집단활동에 환자를 배치하지 않는다. • 환자를 이해하지 못했는데 이해하는 것처럼 가장하지 않으며, 이해하지 못했다고 솔직한 자세로 말한다. • 환자와의 대화에서 반복되는 주제가 있는지 확인하고 사건과 시간의 흐름에 따라 연결한다. • 역할모델을 통해 환자의 의사소통을 좀 더 명확하게 요약하고, 오해한 부분이 있으면 교정할 기회를 준다. • 단락보다는 문장으로 간결하고 명확하며 구체적으로 말한다. • 정신운동을(psychomotor) 안정시키는 활동을 할 수 있도록 기회를 제공한다.
환각이 있는 환자	• 주의를 전환할 수 있는 다른 활동을 제공한다. • 환자가 자신의 환각에 대해 다른 환자와 이야기 나누는 것을 피하도록 격려한다. 다른 환자에게 혼란을 야기할 수 있기 때문이다. • TV채널 선택을 모니터링한다. 일부 프로그램(예: 공포영화)은 환각 문제를 유발할 수 있다. • 환자가 위험해질 가능성을 높일 수 있는 명령환각이 나타나는지 관찰한다. • 환자가 실제로 존재하는 사람들이나 사건에 대해 이야기할 수 있도록 직원들은 이용 가능한 치료실을 확보한다. • 자살이나 타살에 대한 명령환청이 있으면 안전 조치와 예방이 중요하다. • 환자에게 환각에 대해 직접적으로 묻는다(예: "무슨 소리가 들리나요?"). • 무언가에 시선이 따라가고, 중얼거리고, 혼잣말을 하거나, 산만해 보이고, 허공을 쳐다보며 웃는 행위와 같은 환각 경험 신호를 관찰한다. • 환자의 지각 경험에 대해 부정하지 않고 있는 그대로 언급하고, 수반되는 고통에 대해 공감을 표현한다 (예: "나는 욕하는 목소리를 듣지 못했지만, 당신은 매우 무서웠을 것 같습니다").
와해된 환자	• 와해되어 있는 환자를 덜 자극적인 환경으로 옮긴다. • 조용하고 차분한 환경을 제공하고, 직원들도 차분하게 행동하도록 한다. • 이 환자들에게 안전하고 비교적 간단한 활동을 제공한다.

표 16-12 조현병 환자의 간호진단에 따른 관련 증상, 기대되는 결과

간호진단	정의	관련 증상(행동)	기대되는 결과
자신 또는 타인에 대한 폭력위험성	자신이나 타인에게 신체적, 정서적, 성적으로 해가 되는 행동을 할 위험성이 있는 상태	(명령)환청, 망상적 사고, 긴장성 흥분, 의심 – 언어적 공격성, 위협적인 자세, 분노 반응	공격적인 요구를 느끼지 않는 수준으로 불안을 유지한다. 환경 내에 있는 타인을 더 이상 의심하지 않는다. 현실 검증력을 유지한다. 자신 또는 타인을 해치지 않는다. 초조와 적개심이 완화된다. 자기 스스로 행동을 조절한다.
비효율적 대처	스트레스 요인을 적절하게 평가하지 못하고 숙련된 반응을 적절하게 선택하지 못하며, 유용한 자원을 이용하지 못하는 상태	활력 부족, 건강행위에 대한 지식 및 관심 부족, 건강 실천에 대한 책임을 보이지 않음	현실적으로 상황을 평가할 수 있고 환경에 자신의 감정을 투사하지 않는다. 타인의 행동과 언어 표현에서 일어날 수 있는 오해를 인정하고 명확히 한다. 의심하지 않고 음식을 먹고 약을 복용한다. 치료적 환경에서 직원, 타인들과 적절히 상호작용하고 협동한다.
자가간호결핍	일상활동을 수행하거나 완료하지 못하는 상태	몸단장, 일상생활(위생, 식사, 화장실 이용) 수행의 어려움 – 더러운 옷, 냄새, 단정치 않음	도움을 받지 않고 스스로 음식을 먹는다. 매일 적절한 옷을 스스로 선택하여 입고 치장한다. 스스로 목욕함으로써 개인위생을 최적의 수준으로 유지한다.
사회적 고립	개인이 경험하는 외로움으로서 타인에 의한 것으로 인지하는 부정적, 위협적 상태. 자신이나 환경의 지지체계와 접촉이 결여된 상태	위축 행동, 편평한 정동 – 내적 사고에 몰두, 거부감이나 외로움을 표현, 혼자 있고 싶어 함	타인과 상호작용하려는 자발적 욕구를 나타낸다. 집단활동에 자발적으로 참여한다. 사회적 상호작용 기술이 향상된다. 가족관계가 개선된다. 사회적 참여가 증진된다.
언어적 의사소통 장애	어떤 의미를 전달하고, 전달받고, 상징적으로 해석하는 능력이 없거나 지연되거나, 감소된 상태	연상이완, 음연상, 신어조작증, 말비빔, 사고비약 등의 부적절한 언어 방식	언어(말이나 글)로 전달된 것을 해석한다. 비언어적 표현을 해석한다. 하고 싶은 말을 언어 또는 비언어로 표현한다. 타인이 이해하는 방식으로 의사소통한다. 비언어적 메시지는 언어표현과 일치된다.
감각지각장애	투입되는 자극(내적 또는 외적)의 양이나 양상의 변화를 경험하고 자극에 대한 감소, 왜곡, 손상된 반응을 하는 상태	환청, 무언가 듣는 자세, 말하다 무언가 듣기 위해 멈춤, 혼자 중얼거리거나 웃음	환각이 일어나는 것을 인식하고 동조하지 않는다. 환각에 대해 말로 표현한다. 환각이 감소되었음을 알린다. 현실 감각을 갖는다. 다른 사람들과 적절하게 상호작용한다. 환경을 적절히 해석하여 행동한다. 불안 증가의 징후를 인식하고 반응을 중단시키는 기법을 사용한다.

출처: Herdman, T. H., Kamitsuru, S. (2018). Nursing Diagnosis Definitions & Classification 2018–2020. 11th edition. Thieme: New York Stuttgart Delhi Rio de Janeiro.
Johenson, M., Maas, M., Moorhead, S. (2000). IOWA OUTCOME PROJECT Nursing Outcomes Classification(NOC). 2nd edition. Mosby: St. Louis London Philadelphia Sydney Toronto.
McCloshey, J. C., Bulechek, G. M. (2000). IOWA INTERVENTION PROJECT Nursing Interventions Classification(NIC). 3rd edition. Mosby: St. Louis London Philadelphia Sydney Toronto.
고성희 외(2013). 정신간호진단과 중재. 수문사.

CASE STUDY

경찰은 25세의 남자 환자 김OO 님을 병원으로 데려왔다. 그는 시내 한복판 버스 정류장에서 큰 소리로 설교하고 있었다. 그는 응급실에 서서 말하기를 자신은 하나님과 이야기했으며, 하나님께서 서울을 구원하라고 말씀하셨다고 말했다. 또한 그는 하나님과 사탄이 논쟁하는 것을 듣고 때때로 두려워했다. 그의 지인들은 환자가 약 1년 전까지는 착실한 학생이었다고 한다. 그는 학교생활에 어려움이 있었지만 계속해서 수업 과정을 이수하다 결국 3개월 전에 학교를 그만두게 되었다. 가족은 그가 4년간 사귄 여자친구와의 약혼이 취소되면서 문제가 발생하기 시작했다고 여겼다. 그의 가족에 따르면 그는 2주 전부터 환청을 듣기 시작했지만 가족들이 그의 입원 사실을 통보받을 때까지 가족과는 연락이 없었다고 한다. 가족은 그를 돕기 위해 최선을 다하고 있다. 병동에 입원했을 때 지남력은 있었지만, "하나님은 나를 특별한 천사로 선택하셨다", "나는 서울의 죄인들을 구해야 한다"라며 일어서서 머리를 좌우로 빠르게 휘저었다. 왜 머리를 돌리고 있는지 묻자 "하나님과 사탄이 내가 해야 할 일에 대해 논쟁하고 있다"고 대답했다.

간호과정

이름: 김OO **입원일:** ________

DSM-5 진단: 조현병

사정	**강점:** 과거 성취 경력, 과거의 원만한 이성관계, 명료한 의식상태, 시간 · 장소 · 사람에 대한 인지, 약물에 대한 반응, 가족의 지지 **간호문제:** 종교적인 환각 및 망상, 사고장애, 약혼 파기, 학업 중퇴
진단	1. 감각지각장애(청각)(근거: 환청을 보임) 2. 불안(근거: 사람들에 대한 공포를 보이며, 상황에 맞지 않는 행동을 함)
관련요인	1. 감각지각장애(사고장애, 망상적 사고, 자신이 세상을 구원할 수 있다는 과대사고, 정신사회적 스트레스원, 자기 내면으로의 철회, 약해진 자아에 위협이 될 정도의 극심한 스트레스) 2. 불안(감각지각장애, 환각으로 인한 혼란, 자신으로부터의 위축, 신의 목소리가 들린다는 환청)
간호목표	**단기 목표**
날짜: ______	환자는 환각에서 자유로워질 것이다.
날짜: ______	환자는 다른 사람들에 대한 두려움이 없다고 말한다.
날짜: ______	환자는 여자친구와의 이별로 인한 상실감을 말할 수 있다.
	장기 목표
날짜: ______	환자는 약물치료와 상담의 필요성을 말로 표현할 수 있다.
날짜: ______	환자는 외래환자 프로그램 평가를 위해 7월 중순에 예약할 것이다.
날짜: ______	환자는 9월에 학교로 돌아갈 것이다.
계획 및 중재	**간호사 - 환자 관계** 환각과 망상을 강화하지 않아야 한다. 의구심을 표현하고, 환자의 강점과 성취한 것을 스스로 확인하도록 격려한다. 약혼이 파기되었을 때의 감정을 표현하도록 격려하고, 미래에 대한 계획을 논의한다. **약물치료:** Olanzapine(Zyprexa) 10mg qd. **치료적 환경관리:** 주의전환할 수 있는 활동을 제공하고, TV 채널을 모니터링한다. 특히 종교적인 프로그램이나 사탄이 나오는 영화를 시청하지 않도록 한다. 자존감 증진 프로그램과 분노조절 그룹에 참여하도록 권장한다.
평가	환자는 Zyprexa에 치료적 반응을 보인다.
의뢰	매주 1회 의사에게 외래 진료를 받을 수 있도록 예약한다.

CASE STUDY

40세의 여자 환자 최OO 님은 정신과 병원에 여러 차례 입원한 기록이 있다. 그녀는 지리멸렬하고 부스스하게 흐트러진 모습을 하고 도심을 돌아다녔다. 입원 후 면담을 하는 동안, 그녀는 둔마된 정동을 보이고 사회적으로 위축되어 있었다. 그녀는 5년 동안 가족을 보지 않았다고 했고, 마지막으로 직장을 다니고 있을 때를 기억하지 못했다. 최근에는 환각 또는 망상을 보이지 않고 있다. 직원은 그녀를 알고 있으며 과거 입원 시 할로페리돌에 반응했음을 기억하고 있다. 입원 후 그녀는 "가자, 앞으로, 앞으로, 뒤로, (멈춤) 숨어, 죽어"라고 외쳤다. 환자에게 현재 살고 있는 곳을 물었을 때, 그녀는 천천히 "저기, 어딘가, 어디서나"라고 대답하였다. 담당 간호사는 그녀가 살 수 있는 주거시설이 필요하다고 판단했다.

간호과정

이름: 최OO **입원일:** ______________

DSM-5 진단: 조현병

사정

강점: 간호사뿐만 아니라 치료진 역시 환자에 대해 알고 있으며 이해하고 있음

간호문제: 둔마된 정동, 연상의 이완, 위축, 질병의 만성화 과정, 가족의 지지 결여

진단

1. 의사소통장애(근거: 발음장애와 연상의 이완을 보임)
2. 목욕 및 위생 자가간호 결핍(근거: 외양을 만족스러운 수준으로 유지할 수 있는 능력 결여)
3. 사회적 고립(근거: 지지적이고 의미 있는 타인의 부재)

관련요인

1. 의사소통장애(사고장애, 연상의 이완, 비현실적인 사고)
2. 목욕 및 위생 자가간호결핍(자기내면으로의 철회, 신뢰불능, 지각 및 인지장애)
3. 사회적고립(신뢰 부족, 공황수준의 불안, 망상적 사고, 비효과적인 지지체계)

간호목표

단기 목표

날짜: _______ 환자는 일관된 방식으로 말할 것이다.

날짜: _______ 환자는 일상생활을 수행할 것이다.

날짜: _______ 환자는 비위협적인 활동에 참여할 것이다(산책, 미술요법, 음악요법 등).

장기 목표

날짜: _______ 환자는 외래환자 프로그램을 유지할 것이다.

날짜: _______ 환자는 지역사회로 돌아가서 돌봄을 받을 것이다.

날짜: _______ 환자는 투약법을 준수하여 지속적으로 약물을 복용할 것이다.

계획 및 중재

간호사-환자 관계

인내하고, 환자를 성인으로서 대우해야 한다. 위생을 장려하고 적절한 의복을 입도록 하며, 긍정적인 사회적 행동을 강화한다. 간호사와 일대일 상호작용으로 시작하고 독립적인 사회적 행동을 격려한다.

약물치료: Haloperidol(Haldol) 5mg bid PO(농축). 퇴원 시 지속적인 약물 처방 필요

치료적 환경관리: 주말까지 환자와 작업치료를 시작하며, 환자를 다른 환자들 및 직원들과 함께 앉도록 초대한다. 식사를 스스로 결정하고 다른 간단한 작업을 하도록 격려한다. 재사회화 그룹 경험과 지역사회 생활교육을 제공한다.

평가

환자는 약물치료를 통해 안정을 찾을 것이다.

의뢰

- 일주일에 1회 의사에게 외래 진료를 받을 것이며, 일주일에 5회 외래에서 재사회화 그룹에 참석할 것이다.
- 정신건강복지센터에서 치료자는 약물을 관리하고 이송을 준비할 것이다.

조현병 스펙트럼장애에 대한 치료 및 간호중재의 원칙

간호사-환자 관계

- 의미가 아니라 행동에 집중한다.
- 장기적인 관계 형성이 가장 치료적이다.
- 행동과 환자를 분리하여 받아들인다.
- 일관성을 유지한다.
- 환각과 망상을 강화하지 않는다.
- 환자가 정확하게 대화를 들을 수 없는 상태에서 속삭이거나 웃지 않는다.

정형 항정신병 약물

- 할로페리돌[haloperidol(Haldol)]
- 플루페나진[fluphenazine(Prolixin)]
- 클로르프로마진[Chlorpromazine(Thorazine)]

비정형 항정신병 약물

- 아리피프라졸[aripiprazole(Abilify)]
- 아세나핀[asenapine(Saphris)]
- 클로자핀[clozapine(Clozaril)]
- 일로페리돈[iloperidone(Fanapt)]
- 루라시돈[lurasidone(Latuda)]
- 올란자핀[olanzapine(Zyprexa)]
- 팔리페리돈[paliperidone(Invega)]
- 쿠에티아핀[quetiapine(Seroquel)]
- 리스페리돈[risperidone(Risperdal)]
- 지프라시돈[ziprasidone(Zeldox)]

환경치료

- 자극을 줄이고 안전을 위해 환경을 조정한다.
- 직원의 일관적인 태도가 중요하다.
- 위축된 행동을 줄이기 위해 환경을 조정한다.
- 텔레비전 시청을 모니터링한다.
- 환자의 자존감을 향상시킨다.

STUDY NOTES

1. 크레펠린은 조현병의 일련의 증상을 '조발성 치매'라 명명했으나, 1911년에 블러일러가 '조현병(schizophrenia)'이라는 명칭을 처음 사용하였다.
2. 블로일러가 제시한 조현병의 4가지 주요 증상(블로일러의 4 A's)은 다음과 같다. (1) 정동장애(affective disturbances), (2) 연상이완(loose associations), (3) 양가감정(ambivalence), (4) 자폐증(autism).
3. 조현병의 객관적인 징후에는 대인관계와 활동의 변화가 포함된다.
4. 조현병의 주관적 증상은 지각, 사고, 의식 및 정동의 변화를 포함한다.
5. 조현병의 원인은 매우 다양하며, 생물학적 이론(도파민 가설, 유전체이론 및 유전이론)과 정신역동 이론(발달 및 가족 이론)이 포함된다.
6. 도파민 가설은 도파민의 뇌 혈중농도가 높아지면 조현병을 초래한다고 보는 것으로, 조현병의 원인에 관한 보편적인 이론이다.
7. 항정신병 약물은 도파민 수용체를 차단하고 조현병의 급성 증상을 완화시킨다.
8. 간호중재에는 간호사-환자 간의 치료적 관계의 발전을 포함한다. 조현병 환자와의 상호작용을 뒷받침할 수 있는 몇 가지 일반적인 원칙은 차분하고 수용적인 태도, 신뢰감, 일관성, 정직함 등이다.
9. 그밖에 조현병 환자에게 중요한 중재방법은 다음과 같다. 간호사는 환자의 환각 및 망상을 강화하지 않으며, 예고 없이 환자에게 신체적 접촉을 하지 말아야 한다. 또한 환자가 대화를 정확히 들을 수 없을 때 속삭이거나 웃지 않아야 하며, 환자들끼리 경쟁하지 않도록 한다. 환자를 당황하게 해서도 안 된다. 반면에 간호사는 환자에게 현실검증을 제공하고, 적절한 경우 지남력을 제공하며 긍정적인 행동을 강화하고, 감정을 말로 표현하도록 격려한다.
10. 조현병 환자를 돌보는 간호사에게 있어 정신약물 관리는 중요한 부분이다. 간호사는 환자로 하여금 처방된 약물 복용의 중요성을 이해하도록 도와야 한다.
11. 일반적으로 간호사는 환경관리에 대한 책임이 있다. 파괴적이고, 위축되고, 의심이 많고, 와해된 환자를 다룰 때 치료적 환경 조성은 전략적으로 중요하다.
12. DSM-5에 열거된 기타 정신병적 장애에는 조현정동장애, 망상장애, 단기 정신병적 장애 및 조현양상장애가 포함된다.

참고문헌

REFERENCES

Acocella, J. (2000). The empty couch. The New Yorker, 8(11), 200.

Allison, D. B., et al. (2009). Obesity among those with mental disorders: A National Institute of Mental Health meeting report. American Journal of Preventive Medicine, 36, 341.

American Psychiatric Association. (1997). Practice guidelines for the treatment of patients with schizophrenia. American Journal of Psychiatry, 154(Suppl. 4), 1.

American Psychiatric Association. (2013). Diagnostic and statistical manual of mental disorders (5th ed.). Arlington, VA: APA.

Andreasen, N. C. (1999). Understanding the causes of schizophrenia. New England Journal of Medicine, 340, 645.

Andreasen, N. C., & Olsen, S. (1982). Negative vs. positive schizophrenia. Archives of General Psychiatry, 39, 789.

Anonymous. (2003). Schizophrenia and drug abuse. Harvard Mental Health Letter, 20, 4.

Anonymous. (2008). Helping psychiatric patients to stop smoking. Harvard Mental Health Letter, 25, 4.

Bachmann, S., et al. (2008). Psychopathology in first-episode schizophrenia and antibodies to toxoplasma gondii. Psychopathology, 38, 87.

Batki, S. L., et al. (2009). Medical comorbidity in patients with schizophrenia and alcohol dependence. Schizophrenia Research, 107, 139.

Bogerts, B., et al. (1993). Hippocampus-amygdala volume and psychopathology in chronic schizophrenia. Biological Psychiatry, 33, 236.

British Columbia Schizophrenia Society. (2008a). Schizophrenia: Basic facts about schizophrenia. www.bcss.org/wp-content/uploads/2008/02/basic-facts-14/pdf, Accessed 22.01.14.

British Columbia Schizophrenia Society. (2008b). Schizophrenia: Early warning signs (9th ed.). www.bcss.org/2008/07/resources/early-warning-signs, Accessed 22.01.14.

Cannon, T. D., & Marco, E. (1994). Structural brain abnormalities as indicators of vulnerability to schizophrenia. Schizophrenia Bulletin, 20, 89.

Cohn, T. (2012). The link between schizophrenia and diabetes. Current Psychiatry, 11, 29.

Crow, T. J. (1982). Two dimensions of pathology in schizophrenia: Dopaminergic and nondopaminergic. Psychopharmacology Bulletin, 18, 22.

Crowner, M. (2014). Hearing voices, time traveling, and being hit with a high-heeled shoe. Current Psychiatry, 13, 57.

Dalack, G. W., Healy, D. J., & Meador-Woodruff, J. H. (1998). Nicotine dependence in schizophrenia: Clinical phenomena and laboratory findings. American Journal of Psychiatry, 155, 1490.

Erikson, E. (1968). Childhood and society. New York: W.W. Norton. Geiser, R., Hoche, L., & King, J. (1988). Respite care for the mentally ill patients and their families. Hospital & Community Psychiatry, 39, 291.

Ghosh, S., & Greenberg, J. (2009). Aging fathers of adult children with schizophrenia: The toll of caregiving on their mental and physical health. Psychiatric Services, 60, 982.

Goldberg, J. O. (2010). Successful change in tobacco use in schizophrenia. Journal of the American Psychiatric Nurses Association, 16, 30.

Herdman, T. H., & Kamitsuru, S. (2018). Nursing Diagnosis Definitions & Classification 2018-2020. 11th edition. Thieme: New York Stuttgart Delhi Rio de Janeiro.

Huxley, N. A., Rendall, M., & Sederer, L. (2000). Psychosocial treatments in schizophrenia: A review of the past 20 years. The Journal of Nervous and Mental Disease, 199, 187.

Insel, T. (2004, July). Lecture "Mental Health and Genetics" presented at the Summer Genetics Institute. Bethesda, MD: National Institutes of Health.

Johenson, M., Maas, M., & Moorhead, S. (2000). IOWA OUTCOME PROJECT Nursing Outcomes Classification(NOC). 2nd edition. Mosby: St. Louis London Philadelphia Sydney Toronto.

Johnstone, E. C., et al. (1976). Cerebral ventricular size and cognitive impairment in chronic schizophrenia. Lancet, 2, 924.

Keltner, N. L. (2008). Looking back at state hospitals: A biological advantage? Perspectives in Psychiatric Care, 44, 124.

Keltner, N. L., & Davidson, G. (2009). The normalization of paranoia. Perspectives in Psychiatric Care, 45, 228.

Keltner, N. L., & Grant, J. S. (2006). Smoke, smoke, smoke that cigarette. Perspectives in Psychiatric Care, 42, 256.

Keltner, N. L., & Lillie, K. (2009). Nicotinic receptors: Implications for psychiatric care. Perspectives in Psychiatric Care, 45, 151.

Keltner, N. L., et al. (2001). Nature vs nurture: Two brothers with schizophrenia. Perspectives in Psychiatric Care, 37, 88.

Kessler, R. C., et al. (2012). Twelve-month and lifetime prevalence and lifetime morbid risk of anxiety and mood disorders in the United States. International

Journal of Methods of Psychiatric Research, 21, 169.
Kolb, L. C., & Brodie, H. K. H. (1982). Modern clinical psychiatry. Philadelphia: Saunders.
Kopelowicz, A., & Bidder, T. G. (1992). Dementia praecox: Inescapable fate or psychiatric oversight? Hospital & Community Psychiatry, 43, 940.
Lieberman, J. A. (1997). Atypical antipsychotic drugs: The next generation of therapy. Decade of the Brain, 8, 1.
Marsh, L., et al. (1994). Medial temporal lobe structure in schizophrenia: Relationship of size to duration of illness. Schizophrenia Bulletin, 11, 225.
McCloshey, J. C., & Bulechek, G. M. (2000). IOWA INTERVENTION PROJECT Nursing Interventions Classification(NIC). 3rd edition. Mosby: St. Louis London Philadelphia Sydney Toronto.
Nasrallah, H. A. (1993). Neurodevelopmental pathogenesis of schizophrenia. Psychiatric Clinics of North America, 16, 269.
Nasrallah, H. A. (2012). Impaired mental proprioception in schizophrenia. Current Psychiatry, 11, 5.
National Cancer Institute. (2006). Cigarette smoking and cancer: Questions and answers. www.cancer.gov/cancertopics/factsheet/Tobacco/cancer, Accessed 22.01.14.
Newcomer, J.W. (2008). Antipsychotic medications: metabolic and cardiovascular risk. Journal of Clinical Psychiatry, 68(Suppl. 4), 8.
Opler, M. G., et al. (2004). Prenatal lead exposure, deltaaminolevulinic acid, and schizophrenia. Environmental Health Perspectives, 112, 548.
Roberts, G. W., Leigh, P. N., & Weinberger, D. R. (1993). Neuropsychiatric disorders. London: Mosby Europe.269
Ruocchio, P. J. (1989). How psychotherapy can help the schizophrenic patient. Hospital & Community Psychiatry, 40, 188.
Sadock, B. J., & Sadock, V. A. (2003). Synopsis of psychiatry (9th ed.). Philadelphia: Lippincott Williams & Wilkins. Scott, C. L., & Resnick, P. J. (2013). Evaluating psychotic patients" risk of violence: A practical guide. Current Psychiatry, 12, 29.
Seeman, M. V. (2010). Schizophrenia: Women bear a disproportionate toll of antipsychotic side effects. Journal of the American Psychiatric Nurses Association, 16, 21.
Sepe, P., Kay, A., & Stober, K. (2012). QUIT: A mnemonic to help patients stop smoking. Current Psychiatry, 11, 41.
Siris, S. G. (2012). Treating 'depression' in patients with schizophrenia. Current Psychiatry, 11, 35.
Thacker, G. K. (2009). Schizophrenia: Phenotypic manifestations. In B. J. Sadock, V. A Sadock, & P. Ruiz(Eds.), Comprehensive textbook of psychiatry (Vol. 1, 9th ed., pp1541–1547). Philadelphia, PA:Lippincott Williams & Wilkins/Wolters Kluwer.
Substance Abuse and Mental Health Services Administration. (2009). Results from the 2008 national survey on drug use and health: National findings. http://www.samhsa.gov/data/ nsduh/2k8nsduh/2k8Results.htm, Accessed 13.11.13.
Sullivan, H. S. (1953). The interpersonal theory of psychiatry. New York: W.W. Norton.
Torrey, E. F. (1997). The release of the mentally ill from institutions: A well–intentioned disaster. The Chronicle of Higher Education, 43, B4.
Torrey, E. F., & Yolken, R. H. (1995). Could schizophrenia be a viral zoonosis transmitted from house cats? Schizophrenia Bulletin, 21, 167.
U.S. Surgeon General. (1999). Mental health: A report of the Surgeon General. Washington, DC: Department of Health and Human Services.
Vreeland, B. (2007). Bridging the gap between mental and physical health: A multidisciplinary approach. Journal of Clinical Psychiatry, 68(Suppl. 4), 26.
Webster, A. J., & Straley, C. M. (2014). What is the relevance of a 2–week response to an antipsychotic? Current Psychiatry, 13, 52.
Weinberger, D. R. (1987). Implications of normal brain development for the pathogenesis of schizophrenia. Archives of General Psychiatry, 44, 660.
Williams, M. (2003). Genome–based drug discovery: Prioritizing disease–susceptibility/disease–associated genes as novel drug targets for schizophrenia. Current Opinion in Investigational Drugs (London, England: 2000), 41, 31.
Zhang, J.–P., & Malhotra, A. K. (2013). Genetics of schizophrenia: What do we know? Current Psychiatry, 12, 25
권준수 등(2015). 정신질환의 진단 및 통계편람. 학지사: 서울. 93, 96, 98, 101,104, 106~108, 115.
권혜진 등(2016). 정신건강간호학. 수문사: 파주. 276.
김수진 등(2018). 정신건강간호학. 현문사: 서울. 264.
홍진표 등(2017). 2016년도 정신질환실태 조사. 보건복지부. 12~16.
이재훈 역. (2002). 정신분석 용어사전. 한국심리치료연구소(서울대상관계정신분석연구소): 서울.
임숙빈 등(2017). 정신간호총론. 수문사: 파주. 308~309.
한금선 등(2017). 정신간호학, 수문사: 파주. 100, 102.
대한조현병학회(2011), 정신분열병 병명 개정백서, 5~6, 149~153
김성재 외(2016), 정신건강간호학 8th, 정담미디어, 서울, 479, 490~491, 494, 513
고성희 외(2013), 정시간호진단과 중재, 수문사: 파주, 113, 117, 121, 123, 176

CHAPTER

17

우울장애

Depressive Disorders

evolve WEBSITE

http://evolve.elsevier.com/Keltner

학습목표

- 우울장애에 대한 DSM-5 기준을 확인한다.
- 주요우울장애와 지속성 우울장애, 파괴적 기분조절부전장애, 월경전불쾌감장애의 특성을 비교한다.
- 우울장애의 원인인 생물학적 이론과 정신역동 이론을 서술한다.
- 우울장애의 행동특성을 설명한다.
- 환자의 간호문제인 자가간호결핍, 폭력위험성, 자존감저하, 비효과적인 대처, 절망감에 간호과정을 적용한다.
- 대상자에게 치료적 환경관리를 제공한다.
- 대상자에게 약물치료를 교육하고 적용한다.
- 전기경련요법(ECT)의 주요 적응증을 확인한다.
- ECT 전후 환자를 돌보는 간호사의 역할에 대해 설명한다.
- 자살의 위험을 알리는 경고신호를 인식한다.
- 자살을 예방하기 위한 중재방법을 설명한다.
- 우울장애 환자 및 가족에게 교육할 내용을 파악한다.

《사람은 행복해지겠다고 마음먹은 만큼 행복해진다.》

Abraham Lincoln

우울장애는 가장 오래되고 가장 빈번하게 묘사되는 정신장애이다(Belcher & Holdcraft, 2001). 우울장애의 존재는 성경 시대부터 기록되었다. 역사적으로 사울왕(King Saul), 욥(Job), 엘리야(Elijah), 예레미아(Jeremiah), 매리 링컨(Mary T. Lincoln), 에이브러햄 링컨(Abraham Lincoln), 어니스트 헤밍웨이(Ernest Hemingway), 유진 오닐(Eugene O'Neill), 윈스턴 처칠(Winston Churchill)을 포함한 많은 유명한 사람들은 우울장애의 치명적인 증상들을 경험해왔다. 슬픔(grief)은 정상적인 감정으로, 여러 상황에서 느낄 수 있다. 사랑하는 사람이 사망하거나 인생에서 어떠한 상실들이 발생할 때와 같은 특정 상황에서는 슬픔을 느끼지 않는 것이 오히려 비정상이다. 그러나 이러한 감정들은 짧게 지나가며, 개인이 기능하는 능력을 변화시키지 않는다. 개인의 기분이 사회적 또는 직업적 기능에 있어 임상적으로 유의미한 고통이나 손상을 야기할 때, 우울장애의 진단이 정당화된다. 주요우울장애와 자살 사이에는 주목할 만한 연관성이 있기 때문에 초기 진단과 중재가 중요하다. 자살과 우울장애에 대한 논의는 이 장의 마지막 부분에 나와있다.

1. 우울장애

미국정신의학회는 우울장애를 8가지 주요 유형으로 보고 있다(American Psychiatric Association, 2013): 주요우울장애, 파괴적 기분조절부전장애, 지속성 우울장애(기분저하증), 월경전불쾌감장애, 물질/치료약물로 유발된 우울장애, 의학적 상태 또는 의학적 상태의 치료로 인한 2차 우울장애,

달리 명시된 우울장애, 명시되지 않는 우울장애. 모든 우울장애는 공통 특징으로 슬픔, 공허함, 짜증스러운 기분, 그리고 개인의 기능에 중대하게 영향을 미치는 신체적·인지적 변화를 나타낸다. 이 장은 가장 흔한 4가지 유형의 우울장애에 중점을 둔다.

1) 주요우울장애

주요우울장애(major depressive disorder)는 5가지 이상의 증상이 2주 연속으로 지속되며, 증상 가운데 적어도 하나는 우울한 기분 또는 흥미 및 즐거움의 상실이 나타나야 한다고 정의된다(DSM-5 진단기준: 주요우울장애 참조). 주요우울장애의 핵심 증상들은 체중 변화와 자살사고를 제외하고는 거의 매일 존재해야 한다. 환자는 자신의 기분을 우울하고, 슬프고, 절망적이고, 낙담하고 있으며 '침울하다'고 표현할 것이다. 환자는 흥미나 즐거움의 상실로 인해 '따분함'을 느끼고 무감정이거나 다른 것에 더이상 관심을 갖지 않으며, 사회적으로도 위축된 모습을 보이게 된다. 또한 불면증과 피로와 같은 신체적 증상도 동반될 수 있다. 정신운동성 초조(가만히 앉아있지 못함, 걷기, 손 떨기, 피부 문지르기) 혹은 지연(말, 생각, 신체 움직임이 느려짐)이 과도하거나 부적절한 죄책감이 나타난다면 중증도가 높은 상태이다. 또한 재발성 우울 삽화가 발생할 때는 체중증가와 자살사고가 더욱 두드러진다.

아동과 청소년의 경우, 화가 나거나 짜증이 나는 기분이 일반적 증상일 수 있다. 주요우울장애는 심각한 장애임에도 불구하고 치료가 가능한데, 80%의 환자들이 치료 후 몇 주 내에 정상적인 활동을 재개할 수 있다(National Institute of Mental Health, 2011).

미국에서 주요우울장애의 일년 유병률은 약 7%이며(표 17-1), 60세 이상 집단과 비교하여 18~29세 집단 내 유병률이 3배 이상 높게 나타나 연령에 따른 큰 차이를 보이고 있다. 여성이 남성보다 1.5~3배 정도 유병률이 높다.

DSM-5 진단기준: 주요우울장애

A. 다음 증상 중 5개(또는 그 이상)는 동일한 2주 기간 동안 나타났고 이전 기능에서의 변화를 나타냄. 증상 가운데 적어도 하나는 (1) 우울한 기분이거나 (2) 흥미나 즐거움의 상실이어야 함.

주의: 다른 의학적 상태에 명백히 기인할 수 있는 증상들은 포함하지 않음.

1. 하루 중 대부분, 그리고 거의 매일 지속되는 우울한 기분이 주관적 보고(예: 슬프고 공허하고 절망적임을 느낌) 혹은 다른 사람의 관찰(예: 눈물을 보임)에 의해 나타남(주의: 어린이와 청소년은 과민적 상태가 될 수 있음)
2. 거의 매일, 하루 중 대부분, 거의 모든 활동에 있어 현저히 감소된 흥미나 즐거움(주관적 설명 혹은 관찰에 의해 나타남)
3. 다이어트를 하지 않은 상태에서 상당한 체중 감소 혹은 체중 증가(예: 한 달에 5% 이상의 체중 변화), 거의 매일 식욕의 감소 혹은 증가 (주의: 아동의 경우 예상 체중에 못 미칠 수 있음)
4. 거의 매일 불면증 혹은 과다수면
5. 거의 매일 정신운동초조 혹은 지연(단지 불안정하거나 느려지는 주관적인 느낌이 아닌, 다른 사람들이 관찰 가능한 것)
6. 거의 매일 피로하거나 활력 상실
7. 거의 매일(단지 자기비난이나 병에 대한 죄책감이 아닌) 무가치하다는 느낌 혹은 과도하거나 부적절한 죄책감(착각일 수 있음)
8. 거의 매일 사고력, 집중력 감소 혹은 우유부단함(주관적 설명 혹은 다른 사람의 관찰에 의한 것)
9. 죽음에 대한 반복적인 생각(단지 죽음에 대한 두려움이 아님), 구체적 계획이 없는 반복적인 자살사고, 혹은 자살시도 혹은 자살을 저지르기 위한 구체적 계획

B. 이 증상들은 사회적, 직업적, 혹은 다른 중요한 기능의 영역에 있어 임상적으로 상당한 고통이나 손상을 야기함.

C. 이 증상은 물질의 생리적 영향이나 다른 의학적 상태에 기인하지 않음.

주의: 기준 A~C는 주요우울 증상을 나타냄.

주의: 중요한 상실(예: 사별, 파산, 자연재해에 의한 손실, 심각한 질병 또는 장애)에 대한 반응은 기준 A에 명시된 바와 같이 강렬한 슬픔, 손실에 대한 숙고, 불면증, 식욕부진, 그리고 체중 감소를 포함하며 우울 삽화와 유사함. 그러한 증상이 이해 가능하고 상실에 대하여 적절하다고 생각될 수 있지만, 중요한 상실에 대한 정상적 반응과 더불어 나타나는 주요우울 증상은 또한 주의 깊게 고려되어야 함. 이러한 결정은 상실의 맥락에서 고통의 표현에 대한 문화적 규범과 개인의 역사에 기반한 임상적 판단의 실행을 필연적으로 요구함.

D. 주요우울 증상의 발현은 조현정동장애(schizoaffective disorder), 조현병(schizophrenia), 조현양상장애(schizophreniform disorder), 망상장애(delusional disorder), 혹은 다른 특정 혹은 불특정 조현병스펙트럼(schizophrenia spectrum)과 다른 정신장애에 의해 더 잘 설명되지 않음.

E. 조증 혹은 경조증 증상은 한 번도 없었음.

주의: 모든 조증 혹은 경조증과 같은 증상이 물질에 의해 유도되거나 다른 의학적 상태의 생리적 영향에 기인하는 경우에 이 제외사항은 적용되지 않음.

출처: The American Psychiatric Association (2013). Diagnostic and statistical manual of mental disorders (5th ed.). Washington, DC: APA.

표 17-1 | 미국 우울장애 일년 유병률

정신장애	17세 이상에서의 대략적 비율	성별 우위
주요우울장애	7%	여성
파괴적 기분조절 부전장애	2~5%	남성
지속성 우울장애	0.5~1.5%	알려지지 않음
월경전불쾌감장애	1.8%	여성만

출처: Kessler, R.C., et al. (2012). Twelve month and lifetime prevalence and lifetime morbid risk of anxiety and mood disorders in the United States. International Journal of Methods of Psychiatric Research, 21, 169; Substance Abuse and Mental Health Services Administration (2009). Results from the 2008 national survey on drug use and health: national findings. 〈http://www.samhsa.gov/data/nsduh/2k8nsduh/2k8Results.htm〉 Accessed November 13, 2013; American Psychiatric Association (2013). Diagnostic and statistical manual of mental disorders (5th ed.). Arlington, VA: APA.
† 6 세에서 18 세.

2) 파괴적 기분조절부전장애

파괴적 기분조절부전장애(disruptive mood dysregulation disorder)는 일반적으로 6~18세 사이의 아동 및 청소년에게 흔히 발생한다. 두드러진 특징은 화가 난 기분이 포함된 심각하고 만성적인 과민성이다. 심각한 과민성은 적어도 주 3회 이상 나타나며, 좌절에 대한 반응으로 자주 감정이 폭발하는 형태를 보인다. 이러한 폭발은 언어적 분노나 신체적 공격의 형태로 나타나며, 그 대상은 사람 혹은 소유물이 되기도 한다. 파괴적 기분조절부전장애의 발병 시기는 대체로 10세 이전이지만, 연령이 6세 미만인 경우 이 진단이 적용되어서는 안 된다. 아동의 경우 심한 과민성과 좌절에 대한 낮은 내성으로 인해 일반적으로 학업 성취도가 낮을 뿐만 아니라 가족이나 친구 관계에서 현저한 혼란을 경험한다. 유병률은 여아보다는 남아에게서 더 높은 것으로 나타났다.

3) 지속성 우울장애

기분저하증(dysthymia)이라고도 알려진 지속성 우울장애(persistent depressive disorder)는 우울한 기분이 적어도 2년간, 하루의 대부분 동안 우울 기분이 있고, 우울 기분이 없는 날보다 있는 날이 더 많이 나타났을 때 진단된다(아동과 청소년의 경우 적어도 1년). 기분저하증의 기준은 주요우울장애의 기준과 거의 동일하지만, 증상은 더욱 감지하기 힘들고 기복이 적다. 환자는 자신의 기분을 슬프거나 '침울하다'고 표현한다. 질병의 만성화로 인한 우울 증상은 환자의 일상적 경험의 한 부분이 된다(예: "나는 항상 이런 식이다"). 또한 환자는 수면과 식사장애, 피로, 낮은 자존감, 의사결정의 어려움, 그리고 절망감을 호소할 수 있다. 우울 기간 동안 다음 중 2가지 이상의 증상이 나타난다.

- 식욕부진 또는 과식
- 불면 또는 과다수면
- 기력의 저하 또는 피로감
- 자존감 저하
- 집중력 감소 또는 우유부단
- 절망감

4) 월경전불쾌감장애

월경전불쾌감장애(premenstrual dysphoric disorder)는 기분 변화, 과민성, 분노, 불쾌감, 그리고 불안 증상으로 특징 지어지며, 월경 시작 1주 전에 시작되어, 월경 시작 후 수일 내에 증상이 호전되고 월경이 끝나면 증상이 사라진다. 진단을 내리기 위해 다음 중 적어도 한 가지는 포함되어야 한다.

- 현저하게 불안정한 기분
- 현저한 과민성, 분노 또는 대인관계에서의 갈등 증가
- 현저한 우울 기분, 절망감 또는 자기비난의 사고
- 현저한 불안, 긴장, 신경이 곤두섬 또는 과도한 긴장감

또한 다음 증상에서는 적어도 한 가지는 추가적으로 존재해야 진단을 내릴 수 있다.

- 일상활동에서의 흥미 저하
- 집중하기 곤란하다는 주관적인 느낌
- 기면, 쉽게 피곤함 혹은 현저한 무기력
- 식욕의 현저한 변화(과식 또는 특정 음식 탐닉)
- 과다수면 또는 불면
- 압도되거나 자제력을 잃을 것 같은 주관적 느낌
- 유방의 압통이나 부종(또는 관절통, 두통, 근육통 등 신체적 증상)

월경전불쾌감장애는 월경 전 프로게스테론이 감소하고 에스트로겐이 증가하는 생리적 기전에 의해 우울감이 유발되는 것으로 알려졌다. 증상의 강도와 표현은 사회문화적 배경과 가족적 관점, 그리고 종교적 믿음에 기반하여 다양하다.

5) 우울장애의 하위유형

앞에서 언급한 각 우울장애는 다양한 하위유형으로 더 분류될 수 있다. 이 범주에 해당되는 명시자는 불안증 동반, 혼재성 양상 동반, 멜랑콜리아 양상 동반, 비전형적인 양상 동반, 정신병적 양상 동반, 긴장증 동반, 주산기 발병 동반, 계절성 동반으로 분류된다. 이 범주는 사회적, 직업적, 또는 다른 중요한 기능 영역에서 임상적으로 현저한 고통이나 손상을 일으키는 우울장애의 특징적인 증상들이 두드러지지만, 우울장애의 진단 분류에 속한 장애 중 어느 것에도 완전한 기준을 만족하지 않는 경우에만 적용된다. 이 하위 범주들의 주요 증상은 같지만 표현되는 증상에서 차이를 보인다.

(1) 불안증 동반

우울 증상이 나타나는 동안 불안감이 특징적으로 나타난다. 눈에 띄는 증상은 긴장감, 신경의 날카로움, 매우 안절부절못함, 자신에 대한 통제력을 잃을 것 같은 느낌, 집중의 어려움, 끔찍한 일이 일어날 수 있다는 두려움을 포함한다. 불안감의 수준이 높을수록 자살 위험성도 크다.

(2) 혼재성 양상 동반

주요우울장애 증상 내에서 발생하는 조증이나 경조증으로 특징지어진다. 조증이나 경조증은 비정상적으로 들뜨거나 의기양양한 기분, 자존감의 증가(과대감), 평소보다 말이 많아지거나 끊기 어려울 정도로 계속 말을 함, 사고의 비약이나 사고가 질주하듯 빠른 속도로 꼬리를 무는 듯한 경험, 또는 증가된 에너지나 목표지향적 행동으로 나타난다. 이러한 주요우울장애 유형은 고통스러운 결과(예: 흥청망청 사기, 성적으로 무분별한 행동, 어리석은 사업 투자)를 가져올 가능성이 높은 활동들에 대한 증가된 혹은 과도한 개입과 관련이 있다. 이러한 기간 동안에 개인은 평소보다 잠을 적게 잤음에도 불구하고 수면욕구가 줄고 피로가 풀렸다고 느낀다.

(3) 멜랑콜리아 양상 동반

무쾌감증(anhedonia: 활동의 즐거움 상실)과 기운을 내지 못하는 것이 특징이다. 멜랑콜리아(melancholic) 환자에서는 다음 우울 증상 중 적어도 3가지가 발견된다: 깊은 낙담과 절망 및 시무룩함, 아침에 악화되는 우울감, 이른 아침 기상, 현저한 정신운동 지연 혹은 초조, 상당한 식욕부진증 혹은 체중 감소, 과도한 혹은 부적절한 죄책감. 이러한 진단은 덱사메타손(dexamethasone) 비억제와 코르티솔 수치 증가와 관련 있을 가능성이 더 크다(덱사메타손을 투여하면 통상 코르티솔 수치가 감소해야 하나, 우울장애의 경우 덱사메타손 투여 후에도 코르티솔이 감소하지 않는다).

(4) 비전형적 양상 동반

주요우울장애에서 전형적으로 잘 나타나지 않는 증상을 보이는 것이 특징이다. 예를 들어, 주요우울장애와는 달리, 잠재적 혹은 실재적 긍정적 사건에 상당히 기분이 좋아지기도 하는 기분의 반응성을 보인다. 다른 증상들은 식욕 증가, 체중 증가, 과다수면, 팔다리가 무거운 느낌(연마비: leaden paralysis), 그리고 대인관계에 있어서 오랫동안 지속되는 거절 민감성을 포함한다. 비전형적 양상이 동반되는 우울장애는 모노아민 산화효소 억제제(monoamine oxidase inhibitors, MAOIs)를 일차 치료제로 선택한다(Anonymous, 2005).

(5) 정신병적 양상 동반

정신병적 우울장애는 우울 증상과 함께 망상 및 환각 등의 정신병적 증상이 동반된 상태이다. 이 양상은 정신병적 증상이 '기분과 일치하는 유형(mood-congruent)'과 '기분과 일치하지 않는 유형(mood-incongruent)'으로 구분된다. '기분과 일치하는 정신병적 양상을 동반한 유형'의 경우, 망상과 환각의 내용이 개인적 무능력, 죄책감, 질병, 죽음, 개인적 파괴, 혹은 처벌받고 있는 느낌 등의 전형적인 우울의 주제들과 일치한다. '기분과 일치 하지 않는 정신병적 양상을 동반한 유형'의 경우, 망상이나 환각은 기이한 내용이며, 전형적인 우울 주제를 포함하지 않거나 내용이 기분과 일치하지 않는 주제 또는 일치하는 주제의 혼합물로 나타난다. 정신병적 양상을 동반한 우울장애는 다른 유형의 우울장애와 비교했을 때 예후가 더 좋지 않다. 따라서 만족스러운 치료를 위해서는 항우울제와 항정신병 약물들이 필요하다(Schwartz, 2005).

(6) 긴장증 동반

긴장증(catatonic) 동반 시 삽화 대부분의 기간 동안 움직이지 않음(한 자세를 몇시간 혹은 수일 유지함), 과도한 신체 활동, 무언증, 반향언어(echolalia: 앵무새와 같은 말의 반복), 그리고 부적절한 자세를 포함한 상당한 정신운동 변화가 특징적으로 나타난다. 이러한 증상은 조현병에서 더 특징적으로 나타난다고 알려졌지만, 실제로는 우울장애 환자에게서 더 많이 발생한다.

(7) 주산기 발병 동반

임신 기간 중 혹은 산후 4주 이내의 주산기(peripartum)에 나타나며 가장 흔한 출산 합병증 중 하나로(Sit & Wisner, 2009), 심각한 불안과 공황발작이 일어날 수 있다. 기존에 정신병력이 없는 여성들 다수에게서 산후 우울장애가 발생한다. 최악의 경우에는 주산기 동안 영아살해가 발생할 수도 있는데, 이는 종종 아이를 죽이라는 명령 환청이나 아이가 귀신이 들렸다는 망상을 포함하는 정신증과 관련되어 있다. 한 여성이 이와 같은 정신병적 양상을 동반한 산후 우울 삽화를 경험했다면, 다음 출산 시 주산기 우울장애가 재발할 위험은 30~50%이다.

(8) 계절성 동반

계절 변화와 함께 나타나며 가을이나 겨울에 가장 많이 시작되고 봄에 완화된다(북반구에서). 드물게 여름에 우울 증상이 있을 수도 있다. 예상했던 대로, 위도가 높을수록 이러한 유형의 우울장애가 발생할 가능성이 높다. 특징적인 증상으로는 에너지 감소, 수면과다, 과식, 체중 증가, 그리고 탄수화물에 대한 갈망이 있다.

6) 특정 인구에서의 발생

(1) 성인

모든 유형의 우울장애는 미국에서 가장 보편적인 정신건강 문제 중 하나이며, 약 3천만 명의 사람들이 특정 시기에 영향을 받는다(Kessler et al., 2003). 우울은 머지않은 미래에 여러 장애의 주요 원인이 될 것으로 예상된다. 우울장애에 대한 남성의 평생 유병 위험률이 약 5~10%인 것에 비해, 여성의 경우 10~20%이다(American Psychiatric Association, 2010). 노년기에는 그 위험이 약 50:50이 된다(Anonymous, 2003b). 우울장애는 어느 연령대에서나 발생할 수 있지만, 성인의 평균 발병연령은 20대 중후반이다. 어떤 이들은 단일 주요우울 삽화만을 경험하고 회복된 후 재발하지 않지만, 한 번의 삽화를 경험한 사람들의 약 80%는 결국 증상이 재발한다. 우울 삽화와 조증 상태가 동반되는 경우도 5~10%가 경험한다(Nemeroff, 1998). 유병률은 민족에 따라서는 큰 차이가 없지만, 저소득층 혹은 우울장애 가족력이 있는 사람의 경우 발병 위험성이 최대 3배까지 증가된다.

어머니의 정신건강은 아이에게 영향을 끼칠 수 있다. Brand와 Brennan(2009)은 미국에서 매년 정신장애를 가진 여성의 임신 건수가 매년 50만 건 이상이며, 이 중 절반의 임신이 계획되지 않은 것이기 때문에, 25만 명의 임산부들이 정신질환과 계획되지 않은 임신 모두에 대처하고 있는 것으로 추정된다. 그들은 특히 출산 전후 우울장애에 걸린 여성들의 자녀들을 추적한 결과, 인지능력의 저하를 발견하였다. Hays 등(2008)은 우울장애가 없는 어머니에 의해 양육된 소년들의 평균 지능이 우울장애가 있는 어머니에게서 양육된 소년들보다 22점이 더 높았다고 보고했다. 이러한 관찰이 현실을 반영한 것이라면, 정신건강간호의 영향은 막대하다고 볼 수 있다.

(2) 아동 및 청소년

아동과 청소년의 우울장애 발생은 성인의 경우보다 더 치명적일 수 있다. 우울장애를 가진 부모의 아이들은 우울장애를 가지지 않은 부모의 아이보다 질병에 걸릴 위험성이 더 크며, 아동기에 우울장애가 발병한 아이가 성인이 되었을 때에도 우울장애에 이환될 확률이 높아진다. 간호사는 아동과 가족으로부터 가능한 우울장애의 징후를 평가하고, 적절한 중재를 제공할 수 있어야 한다. 다음과 같은 특정 사건들은 아동과 청소년에게 주요우울장애를 발생시킬 수 있다.

- 이혼, 별거, 사망에 의한 부모의 상실
- 아이와 가까운 사람의 죽음
- 사랑하는 애완동물의 죽음
- 다른 동네나 지역으로의 이사
- 학업 문제 또는 실패
- 심각한 신체 질병 또는 부상

(3) 문화, 연령 및 성별

특정 민족, 인종 혹은 문화적 집단의 사람들은 유럽이나 미국인들과 다른 양상의 우울 증상을 보일 것이다. 예를 들어, 히스패닉, 라틴 아메리카, 그리고 지중해 사람들은 그들의 슬픔이나 죄책감을 긴장감이나 두통, 혹은 복통으로 표현할 것이다. 아시아 문화권 사람들은 자신들이 균형을 잃었거나 나약하고 불안하다고 표현할 수 있다. 미국 원주민들과 아시아계-미국인의 경우 우울 증상에 대처하기 위해 명상과 자기 계발로 침잠할 것이다. 간호사와 다른 의료인들은 아동, 청소년, 여성 및 노인의 우울장애 증상을 잘못 해석할 수 있다. 예를 들어, 아동과 청소년의 우울장애 증상은 정상적인 발달 변화처럼 보일 수 있다. 여성에 의한 우울장애 보고는 우울과 유사한 방식으로 표현된 어떤 증상일 뿐이라고 치부해버릴 수도 있다. 우울장애에 대한 성별 불균형의 이유는 잘 알려져 있지 않다. 마지막으로, 노인의 우울장애 증상을 인식하는 것은 특히 어려운데, 이는 우울장애의 많은 증상들이 치매, 당뇨 및 심장 질환의 증상들과 비슷하기 때문이다.

우울장애에 대한 사실

1. 미국 성인들 중 주요우울장애에 대한 1년 유병율은 약 7%이다.
2. 미국인의 주요우울장애 평생 유병율은 약 16.5%이다.
3. 주요우울장애의 첫 발병은 일반적으로 25~30세 사이에 일어난다.
4. 평균적으로 우울장애 증상은 약 20주간 지속되고, 치료받는다면 12주간, 그리고 치료 받지 않으면 52주간 지속된다.
5. 첫 주요우울장애를 앓는 대부분의 사람들은 여러 다른 증상을 경험한다(평생 동안 평균 5~6가지의 증상).
6. 몇몇 환자들은 첫번째 우울 삽화로부터 회복되지 못한다.
7. 스트레스는 우울장애의 발병과 악화에 영향을 미친다.
8. 생애 초기 스트레스는 뇌 구조와 기능을 변화시켜 성인 우울 삽화에 대한 역치를 낮출 수 있다.

출처: Kessler, R.C., et al. (2005a). Lifetime prevalence and age-of-onset distributions of DSM-IV disorders in the National Comorbidity Survey Replication. Archives of General Psychiatry, 62, 593; Kessler, R.C., et al. (2005b). Prevalence, severity, and comorbidity of 12-month DSM-IV disorders in the National Comorbidity Survey Replication. Archives of General Psychiatry, 62, 617; Sadock, B.J., & Sadock, V.A. (2003). Synopsis of psychiatry (9th ed.). Philadelphia: Lippincott Williams & Wilkins

? CRITICAL THINKING QUESTION

1. 우리나라의 높은 우울장애 유병률에 영향을 미치는 요인은 무엇이라고 생각하는가?

2. 행동특성

우울장애에는 객관적 징후와 주관적 증상 모두가 존재한다. 안절부절못함과 같은 증상은 간호사에 의해 객관적으로 관찰될 수 있다. 절망감과 같은 고통스러운 주관적 증상들은 밖으로 표현되지 않고 가려질 수 있다. 우울장애의 객관적·주관적 증상들은 조현병의 경우보다 더 구별 짓기 어려울 수 있다. 간호사는 우울장애의 가시적 징후를 관찰하고 주관적인 괴로움과 분노를 인식하여 이를 평가하고 예상할 수 있어야 한다.

Clinical example: 우울장애의 증상

50세 여성은 불쾌한 기분, 울음, 자살사고, 에너지와 성적 흥미 상실 그리고 불면증을 호소하고 있다. 그녀는 미래에 대해 절망감을 느끼고 더 나아지지 않을 것이라 걱정하지만, 자신이 정말 우울하다는 것은 부정한다. 그녀는 자신이 가족에게 부담이 될 것이라 믿고, 건강과 관련하여 두려움을 가지고 있다. 그녀는 자신의 상황을 해결할 수 없다는 것에 대한 죄책감을 느끼고 있다. 그녀와 같이 독실한 종교인이기도 한 그녀의 남편은 이 모든 혼란 속에서 책임감을 갖고 인내심을 보여왔지만 그녀의 비관주의, 울음, 그리고 성적 관심 부족에 대하여 지쳐가고 있다. 간호사는 그녀가 치료를 받지 않으면 25년 결혼생활이 깨질 수 있다고 우려한다.

1) 객관적 징후

우울장애 환자는 종종 다른 사람이 알아챌 만한 행동을 보이지만 아무와도 이야기하고 싶어하지 않고 혼자 있으려 한다. 만약 누군가가 그들의 강박적인 내면세계에 개입하려고 한다면, 그들은 짜증을 내며 폭력적으로 될 수 있다. 객관적 징후는 크게 활동 변화와 사회적 상호작용 변화로 나타난다.

(1) 활동 변화

환자들은 정신운동의 초조나 지연을 보일 수 있다. 정신운동의 초조는 걷기, 손 떨기, 그리고 가만히 앉아있지 못하는 것으로 나타난다. 환자들은 머리카락, 피부, 옷 또는 다른 물건들을 잡아당기거나 문지르기도 한다. 신발을 묶었다 풀고, 셔츠나 블라우스의 단추를 채우고 푸는 것이 흔한 행동이다. 정신운동의 지연으로 인해 낮은 단음조로 말하고, 말하는 속도가 느려지고 빈도가 감소하면서(언어빈곤) 대답 전 멈추는 상황이 증가하며, 침묵하는 모습을 특징적으로 보인다. 또한 일반적으로 몸을 움직이는 속도가 느려진다. 환자는 심지어 신체적으로 활동적일 때에도 '항상 피곤하다'고 말할 것이다. 예를 들어, 환자는 텔레비전을 끄기 위해 의자에서 일어나는 것조차 어려움을 겪는다. 심지어 매우 사소한 일에도 견딜 수 없어 보인다.

일상생활에서의 참여 또한 감소한다. 우울장애를 앓는 사람들은 종종 목욕, 면도, 깨끗한 옷 입기, 혹은 식사 후 입을 닦는 것과 같은 기본적인 개인위생을 지키는 것도 게을리한다. 이러한 객관적 징후들은 아마도 에너지 부족의 결과일 것이다. 무감동 또한 이러한 행동들에 영향을 미친다. 극단적인 무력감은 화장실을 가기 위한 에너지 조차 없게 하여 침대에서 실금 하거나 변비를 유발할 수 있다.

우울장애 환자들은 보통 식성의 변화를 겪으며 체중 감소 혹은 증가를 보인다. 수면 패턴 또한 달라진다. 우울장애를 앓는 사람들은 초기 불면증(잠들기 어려움), 중기 불면증(밤에 자주 깨고 깊은 수면을 유지하기 어려움), 혹은 말기 불면증(아침 일찍 일어나고 다시 잠들 수 없음)을 경험한다. 과다수면(수면이 증가하거나 수면 시간이 지연됨, 혹은 둘 다)은 우울장애의 이례적인 증상이다. 우울한 사람들은 자신이 우울하다는 사실을 부정하면서 혼자서 오랜 시간을 보낸다. 많은 우울장애 환자들은 잠을 자지 않은 채 혼자 누워있으면서 아무에게도 방해받지 않는 빈방에서 자기파괴적인 사고를 계속하게 된다.

Clinical example: 지속성 우울장애

60세인 여지 환자는 수년 동안 자신의 업무를 잘 수행해 오던 중 최근 상사와 마찰이 있었고 그것으로 매우 화가 났다. 그녀는 6개월 전 회사의 CEO로부터 새로운 상사를 배정받았고 이에 대해 불만을 느끼고 있었다. 그녀는 새로운 상사가 고압적이며 25년간 일한 자신을 신뢰하지 못한다고 느꼈다. 결국 그녀는 인사부로부터 휴직을 권고받았으며, 이후 정신과 의사와 치료사를 만나기로 결심했다. 정신과 의사는 그녀의 증상에 기반하여 기분저하증(dysthymia)을 진단하였고 시탈로프람(citalopram)을 처방하였다. 그녀는 과식하는 경향이 있었고, 충분한 잠을 잤다고 느낀 적이 없이 대부분의 날에 피로함을 느꼈으며, 종종 자신을 고립시켰다. 그녀는 자살을 생각한 적이 없었다. 그녀는 그녀의 딸과 손녀와 함께 살았고 이혼한 지 30년이 지난 상태였다.

(2) 사회적 상호작용 변화

우울장애 환자들은 우울 증상으로 인해 사회적 기술이 부족하기도 하다. 성취욕의 결여는 직장과 가정에서 생산성의 부족을 야기한다. 우울장애로 인해 자신에게만 몰두하기 때문에(self-absorbing nature) 쉽게 산만해지거나 타인 및 자신의 생각과 고민에 대한 관심이 떨어지기도 한다. 즉, 우울장애는 사고, 아이디어 개발, 문제해결에 있어 어려움을 발생시킨다. 게다가 환자들은 대화를 유지하기 어렵고 흥미와 관심을 표현하는 표정을 짓기 위해서는 많은 노력이 필요하다. 환자들은 또한 내성적이며 종종 다른 사람과의 사회적 상호작용보다 사회적인 고립을 선호한다. 한때 활발히 추구했던 취미와 직업은 중요하지 않게 되고, 이를 버리거나 건성으로 관여할 수도 있다. 마지막으로 우울의 몸짓언어(예: 슬픈 표정, 풀이 죽은 자세)는 사회적 관계를 맺는 데 장애가 된다.

2) 주관적 증상

(1) 정동의 변화

정동(affect)의 변화는 우울장애의 주 증상으로 혼란된 정서가 우울장애 환자의 내면 세계를 지배하고 있기 때문에 발생한다. 정동은 느낌(feeling), 기분(mood), 감정의 어조(emotional tone) 등이 외부로 드러나는 정서의 범위라고 설명할 수 있다. 정동을 설명하는 데 이용되는 몇 가지 용어로는 편평한(flat), 둔감한(blunted), 그리고 불안정한(labile) 정동이 포함된다. 편평한 정동과 우울한 기분처럼 둘 사이의 일관성이 있을 경우 정동과 기분이 일치한다고 기술한다. 우울장애 환자의 경우 정동과 기분이 일치하지 않을 수 있는데 불안정한 정동과 우울한 기분이 나타나는 경우가 그 예이다.

불안, 절망과 우울, 공포, 자기파괴적 사고 그리고 공황발작은 모두 우울한 마음의 산물이다. 이러한 괴로움 때문에 우울한 사람들은 슬픔과 무감동 사이를 오간다. 고통이 너무 커졌을 때, 환자들은 마음을 닫고 무감동해진다. 대부분의 비전문가들은 슬픔이 우울장애의 보편적 증상이라고 여기지만, 무감동은 실제로 우울 환자에게 지속적으로 존재하고 있다.

부적절한 죄책감은 종종 우울장애와 관련이 있다. 죄책감은 현재의 결함에 대한 과잉반응으로 나타날 수 있고, 용서받을 수 없는 먼 과거의 무분별한 행동과 관련될 수도 있다. 죄책감은 자신과는 무관한 일의 발생에도 책임감을 느끼는 형태로 표현되기도 하며, '내가 만약 ~했더라면?'과 같은 강박적 집착의 모습을 띄기도 한다. 또한 그는 대개 '해야 했었는데', '할 수 있었는데'라는 사고에서 잘 벗어나지 못한다. 죄책감이 훨씬 더 병적으로 심화되었을 경우 먼 곳에서 일어난, 심지어 지구 반대편에서 일어난 재난에 대해서도 죄책감을 느껴 정신병적 망상 수준이 된다.

불안은 우울장애에 동반되는 흔한 증상이며, 우울장애를 앓는 사람들은 불안과 두려움으로 가득 차 있다. 전화벨 소리는 비극적 소식의 가능성으로, 사이렌은 사랑하는 사람이 부상당한 것으로 여기면서 학교에 간 아이가 돌아오지 않을 수 있다고 생각하기도 한다. 이러한 끔찍한 일들이 실제로 일어날 수도 있지만, 대부분의 사람들은 부적절한 위험을 최소화하면 이러한 일들이 일어나지 않을 것이라는 것을 알고 편안하게 살아간다. 그러나 많은 우울장애 환자들은 전화벨이 울릴 때마다 불안한 반응을 보인다.

무가치감은 부적절한 느낌에서부터 총체적인 평가절하에 이르기까지 다양한 형태로 나타난다. 우울장애 환자들은 자신의 무능함에 대한 단서를 찾기도 한다. 어떤 사람은 "나는 내가 좋지 않은 사람이라는 것을 알고 있었다. 다만 그 이유를 찾아내는 데 시간이 걸렸다"라고 말하기도 하며, 어떤 사람들은 다른 사람들로부터 어떻게 인식되는지에 대하여 과민반응을 보이며 항상 최악을 가정하기도 한다.

(2) 인지 변화

인지의 변화는 양가감정과 우유부단함, 집중력 저하, 혼란, 흥미와 동기의 상실, 기억력의 문제, 비관주의, 자책, 자기비난, 자기파괴적 사고, 죽음과 죽어가는 것에 대한 생각, 그리고 불확실성을 포함한다. 우울장애 환자들이 어떤 것을 결정 내리는 것에 특히 어려움을 겪는다는 것을 다른 사람들은 이해하기 어렵다. 심지어 간단한 결정을 내려야 하는 순간에 더 많은 망설임을 보인다. 일단 결정이 내려진 후에도 우울장애 환자들은 "만약 ~했더라면"이라는 문제에 집착한다. 중요한 결정이 한번 내려지면 변하기가 어렵다고 느끼기 때문이다.

(3) 신체적 변화

신체적 변화는 우울장애 환자에게 흔하게 나타나며, 신체의 거의 모든 부분이 영향을 받을 수 있다. 흔한 생리적 증상은 복통, 거식증, 가슴 통증, 변비, 현기증, 피로, 두통, 소화 불량, 불면증, 월경 변화, 메스꺼움과 구토 그리고 성욕 감퇴 등이 있다. 추가적으로 문화적 측면에 대해 이전에 논의 했듯이, 일부 민족과 인종 집단의 문화적 관행은 우울장애 증상과 유사할 수 있다. 우울장애가 신체적으로 표현되어 주관적 증상들이 간호사의 주의를 끌 수 있는데, 이는 우울장애 환자들의 수많은 신체적 호소 때문이다. 어떤 사람들은 그들의 몸에 지나치게 몰두함으로써 신체적 통증과 변화에 대해서 심각한 경고로 받아들이며 이는 두려움으로 확대되기도 한다. 우울장애에서 회복중인 한 환자는 "나는 100번의 심장 마비를 겪었다"고 농담을 하였다. 일반인들 역시 신체기능을 모니터링하고 다양한 요인을 연관지어 생각하지만 우울장애 환자들이 자기진단에 과도하게 몰입하는 것은 병리적인 것으로, 이러한 생각의 정도에 따라 우울장애 여부를 판별할 수 있다. 가슴 통증, 얼굴이나 복부의 비정상적인 반점, 복통은 일부 사람들에게 공황발작을 유발할 수 있다. 공황발작은 주요우울장애를 가진 사람들의 15~30%에게서 나타난다(American Psychiatric Association, 1993).

(4) 지각 변화

어떤 우울장애 환자들은 지각 변화를 보인다. 망상과 환각은 일반적으로 우울한 기분과 일치한다(예: 도덕적, 윤리적 실수로 인해 피해망상을 가지게 됨). 신체적 망상(예: "내 몸은 암으로 가득 차 있다")과 허무망상(예: "내 뇌는 죽어가고 있다")은 우울장애 환자들에게 흔히 나타나는 정신병적 망상의 유형이다. 환각은 조현병 환자의 환각보다 덜 정교하고 개인의 잘못에 초점을 맞추는 경향이 있다. 예를 들어, "너는 착한 사람이 아니다. 너는 너의 가족을 가질 자격이 없다" 등의 환각을 경험할 수 있다.

3. 원인

1) 생물학적 이론

우울장애의 원인은 생물학적으로 신경화학적, 유전적, 내분비계 및 일주기리듬 기능의 변화와 뇌의 구조 변화에 기인한다. 이러한 변화들은 우울장애로 표현되는 신체적, 심리적 변화를 야기한다.

(1) 신경화학적 이론

우울장애는 신경화학적으로 특정 신경전달물질의 수치 변

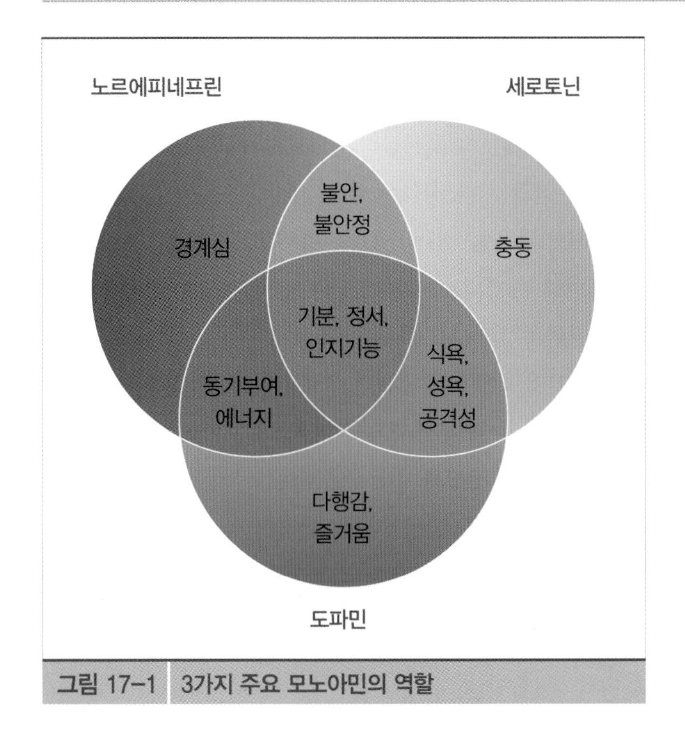

그림 17-1 3가지 주요 모노아민의 역할

화를 보여준다. 생물학적으로 노르에피네프린(norepinephrine)과 세로토닌(serotonin)이 가장 자주 언급되지만, 도파민(dopamine) 또한 관련되어 있다. 3가지 주요 모노아민(monoamine)의 역할이 **그림 17-1**에 설명되어 있다.

아세틸콜린(acetylcholine)과 감마-아미노부티르산(gamma-aminobutyric acid, GABA)의 조절장애는 생화학적 우울장애 발병의 원인이 될 수도 있다. 더 구체적으로 이러한 신경전달물질 수치가 수용체 부위에서 변화하거나, 수용체 민감성이 변화할 때 신경화학적 우울장애가 유발될 수 있다. 예를 들어, 세로도닌 수용체는 뇌간의 솔기핵(raphe nuclei)에서 분비되기 시작하여, 뇌간의 대부분에 걸쳐 중앙선 부근에 전측 뉴런(rostral neurons)이 머리 쪽을 향해 피질 전체로 뻗어나간다. 각 세로토닌성 뉴런은 50만 개 이상의 말단을 변연계와 대뇌피질에 보내 심리적 기능을 조절한다. 노르에피네프린 또는 노르아드레날린에 의해 활성화된 경로는 청반(locus ceruleus)에서 시작되어 피질, 시상하부, 그리고 해마의 모든 영역을 자극한다(Keltner et al., 2001b). 세로토닌과 마찬가지로 노르에피네프린 뉴런은 다양한 기능을 가진 뇌 영역 조절을 자극하고 있다.

우울장애는 세로토닌과 노르에피네프린 수치의 감소가 원인이고, 우울장애 치료는 이러한 물질의 증가로 효과를 볼 수 있다는 것은 설득력이 있다. 하지만 이렇게 정리하면 문제와 해결책이 지나치게 단순화된다. 우울장애를 보다 알기 쉬운 방식으로 관찰하기 위해 우울장애를 모노아민성 조절장애(monoaminergic dysregulation)라고 생각해 볼 수 있다. 우울장애에서는 체내 모노아민이 부족하지는 않으나, 이를 활성화시키는 세포가 건강한 방식으로 반응하는 능력을 상실하게 된다. 세포 내 과정은 신경 발생에 필요한 재생산 인자를 더 이상 효과적으로 생산하지 못한다. 수용체가 세로토닌(혹은 노르에피네프린)으로 차게 되면, 세포 내 연속단계가 시작된다[예: 2차 메신저(second messenger system)]. 이 연속단계는 효소, 수용체, 그리고 신경보호 단백질과 같은 단백질의 생산을 야기한다. 이 과정의 일부가 기능을 제대로 수행하지 못하면 세포 유지에 필요한 최종 산물은 손상 받는다. 항우울제는 아마도 이러한 신경 내 환경을 안정화시키는 작용을 할 것이다.

다른 가설들은 시냅스 전후의 수용체들의 민감도와 아민성 시스템에 대한 아세틸콜린 및 GABA의 조절 효과에 대한 것이다(Keltner et al., 2001a). 예를 들어, 베타 자가수용체는 보통 노르에피네프린의 방출을 억제하는데, 항우울제에 의해 하향조절(down regulation)되면서 노르에피네프린의 방출을 억제하지 않게 된다(즉, 시냅스 노르에피네프린을 증가시킴). 과도하게 많아진 즉, 상향조절(up-regulation)된 노르에피네프린 또는 세로토닌 수용체로 인해 이러한 신경전달물질은 오히려 불충분하게 된다. 이러한 작용은 감소한 모노아민 이용가능성에 따른 신체 보상작용의 예이다. 그러나 수용체의 상향조절과 하향조절은 앞서 언급한 항우울제에 대한 세포 내 반응의 결과가 될 수 있다. 마지막으로 펩타이드, 식이요법 그리고 영양 상태가 우울장애 발병에 있어 생화학적 역할을 하는지에 대한 연구가 이루어지고 있는데, 그 이유는 음식 섭취가 신경전달물질 합성에 필요한 전구체 아미노산의 생성에 영향을 미치기 때문이다. 우울장애에 대한 생화학 연구는 여전히 더 필요하다.

(2) 유전 이론

유전적인 요인이 우울장애의 원인이 될 수 있다. 쌍생아의 우울장애 빈도를 조사한 여러 연구에서 쌍생아의 생물학적 부모 중 한 명 혹은 모두가 주요우울장애 진단을 받은 경우, 쌍생아의 2/3가 주요우울장애를 경험한다는 것이 밝혀졌다(Shucter et al., 1996). 다른 견해는 우울장애에 걸린 어머니가 키우는 아이들은 우울장애에 더욱 취약한 경향이 있다고 제안한다. 유전학적, 유전적 그리고 심리사회적 영향을 구별하는 것은 어려운 일이다.

(3) 내분비학적 이론

우울장애와 관련된 내분비 변화에 대한 설명이다. 일반적으로 시상하부-뇌하수체-부신(hypothalamic-pituitary-adrenal, HPA) 축은 스트레스 반응을 중재하는 체계이다. 그러나 우울장애 환자의 일부에서는 이 체계가 잘못 작동하면서 코르티솔, 갑상선, 호르몬 이상을 만들어 내기도 한다. HPA 축의 조절장애는 코르티솔 과다분비증[hypercortisolemia(우울장애 환자의 약 40~60%)], 덱사메타손(dexamethasone)에 의한 비억제(nonsuppression), 그리고 부신피질자극호르몬방출인자(corticotropin-releasing factor, CRF) 수치 상승을 야기한다(Keltner et al., 2001b; Michelson, 2009). 코르티솔의 과다분비는 CRF 유전자의 과발현(CRF 합성 증가)과 시상하부에서 CRF-생산 뉴런의 증가를 야기한다. 이러한 활동은 부신피질자극호르몬(adrenocorticotropic hormone, ACTH)의 뇌하수체 분비 증가와 이어지는 부신에 의한 코르티솔 과분비를 일으킨다. Nemeroff(1998)은 생애 초기에 압도적인 외상에 노출될 경우 말 그대로 시상하부의 CRF 뉴런의 발현을 변화시킨다고 하였다. 생애 초기의 부모 상실, 부적절한 양육, 혹은 아동에 대한 성적, 신체적 학대와 같은 사건들이 과도한 스트레스 요인으로 작용하여, 성인이 되었을 때 우울장애에 취약하게 되는 것이다(Tomoda et al., 2009). 근본적으로 아동기 스트레스 요인에 의한 신체적 변화는 장기적 혹은 영구적인 부신피질자극호르몬방출호르몬(corticotropin-releasing hormone)의 과잉활동을 야기하여 스트레스에 매우 취약하게 만든다. Nemeroff(1998)은 이러한 현상을 '우울장애의 스트레스-특이체질 모델'이라고 불렀다.

덱사메타손 억제 실험(dexamethasone suppression test, DST)에서는 우울장애 환자의 약 40%에서 코르티솔을 억제하는 데 실패하였다. 우울장애가 없는 사람들의 경우 혈청 코르티솔 수치가 상승하여 시상하부와 뇌하수체 전엽에 CRF와 ACTH의 분비를 각각 낮추어서 코르티솔 분비를 낮추도록 메시지를 보낸다. 덱사메타손은 뇌하수체 전엽에서만 작용하며 우울장애가 없는 사람들에게는 ACTH의 분비를 억제한다. 일부 우울장애 환자들에서는 덱사메타손 주사를 투여해도 코르티솔 분비가 억제되지 않는데, 이는 개인의 스트레스 반응 방식이 자신의 부적 피드백(negative feedback) 체계보다 우선한다는 점을 나타낸다. 이러한 오작동과 그 결과는 더 심각한 우울장애 환자들에게서 더욱 뚜렷하다(Michelson, 2009). HPA 축의 모든 구성요소에서 질병에 의해 야기되는 내분비질환 또한 우울장애 증상의 발생과 관련이 있다(Maes et al., 1994).

여성 우울장애에서 유전과 호르몬에 대한 설명은 논란의 여지가 있다. 어떤 연구자들은 여성이 호르몬 수치의 변동 때문에 우울한 증상과 주요우울장애를 갖는 경향이 있다고 주장하였다. 다른 연구자들은 이러한 변동이 신경전달물질, 심리사회적 요인 그리고 스트레스 체계와의 상호작용을 통해 주요우울장애의 발병에 영향을 미친다고 주장하였다.

(4) 일주기리듬 이론

일주기리듬(circadian rhythm) 변화를 경험하는 사람들은 우울한 증상을 경험하거나 주요우울장애에 걸릴 위험이 높다. 이러한 변화는 약물, 영양결핍, 신체 혹은 심리적 질병, 여성의 생식체계 혹은 노화와 관련한 호르몬 변동에 의해 야기될 수 있다(McEnany, 1995a, 1995b; Warren, 1997). 일주기리듬은 수면주기, 자극 및 활동 패턴, 그리고 이러한 조절기전과 관련된 호르몬 분비의 일상적 조절에 영향을 준다. 조절기전의 변화로 인해, 우울장애 환자는 급속안구운동(REM) 수면의 잠복기가 단축되고 불면증, 수면중 보행, 꿈꾸는 강도의 심화 등의 수면장애가 생길 수 있다(Anonymous, 2005).

(5) 뇌 해부학적 변화

우울장애가 특정 뇌 부위 위축의 원인 혹은 결과가 된다는 것을 나타내는 증거가 있다. 예를 들어, 많은 과학자들에 의해 전두엽, 소뇌 그리고 기저핵의 뉴런과 백질의 감소가 있다는 것이 밝혀졌다(Soares & Mann, 1997a, 1997b; Teodorczuk et al., 2010; Tomoda et al., 2009). 그 외에 뇌-유래 신경영양인자의 감소도 나타났는데, Stahl은 뇌-유래 신경영양인자의 부족은 아포토시스(apoptosis) 단백질(아포토시스: 세포사멸 기능에 대한 세포의 자가 조절)이 우세하도록 만들어 조기 신경세포 사멸 및 특정 뇌 영역의 위축을 야기한다고 했다(Stahl, 2000). 해마는 특히 조기사멸 과정에 취약하다. 비록 현재는 뇌 위축에 관한 가설이 널리 수용되고 있지는 않지만, 진단 기술이 발전됨에 따라 이 가설이 더욱 지지될 수 있을 것이다.

2) 정신역동 이론

우울장애의 심리학적 설명은 정신분석학, 인지 이론, 대인관계 이론, 그리고 행동 이론에 토대를 두고 있다. 관련된 심리사회적-정신역동적 관점은 우울장애를 다음 3가지 일반적인 주제로 설명한다: (1) 부정적인 생애 초기의 경험, (2) 정신 내적 갈등, (3) 일상생활 사건에 대한 반응(즉, 스트레스 요인).

정신분석 이론가들은 우울장애가 생애 초기의 상실로부터 발생한다고 주장하였다(Freud, 1957). 프로이트(Sigmund Freud)는 우울장애를 자기 자신을 향한 부적절한 공격적인 본능으로 보았는데, 이는 종종 사랑하는 사람이나 물건을 상실함(목적 상실)에 의해 유발된다. 이 경우, 성인에서의 상실이 어린 시절의 상실에 대한 기억을 불러 일으킬 때 이것이 성인 우울장애의 원인이 될 수 있다. 정신분석 이론가들은 생각, 감정, 동기를 이해하고 통찰하는 방법으로 환자 치료에 접근한다. 그러나 많은 임상의들은 과거의 문제에 집중하는 이러한 접근법이 더 많은 문제를 일으키기 때문에 환자에게 최선의 이익이 되지 않는다고 믿는다.

인지 이론가들은 우울장애는 사람들이 모든 스트레스 상황을 부정적으로 지각하기 때문에 발생한다고 주장한다(Beck, 1976, 1991). 또한 우울장애 환자들은 모든 상황이 스트레스를 주는 것처럼 반응하며, 자기 자신, 다른 사람들 및 일상 속 사건들을 부정적인 시각으로 본다. 스트레스에 대한 이러한 반응은 생애 초기의 상실(예: 종종 부모의 죽음으로 인한 상실, 집을 떠나는 것, 이혼)에 기인한다. 스트레스 반응은 우울장애 환자들이 다른 사람들과 사건들에 대해 자신이 어떻게 결정을 내리고 바라보는가에 기초하고 있다. 인지치료는 왜곡되고 부정적, 부적응적인 사고를 매 순간 인식하고 교정함으로써 증상을 제거하는 것을 목표로 한다. 그리고 역기능적 가정을 교정함으로써 재발을 예방하고자 한다. 생물학적 관점을 가진 임상의를 비롯한 대부분의 임상의들은 약물이 잘못된 사고를 교정하는 작업에 대해 마음의 준비를 시키는 데 도움이 된다고 생각한다. 인지적 접근은 항우울제와 함께 적용할 때 더욱 효과적이다.

인지 이론의 한 부분으로 학습된 무력감은 우울장애를 가장 잘 설명하기도 한다. 스트레스에 대한 초기 반응으로 불안이 나타날 수 있지만, 스트레스 상황의 결과에 대한 통제력이 없다면 이 상황에서의 불안은 우울장애로 나타날 수 있다(Seligman, 1973). 스트레스를 일으키는 사건이 자신 때문이며 그 상황을 바꿀 방법이 없다고 생각하는 사람은 우울장애에 걸리기 쉽다.

대인관계 이론가들은 대인관계에 문제가 있을 때, 타인, 생활 속 사건들 및 삶의 변화에 대처하는 것에 과도하게 스트레스를 받음으로써 우울장애에 걸린다고 믿는다(Klerman, 1989). 역할 문제, 사회적 고립, 지연된 슬픔 반응 및 역할의 변화는 대인관계의 주요 이슈이다. 대인관계의 어려움은 우울장애의 원인이자, 우울장애로 인해 수반되는 문제이기도 하며, 때로는 우울장애를 악화시키는 요인으로 간주된다(Depression Guideline Panel, 1993).

행동 이론가들은 절망감, 무가치감을 느낄 때 우울장애를 경험하게 되면, 이후에 이러한 태도를 통해 삶의 결과를 부정적으로 평가하는 것을 학습하게 된다고 주장한다(Abramson et al., 1978).

(1) 취약한 생애 초기 경험

전통적인 정신 의학의 관점에 따르면, 어린 시절의 사건은 성인 우울장애의 근간이 된다. 발달 이론가들은 어린 시절을 일생의 정신건강의 토대라고 본다. 이론의 성격이 다를지라도, 어린 시절 환경의 중요성에 대한 관점은 비슷하다. 초기 상실, 사랑을 주었다가 철회하는 등 일관성 없는 양육, 그리고 다양한 유형의 학대 모두가 우울장애의 원인이 되는 요소라고 할 수 있다. 심지어 태어나기 이전 태내에서의 경험도 아이에게 영향을 미칠 수 있다(Pearson et al., 2010).

(2) 정신내적 갈등

정신내적 갈등은 사람들이 행동, 사건 혹은 상황에 대하여 혼합된 감정을 가질 때 사람이 갖는 갈등을 말한다. 예를 들어, 성적 행동을 자제하도록 양육되었는데 성적 충동이 강하면 내적 갈등이 생기게 된다. 즉, 성적 충동이라는 본능(id)과 성행동 자제를 종용하는 초자아(superego) 간의 갈등이 일어나는 것이다.

성적 활동을 자제하는 것은 성적 좌절을 증가시키며, 성적 활동에 참여하는 것은 불안, 죄책감 및 공포를 야기할 수 있다. 사람들은 항상 정신내적 갈등에 직면하게 된다. 이러한 갈등의 지속은 우울장애를 유발시킬 수 있다.

(3) 생활 속 사건(스트레스)에 대한 반응

대부분의 사람들은 우울장애를 생활 스트레스의 반응이라고 본다. 상실은 주요한 주제로, 사랑하는 사람, 직업, 자존감, 혹은 익숙한 환경의 상실을 포함한다. 상실에 대해 비탄과 슬픔으로 반응하는 것은 정상이나, 과도한 반응은 비정상적 반응에 해당한다. 모든 우울한 사건의 절반 정도는 스트레스에 의해 촉발되지만, 정확히 언제 정상에서 비정상적 상태로 되는지는 불분명하다. 정상과 비정상은 이분법적 구별이 아니라 하나의 연속선상에 있기 때문이다.

Clinical example: 아동기 성적 학대와 우울장애

45세의 여자 환자는 20년 가까이 우울장애 치료를 받고 있다. 환자는 어렸을 때 아버지로부터 신체적, 정서적 학대를 받았으며, 어머니는 그녀가 어렸을 때 집을 떠났고 그 후로 한 번도 본 적이 없었다. 그녀도 17세에 집을 떠나서 2번의 결혼과 이혼을 하게 되었으며, 20년 전부터 자살을 시도하였다. 감정적, 재정적으로 붕괴된 후 그녀는 최근 아버지가 있는 집으로 돌아왔다. 아버지는 모든 방면에서 그녀의 삶을 지속적으로 통제하였고, 그녀는 자신의 삶이 너무 헛되기 때문에 차라리 죽는 게 나을 것이라 말해 왔다.

4. 우울장애의 사정

비생물학적 및 생물학적 평가 방법을 통하여 우울장애를 사정할 수 있다. 정확한 사정을 위해 다음 사항을 확인해야 한다.

(1) 증상 시작 이력
(2) 물질, 알코올 및 약물 동반사용 여부
(3) 의학적 질병 여부를 배제하기 위한 신체검사(표 17-2)
(4) 기분장애와 관련 없는 정신의학적 장애 유무
(5) 환자 자원 및 사회적 지지체계
(6) 대인관계 및 대처 능력
(7) 스트레스 정도
(8) 자살충동의 여부

간호사는 일반적으로 환자를 처음 사정하는 의료인으로, 일반적 진단 및 간호과정에 활용할 수 있는 데이터베이스를 구축하기 위해 이 모든 정보를 수집하는 것이 도움이 된다.

1) 문화적 문제와 우울장애 사정

간호사는 대상자의 연령, 정신적 능력뿐만 아니라 임상적 지식과 경험에 근거하여 사정도구를 선택할 수 있다. 몇몇 측정도구는 특정 민족, 인종 및 문화 집단에서만 사용되

역기능적 애도(grief)

만약에 당신이 충분히 오랫동안 산다면, 가까운 주변 사람들에 대한 전형적인 상실로 애도(상실에 대한 정상적이지만 강력한 반응)를 경험할 것이다. 일반적으로 애도는 죽음에 대한 반응으로 여겨진다. 그러나 애도는 이혼, 다른 지역으로의 이사, 불치병 또는 자연적 재해에 대한 반응으로 나타날 수도 있다. 언급한 것처럼 애도는 정상적인 반응이다. 부모, 형제자매, 배우자, 자식과 같이 가까운 대상을 잃었을 때 애도를 느끼지 못하는 것은 오히려 비정상적이다.

일반적으로 애도 반응은 약 6개월 동안 지속된다. 애도를 경험하는 사람들은 숨막히는 기분, 공허함, 호흡곤란, 허약함, 그리고 한숨 등을 증상으로 언급하였다. 그들은 또한 이러한 감정이 어떻게 그들을 잡고 흔드는지를 '파도'라는 용어로 표현한다. 대부분 6개월 후에는 정상적으로 돌아오지만, 애도의 파도는 어떤 순간에는 지속해서 일어날 수도 있다.

제2차 세계대전에서 유일한 아들을 잃은 한 대상자는 피아노 위에 놓인 아들의 사진을 바라보면서 자주는 아니지만 때때로 울기도 한다. 아들을 잃은 지 20년이 지난 후에도 그녀는 여전히 때때로 슬픔의 파도를 경험한다.

이러한 증상들이 6개월 이상 지속될 때 역기능적 애도가 발생한다고 한다. Zeitlin(2001)는 역기능적 애도의 위험요인들을 다음과 같이 제시하였다.

1. 정신질환 병력
2. 고인에 대한 양가감정, 과도한 친밀성 또는 강력한 관계
3. 최근의 다양한 상실 경험
4. 어린 시절 부모님이나 중요한 사람의 상실
5. 사회적 지지 부족
6. 자살, 에이즈, 살인 혹은 다른 예상치 못한 방식에 의한 죽음

애도와 우울장애를 구분하는 것은 항상 간단하지는 않지만, 다음의 지침이 유용할 수 있다(Anonymous, 2002).

애도	우울장애
죽음에 대한 자연적 반응	질병
한정된 기간과 호전	지속적이고 시간이 지나면서 악화될 수 있음
사회적 접촉에 반응적	사회적 접촉에 따른 부담감
자살충동은 드묾	흔한 자살충동
일반적으로 항우울제가 필요 없음	항우울제에 반응

도록 개발 및 규정화되어 있다. 이러한 집단들을 위한 특성이 결여된 측정도구는 오진이나 과소진단을 초래할 수 있다.

어떤 학자들은 문화적으로 유용한 도구들이 그렇지 않은 도구들보다 관련 기준을 더 정확하게 예측한다고 주장했다. 문화적 역량에 대한 정규적인 검토는 모든 환자를 정확하고도 타당하게 사정할 수 있게 한다.

2) 사정 척도

(1) 노인에서의 우울장애

노인의 우울장애는 주요 건강문제이다. 주요우울장애의 유병률은 나이가 들어감에 따라 감소하지만, 우울장애 증상은 증가한다. 우울증 증상은 일반적이지만, 신체질환의 증상과 중복되고, 약물의 부작용인 우울 증상으로 인해 진단과정이 복잡하다. 표 17-2는 우울장애 유발과 관련된 신체질환을 제시하고 있다.

우울장애가 질병과 연관되어 있다면, 질병을 치료함으로써 우울한 기분이 정상으로 돌아오기도 한다. 그러나 주요우울장애와 질병은 공존할 수 있기 때문에, 이러한 경우 치료가 필요하다. 치매 진단을 받은 환자들이 실제로 우울감을 가지고 있으며, 또한 주요우울장애 환자들은 실제 치매가 아님에도 불구하고 마치 치매인 것 같은 증상을 나타내는 가성치매(pseudodementia)를 보일 수 있다는 것을 알고 있어야 한다. 그렇기 때문에 우울장애와 치매를 구분 짓는 것은 중요하다. 우울장애와 치매는 동시에 나타날 수 있으며 이때 두 가지 질병에 대한 치료가 함께 제공되어야 한다. 알츠하이머병 초기에는 주요우울장애와 치매가 함께 나타나는 경향이 있다.

삶의 후기에 나타나는 우울장애는 노인들이 직면하는 문제들과 연관되어 있을 수 있다. 이는 배우자, 가족, 자녀, 직장, 가정, 수입, 신체 기동성 및 건강의 상실을 포함한다. 이러한 필연적인 상실의 결과로, 노인들은 자살 가능성이 높다. 남성의 자살위험성이 여성보다 높은데, 특히 남성 노인은 미국에서 가장 높은 자살 위험성을 보인다. 자살은 이 장의 마지막에 언급된다.

(2) 비생물학적 사정 척도

비생물학적 사정은 표준화된 구두 및 서면 측정척도를 사용한다. 수집된 자료는 DSM-5 진단기준과 생물학적 평

표 17-2 우울장애과 관련된 신체질환
중추 신경계 질환
알츠하이머병
루게릭병
뇌종양
뇌졸중
만성 경막하혈종
다발성 경화증
정상압 수두증
파킨슨병
지주막하 출혈
자가면역질환
류마티스성 다발근통
류마티스 관절염
전신홍반루푸스
측두동맥염
독성-대사장애 및 내분비질환
애디슨병
쿠싱병
당뇨병
전해질 장애
코르티솔 과다분비증
저혈당증
갑상선 기능저하증
금속 중독
부갑상선 장애
요독증
감염
후천성면역결핍증(AIDS)
뇌염
간염
감염단핵구증
인플루엔자
매독
결핵
바이러스성 폐렴
종양성 질병
췌두부 암
만성 골수성 백혈병
림프종
기타 악성질환
폐소세포암
그 외
만성 피로증후군
만성 폐쇄성 폐질환
골밀도 감소

출처: Ford, C.V., & Folks, D.G. (1985). Psychiatric disorders in geriatric medical/surgical patients: II. review of clinical experience in consultation. Southern Medical Journal, 78, 397; Michelson, D. (2009). Depression: body and brain. Biological Psychiatry, 66, 405.

가와 함께 주요우울장애에 관해 더 자세한 진단을 내릴 수 있도록 한다. 사정에는 다양한 도구가 이용될 수 있다. 해밀턴 우울장애 평가척도(Hamilton Depression Rating Scale, HDRS)와 노인우울척도(Geriatric Depression Scale, GDS)는 이러한 평가도구의 중요한 예이다.

(3) 생물학적 사정 척도

① 덱사메타손 억제검사

자주 사용하는 것은 아니지만 덱사메타손 억제검사(dexamethasone suppression test, DST)는 HPA 축의 기능을 측정하는 성인 주요우울장애 진단검사이다. 검사 전에 소변과 혈액 샘플을 통해 코르티솔 기준선을 확인하고, 환자에게 덱사메타손 약물을 주입한다. 소변과 혈액 코르티솔 수치를 24시간동안 모니터링 한다. 코르티솔 수치가 감소하지 않을 때(즉, 억제되지 않을 때) 혹은 24시간 이내에 5μg/dL로 돌아갔을 때 양성으로 판단한다(Fountoulakis et al., 2008). 코르티솔 억제가 되지 않는 결과는 심한 우울장애 환자들의 40%에서 나타난다. DST는 우울장애에 특이적이지 않은데, 그 이유는 코르티솔 수치가 치매, 알코올 금단, 그리고 폭식증(bulimia) 환자에서도 억제되지 않기 때문이다.

(4) 성장호르몬 사정

성장호르몬 분비는 아동 우울장애의 생물학적 평가 수단으로 종종 이용된다. 지난 결과는 몇몇 우울장애 아동이 낮에는 성장호르몬이 감소하였지만 수면 중에는 증가하였다고 보고했다. 이 검사는 청소년 및 성인에게는 유용하지 않다.

(5) 수면다원검사

수면 패턴을 검사하는 수면다원검사는 성인의 우울장애를 평가하는 데 이용된다. REM 수면 단계는 사람이 잠든지 70~100분 이내에 보통 시작되는데, 수면 초기에 비해 후기로 갈수록 그 시간이 길어진다. 그러나 우울장애에 걸린 성인들은 REM 수면 잠복기가 단축되어 자주 밤과 새벽에 깬다. 항우울제는 REM 수면의 정상 패턴으로 회복시킬 수 있다.

5. 치료 및 간호중재

간호과정은 우울장애 환자들에 대한 적절한 간호중재, 전략, 기대되는 결과 및 결과에 대한 평가를 용이하게 한다. 이 책에서는 치료 및 간호중재 전략으로 간호사-환자 관계, 약물치료 및 치료적 환경관리를 강조한다. 이 부분에 나오는 사례연구 및 간호계획은 정신과 외래치료를 받고 있는 환자를 중심으로 하고 있다. 간호사는 주요우울장애의 DSM-5 기준과 이 장에 나온 기분장애와 관련한 정보를 잘 알고 있어야 한다.

1) 간호사-환자 관계

이 장의 목표는 우울장애 환자를 위한 치료적 의사소통의 구체적 원리를 제공하는 것이다.

1. 우울장애 환자는 낮은 자존감을 가지고 있다. 자존감을 북돋우는 가장 효과적인 접근은 환자를 있는 그대로 받아들이고(부정적 태도 및 전부), 성취, 장점 등에 집중하도록 도우면서 긍정적 피드백과 함께 성공적 경험을 제공하는 것이다. 또한 자조집단에 지속적으로 참여하면서, 당황스러운 사회적 상황(예: 냄새나는 옷, 단정하지 못한 용모)을 피하게끔 돕는다.
2. 우울장애 환자가 인간으로서 가치감을 가질 수 있는 의미 있는 관계를 발전시키기 위해서는 개인적 가치에 대한 그들의 느낌이 중요하다. 간호사는 정직해야 하며, 신뢰를 발전시킬 수 있도록 하는 것이 중요하다. 환자의 관심사를 통해 신뢰관계를 발전시킬 수 있다. 예를 들어, 환자는 간호사에게 임상적으로 중요한 어떤 내용을 함께 말하고 싶어할 수 있지만, 이 내용이 다른 직원들에게 공유되는 것은 원하지 않을 수 있다. 이때 간호사는 환자에게 중요한 정보는 알아야 할 필요가 있는 직원들에게만 공유될 것이라고 말함으로써 신뢰를 쌓는다. 환자는 환자의 이익에 우선적으로 관심을 갖는 전문가로서의 간호사를 신뢰하게 될 것이다.
3. 우울장애 환자를 효과적으로 간호하기 위해서는 환자에 대한 진심 어린 관심과 공감을 할 수 있어야 한다. 간호사는 환자가 전달하는 감정적 고통과 괴로움을 인정하고 환자가 그 고통을 극복할 수 있도록 도와야 한다. 적당량의 항우울제와 함께 공감은 치료적 성공을 기대할 수 있

게 한다.

4. 환자가 얼마나 가치 있는 사람인지 그 이유를 논리적으로 설명하는 것은 보통은 효과적이지 않다. 그러나 간호사는 환자에게 작지만 확인 가능한 성취와 강점을 짚어주어야 한다. 예를 들어, “나는 오늘 당신이 머리를 빗어 기쁩니다”라고 환자에게 말할 수 있다. 환자는 간호사가 말하는 모든 내용에 동의하겠지만 여전히 우울한 상태로 남아있을 것이다. 지적인 이해는 우울장애가 심한 환자에게는 그다지 도움이 되지 않지만, 인지행동치료는 몇몇 우울한 환자의 부정적 생각을 바꾸는 것을 돕는 데 성공적이다. 예를 들어, “나는 어떤 것도 올바르게 할 수 없다”의 부정적인 사고를 “나는 내 실수로부터 배울 수 있다”로 교정하는 것이다.
5. 우울장애 환자는 일반적으로 의존적이다. 간호사는 환자의 우울장애에 대하여 책임감을 갖고 환자를 대해야 한다. 간호사는 우울장애 환자들이 의존적인 경향을 인식하고, 이를 귀찮게 여기거나 환자를 원망해서는 안 된다. 환자의 작은 결정과 독립적인 행동에도 보상을 제공하도록 한다.
6. 환자를 우울 상태로부터 벗어나도록 하는 과정에서 간호사는 환자에게 당혹감을 주어서는 안 된다. 예를 들어, 환자의 감정에 도움을 주려는 의도로 운이 없는 사람을 희생양으로 삼는 것은 기껏해야 다른 사람의 불행을 기반으로 일시적 안도감만 줄 뿐이다.
7. 환각, 망상, 비합리적인 믿음을 강화해서는 인 된다. 환자의 망상에 동의하지 않고, 간호사 자신의 현실적 지각을 말해주는 것이 중요하다. 환자와 망상에 대해 논쟁하는 것은 망상을 오히려 강화하게 된다. 환자의 지각에 대한 의심을 말로 표현하고, 실제 사람과 사건에 대한 주제로 이야기한다.
8. 우울장애 환자는 화를 내는 경향이 있다(**그림 17-2**). 때때로 환자는 심지어 자신이 갖는 혐오감이나 적대감에 대해 놀라기도 한다. 간호사는 적대감과 관련하여 환자의 분노를 인식함으로써 치료적으로 대처해야 하며, 이를 기분 나쁘게 받아들이거나 말, 행동, 혹은 어떠한 수동적이고 공격적인 형태로 보복하지 않도록 해야 한다. 화를 말로 표현하게 함으로써 환자의 감정을 안정시키도록 도와준다.
9. 간호사는 내성적인 환자들과 옆에 가만히 있어줌으로써 함께 시간을 보내고, 위협적이지 않은 일대일 관계를 제공하거나 수용함으로써 그들이 사회적 고립으로부터 벗어나도록 도울 수 있다.
10. 우울장애 환자는 간단한 결정을 내리는 것조차 어려워하기 때문에 환자에게 결정을 내리라고 계속 요구하지 않아야 한다. 그러나 환자가 행할 수 있는 범위 내에서 결정을 내리도록 기회를 제공하는 것은 치료에 도움이 된다. 초기에 간호사는 환자를 위해 결정을 대신 내릴 필요가 있다. 예를 들어, “목욕할 시간입니다” 혹은 “여기에 환자분의 주스가 있습니다”라고 말하는 것이다. 이후 간호사는 환자가 문제해결 기술을 사용하여 적절한 결정을 내릴 수 있도록 가이드를 제공할 수 있다. 즉, 선택을 확인하는 것, 각 선택에 대한 장단점 그리고 각 결정에 대한 잠재적 결과 등의 내용을 제공하는 것이다(우울장애 환자들을 위한 **핵심 간호중재** 참조).

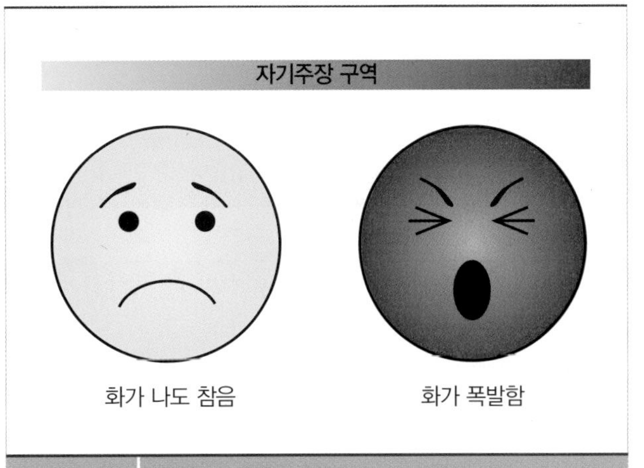

그림 17-2 대인관계 유형 연속성

▶ 우울한 사람들은 보통 화가 나더라도 이를 '참아내는' 대인관계 특성을 보인다. 즉, 그들은 사람들이 그들을 함부로 대하더라도 이를 허용하고 참아낸다. 그러나 이것이 지속되고 심해졌을 때 환자는 결국 폭발하게 되는데, 이러한 폭발 이후에는 일반적으로 더 많은 비난 및 후회가 시작된다. 간호사는 환자에게 자기주장 기술을 사용하도록 교육함으로써 이러한 대인관계에서 행동의 극단을 피하는 법을 배우도록 도울 수 있다.

2) 약물치료

효과적인 정신약리학적 중재에 필요한 정보의 범위를 이해하기 위해서, 항우울제를 완벽히 논의한 12장을 복습할 것을 권장한다. **표 17-3**은 항우울제 투여와 관련해 중요하게 알고 있어야 할 점들을 간단하게 정리하였다.

항우울제의 부작용

항우울제(TCAs, SSRIs)

- 성기능장애(성욕, 발기, 오르가즘 감퇴)
- 입 마름
- 비충혈(Nasal congestion)
- 배뇨지연
- 배뇨정체
- 흐릿한 시야(복시)
- 변비
- 진정, 운동실조
- 혼란
- 기립성 저혈압
- 부정맥, 빈맥, 심계항진
- 땀 분비 감소

MAOIs(monoamine oxidase inhibitors)

- 과잉 자극(예: 초조, 경조증)
- 흐릿한 시야, 저혈압, 입 마름, 변비
- 음식-약물 혹은 약물-약물 상호작용과 관련된 고혈압 위기

MAOIs, monoamine oxidase inhibitors; SSRIs, selective serotonin reuptake inhibitors; TCAs, tricyclic antidepressants.

표 17-3 항우울제 투여시 유의할 점

- 대부분의 항우울제는 완전한 임상 효과가 나타나는 데 2~4주가 걸린다.
- 많은 보고에서 항우울제가 자살충동 및 자살행동을 촉진할 수 있다고 주장한다.
- 자살 시도 환자들은 약물 과다복용을 위해 항우울제를 차근차근 모은다. 삼환계 항우울제(tricyclic antidepressants, TCAs)는 치료적 농도의 범위가 좁다.
- TCAs와 MAOIs(monoamine oxidase inhibitors)를 복용하는 환자들의 활력징후를 측정한다.
  - TCAs는 기립성 저혈압, 반사성 빈맥(reflex tachycardia) 및 부정맥을 유발할 수 있다.
  - MAOIs는 티라민을 함유한 음식(치즈, 와인, 발효음식 등)을 함께 섭취할 때 고혈압 위기를 유발할 수 있다.
- 선택적 세로토닌 재흡수 억제제(selective serotonin reuptake inhibitors, SSRIs)의 성적 부작용을 관찰한다. 성기능장애가 흔한 부작용으로, 이는 약물복용 순응도를 감소시킨다.
- MAOIs와 관련된 약물-약물 및 식품-약물의 상호작용을 인식한다.
- 독성의 초기 신호를 관찰한다.
  - TCAs: 졸림(drowsiness), 빈맥, 산동, 저혈압, 초조(agitation), 구토, 혼란, 열, 안절부절못함, 식은땀
  - MAOIs: 어지러움, 현기증, 피로
  - SSRIs: 독성을 야기할 가능성이 적음

핵심 간호중재

우울장애 환자

정신간호사는 우울장애 환자를 위한 간호중재 시 다음과 같은 원칙을 고려해야 한다.

중재	근거
환자를 있는 그대로 수용하고 그들의 강점에 집중함	우울장애 환자는 자존감이 낮기 때문에 이 방법은 가치감을 어느 정도 획득하는 데 최상의 접근법이다.
환자의 의사결정 능력을 강화함	우울장애 환자는 간단한 결정을 내리는 것조차도 매우 힘들어한다. 환자들이 간단한 결정을 내리기 위한 노력을 강화함으로써 간호사는 환자들이 점점 더 건강해지도록 돕는다.
환자의 분노에 치료적으로 대응함	우울장애 환자는 일반적으로 화가 내재되어 있다. 분노가 우울장애의 증상이라는 점을 이해함으로써 간호사는 당면한 문제에 집중할 수 있고, 환자가 보다 수용 가능한 상호작용 방식으로 변화하도록 도와야 한다.
사회적으로 위축된 환자들과 시간을 보냄	사회적으로 위축된 환자는 자신의 환경을 인식하고 있다. 이러한 환자와 시간을 보냄으로써(짧지만 빈번한 접촉), 간호사는 환자의 가치와 소통하고, 결과적으로 환자가 대화를 시작하는 데 편안함을 느끼는 시간으로 활용할 수 있다. 어떤 환자는 결정을 내리지 못하는데, 이러한 경우 간호사는 상황을 언급하되 결정을 강요해서는 안 된다(예: "산책을 나갈 시간입니다").
환자들이 성취감을 경험할 수 있는 활동에 참여시킴	성취감을 통해 자기가치를 발전시키고 스스로에게 만족할 수 있도록 돕는다.

3) 치료적 환경관리

환경관리는 우울장애 환자의 정신간호의 중요한 요소이다. 우울장애 환자를 위한 환경치료의 일반적 원리는 다음과 같다.

(1) 자존감이 낮은 환자

- 자존감이 낮은 환자들은 성취감과 긍정적 경험을 가질 수 있는 집단활동에 참여하도록 격려한다. 대부분의 사람들은 숙달과 성취를 통하여 자기가치감을 발전시킨다. 아주 작은 것일지라도 성공경험을 할 수 있도록 한다.
- 자기주장 훈련을 제공한다. 우울장애 환자들은 대인관계에서 발생하는 문제 때문에 스스로 '동네북'이 된 것 같은 느낌을 받는다. 환자들은 일반적으로 자신이 평생 타인으로부터 이용당해왔다고 느끼며, 이로 인한 폭발적인 분노를 주기적으로 표출한다. 자기주장 훈련은 이러한 환자들이 자신의 요구를 돌보고 그 과정에서 감정을 표현하는 법을 배우도록 돕는다. 이를 통해 화를 내지 않고 참고 있다가 갑작스럽게 분노 폭발을 표출하는 극단의 상황을 피할 수 있게 한다.
- 환자들이 사회적으로 수용되지 않는 용모나 행동으로 당혹감을 경험할 수 있는 상황을 피하도록 돕는다. 여러 외모와 관련된 문제는 우울장애를 가진 사람들의 집착, 무관심 그리고 에너지 감소 등과 관련이 있다. 예를 들어, 환자는 옷이나 얼굴에 음식을 묻히고 다니거나 콧물을 흘리고 다니고, 머리를 빗지 않으며, 바지 지퍼를 열고 다니거나 소변을 흘리고 다닐 수 있다. 간호사는 환자가 주기적으로 샤워를 하고 적절한 옷을 입도록 도와야 한다. 어떤 경우에는, 환자가 화장실이나 샤워실로 갈 때 간호사와 동행하도록 권장하는 것이 좋다.

(2) 사회적 위축 환자

- 사회적으로 위축된 환자와는 짧게 자주 접촉한다. 우울장애 환자는 종종 자신의 주변에 아무도 없거나 자신에게 거의 말을 걸지 않기를 원한다. 그들이 원하는 것은 무엇인가를 해내는 것이 아니다. 그렇지만 환자가 스스로를 고립시키도록 놔두는 것은 건설적이지 않은 방법이며, 간호사는 환자와 함께 시간을 보내야 한다. 뿐만 아니라 환자가 문제에 대하여 스스로 표현하기 전까지는 환자의 신체활동을 증가시킬 필요가 있다.
- 많은 환자들은 누워있기 위해 그들의 방에 가는 것을 고집한다. 그들은 간호사가 중재하지 않는다면 하루 종일 방에 머물 것이다. 사회적으로 위축되었거나 고립된 환자들이 때때로 하루에 몇 시간 동안 사라지는 것을 방지하기 위해 낮시간 동안 환자의 방 문을 잠가 둘 수도 있다. 활동요법 시간에 치료실에 조용히 앉아 있는 것이 고립되어 혼자 있는 것 보다 낫다.

(3) 식욕이 감퇴한 환자

- 간호사는 우울장애 환자의 음식 섭취를 감독할 책임이 있다. 특히 우울장애 환자의 방에 식판을 두고 가버리는 등의 무책임한 행동은 하지 않아야 한다. 환자가 음식을 먹도록 격려해야 하며, 필요하다면 떠먹여 줄 수도 있다.
- 환자들이 메뉴에서 선호하는 음식을 선택하도록 한다.
- 적절한 식사, 충분한 음료, 운동을 장려한다. 소량씩 자주 식사를 제공하고, 섭취량을 기록한다.
- 변비는 항우울제뿐 아니라 우울장애의 부작용이다. 충분한 섬유질과 수분을 섭취해야 하며, 배변을 관찰하고 기록하는 것 또한 중요하다.
- 환자가 집에서 가져온 음식을 먹고자 하면, 그렇게 하도록 허락한다.

(4) 수면장애가 있는 환자

- 우울장애 환자는 잠을 자고 싶지만 불면증으로 인해 수면을 충분히 취하지 못하기 때문에 엄청난 피로감을 경험한다. 환자는 종종 잠에서 깼을 때, 피곤해 보이거나 스스로 지쳤다고 느낀다. 간호사는 환자의 실제 수면의 양과 질을 기록해야 한다. 낮 동안 환자가 누워있게 되면, 환자는 스스로 고립될 뿐만 아니라 수면에도 문제가 발생하게 된다. 환자의 수면량에 대한 정확한 이해는 환자의 중재전략을 설정하는 데 도움이 된다.
- 수면장애를 가진 환자가 낮잠을 자거나 자극제(예: 커

피, 콜라)를 복용하면 수면장애를 더욱 악화시키게 된다. 따라서 이러한 행동이 개선되어야 밤에 수면할 가능성이 증가한다.

- 우울장애 환자의 만성 불면증은 항우울제의 반응을 둔화시키는 것으로 보인다(Jancin, 2005). 그러므로 불면증을 성공적으로 치료하여 항우울제의 치료 효과를 높여야 한다.

CRITICAL THINKING QUESTION

2. 당신은 의사가 말기 환자들의 삶을 끝내도록 돕는 권한을 가졌다고 생각하는가? 정상적인 성인의 자살시도는 허락되는가?

6. 신체적 치료

신체적 치료는 생리적 또는 신체적 중재를 사용하여 행동적 변화에 영향을 미치는 치료접근이다. 가장 흔한 형태의 신체적 치료는 전기경련요법(ECT)이며 이에 대하여 상세히 논할 것이다. 표 17-4는 신체적 치료에 대한 초기치료로 인슐린 혼수치료와 경련치료에 대해서 간단하게 설명하고 있다. 우울장애를 치료하는 데 사용되는 다른 신체적 치료는 경두개자기자극법(transcranial magnetic stimulation, TMS), 밝은 광선요법(bright light therapy, BLT), 그리고 미주신경자극기(vagus nerve stimulation, VNS)를 포함한다.

ECT와 정신외과술은 1930년대 치료의 형태로 등장하였다. ECT는 간질과 조현병이 양립할 수 없다는 20세기 초반에 정신과 의사들의 잘못된 생각에 근간을 두고 있었다(Abrams, 1997). ECT와 정신외과술을 지지한 사람들은 치료가 어려운 정신증을 치료할 수 있을 것이라는 기대감을 가졌다. 그러나 시간이 지나면서, 이러한 치료에 대한 부적절한 사용과 실망스러운 결과는 정신과 병원과 정신과 치료, 그리고 의사들에 대한 불신과 적대감을 가져왔고, 이러한 현상은 항정신병 약물이 개발되면서 더욱 악화되었다. 1960년과 1970년대에 두 치료법 모두 사실상 중단되었다. 그러나 지난 20년 동안, 더 많은 전통적 접근이 실패하면서 ECT는 또다시 유용한 치료 대체재로 등장하였다. 엄격한 치료 기준 및 주의 깊은 치료 전 평가로 많은 정신과 환자들이 이러한 신체적 치료에 반응하고 있다.

표 17-4 | 초기 신체적 치료

인슐린 혼수치료(1933)
인슐린 혼수치료는 1933년 빈의 의사인 Sakel에 의해 소개되었으며, 이는 그가 우연히 정신증을 동반한 당뇨 환자에게 과다하게 인슐린을 제공한 것이 환자의 증상을 감소시켰음을 발견한 이후였다. 인슐린 혼수 치료법은 정신병 치료에 대한 희망을 가져왔고 이에 대한 많은 추종자도 나타났다(Colaizzi, 1996; Dorman, 1995).

초기 경련치료(1934)
헝가리 출신의 Meduna가 경련치료를 처음 시도하였다. 1934년에 Meduna는 간질 환자와 조현병 환자의 신경아교세포가 서로 다르다는 병리적 관찰을 통해 장뇌유(캠퍼 오일) 유도 경련법과 이후, Metrazol 유도 경련 치료법을 소개하였다. Meduna는 조현병과 간질이 상호 배타적인 질병이라고 오인하였다(Abrams, 1997). Meduna의 첫 번째 환자인 Fink(1999)는 33세의 남성으로, 4년간 정신병을 앓아 왔으며, 무언증과 사회적 위축을 보인다고 기록되어 있다.
"5번째(장뇌유) 주사 이틀 후인 2월 10일 아침에, 4년 중 처음으로 그는 침대에서 나와 말하기 시작하고 아침을 요구하면서 도움 없이 스스로 옷을 입고 주변의 모든 것에 관심을 갖는 모습을 보였다. 또한 자신의 질병에 대한 질문을 하고, 그가 병원에 얼마 동안 있었는지 물었다. 환자가 4년 동안 병원에 있었다고 들었을 때 그는 그것을 믿지 않았다!" (p.88)

1) 전기경련요법

이탈리아 정신과 의사인 Cerletti와 그의 보조인 Bini는 1938년 전기경련요법(electroconvulsive therapy, ECT)을 소개하였다. 치료를 받은 첫 번째 환자는 조현병이었고, 11회의 치료 이후 완벽하게 회복되었다. 미국의 첫 ECT 치료는 1940년에 이뤄졌다. ECT는 이전에 전기충격요법(electroshock therapy, EST) 혹은 단순히 충격요법이라고 흔히 불렸다. 오늘날 두 용어는 사람들에게 혐오감을 준다.

ECT 동안, 전류는 뇌를 통과하면서 발작을 유발한다. 역사적으로 이러한 발작은 대발작을 일으키고, 근육통, 골절, 탈골, 염좌, 혀의 열상 등의 합병증을 보이는데, 발작과 함께 이로 인한 기괴한 얼굴 표정이나 찡그림 등이 영화와 문헌에 자세하게 묘사되었다. 영화와 소설 등에 의해 ECT는 정신과 의료진이 환자에게 사용하는 잔인한 치료법이라는 인상을 남겼다. 켄 키지(Ken Kesey)의 소설 「뻐꾸기 둥지위로 날아간 새(One Flew Over the Cuckoo's Nest)」와 이 소설을 원작으로 한 영화(1975년)에서는 ECT에 대한 강한 적대감을 나타냈다. Kesey는 그의 책에서 ECT를 제정신이지만 매우 개인주의적인 환자들을 통제하기 위한 수단으로 묘사하였다. ECT에 대한 이러한 공공연한 비판과 더불어 ECT

에 대한 부적절한 사용 보고서가 세상에 공개되면서 사실상 미국에서는 ECT 사용을 중단시켰다. 거의 모든 상태의 환자에게 ECT를 시행하는 것과 비순응적 행동에 대한 처벌로써 사용하는 것 모두 부적절한 사용으로 보았다.

그러나 이러한 부정적 인식에도 불구하고 ECT는 성공적인 치료 접근으로 남았는데, 많은 정신건강전문가들이 ECT가 효과적인 치료법이 될 수 있다는 것을 알았기 때문이다. 이러한 치료의 효과가 평가되기까지 기다리는 과정에서 많은 환자들이 불필요하게 고통받았다. 많은 임상의들은 현재 ECT가 가장 효과적인 우울장애 치료방법이기 때문에 치료과정 초기에 고려될 수 있을 것이라고 주장한다. 미국에서 약 10만 명의 환자들이 매년 ECT 치료를 받는다(Smith, 2001).

(1) 현대식 전기경련요법

ECT는 가장 효과적으로 사용 가능한 항우울 치료법이다(Scott, 2008). ECT 동안 전류가 0.2~8.0초 동안 뇌를 통과하여 발작을 일으킨다(Fink, 1999). 발작의 시작은 치료결과를 위해 필수적이다(Krystal 외, 2000). ECT의 효과가 있으려면, 적절한 시간동안 충분한 경련이 유발되어야 하며, 이는 근육경련(최소 20초 필요), 심장박동 증가(30~50초) 및 뇌 발작으로 세분화하여 평가해야 한다. 또한 뇌파로도 발작을 30~150초 동안 모니터한다(Fink, 1999). 산소 공급이 제대로 이루어져야 하므로 마취 동안 산소포화도를 모니터링해야 한다.

ECT에는 전형적으로 3가지 기본적 약물이 이용된다. 이 약물들은 체내 분비물의 흡인을 방지하고, 마취를 유도하며, 신체를 마비시켜 발작과 관련한 부상을 방지하기 위해 투여된다.

(1) 아트로핀(atropine), 원형 항콜린제(anticholinergics): 체액의 분비를 감소시킴.

(2) 메토헥시탈[Methohexital(Brevital)]: 정맥 주사하여 즉각적 마취 유도

(3) 석시닐콜린[Succinylcholine(Anectine)]: 근이완제, 정맥 주사하여 신경근육의 감도 억제 효과를 유도

(2) 전기경련요법 이후 간호

1. 간호사 혹은 마취과 의사는 환자가 자발적으로 호흡할 수 있을 때까지 환자에게 산소호흡기를 통해 100% 산소를 공급해야 한다.
2. 간호사는 호흡기계 문제를 모니터한다.
3. 혼란과 지남력장애가 발생할 수 있다. 환자가 다시 지남력(시간, 장소, 사람)을 회복하도록 도와주는 것이 중요하다.
4. 대략 5~10%의 환자가 동요된 상태에서 깨어나기 때문에 간호사는 필요시 벤조디아제핀(benzodiazepine)을 투약해야 한다(Fitzsimons, 1995).
5. 환자가 지남력이 돌아오고 안정될 때까지, 특히 처음 일어나려 할 때 반드시 유의해서 관찰해야 한다.
6. 치료의 모든 양상은 환자 보고를 위하여 신중히 기록되어야 한다.

뇌파를 통해 발작을 모니터링하고 혈압, 산소 포화도, 심장박동도 함께 모니터링한다. 산소는 치료 전후 즉각적으로 투여되는데, 이는 근이완제(succinylcholine)및 전기 유도 발작에 의한 호흡곤란 때문이다.

CRITICAL THINKING QUESTION

3. ECT는 정치적 문제로 고려되었다. ECT의 반대자들이 정치 스펙트럼상 왼쪽 혹은 오른쪽에 치우치는 경향이 있다 생각하는가?
4. ECT는 심각한 우울장애 치료에 있어 항우울제보다 더 효과적이다. 그럼에도 불구하고 ECT 사용에는 저항이 존재한다. 만약 가족이 심각한 우울장애를 갖고 있다면, 2가지 형태의 치료 중 어느 것을 선호하는가? 마취와 기억상실의 결과뿐 아니라 ECT의 오명을 신중히 고려하도록 한다.

(3) 작동 기전: 재부팅, 재균형, 재구성

ECT를 설명하기 위한 100가지 이상의 이론들이 존재하지만, 그것이 어떻게 작동하는지 아무도 확신하지 못한다. 몇몇 이론가들은 가능성 있는 설명을 내놓았다(Bezchlibnyk-Butler & Jeffries, 2007; Esel et al., 2008; Fink, 1999; Miller, 2007; Pierce et al., 2008; Sadock & Sadock, 2003). Keltner와 Boschini(2009)는 가장 확신하는 설명을 담았다: 재부팅, 재균형, 재구성.

1. ECT 치료 과정에서 뇌파는 느려진다. 이것은 컴퓨터의 시스템을 처음으로 셧-다운 시켜서 재부팅 하는 것과 같다.
2. 신경전달물질의 재균형
   a. G-단백 결합(G-protein coupling)의 변화, 아데닐

사이클라제(adenyl cyclase) 및 포스포리파아제 C (phospholipase C)의 변화, 그리고 뉴런의 칼슘 출입 조절과 같은 2차 전달체계의 변화

b. 베타 수용체의(beta-adrenergic) 시냅스 후 수용체의 하향조절

c. 세로토닌 수용체의 변화 가능성

d. 도파민성(dopaminergic), 가바성(GABAergic), 및 콜린성(cholinergic) 체계의 변화

3. 유도된 발작의 뇌 재구성 효과(예: 신경 발아 증가, 뇌 유래 신경영양인자 증가)는 체력 단련실에 가는 것과 비교될 수 있다. 무거운 것을 듦으로써 약한 근육이 강화될 수 있는 것처럼, 아마도 뇌는 우울장애 및 정신병과의 싸움에서 유도된 발작에 의해 강화될 것이다.

(4) 효과적인 치료 횟수

일반적으로 환자는 한 주에 2~3회의 ECT를 받아 전체적으로 6~12회(혹은 환자가 호전되거나 명백히 호전되지 않을 때까지)의 치료를 받는다. 환자들은 종종 2~3회의 치료 이후 안정을 경험하지만, 가끔 20회의 치료가 필요할 수도 있다. 12회의 치료 후에도 호전이 관찰되지 않는다면, ECT를 지속하는 것은 통상 도움이 되지 않는다. ECT는 일반적으로 효과가 있지만 재발이 잦다. 많은 환자들은 최상의 기능을 위해 ECT 치료를 유지하거나 지속할 필요가 있다.

(5) 전기경련요법의 적응증: 우울장애

ECT가 원래 조현병을 위해 개발되었지만, 주요 표적은 망상 및 정신운동 지연을 나타내는 심각한 우울장애 환자가 되었다. 우울장애 환자들은 ECT를 받는 전체 환자 중 85~90%를 차지한다. 이러한 환자들은 항우울제보다 ECT에 더 빠르고 더 긍정적인 반응을 보인다(Scott, 2008). Potter와 Rudorfer(1993)는 ECT를 받아야 하는 환자들의 단계를 다음과 같이 주장하였다.

(1) 빠른 반응을 필요로 하는 환자(예: 자살충동을 느끼거나 긴장증 환자)

(2) 약물치료에 내성을 보이거나 약물을 복용할 수 없는 환자들(예: 임산부)

(3) 다양하고 적절한 투여 약물에도 반응을 보이지 않는 우울장애 환자

Clinical example

48세 여자 환자는 3주 전까지 우편 업무를 했다. 그녀는 급성 정신병동에 입원했고, 그녀의 딸은 어머니가 지난 4개월 동안 15kg 정도가 빠졌다고 말했으며, 어머니가 식욕부진, 외로움을 보이고, 아침에 일찍 깨고 다시 잠들기 어려운 상태이며, 자살에 대해 암시를 했다고 설명했다. 딸은 어머니의 행동이 그녀를 두렵게 했다고 말했다. 그녀는 인생을 견딜 수 없다면서, 남편 없이 더이상 살고 싶지 않다고 말했다. 딸은 아버지가 5개월 전에 돌아가셨다고 설명했다.

그녀는 즉시 정신의학적 도움을 찾았고 일주일 동안은 하루에 25mg, 그 이후에는 하루에 50mg의 설트랄린(sertraline)을 처방 받았다. 증상이 조금 개선되었지만 곧 더 심한 우울장애로 악화되었고, 환자는 최근 자살충동 생각을 말하기 시작하였다. 그녀의 항우울제에 대한 안 좋은 반응과 자살충동 사고에 기반해서 6회기의 ECT가 처방되었다. 그녀는 그 과정을 잘 견뎌내었다. 그녀의 자살충동은 멈추었고 자발적으로 다른 사람과 상호작용하기 시작했으며 식욕을 되찾았다. 그녀는 3주 후에 퇴원했다.

표 17-5는 ECT에 반응하지 않는 질환에 대한 목록이고, **표 17-7**은 ECT에 반응하는 질환, 우울장애의 증상, 상태에 대한 목록이다(Swartz, 1993).

(6) 전기경련요법의 금기사항

Lisanby(2007)은 ECT가 잠재적으로 생명을 구하는 과정이라고 말했다. 이처럼 ECT에는 금기사항이 거의 없다. 그러나 대부분의 임상의들은 **표 17-6**에 나열된 것에 해당되는 부분이 있을 경우 ECT의 처방을 신중하게 고려한다.

(7) 전기경련요법의 장점

역사적으로 ECT는 우울장애에 대한 가장 빠른 안정화를 제공한다고 여겨졌다(Roose & Nobler, 2001). ECT는 안전한 절차이며, ECT와 관련된 사망은 아주 소수인 것으로 보고되어 왔다(Nuttall et al., 2004; Sackeim et al., 1993). ECT의 위험성은 일반적 마취(anesthesia)에 따른 위험과 거의 같은 수준으로, 환자 5만 명당 1명 정도의 사망이 보고된다(Gitlin et al., 1993).

ECT는 안전할 뿐 아니라 특정 집단 환자들에게는 항우울제보다 더 효과적이다. 최종적으로 ECT는 85세 이상의 노인 및 청소년 환자에서 안전하고 효과적으로 이용될 수 있다(Cohen et al., 2000; Tomac et al., 1997).

표 17-5 전기경련요법에 반응하지 않는 질환

- 불안장애
- 행동장애
- 경증 우울장애
- 성격장애
- 공포장애
- 신체증상장애

표 17-6 전기경련요법의 위험을 증가시키는 요인

매우 높은 위험
최근의 심근경색증
최근의 뇌혈관 사고
두개 내의 종양
두개내압 증가

높은 위험
협심증
울혈성 심부전
극도로 헐거운 치아(흡인 위험성)
중증 폐질환
중증 골다공증
주요 골절
녹내장
망막박리
혈전정맥염
고위험 임신
MAOIs 사용(중증 고혈압)*
클로자핀 사용으로 인한 발작과 망상

*어떤 연구는 전기경련요법과 함께 병행하여 투여된 MAOIs가 심각한 상호작용을 야기하지 않는다고 주장한다.
출처: Bezchlibnyk-Butler, K.Z., & Jeffries, J.J. (2007). Clinical handbook of psychotropic drugs (7th ed.). Seattle: Hogrefe & Huber; Ziring, B. (1993). Issues in the perioperative care of the patient with psychiatric illness. Medical Clinics of North America, 77, 443.

(8) 전기경련요법의 단점

① 일시적 안정 제공

ECT의 주된 단점은 치료가 일시적인 안정만 제공한다는 점이다. 이것은 영구적인 치료를 제공하지 않는다(Lisanby et al., 2008). 우울장애 환자 중 대다수는 긴 시간 동안 우울함에서 해방될 수 있으며 어떤 이들은 다시는 치료가 필요하지 않을 정도로 호전되기도 한다. 그러나 ECT를 받는 어떤 환자들은 몇 달 이내에 다른 일련의 치료법들을 필요로 할 수 있다. 몇몇 정신과 의사들은 ECT를 한 달에 한 번씩 받는 것을 유지하거나, 혹은 6~12개월이나 그 이상의 기간 동안 지속할 것을 요구한다. 그러나 이러한 접근의 장점에 대해서는 아직 연구할 부분이 많다. 어떤 연구에서는 지속적이고 주기적인 ECT에 더불어 항우울제를 병용하면 재발률을 상당히 줄일 것이라고 주장했다(Gagne et al., 2000).

② 기억상실

기억손상, 후향적 기억상실(치료 전 기억을 상실하고, 그 이후의 것만 기억함)과 전향적 기억상실(치료 전 기억은 남아 있으나, 치료 이후의 일을 기억 못함) 둘 다 ECT의 부작용으로 자주 언급된다. ECT와 시간적으로 가까운 사건들이 가장 빈번히 영향 받는다. 치료 전후 사건과 관련된 기억이 손상되고 치료 직후 혼돈이 발생하지만, 치료 과정이 완전히 끝난 후 대부분의 환자들에게서 심각한 기억력의 손실은 보이지 않는다. 우울장애가 기억상실을 야기할 수 있기 때문에, 기억손상이 실제로 ECT와 관련이 있는 것인지, 혹은 우울장애와 관련한 것인지는 확실하지 않다. 편측성, 즉 전극 모두를 뇌의 비지배적인 쪽에 위치시키는 방법(오른손잡이에게는 오른쪽에 해당함)은 기억 및 학습에의 영향을 최소화할 수 있지만 그렇게 효과적이지는 않을 것

표 17-7 전기경련요법에 반응하는 질환, 우울 증상, 조건들

질환	우울 증상	조건
• 중증 우울장애	• 무쾌감증(anhedonia)	• 지연성 근긴장(tardive dystonia)
• 난치성 우울장애	• 거식증	• 지연성 운동장애(tardive dyskinesia)
• 긴장증(catatonia)	• 망상	• 정좌불능(akathisia)
• 조증	• 불면증	• 파킨슨 증상
• 몇 가지 유형의 조현병	• 함구증(muteness)	• 신경이완제 악성증후군(neuroleptic malignant symdrome)
	• 정신운동 지연	
	• 자살사고	

출처: Swartz, C.M. (1993). Seizure benefit: grand mal or grand bene? Neurologic Clinics, 11, 151.

이다. 양쪽 이마 밑 위치(이마에 몇 센티미터 떨어지게 위치하는 것)에 전극을 위치시키면 기억 및 학습 문제를 감소시킬 수 있다(Bailine et al., 2000). 기존에 존재하던 인지적 문제들은 치료와 관련된 기억 문제의 위험을 증가시킨다(Pierce et al., 2008).

③ 생리적 부작용

ECT의 생리적 부적용은 고혈압, 부정맥, 심박출량 변화 및 뇌혈관의 변화 등의 심혈관계 문제를 포함한다. 혈역학적 변화는 근긴장 증가와 더불어 산소 소비가 증가함으로써 나타나는 것으로 추측되었다. 심근 산소 소비의 증가는 국소빈혈을 야기한다(Ziring, 1993). ECT는 뇌 손상을 야기하지는 않는다(Abrams, 1997).

2) 미주신경자극

미주신경자극(vagus nerve stimulation, VNS)은 미국 식약청에서 우울장애를 치료하는 데 효과가 있다고 인정받았다. 이 치료법은 극심하게 치료에 저항을 보이는 우울장애 환자에게 효과가 있는 것으로 입증되었다. 특히, 심장박동조율기와 같은 장치는 미주신경을 자극한다. 미주신경자극은 대상자의 과반수 이상이 우울장애 증상을 감소시키는 데 효과가 있는 것으로 입증되었다(Splete, 2005).

3) 밝은 광선요법

전에는 광선요법(phototherapy)이라 불리던 밝은 광선요법(bright light therapy, BLT)은 환자들을 매일 강렬한 빛(5000 lux-hours)에 노출시킨다. 이 치료법의 근거는 여러 연구들과 환경적 요인이 기분장애에 영향을 끼친다는 일화적 보고에서 유래되었다. 계절성 정동장애는 햇빛에 대한 노출이 줄어들 때 야기되었고 보통 겨울 즈음에 발생한다. 계절성 정동장애 환자에게 밝은 광선요법을 적용했을 때 며칠 이내에 우울장애 증상이 완화되었다. 아침에 적용하는 것이 가장 효과가 명확했다.

밝은 광선요법은 단지 며칠 이내에 효과를 나타낸다. 강렬한 빛에 노출시키는 것이 어떻게 항우울 효과를 나타내는지에 대한 정확한 기전은 불분명한데, 치료적 효과를 나타내는 데 피부가 아니라, 눈이 관여하는 것으로 추측된다. 밝은 광선요법에 반응하는 다른 질환으로는 폭식증, 수면의 유지가 어려운 수면장애, 그리고 계절성 우울장애가 있다. 광선요법이 부작용(예: 오심, 눈의 자극)을 거의 발생시키지 않기 때문에, 위험보다는 장점이 많아 유용하다. 녹내장, 백내장 및 빛에 민감한 약물은 사용을 금해야 한다.

CRITICAL THINKING QUESTION

5. 밝은 빛이 사람의 정신건강을 향상시킬 수 있다는 말이 옳은가? 날이 맑을 때 당신의 기분은 더 좋아지는가?

4) 반복적 경두개자기자극법

경두개자기자극법(transcranial magnetic stimulation , TMS) 또는 반복적 경두개자기자극법은 뇌에 자기장을 주어 뇌 활성에 영향을 미치는 방법이다. 경두개자기자극법은 분명히 신경전달물질의 안정을 증가시키거나 베타 수용체를 하향조절하여(혹은 둘 다), 우울 증상 및 가능한 다른 질환들을 개선시킨다. 이 치료법은 마취를 필요로 하지 않기 때문에 이것이 효과적인 치료방법으로 입증된다면 ECT를 대체할 수 있을 것이다. 어떤 연구들은 이 치료법이 정신병적 상태에 있지 않은 환자들에게 ECT 만큼 효과적이라고 제안했다(Fitzgerald, 2004). 부작용은 이전에 발작이 없었던 사람에게 발작을 유발할 위험이 있고, 두통, 일시적인 청력의 상실이 나타날 수 있다는 점이다. 금속판이나 심박동조율기 등을 신체에 이식한 환자나 심장질환 환자, 또는 두개내압이 증가된 환자에서 경두개자기자극법을 적용할 경우 치료 전에 반드시 신중한 평가가 이루어져야 한다.

7. 자살과 우울

《자살을 시도하는 대부분의 사람들은 뜻하지 않게 자살에 성공한다.》

작자 미상

정신과 환자의 자살에 의한 죽음은 간호사의 사정과 중재를 통해 막을 수도 있기 때문에 간호사에게 특히 중요하다. 자살은 개인의 문화적 믿음, 가치 및 규범에 영향을 받는 복합적 현상이다. 자살은 아동, 청소년 및 성인 모두에게 일어날 수 있다. 간호사는 자살이 주요우울장애를 진단받은 사람들에게서만 일어나는 것이 아니라는 것을 알아야 한다. 정신간호사는 모든 환자들, 특히 조현병과 알코올 중독을 가진 환자들은 자살 가능성에 대해서 지속적으로 평가해야 한다. 그러나 우울장애가 없는 사람들도 일반적으로 절망의 시기에 자살을 시도한다. 특히 조현병 진단을 받은 환자들의 상당수(거의 10%)가 자살을 시도하며, 그 수는 알코올 중독 환자들이 더 많은 것으로 확인되었다. 알코올 환자들은 전형적으로 이혼, 사별, 화재 사고 등의 상실에 대한 반응으로 술을 마시고 자살을 시도한다.

1) 자살과 관련된 용어

- **자살사고 수준(suicidal ideation level)**: 자살사고는 자살 행위와 위협뿐만 아니라 자살에 대한 생각까지 포함된다.
- **자살제스처(suicidal gestures)**: 자살제스처는 피부를 절단하거나 피부에 불을 붙이거나, 또는 소량의 약물을 섭취하는 등의 치명적이지 않은 자해행동을 하는 것을 말한다. 다른 이들은 종종 이러한 제스처를 주목받기 위한 수단이라고 보아서 이를 자살 시도나 수행으로 이끄는 심각한 문제라고 여기지 않는다.
- **자살위협(suicidal threats)**: 자살 위협은 자살을 저지를 것이라는 본인의 의도를 선언하는 구두적 언급이다. 위협은 종종 실제 자살시도에 선행한다.
- **자살시도(suicidal attempts)**: 자살시도는 삶을 끝낼 것이라는 분명한 목적을 가진 자해 행동을 실제로 실행하는 것이다.

2) 자살 위험 사정

간호사가 정신장애 환자의 자살 가능성을 사정하는 것이 중요하다. 왜냐하면 이러한 환자들은 자살의 위험이 증가한 상태이기 때문이다. 대부분의 시설은 간호사에게 자살 충동을 평가할 수 있는 형식을 제공한다. 중요한 변수는 계획, 방법 및 구조를 위한 대비 등이다.

(1) 계획

계획이 구체적인 사람들은 자살의 고위험군이다. 자살에 대한 계획이 신중하고 구체적인 사람은 그렇지 않은 사람과 비교하여 더 큰 위험성을 나타낸다. 충동적인 자살시도는 죽음을 초래할 수 있지만, 일반적으로 계획이 부족하여 노력을 방해하기 때문에 그리 치명적이지 않은 편이다.

(2) 방법

자살시도의 어떤 방법들은 다른 방법들보다 더욱 치명적이다. 자살을 저지르는 수단의 용이성 또한 중요하다. 손에 쥔 알약 3병은 처방을 위해 의사와 약속을 잡는 것과 비교해 더욱 치명적이다. 어떤 방법을 선택하여 자살을 시도했을 때, 자살을 시작한 시점부터 그 효과가 나타날 때까지 걸리는 시간이 치사율을 좌우한다. 예를 들어, 총으로 자살을 시도하는 사람의 경우 일단 방아쇠가 당겨지면 총알을 피할 기회가 사라진다. 그러나 차고에서 특정 약물을 과다복용하여 자살하려는 경우 죽음에 이르기까지는 약간의 시간이 주어진다. 자살의 치명적인 방법에는 총의 사용(91%), 투신, 익사(84%), 목매달기(82%), 일산화탄소 중독 및 기타 가스의 중독(64%) 그리고 바비튜레이트, 알코올, 중추신경계 억제제 등 특정 약물의 과다복용 등이 있다(Miller et al., 2004). 덜 치명적인 방법으로는 손목 긋기, 아스피린 혹은 디아제팜[diazepam(Valium)]의 과다복용 등이 포함된다.

(3) 구조

구조되지 않기 위해 의도적으로 사실을 숨기는 사람은 잠재적으로 치사 가능성이 증가한다. 예를 들어, 주말에 바다로 간다고 말하고 자살을 시도하려 산으로 향하는 경우 가족과 친구들이 중재하기 어렵게 만든다. 자살을 시도하기 전에 메모를 남기거나 통화를 한 사람은 구조될 가능성이 더 높다.

(4) 요약

계획이 더 구체적일수록, 방법이 더 치명적이고 용이할수록, 구조를 막기 위해서는 더 많은 노력이 들어갈수록, 자살의 성공 가능성은 더 커진다. 그러나 자살자의 시야에서 구조자가 충동적으로 접근하는 것은, 특히 총기 사용 등의 치명적인 방법이 선택되었을 때는 더 치명적인 것으로 알려져 있다. 구조자를 보자마자 자신에게 방아쇠를 당길 확률이 높기 때문이다.

3) 자살 희생자

전형적인 자살 희생자는 과거에 심각한 자살시도를 했었던 혼자 사는 무직의 백인 남성이다. 자살시도의 성공율은 남성이 여성보다 4배, 흑인에 비해 백인이 2배로 많다

(anonymous, 2003a). 모든 자살의 70% 이상이 백인에 의한 것으로 확인되었다(Pearson, 1998).

미국에서 일반적 성인인구의 전체 자살률이 높다고 해도, 정신질환을 가진 사람들의 자살률보다는 상당히 낮다. 정신증 진단은 자살에 대한 가장 신뢰도 높은 위험 요인이다. 모든 자살의 약 90%가 진단 가능한 정신장애 혹은 물질남용의 질환을 가진 사람들에 의해 일어난다. 10~15년의 기간 동안 우울장애, 조현병 혹은 알코올 중독을 가진 모든 환자들의 10~15%가 자살에 의해 사망하는 것으로 추정된다. **표 17-8**은 진단을 받지 않은 일반 인구의 자살률과 정신질환을 가진 사람들의 자살률을 비교하였다(Clark et al., 1987). **표 17-9**는 수행된 자살에 대한 경험적인 위험요인에 대한 목록이다.

CRITICAL THINKING QUESTION

6. 우울장애 환자를 평가할 때 자살제스처와 자살위협을 어떻게 구분하는가?

표 17-8 미국에서 발생하는 자살의 임상적 위험요소

인구	100,000명당 자살(명)
일반 성인	〈 20
조현병	140
우울장애	230
알코올 중독	270

표 17-9 수행된 자살의 위험요인

남성
백인 혹은 미국 원주민
60세 이상
절망적인 상태
의학적 질병
중증의 무쾌감증
혼자 생활함
이전의 자살시도
무직 또는 경제적 문제

4) 자살예방

- 대상자의 신체적 안전이 가장 중요하다. 평소 주변에서 흔히 볼 수 있는 물건들이 자기파괴적 수단으로 이용될 수 있으므로 안전한 환경을 위해 위험한 물건들(예: 날카로운 물건, 벨트, 과다복용 가능한 약물)을 제거한다.
- 우울장애 환자들은 자살을 암시하기도 하고, 암시하지 않을 수도 있다. 또 시간에 따라 바뀔 수도 있는 자살의 잠재성을 가지고 있으므로 자살의 잠재성을 지속적으로 사정하고, 자살 가능성에 대해서 간호사는 항상 인지하고 있어야 한다.
- 환자가 자살 가능성이 있다면 항상 그들의 활동을 인식하고 있어야 한다. 항우울제 투여 후 대상자의 기분이 올라가기 시작할 때 오히려 자살의 위험성이 증가한다. 병동 내 비구조화된 시간, 또는 직원 수가 제한되어 환자에 대한 주의가 줄어드는 경우에도 조심해야 한다. 환자의 행동에 극적인 변화가 있는 경우(예: 갑작스러운 즐거움, 자신의 물건을 나눠주는 행동 등)는 환자가 자살을 결심했다는 것을 나타낼 수도 있다.

CASE STUDY

김OO 님은 수년간 정신건강복지센터를 들락날락한 35세 남성으로, 정신건강시설에 들어가기 이전에 음주운전과 관련하여 법에 저촉되는 행동을 많이 하였다. 그는 입원하기 전부터 술과 다른 약물을 스스로 조절할 수 있다고 생각했다. 주요우울장애를 진단받고 1년 후에 성행위로 B형 간염에 걸렸다. 이 진단을 받고 그는 최소 5회의 자살시도를 했다. 짧은 우울장애 기간 동안에 그는 그가 게이라고 비난하는 환청을 들었다. 비록 상대적으로 짧은 기간이며 재발하지 않았지만, 이로 인한 고통은 극심하였고, 환청이 자신을 '정신이상으로 미치게' 만들었다고 믿었다. 아버지와 단둘이 살고 있으며, 아버지는 아들이 집에 돌아온 것을 매우 기쁘게 생각하고 있다. 그는 계속해서 1주일에 3일 동안 외래환자 프로그램에 참석한다. 다시 직장으로 복귀하고 싶다고 말하지만 실행하려 하지 않는 것처럼 보이며, 군중과 사람들에 대한 오랜 공포가 여전히 남아있다. 그는 또한 "나는 숲에서 아직 나오지는 않았지만 예전보다는 훨씬 나아지고 있다"고 말했다.

간호과정

이름: 김OO　　　　**입원일:** ______________

DSM-5 진단: 주요우울장애

사정

강점: 환자는 자신의 질병을 이해하고, 아버지와 좋은 관계에 있으며 재정적으로 안정적이고 문제를 인식하려는 의지가 있고 문제에 대해 노력하고 다시 직장으로 돌아가기 위한 동기부여가 되어있다.

간호문제: 그는 동기를 말로 표현하지만 '무엇을 할지 몰라 한다'. 그는 아버지와 단둘이 살고 있으며 35세 남자치고 너무 의존적이다. 그는 군중과 사람들에 대해 계속 겁을 내며 자살 이력이 있다.

진단

1. 자해위험성(근거: 자살을 시도한 경험이 있음)
2. 사회적 고립(근거: 사람들로부터의 회피 및 비소통적 행동)
3. 비효율적인 대처(근거: 자살을 시도한 경험, 환각, 동기를 말로 표현하지만 무엇을 할지 몰라함, 의존적)

관련요인

1. 자해위험성(자살시도의 과거력, 만성질병, 자신을 향한 분노, 절망감과 무력감, 무가치감)
2. 사회적 고립(자기 중심적인 행동, 상호작용 실패나 거절에 대한 두려움, 자신에 대한 부정적인 생각을 조장하는 인지장애)
3. 비효율적인 대처(스트레스원에 대한 정당한 평가 형성에 대한 무능력함, 이용 가능한 자원 활용에 대한 무능력함)

간호목표

단기 목표

날짜: _______ 정신건강복지센터에서 다른 환자들과 어울리면서 대처기술을 학습하고 발전시킨다.
날짜: _______ 정신건강복지센터에서 활동요법 프로그램에 참여한다.
날짜: _______ 사회화 기술을 발전시킨다.
날짜: _______ 약물치료 및 식이요법을 지속적으로 이행한다.
날짜: _______ 자해행위를 그만 둘 것이다.

장기 목표

날짜: _______ 환자가 가진 기술 수준을 고려하여 직업에 대한 정보를 찾는다.
날짜: _______ 정신건강복지센터에서 학습한 대처기술을 공공장소에서 연습한다.
날짜: _______ 더 독립적인 생활 패턴으로 회복하기 위한 단계를 설정한다.

계획 및 중재

간호사-환자 관계

- 환자에 대한 정직함과 진정한 관심에 근거하여 신뢰관계를 발전시킨다.
- 환자와 함께 시간을 보내고 강점과 성취감을 강화시킨다.
- 환자가 대처기술을 발전시키도록 하고 직업에 대한 정보를 얻을 수 있도록 돕는다.

약물치료: Risperidone 3 mg qd; sertraline 50 mg qd; alprazolam 1 mg prn

치료적 환경관리

- 환자의 사회적 상호작용을 격려함으로써 스스로 고립되려는 경향을 최소화시킨다.
- 허용되는 범위에서 환자를 집단활동에 참여시킨다.
- 자해를 방지하기 위해 안전한 환경을 유지한다.

평가

- 환자는 상당히 호전되었으나, 여전히 사람들이 많은 곳은 피하는 경향이 있다.
- 환자는 꾸준히 약을 복용했고 더 이상 정신증적 행동이 관찰되거나 보고되지 않았다.

의뢰

- 개인 상담을 받을 수 있도록 치료자에게 환자를 의뢰한다.
- 환자는 가까운 미래에 정신건강시스템이 갖춰진 아파트 입주 후보이다.

표 17-10 | 우울장애 환자의 간호진단에 따른 관련 증상, 기대되는 결과

간호진단	정의	관련 증상(행동)	기대되는 결과
자살위험성	삶을 끝내기 위해 자기 스스로에게 위해를 가할 수 있는 상태	우울한 기분, 자살시도의 과거력, 자살계획과 방법, 이혼, 만성 또는 말기 질환	자신의 감정을 표현한다. 자신을 해치고 싶은 감정을 느낄 때 도움을 요청한다. 자살시도를 하지 않는다. 감정을 대신해서 물질을 사용하지 않는다.
자존감 저하	자신 또는 자신의 능력에 대해 부정적 평가와 느낌을 갖는 상태	사회적 고립으로 위축됨, 무가치감, 실패에 대한 두려움, 죄책감과 수치심의 표현, 불만족스러운 대인관계, 비관적인 전망, 비평에 대한 과민 반응	자신의 긍정적인 측면을 말로 표현한다. 적절한 의사결정을 한다. 미래에 대해 희망을 표현한다. 현실적인 목적을 설정하고 자발적으로 노력한다. 사회적 상호작용이 향상된다.
사회적 고립/사회적 상호작용 장애	사회적 고립은 다른 사람과 상호작용하는 개인의 능력이 감소하는 것, 사회적 상호작용 장애는 사회적 관계가 질적으로 적절하지 않거나 또는 지나치게 비효율적으로 사회적 교류에 참여하는 상태	타인과의 상호작용 불능, 말이 없음, 자신의 생각에 집착, 혼자 있고자 함, 사회적 상황에서의 불편함이 관찰되거나 이를 표현함	집단활동에 자발적으로 참여한다. 일대일 상호작용을 하기 위하여 적절한 태도로 타인에게 접근한다. 사회적 상호작용 기술이 향상된다. 사회적 참여가 증진된다.
무력감	자기 자신의 행동이 결과에 중요하게 영향을 미치지 않는다고 인지하는 것, 현재의 상황이나 갑자기 일어나는 일들을 통제하기 어렵다고 지각하는 상태	통제감 상실에 대한 언어적 표현, 의사결정에 참여하지 않음, 실제 감정을 표현하기를 꺼림, 무감동, 타인에 대한 의존, 수동성	긍정적 미래에 대한 희망을 표현한다 집단활동에 자발적으로 참여한다. 자신이 통제할 수 없는 생활 상황에 대하여 정직한 감정을 표현한다. 건강을 위한 의사결정에 참여한다.
영양부족	대사요구량에 비해 부적절한 영양을 섭취하는 상태	체중감소, 식욕저하, 음식에 대한 관심 결여, 무월경, 전해질의 불균형, 피부 탄력도 저하, 사지 부종	점진적으로 체중이 증가된다. 체중이 더 이상 감소하지 않는다. 활력징후, 혈압, 혈청 임상검사치가 정상 범위 내에 있다. 식이의 중요성에 대해 표현한다.
수면장애	수면-각성 주기가 규칙적이지 않고, 잠들기 어렵거나 수면의 질이 좋지 않은 상태	잠들기 어려움, 불안, 밤에 수시로 깸, 이른 새벽에 깨어 안절부절못함	약을 복용하지 않고 매일 밤 6~8시간 수면을 취한다. 깊은 수면을 취했다고 표현한다.
자가간호결핍	일상활동을 수행하거나 완료하지 못하는 상태	몸단장 및 위생결여, 현저한 식욕저하, 수면, 섭식, 배변, 성생활 양상의 변화	대상자는 독립적으로 일상생활 활동을 만족스럽게 수행한다.

출처: Herdman, T. H., Kamitsuru, S. (2018). Nursing Diagnosis Definitions & Classification 2018-2020, 11th edition, Thieme: New York Stuttgart Delhi Rio de Janeiro.
Johenson, M., Maas, M., Moorhead, S. (2000). IOWA OUTCOME PROJECT Nursing Outcomes Classification(NOC). 2nd edition. Mosby: St. Louis London Philadelphia Sydney Toronto.
McCloshey, J. C., Bulechek, G. M. (2000). IOWA INTERVENTION PROJECT Nursing Interventions Classification(NIC). 3rd edition. Mosby: St. Louis London Philadelphia Sydney Toronto.
고성희 외(2013). 정신간호진단과 중재. 수문사.

환자 및 가족 교육

우울장애

질병

우울장애는 삶의 변화 과정 또는 상태이다. 우울장애는 상실(예: 죽음, 이혼, 실직)을 포함한 압도적인 스트레스, 약물, 의학적 질병 및 뇌의 특정 화학적 결함 등이 소인이 된다. 이러한 소인들은 상호배타적이지 않으며, 상호작용에 의해 우울장애를 야기한다. 예를 들어, 극심한 스트레스에 대한 만성적 노출이 뇌 화학적 상태를 바꿀 수 있다고 여겨진다. 우울한 상태를 완화시킨다고 알려진 약물들이 기존에 밝혀진 화학적 결함을 교정할 수 있다는 점을 근거로 화학적 결함에 대한 관점은 지난 20년간 더욱 지지되어 왔다. 9개의 기본적 증상으로 우울장애를 정의한다: (1) 우울한 기분, (2) 무감동, (3) 체중 변화, (4) 수면장애, (5) 정신운동 장애, (6) 에너지 부족, (7) 무가치감, (8) 집중력 저하, (9) 죽음에 대한 생각. 대부분의 증상들(우울한 기분 혹은 무관심은 항상 존재해야 함)을 가진 사람은 우울장애를 진단받는다.

약물

1. 가장 인기 있는 항우울제는 선택적 세로토닌 재흡수 억제제(SSRIs)이다. 이 범주에서 잘 알려진 약물은 fluoxetine(Prozac), sertraline(Zoloft), paroxetine(Paxil), escitalopram(Lexapro), 및 citalopram(Celexa)을 포함한다. 이러한 약물들은 효과적이고 부작용이 거의 없다. 그러나 성에 대한 흥미 상실이나 성적 수행의 어려움과 같은 성기능장애는 많은 환자에게 일반적으로 나타나는 문제이다. 이 부작용은 환자가 투약을 중단하고 이행하지 않게 되는 이유가 된다. 다른 약물의 추가를 통해 성적 활력을 회복시킬 수 있다[예: bupropion(Wellbutrin), sildenafil(Viagra)].
2. 삼환계 항우울제(TCAs)는 더 오래된 약물로, 여전히 자주 처방된다[예: amitriptyline(Elavil), nortriptyline(Pamelor), desipramine(Norpramin)]. SSRIs보다 더 많은 부작용이 있지만 SSRIs와 효과는 거의 동일하며 가격도 저렴하다. 가장 흔한 부작용은 기립성 저혈압, 입 마름, 변비 및 심계항진 등이다.
3. 다양한 다른 약물들도 사용 가능하다[예: wellbutrin, venlafaxine(Effexor), mirtazapine(Remeron), desvenlafaxine(Pristiq)]. 이 모든 약물들은 대부분의 사람들에게 효과적이고 부작용이 거의 없다.

기타 문제들

사람들은 우울장애 환자가 왜 그런 상황을 쉽게 빠져나오지 못하는지 이해하지 못할 수 있다. 만약에 가족구성원이 이런 생각을 한다면, 당뇨병 환자와 상황을 비교하면 도움이 될 것이다. 당뇨병 환자는 인슐린 수치가 낮으며, 이는 빠르게 회복되지 못한다. 이처럼 우울장애 환자 역시 뇌의 화학물질의 수치가 낮다. 당뇨병 환자가 처방된 약물을 복용하지 않거나 식이를 조절하지 않는다면 더 악화될 수 있다. 우울장애 환자 또한 치료되기 위해서는 특정 신경전달물질, 대인관계 및 환경을 조절할 필요가 있다.

STUDY NOTES

1. 주요우울장애, 파괴적 기분조절부전장애, 지속성 우울장애 및 월경전불쾌감장애 등은 중요한 우울장애이다.
2. DSM-5는 주요우울장애를 조증 이력이 없는 우울 삽화로 정의한다.
3. 파괴적 기분조절부전장애는 빈번한 분노 표출 및 신체적 공격을 경험하는 아동 및 청소년에게 주로 진단된다.
4. 지속성 우울장애(기분저하증)는 만성적이라는 특징이 있다.
5. 실망이나 상실을 경험했을 때 죄책감 혹은 우울함의 반응은 정상이다. 그러나 이러한 반응 중 어떤 것이 너무 오래 지속된다면, 우울장애로 진단이 가능하다.
6. 우울장애와 자살 사이에 높은 상관관계가 존재한다.
7. 우울장애의 하위 유형에는 비전형적 우울장애, 멜랑콜리한 우울장애, 긴장증적 우울장애, 주산기 우울장애, 정신병적 우울장애 및 계절성 우울장애 등이 있다.
8. 미국에서의 우울장애에 대한 평생 유병 위험률은 여성의 경우 10~20%, 남성은 5~10%이다.
9. 생애 초기 트라우마는 아동의 우울장애와 관련성이 높다.
10. 민족이나 문화에 따라 사람들은 우울장애를 다르게 경험할 수 있다.
11. 우울장애의 객관적 징후는 활동과 사회적 상호작용의 변화를 포함한다.
12. 우울장애의 주관적 증상은 정동, 인지, 신체증상(신체에 대한 염려), 및 지각에서의 변화를 포함한다.
13. 우울장애에 대한 생물학적 설명은 신경전달물질, 유전, 내분비, 및 일주기 리듬의 기능장애를 포함한다. 심리학적 설명은 취약한 생애 초기 경험, 정신내적 갈등 및 생활 사건에 대한 반응을 포함한다.
14. 우울장애의 사정은 문화적 영향, 나이(노인이 특히 취약함), 비생물학적 표준검사 및 생물학적 검사(DST, 성장호르몬 테스트, 수면다원검사)에 대한 고려를 포함한다.
15. 치료 및 간호중재 전략은 간호사-환자 간 치료적 관계를 발전시키는 것, 필요시 항우울제 투여, 특히 환자의 안정을 보장할 수 있는 치료적 환경을 제공하는 것을 포함한다.
16. 신체적 치료는 행동 변화에 영향을 주는 생리적 혹은 신체적 중재를 이용하는 치료접근이다.
17. 신체적 치료의 가장 흔한 형태는 전기경련요법(ECT)이다.

〈계속〉

18. ECT 동안에 전류가 뇌를 통과하면서 대발작을 일으킨다.
19. 현대 ECT는 마취와 근육이완제를 이용해서 과거 골절을 유발시키기도 했던 발작을 방지하며, 뇌 손상이 생기지 않도록 하기 위해 산소가 공급된다.
20. ECT는 심각한 우울장애, 다른 치료법들에 반응하지 않는 우울장애, 조증, 긴장증 및 일부 유형의 조현병의 치료에 처방된다.
21. 정신간호사는 대부분의 우울장애 환자들의 자살사고를 의심해야 한다. 왜냐하면 자살은 이러한 환자들 사이에서 일반적인 주제이기 때문이다.
22. 전형적인 자살 희생자는 직업이 없고 혼자 사는 백인 남성이다. 모든 자살의 70% 이상이 백인 남성에 의해 발생한다. 노인 남성은 특히 자살 위험이 높다.
23. 자살위험도 평가 시 정신간호사는 자살계획의 치밀성과 방법의 치명성, 구조 가능성 등을 고려하여야 한다.

참고문헌 REFERENCES

Abrams, R. (1997). Electroconvulsive therapy. New York: Oxford University Press.

Abramson, L. Y., Seligman, M. E., & Teasdale, J. D. (1978). Learned helplessness in humans: Critique and reformulation. Journal of Abnormal Psychology, 87, 48.

American Psychiatric Association. (1993). Practice guidelines for major depressive disorder in adults. American Journal of Psychiatry, 150(Suppl.), 1.

American Psychiatric Association. (2010). Diagnostic and statistical manual of mental disorders, text revision (4th ed.). Arlington, Virginia: APA.

American Psychiatric Association. (2013). Diagnostic and statistical manual of mental disorders (5th ed.). Arlington, Virginia: APA.

Anonymous. (2002). Coping with grief. Psychiatric Services (Washington, D.C.), 53, 19.

Anonymous. (2003a). Confronting suicide: Part I. The Harvard Mental Health Letter, 19, 1.

Anonymous. (2003b). Depression in old age. The Harvard Mental Health Letter, 20, 5.

Anonymous. (2005). Atypical depression. The Harvard Mental Health Letter, 22, 1.

Bailine, S. H., et al. (2000). Comparison of bifrontal and bitemporal ECT for major depression. American Journal of Psychiatry, 157, 121.

Beck, A. T. (1976). Cognitive therapies and the emotional disorders New York: International Universities Press.

Beck, A. T. (1991). Depression: Causes and treatment. Philadelphia: University of Pennsylvania Press.

Belcher, J. V., & Holdcraft, C. (2001). Web-based information for depression: Helpful or hazardous? Journal of the American Psychiatric Nurses Association, 7, 61.

Bezchlibnyk-Butler, K. Z., & Jeffries, J. J. (2007). Clinical handbook of psychotropic drugs (7th ed.). Seattle: Hogrefe & Huber.

Brand, S. R., & Brennan, P. A. (2009). Impact of antenatal and postpartum maternal mental illness: How are the children? Clinical Obstetrics and Gynecology, 52, 441.

Clark, D. C., et al. (1987). A field test of Motto's risk estimator for suicide. American Journal of Psychiatry, 144, 923.

Cohen, D., et al. (2000). Absence of cognitive impairment at longterm follow-up in adolescents treated with ECT for severe mood disorder. American Journal of Psychiatry, 157, 460.

Colaizzi, J. (1996). Transorbital lobotomy at Eastern State Hospital (1951 - 1954). Journal of Psychosocial Nursing and Mental Health Services, 34, 16.

Depression Guideline Panel. Depression in primary care, detection and diagnosis. (Vol. 1) (1993). In Washington, DC: US Government Printing Office, DHHS Pub No 93-0550.

Dorman, J. (1995). The history of psychosurgery. Texas Medicine, 91, 54.

Dubovsky, S. L. (1994). Beyond the serotonin reuptake inhibitors: Rationales for the development of new serotonergic agents. Journal of Clinical Psychiatry, 55(Suppl. 2), 34.

Duman, R. F., Heninger, C. R., & Nestler, E. J. (1997). A molecular and cellular theory of depression. Archives of General Psychiatry, 54, 597.

Esel, E., et al. (2008). The effects of electroconvulsive therapy on GABAergic function in major depressive patients. The Journal of ECT, 24, 224.

Fink, M. (1999). Electroshock. New York: Oxford University Press.

Fitzgerald, P. (2004). Repetitive transcranial magnetic stimulation and electroconvulsive therapy: Complementary or competitive therapeutic options in depression? Australasian Psychiatry, 12, 234.

Fitzsimons, L. (1995). Electroconvulsive therapy: What nurses need to know. Journal of Psychosocial Nursing and Mental Health Services, 33, 14.

Fountoulakis, K. N., et al. (2008). Revisiting the Dexamethasone Suppression Test in unipolar major depression: An exploratory
study. Annals of General Psychiatry, 7, 22.

Freud, S. Mourning and melancholia. (Vol. 14). (1957). In London: Hogarth Press.

Gagne, G. G., Jr., et al. (2000). Efficacy of continuation ECT and antidepressant drugs compared to long-term antidepressants alone in depressed patients. American Journal of Psychiatry, 157, 1960.

Gitlin, M. C., et al. (1993). Splenic rupture after electroconvulsive therapy. Anesthesia and Analgesia, 76, 1363.

Hays, D. F., et al. (2008). Antepartum and postpartum exposure to maternal depression: Different effects on different adolescent outcomes. Journal of Child Psychology and Psychiatry, and Allied Disciplines, 49, 1079. Jancin, B. (2005). Insomnia might blunt response to antidepressants. Clinical Psychiatry News, 33, 53.

Herdman, T. H., Kamitsuru, S. (2018). Nursing Diagnosis Definitions & Classification 2018-2020. 11th edition. Thieme: New York Stuttgart Delhi Rio de Janeiro.

Johenson, M., Maas, M., Moorhead, S. (2000). IOWA OUTCOME PROJECT Nursing Outcomes Classification(NOC). 2nd edition. Mosby: St. Louis London Philadelphia Sydney Toronto.

Keltner, N. L., & Boschini, D. (2009). Electroconvulsive therapy. Perspectives in Psychiatric Care, 45, 79.

Keltner, N. L., Hogan, B., & Guy, D. M. (2001a). Dopaminergic and serotonergic receptor function in the CNS. Perspectives in Psychiatric Care, 37, 65.

Keltner, N. L., et al. (2001b). Adrenergic, cholinergic, GABAergic, and glutaminergic receptor function in the CNS. Perspectives in Psychiatric Care, 37, 140.

Kessler, R. C., et al. (2003). The epidemiology of major depressive disorder: Results from the National Comorbidity Survey Replication. Journal of the American Medical Association, 289, 3095.

Klerman, G. L. (1989). The interpersonal model. In J. J. Mann (Ed.) Models of depressive disorders. New York: Plenum Press.

Krystal, A. D., et al. (2000). ECT stimulus intensity: Are present ECT devices too limited? American Journal of Psychiatry, 157, 963.

Lisanby, S. H. (2007). Electroconvulsive therapy for depression. New England Journal of Medicine, 357, 1939.

Lisanby, S. H., et al. (2008). Toward individualized postelectroconvulsive therapy care: Piloting the Symptom-Titrated, Algorithm-Based Longitudinal ECT (STABLE) intervention. The Journal of ECT, 24, 179.

Maes, M., et al. (1994). A further investigation of basal HPT axis function in unipolar depression: Effects of diagnosis, hospitalization, and dexamethasone administration. Psychiatry Research, 51, 185.

McCloshey, J. C., Bulechek, G. M. (2000). IOWA INTERVENTION PROJECT Nursing Interventions Classification(NIC). 3rd edition. Mosby: St. Louis London Philadelphia Sydney Toronto.

McEnany, G. W. (1995a). Neuropsychiatric disorders: Dementia versus depression versus drug intoxication. Presented at the Contemporary Forum's Tenth Anniversary Conference on Psychiatric Nursing, Boston.

McEnany, G. W. (1995b). Restless nights: Understanding and treating sleep disturbances. Presented at the Contemporary Forum's Tenth Anniversary Conference on Psychiatric Nursing, Boston.

Michelson, D. (2009). Depression: Body and brain. Biological Psychiatry, 66, 405.

Miller, M. C. (2007). Electroconvulsive therapy. The Harvard Mental Health Letter, 23, 14.

Miller, M., Azrael, D., & Hemenway, D. (2004). The epidemiology of case fatality rates for suicide in the northeast. Annals of Emergency Medicine, 43, 723.

National Institute of Mental Health. (2011). Depression. http://www.nimh.nih.gov/health/publications/depression/completeindex.shtml, Accessed November 11, 2013.

Nemeroff, C. B. (1998). The neurobiology of depression. Scientific American, 278, 42.

Nuttall, G. A., et al. (2004). Morbidity and mortality in the use of electroconvulsive therapy. The Journal of ECT, 20, 237.

Pearson, J. (1998). Suicide in the United States. The decade of the brain. Arlington, VA: National Alliance on Mental Illness.

Pearson, R. M., et al. (2010). Depressive symptoms in early pregnancy disrupt attentional processing of infant emotion. Psychological Medicine, 40, 621.

Pierce, K., et al. (2008). Electroconvulsive review: Current clinical standards. Psychopharmacology Review, 43, 35.

Potter, W., & Rudorfer, M. (1993). Electroconvulsive therapy: A modern medical procedure. New England Journal of Medicine, 328, 12.

Roose, S. P., & Nobler, M. (2001). ECT and onset of action. Journal of Clinical Psychiatry, 62(Suppl. 4), 24.

Sackeim, H. A., et al. (1993). Effects of stimulus intensity and electrode placement on the efficacy and cognitive effects of electroconvulsive therapy. New England Journal of Medicine, 328, 839.

Sadock, B. J., & Sadock, V. A. (2003). Synopsis of psychiatry (9th ed.). Philadelphia: Lippincott Williams & Wilkins.

Schwartz, T. L. (2005). Unipolar, bipolar, and psychotic depression. Clinical Psychiatry News, 33(Suppl.), 1.

Scott, A. I. (2008). Decreased usage of electroconvulsive therapy: Implications. British Journal of Psychiatry, 192, 476.

Shucter, S. R., Downs, N., & Zisook, S. (1996). Biologically informed psychotherapy for depression. New York: Guilford Press.

Sit, D. K., & Wisner, K. L. (2009). Identification of postpartum depression. Clinical Obstetrics and Gynecology, 52, 456.

Smith, D. (2001). Shock and disbelief. Atlantic Monthly, 287, 79.

Soares, J. C., & Mann, J. J. (1997a). The anatomy of mood disorders: Review of structural neuroimaging studies. Biological Psychiatry, 41, 86.

Soares, J. C., & Mann, J. J. (1997b). The functional neuroanatomy of mood disorders. Journal of Psychiatric Research, 31, 397.

Splete, H. (2005). VNS therapy is approved for severe depression. Clinical Psychiatry News, 33, 1.

Stahl, S. M. (2000). Blue genes and the monoamine hypothesis of depression. Journal of Clinical Psychiatry, 61, 77.

Swartz, C. M. (1993). Seizure benefit: Grand mal or grand bene? Neurologic Clinics, 11, 151.

Teodorczuk, A., et al. (2010). Relationship between baseline white-matter changes and development of late-life depressive symptoms: 3-year results from the LADIS study. Psychological Medicine, 40, 603.

Tomac, T. A., Rummans, T. A., & Pileggi, T. S. (1997). Safety and efficacy of electroconvulsive therapy in patients over age 85. American Journal of Geriatric Psychiatry, 5, 126.

Tomoda, A., et al. (2009). Reduced prefrontal cortical gray matter volume in young adults exposed to harsh corporal punishment. NeuroImage, 47(Suppl. 2), T66.

Warren, B. J. (1997). Depression, stressful life events, social support, and self-esteem in middle class African American women. Archives of Psychiatric Nursing, 11, 107.

Zeitlin, S. V. (2001). Grief and bereavement. Primary Care, 28, 415.

Ziring, B. (1993). Issues in the perioperative care of the patient with psychiatric illness. Medical Clinics of North America, 77, 443.

권준수 등(2015). 정신질환의 진단 및 통계편람. 학지사: 서울.

김수진 등(2018). 정신건강간호학. 현문사: 서울.

김수진 외(2020). 정신건강간호학. 현문사: 서울, 330

권혜진 외(2016). 정신건강간호학. 수문사: 파주, 332

고성희 외(2013). 정신간호 진단과 중재. 수문사: 서울, 131, 139.

CHAPTER

18

양극성장애

Bioplar Disorders

evolve WEBSITE

http://evolve.elsevier.com/Keltner

학습목표

- 양극성장애의 DSM-5 진단기준 및 용어를 정의한다.
- 양극성장애의 객관적, 주관적 증상들을 기술한다.
- 양극성장애에 대한 생물학적, 심리사회적 이론을 설명한다.
- 양극성장애의 행동특성을 설명한다.
- 양극성장애의 유형을 구분한다.
- 양극성장애와 관련된 치료 및 간호중재 방법을 기술한다.
- 대상자의 자가간호결핍, 사회적응장애, 폭력위험성, 비효과적 대처, 영양문제, 사고과정의 변화, 방어적 대응양상에 간호과정을 적용한다.
- 대상자에게 환경치료를 설명하고 적용한다.
- 대상자에게 약물치료를 설명하고 적용한다.
- 대상자에게 수행한 간호중재를 평가한다.

1. 개요

양극성장애(bipolar disorder, BD)는 조증 삽화에서 우울 삽화까지 기분의 양극단을 경험하는 장애로, 양극성장애 환자는 지나치게 행복하고 들뜨거나 혹은 지나치게 우울한 감정을 경험할 수 있다. 양극성장애로 진단을 내리기 위해 우울 삽화는 필수조건이 아니지만, 조증 삽화는 필수적으로 나타나야 한다. 양극성장애는 극단적인 기분의 변화가 여러 가지 부적응적 문제를 유발하고, 환자로 하여금 현실생활 적응에 어려움을 겪게 하기 때문에 특히나 경제적 문제를 야기하는 정신장애로 여겨져 오고 있다(Centers for Disease Control, 2013). 양극성장애의 조증 또는 우울 삽화에서 발생할 수 있는 증상들을 표 18-1에 제시하였다.

수천 년 전 그리스인들이 극단적인 고양된 기분과 우울증 사이를 오가는 감정변화에 대해 인식하면서 양극성장애가 처음으로 알려지게 되었다. 이후 다른 여러 나라에서도 광범위한 기분 변화를 관찰했고, 이에 대한 역사적 기록이 현재까지 남아있다. 이 장애의 공식적인 진단용어는 '양극성장애'이며, 많은 문헌과 전문가들이 조울증 또는 양극성 정동장애라는 용어를 함께 사용하고 있어 이 장에서도 혼용된다.

역학조사에 따르면 미국의 약 500만 명, 즉 성인인구의 약 1.8%가 매년 양극성장애(제I형 양극성장애, 제II형 양극성장애 및 순환성장애)를 경험한다(American Psychiatric Association, 2013). 초발연령의 중앙값은 25세이며, 남성의 발병 연령은 더 낮은 경향을 보인다(Centers for Disease Control, 2013).

미국 인구의 0.6% 이상이 제I형 양극성장애를 앓고 있고, 약 4.1%는 평생 동안 양극성장애를 경험한다(American Psychiatric Association, 2013; Kessler et al., 2005b). 전체 인구의 2% 정도는 양극성장애의 진단기준에 정확히 맞지는 않지만 양극성장애의 증상으로 고통받고 있는 것으로 알려져 있다(Paris, 2009; Zoler, 2005a).

표 18-1 조증 또는 우울 삽화에서 발생할 수 있는 증상	
조증 삽화	**우울 삽화**
• 고조된 기분 • 과대성, 고조된 자존감 • 불안정성 • 분노 • 불면증 • 식욕부진 • 과장된 몸짓 • 사고비약, 사고의 질주(racing thoughts) • 산만함 • 과다활동 • 증가된 사회적 활동 • 목소리가 크고 수다스럽고 빠른 말투 • 과도한 에너지 • 성활동에 대한 관심 증가 • 높은 자살률 • 과도한 화장	• 사회적 위축 • 수동성 • 불면증, 주간 졸림 • 식욕부진 • 사고의 느려짐 • 집중의 어려움, 산만함 • 무기력 • 활동에 대한 흥미 감소 • 부적절하고 과도한 죄책감 • 언어표현 감소 • 피로 • 성활동에 대한 관심 감소 • 높은 자살률
기타 증상	**기타 증상**
• 불안정한 기분 • 망상 • 환각 • 우울한 기분 • 낮은 자존감	• 기억력 저하 • 죽음에 대한 부적절한 생각 • 체중 감소

양극성장애는 조현병과 유사하게 20대 초반에 발병하고, 대상자의 90%에서 증상이 재발한다(표 18-2). 발병 연령이 높은 경우 일반적으로 증상의 정도도 덜 심한 편이다(Moon, 2005). 제I형 양극성장애는 남녀 간에 거의 동일한 비율로 나타나지만, 증상 발현 순서는 차이를 보이기도 한다. 첫 삽화로 조증 삽화가 먼저 나타난 경우라면, 여

표 18-2 양극성장애의 실제

1. 발병의 평균 연령은 남성과 여성 모두 20대 초반이다.
2. 제I형 양극성장애는 남녀에게 똑같이 발생하고, 제II형 양극성장애는 여성에게 더 높게 발병한다.
3. 양극성장애 환자의 최대 50%는 약물복용을 제대로 이행하지 않는다.
4. 제I형 양극성장애의 1년 유병율은 미국 성인의 0.6% 이상이다.
5. 전체 양극성장애의 1년 유병율은 미국 성인의 1.8% 이상이다.
6. 양극성장애 환자의 자살은 모든 자살 사건의 약 1/4(25%)을 차지한다.
7. 양극성장애 환자의 약 37%가 1년 이내 재발하고 24%만이 정상적인 삶을 회복한다.
8. 치료받지 않으면, 양극성장애 환자는 일생 동안 10회 이상의 삽화를 경험할 수 있다.
9. 양극성장애는 가족들에게 유전된다.
10. 양극성장애 환자의 60%가 만성적인 대인관계 및 직업상의 어려움을 경험한다.

출처: American Psychiatric Association(2002, 2013); Anonymous(2008).

표 18-3 양극성장애와 조현병의 유사성

	제I형 양극성장애	조현병
성별 영향	동등	동등
평균 초발연령	20대	20대
유전요인	있음	있음
한쪽 부모 영향	25% 위험	15% 위험
양쪽 부모 영향	50% 위험	35% 위험
일란성 쌍생아 일치율	40~80%	50%
예후	만성	만성
자살률	15%	10%
흡연	증가	증가
물질 남용	증가	증가
뇌실 확대	나타남	나타남
해마 용적	감소	감소
극도의 스트레스 민감성	나타남	나타남

출처: Sherman, C. (2005). Schizophrenia–bipolar I theory gains traction. Clinical Psychiatry News, 33, 27.

성보다는 남성에서 그러할 확률이 높으나 일반적으로 여성과 남성 모두 우울증을 먼저 경험할 가능성이 더 높다(American Psychiatric Association, 2002).

임신이 양극성장애의 병력이 있는 여성에게 재발을 야기한다는 주장도 있다(Zoler, 2005b). 인종에 따른 발병률의 차이에 대한 보고는 아직 없다. 일부는 양극성장애의 진단이 더 적절함에도 조현병으로 잘못 진단되기도 하는데, 이러한 오진은 두 질환이 공통적인 특징을 보이기 때문으로 이해할 수 있다(Anonymous, 2009; Sherman, 2005). 표 18-3은 양극성장애와 조현병 사이의 유사성을 설명하고 있다.

2. DSM-5 용어 및 기준

앞에서 언급했듯이 DSM-5의 양극성장애 범주에서는 몇 가지 변화가 있다. DSM-5 진단 범주를 이해하려면, 조증 삽화와 경조증 삽화 등의 기본 증상을 구별할 수 있어야 한다.

1) 조증 삽화

조증은 비정상적으로 들뜨거나 의기양양하거나, 과민한 기분이 뚜렷하고, 목표 지향적인 활동 또는 에너지 증가가 특징적인 증상으로, 제I형 양극성장애의 기본 증상이다.

진단기준을 충족시키려면 위의 증상이 적어도 1주 이상, 하루 중 거의 대부분, 거의 매일 지속되어야 하며, 입원이 필요한 경우라면 기간과는 무관하게 진단을 내릴 수 있다(DSM-5 진단기준). 조증 증상은 표 18-1에 나열되어 있다.

조증은 대개 갑자기 시작되고 급격히 심해지며, 며칠에서 수개월 동안 지속된다. 판단력이 손상되고 대인관계 문제가 발생하며, 술과 마약에 연루되는 것이 일반적이다. 발병은 대개 20대 초반이고, 일부 환자들은 청소년기에 발병하기도 한다(American Psychiatric Association, 2000). 조증 상태의 대상자는 자신의 중요성에 대해 과장된 시각과 극단적인 자기확신을 가지며, 때로는 이것이 과대망상에 이르기도 한다(예: "대통령이 국제 정세에 대해 나의 조언을 필요로 한다"). 조증으로 인해 환자는 가정, 직장, 학교 또는 사회적 관계에서 기능이 저하될 정도로 심각한 수준의 문제를 보인다. 정신활동이 점점 더 빨라짐과 동시에 수면욕구 감소, 수다스러움, 사고비약, 산만함 등이 나타난다. 조증 환자는 죄의식이나 부끄러움을 느끼지 못하며, 성적으로 문란하거나 무분별한 성행위를 즐기는 등 위험한 행동을 보일 수 있다. 또한 끊임없이 계획을 세우고 위험한 사업에 투기를 하기도 하는데, 이 때문에 환자는 가진 재산의 모든 것을 잃어버리기도 한다. 일반적으로 무절제한 소비, 무분별한 성행위, 화려한 의상 및 과도한 화장 등이 조증 환자에게서 볼 수 있는 모습이며, 자해 또는 타해의 위협을 방지하기 위해 종종 입원이 권고된다. 조증 삽화는 다른 정신질환이나 일반적인 건강문제(표 18-4) 또는 약물에 의해 유발될 수 있다(표 18-5).

재발은 환자의 삶의 일부일 정도로 빈번하게 발생한다. 환자의 37%가 1년 이내 재발하며, 2년 이내 60%, 5년 이내 73%가 재발하는 것으로 보고되었다(Anonymous, 2008).

표 18-4 조증을 일으키는 의학적 원인
저산소증
갑상선 기능항진증
혈액 투석
라임병(Lyme disease)
고칼슘혈증
후천성면역결핍증(AIDS)
뇌졸중
뇌종양
다발성 경화증
정상압 수두증
기타 신경 질환

표 18-5 조증을 일으킬 수 있는 약물
항우울제
스테로이드
항콜린제
중추신경 흥분제
레보도파(levodopa)

Clinical example

50세의 남자 환자 김OO 님은 전직 컴퓨터 소프트웨어 회사 사장이다. 그는 20년 전 회사를 설립하여 매년 수십억 원의 이익을 창출했다. 그러나 4년 후 회사는 부도를 맞이했다. 그는 10년이 지나 다시 사업을 시작했고 더 많은 성공을 경험했지만, 결국 또다시 사업이 실패하게 되었다. 이는 그가 양극성장애가 발병한 것과 관련이 있었다. 사실 조증 삽화는 사업의 성공을 가져오기도 했지만 실패의 원인이기도 했다. 조증의 증상으로 에너지가 넘치고 목표 지향적인 노력을 한 덕분에 사업에 큰 성공을 거두게 되었지만, 동시에 과대망상으로 인해 부적절한 사업 확장과 무분별한 지출을 한 것이다. 또한, "정부가 컴퓨터 응용 프로그램 없이는 기능을 수행할 수 없다"는 비현실적인 사고도 사업에 악영향을 미쳐 실패를 가져왔다. 그는 이 질병으로 인해 두 번의 사업실패뿐 아니라, 두 번의 이혼을 겪었고, 자녀들과도 멀어지게 되었다. 그는 여러 차례 재발하여 입원치료를 받았으며, 현재 지역사회 정신건강센터에 등록되어 재활서비스를 받고 있다.

DSM-5 진단기준: 제I형 양극성장애

진단기준

양극성장애의 진단을 위해서는 조증 증상에 대한 다음의 기준을 충족시켜야 함. 조증 증상에 경증 또는 주요우울 삽화가 뒤따를 수도 있음.

조증 삽화

A. 비정상적·지속적인 상승, 팽창 또는 과민한 기분이 뚜렷하고, 비정상적·지속적으로 목표 지향적인 활동 또는 에너지 증가, 일주일 이상 하루 중 거의 대부분, 거의 매일 지속됨(또는 입원이 필요한 경우에는 일정 기간 이상).

B. 기분장애 및 증가된 에너지 또는 활동기간 동안, 다음 증상 중 3가지(또는 그 이상의 증상, 상당한 경우에만 4가지 증상)가 현저히 나타나며 일반적인 행동에서 눈에 띄는 변화를 나타낸다.

1. 자존감의 증가 또는 과대감
2. 수면욕구 감소(예: 3시간의 수면으로도 편안하다고 느낌)
3. 평상시보다 더 많은 말을 하거나 계속 이야기해야 한다는 압박감을 느낌
4. 사고비약 또는 사고가 질주하는 것 같은 주관적인 경험
5. 주의산만(즉, 중요하지 않거나 관련 없는 외부 자극에 너무 쉽게 주의를 기울임)
6. 목표 지향적 활동(사회, 직장, 학교에서의 사회적 활동, 성적 활동) 또는 정신운동 초조(즉, 목적이 없는 간접적 활동)의 증가
7. 고통스러운 결과를 초래할 가능성이 높은 활동에 과도한 개입(예: 무제한적 구매 행위, 성적으로 무분별한 행동 또는 어리석은 사업 투자)

C. 기분장애는 사회 또는 직업 기능에 현저한 손상을 야기하거나 또는 자신이나 타인의 피해를 예방하기 위해 입원을 필요로 할 정도로 충분히 심한 상황 또는 정신병적 특징이 있음.

D. 증상은 물질(예: 약물남용, 약물치료, 다른 치료)의 생리학적 영향 또는 다른 의학적 상태에 기인한 것이 아님.

주의: 항우울제 치료(예: 약물치료, 전기경련요법) 중에 나타나는 완전한 조증 삽화는 해당 치료의 생리학적 효과 이상으로 완전히 증후군 수준에서 지속되므로 조증 삽화에 대한 충분한 증거가 됨. 즉, 양극성장애에 해당됨.

주의: A~D 기준은 조증 삽화를 구성함. 양극성장애의 진단을 위해서는 적어도 한 번 이상 조증 삽화가 나타나야 함.

출처: American Psychiatric Association (2013). Diagnostic and statistical manual of mental disorders (5th ed.). Arlington, Virginia: APA.

2) 경조증 삽화

경조증 삽화(hypomanic episode)는 조증 삽화와 유사하지만 덜 심각한 수준의 손상이 나타난다. 대상자는 자신과 삶에 대해 기분 좋게 느끼게 하는 경조증 상태를 정상으로 인식한다. 제II형 양극성장애와 순환성장애 진단 모두 경조증 삽화가 있어야 하며, 중증도는 주관적이기 때문에 DSM-5는 조증과 경조증을 보다 객관적인 기준으로 구별하고 있다.

경조증 삽화를 진단하려면 삽화의 기간이 최소 4일간 지속되지만 입원할 만큼 심각하지는 않아야 한다. 또한 삽화는 가정, 직장, 학교 또는 사회 환경에서 '현저한 장애'를 유발할 만큼 심각하지 않지만, 다른 사람들이 관찰할 수 있는 수준이며, 그 사람의 평소 행동과는 차이가 있다. 삽화는 비정상적으로 들뜨거나 의기양양하거나, 과민한 기분을 특징으로 한다. 또한 개인은 다음의 증상 중 적어도 3가지를 경험해야 한다.

- 자존감의 증가 또는 과대감
- 수면욕구 감소
- 수다스러움 증가
- 사고가 질주하는 듯한 주관적인 경험 또는 사고비약
- 주의산만
- 목표 지향적 활동 증가(직장이나 학교에서의 사회적 활동 또는 성적 활동) 또는 정신운동 초조(목적이나 목표 없이 부산하게 움직임)
- 고통스러운 결과를 가져올 가능성이 높은 활동에 지나치게 몰두(예: 과소비 또는 과도한 쇼핑, 무분별한 성행위, 무리한 사업투자 등)

Wilf(2012)는 4일 이상이라는 기간 때문에 경조증 가능성이 있는 일부 대상자들이 기준에서 누락되고 있다는 문제를 제기했다. 그는 4일 기준을 충족하지 못하는 경우에도 경조증 증상을 보이는 사람에게는 치료하는 것을 고려할 필요가 있다고 제안했다.

3) 우울 삽화

양극성 우울증은 조증 상태보다 더 고통을 준다(Anonymous, 2008). 양극성 우울증은 몇 가지 면에서 주요우울장애와 다르다. 첫째, 우울 증상이 비정형적이다. 비정형 우울증은 불면증이 아닌 졸음 과다, 식욕부진이 아닌 이상 식욕항진,

체중 감소가 아닌 체중 증가를 가져온다. 대상자는 탄수화물에 대한 강한 열망이 생기고, 무가치감과 자기혐오의 감정이 흔히 발생된다.

기분은 빠른 속도로 분노 또는 우울한 기분으로 바뀔 수 있다. 이러한 우울 증상은 조증 삽화 동안 나타날 수도 있고, 잠시 동안 또는 몇 시간 동안만 나타나거나 며칠 동안 지속될 수도 있다.

양극성 우울증은 일반적으로 주요우울장애보다 더 이른 나이에 발생한다. 대상자는 편집증적 사고를 표현하고 짜증을 내며, 환각을 경험할 가능성이 크다.

3. 양극성장애의 유형

DSM-5의 양극성장애 진단은 조증 삽화, 경조증 삽화 및 주요우울장애에 대한 이해를 기반으로 한다. 언급한 바와 같이 DSM-5는 양극성장애 진단을 제I형 양극성장애, 제II형 양극성장애, 순환성장애 및 물질 또는 약물로 유발된 양극성장애로 구분한다.

1) 제I형 양극성장애

제I형 양극성장애는 양극성장애 중에서도 가장 중요한 질환으로서, 조증 삽화와 주요우울 삽화가 교대로 또는 조증 삽화가 반복적으로 나타나는 양상을 띤다. 진단기준을 충족시키려면 삽화의 기간이 적어도 1주 이상 하루 중 거의 대부분, 거의 매일 지속되어야 하며, 진단기준 B에서 적어도 3가지 이상의 증상을 만족하여야 한다(**DSM-5 진단기준**).

발병의 평균연령은 남여 모두 20대 초반으로, 남성과 여성에게 유사한 비율로 발생한다. 별거, 이혼 또는 사별한 경우에 제I형 양극성장애 비율이 더 높다고 알려졌으나, 관련 근거는 불확실하다.

DSM-5에서는 진단명을 기록함에 있어서 현재 또는 최근 삽화의 유형, 증상의 심각도, 정신병적 양상의 유무, 그리고 관해 여부를 바탕으로 다음과 같은 양상이 동반되는지를 명시하도록 되어 있다.

- 불안증 동반
- 혼재된 양상 동반
- 급성 순환성 동반
- 멜랑콜리아 양상 동반
- 비정형적 양상 동반
- 정신병적 양상 동반
- 긴장증 동반
- 주산기 발병 동반
- 계절성 동반

그림 18-1은 양극성장애의 미묘한 차이를 보여준다. 이 그림을 이해함으로써 양극성장애에 속하는 각 질환의 차이점을 개념화할 수 있다.

2) 제II형 양극성장애

제II형 양극성장애는 제I형 양극성장애와 비슷하지만, 조증 삽화를 경험한 적이 없으며 경조증 삽화만 경험한다. 제II형 양극성장애는 1회 이상의 주요우울 삽화와 1회 이상의 경조증 삽화가 있는 것이 특징이다. 주요우울 삽화는 최소 2주 이상 지속되어야 하고, 경조증 삽화는 최소 4일 동안 지속되어야 한다. 제I형 양극성장애에서보다 주요우울 삽화가 더 자주 발생하고 지속기간도 더 길다. 보통 우울 삽화로 시작되고 경조증 삽화가 발생하기 전까지는 제II형 양극성장애로 진단되지 않는다. 경조증 삽화가 나타날 때, 대상자는 자신이 병적이라고 생각하지 않으므로, 가족들의 임상적 정보가 진단을 내리는 데 유용하다.

평균 발병연령은 20대 중반으로, 남성보다 여성에게 유병률이 더 높다. 제II형 양극성장애의 5~15%는 지난 1년 동안 4번 이상의 경조증 또는 우울 삽화를 보이기도 한다(American Psychiatric Association, 2013).

CRITICAL THINKING QUESTION

1. "우리 사회에는 경조증으로 진단될 수 있는 사람들이 많이 있다. 높은 수준의 일 중독자 중 많은 사람들이 경조증을 앓고 있으나, 자신은 전혀 모르고 있다"라는 진술에 대해 어떻게 생각하는가?

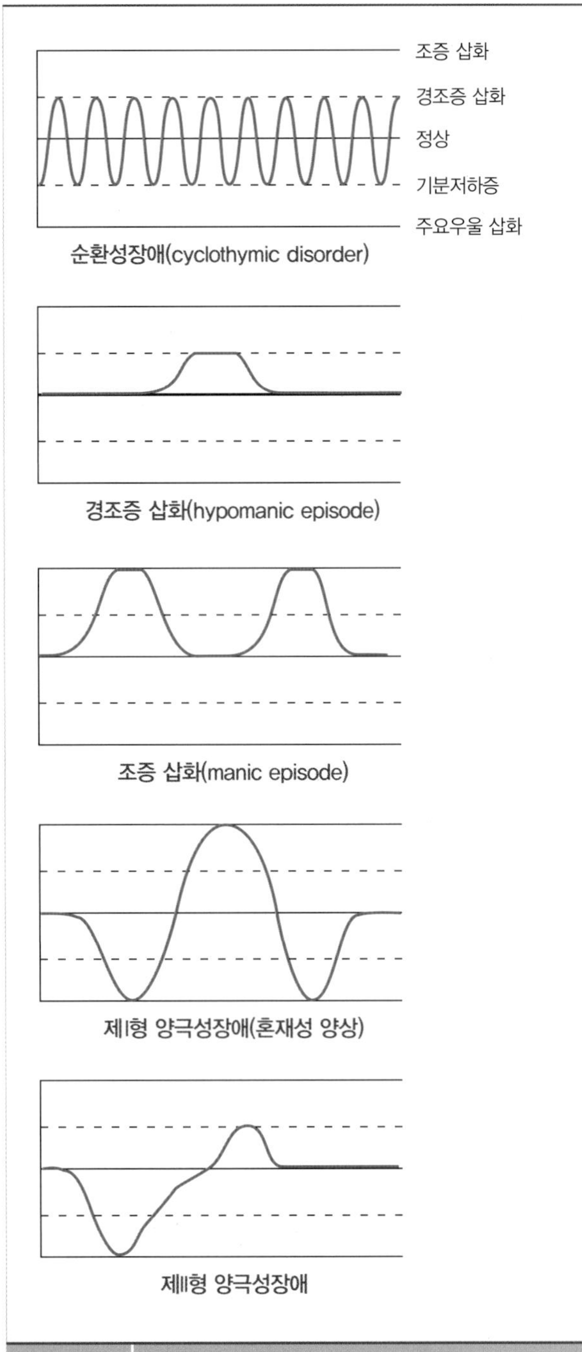

그림 18-1 기분 연속선상 양극성장애의 차이점

3) 순환성장애

순환성장애(cyclothymic disorder)는 기분의 변동성을 특징으로 하는 만성적인 장애로서, 적어도 2년 동안(아동·청소년에서는 1년) 경조증 삽화와 우울증 기간이 있어야 한다. 경조증의 증상은 경조증 삽화의 기준에 불충분하며, 우울증 증상 역시 주요우울장애의 기준에 불충분하다. 즉, 경조증과 경한 우울을 왔다갔다 하는 양상을 보이나, 증상의 정도는 경조증 삽화나 주요우울 삽화보다 심각하지 않다. 2년 이상의 기간 동안 경조증 기간과 우울증 기간이 절반 이상 차지해야 하고, 증상이 없는 기간이 2개월 이상 지속되어서는 안 된다. 순환성장애는 제I형 양극성장애보다는 주기가 짧고 불규칙하며 급격한 기분변화를 보인다.

남녀 간에 동일하게 분포하며 평생 유병률은 0.4~1%이다. 이중 약 15~50%는 양극성장애로 진행되기도 한다(American Psychiatric Association, 2013).

4. 행동특성

1) 객관적 징후

조증 삽화를 경험하는 환자는 열정적이고 다행감을 보인다. 주위 사람들은 환자의 이러한 측면이 지나치다고 인식한다. 객관적 행동에는 언어장애, 사회적·직업적·대인관계상의 장애, 활동 및 외모의 문제 등이 있다. 폭력적인 행동, 이혼, 배우자 및 아동 학대, 실직, 학업 실패 등이 이 장애의 일반적인 특징이다.

Clinical example

양극성장애로 입원한 45세의 여자 환자 이OO 님은 버스 정류장에서 자신의 이야기를 들어야 한다며 사람들에게 소리를 지르다 경찰에 신고되었다. 경찰이 제지하자 이에 저항하며 자신은 신의 여인이고 신과 결혼하였다고 반복적으로 말하였다. 그녀는 매우 진하고 과하게 화장을 하였고, 옷은 더럽고 냄새가 났다. 그녀는 가족과 함께 병원을 내원하였고, 의사는 리튬을 처방하였다.

(1) 혼란된 언어 패턴

다음은 조증 환자의 혼란된 언어 패턴의 예시이다.

- 장황하며 빠른 말
- 쏟아내듯이 이야기함(pressured speech)
- 큰 목소리 또는 고함
- 쉽게 산만해짐

조증 환자는 속사포처럼 빠르고 큰 소리로 말한다. 그들은 대화를 독점하려고 하며, 대화 내용은 농담과 말장난으로 가득하고 풍자적이며, 신랄한 발언이 일반적이다. 조증 환자는 약점을 공격하는 습관을 가지고 있는데, 정신건강 전문가들은 환자의 이런 특성을 알고 있음에도 불구하고,

환자의 언행으로 인해 좌절하고 당황하거나 혹은 분노하기도 한다. 불평을 자주 하고, 직원들을 방어적으로 만들며, 대화의 내용은 대개 극적이다. 대상자는 갑자기 노래를 부르기도 하며, 마치 강박성이 있는 것처럼 쏟아내듯이 이야기하고, 쉽게 산만해진다. 예를 들어, 토론이나 상담 중 대상자는 창문 밖으로 날고 있는 새를 발견하여 주의가 산만해지고, 대화 주제를 비행으로 바꾼다. 이 현상은 대상자들이 대화 중 어떤 특정 주제에서 다른 주제로 뛰어넘는 것으로, '사고비약'이라 한다.

(2) 사회적, 직업적, 대인관계 양상의 변화

조증 환자에게는 다음과 같은 관계 양상의 변화가 보인다.

- 관계 형성의 어려움
- 실직 및 실업
- 위압적인 행동
- 성적 욕구의 증가
- 가족과의 단절

Clinical example

- 인구학적 특성: 젊은 남성(30세)과 젊은 여성(26세)이 약혼하였고, 조만간에 결혼할 계획이다.
- 배경: 대학교육을 받았으며 유망한 직업을 갖고 있다.
- 상황: 남성이 여성에게 그녀가 키우던 반려동물을 결혼 후에는 다른 곳으로 보내자고 제안하자 여성은 화가 나서 약혼을 취소했다. 그녀는 3주 동안 약혼자를 떠나 있다가, 친척의 장례식 전날에 돌아왔다. 그녀는 그 남성을 약혼자로 가족들에게 소개했다.
- 위기: 장례식이 끝난 후, 그녀는 약혼자에게 이렇게 말한다. "지난 3주 동안 예전 남자친구를 만나 결혼을 했어요. 그건 실수였어요. 의사를 찾아갔더니 그는 내가 양극성장애라고 말했어요"

이 임상 사례가 시사하는 것처럼, 조증 삽화는 개인의 삶과 가까운 사람들에게 혼란을 야기할 수 있다(Shattell & Keltner, 2004).

조증 환자는 충동적인 행동, 트집 잡기, 분노 및 비난으로 다른 사람들을 자극하여 관계를 파괴한다. Janowsky 등(1970)은 양극성장애 환자에게 사회적, 직업적, 대인관계상의 문제를 일으키는 5가지 경향을 다음과 같이 열거했다.

① 타인의 자존감 조종

대상자는 타인의 자존심을 높이거나 낮추기 위해 강압적인 기술을 사용한다. 칭찬을 조종방식으로 이용하여 희생양을 만든다(예: "당신을 제외하고는 아무도 나를 진정으로 이해하지 못합니다"). 계획이 좌절되면 쉽게 분노를 느낀다. 일부 통찰력 있는 간호사는 '요요처럼 놀아났다'라고 표현하기도 한다.

② 타인의 약점을 찾아내는 능력

조증 환자는 타인의 약점을 악용하거나 직원 간의 갈등을 교묘하게 조종하기도 한다.

③ 책임을 전가하는 능력

앞서 언급한 기술을 통해 대상자는 개인적인 책임(예: 늦은 것)을 다른 사람에게 전가한다. 간호사들은 환자들의 많은 문제에 대한 책임을 지도록 훈련받기 때문에 조증 환자가 간호사에게 책임을 전가할 경우 이를 처리하는 데 어려움을 겪기도 한다.

④ 한계 시험(limit testing)

조증 환자들은 위험 행동을 제한하고 통제하려는 병동 규칙에 대해 투쟁하거나 요구적 행동을 많이 한다.

⑤ 가족과의 단절

조증 환자는 그들의 행동으로 가족을 떠나보내게 된다. 가족은 처음에는 치료에 대한 희망을 갖지만, 수많은 좌절 속에서 종종 사기가 떨어진다. 심각한 조증의 경우, 아동 및 배우자 학대와 관련하여 높은 이혼율을 보이기도 한다.

양극성장애는 가족뿐만 아니라 또한 친구, 연인, 상사, 직장 동료, 목사, 정신간호사가 아닌 간호사들을 대상자로부터 떠나가게 한다.

양극성장애가 있는 환자에게는 몇 가지 경향이 있다.

- 관계의 실패는 적절한 치료를 받지 못한 환자들에게 공통적으로 나타난다.
- 대부분의 환자들은 지속적인 우정을 유지하는 데 어려움을 겪고 있다.
- 실직 및 직업 변화가 일반적이다.
- 사람들, 심지어 낯선 사람들과도 대화하려는 것이 양극성장애의 특징이다. 처음에는 이러한 행동이 사람들에게 호감을 줄 수 있지만, 곧 대화 시 강압적이고 자기 마음대로 하는 성격으로 인해 타인으로 하여금 소외감을 느끼게 하고, 심지어 환자를 두려워하게 만든다.

- 기분의 불안정성으로 인해 대상자는 갑자기 사랑에 빠지기도 하고 사랑이 빠르게 식기도 한다. 이러한 특성은 자신과 타인이 관련된 모든 문제와 연관된다.

양극성장애는 모든 유형의 관계에 영향을 미친다. 과도한 기분항진이 나타나며, 성실했던 배우자가 성적으로 난잡한 성향을 띠게 될 수도 있고, 근검절약하던 주부가 과도한 쇼핑 등으로 낭비를 할 수도 있으며, 보수적이던 투자자가 위험한 투기를 할 수도 있다. 이혼율은 일반적인 사람에 비해 2~3배 높다(American Psychiatric Association, 2002).

(3) 활동 및 외모의 변화

조증 환자는 종종 지나치게 활동적이며 격앙되어 있다. 일반적으로 서성거리기, 과한 몸짓이나 노래, 화려한 드레스, 과도한 화장과 같은 명백한 증상을 나타낸다. 환자는 오히려 개인위생에 신경을 쓰지 못하기도 하고 타인의 혐오를 자아내게 꾸밀 수도 있다. 그들은 수면욕구가 없거나 짧게몇 시간만 잔다. 수면을 취하지 않은 상태에서 수일간 지내다 탈진으로 쓰러지는 경우도 흔하다. 많은 조증 환자들은 인내심, 충분히 오래 앉아있을 수 있는 능력, 또는 먹고싶은 욕구가 없어 식사를 제대로 하지 않기 때문에 영양상태가 부실하다.

2) 주관적 증상

(1) 정동의 변화

조증 환자는 다행감과 자존감의 증가를 경험하며 과대망상 수준에 도달하기도 한다. 주관적으로 조증 삽화를 경험하는 사람은 의기양양, 상승된 기분, 즐거움, 위대함을 경험한다. 천하무적의 느낌은 사회적, 직업적, 대인관계상의 문제를 초래한다.

또 다른 주요 증상은 불안정하거나 빠르게 변화하는 감정이다. 급속한 기분변화는 다정함에서 예민함으로, 또는 행복에서 분노로 변하기도 한다. 예를 들어, 64세의 한 여성이 전 대통령과의 개인적인 친분에 대해 얘기하며 웃다가, 남편이 죽었다며 갑자기 울기 시작했다. 이후 빠르게 자신의 중요성에 대한 이야기로 돌아왔으며, 고조된 기분으로 매우 흥분된 상태를 유지했다.

(2) 지각의 변화

망상과 환각이 발생하며, 그 내용은 일반적으로 기분과 일치한다. 예를 들어, 환자가 자신이 대한민국에서 중요한 사람이라고 여기는 과대망상을 가질 경우에는 기분이 좋은 반면, 자신이 적에게 쫓기고 있다는 편집증적 망상을 보일 경우에는 기분이 침울하고 표정이 굳어 있다. 이를 기분과 일치하는 망상(mood-congruent delusion)이라 한다.

5. 원인

1) 정신역동적 이론

한때 대부분의 정신의학 전문가들은 양극성장애가 심리적인 문제에 기인한다고 믿었다. 발달 이론가들은 어린 시절의 잘못된 가족역동이 양극성장애를 가져온다는 가설을 세웠다. 이 견해에 따르면, 어머니 또는 주 양육자는 자신이 자식을 키운다는 명목 하에 자식의 자율성을 억압한다. 아이가 점점 독립적인 존재가 되어감에 따라 어머니는 불행해지고, 그래서 어머니를 기쁘게 하기 위해 아이는 더욱 의존적이 된다. 즉, 애정을 얻기 위해 어린 나이의 아이는 자신의 자연스러운 경향을 부정하는 법을 배운다. 의존성과 독립성 그리고 이 가족 내에 내재된 모순 사이의 이상한 긴장은 조울증의 원인이 될 수 있다는 것이다. 또한 어떤 이들에게는 어린 시절 인정을 받거나 거부를 당하는 양극단의 경험이 큰 영향을 미쳐, 이것이 성인이 되어서도 의기양양과 우울증을 오가는 감정의 롤러코스터 형태로 대응하여 나타나기도 한다. 일부 정신사회학적 이론이 더 신뢰롭기는 하지만, 많은 전문가들은 가족역동이 조울병의 발생에 중요한 역할을 한다고 믿는다.

다른 심리사회학적 이론은 우울증에 대한 방어 또는 부정의 형태로서 조증 삽화를 설명한다. 이 이론에 따르면, 조울증을 앓는 환자들은 다른 사람에게는 독립적이고 과도해 보이는 삶(예: 너무 뻔뻔하고 말수가 많고 조종적인)을 살지만, 더 이상 강요 또는 조종당하는 것을 용납하지 않는 누군가에 의해 결국 제재를 당하게 된다. 이런 일이 발생하면 실제로 지나치게 의존적인 조증 환자는 정신병적 양상을 보일 수 있다.

2) 신경전달물질 및 구조 가설

일부 전문가들은 여전히 심리적 영향이 크다고 믿지만, 대부분은 생물학적 요인의 중요성을 인지하고 있다. 우울증이 신경전달물질의 결핍에 기인하는 것과 마찬가지로, 조울증은 노르에피네프린과 도파민의 과도한 수준, 콜린성 및 노르아드레날린성 시스템 사이의 불균형, 세로토닌 결핍과 관련이 있는 것으로 보인다. El-Mallakh(1996)은 조증과 우울증 증상을 포함한 양극성장애가 이온조절장애에 의해서 발생한다고 제안했다. **표 18-6**은 이 가설을 요약한다.

이온 관점에 의하면 주요우울장애(또는 단극성 우울증) 및 양극성장애와 관련된 우울증의 차이가 더 클 수 있다. 양극성장애의 우울 삽화가 주요우울장애로 잘못 진단될 수 있으며, 항우울제 처방은 주요우울장애에는 적절하지만 양극성장애 우울 삽화의 경우 논란의 여지가 있다. 양극성장애의 우울 삽화 환자에게는 항우울제를 투여하면 대상자를 오히려 조증 상태로 몰고 갈 수 있다(American Psychiatric Association, 2013).

3) 유전적 고려사항

유전학은 양극성장애에서 중요한 역할을 한다(American Psychiatric Association, 2013). 일란성 쌍생아는 매우 높은 일치율(최대 80%)을 보이며, 이란성 쌍생아는 보통 형제자매 및 가까운 친척보다 약간 더 높은 수준을 나타낸다. 환자의 형제자매와 가까운 친척은 일반 인구보다 양극성장애에 걸릴 확률이 높으며, 순환성장애는 양극성장애 환자의 가족구성원에게 흔하게 나타난다.

양극성장애에 영향을 주는 위험요인이 다음과 같이 발표되었다(Craddock et al., 2009).

- 일차 가족(부모, 아이, 형제자매): 5~10%
- 양극성장애가 있는 일란성 쌍생아 일치율: 40~80%

양극성장애를 앓고 있는 여성을 위한 가족계획 상담과 관련하여 질병의 유전성, 부모의 스트레스, 병이 있는 부모가 자녀에게 미치는 영향과 같은 중요한 문제가 있을 수 있다. 양극성장애가 있는 임산부를 치료할 때 리튬(lithium), 카르바마제핀(carbamazepine) 및 밸프로에이트(valproate)로 인한 기형 발생에 대한 주의가 필요하다. 결과적으로 양극성장애가 있는 임산부의 경우, 약물치료를 하지 않았을 때의 위험이 태아 기형의 위험보다 훨씬 큰 경우에만 약물을 복용해야 한다. 이러한 기형 유발의 위험 때문에 비정형 항정신병 약물이 임산부에게 처방되는 경향이 있다.

6. 공존질환

조증이나 경조증이 있는 환자의 약 87%는 공존질환 상태로 확인된다(Kessler et al., 2005a). 양극성장애 환자의 50% 이상에서 경계성 성격장애, 주의력결핍 과잉행동장애, 범불안장애, 공황장애, 사회불안장애(사회공포증), 강박장애 및 외상후 스트레스장애가 발생한다(Klassen et al., 2010; Marsee & Gross, 2013). 알코올 및 기타 물질의 남용은 양극성장애 환자에게 일반적으로 나타나는데(Suppes et al., 2000), 양극성장애 환자의 절반 이상이 알코올 남용 상태이고(American Psychiatric Association, 2013), 평생 동안 제I형 양극성장애를 앓고 있는 대상자의 60%가 약물남용장애를 진단받는다(Nery & Soares, 2011). 또한 약물남용 환자들은 일반인보다 양극성장애를 가질 가능성이 5~8배 더 높다(Kessler et al., 1997). 마약을 남용하는 환자는 그렇지 않은 환자보다 입원율이 높고 회복률은 낮은 것으로 확인되었다(Nejtek et al., 2008). 양극성장애와 알코올 문제가 동반될 때 조기 우울증이 흔히 나타난다. 일부 의사들은 양극성장애의 대부분의 최초 진단은 알코올 또는 약물남용으로 인해 응급실에 실려왔을 때 이루어진다고 보고했다(Jaffee et al., 2009). Strakowski와 DelBello(2000)는 양극성장애 환자에서 약물남용의 비율이 높은 이유를 4가지 가설로 설명했다.

(1) 약물남용은 양극성장애의 증상으로 발생한다.
(2) 약물남용은 양극성장애 환자가 자가치료를 시도한 결과이다.
(3) 약물남용은 양극성장애를 일으킨다.
(4) 약물남용과 양극성장애의 위험요인은 공통적이다.

알코올과 다른 물질의 사용 및 남용은 양극성장애 환자에게 일반적으로 재발률 증가, 혈중 내 리튬 감소, 증상 완화 지연, 부적절한 치료 이행 등의 문제를 야기한다(Nery

& Soares, 2011; Suppes et al., 2000). 표 18-6은 양극성장애 환자와 관련된 물질사용장애의 문제점을 기술하고 있다(Kosten & Kosten, 2004).

표 18-6 양극성장애 환자의 알코올 및 약물남용 문제
• 항조증 약물 치료 이행도 감소
• 알코올 및 약물이 항조증 약물치료의 효과를 감소시킴
• 입원 빈도 증가
• 치료 효과가 저하되고 예후가 나쁨
• 기분장애 증상이 더 일찍 발병함
• 불안 수준이 높아짐
• 자살시도 증가
• 사고횟수 증가
• 입원 기간 증가

출처: Kosten & Kosten (2004); Nery & Soares (2011).

7. 치료 및 간호중재

양극성장애 환자를 치료하는 데 있어 다음의 3가지 치료목표가 있다.

(1) 급성 조증 조절

(2) 재발 예방

(3) 이전 수준으로의 기능 회복(사회적, 직업적, 대인관계)

1) 간호사-환자 관계

(1) 사실에 근거한 대화

사실에 근거한 대화는 환자가 방어적으로 대응할 필요성을 최소화하고, 불필요한 힘겨루기를 피하게 해준다. 간호사는 환자에게 정서적 지지를 제공하고 사실에 근거한 반응을 보임으로써 상황을 통제하면서도 공감을 전달할 수 있다.

(2) 명확하고 간결한 지침 및 설명

조증 환자는 과도하게 수다스럽고 쉽게 산만해지며, 사고비약을 경험한다. 이로 인해 판단력은 떨어지고 정서가 불안정하며, 과잉행동을 보이기 때문에 이러한 환자들과 함께 한다는 것은 간호사에게 매우 어렵게 느껴질 수 있다. 수다스러운 환자와 직면할 때, 간호사는 익숙한 기술을 사용하려고 시도할 것이다. 예를 들어, 대부분의 사람들은 환자가 잠시 멈출 때까지 기다릴 것이다. 그러나 조증 환자는 말을 멈추지 않는다. 그러므로 이때 효과적으로 대응하기 위해서는 간호사는 손을 들고 "잠시만요. 무례하고 싶지 않지만, 저도 중요한 말을 하도록 하겠습니다"라고 말할 수 있다. 증상이 호전되기 시작하면 간호사는 환자가 말을 멈추고 다른 사람이 말하게 해야 할 때를 알려주는 비언어적인 신호를 고안할 수 있다. 조증 환자는 수다스럽지만, 대화의 내용은 피상적인 경향이 있다. 과잉행동을 보이는 환자와 이야기할 때 간호사는 짧고 간략하게 설명해야 한다. 많은 조증 환자들은 한 주제에 대해 길게 집중하여 대화하기 어렵다.

(3) 제한 설정

간호사가 집단을 이끌어 갈 때, 수다스러운 환자는 다음과 같은 행동으로 훼방을 놓기도 한다.

- 타인의 자존감 조종
- 다른 사람들의 약점 발견
- 타인에게 책임 전가
- 한계 시험(병실 규칙 등의 한계를 테스트하고 도전함)

환자는 다른 환자의 자존감을 손상시키고 간호사를 조롱하며, 다른 사람들을 비난하고 싸움을 걸어 환자 간의 문제를 발생시키는 등 다른 사람들을 조종하려고 한다. 간호사는 취약한 환자를 보호하고 조증 환자가 분노에 빠지지 않도록 해야 한다. 간호사는 화를 내는 대신에 침착함을 유지해야 한다. 그렇지 못하고 "나를 귀찮게 하지 말아주세요", "당신은 중요한 사람이 아닙니다"라고 말하는 방식으로 환자에게 대응하는 것은 치료적이지 않다. 또한 병실 규칙과 한계 설정에 대해 환자와 논쟁하지 않아야 한다. 환자와 함께 이러한 문제에 대해 논쟁하지 않으며, 단순하게 병동의 정책을 진술하고 계속 진행하면 된다. 논쟁은 앞에서 언급한 문제점을 악화시키기 때문이다.

핵심 간호중재: 조증 삽화

식사를 못할 정도로 너무 바쁜 환자

간호사는 환자의 체중을 유지하기 위해 다음과 같이 중재해야 한다.

- 일부 환자는 오래 앉아서 먹을 수 없으므로, 움직이면서 먹을 수 있는 음식(finger food)을 제공한다.
- 환자에게 고단백, 고열량 간식을 제공한다. 비타민보충제가 필요할 수 있다.
- 정기적으로 환자의 체중을 측정한다(때로는 매일).

수면 문제

조증 환자는 불면증을 경험한다. 간호사는 다음과 같은 방법으로 환자의 수면 기회를 극대화하도록 도울 수 있다.

- 취침을 위한 조용한 장소를 제공한다.
- 취침 시간에 자극적인 활동이 적도록 환자의 스케줄을 구성한다.
- 취침 전에 카페인 음료를 허용하지 않는다.
- 환자가 휴식을 취하는 시간을 사정한다. 조증 환자는 휴식의 필요성을 판단할 수 없으며, 휴식의 결핍으로 인해 소진되거나 사망에 이를 수도 있다.

기타 간호중재

- 현실을 강화한다. 조증 환자는 지각의 변화를 경험하므로 지각장애가 있는 환자에게 제공되는 중재를 이들에게도 제공한다.
- 타당한 불만에는 적절하게 대응한다. 사소한 불만을 많이 표출하지만, 간호사는 예민함을 줄이고 신뢰를 발전시키기 위해 타당한 불만에 적절하게 대응해야 한다.
- 환자에게 에너지를 발산할 수 있도록 탁구나 걷기 등 간단한 신체적 활동을 유도한다.

2) 약물치료

양극성장애는 신경퇴화의 가능성이 있고, 기분안정제와 일부 비정형 항정신병 약물이 신경을 보호해주는 역할을 하므로 약물복용 이행은 가장 우선시되어야 한다(Foster et al., 2011).

양극성장애 치료에 리튬(lithium) 및 기타 기분안정제의 효능은 수년간 인정되어 왔다. 리튬은 치료적 수준의 혈중 농도와 독성 농도 수준의 간격이 좁기 때문에 정규적으로 혈중 농도를 확인하는 것이 중요하다. 정규적으로 유지 혈중 농도는 0.6~1.2mEq/L가 표준이며, 일반적으로 900~1,200mg/day의 용량으로 유지한다. 리튬 외에 항경련제 및 비정형 항정신병 약물이 사용되기도 하는데, 가장 효과적인 항경련제는 밸프로에이트(valproate)이고, 특히 디발프로엑스 나트륨[divalproex sodium(Depakote)]은 현재 양극성장애 치료제 중 가장 많이 처방되는 약으로, 리튬과 비교하여 최소 2배 이상 더 많이 처방되고 있다. 다른 효과적인 항경련제로는 카르바마제핀[carbamazepine(Tegretol)]과 라모트리진[lamotrigine(Lamictal)]이 있다.

라모트리진은 양극성장애의 우울 단계를 치료할 때 특히 효

환자 및 가족 교육

양극성장애

질환

양극성장애는 기분의 문제를 특징으로 하는 뇌 장애로서, 우울증에서 다행감으로 이어지는 극단적인 기분 변화를 경험하거나 주로 조증 증상을 나타낼 수 있다. 성인인구의 약 0.6%가 제I형 양극성장애를 경험한다. 조증 삽화는 들뜬 기분, 과민함, 과장된 자존감, 수면욕구 감소, 수다스러움, 산만함 및 쾌락적 활동에 과도하게 관여하는 등의 증상이 나타난다. 이 장애는 전형적으로 20대 초반에 진단되며, 남성과 여성에게 유사한 비율로 발생한다. 많은 양극성장애 환자들이 과도한 스트레스를 받으면, 성적으로 문란하거나 무분별하게 사업에 투자하는 모습 등을 보인다. 몸치장이 과도해지고 평소보다 말이 많아지며 약물과 술에 대한 몰두가 흔히 나타난다.

약물치료

리튬(lithium)은 양극성장애 환자들을 위한 치료에 있어 중요한 역할을 해왔지만, 몇 가지 부작용이 있는 것으로 확인되어 예전만큼 많이 처방되지는 않는다. 대신에 디발프로엑스 나트륨(divalproex sodium)을 처방할 수 있다. 리튬은 자연적으로 발생하는 원소로, 주기율표상 나트륨, 칼륨과 같은 1족 원소이다. 리튬은 나트륨과 매우 유사하기 때문에 신경계는 이를 나트륨으로 오인하기도 한다. 하지만 리튬은 나트륨에 비해 더 느리게 반응하기 때문에 신경계 반응 속도를 더 늦추는 데 사용될 수 있다. 리튬은 효과적이지만 미세 떨림, 갈증, 빈뇨 등의 부작용이 발생하며, 치료 용량과 유해 용량(또는 독성 용량) 사이의 차이가 크지 않기 때문에 문제를 일으킬 수도 있다. 이러한 우려 때문에, 양극성장애 진단을 받은 환자는 정기적으로 혈청 리튬농도 검사를 받아야 한다. 디발프로엑스 나트륨과 같은 항경련제는 양극성장애 치료에 효과적인 약물로, 리튬보다 부작용이 적고 더 안전해 최근 가장 많이 처방되는 약이다. 비록 리튬보다는 안전하다고 해도 디발프로엑스 나트륨과 항경련제 또한 심각한 부작용을 일으킬 수 있다. 비정형 항정신병 약물도 양극성장애 치료에 효과적이지만 상당한 체중 증가를 유발하는 것으로 알려져 있다.

기타 문제들

양극성장애 환자는 자존감 증가, 과다행동, 수다스러움, 과도한 몸치장, 인내심 결여 등으로 인해 가족과 함께 살기가 매우 어려울 수 있다. 하지만 양극성장애 환자들은 놀랄 만큼 창조적이고 생산적일 수 있다. 이 진단을 받은 환자에게는 명확하고 간결하게 의사소통을 하는 것이 중요하다. 한계를 설정하고, 비판적이고 부정적인 경향을 더 건강한 활동으로 전환시키도록 한다. 때로는 힘들기도 하지만, 정신간호사는 간호사에게 향할 수 있는 환자의 부정적이고 비꼬며 무례한 말들을 간호사 자신을 비난하는 것으로 받아들이지 않는 것이 중요하다. 개인치료보다 가족치료가 더 효과적이며, 가족의 지지적인 태도가 재발을 줄일 수 있다는 것이 연구를 통해 밝혀졌다.

과적이라는 것이 판명되었다. 가바펜틴[gabapentin(Neurontin)], 옥스카바제핀[oxcarbazepine(Trileptal)], 토피라메이트[topiramate(Topamax)]와 같은 최신 항경련제도 때때로 사용된다. 비정형 항정신병 약물은 급성 조증의 치료를 위해 사용되고 있으며, 양극성장애의 우울 삽화 치료를 위한 항우울제 사용은 조증을 유발할 수 있기 때문에 논쟁의 여지가 있다(American Psychiatric Association, 2002).

3) 치료적 환경관리

양극성장애 환자는 다른 질환의 환자들보다 더 많은 활동 및 치료 프로그램에 참여하기 때문에 환경관리는 양극성장애 환자 간호에 있어 중요하다.

(1) 안전

간호사는 양극성장애 환자가 자신이나 타인에게 손상을 입히지 않도록 해야 한다. 정신질환자들은 일이 뜻대로 되지 않으면 화를 내고, 이러한 병적인 민감성은 말다툼, 싸움, 자해(예: 벽을 치는 행위, 주변 환경에 주목하지 않는 행위)와 다른 사람들을 해치는 결과를 초래한다. 치료진이 환자 자신이나 타인을 해치도록 내버려두지 않을 것이라는 것을 깨닫게 되면 환자는 안심하게 된다.

(2) 직원 간의 일관성 유지

양극성장애 환자들은 갈등을 일으키고, 다른 환자나 의료진을 괴롭히면서, 타인을 탓하거나, 한계 설정을 시험하고 책임을 전가하는 경향이 있기 때문에, 간호사는 신중하게 관리계획을 세워야 한다. 간호사를 포함한 의료진과 직원들은 자주 대면하여 갈등을 완화하고, 의사소통을 명확하게 하도록 한다. 모든 직원은 중재 전략을 숙지하고 정해진 규칙에 따라 일관성을 유지해야 한다. 경험이 부족한 직원들은 환자가 직원 간에 분열을 조장하려는 시도에 넘어가지 않도록 주의해야 한다(예: “당신만이 나를 이해해 주네요”).

(3) 환경자극 감소

양극성장애 환자들은 과다활동, 수다스러움, 과민함, 분노조절의 어려움 등의 증상을 보이므로 환경적 자극을 줄이는 것이 중요하다. 환자들은 산만하고 모든 종류의 환경적 단서에 반응하므로, 가능한 한 치료적 환경을 조성하는 것이 중요하다. 타인과의 제한된 활동을 제공하고 자극 수준이 낮은 환경을 유지하며, 구조화된 개인활동, 에너지를 보다 건설적인 방법으로 이끌어 주는 운동(예: 걷기, 청소, 에어로빅)을 격려하며, TV나 오디오가 없는 공용공간을 제공하는 것이 도움이 된다.

(4) 공격적인 환자에 대한 중재

조증 환자는 적대적이고 공격적이 될 수 있으므로 치료진들의 침착하고 자신감 있는 대처가 중요하다. 공격적인 환자의 경우, 할로페리돌(haloperidol)과 같은 항정신병 약물을 투여하여 공격성을 방지하고 위험한 물건(예: 의자, 당구대 큐)을 치운다. 필요시 한계를 설정하고, 설정한 제한을 위반했을 경우 어떻게 할 것인가에 대한 검토가 이루어져야 한다. 너무 사소한 사항에 대해서는 제한 설정을 하지 않는 것이 좋다. 잘못된 정책을 옹호하거나 환자와 병동 문제에 관해 논쟁하는 것은 비치료적이다. 환자가 병동 규칙을 위반하는 경우 적절한 조치를 취하는 것이 치료적이다.

(5) 적절한 위생 및 자가간호의 강화

양극성장애 환자들은 위생을 챙겨야 한다는 것을 잊어버려 용모가 단정하지 못하고 금세 더러워진다. 간호사가 샤워나 양치질, 옷 갈아입기 등에 대해 간단히 상기시킴으로써 이로 인한 문제들을 해결할 수 있다. 간호사는 또한 환자가 현란하고 선정적인 옷차림을 하는지를 관찰해야 한다.

(6) 영양과 수면 문제

불충분한 영양과 부적절한 수면 패턴은 양극성장애 환자들을 괴롭게 한다. 환자의 영양과 수면을 돕는 중재는 매우 중요하다.

(7) 일상생활

간호사가 할 수 있는 가장 중요한 역할 중 하나는 일과를 확립하도록 돕는 것이다. 규칙적인 취침, 식사 및 기상시간은 양극성장애 환자에게 대단히 효과적인 치료법이 될 수 있다.

8. 조증 평가척도

조증 심각도를 평가하는 '영 조증평가 척도(Young mania rating scale, YMRS)'는 조증의 주요증상 11항목과 각 증상의 중증도를 5점 척도로 측정한다(Young et al., 1978). 측정하는 11항목은 (1) 고조된 기분, (2) 활동 및 에너지 증가, (3) 성적 관심, (4) 수면, (5) 불안정성, (6) 말하는 패턴(속도 및 양), (7) 언어 및 사고 장애 (8) 사고의 내용 (9) 파괴적/공격적 행동, (10) 외모, (11) 병식(통찰력) 등이다. 최대 점수는 60점으로 점수가 높을수록 중증도가 높다고 본다. 임상적으로 20점을 넘을 경우 약물치료를 고려한다.

CASE STUDY

50세의 변호사인 김OO 님은 제형 양극성장애 조증으로 진단 받았다. 그는 술집에서 3명의 남성과 다툼을 벌여 경찰에 체포되었으며, 과도하게 음주를 해온 과거력이 있다. 그는 집중을 하지 못하고 매우 산만했으며, 수다스럽고 안절부절못하는 모습을 보여 정신과 병동에 입원했다. 그는 사고비약을 보였으며, 회사 동료가 자신의 아내와 부정을 저질렀다고 의심하면서 매우 적대적으로 말했다. 그는 이번 입원을 포함하여 총 3번 입원하였다. 첫 번째 입원은 12년 전으로, 아내와의 성관계 후 성병에 감염되어 입원했으며, 이 후 2008년에 두번째 입원 시에는 별다른 소견은 없었다. 과거에 환자는 리튬에 잘 반응했으며, 올란자핀도 처방받았다. 두 차례의 입원치료 후에 환자의 상태는 매우 호전되었으며, 업무에서도 좋은 성과를 올렸다. 환자의 아내는 환자가 3일 전부터 잠을 자지 않고, 먹지도 않는다고 보고하였으며, 정확한 기간은 확실하지 않다고 했다. 그녀는 남편이 리튬 복용을 중단하기 전까지는 관계가 순탄했다고 말했다. 환자의 불안정한 상태를 호전시키기 위해 환자를 신속히 입원시켰고, 간호사는 환자를 조용한 곳에 배치하여 우유와 크래커 등의 간식을 제공하였다.

간호과정

이름: 김OO **입원일:** ______

DSM-5 진단: 양극성장애

사정

강점

배우자와의 관계가 긍정적이며, 직장 동료들이 환자와 함께 다시 일하기를 원한다. 환자는 적절한 판단력을 가지고 있으며, 과거에 리튬에 대한 반응이 좋았다

간호문제

- 환자는 다른 사람들을 위협하고 화나게 하고 있다.
- 환자는 술집에서의 싸움으로 법적인 문제가 있다.
- 환자는 자신의 동료가 아내와 부정을 저질렀다면서 앙갚음하겠다고 위협하고 있다.
- 최근 약물치료를 이행하지 않았으며 그는 리튬을 복용하지 않겠다고 진술했다.

진단

1. 폭력 위험성(근거: 조증, 망상, 예민함, 모르는 사람들과의 싸움)
2. 피로(근거: 3일 동안 불면증을 겪음)
3. 영양불균형: 신체요구량보다 적음(근거: 음식섭취에 대한 무관심)

관련요인

1. 폭력 위험성(조증 흥분, 망상적 사고, 충동성, 편집증적 사고)
2. 피로(수면량 감소, 과다행동)
3. 영양불균형(음식에 대한 관심결여, 과다활동, 식욕저하, 지나친 신체적 초조)

간호목표

단기 목표

날짜: ______ 환자는 입원 동안 아무에게도 손상을 입히지 않는다.

날짜: ______ 환자는 약물치료를 준수한다.

날짜: ______ 환자가 초조나 흥분이 감소할 것이다.

날짜: ______ 환자는 병동의 기준 및 한계를 준수한다.

장기 목표

날짜: ______ 환자는 조증 삽화가 없는 상태를 유지할 것이다.

날짜: ______ 환자는 외래환자 수준만큼 리튬을 복용하게 될 것이다.

날짜: ______ 환자가 법적 문제를 해결할 것이다.

날짜: ______ 환자가 양극성장애 자조집단에 참여할 것이다.

〈계속〉

계획 및 중재	**간호사-환자 관계** • 환자에게 사무적인 태도로 말하고, 공격적인 행동이 용납될 수 없음을 분명히 설명한다. • 확고하고 명확한 한계를 정한다. • 병동의 정책이나 제한에 대해 논쟁하지 않는다. • 내용을 짧고 간략하게 말한다. • 비꼬는 말에 분노로 맞대응하지 않는다. • 긍정적인 행동에 대해서는 보상을 제공하고 받아들일 수 없는 행동은 (조심스럽게) 직면시킨다. **약물치료:** Lithium 600mg tid PO(농축), Olanzapine 15mg을 취침 시 투여한다. **치료적 환경관리** • 조용한 방을 제공하여 자극요소를 줄인다. • 며칠 동안 집단 활동요법에는 참여하지 않도록 한다. • 휴식을 취할 기회를 제공하고 수면 패턴을 관찰한다. • 가지고 다닐 수 있는 간식이나 음식을 제공하고 매일 체중을 측정한다. • 한계를 설정한다.
평가	• 환자는 초조와 흥분이 감소하였고, 일정대로 리튬을 복용하고 있다. • 환자는 아내의 부정에 대한 의심을 언급하는 횟수가 감소하였다. • 환자는 체중감소가 없다. • 환자는 계속 한계를 시험한다.
의뢰	외래 진료 예약을 하고, 환자 및 아내에게 양극성장애 지지집단에 대한 연락처를 제공한다.

표 18-8 양극성장애 환자의 간호진단에 따른 관련 증상, 기대되는 결과

간호진단	정의	관련 증상(행동)	기대되는 결과
신체손상 위험성	지각장애 또는 생리적 결함이 있거나, 위협을 인지하지 못하거나, 발달연령상의 요인으로 인해 신체가 해를 입은 위험이 있는 상태	극도의 과다행동, 파괴적인 행동, 증가된 초조, 화가 날 때 벽에 머리를 부딪침, 분노발작, 통제력 결여	위험한 활동을 하지 않는다. 과다행동을 하는 동안 신체적 손상을 입은 징후를 나타내지 않는다.
타인에 대한 폭력 위험성	타인에게 신체적 위해를 가할 수 있는 행동을 취하는 상태	의심, 망상, 환각, 조증 흥분, 경직된 자세, 주먹을 꼭 쥐거나 이를 악물고 있음, 위협하는 자세, 충동성, 자살사고, 지속적인 불평 등 반복적인 언어표현	적절한 태도로 분노를 표현할 수 있다. 자기 스스로 행동을 조절한다. 타인에게 해를 끼치지 않는다. 타인의 영역을 침범하지 않는다.
영양불균형: 신체요구량보다 적음	대사요구량에 비해 영양을 부족하게 섭취하는 상태	체중 감소, 식욕결핍, 지나친 과다활동, 정신운동성 초조, 음식에 대한 관심 결여, 무월경, 전해질 불균형	점진적으로 체중이 증가된다. 활력징후, 혈압, 혈청 임상검사치가 정상 범위 내에 있다. 적절한 영양과 수분 섭취의 중요성을 말로 표현한다.
사회적 상호작용 장애	사회적 관계가 질적으로 적절하지 않거나 또는 지나치게 비효율적으로 사회적 교류에 참여하는 상태	쏟아내듯이 이야기함, 만족스러운 관계 발전의 어려움, 조종행동	어떤 한 대상자와 대인관계를 형성하고 만족스럽게 유지한다. 자신의 행동에 대한 책임을 받아들인다. 자신의 욕구를 충족시키기 위해 타인을 조종하지 않는다.
수면양상장애	수면-각성 주기가 규칙적이지 않고, 잠들기 어렵거나 수면의 질이 좋지 않은 상태	잠들기 어려움, 불안, 밤에 수시로 깸, 이른 새벽에 깨어 안절부절못함	약을 복용하지 않고 매일 밤 6~8시간 수면을 취한다. 깊은 수면을 취했다고 표현한다.
만성적 자존감 저하	자신이나 자기의 능력에 대해 부정적인 평가나 느낌이 오랫동안 지속된 상태	시선을 마주치지 않음, 수치심과 죄책감에 대한 표현, 확신이 없는 자세, 문제에 대한 비난이나 책임을 투사함	자신에 대한 긍정적 지각을 말로 표현한다. 새로운 활동에 참여한다.

출처: Herdman, T. H., Kamitsuru, S. (2018). Nursing Diagnosis Definitions & Classification 2018-2020. 11th edition. Thieme: New York Stuttgart Delhi Rio de Janeiro.
Johenson, M., Maas, M., Moorhead, S. (2000). IOWA OUTCOME PROJECT Nursing Outcomes Classification(NOC). 2nd edition. Mosby: St. Louis London Philadelphia Sydney Toronto.
McCloshey, J. C., Bulechek, G. M. (2000). IOWA INTERVENTION PROJECT Nursing Interventions Classification(NIC). 3rd edition. Mosby: St. Louis London Philadelphia Sydney Toronto.
고성희 등(2013). 정신간호진단과 중재. 수문사.

STUDY NOTES

1. 양극성장애의 1년 유병률은 성인인구의 약 1.8%이며, 양극성장애의 평생 유병률은 미국인의 경우 약 4.1%에 달한다.
2. 조증 삽화는 비정상적으로 들뜬 기분, 과대성 또는 불안정한 기분이 드는 뚜렷한 기간(최소 1주일 또는 입원한 경우 1주일 이하)을 특징으로 한다. 이러한 증상들은 갑자기 발생하여 급속히 증가하며 며칠에서 몇 달까지 지속된다. 진단을 위해서는 다른 증상이 3가지 이상 필요하다(표 18–1 참조).
3. 경조증 삽화는 조증 삽화와 유사한 양상을 보이지만, 증상의 정도는 조증보다 덜 심하다. 삽화는 4일 이상 지속되어야 진단내리며, 사회적, 직업적, 대인관계적 문제를 나타내지 않으므로 입원은 필요하지 않다.
4. 제I형 양극성장애는 조증 삽화에서 주요우울장애로 기분의 변화를 나타낸다.
5. 제II형 양극성장애는 경조증에서 주요우울장애로 기분의 변화를 보인다.
6. 순환성장애는 경조증에서 기분저하 증상으로 변화를 보인다(우울 삽화는 주요우울장애만큼 증상이 심하지는 않다).
7. 양극성장애는 언어 패턴의 변화, 사회적·대인관계적·직업적 변화를 보이고 활동과 외모의 변화와 같은 객관적인 징후를 보인다.
8. 양극성장애의 주관적인 증상에는 정동과 지각의 변화가 포함된다.
9. 양극성장애에 대한 심리사회학적 이론에는 가족역학과 정신분석에 관한 이론이 포함되어 있는데, 이는 조증의 행동을 압도적인 우울증에 대한 방어기제로 보고 있다.
10. 양극성장애에 대한 생물학적 이론은 신경전달물질(노르에피네프린과 도파민)의 과잉수준과 유전학을 포함한다(몇 연구에서 일란성 쌍생아의 80%가 일치함).
11. 리튬은 양극성장애에 선택적으로 사용할 수 있는 약이다. 하지만, 밸프로산[예: Valproic acid(Depakene), divalproex sodium(Depakote)]은 더 많이 처방되며, 비정형 항정신병 약물들 또한 양극성장애의 치료에 승인되었다.

참고문헌 REFERENCES

American Psychiatric Association. (2002). Practice guidelines for the treatment of patients with bipolar disorder. American Journal of Psychiatry, 159(Suppl. 4), 16.

American Psychiatric Association. (2010). Diagnostic and statistical manual of mental disorders, text revision (4th ed.). Arlington, VA: APA.

American Psychiatric Association. (2013). Diagnostic and statistical manual of mental disorders (5th ed.). Arlington, VA: APA.

Anonymous. (2008). Improving outcomes in bipolar disorder. Psychosocial therapies augment medication, but challenges remain. Harvard Mental Health Letter, 24(1).

Anonymous. (2009). Schizophrenia and bipolar disorder may share genetic origins. Harvard Mental Health Letter, 25, 7.

Centers for Disease Control and Prevention. (2013). Burden of mental illness. www.cdc.gov/mentalhealth/basics/burden.htm, Accessed 02.03.14.

Craddock, N., O'Donovan, M. C., & Owen, M. J. (2009). Psychosis genetics: Modeling the relationship between schizophrenia, bipolar disorder, and mixed (or "schizoaffective") psychoses. Schizophrenia Bulletin, 35, 482.

El-Mallakh, R. S. (1996). Lithium: Actions and mechanisms. Washington, DC: American Psychiatric Association.

Foster, A., Sheehan, L., & Johns, L. (2011). Promoting adherence in patients with bipolar disorder. Current Psychiatry, 10, 45.

Jaffee, W. B., et al. (2009). Depression precipitated by alcohol use in patients with co-occurring bipolar and substance use disorders. Journal of Clinical Psychiatry, 70, 171.

Jamison, K. R. (1997). An unquiet mind. Westminster, MD: Vintage. Janowsky, D. S., Leff, M., & Epstein, R. S. (1970). Playing the manic game. Archives of General Psychiatry, 22, 252.

Keltner, N. L., & Folks, D. G. (2005). Psychotropic drugs (4th ed.). St. Louis: Mosby. Kessler, R. C., et al. (1997). Lifetime co-occurrence of DSM-III-R alcohol abuse and dependence with other psychiatric disorders in the National Comorbidity Survey. Archives of General Psychiatry, 54, 313.

Kessler, R. C., et al. (2005a). Prevalence, severity, and comorbidity of 12-month DSM-IV disorders in the National Comorbidity Survey Replication. Archives of General Psychiatry, 62, 617.

Kessler, R. C., et al. (2005b). Lifetime and age-of-onset distributions of DSM-IV disorders in the National Comorbidity Survey Replication. Archives of General

Psychiatry, 62, 593.
Kessler, R. C., et al. (2012). Twelve-month and lifetime prevalence and lifetime morbid risk of anxiety and mood disorders in the United States. International Journal of Methods in Psychiatric Research, 21, 169.
Klassen, L. J., Katzman, M. A., & Chokka, P. (2010). Adult ADHD and its comorbidities, with a focus on bipolar disorder. Journal of Affective Disorders, 124, 1.
Kosten, T. R., & Kosten, T. A. (2004). New medication strategies for comorbid substance use and bipolar affective disorder. Biological Psychiatry, 56, 771.
List of people believed to have been affected by bipolar disorder. (n.d.). 〈http://en.wikipedia.org/wiki/List_of_people_believed_to_ have_been_affected_by_bipolar_disorder 〉 Accessed 29.01.14.
Manji, H. K., & Lenox, R. H. (2000). The nature of bipolar disorder. Journal of Clinical Psychiatry, 61(Suppl. 13), 4257.
Marsee, K., & Gross, A. F. (2013). Bipolar disorder or something else? Current Psychiatry, 12, 43.
Moon, A. M. (2005). Late-onset bipolar patients not as ill as counterparts. Clinical Psychiatry News, 33, 48.
Moore, G. J., et al. (2000). Lithium-induced increase in human brain grey matter. Lancet, 356, 1241.
Nejtek, V. A., et al. (2008). Do atypical antipsychotics effectively treat co-occurring bipolar disorder and stimulant dependence? A randomized, double-blind trial. Journal of Clinical Psychiatry, 69, 1257.
임숙빈 외(2016), 정신건강간호학, 현문사, 364
고성희 외(2013), 정신간호 진단과 중재, 수문사, 157~160

CHAPTER

19

불안장애, 강박장애, 신체증상 및 관련 장애

Anxiety disorders, Obsessive-Compulsive, Somatic Symptom-related Disorders

evolve WEBSITE

http://evolve.elsevier.com/Keltner

학습목표

- 불안장애, 강박장애, 신체증상 및 관련 장애를 정의한다.
- 각 질환에 대한 DSM-5 진단기준을 설명한다.
- 대상자의 불안 정도를 사정한다.
- 장애의 관련요인을 설명한다.
- 장애의 유형을 구분하고, 행동특성을 설명한다.
- 장애를 가진 환자에게 간호과정을 적용한다.

이 장은 DSM-5에 따른 불안장애, 강박 및 관련 장애, 신체증상 및 관련 장애를 다루고 있다. 이 장애들은 스트레스, 불안 또는 두려움에 뿌리를 두고 있다. 불안의 원인을 파악하고, 정신장애가 어떠한 증상으로 나타나 개인에게 어떻게 영향을 미치는지 아는 것이 중요하다. 이러한 맥락 안에서 장애를 이해함으로써 간호사는 적절한 간호중재를 시행할 수 있다.

I 불안장애

불안장애(anxiety disorders)는 과도한 불안과 두려움에 관련된 행동장애의 특징을 함께 나타내는 장애이다. 불안장애에는 다음의 장애가 포함된다. (1) 공포장애 (2) 사회불안장애 (3) 공황장애 (4) 범불안장애 (5) 분리불안장애 (6) 선택적 함구증.

DSM-5 진단분류: 불안 관련 장애

불안장애
- 공포장애
- 사회불안장애(사회공포증)
- 공황장애
- 범불안장애
- 분리불안장애
- 선택적 함구증

강박 및 관련 장애
- 강박장애(OCD)
- 신체이형장애
- 수집광
- 발모광(털뽑기장애)
- 피부뜯기장애

신체증상 및 관련 장애
- 신체증상장애
- 질병불안장애
- 전환장애
- 인위성장애

출처: American Psychiatric Association. (2013). *Diagnostic and statistical manual of mental disorders* (5th ed.). Arlington, VA: APA.

1. 불안의 개념

불안은 다음과 같이 설명된다.

- 객관적인 행동에 의해서만 발견될 수 있는 주관적인 경험
- 정서적 고통
- 가시화되는 대상이나 계기가 있는 공포에 비해, 보이지 않는 대상의 위협으로 인한 불안, 두려움 또는 무력감
- 지각된 위험 또는 위협의 경고신호
- 불안을 제거하기 위한 행동을 유발(자동적 해결 행동)
- 자기방어 준비를 위한 경고
- 불안 수준 발생
- 전파 경향: 한 사람에게서 다른 사람에게 전달
- 고립된 현상이 아닌 진행과정의 부분

불안에 대한 최근의 연구는 불안의 생리적 기반을 확인하였다. 불안은 '시상하부-뇌하수체-부신 축', '시상하부-뇌하수체-생식선 축', 변연계 보상경로를 중심으로 한 신경화학적 반응의 결과이다. 이러한 정보는 스트레스 사건이 신체에 영향을 미친다는 것을 보여준다. 스트레스 사건에 의해 영향을 받는 것으로 밝혀진 주요 신경화학적 변화는 다음과 같다(Aguilera, 1998; Charney, 2004; Eisner, 2004; Hoffart & Keene, 1998; Koob, 2008; Taylor et al., 2001).

- 청반핵 및 대뇌피질의 에피네프린 및 노르에피네프린 증가
- 뇌하수체 코르티코트로핀 호르몬과 디하이드로에피안드로스테론 증가
- 부신피질 자극호르몬과 코르티코스테론 수치 증가
- 전두엽 피질에서의 도파민 분비 증가 및 변연계에서의 도파민 분비 감소
- 내인성 아편제 분비 증가
- 글루코코르티코이드(코르티솔) 수치 증가
- 갑상선자극호르몬방출호르몬 증가
- 갑상선자극호르몬 증가
- 말초 교감신경계 활동 증가
- 세로토닌 수용체의 기능 변화
- 벤조디아제핀 수용체 결합의 감소
- 테스토르테론 수치 감소
- 에스트로겐 수치 증가

불안 관련 반응은 위험한 상황을 견뎌내고 생존하는 데 중요하다. 증가된 노르아드레날린성 및 도파민성 시스템 활동은 중추신경계의 과다각성 및 과잉각성을 유발하여 빠른 행동반응을 촉진시킨다. 내인성 아편제의 분비 증가는 심각한 상해와 관련된 두려움과 고통에 대한 내성을 강화시키고, 정서적으로 무뎌지게 하며, 신체적으로는 통각상실을 유발한다(Martenson et al., 2009). 또한 코르티솔 수치의 증가는 신진대사 활성화로 이어져 신체 활동을 촉진시킨다(Charney, 2004). 그러나 개인이 스트레스 요인에 지속적으로 노출될 경우, 이러한 반응의 효과는 사라진다(Clements & Turpin, 2000). 이는 카테콜아민과 갑상선계의 변화, 침체된 면역체계와 관련이 있다. 이와 더불어 세로토닌의 결핍은 자살위험을 증가시킬 수 있다(Jiwanlal & Weitzel, 2001).

불안에 대한 한계 설정치가 변경되고 장기간의 생리적 및 심리적 부담으로 알레르기가 발생하면, 불안 관련 반응이 후속 스트레스 요인에 의해 보다 쉽게 재가동되면서 더 민감해진다. 청반-노르에피네프린 체계는 만성 불안, 침입된 기억, 두려움과 관련하여 역할을 한다(Charney, 2004; Hoffart & Keene, 1998). 신체적·정신적 증상이 다시 추가적인 스트레스, 부정적인 사고 및 두려움을 유발하는 스트레스 순환으로 발생될 수 있는데, 이러한 반응은 스트레스 반응의 재활성화로 이어지며, 점점 더 심하고 빈번한 증상을 초래한다. 결국 흥분성, 근육긴장, 두통, 허리통증, 불면증, 위장질환, 고혈압, 심계항진, 인슐린 저항성, 면역기능 저하, 복부지방 증가 및 심혈관질환과 같은 증상이 발생할 수 있다(Charney, 2004; Eisner, 2004; Hoffart & Keene, 1998; Soderstrom et al., 2000). 대조적으로 최초의 스트레스가 해결되면, 신체는 부교감신경계의 활성화와 시상하부 및 뇌하수체에서의 활동 감소를 통해 정상으로 돌아갈 수 있다(이완반응).

1) 불안의 수준

불안의 수준은 경미한 불안, 중등도 불안, 심한 불안, 그

리고 공황으로 나뉜다. 불안의 4가지 수준에 대한 페플라우(Hildegard E. Peplau, 1968)의 개념은 설리반(Harry S. Sullivan, 1953)의 이론에 기초한 것이다. 불안의 구체적인 수준 확인은 중재 시 지침으로 사용될 수 있다. 경미한 불안에서 공황까지의 4가지 불안 수준이 규정되어 있기는 하지만, 이 수준들 사이의 경계가 명확하지는 않고, 질환을 앓고 있는 개인들의 행동과 특징이 각각의 범주에서 겹칠 수 있다.

(1) 경미한 불안

경미한 불안은 일상생활의 정상적인 경험에서 발생하며, 이 상태에서는 의식이 명료해지고 지각범위가 증가한다. 더 많은 정보를 보고 듣고 파악하며, 동기가 증가한다. 또한 창의성과 개인적인 성장이 촉진되며, 학습효과가 증대됨으로써 더욱 효과적으로 문제를 해결한다. 가벼운 불편감, 불안정, 민감성, 또는 손톱 물어뜯기 등의 긴장완화 행동이 나타날 수 있다.

(2) 중등도 불안

환자는 불안을 일으키는 자극과 관련된 선택적 주의를 차단하는데, 이를 선택적 부주의(selective inattention)라 한다. 이 상태에서는 당면한 문제에만 관심이 모아지고, 명확하게 사고할 수 없다. 지각범위가 좁아지지만, 다른 방향에도 관심을 가질 수 있다. 중등도 수준의 불안에서 다른 사람의 지원이 있는 경우, 대상자의 문제해결 능력은 크게 향상된다. 신체적인 증상으로 긴장, 심계항진, 맥박과 호흡의 증가, 발한, 두통, 소화불량 등이 나타날 수 있다. 목소리가 떨리고 동요가 감지되기도 한다. 경미한 또는 중등도 수준의 불안은 대상자의 생활에서 주의를 요하는 신호로 간주될 수 있다.

(3) 심한 불안

심한 불안을 겪고 있는 사람의 지각범위는 현저하게 줄어든다. 또한 감각의 범위와 감각수용 능력이 크게 저하되며, 사소한 특정 내용에만 신경을 집중하고 다른 것은 생각할 수 없다. 이 수준에서는 학습과 문제해결이 불가능하고, 선택적 부주의가 증가하며, 멍한 상태가 되고 혼란스러워진다. 또한 무의식적 행동을 하거나 불안을 감소시키고 완화시키는 데 집중한다. 흔히 두통, 메스꺼움, 현기증, 불면증, 떨림이 나타나거나 심계항진 등이 심하게 증가하는 것을 호소한다. 가장 전형적인 경험은 과호흡 증후군과 공포감이다.

(4) 공황

공황 수준은 불안의 가장 심한 상태로, 두렵고 무서운 감정과 공포감을 경험하며, 옆에서 도움을 주어도 아무것도 할 수 없을 것 같은 느낌을 갖는다. 환자는 주어진 일들을 처리할 능력이 없으며, 현실감을 잃을 수도 있다. 당황하거나 소리 지르기, 비명 등의 행동이 나타나고, 집안에만 머문다. 공황 수준의 불안을 겪고 있는 대상자는 존재하지 않는 사람이나 사물을 보는 것과 같은 환각이나 허위 감각지각을 경험할 수 있다. 신체적 행동은 변덕스럽고 균형을 잡지 못한다. 불안을 감소시키고 완화시키기 위해 무의식적인 행동을 하지만, 그러한 노력은 효과적이지 않다. 급성 공황은 기진맥진으로 이어질 수 있다.

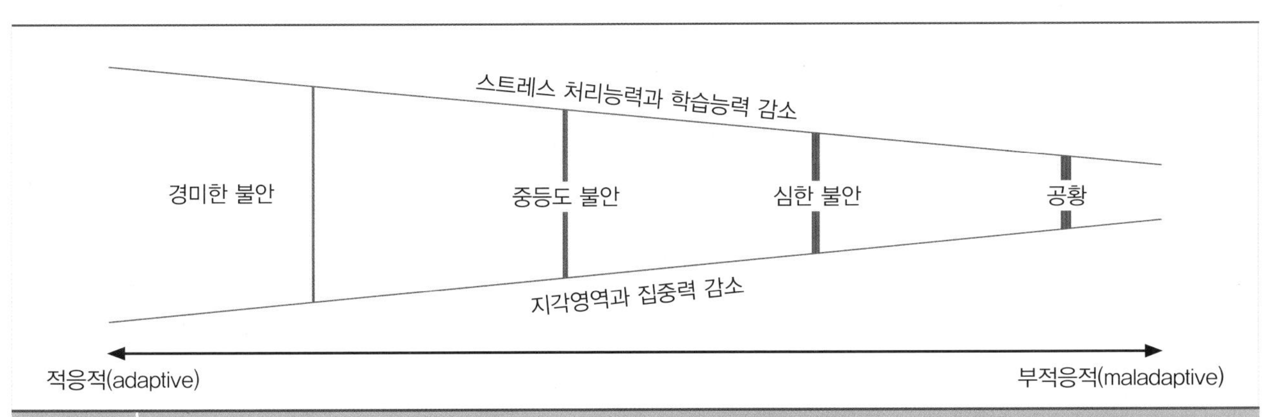

그림 19-1 불안의 수준과 효과

2. 공포장애

공포증(phobias)은 특정한 대상이나 행동, 상황에 처했을 때, 비현실적인 두려움과 불안 증상이 발생하여 이를 극복하지 못하고 그 대상이나 상황을 회피하는 장애를 말한다.

1) 원인

특정한 개인, 환경, 가족, 그리고 유전적 요인들이 공포 장애의 원인이 되며, 공포증의 종류는 환경의 영향과 유전적 소인에 따라 다르게 나타날 수 있다. 사회공포증이 있는 환자에게 자기공명영상 촬영을 진행하면서, 부정적인 감정을 불러일으키는 상황을 상기하도록 요청했을 때, 감정을 담당하는 뇌의 전두엽 피질과 편도체에 혈류가 증가하는 것이 확인되었다.

2) 유형

(1) 광장공포증

광장공포증(agoraphobia)은 특정 상황에 대한 실제 또는 예상되는 노출 때문에 발생하는 뚜렷한 공포나 불안이 특징이다. 특정 상황으로는 (1) 대중교통 수단, (2) 개방된 공간(예: 주차장, 시장, 다리 등), (3) 밀폐된 장소(예: 상점, 영화관 등)에 있는 경우, (4) 군중 속에 있는 경우, (5) 혼자 집 밖에 있는 경우 등이 해당한다. 광장공포증 환자는 탈출할 수 없거나 발작 등의 증상이 나타났을 때 완화되도록 도움을 받지 못 할까 봐 걱정하여 이러한 상황을 피하는데, 환자는 실제 위험에 비해 과도하게 극심한 공포와 불안감을 나타내는 것이 특징이다. 광장공포증의 과정은 전형적으로 만성적이고 지속적이다.

(2) 특정공포증

특정 공포증(specific phobias)은 특정 대상 또는 상황(즉, 비행기, 높은 곳, 동물, 주사, 피 등)에 대해 현저한 두려움이나 불안을 느끼는 것이 특징이다. 두려워하는 대상이나 상황은 즉각적인 두려움을 유발하며, 환자는 이를 극심한 불안으로 피하거나 참아낸다. 두려움이나 불안은 대상이나 상황에 의한 실제 위험과 비례하지는 않는다. 경험하는 불안의 정도는 두려움을 유발하는 대상이나 상황에 따라 다르다. 특정 공포증은 일반적으로 외상 사건을 직접 경험하거나(예: 엘리베이터에 갇히게 됨), 또는 외상 사건을 겪고 있는 다른 사람들을 목격한(예: 누군가 익사하는 것을 목격) 후에 발생한다. 특정 공포증은 흔히 경험되는 장애이다(American Psychiatric Association, 2013).

(3) 사회불안장애(사회공포증)

사회공포증(social anxiety disorder, social phobia)은 사회적 상황에서 타인이 자신을 유심히 관찰하는 것에 대한 뚜렷한 두려움이나 불안감이 특징이다(예: 새로운 사람을 만나거나, 식당에서 식사를 하거나, 대중 앞에서 연설하는 상황). 환자는 이러한 상황에서 부정적인 평가를 받고 창피를 당하거나 당황할까 봐 염려한다. 즉, 다른 사람들이 자신을 약하고 멍청하거나, 지루하고, 위협적이고, 비호감인 사람으로 판단할까 봐 두려워한다. 이로 인해 떨거나, 땀을 흘리거나, 말을 더듬거리는 것과 같은 신체적 불안의 증상이 나타나며, 환자는 이러한 증상이 나타나는 것 자체를 두려워할 수도 있다. 또한 예정되어 있는 사회적 사건에 대해(예: 공연이나 발표를 해야 하거나, 생일 축하모임이나 친구들과의 사교 모임 날짜가 다가오는 경우) 이를 생각하는 것만으로도 불안감과 두려움이 유발될 수 있다(American Psychiatric Association, 2013).

3) 치료 및 간호중재

(1) 간호사-환자 관계

공포증이 있는 환자는 대개 외래로 통원한다. 만약 공포증이 생활에 지장을 줄 만큼 심각한 정도로 환자를 불편하게 할 경우에는 입원할 수도 있다. 예를 들어, 만약 세균공포증 때문에 먹을 수도 마실 수도 없어서 영양실조나 탈수 현상을 일으킨 경우, 환자는 입원해야 한다. 다음은 공포장애를 경험하는 환자에게 유용한 간호중재이다.

- 환자의 공포를 무비판적 태도로 받아들인다.
- 환자의 불안감을 증가시키지 않는 활동을 제공하고 이에 환자를 참여시킨다.
- 신체적 안전과 편안함을 제공한다.
- 환자 자신의 행동이 불안을 피하는 방법이라는 것을 인식하도록 돕는다.

(2) 약물치료

사회공포증과 관련된 증상들을 완화시키기 위해 활동

을 시작하기 전에 클로니딘(clonidine)과 프로프라놀롤(propranolol)은 필요한 만큼 복용할 수 있고, 선택적 세로토닌 재흡수 억제제(SSRIs)는 불안감과 우울증을 줄이기 위해 사용된다.

(3) 치료적 환경관리

인지행동치료는 공포증 환자들에게 가장 성공적인 치료법이다. 체계적 둔감법과 노출기법이 특정공포증에 효과적인 것으로 밝혀졌다. 또한 자기주장훈련과 목표를 설정한 집단치료가 유익하다. 또한 사회기술 훈련을 위한 집단치료와 기타 활동요법들도 환자의 사회적 상호작용을 강화하고 회피를 감소시키는 데 도움을 준다.

3. 공황장애

공황장애(panic disorder)를 가진 환자는 공황발작의 재발을 경험하고, 발작의 횟수가 증가하는 것을 걱정한다. 공황발작(panic attack)은 10분 내에 갑자기 고조되는 강렬한 공포나 불편감이다. 신체적 증상 외에도 공황발작을 경험하는 환자는 자신에 대한 통제력을 잃거나, 미쳐 가거나, 심장마비를 일으키거나, 생명을 위협하는 질병으로 사망할까봐 두려워한다. DSM-5에 따르면, 공황발작은 (1) 예상치 못하게, 즉 잠에서 깨어나는 것과 같이 갑자기 일어나거나, (2) 촉발상황에 대한 예상 또는 노출로 인해 발생한다. 환자는 공황발작이 일어났거나 일어날 수 있는 장소를 피하게 된다. 남녀 간의 발생 빈도 차는 큰 편으로, 남성보다 여성에게서 공황발작이 나타나는 비율이 2배 정도 높다.

1) 원인

심리적 및 생물학적 요인이 공황장애의 발생에 기여한다(Keltner et al., 2003). 일부 환자들은 불안과 공포에 대한 민감성이 증가하며, 특히 스트레스 생활사건과 같은 트라우마의 영향에 예민해진다. 공포기전의 중심은 편도체로, 이는 해마, 시상, 시상하부, 청반핵과 기타 부위에 영향을 미쳐 공황을 유발하는 일련의 반응을 일으킨다(Ninan &

DSM-5 진단분류: 공황장애

A. 반복적으로 예상하지 못한 공황발작이 있다. 공황발작은 극심한 공포와 고통이 갑작스럽게 발생하여 수분 이내에 최고조에 이르러야 하며, 그 시간 동안 다음 중 4가지 이상의 증상이 나타난다.
  1. 심계항진, 가슴 두근거림 또는 심장 박동 수의 증가
  2. 발한
  3. 몸이 떨리거나 후들거림
  4. 숨이 가쁘거나 답답한 느낌
  5. 질식할 것 같은 느낌
  6. 흉통 또는 가슴 불편감
  7. 메스꺼움 또는 복부 불편감
  8. 어지럽거나 불안정하거나 멍한 느낌이 들거나 쓰러질 것 같음
  9. 춥거나 화끈거리는 느낌
  10. 감각 이상(감각이 둔해지거나 따끔거리는 느낌)
  11. 비현실감(현실이 아닌 것 같은 느낌) 혹은 이인증(나에게서 분리된 느낌)
  12. 스스로 통제할 수 없거나 미칠 것 같은 두려움
  13. 죽을 것 같은 공포

B. 적어도 1회 이상의 발작 이후에 1개월 이상 다음 중 한 가지 이상의 조건을 만족해야 한다.
  1. 추가적인 공황발작이나 그에 대한 결과(예, 통제를 잃음, 심장발작을 일으킴, 미치는 것)에 대한 지속적인 걱정
  2. 발작과 관련된 행동으로 현저하게 부적응적인 변화가 일어난다(예: 공황발작을 회피하기 위한 행동으로 운동이나 익숙하지 않은 환경을 피하는 것 등).

C. 장애는 물질(예, 남용약물, 치료약물)의 생리적 효과나 다른 의학적 상태(예, 갑상선기능항진증, 심폐 질환)로 인한 것이 아니다.

D. 장애가 다른 정신질환으로 더 잘 설명되지 않는다(예, 사회불안장애에서처럼 공포스러운 사회적 상황에서만 발작이 일어나서는 안 된다. 특정공포증에서처럼 공포 대상이나 상황에서만 나타나서는 안 된다. 강박장 애에서처럼 강박 사고에 의해 나타나서는 안 된다. 외상후 스트레스장애에서처럼 외상성 사건에 대한 기억 에만 관련되어서는 안 된다. 분리불안장애에서처럼 애착 대상과의 분리 때문이어서는 안 된다).

Dunlop, 2005).

Gorman(2000)과 keltner(2003)에 따르면, 교감신경계, 신경내분비계, 인지과정, 이 3개의 시스템이 개별적으로 또는 결합하여 공황을 유발한다. 모든 것을 부정적으로 생각하는 파국적 사고와 '만일 이런 일이 일어난다면…'이라고 가정하는 사고('what if' thinking)는 생리적 증상(투쟁-도피 반응과 같은 신체 증상), 행동(회피적), 감정(두려움)을 유발할 수 있다. 생리적 증상에 대한 민감성과 지나친 각성상태(vigilance)는 인지 및 신경내분비 반응에 영향을 미쳐, 땀이 나거나 심박동이 조금만 빨라져도 공황발작이 재발하는 것으로 인식할 수 있다. 아드레날린 수용체 조절장애는 노르에피네프린, 세로토닌 및 GABA 수용체 손상을 초래하여 교감신경계의 조절을 감소시킨다.

2) 치료 및 간호중재

(1) 간호사-환자 관계

공황장애 환자와 간호사 사이의 치료적 관계는 범불안장애 환자와 마찬가지로 불안을 감소시키는 데 초점을 두어야 한다. 공황발작을 경험하는 환자의 중재 중 가장 중요한 것은 환자가 최대한 불편함을 최소화하면서 공황발작을 안전하게 관리할 수 있도록 돕는 것이다. 이로써 환자의 불안감을 좀 더 감당하기 쉬운 수준으로 줄일 수 있다.

간호사는 환자에게 발작 중에 정신을 잃거나 죽지 않는다는 것을 교육하여 안심시켜 주어야 한다. 환자는 공황장애와 경험할 수 있는 증상, 증상을 완화할 수 있는 약물, 효과적인 치료방법 등에 대한 정보를 제공받았을 때 더 편안함을 느낄 것이다(Marcks et al., 2009). 간호사는 환자가 발작이 한시적이고 증상이 완화될 것이라는 것을 깨닫도록 도와야 한다. 인지적 재구성은 환자가 사건이나 신체적 감각의 위험성에 관한 그들의 믿음을 재해석하고 재평가하도록 돕는다.

(2) 약물치료

SSRIs와 SNRIs는 공황 증상의 장기적인 치료에 가장 흔히 사용된다. 알프라졸람[alprazolam(Xanax)]과 로라제팜[lorazepam(Ativan)]같은 벤조디아제핀은 신체 증상을 감소시키는 즉각적인 효과를 위해 단기간 사용된다.

공황장애 환자들은 자신을 통제하고 증상을 조절하고자 고군분투하므로, 약물복용으로 인해 이완되는 것을 통제력 상실로 오인하여 약물치료에 저항을 보일 수 있다. 어떤 환자는 약물의 부작용을 두려워한다. 공황장애와 생물학적 특성에 관한 명확한 설명을 제공함으로써 약물이 환자에게 도움이 되며, 약물을 복용하는 것은 환자가 신체적 질병이 없음을 의미하는 것이라고 확신시킬 수 있다.

간호사는 불안이 증가된 양상과 약물의 부작용을 구별할 수 있어야 한다. 불안 증상은 관련된 문제를 다루거나 스트레스 요인이 있을 때 증가한다. 약물을 복용하기 바로 전에 불안 증상이 일정하게 유지되거나 감소된다면, 이는 불안이 약물로 인한 부작용일 가능성을 시사한다. 불안완화 전략(예: 이완운동)은 환자가 불안감을 관리하는 데 도움이 될 수 있다.

3) 치료적 환경관리

환자의 불안이 공황 상태에서 점차 감소하고 나면, 걷기, 농구, 배구, 또는 고정 자전거 사용과 같은 활동은 긴장감과 불안감을 줄이는 데 도움이 된다. 인지행동치료(cognitive behavior therapy, CBT)와 약물치료는 환자에게 가장 중요한 치료이며, 인지행동치료만으로도 충분한 효과가 있음이 밝혀졌다(Marcks et al., 2009). 인지행동치료는 생각에 영향을 미치고 신체반응에 대한 오해를 합리적인 해석으로 대신하여 사건의 위험성에 대한 믿음을 재평가하도록 도움을 준다. 인식의 변화가 일어나면 회피행동은 감소된다. 인지행동치료는 환자가 증상을 조절하고 개선하는 데 도움을 준다(Miller, 2005c). 컴퓨터를 이용한 인지행동치료(computer-assisted CBT)는 영국에서 사용되는 검증된 근거기반의 치료법이다(Stuhlmiller & Tolchard, 2009).

CASE STUDY

소규모 보험 회사에 다니는 41세 김OO 님은 종합병원 응급실에 입원했다. 저녁 식사를 준비하는 동안 숨이 가쁘고, 과호흡, 심계항진, 가슴통증, 질식할 것 같은 느낌, 그리고 죽을 것 같은 공포감 등이 갑자기 나타났다고 말했다. 그녀는 자신에게 심장마비가 일어나고 있다고 생각했다. 이러한 발작은 이전에도 3번 발생했다. 두 달 전에 첫 번째 발작이 있었고, 그 후 병원에서 심전도와 스트레스 테스트 등 세밀하게 신체검사를 했으나, 어떠한 생리적 원인도 찾을 수 없었다. 두 번째 발작이 있은 후, 또 다른 발작을 일으킬 것을 걱정하여 2주간 휴가를 냈지만, 직장에 복귀하기 직전에 그녀는 또 다른 발작을 경험했다. 세 번째 발작 이후, 그녀는 시장을 보러 가거나, 친구들과 만나기 위해 집을 나서는 것조차 할 수 없는 상태가 되어 직장에 복귀하지 않고 사직을 결정했다. 남편과 세 딸은 그녀를 매우 걱정하고 있으며 일상의 일들을 돌봐 주면서 그녀를 도우려 노력했지만, 그녀는 집에서 아무것도 할 수 없었다. 그녀는 또 다른 발작이 일어날까봐 두려워서 일을 하거나 집을 나갈 수도 없었다. 그녀는 자신에게 무슨 일이 일어나고 있는지 이해하지 못하고 있으며, 상태가 호전될 수 있게 약물치료를 원하고 있다.

간호과정

이름: 김OO　　　**입원일:** ______________
DSM-5 진단: 공황장애

사정	**강점:** 환자는 어머니, 주부, 비서로서 역할을 해 오면서 사회적으로 활발하게 활동했으며, 건강 상태가 비교적 좋음 **간호문제:** 심장마비에 대한 두려움과 관련된 죽을 것 같은 공포감, 집을 떠날 수 없는 것, 남편을 잃는 것에 대한 두려움, 부적절한 감정
진단	1. 일상생활 스트레스와 관련된 공황 수준의 불안(근거: 신체적 증상과 죽음에 대한 두려움을 보임) 2. 무기력함과 관련된 자존감 저하(근거: 기능상실을 보임) 3. 회피와 관련된 두려움(근거: 집을 떠나는 것에 어려움이 있음)
간호목표	**단기 목표**
날짜: _______	환자는 두려움, 무능력감, 무력감, 분노에 대해 이야기할 것이다.
날짜: _______	환자는 불안감과 생리적 반응 사이의 관계를 인지할 것이다.
날짜: _______	환자는 긴장완화 기술과 같은 불안을 줄이는 방법을 개발할 것이다.
날짜: _______	환자는 스트레스를 해소하기 위해 문제해결 기술을 사용할 것이다.
	장기 목표
날짜: _______	환자는 남편과 사회복지사를 만나 가정에 대한 문제를 의논할 것이다.
날짜: _______	환자는 인지행동치료, 체계적 둔감법 또는 자기노출훈련을 위해 외래 치료자와 약속을 잡을 것이다.
날짜: _______	환자가 지지그룹에 참여하기 위한 일정을 확인할 것이다.
계획 및 중재	**간호사-환자 관계** 불안감을 최소한으로 유지하기 위한 공감 및 지지-억제 기술로 감정의 환기를 촉진하고, 환자가 스트레스, 불안감 사이의 관계를 확인하도록 돕는다. **약물치료:** fluoxetine(Prozac) 20mg, 매일 아침 복용 **치료적 환경관리:** 자극을 줄이고 차분한 분위기를 제공함, 불안 수준을 모니터링함. 오락과 기분전환 활동을 장려함, 필요한 경우 조용한 공간을 사용, 그 후에 문제해결, 자기주장, 의사소통, 자존감 증진, 스트레스 관리 프로그램을 제공함
평가	• 환자가 2일이 지난 후 불안이 감소했다고 보고하였다. • 남편과 함께 사회복지사를 만났다.
의뢰	인지치료와 자기노출훈련을 위한 외래 진료를 예약했다.

4. 범불안장애

범불안장애(generalized anxiety disorder, GAD)를 가진 환자는 모든 일에 과도하거나 불합리한 불안이나 걱정을 경험한다. 걱정의 강도는 예상되는 사건이 실제로 일어날 가능성에 비해 너무 크다. 그러한 불안이나 걱정은 만성적이거나 지나치며, 직업적 책임, 건강 및 재정과 같은 일상적인 사건과 관련될 수 있다. 걱정은 부정적 사건이나 나쁜 일을 예방할 수 있도록 대처하는 습관적인 방법이 되며, 환자는 불안을 조절하는 것에 큰 어려움을 겪는다. 집중력 감소와 기억력 문제가 종종 나타나며, 수면장애, 소진, 근육긴장과 같은 불안의 신체적 증상들 또한 범불안장애의 일부이다. 불안은 대인관계, 사회적, 직업적 기능에 심각한 어려움과 장애를 유발한다.

1) 원인 및 경과

선행 연구들은 범불안장애와 주요우울장애 간의 높은 유전적 상관관계를 제시한다. 신경 영상 연구에 의하면, 편도체나 뇌의 공포회로와 전두엽피질에서 활동이 증가하는 것으로 나타났다. 인지손상은 또한 범불안장애 발병의 위험을 증가시킬 수 있다(Stein, 2009). 범불안장애 환자의 경우 감마-아미노부티르산(GABA)-벤조디아제핀, 노르에피네프린, 세로토닌, 신경펩타이드, 글루타민산염 시스템에서 신경화학적 조절장애가 있을 수 있다(Antai-Ontong, 2003). 범불안장애와 관련된 신경생물학적 기전을 밝히기 위해서는 더 많은 연구가 필요하다.

심리적, 환경적 요인 또한 범불안장애의 발병에 중요한 역할을 한다. 범불안장애 발병 평균 연령은 30세이며, 남성보다 여성에게서 더 많이 나타난다(American Psychiatric Association, 2013).

2) 치료 및 간호중재

(1) 간호사-환자 관계

첫 번째 단계는 간호사가 환자의 불안 수준, 그리고 그것과

DSM-5 진단기준: 범불안장애

A. 과도한 걱정과 불안
B. 통제하기 어려운 걱정
C. 불안과 걱정은 다음 중 3가지 이상의 증상을 보임
  1. 안절부절못함
  2. 피로
  3. 과민반응
  4. 집중력 감소
  5. 근육긴장
  6. 수면장애
D. 과도한 불안과 걱정, 최소한 6개월 이상 동안 일어나는 많은 사건이나 활동(직장이나 학교 공연)
E. 걱정을 통제하기 어려운 사람
F. 불안과 걱정은 다음 6가지 증상 중 3가지 이상과 관련이 있고, 적어도 그 증상들은 6개월 이상 나타난 증상이어야 함(단, 아동의 경우 하나의 항목만 필요함).
  1. 안절부절 못하고 긴장감, 과민함을 느낌
  2. 쉽게 피곤함
  3. 집중하기 힘들거나 생각 없이 멍함
  4. 과민반응
  5. 근육긴장
  6. 수면장애(잠들기 어려움, 자주 깸, 수면 불만족)
G. 불안, 걱정 또는 신체적 증상으로 인해 사회, 직업 또는 기타 중요한 기능적 영역에서 임상적으로 심각한 어려움이나 장애가 나타남
H. 장애는 물질(예: 약물중독, 약물치료) 또는 다른 의학적 상태(예: 갑상선 기능항진증)의 생리적 영향에 기인하지 않음
I. 심리적 장애는 다른 정신질환으로 잘 설명되지 않음[예: 공황장애에서 공황발작에 대한 불안 또는 걱정, 사회불안장애(사회 공포증)에서 부정적인 평가, 강박장애에서 오염이나 다른 강박장애, 분리불안장애에서 애착물로부터의 분리, 외상후 스트레스장애에서 외상사건에 대한 상기, 거식증에서 체중 증가, 신체증상장애에 대한 신체적 불만, 신체이형장애에서 나타나는 외관적 결함, 질병불안장애에서 심각한 질병을 앓고 있는 경우, 조현병 또는 망상장애에서 망상적인 믿음의 내용]

출처: American Psychiatric Association. (2013). Diagnostic and statistical manual of mental disorders (5th ed.). Arlington, VA: APA.

핵심 간호중재: 불안을 감소시키기 위한 중재

- 환자에게 불안을 유발할 수 있는 다른 환자와의 상호작용이나 환경적 요인을 파악하고, 이러한 자극을 감소시켜 차분하고 조용한 환경을 제공한다.
- 환자로 하여금 자신에게 무슨 일이 일어나는지에 대한 인식을 높이기 위해 환자가 무엇을 보고 어떻게 느끼는지 확인하게 한다.
- 감정과 행동 사이의 관계에 대한 인식을 높이기 위해 환자에게 자신의 감정을 간호사와 함께 설명하고 논의하도록 제안한다.
- 이전의 경험과 환자의 감정을 연결시키도록 하여 환자가 경험하는 감정의 원인을 확인하도록 돕는다.
- 환자가 무력감이나 절망을 표현할 때 주의 깊게 듣는다. 환자는 더 나아질 거라는 희망이 없기 때문에 고통에서 벗어나고자 자살을 선택할 수 있으며, 주요우울장애가 동반될 수도 있으므로, 자해 가능성을 사정한다.
- 필요한 경우, 자살예방조치를 적용하기 위해 환자에게 자살충동을 느끼는지, 또는 자해할 계획이 있는지 묻는 등 자해 가능성을 평가한다.
- 환자를 산책이나 오락요법에 참여시키는 것은 과민성을 낮추고 자신에게 몰두하지 않도록 도와준다.

핵심 간호중재: 문제해결

- 효과적인 적응적 행동을 강화하기 위해 환자와 함께 그의 현재 및 과거 대처방법에 대해 논의한다.
- 환자와 함께 문제와 갈등의 의미에 대해 논의하는 것은, 환자로 하여금 스트레스 요인들을 평가하고, 자신의 개인적 가치를 탐구하며, 문제의 범위와 심각성을 정의하도록 돕는다.
- 환자가 자신의 부적응적이고 역기능적인 대처행동에 대한 통찰력을 갖도록 돕기 위해서는 지지적인 직면과 교육이 유용하다.
- 적응적 대처기전을 증가시키기 위해 환자가 대안적 해결책과 행동을 탐색할 수 있도록 도와준다.
- 역할극을 통해 연습함으로써, 환자가 새로운 적응적 대처행동을 테스트해 볼 수 있도록 격려한다.
- 환자에게 이완요법을 교육하는 것은, 환자의 불안을 낮추고 환자 스스로 자신 및 불안에 대한 통제력을 갖도록 돕는다.
- 일상적인 스트레스와 불안감을 다루는 것을 돕기 위해 취미와 오락 활동을 장려한다.

관련된 증상을 줄이는 데 도움을 주는 것이다. 문제해결 전에 반드시 불안을 먼저 감소시켜야 한다. 간호사의 궁극적인 목표는 적응적인 대처전략을 세우도록 돕는 것이다.

환자는 간호사로부터 지지와 안심을 우선적으로 원한다. 간호사는 환자의 긍정적, 부정적 감정들을 받아들이고, 이로 인한 불편함을 알아줌으로써 신뢰감을 높인다. 간호사의 공감은 간호사가 환자를 걱정하고 이해하고 있으며, 고통의 정도를 과소평가하지 않고 있음을 환자가 알게 해준다. 예를 들어, 간호사는 "이것이 당신에게 불편하고 고통스러울 것입니다"라고 말할 수 있다(**핵심 간호중재: 불안감 줄이기**).

불안 수준이 편안한 수준으로 감소된 후에 간호사는 환자의 대처행동을 사정하기 시작해야 하며, 환자가 문제해결 방법을 사용함으로써 적응적 대처능력을 높일 수 있도록 한다. 환자가 비효과적이고 부적응적인 걱정 패턴에서 벗어나, 불안을 다루는 효과적인 대처방법으로 바꿀 수 있게 돕는다. 환자가 적응적 대처행동을 사용하도록 돕는 과정은 환자 자신만의 방법을 익히고, 이를 통해 변화할 수 있다는 인식을 필요로 하기 때문에 인내심이 필요하다. 간호사는 환자와의 관계에서 신뢰를 잃지 않아야 하고, 자신의 불안이 환자에게 전이되지 않도록 언어적, 비언어적 행동을 인지하며, 자신의 스트레스와 불안감을 관리해야 한다. 또한 질병과 불안감이 환자의 삶과 그 가족들에게 어떠한 영향을 미칠지에 대해 교육한다.

(2) 약물치료

선택적 세로토닌 재흡수 억제제(SSRIs)와 선택적 세로토닌 노르에피네프린 재흡수 억제제(SNRIs)와 같은 항우울제는 범불안장애뿐 아니라 우울증과 같은 합병증의 치료에 가장 효과적이다. 벤조디아제핀계 약물은 장기적으로 사용할 경우 의존성과 내성의 가능성이 있으므로, 항우울제가 만성질환인 범불안장애의 치료에 더 적합하다. 벤조디아제핀계 약물은 항우울제가 약효를 나타낼 때까지 신속한 효과를 필요로 할 경우 단기적으로 사용되며, 사용된 벤조디아제핀계 약물을 중단할 경우에는 서서히 줄여야 한다. 삼환계 항우울제는 SSRIs보다 부작용이 더 심각하므로 거의 사용되지 않는다. 비중독성 비벤조다이아제핀계 약물인 부스피론(buspirone)은 걱정, 과민성, 불안의 인지적 증상에 유용하다(Davidson, 2009).

(3) 환경관리

인지치료는 범불안장애 환자에게 효과적이다(Davidson,

2009). 여가활동은 긴장과 불안을 줄여준다. 휴식을 위한 운동과 명상, 바이오피드백의 사용은 긴장을 줄이고 휴식과 편안함을 증진시키는 데 도움을 준다.

스트레스 관리, 문제해결, 자존감 증진, 자기주장 등을 위한 집단치료와 목표설정에 초점을 맞춘 집단요법은 스트레스를 극복하는 데 도움이 된다. 각 환자의 문제와 관심사에 따라 다양한 그룹이 도움이 될 수 있다.

5. 분리불안장애

분리불안장애(separation anxiety disorder)는 특정 인물과 떨어져 있을 때 극도의 불안감을 느끼는 장애이다. 발달과정에서 부적절한 공포나 불안은 대부분 아동과 친밀한 누군가로부터 분리되는 것과 관계가 있다. 아이는 아마도 상해나 죽음으로 중요한 사람을 잃거나 길을 잃거나 납치되는 것에 대해 걱정하며, 조부모 및 친구들과 함께 있는 것을 거부할 수 있고, 부모님 근처에서 잠을 자겠다고 주장할 수 있다. 분리와 관련된 악몽이 발생할 수 있고, 분리가 예상될 때 복통과 같은 신체증상이 나타날 수 있다. 증상은 1세까지는 정상으로 간주되며, 7~8세경에 가장 흔히 발생한다.

6. 선택적 함구증

선택적 함구증(selective mutism)은 아이가 말을 할 수 있음에도 불구하고 특정한 장소나 상황에서 말을 하지 못하거나 반응이 없는 장애이다. 보통 5세 이전에 발병하고 여아에게 더 흔하며, 학업 및 사회적 또는 직업적 성취나 사회적 의사소통을 저해한다.

원인으로는 구강기의 지나친 억압으로 인한 의존성, 버림받는 것에 대한 공포심과 관계가 있다는 정신분석 이론과 부모의 폭력, 특히 언어발달의 중요한 시기에 받게 되는 얼굴이나 입 주변의 외상과도 관계가 있다는 외상 이론을 들 수 있다. 뇌파검사의 이상 소견이 일부 아동들에게 발견되기도 하며, Simon 등(1997)은 18번 염색체 이상소견을 보고한 바 있다.

II 강박 및 관련 장애

DSM-5에 따르면 강박 및 관련 장애에는 강박장애, 신체이형장애, 수집광, 발모광(털뽑기장애), 피부뜯기장애 등이 포함된다.

1. 강박장애

강박장애(obsessive-compulsive disorder, OCD)는 강박사고나 강박행동이 존재하는 것을 특징으로 하며, 이 두 가지가 모두 나타나기도 한다. 강박사고(obsessions)는 거슬리고 원치 않는 것으로 여겨지는 생각, 아이디어, 충동, 이미지들이 끊임없이 반복되는 것을 말한다. 강박행동(compulsions)은 강박사고를 없애려고 시도하는 다른 생각이나 행동이다. 손 씻기, 확인하기, 계산하기, 단어 반복하기 등의 반복적이고 의식적인 행동들이 정신적인 결과로 나타나며, 강박사고로 인한 불안을 줄이려는 목적으로 발생한다.

강박장애의 원인에 관한 최근의 견해는 유전적 요인을 강조하고 있다. 강박장애에 대한 생물학적 연구 결과, 전두엽과 뇌저신경절에서 뇌 활동이 증가된 것이 확인되었다(Glod & Cawley, 1997). 세로토닌 조절장애는 강박장애의 발병과 관련되어 있으며, 클로미프라민[clomipramine(Anafranil)]과 SSRIs가 강박장애 치료에 효과적일 수 있다(Weigartz & Rasminsky, 2005).

강박장애의 중요한 특징은 강박사고나 강박행동이 너무 심해서 환자의 정상적인 일상생활에 큰 지장을 줄 수 있고, 직업적·사회적 기능을 방해할 수 있다는 것이다. 또한 환자는 의식적이고 환상적인 생각에 몰두하고 있기 때문에 대인관계에 어려움을 겪기도 한다.

Clinical example: 강박장애

조OO 님은 결혼해서 2명의 어린 자녀를 두었다. 잠자리에 들기 전에 그녀는 현관문이 잠겨 있는지 확인한다. 그녀는 침대에 누워 문을 잠그는 대신, 문이 열려 있을지도 모른다고 생각하기 시작한다. 그녀는 걱정으로 잠을 못 이루며 일어나 문이 잠겼는지 확인한다. 그녀는 다시 침대에 누워 문을 잠갔는지, 잠그지 않았는지 생각하기 시작한다.

DSM-5 진단분류: 강박장애

A. 강박 사고나 강박 행동 혹은 둘 다 존재하며, 강박 사고는 (1)과 (2)로 정의된다.
1. 반복적이고 지속적인 생각, 충동 또는 심상이 장애 시간의 일부에서는 침투적이고 원치 않는 방식으로 경험되며 대부분 현저한 불안이나 괴로움을 유발함.
2. 이러한 생각, 충동 및 심상을 경험하는 사람은 이를 무시하거나 억압하려고 시도하며, 또는 다른 생각이나 행동을 통해 이를 중화시키려고 노력함(즉, 강박 행동을 함으로써).

강박행동은 (1)과 (2)로 정의된다.
1. 예를 들어, 손 씻기나 정리정돈하기, 확인하기와 같은 반복적 행동과 기도하기, 숫자 세기, 속으로 단어 반벅하기 등과 같은 정신적인 행위를 개인이 경험하는 강박 사고에 대한 반응으로 수행하거나 엄격한 규칙에 따라 수행함.
2. 행동이나 정신적인 행위들은 불안감이나 괴로움을 예방하거나 감소시키고, 또는 두려운 사건이나 상황의 발생을 방지하려는 목적으로 수행됨. 그러나 이러한 행동이나 행위들은 그 행위의 대상과 현실적인 방식으로 연결되지 않거나 명백하게 지나침.

주의점: 어린 아동의 경우 이런 행동이나 정신적인 행위들에 대해 인식하지 못할 수도 있다.

B. 강박 사고나 강박 행동은 시간을 소모하게 만들어(예: 하루에 1시간 이상), 사회적, 직업적, 또는 다른 중요한 기능 영역에서 임상적으로 현저한 고통이나 손상을 초래한다.

C. 강방 증상은 물질(예: 남용약물, 치료약물)의 생리적 효과나 다른 의학적 상태로 인한 것이 아니다.

D. 장애가 다른 정신질환으로 더 잘 설명되지 않는다(예: 범불안장애에서의 과도한 걱정, 신체이형장애에서의 외모에 대한 집착, 수집과에서의 소지품 버리기 어려움, 발모광에서의 털뽑기, 피부뜯기장애에서의 피부뜯기, 상동증적 운동장애에서의 상동증, 섭식장애에서의 의례화된 섭식 행동, 물질관련 및 중독 장애에서의 물질이나 도박에의 집판, 질병불안장애에서의 질병에 대한 지나친 몰두, 변태성욕장애에서의 성적인 충동이나 환상, 파괴적인 충동조절 및 품행 장애에서의 충동, 주요우울장애에서의 죄책감을 되새김, 조현병 스펙트럼 및 기타 정신병적 장애에서의 사고 주입 혹은 망상적 모입, 자폐스펙트럼장애에서의 반복적 행동 패턴).

다음의 경우 명시할 것:

좋거나 양호한 병식: 강박적 믿음이 진실이 아니라고 확신하거나 진실 여부를 확실하게 인지하지 못한다.
좋지 않은 병식: 강박적 믿음이 아마 사실일 것으로 생각한다.
병식 없음/망상적 믿음: 강박적 믿음이 사실이라고 완전하게 확신한다.

다음의 경우 명시할 것:

틱관련: 현재 또는 과거 틱장애 병력이 있다.

핵심 간호중재: 강박장애 환자

- 의식주와 같은 기본적인 것이 충족되는지 확인한다. 환자는 너무 바빠서 의식주에 주의를 기울일 수 없으므로 구체적인 지시사항이 필요하다.
- 환자에게 강박행동을 수행할 시간을 준다. 환자는 강박행동을 통해 불안감을 저지할 필요가 있다. 나중에는 강박행동을 줄이도록 이를 제재하지만, 공황이 뒤따를 수 있기 때문에 아예 금지하지는 않는다.
- 불안감의 증가와 확대를 방지하기 위해 자신의 기대치와 루틴(규칙적인 일상의 습관), 그리고 변화를 받아들이는 것이 불안에 미치는 영향을 설명한다.
- 수용과 이해를 환자에게 전달하기 위해 환자에게 공감하고, 그들이 강박행동을 하고 싶은 욕구가 있음을 인정해준다.
- 감정을 식별하고 이해하는 능력을 촉진하기 위해 환자가 행동과 느낌을 연결할 수 있도록 돕는다.
- 환자가 강박적인 사고와 행동을 대체할 수 있는 일에 집중하도록 돕기 위해 환자를 위한 간단한 활동, 게임, 또는 작업을 체계화한다.
- 환자들의 자존감과 자아를 증가시키기 위해 긍적적인 비강박적 행동을 인지하고 강화한다.

CRITICAL THINKING QUESTION

1. 강박장애 환자는 무엇이든 만질 때마다 손을 씻는다. 그녀의 피부는 갈라지고 피가 난다. 그녀는 간호사에게 "저는 제 손에서 세균을 없앨 수가 없어요"라고 말했다. 의료기관에서 각 환자의 접촉 전후에 손을 씻는 간호사와 다른 점은 무엇인가?

2. 신체이형장애

신체이형장애(body dysmorphic disorder)는 타인에게 눈에 띄지 않는 자신의 외모 결함을 인식하고 이에 집착하는 것이 특징이다. 인식된 결함은 자신이 못생기고, 매력적이지 않으며, 비정상적이거나 기형이라고 느끼게 한다. 집착은 여드름, 흉터, 주름, 창백함, 코, 머리카락, 치아, 몸무게, 가슴 또는 입술 등의 부위에서 주로 나타난다. 환자는 자신의 걱정으로 인해 반복적인 행동(예: 거울 확인, 과도한 수술)을 한다. 집착은 불필요한 시간을 많이 소진시키며, 이를 저항하거나 통제하기 어렵다(American Psychiatric Association, 2013).

3. 수집광(저장강박증)

수집광(hoarding disorder)은 물건의 실제 가치와 상관없이 물건을 버리기가 어려워 이를 계속 쌓아둠으로써, 주변 환경을 어지럽히고 어수선하게 만드는 것이 특징이다. 이는 버리거나, 팔거나, 재활용하는 것에 고통을 느끼기 때문이다. 가정 용품들로 꽉 채워져서 주방에서 요리를 할 수 없거나, 침대에서 잠을 잘 수 없거나, 거실에 앉아 있을 수 없을 정도이다. 이러한 수집 행동의 핵심적인 동기는 그 물건들의 인지된 가치 또는 그것들에 대한 강한 감성적인 애착과 연관이 있다(American Psychiatric Association, 2013).

4. 발모광(털뽑기장애)

발모광(trichotillomania, hair pulling)은 털을 반복적으로 뽑는 행동으로 인해 두피, 눈썹, 눈꺼풀, 겨드랑이, 얼굴, 음모 등 신체의 다양한 부위에서 탈모를 일으키는 것이 특징이다. 이러한 행동은 불안이나 긴장감이 증가할 때 더욱 심해지며, 발모를 한 후에는 일시적으로 다행감이나 해소감을 경험하기도 한다. 그러나 이러한 행동을 멈추려는 반복적인 시도가 성공하지 못하면 통제력 상실, 당황스러움, 수치심과 같은 심각한 고통을 겪게 된다. 환자는 화장, 스카프 또는 가발을 사용하여 탈모를 감추려고 할 수 있다(American Psychiatric Association, 2013).

5. 피부뜯기장애

피부뜯기장애(excoriation, skin picking)는 반복적으로 자신의 피부를 뜯는 것이 특징이며, 피부병변을 유발한다. 가장 흔한 위치는 팔, 얼굴, 손이다. 뜯는 부위는 피부, 여드름, 굳은살, 딱지, 상처가 난 부위 등이다. 환자는 손톱, 족집게, 핀으로 피부를 뜯는데, 이 행동은 불안감이나 지루함을 느낄 때 시작되며 안도감, 즐거움, 또는 만족감을 준다. 환자는 화장으로 조직 손상을 감추거나 공공장소에 나가는 것을 피하려 한다(American Psychiatric Association, 2013).

6. 치료 및 간호중재

1) 간호사-환자 관계

강박장애 환자의 치료를 위해 간호사는 환자가 감정을 말로 표현하고, 문제를 해결하고, 스트레스와 문제에 관한 결정을 내리는 능력이 증가하도록 도와야 한다. 간호사는 환자가 불안감에 대응하기 위해 적응적인 대처행동을 발달시키도록 교육하고 돕는 것에 초점을 맞춘다. 환자는 강박사고와 정형화된 의식(ritual) 절차에 의한 강박행동에 대처하여 불안감을 줄이는 대체행동을 취하는 법을 배워야 한다. 긍정적인 대체행동에는 걷기나 고정 자전거 타기와 같은 신체적인 운동이 포함된다. 초반에는 정상적인 활동뿐 아니라 의식을 행하는 것을 어느 정도 허용하면서, 점차 서서히 긍정적인 대처행동이 환자의 일상생활에 스며들도록 돕는다. 간호사는 환자를 지지하고 정형화된 의식 행위(강박행동)를 멈출 때 이를 긍정적으로 강화한다. 취미와 사회활동은 환자가 그것을 보다 잘 다룰 수 있을 때 서서히 도입하는 것이 좋다.

2) 약물치료

플루옥세틴[fluoxetine(Prozac)], 설트랄린[sertraline(Zoloft)], 플루복사민[fluvoxamine(Luvox)], 파록세틴[paroxetine(Paxil)]과 같은 SSRIs는 강박장애 치료에 효과적이다. 클로미프라민도 강박장애 치료에 사용되지만, 부작용 때문에 SSRIs가 더 선호되는 편이다. 강박장애를 가진 환자들에게는 보통 우울증 환자들보다 더 높은 치료 용량으로 SSRIs 투약을 시작한다(Miller, 2009b).

3) 치료적 환경관리

다양한 활동요법과 집단치료가 환자에게 도움이 된다. 특히 이완훈련과 스트레스 관리, 오락요법이나 사회기술훈련, 인지행동치료, 문제해결, 의사소통 또는 자기주장훈련 그룹이 그 예시이다. 이러한 중재는 항상 환자의 개별적인 요구에 맞춰 제공된다. 반응 및 노출차단 치료와 같은 인지행동치료가 특히 강박장애 환자에게 효과적인데,이는 보통 외래환자들을 대상으로 한다(Miller, 2009b). '생각 멈추기(thought stopping)'는 인지치료 기법 중 하나인데, 거슬리는 생각이 떠오르면 환자는 "멈춰"라고 말하고 손목에 찬 고무밴드를 당기거나 심호흡과 같은 적응적인 행동으로 강박행동을 대신한다. 심부뇌자극술이 다른 치료에는 반응이 없는 강박장애 환자들에게 긍정적인 결과를 보이기 시작했다(Shah et al., 2008).

III 신체증상 및 관련 장애

신체증상 및 관련 장애에는 신체 증상 장애와 질병 불안장애, 전환 장애, 인위성 장애가 포함된다. 신체증상 및 관련 장애의 주요 특징은 환자가 알려진 기질적 원인이나 생리적 기전이 없는 신체적 증상을 보인다는 것이다. 이러한 고통스러운 신체증상들은 흔히 비정상적인 생각, 감정 및 행동과 연관되어 있다. 신체 증상 및 관련 장애 환자들은 주로 정신건강의학과가 아닌 내외과 및 응급실 등에 방문한다(American Psychiatric Association, 2013).

간호사는 다음과 같은 의문을 가져야 한다. 신체화 과정이 이 환자에게 어떤 목적을 달성하게 하는가? 처음으로 엄마를 떠나 유치원에 가는 것을 두려워하는 5세 아이는 자신의 두려움을 피하기 위해 배가 아프거나 머리가 아프다고 엄마에게 말한다. 엄마는 아이를 달래주고 하루 동안 집에 머물게 해준다. 이것은 1차 이득 및 2차 이득으로 알려져 있다. 일차적 이득(primary gain)은 불안감을 덜어주고 더 안정감을 느끼려는 개인의 욕구를 말하며, 이차적 이득(secondary gain)은 질병으로 인해 다른 사람으로부터 얻는 관심이나 지지를 의미한다. 이러한 현상은 신체증상 및 관련 장애 환자의 치료를 매우 복잡하게 만든다.

1. 신체증상장애

신체증상장애(somatic symptom disorder)를 가진 사람은 의학적으로 설명되지 않는 다양하고 반복되는 유의한 신체증상을 갖고 있다. 그들은 자신들의 병에 대해 매우 높은 수준의 걱정을 하는 경향이 있으며, 그들의 신체증상을 지나치게 위협적이고 해로운 것으로 여긴다. 신체증상은 심리적 요인이나 갈등과 연관되어 있는데, 이는 무의식적이라서 환자 스스로도 인지할 수 없기 때문에 증상을 통제할 수 없다. 환자는 신체적 증상(주로 통증)을 통해 갈등을 표출한다. 즉, 신체화(somatization)의 방어기전을 사용하여 고통을 표현하는 것이다. 그들은 불안이나 감정을 정서적으로 다루지 않는 반면, 이를 신체적 증상으로 대체한다. 환자는 증상이나 장애를 생리학적으로 또는 기질적으로 설명할 수

DSM-5 진단분류: 신체증상장애

A. 고통스럽거나 일상에 증대한 지장을 일으키는 하나 이상의 신체 증상이다.
B. 신체 증상 혹은 건강염려와 관련된 과도한 생각, 느낌 또는 행동이 다음 중 하나 이상으로 표현되어 나타난다.
1. 증상의 심각성에 대해 편중되고 지속적인 생각
2. 건강이나 증상에 대한 지속적으로 높은 단계의 불안
3. 이러한 증상들 또는 건강염려에 대해서 과도한 시간과 에너지 소비

C. 어떠한 하나의 신체 증상이 지속적으로 나타나지 않더라도 증상이 있는 상태가 지속된다(전형적으로 6개월 이상).

다음의 경우 명시할 것:

통증이 우세한 경우(과거, 동통장애): 이 명시자는 신체 증상이 통증으로 우세하게 나타난다.

다음의 경우 명시할 것:

지속성: 지속적인 경과가 극심한 증상, 현저한 손상, 그리고 긴 기간(6개월 이상)으로 특정지어진다.

현재의 심각도를 명시할 것:

경도: 진단기준 B의 구체적인 증상들이 단 한 가지만 만족한다.

중등도: 진단기준 B의 구체적인 증상들이 두 가지 이상 만족한다.

고도: 진단기준 B의 구체적인 증상들이 두 가지 이상 만족하고, 여러 가지 신체적 증상(또는 하나의 매우 심한 신체 증상)이 있다.

없다는 말을 듣더라도 의학적 진단과 치료를 계속 찾는다. 의료적 개입은 개인의 걱정을 거의 완화해 주지 못한다. 신체적 증상에 대한 과도한 걱정은 개인의 삶에서 중심적인 역할을 하여 사회적·직업적 기능을 저해한다(American Psychiatric Association, 2013).

2. 전환장애

전환장애(conversion disorder)의 주요 특징은 신경학적 혹은 내과적 문제와 흡사한 수의적 운동이나 감각기능의 결여 혹은 변화를 보인다는 것이다(American Psychiatric Association, 2013). 전환장애는 일반적으로 심리적·신체적 스트레스 또는 외상과 관련이 있으며, 의학적 근거가 없음에도 불구하고 지속적이고 극심한 신체장애를 나타낸다. 흔히 발생하는 운동증상으로 마비, 떨림, 걸음걸이 이상, 비정상적인 자세 등이 있다. 빈번한 감각증상은 피부감각의 변화나 무감각, 실명, 청각장애를 포함한다. 의식손상과 더불어 일반적으로 팔다리를 흔드는 것이 특징인 심인성 발작 또는 간질양 발작이 일어날 수 있다. 다른 증상으로는 발성장애, 무언증(목소리의 감소 혹은 사라짐), 구음장애(조음의 변화), 인두 이물감(목구멍 속의 덩어리), 복시 등이 있다. 발작 시 이인증, 비현실감, 기억상실과 같은 해리 증상이 나타날 수 있다. 증상은 일시적이거나 지속적일 수 있다. 환자는 고통스러운 증상에 대해 거의 관심을 보이지 않는데, 이를 만족스러운 무관심(la belle indifference)이라 한다. 이는 전환장애를 가진 환자가 마치 자신의 병을 축소하는 것처럼 해석될 수 있으나, 환자들은 신체증상으로부터 고통을 받기보다는 주변의 관심이나 지지 등의 이차적 이득에 초점을 두는 것이다.

Clinical example: 전환장애

45세 여성인 김OO 님은 신경과 의사로부터 모든 검사 결과가 음성이며 걷기의 어려움, 목 안의 이물감, 현기증, 불분명한 발음, 이국적 억양에 대한 생리학적인 이유를 찾지 못했다는 것을 들었다. 의사는 그녀에게 자기가 할 수 있는 일은 아무것도 없으니, 심리적 도움을 받기를 권유했다. 그녀는 남편과 함께 휠체어를 타고 상담실에 갔으며, 휠체어에서 사무실 소파까지 도움을 받아 걸을 수 있었다. 상담사와 이야기를 하는 도중에 그녀는 만약 현기증이 일어나면 누워도 되냐고 물었다. 상담사가 그녀에게 당신의 무엇이 잘못되었다고 생각하는지 묻자, 그녀는 정말 모른다고 대답하면서 여전히 자신에게 있는 문제가 무엇인지 알고 싶다고 말했다. 상담사를 몇 차례 방문한 후 자신의 신체적 증상이 죽음에 대한 불안감과 관련 있음을 알아 차렸다. 그녀는 20살 때 약혼자가 교통사고 후 한 달 만에 사망하는 충격적인 경험을 했다. 그녀는 그의 부상이 심각하다는 것을 미처 알지 못했기 때문에, 그의 죽음을 예측하지 못했던 것이다. 상담사는 심호흡, 음악치료, 인지 재구조화 등의 인지행동치료를 사용했다.

3. 질병불안장애

질병불안장애(illness anxiety disorder)는 DSM-IV에서 건강염려증(hypochondriasis)으로 명명되었다. 질병불안장애는 의사가 진단 내리지 않았음에도 불구하고, 자신이 병에 걸렸다고 과도하게 집착하는 장애이다(American Psychiatric Association, 2013). 신체적 증상이 있다 해도 보통 강도가

DSM-5 진단분류: 질병불안장애

A. 심각한 질병에 걸려 있거나 걸리는 것에 대해 몰두한다.
B. 신체 증상들이 나타나지 않거나, 신체 증상이 있더라도 단지 경이한 정도다. 다른 의학적 상태가 나타나거나 의학적 상태가 악화될 위험(예: 강한 가족력이 있음)이 클 경우, 병에 대한 몰두가 분명히 지나치거나 부적절하다.
C. 건강에 대한 높은 수준의 불안이 있으며, 건강 상태에 대해 쉽게 경각심을 가진다.
D. 지나친 건강 관련 행동(예: 반복적으로 질병의 신체 징후를 확인함)을 보이거나 순응도가 떨어지는 회피 행동(예: 의사 예약과 병원을 회피함)을 보인다.
E. 질병에 대한 집착은 적어도 6개월 이상 지속되지만, 그 기간 동안 두려움을 느끼는 구체적인 질병은 변화할 수 있다.
F. 질변에 대해 집착하는 것이 다른 정신질환, 즉 신체증상장애, 공황장애, 범불안장애. 신체이형장애, 강박장애 또는 신체형 망상장애 등으로 더 잘 설명되지 않는다.

다음 중 하나를 명시할 것:

진료추구형: 왕진 또는 검사와 시술을 진행하는 것을 포함하여 의학적 치료를 자주 이용한다.
진료회피형: 의학적 치료를 거의 이용하지 않는다.

약하다. 신체증상장애와 마찬가지로 의학적 진단 검사에서 아무런 소견도 발견되지 않는다. 환자는 여러 가지 신체적 불편함(예: 현기증, 이명, 트림 등)에 대해 상당한 불안감을 느끼는데, 그 불편감이 진단되지 않은 심각한 질병을 가지고 있다는 것을 의미한다고 믿기 때문이다. 이들은 다른 누군가가 병이 나거나 건강 관련 뉴스를 읽을 때 불안해하는 모습을 보인다. 의사가 검진 결과를 통해 안심시켜 주어도 불안감은 완화되지 않고 심지어 고조될 수도 있다. 환자는 진단을 받지 않은 질병에 집착하여 의심되는 질병을 과도하게 조사하고 그것을 가족, 친구들과의 사회적 상호작용에서 중요한 주제로 삼는다.

4. 인위성장애

인위성장애(factitious disorder)는 자신이나 타인의 의학적 또는 심리적 징후와 증상을 위조하는 것이 특징이다. 이들은 다른 신체증상 관련 장애와 달리, 명백한 외부의 보상이 없음에도 불구하고 의료인의 관심을 받고자, 질병이나 부상의 징후, 증상을 잘못 전달하거나, 과장, 날조, 유도, 가장함으로써 자신이나 타인에게 해를 끼친다. 또한, 다른 신체증상 관련 장애는 신체화나 전환 등의 방어기제가 무의식적으로 발생하는 반면, 인위성장애는 환자가 의식적으로 허위 증상을 만들어내므로 증상을 통제할 수 있다는 점에서 차이가 있다. 과도한 의학적 개입을 유발할 수 있는 인위성장애 행동의 예로는 소변에 혈액 넣기, 와파린 삼키기 혹은 인슐린 투여하기, 종기나 패혈증을 유발하는 배설물 섭취 등이 있다(American Psychiatric Association, 2013).

5. 치료 및 간호중재

1) 간호사 – 환자 관계

환자가 적극적인 대처행동을 발달시킬 수 있도록 도와줌으로써 환자의 전반적인 기능수준을 향상시키는 것이다. 신체증상장애가 있는 환자는 종종 그들의 감정, 욕구, 갈등을 확인하거나 표현하는 데 어려움이 있다. 그들에게 감정을 적절하게 말로 표현하는 방법을 가르치는 것은 신체증상을 갖고자 하는 무의식적 욕구를 제거하거나 줄이는 데 도움이 된다.

환자 스스로 신체증상을 왜 필요로 하는지를 이해하는 데는 시간이 필요하다. 환자가 자신의 욕구를 말로 표현하기 시작함에 따라 의식과 통찰력은 서서히 발달한다. 간호사는 공감을 전달하고 질병이 아님을 안심시켜 주며, 감정과 신체증상 사이의 관계에 대해 알려줘야 한다. 내과 의사 혹은 정신과 의사는 진단검사와 신체검진, 그리고 환자의 생리적·기질적 질병 또는 병인의 존재 여부를 철저하게 평가하기 위해 정밀검사를 지시한다(이전에 이 작업을 수행하지 않은 경우). 관련된 의학적 발견이 없다는 것은 특히 환자의 삶에 스트레스와 갈등이 존재할 경우 신체증상장애가 존재한다는 것을 강력히 시사한다.

2) 약물치료

신체증상장애를 가진 환자는 많은 다양한 약물을 복용해 왔을 수 있으므로, 약물은 단기간 최소한의 용량만 사용되어야 한다. 이러한 장애는 다른 장애와 동반이환될 가능성이 높으며, SSRIs는 불안과 우울증을 치료하는 데 도움이 된다. 또한 SSRIs는 신체적 감각에 대한 민감도를 감소시킨다(Abramowitz & Braddock, 2006).

3) 치료적 환경관리

이완요법, 명상, 인지행동치료가 신체증상장애를 치료하는 데 사용된다. 물리치료는 전환장애 환자의 근육위축을 예방하기 위해 적용될 수 있다(Miller, 2005a). 자기주장과 의사결정을 위한 훈련과 목표를 설정한 집단치료, 스트레스 관리 및 사회기술훈련도 도움이 된다. 가족치료도 가족 갈등이 있을 때 도움이 된다. 신체증상장애가 있는 환자는 대개 내외과적 치료를 지나치게 많이 받기 때문에, 일부 병원은 이 환자들에게 의료 서비스의 일부로 집단치료를 제공하기도 한다. 이러한 집단치료는 신체적 요구가 아니라 기본적인 사회심리적 요구에 초점을 맞춘다. 집단치료 접근법은 병원비용을 절감하는 동시에 더 적절한 환자관리를 제공할 수 있다.

핵심 간호중재: 신체증상장애 환자

- 이차적 이득을 줄이기 위해 환자와 의사소통할 때 사실적이고 배려하는 접근방식을 사용한다.
- 신체증상보다는 감정(특히 부정적인 감정), 요구, 불안의 표현을 증가시키기 위해 환자에게 기분이 어떤지 물어보고, 그들의 감정을 설명해 달라고 요청한다.
- 주장을 통한 적응적 대처를 향상시키기 위해 환자가 더 적절한 방법으로 감정과 요구를 표현할 수 있도록 돕는다.
- 환자가 신체적인 증상 호소와 불합리한 요구에만 초점을 둘 때는 관심을 보이지 않으며, 감정을 표현할 때 긍정적 강화를 제공하는 것이 신체증상 호소를 감소시키는 방법이다.
- 환자가 요청하는 모든 것을 책임간호사에게 보내 관리함으로써 일관성을 유지하는 것이 환자의 관심 끄는 행동과 조종 행동을 줄이는 방법이다.
- 활동요법과 오락요법의 참여로 주의를 전환시킴으로써, 환자가 신체증상에 집착하는 것을 줄일 수 있다.
- 갈등이나 문제에 대한 인식과 통찰력을 갖도록 강요하는 것은 환자의 불안과 신체증상의 욕구를 증가시킬 수 있다.

STUDY NOTES

1. 불안의 과정을 이해하는 것은 불안 관련 장애 환자에게 치료적 중재를 제공하는 데 있어 매우 중요하다.
2. 환자의 불안이 경증 또는 중등도 수준으로 감소된 후에야, 간호사는 문제해결과 적응적 대처를 위한 중재를 제공할 수 있다.
3. 불안 관련 장애 환자들은 자신의 불안 증상을 직접적으로 표현하거나 느끼게 된다.
4. 신체증상 관련 장애 환자는 자신의 불안을 신체적 증상으로 표현한다.
5. 간호중재의 핵심은 그들이 독립적으로 기능하기 위해 환자가 자신의 감정과 불안, 갈등, 생활스트레스를 적응적인 방법으로 관리할 수 있도록 돕는 것이다.

참고문헌 REFERENCES

Abramowitz, J. S., & Braddock, A. E. (2006). Hypochondriasis: Conceptualization, treatment, and relationship to obsessivecompulsive disorder. Psychiatric Clinics of North America, 29, 503.

Aguilera, D. C. (1998). Crisis intervention: Theory and methodology (8th ed.). St. Louis: Mosby.

Antai–Ontong, D. (2003). Current treatment of generalized anxiety disorder. Journal of Psychosocial Nursing and Mental Health Services, 41, 20.

Charney, D. S. (2004). Psychobiological mechanisms of resilience and vulnerability: Implications for successful adaptation to extreme stress. American Journal of Psychiatry,161, 195.

Clements, K., & Turpin, G. (2000). Life event exposure, physiological reactivity, and psychological strain. Journal of Behavioral Medicine, 23, 73.

Davidson, J. R. (2009). First–line pharmacotherapy approaches for generalized anxiety disorder. Journal of Clinical Psychiatry, 70(Suppl. 2), 25.

Eisner, R. (2004). Stresses stress in his research: A profile of Bruce McEwen, Ph.D. NARSAD Research Newsletter, 16, 1.

Glod, C., & Cawley, D. (1997). Psychobiology perspectives: The neurobiology of obsessive–compulsive disorders. Journal of the American Psychiatric Nurses Association, 3, 120.

Gorman, J. M., et al. (2000). Neuroanatomical hypothesis of panic disorder, revised. American Journal of Psychiatry, 157, 493.

Hoffart, M. B., & Keene, E. P. (1998). The benefits of visualization. American Journal of Nursing, 98, 44.

Jiwanlal, S. S., & Weitzel, C. (2001). The suicide myth. RN, 64, 33.

Kaplan, Z., Iancu, I., & Bodner, E. (2001). A review of psychological debriefing after extreme stress. Psychiatric Services, 52, 824.

Keltner, N. L., Perry, B. A., & Williams, A. R. (2003). Panic disorder: A tightening vortex of misery. Perspectives in Psychiatric Care, 39, 41.

Kessler, R. C., et al. (2012). Twelve–month and lifetime prevalence and lifetime morbid risk of anxiety and mood disorders in the United States. International Journal of Methods in Psychiatric Research, 21, 169.

Koob, G. F. (2008). A role for brain stress systems in addiction. Neuron, 59, 11.

Marcks, B. A., Weisberg, R. B., & Keller, M. B. (2009). Psychiatric treatment received by primary care patients with panic disorder with and without agoraphobia. Psychiatric Services, 60, 823.

Martenson, M. E., Cetas, J. S., & Heinrecher, M. (2009). A possible neural basis for stress–induced hyperalgesia. Pain, 142, 236.

Miller, M. C. (2005c). Questions and answers. Harvard Mental Health Letter, 21, 8.

Miller, M. C. (2009a). MRI scans reveal altered brain response to criticism in patients with social phobia. Harvard Mental Health Letter, 25, 7.

Miller, M. C. (2009b). Treating obsessive–compulsive disorder. Harvard Mental Health Letter, 25, 9.

Ninan, P., & Dunlop, B. (2005). Neurobiology and etiology of panic disorder. Journal of Clinical Psychiatry, 66(Suppl), 4.

Shah, D. B., et al. (2008). Functional neurosurgery in the treatment of severe obsessive compulsive disorder and major depression: Overview of disease circuits and therapeutic targeting for the clinician. Psychiatry, 5, 25.

Soderstrom, M., et al. (2000). The relationship of hardiness, coping strategies, and perceived stress to symptoms of illness. Journal of Behavioral Medicine, 23, 311.

Stuhlmiller, C., & Tolchard, B. (2009). Computer–assisted CBT for depression and anxiety. Journal of Psychosocial Nursing and Mental Health Services, 47, 32.

Taylor, S. E., et al. (2001). Biobehavioral responses to stress in females: Tend–and–befriend, not fight–or–flight. Psychological Review, 107, 411.

Weigartz, P. S., & Rasminsky, S. (2005). Treating OCD in patients with psychiatric morbidity: How to keep anxiety, depression, and other disorders from thwarting interventions. Current Psychiatry, 4, 57.

CHAPTER

20

외상 및 스트레스 관련 장애, 해리장애

Trauma and Stressor-related Disorders, Dissociative Disorders

evolve WEBSITE

http://evolve.elsevier.com/Keltner

학습목표

- 외상 및 스트레스 관련 장애, 해리장애를 정의한다.
- 외상 및 스트레스 관련 장애, 해리장애의 관련요인을 설명한다.
- 질환에 대한 DSM-5 진단기준을 설명한다.
- 외상후 스트레스장애 및 급성 스트레스장애, 적응장애, 애착장애의 행동특성을 설명한다.
- 폭력 및 학대 생존자들의 요구를 확인한다.
- 성폭력 및 아동 학대, 배우자 학대, 노인 학대 희생자의 특성과 정서적 반응을 확인한다.
- 폭력 및 학대 생존자를 위한 예방 및 대처방안을 설명한다.
- 해리장애의 행동특성을 설명한다.
- 대상자에게 간호과정을 적용한다.
- 대상자를 위한 치료적 관계, 약물치료, 환경관리 중재계획을 수립한다.

이 장에서 논의되는 질환들은 DSM-5에서 외상 및 스트레스 관련 장애, 해리장애로 분류된다. 이 질환들은 불안 관련 장애 또는 강박 관련 장애와 비슷하게 스트레스, 불안 또는 두려움에 뿌리를 두고 있다. 또한 이 질환들은 외상 사건(traumatic event)의 발생과 밀접한 관련이 있으므로 이러한 연관성을 이해하는 것이 중요하며, 폭력과 학대 등의 외상에 대하여 이해하는 것은 간호중재를 위해 필수적이다.

1. 외상 및 스트레스 관련 장애

외상 및 스트레스 관련 장애는 자기 자신이나 타인, 자원, 통제감, 희망 등을 위협하는 명백한 외상 사건에 노출된 후에 발생하는 질환으로, 외상후 스트레스장애, 급성 스트레스장애, 적응장애, 반응성 애착장애, 탈억제성 사회적 유대감 장애가 포함된다. 심리적 외상 사건에 노출된 후에 정신적인 고통이 발생하며, 그 사건은 개인의 평상시 사용하던 대응 전략을 위협한다. 이러한 장애의 발생과 진행을 촉진할 수 있는 외상성 스트레스 요인으로는 전쟁, 테러 공격, 인질 또는 전쟁 포로, 고문, 재난, 화재 또는 사고, 치명적인 질병, 강간, 아동기 성적 학대 등이 있다. 이러한 외상 사건을 경험한 사람은 누구나 고통을 겪고 극심한 두려움과 공포, 무력감을 느낄 것이다. 심리적 외상에 대한 초기 및 후기의 반응 유형과 정도는 개인의 이전 경험과 심리적 요인에 따라 달라진다(Heim & Nemeroff, 2009). 미국 성인의 7~8%는 외상후 스트레스장애를 앓고 있는 것으로 추정된다(Antai-Ontong, 2003; Nisenoff, 2008). 우리나라의 외상후 스트레스장애 평생 유병률은 1.5%이며, 연간 유병률은 0.5%로 조사되었다(보건복지부, 2016).

1) 외상 및 스트레스 관련 장애의 유형

(1) 외상후 스트레스장애와 급성 스트레스장애

① 개요

외상후 스트레스장애(post traumatic stress disorder, PTSD)는 인류가 전쟁을 계속하는 한 늘 존재했으며, 다양한 이름으로 불려왔다. 미국의 남북 전쟁 기간에는 '군인의 마음(soldier's heart)'이란 용어로 언급되었고, 제1차 세계대전에서는 '쉘 쇼크(shell shock)', 제2차 세계대전 중에는 '전쟁 피로(battle fatigue)'로 불렸다. 'PTSD'는 비교적 최근에 만들어진 용어로, 약 30년 전에 베트남 전쟁 참전 용사들에게서 나타난 복합적인 증상을 기준으로 만들어졌다.

PTSD라는 용어를 자세히 분석해보면 다음의 내용을 확인할 수 있다. 첫째, DSM은 PTSD를 다른 정신질환과는 구별되는 별도의 진단 범주인 '장애(disorder)'로 간주하고 있다. 둘째로 '외상(trauma)'을 경험함으로써 유발된 '스트레스(stress)'로 표현되며, 마지막으로, '후(post)'는 반응이 외상에 노출된 후에 발생하며 표면화되기까지 수년이 걸릴 수 있음을 나타낸다. Solomon과 Mikulincer(2006)는 전투에 참여했던 일부 이스라엘 군인들에게 PTSD가 나타나기까지 20년이 걸렸다고 보고했다.

② 행동특성

외상성 사건(생명의 위협, 심각한 부상, 성폭력 등)에 노출된 후 나타나는 외상후 스트레스장애 및 급성 스트레스장애(acute stress disorder)의 특징은 두려움, 무력감, 공포와 같은 강렬한 감정적 반응이다. 가족 등 가까운 사람에게 외상성 사건이 발생하거나, 타인에게 발생한 사건을 간접적으로 보게 되는 경우에도 이것이 노출로 간주되어 외상후 스트레스장애 또는 급성 스트레스장애로 이어질 수 있다. 급성 스트레스장애는 시작과 지속 시간을 제외한 나머지 특성들이 외상후 스트레스장애와 매우 유사하다. 급성 스트레스장애의 진단은 개인이 고통스러운 사건(3일에서 1개월) 동안 또는 직후에 해리 증상이 있는 경우에 내려진다. 해리 증상으로는 기억상실, 이인증, 비현실감, 주변에 대한 인지력 저하, 마비, 분리 또는 감정반응의 결핍을 포함한다. 외상후 스트레스장애의 진단은 외상 후 1개월 또는 그 이상의 기간에 동일한 증상이 유지될 때 내리게 된다. 때로는 수년에서 10~20년이 지난 후 외상후 스트레스장애가 나타나는 경우도 흔하다. 이러한 지연은 부분적으로 급성 스트레스장애와 외상후 스트레스장애의 주요 특징인 민감성 저하, 외부 세계와의 연결 감소의 결과이다. 급성 스트레스장애와 외상후 스트레스장애 모두에서 부정과 억압, 억제의 방어기전이 흔히 일어난다.

급성 스트레스장애와 외상후 스트레스장애의 또 다른 주요 특징은 외상성 사건을 어떤 식으로든 재경험(reexperiencing)하는 것이다. 재경험은 침습적이고 원치 않는 기억의 형태일 수도 있고, 꿈이나 악몽일 수도 있으며, 환상 또는 갑자기 그 사건이 발생한 것처럼 느끼는 플래시백으로 나타날 수도 있다. 재경험 삽화의 계기는 외상과 명백한 연관성이 있거나 혹은 원래 상황과 전혀 유사하지 않을 수도 있다. 두 경우 모두 환자들은 플래시백 경험을 막기 위해 모든 활동과 타인과의 만남을 피하려고 한다.

외상성 사건의 재경험은 여러 가지 형태로 나타난다. 그 사건이 계속해서 반복되는 것처럼 느끼거나, 또는 외상과 관련 없는 상황에서도 외상 기억이 사고의 흐름에 주입되는데, 후자를 침습적 사고(intrusion)라고 한다. 재경험의 징후로 수면장애가 있는데, 사건이 재현되는 꿈이나 사건이 왜곡되는 꿈을 반복적으로 꾸기 때문에 잠을 자는 동안에도 도피처를 찾을 수 없게 된다. 플래시백(해리 반응)은 재경험의 또 다른 양상인데, 환자는 깨어있는 동안 마치 과거의 외상 사건이 현재 일어나는 것처럼 재현되는 경험을 한다. 환자들은 짧은 시간 동안 현재 자신이 예전의 외상성 사건이 일어났던 환경에 있다고 생각하고, 마치 그 사건이 일어났던 상황에서 취했을 행동과 유사한 반사적 행동을 보인다.

회피(avoidance)는 외상후 스트레스장애와 급성 스트레스장애의 중요한 특징이다. 상황이나 활동, 그리고 때로는 외상의 기억을 불러일으킬 수 있는 사람조차 끊임없이 피하려고 한다. 여기에는 사건과 관련된 생각과 느낌을 피하려는 노력이 포함된다. 감정이 위축되거나 둔감해지고 감정의 범위가 제한되며, 심한 경우 감정을 표현할 수 없게 되기도 한다. 환자들은 가족과 친구들로부터 떨어져 있거나 소외감을 느낄 수 있으며, 신뢰감이나 사랑하는 능력이 손상되어 주위의 모든 집단으로부터 소외될 수도 있다. 환자들은 종종 활동에 흥미를 잃는데, 심지어 외상성 사건과 무관한 활동에도 흥미를 잃는다.

플래시백이 반복적인 꿈의 심리적 확장으로 간주될 수

있는 것처럼, 외상후 스트레스장애 환자는 회피를 넘어 외상성 사건에 대한 실제 기억을 상실할 수도 있다. 외상 관련 활동을 피하는 것은 불편함을 예방하기 위해 의식적으로 문제를 해결하려는 노력이지만, 어떤 환자들은 심리적으로 무심함 또는 거리를 두는 느낌으로 그러한 회피를 지속한다. 이러한 비현실적인 느낌은 고통을 피하기 위한 시도로 볼 수 있다. 기분과 인지 영역에서의 이러한 부정적인 변화는 지속적이고 과장된 부정적인 믿음과 부정적인 감정 상태, 그리고 긍정적인 감정을 경험하는 능력의 결여를 초래할 수 있다.

외상후 스트레스장애 및 급성 스트레스장애의 또 다른 증상으로는 과도한 각성(hyperarousal)과 반응 정도의 변화를 들 수 있으며, 평소와 다른 예민한 행동, 분노 폭발, 자기파괴적 행동, 수면장애, 기억력 또는 집중력 장애 등이 포함된다. 특히 외상후 스트레스장애의 경우 분노가 폭발하거나 생존자가 죄책감(생존을 위한 행동이나 생존에 대한 죄책감)을 느낄 수 있다(Kaplan et al., 2001). 예를 들어, 전투 병사들은 그들이 비겁한 행동으로 살아남았다고 믿을 수도 있으며, 강간 피해자들은 가해자에게 저항하지 않은 것에 대해 죄책감을 느낄지도 모른다. 외상 후 증상을 겪는 환자는 우울증, 자살에 대한 생각과 시도, 그리고 약물 남용을 경험할 수도 있다. 외상후 스트레스장애가 있는 사람은 자살을 시도할 위험이 증가한다(Wilcox et al., 2009). 특히 외상후 스트레스장애 및 급성 스트레스장애를 무시하고 그저 다른 진단들만 치료하는 경우, 이러한 증상은 치료를 복잡하게 만든다.

Clinical example: 급성 스트레스장애

45세의 여성인 김OO 님은 태풍 매미로 인해 집이 파괴되고 아들이 심하게 다치는 일을 겪었다. 그녀는 3일 뒤에 아들이 환자로 있는 병원을 돌아다니다가 발견되었는데, 그녀는 다치진 않았지만 악몽과 과민함을 호소하고 있었다. 그녀는 아들이 '벌어진 일들(이는 내가 기억할 수 없는 일들)에 대해서만 이야기하고 싶어 했기' 때문에 그를 보는 것이 힘들었다고 말했다. 김OO 님은 태풍 매미가 지나간 후로 일을 하러 가지 않았다. 그녀는 응급의료센터로 이송되어 급성 스트레스장애에 대한 진단과 치료를 받았다.

외상후 스트레스장애나 급성 스트레스장애 환자의 가족 구성원과 친구들, 동료들 또한 '2차 피해자'의 문제를 겪을 수 있다. 이들은 동일한 외상(예: 사고, 화재, 재난)을 경험하고 나서 자기 자신도 증상을 겪기도 한다. 가족은 외상후 스트레스장애를 앓고 있는 가족 구성원에게 도움을 줄 수도 있지만, 때로는 돕지 못할 수도 있다. 가족 전체나 특정 구성원들은 가족치료가 필요할 수 있다.

지나친 경계심과 과도한 반응, 수면 부족으로 인해 환자는 피곤하고 불안정한 상태에 처하게 된다. 피곤해하고 짜증을 잘 내며, 경계심이 강하고 쉽게 놀라는 특성은 다른 사람과 함께 살아가기 어렵게 만드는데, 롤러코스터와 같은 감정적인 긴장 속에서는 결혼생활이 지속되지 못하는 경우 또한 많다. 외상후 스트레스장애를 경험한 퇴역군인으로 인해 가족이 받은 스트레스를 '이차 외상(secondary traumatization)'이라고 부른다(Galovski & Lyons, 2004). 무감각, 각성상태 및 분노는 가족 구성원에게 고통을 주게 되므로 구성원 역시 심리적 안정을 위해 간호목표를 설정해야 할 필요가 있다. 또한 급성 스트레스장애 환자를 계속해서 고용하려는 고용주는 극히 드물어 이들의 직업적인 문제 또한 함께 발생한다.

외상성 사건 이전에 성격장애를 포함한 다른 정신질환이 존재했다면, 외상성 사건 경험 이후 급성 스트레스장애와 외상후 스트레스장애의 위험이 증가할 수 있다(Axelrod et al., 2005). 고문, 아동학대, 강간, 그리고 배우자에 의한 학대를 포함한 이전의 외상이 존재하는 경우, 나중에 외상을 경험했을 때 외상후 스트레스장애의 위험성이 증가한다. 반대로 나중에 일어난 외상성 사건으로 인해 이전에 인식하지 못하고 지나갔던 외상후 스트레스장애가 촉발될 수도 있다. 환자는 이전의 외상 상황에서 자신을 직·간접적으로 돕지 않은 책임이 있는 권위적인 인물이나 타인에 대해 법적인 고소를 하거나 해고, 가출, 학대, 이혼청구, 편집증 등의 문제를 나타낼 수 있다(Amaya-Jackson et al., 1999; Beckham et al., 2000). 불신, 고립, 버려질 것에 대한 두려움, 일 중독(workholism), 다른 사람의 요구에 초점을 맞추는 것, 무능력한 느낌, 신을 향한 분노, 해결되지 않은 슬픔, 그리고 감정을 통제할 수 없을 것 같은 두려움은 흔히 나타나는 양상이다(Bille, 1993). 외상후 스트레스장애의 위험요인은 표 20-1과 같다.

표 20-1 외상후 스트레스장애의 위험요인

- 강렬하고 오래 지속되는 외상 경험
- 어린 시절의 다른 외상 경험
- 불안이나 우울증과 같은 다른 정신건강 문제
- 가족, 친구 등의 지지체계 부족
- 여성
- 1차 친족 중 외상후 스트레스장애 등의 정신건강문제 가족력
- 아동학대 또는 방임

출처: Mayo Clinic Staff (2011a, April 8). Post-traumatic stress disorder (PTSD). 〈http://www.mayoclinic.com/health/post-traumaticstress disorder/DS00246/DSECTION = risk-factors 〉 Accessed June 7, 2013.

외상후 스트레스장애는 종종 우울증이나 불안, 약물 남용과 같은 다른 정신장애가 동반된다. 초기에는 알코올이나 약물 남용이 동반되며, 만성화될수록 우울장애가 동반되기 쉽다. 또한 외상후 스트레스장애 증상이 나타나거나 진단을 받기까지 수십 년이 걸릴 수도 있다(Solomon & Mikulincer, 2006).

DSM-5는 진단의 기준을 제시하고 있는데, 진단기준 A1은 실제적이거나 위협적인 죽음, 심각한 부상, 또는 개인이나 타인의 신체적 통합성의 위협에 초점을 둔다. 진단기준 A2는 공포, 무력감, 또는 두려움과 같은 반응에 초점을 둔다. **표 20-2**는 미국정신의학회(American Psychiatric Association)에서 정한 주요 증상이며, 이 중 굵게 표시된 부분은 이OO 병장의 임상 사례에 해당하는 증상이다.

표 20-2 외상후 스트레스장애의 주요증상

A1. 재경험
- 외상성 사건의 재생 및 침습적 사고
  '훈련 경험에 대한 침습적 사고가 반복됨'
- 반복되는 꿈
- 플래시백
- 사건의 기억/상징과 관련된 심적 고통
  '분노, 격분 및 죄의식'

A2. 회피
- 외상 관련 사고(생각)의 회피
- 외상 관련 활동의 회피
  '대부분의 사교모임을 기피함, 살이 타는 냄새'
- 외상으로 인한 기억상실증
  '특정 사건과 장소를 기억하기 어려움'
- 다른 사람과 사이가 멀어지거나 소원해짐
  '끊임없이 변덕스럽고 거리가 느껴짐'
- 분리된 감정
  '같은 사람이 아닌 것처럼 보임'
- 축소된 미래의 느낌
  '자신과 여자친구가 세운 미래 계획에 관심이 없음'

A3. 과각성
- 수면 교란
  '수면 유도 및 유지가 어려움'
- 과민성
  '중년의 민간인을 질식시키려고 함'
- 집중력의 저하
- 과각성(hypervigilance)
  '항상 긴장한 상태로 여자친구를 만남'
- 과장된 놀람 반응
  '여자친구는 그가 쉽게 깜짝 놀라는 경향을 보이는 데 언짢음을 표현함'

출처: National Institute of Mental Health (n.d.). Post-traumatic stress disorder. 〈http://www.nimh.nih.gov/health/topics/posttraumatic-stress-disorder-ptsd/index.shtml〉 Accessed June 10, 2013.

CASE STUDY

이OO 님은 22세의 보병으로 군 병원에 입원 중, 같은 병동에서 치료받고 있던 중년의 민간인을 질식시켜 살해하려고 했다. 이 사실이 병원 직원에 의해 발각된 후에 정신건강의학과로 전실이 되었다. 이 병장은 소대 전투훈련 중 폭발물이 폭발하여 4명의 소대원과 함께 부상을 입고 병원으로 이송되었는데, 한 팀원은 현장에서 즉시 사망했고, 또 다른 팀원은 병원에서 추후에 사망했다. 나머지 2명의 팀원도 팔다리가 절단되었고 중상을 입었다. 이OO 님은 왜 자신은 가벼운 타박상과 고막 파열만 입고 생존할 수 있었는지 믿지 못하고 있었다. 정신건강의학과 상담과정에서 그는 특정 사건을 기억하는 데 어려움을 겪고 있으며, 최근 폭발사건에 대한 '플래시백(flashback)'도 있다고 말했다. 그는 자신이 겪고 있는 분노와 격분, 죄책감 때문에 다른 사람에게 상해를 입힐까 두려우니 자신을 정신건강의학과가 아닌 일반 병실로 옮겨달라고 병원 직원에게 요청했다. 그는 지속되는 기억상실과 분노, 죄책감으로 큰 어려움을 겪고 있어 조기 전역을 하였다.

집에 돌아온 지 4개월 후, 그는 다시 보훈병원의 정신건강의학과 외래에 방문하였다. 조기 전역한 이OO 님은 계속 불안정한 상태로 여자친구와의 관계에서도 어려움을 겪었기 때문이다. 여자친구는 그가 '아주 사소한 것'에 의해서도 쉽게 깜짝 놀라는 경향을 보이고 계속 긴장한 상태로 있으므로 함께 하기 힘들다고 호소했다. 그녀는 이OO 님이 자신이 사랑에 빠졌던 사람과 더 이상 같은 사람이 아니라는 것을 느꼈고, 그가 항상 변덕스럽게 굴고 자신에게 거리를 두는 것에 대해 불만을 표현했다. 또한 이OO 님은 여자친구와 결혼하여 새로운 가정을 꾸릴 계획에 대해서 더 이상 관심을 보이지 않았다.

이OO 님은 또한 수면에 어려움을 겪고 있고, 술을 상당히 마신 후에도 거의 2~3시간밖에 자지 못하고 있다고 말했다. 훈련과 관련된 악몽을 멈추기 위해 그가 할 수 있는 일이 없고, 군에서의 훈련 경험에 대한 생각(기억)이 불쑥불쑥 떠오른다며 고통을 호소했다. 또한 하루에도 몇 번씩 군부대에서 있었던 사고의 장소 등을 기억하는 데 어려움을 겪고 있으며, 바비큐 냄새를 맡으면 군에서의 폭발사고 때 살이 타던 냄새를 연상케 했기 때문에 대부분의 사교 모임에 참석하지 않는다고 말했다.

③ 외상후 스트레스장애와 급성 스트레스장애의 생물학적 변화

신경 해부학적 변화

외상후 스트레스장애 환자들에게 전두엽 피질과 변연계 구조(편도체와 해마)에서 변화가 발생한 것으로 보인다. 많은 연구들이 컴퓨터 단층촬영(CT), 기능적 자기공명영상(fMRI) 및 양전자방출 단층촬영(PET) 등의 다양한 뇌 스캔 기술을 사용하여 신경해부학적 변화를 발견해 보고했는데, 간단히 정리하자면 외상후 스트레스장애 환자들은 주요 뇌 영역에 있어서 부피가 감소하는 경향이 있다는 것이다(Bremner et al., 1999; Driessen et al., 2004).

Rauch 등(2000)은 외상후 스트레스장애가 뇌에 영향을 미쳐, 편도체가 부정적인 자극에 대해 과도한 반응을 나타낸다고 보고했다. 편도체는 측두엽 깊숙이 위치하고 기저핵과 연결되어 있으며, 기억과 감정에 중요한 역할을 한다. 전두엽 피질은 두뇌의 '우두머리'라고도 불리는 통제센터로서, 인지 분석과 추상적 사고를 담당한다. 전두엽 피질은 '그것에 대해 계속 생각하라' 또는 '모르는 사람과 성관계를 맺어서는 안 될 것 같다'고 명령하는 기능을 한다. 뇌 연구에 따르면 이 영역은 25세가 되어야 성숙해진다고 한다. 전전두엽 피질이 제대로 작동한다면 편도체를 잘 통제함으로써, 어떠한 큰 소리에도 과민반응을 보이거나 다른 사람이 나를 놀라게 했다고 해서 그 사람을 때리는 행동을 하지는 않을 것이다. 외상후 스트레스장애 환자의 뇌에서는 전전두엽 피질이 손상되어 자극을 완충시키는 능력이 감소한다는 것이 발견되었다(Vasterling et al., 2009). 외상후 스트레스로 인해 해마도 영향을 받는데, Rauch 등(2000)은 외상후 스트레스장애 진단을 받은 베트남 참전 용사들의 오른쪽 해마 부피가 8%(MRI 측정) 감소했다고 보고했다. 이 연구자들은 해마 부피가 최대 26%까지 감소했다고 총 4회의 연구에 걸쳐 보고했다. 해마는 기억과 학습을 담당하는 주요 신경 구조로, 해마의 기능에는 맥락화(contextualization: 사건을 맥락이나 상황에 비추어 바라보는 능력)가 포함된다(Vasterling et al., 2009). 편도체 등의 감정중추에 대한 통제력이 저하되고, 일상적인 상황에서 '이곳은 안전한 곳이다, 이 장소는 안전하지 않다' 등으로 맥락화 하는 능력이 떨어지면, 재난에 대한 대처능력도 저하된다.

신경 화학적 변화

스트레스가 과도해지면, 교감신경계(sympathetic nervous system, SNS)와 부신피질자극호르몬방출호르몬(corticotropin releasing hormone, CRH) 시스템이 영향을 받게 된다. 이 두 시스템은 서로 시너지 효과가 있으며, SNS는 스트레스 반응에 필요한 에너지를 신체에 제공하고, CRH 시스템은 스트레스 반응을 억제하는 데 필요한 도구를 신체에 제공한다(Harvey et al., 2006). CRH 뉴런은 시상하부의 실방핵(paraventricular nucleus)에 주로 위치한다. 신경경로는 뇌하수체 전엽으로 이어지고 CRH가 분비되면 부신피질자극호르몬(adrenocorticotropic hormone, ACTH)이 방출된다. ACTH가 부신피질에 도달하면 글루코코르티코이드 코르티솔이 전신 순환계로 방출된다. ACTH에 의한 이러한 자극은 부신 수질에서 에피네프린과 노르에피네프린의 분비를 활성화한다. 스트레스를 받는 동안 대량의 에피네프린과 노르에피네프린이 방출되면 이들은 부신수질을 후속적으로 자극하여 SNS를 활성화함으로써 더 많은 노르에피네프린과 에피네프린을 분비하게 한다. 스트레스에 적응하는 생리적 반응에는 혈당, 심장박동수, 혈압 및 호흡률의 증가가 포함된다(Selye, 1946). 코르티솔과 노르에피네프린, 에피네프린이 상승하면 경계심과 각성상태를 증가시키고 성에 대한 관심을 감소시킨다(Chrousos & Gold, 1992). 이러한 호르몬들의 상승은 때로 적응력이 있지만, 외상성 사건 중에 발생할 수 있는 장기간의 상승으로 인해 시스템이 지속적으로 가동되며, 불면증과 과각성을 지나치게 강화하는 결과를 가져올 수 있다.

(2) 적응장애

적응장애(adjustment disorder)는 특정한 일상생활 스트레스(예: 이혼, 지속적인 고통스러운 질병, 실직, 자연재해)로 인해 상당한 감정적 고통을 겪는 질환이다. 증상은 스트레스 요인 후 3개월 이내에 나타나며, 그 반응은 외상후 스트레스장애 기준에 부합될 만큼 심각하지는 않다. 스트레스를 받는 상황에 대한 증상이나 반응은 스트레스 요인의 심각성이나 강도에 비례하지 않는 경향이 있다. 급성 증상은 기능을 방해하긴 하지만, 스트레스 요인과 그 결과들이 종결된 이후 6개월 이상 지속되지는 않는다. 그러나 만성질

환이나 이혼으로 인한 어려움과 같이 스트레스 요인의 결과가 더 오래 지속되면 만성 증상이 6개월 이상 지속될 수 있다. 주요 치료 목표는 스트레스 사건과 현재의 문제 사이의 관계를 인식하고, 원래의 상황에 대한 감정과 기억을 검토하고 통합하는 것이다.

(3) 반응성 애착장애

반응성 애착장애(reactive attachment disorder)는 DSM-IV-TR에서는 아동-청소년기 장애 범주에 있었으나 DSM-5에서는 외상 및 스트레스 관련 장애로 분류되었다. 반응성 애착장애는 생애 초기에 부모나 주 양육자의 방임과 학대로 인하여 애착이 형성되지 않은 영유아에게서 나타나는 내재화된 정서적인 기능장애이다. 영아는 생후 9개월에서 5세 사이에 낯익은 사람이나 자신에게 잘해주는 사람에게 선택적으로 반응하며 강한 애착을 형성함으로써 타인에게 선택적 애착을 보인다. 따라서 이 시기에 영아의 기본적 정서 욕구를 계속해서 무시하거나 소홀히 하여 가혹한 처벌을 하거나, 산후우울증을 앓는 어머니로 인해 방임적인 양육을 받거나, 보육원과 같은 시설에서 생활하는 경우, 양육이 서툴거나 방임하는 경우 반응성 애착장애가 발생할 위험이 높다.

주된 행동특성은 부모나 주 양육자와의 애착행동이 부족하며, 아이가 고통스러운 상황에 처해 있을 때 이를 해결해주려는 양육자에 대한 반응이 적게 나타나거나 아예 없는 것이 특징이다. 또한 사회적 또는 정서적으로 상호작용이 부족하고, 이유가 분명하지 않은 공포감, 불안정, 슬픔 등의 부정적 감정을 보이며, 긍정적인 정서가 감소하는 등 정서적인 조절이 잘 이루어지지 않는다(Zeanah & Gleason, 2015). 그밖에도 인지와 언어발달의 지연, 상동증, 영양실조, 우울 증상 등이 나타날 수 있다. 반응성 애착장애가 지속되는 경우, 성인 또는 또래와 상호관계를 맺는 능력에 손상을 주며 아동기의 여러 영역에 걸친 기능적 손상이 일어날 수 있다. 반응성 애착장애로 진단을 내리기 위해서는 사회적 방임이 확인되어야 하고, 특징적인 증상이 12개월 이상 지속되어야 하며 자폐스펙트럼장애, 지적장애, 우울장애와 감별해야 한다(American Psychiatric Association, 2013).

(4) 탈억제성 사회적 유대감 장애

탈억제성 사회적 유대감 장애(disinhibited social engagement disorder)는 부모나 주 양육자의 방임과 학대로 인하여 애착이 형성되지 않은 것이 주요 원인이라는 점에서 반응성 애착장애와 유사하지만, 낯선 대상에게도 무분별한 애착행동을 보인다는 점에서 구별된다. 이 질환의 행동특성은 낯선 사람에 대한 인식이 부족하며, 경계심을 갖지 않는 것이다. 또한 낯선 성인과의 관계에서 사회적, 신체적으로 적절한 경계가 부족하여 낯선 성인의 무릎 위에 앉거나, 밀착되게 껴안는 등 신체적 접촉을 적극적으로 하거나, 과도하게 친숙한 질문을 하는 행동을 보인다(Zeanah & Gleason, 2015). 이러한 행동은 청소년기까지 지속되며, 발달지연, 인지 및 언어발달 지연, 상동증, 영양실조 등 방임에서 보이는 징후들도 나타날 수 있다.

2) 치료 및 간호중재

외상후 스트레스장애 및 급성 스트레스장애에 대한 효과적인 관리는 증상을 예방하거나 최소화하는 것이다. 위기상황 스트레스 관리(critical incident stress management, CISM)의 원칙은 희생자의 외상 후 증상이 발생할 가능성이 높은 재난 상황에 적용된다. 이 모델은 1차 및 2차 희생자에게 다음의 광범위한 서비스를 제공한다.

- 사전 준비(위기상황 스트레스 관리를 돕는 개인 및 조직을 포함)
- 개인의 급성기 위기 상담
- 급성 증상 감소를 돕기 위한 '분노해소 기술(defusing)'이라는 단기 소규모 집단치료
- 위기 후 심리적 안정을 위해 기관으로의 연계를 목적으로 하는 '위기상황 스트레스 해소(critical incident stress debriefings)'라는 장기 소규모 집단치료
- 가족 위기중재 기술
- 심리적 사정 또는 치료를 위한 후속 절차나 의뢰

위기 상담과 관련된 위기상황 스트레스 관리는 리더(정신건강 전문가, 희생자들의 훈련된 동료)들의 목표, 규칙, 역할에 대한 토의에서 시작된다. 그 다음에는 그룹 멤버가 사건 현장에 도착했을 때부터 시작하여 사건의 사실에 대하여 인지 중심의 토의를 한다. 토의는 감정을 충분하게 표현할 수 있도록 돕는 감정적인 단계로 이어진다. 마지막 단

계에서는 현재 겪고 있는 급성 스트레스장애 또는 외상후 스트레스장애의 증상에 대한 토의와 교육이 이루어지는데, 추후 스트레스에 대한 대처 방법과 직장으로의 복귀를 위한 준비 방법 등을 가르친다. 집단 스트레스 해소 프로그램의 이상적인 목표는 위기 전 상황으로 회복되고 위기 사건에 대해 심리적으로 안정감을 느끼는 것이다. 집단 스트레스 해소 프로그램 후 리더들은 그 시간에 토의된 외상 경험에 대해 듣고 느낀 점을 각자에게 요약해주고, 집단치료의 효과에 대해서도 설명할 수 있다(Everly et al., 2000). 미국의 9·11 사태와 같은 대규모 재난의 경우, 희생자의 위치와 신분 확인 및 잔해의 최종 정리에 오랜 시간이 소요되기 때문에 상담 종결이 쉽지 않다.

(1) 간호사-환자 관계

간호사가 외상후 스트레스장애 또는 급성 스트레스장애 환자와 치료적 관계를 맺을 때 첫 번째 우선순위는 신뢰감 형성이다. 이들은 위축되어 있거나 소외감을 느끼고 의심하는 경향이 있어 신뢰를 쌓기 어려울 수 있다. 환자들은 도움을 청하는 것 또는 누군가가 도와줄 때 그것을 받아들이는 것을 어려워할 수 있다. 환자가 현재의 증상들이 외상으로 인한 것임을 알고 있을 때, '겪어보지 않은 사람은 아무도 내가 겪은 일을 이해할 수 없다'고 믿는 경향이 종종 있다. 간호사는 침착해야 하고, 정직해야 하며, 공감할 줄 알아야 하고, 지지를 보내야 한다. 간호사는 "당신이 겪은 일을 겪어 본 적은 없지만, 당신이 더 많이 말해줄수록 당신이 겪은 일과 경험을 더 잘 이해할 수 있을 것이다"라는 메시지를 전달할 수 있다. 때로는 외상으로 인해 불공정과 부당함을 느낄 수 있음을 인정하는 것이 중요하다. 자살과 공격성의 위험이 있으므로 안전과 안정감을 우선순위에 두어야 한다. 불면증과 악몽도 흔히 나타나는 문제이므로 수면장애는 반드시 다루어져야 한다.

환자들은 자신이 미쳐 있는 것이 아니라 심각한 외상에 대한 일반적인 반응을 보이고 있다는 것을 알 필요가 있으므로, 외상후 스트레스장애 또는 급성 스트레스장애의 역동에 대해 교육을 해야 한다. 외상의 특성에 따라, 간호사는 환자가 당한 잔혹한 행위에 대해 경청하고 환자들이 외상으로 인한 상실감과 삶의 변화를 해결해 나가도록 도와야 한다. 응급실, 화상 센터, 사고 또는 재난 현장과 같은 환경에서 외상 환자를 치료할 때 간호사들은 공감피로나 소진과 같은 문제(2차 PTSD)에 처하지 않도록 도움을 받아야 한다(Badger, 2001; Boscarino et al., 2004).

환자들이 그들의 현재의 문제와 외상성 사건 사이의 관계를 인식하는 데는 시간이 걸릴 수 있다. 환자들이 처음에 외상과 현재의 감정, 그리고 문제들 사이의 연관성을 알지 못할 때, 간호사는 그들에게 이러한 관계를 완곡하면서도 명확하게 말해야 한다.

환자들은 그들의 과거 행동을 현재의 가치와 기준이 아닌 원래 상황의 맥락에 따라 평가할 필요가 있다(Figley, 2000). 예를 들어, 자신에게 칼을 휘두르는 가해자에게 저항하지 않은 강간 피해자를 보고 누군가가 "분명 그 여자가 요구했겠지"라고 말하는 것에 영향받지 않고, 생사가 오가는 상황이기 때문에 저항이 불가능했던 맥락으로 판단할 수 있어야 한다. 또 다른 예로, 아프가니스탄 참전 용사가 무기를 갖고 있는 여성을 살해한 사건에 대해 군인이 부도덕한 행동을 했다는 사회적 시각이 아닌, 전쟁 상황에서의 불가피성의 관점으로 평가해야 한다. 실제 일어난 사실과 감정, 가치를 모두 고려하여 외상 사건에 대한 새로운 관점을 형성하는 것은 환자들에게 매우 어려운 일이다.

환자들은 종종 무시되거나 억제되어 온 감정, 특히 분노를 안전하게 표현하는 것에 상당한 도움을 필요로 한다. 특히 파괴적인 감정 폭발이 있었거나 환자들이 필사적으로 감정을 통제하려고 노력하는 경우에 그렇다. 일반적으로 일기를 쓰는 것이 도움이 되며, 표현요법(미술, 음악, 시)은 말로 표현하기 어려운 고통스러운 감정을 표출하도록 도움을 줄 수 있다(Clerk, 1997; Hines-Martin & Ising, 1993).

환자들이 외상 경험에 대한 기억과 느낌을 재경험하고, 재통합하고, 처리하는 과정에 오랜 시간을 보내는 동안, 그들은 공감과 안심시키는 말을 필요로 하며, 불안감에 압도당하지 않도록 스트레스 관리 기술을 배워야 한다. 또한 긴급한 사안에 대해서는 정해놓은 시간까지 잠재적 해결책에 초점을 맞추는 것도 중요하다. 재정, 주택, 이혼과 같은 문제들과 이에 관련된 그들의 감정은 원래의 사건만큼이나 스트레스를 줄 수 있다. 환자들은 문제해결이나 의사결정, 그리고 스트레스를 극복하기 위한 특정한 조치를 취하는 데 참여할 필요가 있다. 환자가 적응적인 대처기술과 이완기법을 사용하도록 격려하는 한편, 역기능적인 활동, 특

핵심 간호중재: 외상후 스트레스장애와 급성 스트레스장애 환자

- 비판단적인 태도로 정직하며, 공감과 지지를 보내고, 외상과 관련된 부당함이나 불공정을 인정한다(근거: 환자들은 신뢰를 형성하는 것이 어려울 수 있음).
- 환자들에게 그들의 감정과 행동이 심각한 외상에 대한 전형적인 반응임을 확인시켜준다(근거: 환자들은 종종 자신이 미쳐가고 있다고 믿음).
- 환자들이 외상 경험과 그들의 현재 감정, 행동, 문제 사이의 연관성을 인식하도록 도와준다(근거: 환자들은 때때로 이들 간의 연관성을 인식하지 못함).
- 환자들이 현재의 가치와 기준의 맥락이 아닌, 외상이 일어난 시점의 맥락에서 과거의 행동들을 평가할 수 있도록 도와준다(근거: 환자들은 종종 과거의 행동에 대해 죄책감을 느끼고 자신을 비판함).
- 감정, 특히 분노를 안전하게 표현하도록 격려한다(근거: 감정들은 억압되거나 억제되어 왔을 것임).
- 운동, 이완 기법, 수면 촉진 전략과 같은 적응적 대처 전략을 격려한다(근거: 환자들은 감정과 문제를 다루는 것을 피하고자 부적응적이거나 역기능적인 대처방법을 사용했을 수 있음).
- 환자들이 대인관계를 정립하거나 회복하도록 돕는다(근거: 도움을 요청하는 것에 대한 환자의 두려움이나 의심 때문에 도움과 지원을 위해 필요한 대인관계에 문제가 생겼을 수 있음).

히 자신의 행동에 대한 책임 회피와 알코올 및 약물 남용은 자제하도록 해야 한다.

필요에 따라, 가족을 참여시키는 것은 환자들에게 지지와 지원을 제공할 수 있는 관계를 회복하는 데 도움을 준다. 때로는 부부치료나 가족 교육과 상담이 권장될 수 있다. 위에 제시된 **핵심 간호 중재**에는 외상후 스트레스장애 및 급성 스트레스장애에 사용할 수 있는 추가적인 간호중재가 나열되어 있다. 외상후 스트레스장애의 증상을 치료하기 위한 근거 기반 치료법(evidence-based therapies)으로는 외상 중심 인지행동치료(trauma-focused CBT), 지속적 노출 치료(prolonged exposure therapy), 안구운동 민감소실 재처리 기법(eye movement desensitization and reprocessing) 등이 있다(Bisson, 2008; Heim & Nemeroff, 2009; Parslow et al., 2008; Rauch et al., 2009; Ray, 2008).

(2) 약물치료

약물의 선택은 환자가 겪고 있는 주요 증상과 다른 합병증의 존재 여부에 달려 있다. 선택적 세로토닌 재흡수 억제제(SSRIs)는 외상후 스트레스장애의 첫 번째 치료법이다. 파록세틴(paroxetine), 설트랄린(sertraline), 플루옥세틴(fluoxetine)이 외상후 스트레스장애 치료를 위해 미국 식약청(FDA)의 승인을 받았다(Nisenoff, 2008; Parslow et al., 2008). 삼환계 항우울제(TCAs)와 단가아민 산화효소(MAO) 억제제는 2차 치료제이다. 트라조돈(trazodone)은 불면증을 돕고 일부 환자들의 악몽을 줄여준다.

벤조디아제핀계 약물은 불안감을 줄이는 데 효과적이지만, 외상후 스트레스장애에 대한 사용을 조사한 연구는 거의 없다. 특히 이미 알코올이나 약물을 남용하고 있는 환자의 경우에는 의존성의 위험이 있다. 클로니딘(clonidine)과 프로프라놀롤(propranolol)은 벤조디아제핀계의 반응과 유사한 반응을 일으킬 수 있다. 두 가지 약물 모두 두려움, 불안, 악몽과 관련된 말초 자율신경계 반응을 감소시키는 데 도움을 줄 수 있다.

외상후 스트레스장애가 심하거나 정신병적 장애, 양극성장애를 동반한 경우, 비정형 항정신병 약물인 올란자핀(olanzapine), 리스페리돈(risperidone), 쿠에티아핀(quetiapine)을 사용할 수 있다. 이 약물들은 과각성, 플래시백, 악몽이 있을 때 사용될 수 있다.

(3) 치료적 환경관리

외상후 스트레스장애 또는 급성 스트레스장애를 겪고 있는 환자에게는 입원이나 외래 세팅의 환경치료가 유용하다. 사회 활동은 의심과 위축으로 인해 손상된 사회 기술을 재확립하는 데 도움을 줄 수 있다. 오락요법과 운동 프로그램은 긴장을 완화하고 휴식을 증진하는 데 도움을 준다. 적당한 강도의 유산소 운동은 외상후 스트레스장애 증상을 감소시키는 것으로 밝혀졌다(Diaz & Motta, 2008). 자존감, 의사결정, 자기주장, 분노 관리, 스트레스 관리, 이완기법에 초점을 둔 집단치료가 도움을 줄 수 있다. 다양한 외상의 희생자들은 집단치료를 통해 불신, 무력감, 공포, 죄책감, 무감각, 해리, 악몽, 그리고 플래시백 등 감정이나 반응에서의 공통점을 집단의 다른 멤버들과 나누며 도움을 받는다.

DSM-5 감별진단 목록

- 외상후 스트레스장애(post traumatic stress disorder, PTSD)
- 적응장애(adjustment disorder)
- 급성 스트레스장애(acute stress disorder)
- 불안장애(anxiety disorder)
- 강박장애(obsessive-compulsive disorder)
- 주요 우울장애(major depressive disorder)
- 성격장애(personality disorder)
- 해리장애(dissociative disorder)
- 전환장애(conversion disorder)
- 정신병적 장애(psychotic disorder)
- 외상성 뇌 손상(traumatic brain injury)

출처: American Psychiatric Association (2013). Diagnostic and statistical manual of mental disorders (5th ed.). Arlington, Virginia: APA.

CRITICAL THINKING QUESTION

1. 박OO 님은 작업장에서 폭발사고로 심한 손상을 입었다. 그는 주차장에 있는 차들을 쳐다보며 자신의 차와 아내를 찾아야 한다고 반복해서 중얼거리고 있다. 그는 아내의 연락처와 그의 주소를 말하는 것이 불가능한 상태이다. 그는 아내를 찾게 될 때까지 자상과 타박상 치료를 거부했다. 당신이 간호사라면 이 상황에서 어떤 중재를 사용하겠는가?

(4) 지역사회 자원

집단 인지행동치료, 집단 정신치료, 그리고 유사한 외상을 경험한 다른 환자와의 자조집단(self-help groups)은 유용하다. 지역사회에는 참전 용사들과 그들의 배우자들을 위한 재향 군인 병원 또는 참전 용사 센터와 강간, 근친상간, 고문 등의 희생자들과 그 가족들을 위한 단체들이 있다. 지역사회는 지역사회의 재난이나 국가적 재난이 일어난 후에 희생자들을 위한 치유집단을 개설하기도 한다. 범죄 피해자들을 위한 피해자 지원 프로그램(예: 스마일센터 http://resmile.or.kr)도 있으며, 약물남용 프로그램이나 자조모임이 도움을 줄 수 있다.

Clinical example: 외상후 스트레스장애

구OO 님은 25세 여성으로 10살 때 어머니가 심하게 다치는 교통사고를 경험하였다. 어머니가 운전하다가 트럭과 정면충돌하였으며 당시 그녀는 조수석에 앉아있었다. 어머니는 핸들 위에 쓰러져 정신을 잃고 있었고, 그녀는 창문으로 기어 나와 차 반대편으로 가서 어머니를 구하려고 안간힘을 쓰고 있었다. 그런데 찌그러진 문이 열리지 않았고 아무리 열심히 문을 열려고 해도 문이 열리지 않아 어머니를 구할 수 없을 것 같았다. 그래도 휘발유 냄새 때문에 그녀는 울음을 참고 문을 세게 잡아당겨야만 했다. 차가 폭파하기 직전, 소방관이 달려와 그녀를 옆으로 밀어내고 어머니를 차에서 끌어냈을 때 그녀는 거의 발작 직전이었다. 다른 구경꾼들과 그녀는 정신을 잃은 어머니가 차에서 구해지는 것을 멍하니 서서 보고만 있었다. 어느 정도 시간이 흘렀지만, 그녀의 세상이 공허하다고 생각하고 점차 불안정한 모습을 보였으며, 불안과 불확실성 속에서 살아가고 있었다. 대학에 재학하는 동안 학교생활에서 친구들과 어울리지 못하고 점점 혼자 지내는 시간이 많아졌으며, 사고 당시의 생각이 떠올라 불안하고 악몽을 꾸었다. 학교를 졸업한 후 중소기업에서 인턴십을 시작하였으나, 시간이 지나면서 공허함, 불안으로 자살에 대한 생각을 자주 하게 되었다. 교통사고 이후 15년이 지난 최근 외래를 방문하였을 때에 그녀는 자살사고, 과체중, 불면증, 악몽, 사고에 대한 플래시백이 있었으며 우울감과 불안으로 힘들어하고 있었다. 그녀는 몇 년이 지나도 차 사고를 목격하거나 폭파사건에 관한 뉴스를 들을 때면, 마치 그 사건이 또다시 일어난 것처럼 공포와 두려움, 불신, 무기력감을 경험하였다. "만약 내가 문을 잡아당겨 열 수 있었다면 나는 어머니를 구했을 것이다. 난 뭔가 다르게 했어야만 했다"는 죄책감에 시달린다고 하였다. 의료진의 평가 후에, 구OO 님은 자살에 대한 생각, 과체중, 악몽으로 인한 수면장애, 외상후 스트레스장애, 심각한 우울증, 심리적 외상을 진단받았다.

간호과정	
이름: 구OO(F/25) **DSM-5 진단:** 외상후 스트레스장애	**입원일:** ______
사정	**강점:** 학력이 높으며 직장에 다니고 있음 **간호문제:** 자살사고, 플래시백, 악몽, 불안, 고립, 불면, 과체중
진단	1. 자해 및 타해 폭력 가능성 (근거: "죽고 싶어요"와 같은 자살 욕구에 대한 진술) 2. 수면장해(악몽, 불면) 3. 외상 후 반응 (근거: 플래시백과 악몽 속의 외상사건 재경험)
관련요인	1. 자살에 대한 생각, 불안, 공포 2. 외상 기억에 대한 두려움, 우울감, 죄책감 3. 교통사고 경험에 대한 억압, 고통을 표현하지 못함
간호목표 날짜: ______ 날짜: ______ 날짜: ______ 날짜: ______	**단기 목표** 환자가 자살 충동을 느끼거나 다른 사람에게 공격적인 행동을 보이지 않는다. 환자는 악몽 없이 7시간 이상 수면을 취한다. 환자는 외상 후 반응의 빈도가 감소한다. **장기 목표** 환자는 외상 후 반응을 경험하지 않는다.
계획 및 중재	**간호사-환자 관계** • 자살충동을 평가하고 모니터링한다. • 환자가 느끼는 감정, 특히 죄책감을 인지하고 표현할 수 있도록 도와준다. • 환자가 교통사고의 경험을 설명할 수 있도록 도와준다. **약물치료:** 파록세틴(Paroxetine)[팍실(Paxil) CR] 20mg 오전 투여, 암페타민(amphetamine)과 덱스트로암페타민(dextroam-phetamine)[애더럴(Adderall) XR] 20mg, 오전 투여 **치료적 환경관리:** 불안관리, 이완기법, 사회적 기술, 자존감 등에 중점을 둔 자조집단
평가	• 환자는 더 이상 자살에 대한 이야기를 하지 않는다. • 환자는 악몽을 꾸는 빈도가 줄어들고, 7시간 동안 깨지 않고 수면을 취한다. • 환자는 더 이상 플래시백, 외상사건 재경험 등 외상 후 반응을 경험하지 않는다.

2. 폭력과 학대

1) 성폭행 및 성추행

(1) 문제의 특성

범죄분석 통계는 강간(rape)이 실제보다 적게 신고되는 범죄임을 시사하는데, 피해자의 실제 신고율이 미국의 경우 20~33%, 우리나라는 약 6.1%에 불과하여 실제로 일어난 강간 범죄는 훨씬 더 많을 것으로 보인다(Amar & Clements, 2009; Annan, 2011; Jordan, 2004; 경찰청, 2015). 이러한 신고 부족으로 인해 성폭력과 강간에 대한 정확한 통계를 얻지 못하고 있다. 일반 여성의 20%, 농촌 여성의 40%가 일생 중 한 번이라도 강간 시도 내지 강간을 당하는 것으로 추정된다(Annan, 2011; Campbell & Wasco, 2005). 노인은 집이나 장기 요양시설에 있을 때 취약하고, 특히 신체적·정신적 장애나 치매가 있는 경우 더욱 강간이나 강제추행을 당하기 쉽다(Burgess et al., 2005). 또한 군대 내에서의 강간 범죄율도 매우 높은 것으로 보고되는데, 미군에서는 남자 500명 중 1명이, 그리고 여성 5명 중 1명이 일종의 '군내 성적 외상(military sexual trauma)'을 경험한 적이 있는 것으로 나타났다(Burgess et al., 2013). 우리나라 강간 피해자 중 98.3%가 여성이고, 강간 가해자 중 98.7%가 남성이며(경찰청, 2017), 보고된 성폭력과 강간 중에서 약 90%가 남성 가해자와 여성 피해자의 관계에서 발생한다(Brown, 2001). 남성에 의한 남성 강간은 증가하고 있기는 하지만(Amar & Clements, 2009), 발생빈도는 매우 낮다. 이러한 강간, 성폭력 및 아동 성적 학대가 증가하는 데에는 최근 전자매체를 통한 포르노 이용이 영향을 미치는 것으로 나타났다(Alexy et al., 2009; Burgess et al., 2008; Courey et al., 2008).

강간 신고의 주요 문제 중 하나는 관련 법률과 사회적인 태도가 국가나 지역마다 다르다는 점이다. 일반적으로 강간은 동의 없이 가해자의 음경, 손가락 또는 물건을 피해자의 몸에 강제로 삽입하는 것으로 정의된다(Martin et al., 2000). 강제적인 성적 접촉의 또 다른 형태인 터치부터 손상까지가 성폭력(sexual assault)에 해당한다. 성적 접촉이 있음에도 불구하고, 강간은 성적 동기보다는 권력과 통제에 대한 열망, 피해자를 모욕하려는 의도와 성적 환상을 실현하려는 것과 관련된다(Brown, 2001). 보고된 강간의 90%에서 피해자와 가해자의 관계가 지인이나 친족 관계임에도 불구하고, 일부 경찰과 검찰관은 두 사람이 서로 아는 사이인 경우에 강간으로 기소하지 않는다(Brown, 2001; Jordan, 2004). 청소년 대상의 일 종단 연구에 따르면, 대상자의 46%가 성폭행을 당한 경험이 있고, 그중 65%가 반복적인 성폭행을 당한 것으로 확인되었다(Young & Furman, 2008). 이는 아동 및 청소년을 대상으로 한 성폭행이 주로 가족을 포함한 지인에 의해 발생하는 경우가 많음을 시사하며, '아동의 성적 학대' 부분에서 보다 상세히 기술될 것이다. 데이트 성폭력 또는 지인 강간은 강간 상황을 기억하는 데 방해가 되는 기억상실 유발 물질이나 알코올의 사용으로 인해 사실을 확인하기가 더 어려울 수 있다(Osterman et al., 2001).

(2) 영향

모든 범죄 피해자들과 마찬가지로 강간 피해자는 충격 단계(impact stage)에서 일어날 수 있는 모든 감정과 심각한 침해를 경험한다. 강간은 내·외적 신체 상해 외에도, 흉기를 이용한 생명의 위협이 있을 수 있고, 동일한 가해자에게 재차 강간을 당하기도 하며, 피해자가 신고를 한 경우 살해당하기도 한다. 또한 가해자가 강간을 하는 동안이나 직후에 피해자를 살해하기도 한다(Brown, 2001). 대부분의 피해자들은 살아남지만, '차라리 그때 죽어버렸으면' 하고 바라기도 한다. 강간의 외상성 기억은 일반적으로 맛, 냄새, 소리 및 특정 장면뿐만 아니라 촉각 감각 및 신체적 통증을 수반한다(Brown, 2001). 이러한 기억과 무력감, 통제력 상실, 두려움, 수치심, 죄책감, 굴욕감, 격분, 오염되었거나 더럽혀진 느낌이 피해자를 압도할 수 있다. 피해자의 전형적인 반응은 통제력을 되찾고 안전한 장소로 피해서 몸 전체를 샤워하고, 손상된 자신의 일부를 파기하고 싶어한다. 그러나 이러한 행위는 피해자가 강간을 신고하고 고발했을 때 필요한 대부분의 증거를 없애버리게 된다. 의료적 처치를 받지 않으려고 피하는 것 또한 피해자를 AIDS, B형 간염, 성병, 임신, 신체 상해로부터 적절히 치유되지 못하게 하는 위험을 유발한다(Campbell & Wasco, 2005; Marchetti, 2012). 상해 외에도 두통, 위장 장애, 비만, 고혈압, 인유두종 바이러스 감염, 만성 통증, 우울증, 불안, 물질남용, 해리장애, 성격장애, 섭식장애, 양극성장애 및 PTSD 등의 장기적인 문제를 동반할 수 있다(Burgess et al., 2013; Courey et al., 2008).

(3) 회복

강간 생존자가 겉으로는 차분한 평정 상태를 보이고 필요한 도움을 거부하더라도(조용하거나 지연된 반응을 보이면서), 그들을 위한 도움과 정보제공, 지원이 필요하다. 이 시기의 지나친 평정 반응은 피해자가 아직 상실감, 분노, 요구를 인식하는 반동 단계(recoil stage)의 기복이 심한 고군분투 상태(up-and-down struggle)에 이르지 않은 것일 수 있기 때문이다. 의료인에게는 응급실에서의 증거 수집, 옷 정리 및 기타 절차가 우선적인 일이겠지만, 생존자에게는 이런 의료인의 행위가 또 다른 침입과 침해로 인식될 수 있다(Courey et al., 2008). 이로 인해 생존자의 태도가 의료인에게는 저항적이고 비협조적으로 보일 수 있지만, 사실 그들은 스스로를 보호하고 통제력을 회복하고자 노력하는 것이다(Brown, 2001). 표 20-3은 강간 생존자의 요구와 권리를 보여주고 있다.

표 20-3 강간 생존자의 요구와 권리
• 위기 중재: 정보, 상담, 연계 • 기본적 요구 관련 도움: 주택, 교통, 육아, 안전 • 의료정보 및 간호: 피임에 대한 정보, 성병 검사, 추후 관리, 상담 • 신고 또는 기소 시 할 수 있는 선택에 대한 지지 • 권리 보호: 사생활, 비밀 유지, 배려, 민감성, 절차 및 검사에 대한 설명(trauma-informed care) • 권리 보호: 증거 수집의 거부, 검사 도중 동석자 또는 비동석자에 대한 결정, 모든 의학적 및 법적 자료의 사본 요청, 피해자 보상을 통한 배상 신청 • 용의자 또는 피고인이 아닌 다른 사람과의 이전의 성적 경험에 대해 질문하지 않아야 하며, 조사, 청문 및 재판을 받는 동안 공정성, 정보, 법적 권리 보호 • 추가적 피해로부터의 합리적 보호: 법원으로의 호송, 접근금지명령, 추가 순찰, 필요 시 재배치

많은 지역사회에서 진료소나 응급실에 내원한 강간 생존자를 위한 전문서비스(예: 해바라기센터)를 제공하고 있다. 미국의 경우 성폭력 검진 간호사(sexual assault nurse examiner, SANE) 제도가 있는데, 이들은 공감, 지지와 정보를 제공하면서 법의학적 증거를 수집하는 기술을 갖고 있다(Campbell & Wasco, 2005; Jackson, 2011). 간호사는 또한 '피해자를 비난하는' 태도를 피하고, 생존자들이 "대항해서 싸워야 했어요" 또는 "술을 먹지 말았어야 했어요"와 같이 자신을 비난하는 인지 왜곡을 다루어줌으로써 회복 단계를 촉진할 수 있다(Annan, 2011; Girardin, 2001; Willis, 2009).

미국의 병원과 상담 센터에는 강간 생존자와 직원을 위한 전문 서비스와 메뉴얼이 구비되어 있다. 생존자들은 추후 이용을 위해 피해자 지원에 관한 정보지와 전화번호를 소지하는 것이 좋다. 일시적으로 차분하고 평온해 보이고 도움받기를 거부하는 피해자는 특히 지원기관 연락처 등의 정보를 가지고 귀가하도록 해야 한다. 간호사는 성폭력 관련 변호사나 강간 위기상담사를 요청할 수 있는데, 이들은 생존자와 접촉을 시작하고 정서적, 신체적 또는 법적 문제가 발생했을 때 며칠 또는 수 주, 수개월 후에 주기적인 후속 연락을 취한다(Campbell & Wasco, 2005; Jackson, 2011). 농촌 지역의 여성이나 현역 군인인 여성은 이러한 서비스에 대한 접근성이 떨어질 수 있다(Annan, 2011; Burgess et al., 2013).

반동 단계에서, 대부분의 생존자는 강간이 그들의 삶에 미친 중대한 영향에 반응하기 시작하고, 혼란을 경험한 것에 대해 부정하거나 인정할 수 있다. 두려움과 불신은 중요한 문제로서, 가해자와 닮은 사람이나 주변의 모든 사람에게 향할 수도 있고, 특히 다른 사람들이 피해자를 비난하는 듯한 느낌을 전달한다면 더욱 강하게 나타날 수 있다. 생존자는 안전하게 여기는 특정 장소에서 벗어나는 것을 두려워할 수도 있다. 그들은 외출할 때 가족이나 친구들을 동반하려 하고, 낯선 사람이나 강간 장소와 비슷한 곳, 친밀한 관계, 특히 성적 관계를 피하려는 경향을 보이기도 한다. 만일 성폭행이 그들의 거주지에서 발생하였다면, 생존자는 다시 그러한 일이 생기지 않도록 이사를 하거나 안전과 관련된 조치를 하기도 하고, 한동안 밤에 함께 머물러줄 누군가를 원할 수도 있다. 특히 그들이 악몽을 꾸거나 외상적 기억이 떠오를 때 혼자 있거나 보호받지 못하는 것은 매우 두려운 일이다. 생존자들은 그들이 강간을 당할 이유가 있었거나 그럴만한 존재가 아니라, 존엄성과 권리를 지닌 가치 있는 존재임을 재확인하기 위해 도움이 필요하다. 그들은 사생활의 침해나 굴욕, 무력감에 대한 자신의 분노가 자연스러운 것임을 알 필요가 있다. 생존자들은 그들이 공격자에 맞서 싸웠어야 했는지 자주 묻는다. 가장 중요한 것은 생존이고, 생존자가 강간의 위기를 넘겼다면 분명 살아남기 위해 필요한 것을 한 것이다.

(4) 강간 외상 증상

생존자의 외상에 대한 반응과 반동 및 재구조화 단계를 통한 회복과정을 확인하고 평가하는 방법 중 하나는 다음의 강간 외상 증상(rape trauma symptoms)이 개선되었는지 주기적으로 사정하는 것이다(DiVasto, 1985).

- 수면장애, 악몽
- 식욕 상실, 정신신체 증상
- 두려움, 불안, 공포증, 의심
- 활동 및 동기의 감소
- 파트너, 가족, 친구와의 관계 차단
- 자기비난, 죄책감, 수치심
- 자존감 저하, 무가치감

생존자들은 반동 단계에서 억압/억제의 방어기전과 외상을 다루려는 것 사이에서 혼란스러운 모습을 보인다. 그렇게 되면 재구조화 단계의 과정이 원활하지 않은데, 특히 새로운 상황이 강간의 기억을 불러일으키는 경우 충격 단계로 되돌아간다. 생존자들은 외상을 재경험하는 것을 피하고자 이후의 정기적인 부인과적 검사나 항문 검사를 회피할 수 있다(Osterman et al., 2001). 입원해 있는 동안 강박(restraint)을 사용하는 것도 외상 증상을 다시 나타나게 할 수 있다(Chandler, 2008). 강간 및 성폭력으로부터 회복의 목표는 모든 범죄 생존자에 대한 회복 목표와 동일하다. 또한, 강간 생존자는 건강한 성기능과 성적 관계를 회복하고 발전시키는 것이 필요하다(Osterman et al., 2001). 피해자는 감각 기억을 처리하고 외상의 영향력을 감소시킴으로써 과거의 기억을 떠올려 외상 기억을 이야기(narrative)할 수 있어야 하고, 이는 그들을 피해자에서 생존자 상태로 전환되도록 해준다(Brown, 2001).

(5) 치료 및 간호중재

① 간호사-환자 관계

강간 또는 성폭력 생존자는 심리적·신체적 안전감을 되찾을 뿐만 아니라, 사건을 처리하고 강렬한 감정을 조정할 수 있도록 지속적인 공감과 지원을 받는 기회가 필요하다(Osterman et al., 2001). 시간과 에너지가 많이 소모되더라도, 증거를 수집하고 간호를 제공하는 최선의 방법은 생존자 개인의 속도에 맞추어 지지적인 태도로 천천히 진행하고 절차와 연계에 대한 근거와 설명을 제공하는 것이다[외상 간호(trauma-informed care) 전략을 활용: 외상의 영향을 이해하고 인식하며 대응하는 조직 구조 및 치료 틀]. 간호사는 특히 강간 생존자에게 도움이 될 수 있다. 특히 여성 생존자는 여성과 함께 있는 것을 더 안전하게 느끼는 경향이 있으며, 남성에게 이야기하는 것을(특히 단둘이 있을 때) 거부할 수 있다. 그들은 검사 및 질문을 받는 중에 간호사나 성폭력 관련 변호사가 있을 때 더 안심할 수 있다. 생존자들은 추가적인 지지를 위해 함께 있어 주거나 귀가를 도와줄 친구나 가족구성원의 도움을 원할 수도 있고 원하지 않을 수도 있다. 수치심과 죄책감은 이들이 지원을 받는 것을 방해할 수 있다(Osterman et al., 2001).

위기 개입은 충격 단계에서 가장 적절한 접근법이다. 단기 상담과 강간 희생자 지원 단체는 반동 단계에서 도움이 될 수 있다. 특히 생존자가 가해자를 고발하기로 결정한다면, 재구조화 단계 동안 장기간 상담이 필요할 수 있다. 한편, 장황한 법적 절차는 사건과 감정을 재현시키기 때문에 희생자의 회복을 심각하게 지연시킬 수 있으며, 많은 재판 상황에서 생존자는 상대측 변호사의 교차심문 중에 범죄자처럼 취급된다. 반면에 가해자의 유죄 판결과 투옥은 생존자들이 그들의 환경에서 정당성이 입증된 느낌과 함께 보상받은 느낌과 안전감을 갖는 데 도움이 될 수 있다.

강간 외상의 증상이 점차 감소하지 않고 생활양식의 재구조화가 이루어지지 않는 경우에는, PTSD, 불안, 과도한 분노와 죄책감, 우울증, 행동화, 고립, 자살사고, 자기파괴적 행동, 섭식장애, 성장애, 약물 남용, 공포증, 타인과의 부정적이거나 파괴적인 관계, 아동기 성적 학대 기억의 재활성화와 같은 문제를 사정하고 새로운 문제에 대해 도와주는 것이 필요하다(Campbell & Wasco, 2005; Faravelli et al., 2004). 이러한 조치와 함께, 보다 장기적인 상담이 필요할 수 있고, 때로 안전을 위해 입원이 필요할 수도 있다.

② 약물치료

강간 생존자에게는 약물이 거의 처방되지 않지만, 불안을 줄이고 수면을 돕기 위해 벤조디아제핀(benzodiazepines)을 일시적으로 사용할 수 있다. 수면장애가 동반되는 우울증 증상이 있으면 취침 시간에 복용하는 항우울제[특히 트라조돈(trazodone)]가 처방될 수도 있다. 악몽이나 외상 기억이 심한 경우에는, 리스페리돈(risperidone), 쿠에티아핀(quetiapine)과 같은 항정신병 약물이나 알파1 아드레날린 길항제(alpha-1-adrenergic antagonist)인 프라조신(prazosin)의 저용량 처방을 고려할 수 있다(Zawahir & Scudder, 2012).

③ 치료적 환경관리

강간 희생자 지원 단체나 기관으로 연계할 수 있는데, 이는 분노를 안전하게 표현하고, 죄책감과 수치심을 극복하며, 자존감과 신뢰를 구축하고, 삶에 대한 통제력과 안전감을 되찾는 데 도움이 될 수 있다. 희생자의 배우자나 가족들을 위한 지지모임도 운영되는데, 이는 가족들이 트라우마를 잘 다룰 수 있도록 도와준다. 즉, 그들의 고정관념과 잘못된 신념, 생존자와 그들에게 일어난 변화들, 그리고 그들의 관계 등에 도움을 준다. 우리나라에는 한국성폭력위기센터(http://www.rape119.or.kr)와 해바라기센터, 한국성폭력상담소, 범죄 피해자를 위한 스마일센터(http://resmile.or.kr) 등이 있으며, 미국에는 강간, 학대 및 근친상간을 위한 네트워크(Rape, Abuse and Incest National Network, RAINN)와 성폭행 핫라인(800-656-Hope), 성폭력 온라인 핫라인(http://rainn.org)이 있다(Anonymous, 2008).

Clinical example: 강간

24세의 한 여성이 직장에서의 불안, 불면, 밤에 외출하는 것에 대한 두려움, 압도적인 분노, 더럽고 수치스러운 느낌을 호소하며 성폭력 위기센터로 연락하였다. 그녀는 몇 주 동안 한 동료가 자신을 지켜본다는 생각을 했었는데, 지난 금요일, 그녀가 늦게 퇴근할 때, 그 동료는 그녀를 차에 밀어 넣고 강간했다. 그녀는 강간을 신고하지 않았고 주말 내내 아파트에 숨어 있었다. 그녀는 월요일에 어쩔 수 없이 직장에 출근했다. 그 남자는 아무 일도 없었던 것처럼 그녀를 향해 친절하게 행동했다.

2) 아동기 성적 학대의 성인 생존자

(1) 문제의 특성

매년 약 1백만 건의 아동 학대(성적 학대 포함) 사례가 보고된다. 그러나 아동 학대는 극도로 과소 보고되고 있으며(Rick & Douglas, 2007), 인터넷이 문제를 악화시키고 있는 것으로 보인다. 일 연구에서 온라인상에 있던 10~17세 아동 청소년의 약 14%가 성적인 권유를 받은 것으로 확인되었다(Burgess et al., 2008). 아동 포르노, 아동기 성적 학대(친척이 아닌 사람에 의한), 근친상간(친척에 의한) 등 아동기 성적 학대 범죄는 2가지 주요한 이유로 특히 파괴적이다. (1) 범죄는 대개 일회성 사건이 아니고, (2) 가해자들이 알려져 있고 신뢰를 받는 인물이다. 이러한 범죄는 흔히 발생하지만, 더 많은 주목을 받는다(예: 펜실베이니아 주의 축구 코치 Jerry Sandusky와 가톨릭 성직자의 희생자들, 캘리포니아의 아역 배우들). 여러 연구에서 전체 소녀의 15~30%와 전체 소년의 4~16%가 아동기 성적 학대를 경험한 것으로 조사되었다(Cook, 2005; Valente, 2005). 소년을 대상으로 한 성적 학대의 발생률은 훨씬 더 높을 수 있다. 한 연구조사에 따르면, 전체 아동기 성적 학대 희생자의 25~35%가 소년이라는 것이다(Masho & Anderson, 2009). 그들 자신이나 남성 동성애자는 보호받을 수 없을 것이라는 두려움 때문에, 남성이 당한 성적 학대를 드러내는 것은 때로 더 힘들 수 있다(Cook, 2005; Masho & Anderson, 2009; Shea, 2008; Valente, 2005). 아동기에 성적으로 학대를 당해 왔지만 심지어 어른이 되어서도 이를 절대로 발설하지 않은 사람들은 과연 그 숫자가 얼마나 될지 도저히 알 수가 없다.

성적 학대와 근친상간은 관음증과 노출증을 포함하는데, 주로 성교(intercourse)나 손상으로 이어진다. 나이가 더 많고 더 힘이 센 사람에게 동의할 능력이 없는 어린 아동이 주로 희생자가 된다. 한 연구에서 성인 여성 생존자의 75%가 7세 이전에 학대가 시작되었고, 62%는 여러 명의 가해자가 있었던 것으로 나타났다(Jonzon & Lindblad, 2005; Valente, 2005). 우리나라에서는 아동 청소년 성범죄 희생자의 평균연령이 14.3세이며, 희생자의 22.7%가 13세 미만으로 나타났다(박종헌, 2017.3.1.). 남성 가해자들은 일반적으로 아버지, 삼촌, 계부, 오빠 또는 형, 사촌, 할아버지, 이웃, 스카우트 리더, 캠프 상담자, 코치 및 종교 지도자 등이다. 남성 가해자보다는 훨씬 빈도가 낮지만, 여성 가해자로는 어머니, 언니 또는 누나, 친척, 보육시설 종사자, 교사, 코치, 이웃 및 베이비시터 등이 있다. 우리나라 경찰청 통계 결과, 아동학대 사건의 88.3%는 피해 아동의 부모에 의해 발생하는데, 친부가 54.8%, 친모가 26.2%로 나타났다(김현우, 2017.1.5.) 가해자와 희생자의 성별 양상은 남성 대 남성, 남성 대 여성, 여성 대 남성, 여성 대 여성 학대로 구성되는데, 한 연구에서 여성의 92%가 남성 가해자에 의해, 남성의 38%가 여성 가해자에 의해 피해를 당한 것으로 보고되었다(Lie & Barclay, 2005). 우리나라에서는 아동, 청소년 성범죄 희생자의 95.9%가 여아로 보고되었으며, 학대 가해자는 남성 62.5%, 여성 37.5%로 남성이 약 1.5배 높게 나타났다(한국여성인권진흥원, 2018). 희생자는 모든 사회, 문화, 민족 및 경제 집단에서 발생할 수 있다(Cook, 2005).

대부분의 성적 학대가 폭력적이지만, 종종 그렇지 않은 경우도 있다. 강압은 가해자에 대한 의존, 신뢰 또는 사랑의 관계에 의해서도 가능하다. 희생자는 다음과 같은 다양한 위협으로 인해 비밀을 유지하게 된다.

(1) 희생자는 가족으로부터 버림받을 것이다.
(2) 가해자는 정신병원이나 감옥에 갈 것이다.
(3) 부모님이 이혼할 것이다.
(4) 가해자가 아닌 다른 부모가 병에 걸릴 것이다.
(5) 희생자가 순응하면 다른 형제자매에 대한 학대는 없을 것이다.
(6) 사랑받지 못할 것이다.
(7) 아무도 희생자를 믿지 않을 것이다.
(8) 희생자가 순응하지 않는다면 신체적 학대가 있을 것이다.

실제로 신체적 폭력이 일어나지 않더라도, 희생자들은 그들이 가해자에게 저항하면 폭력이 일어날까 봐 두려워한다. 가족 갈등이나 해체, 폭력을 목격하는 것, 부모의 상실, 부모의 정신질환, 경제적 불안정, 비밀 유지 및 의사소통의 어려움, 약물 남용, 다른 형태의 학대(정서적 · 언어적 · 신체적)와 방임 등의 요인이 성적 학대와 관련이 있는 것으로 보인다(Davis & Petretic-Jackson, 2000; Gladstone et al., 2004; Goodwin, 2005).

어린 희생자가 학대를 폭로하기를 원한다고 해도, 사건

을 설명하는 단어와 개념이 부족하여서 어려움을 겪는다. 일반적으로 두려움과 혼란의 정서적 반응이 발생하고, 신체적 고통은 있지만 옳고 그름에 대한 도덕적, 윤리적, 법적 개념은 없다. 부모나 다른 어른에게 이 사실을 알리려 해도 그들을 믿어주지 않거나 거부하고, 심지어 그 말을 철회하라는 압력을 받는다. 가해자가 아닌 다른 부모는 자신이 사랑하는 배우자이자 사회에서 존경받는 그 사람이 자신의 자녀나 다른 아동을 성 학대 했음을 믿는 것이 어려울 것이다. 경찰이나 검사, 판사, 정신건강 전문가 및 일반 대중은 부모의 촉구에 따라 아동의 보고를 신뢰할 수 없는 것으로 간주해 버릴 수 있다. 즉, 아동의 환상에 의한 것이거나, 왜곡, 거짓말로 만들 수 있다. 특히 양육권 분쟁이 진행 중인 경우 더욱 그렇다(Davis & Petretic-Jackson, 2000). 또한 아동은 성관계로부터 잠재적 '이득'을 얻기도 한다. 아동은 다른 형제들이 갖지 못하는 가해자로부터의 특별한 관심과 시간 할애로 인해 특별한 느낌이 들게 된다. 때론 아이들은 어른을 기쁘게 하여 어느 정도의 애정(왜곡된)을 받음으로써 힘을 얻기도 한다(Davis & Petretic-Jackson, 2000). 아동은 감각적 쾌락의 육체적 경험을 할 수도 있다(Valente, 2005). 그러나 성인의 성적 사랑의 감정적인 즐거움과 그 개념은 빠져 있다(모든 아동이 관심과 애정을 얻기 위해 노력한다는 점에 유의해야 한다. 그들이 귀엽고, 수줍어하며, 교태를 부리는 것처럼 보여도, 그러한 노력을 유혹으로 여겨서는 안 된다. 성적 학대의 가해자는 그 자신의 욕구를 충족시키기 위해 아동의 행동을 잘못 해석했다고 하더라도, 여전히 범죄에 대한 책임은 남아 있다).

(2) 아동기 성적 학대의 영향

① 아동기

학대로 인한 장기간의 스트레스는 희생자의 신경생물학, 신경전달물질, 시상하부-뇌하수체-부신 축, 그리고 노르아드레날린 체계의 변화로 이어질 수 있다(Waite et al., 2010; Zawahir & Scudder, 2012). 스트레스 호르몬은 수초 형성, 신경 형태학, 신경 발생 및 시냅스 형성에 영향을 미친다(Rick & Douglas, 2007). 아동기 외상에 의해 영향을 받을 가능성이 있는 뇌의 특정 부위에는 편도체, 소뇌충부, 대뇌 피질, 뇌량 및 해마가 포함된다(Rick & Douglas, 2007). 그 밖에도 학대로 인한 스트레스는 성장발달 장애(신뢰 및 자율성 문제)나 경험에 대한 양가감정(이득이 되는 점과 고통이 되는 점)을 유발하기도 하고, 가족과 지역사회를 보호하기 위해 자신에게 벌어진 일을 부정하도록 만들기도 한다. 아동은 자녀이면서 동시에 가해자의 연인 역할을 담당하며, 나머지 가족구성원이나 지역사회를 보호하는 역할(끔찍한 비밀로부터 그들을 보호하는 것)들을 맡고 있는 것이다. 결과적으로, 아이는 개인적인 욕구를 배제하고 다른 사람들을 보살피는 장기간의 과정을 시작한다. 기본적으로, 아이는 섹스가 아닌 사랑을 원하지만, 결국 죄책감, 착취당함, 배신당함, 분노, 더러움, 무력감, 책임감을 느끼게 된다. 부정, 억압, 억제, 합리화 및 해리는 어린 희생자들이 이 절망적인 상황에 대처하기 위해 사용하는 방어기전이다.

수면장애와 섭식장애, 야뇨증, 불안, 우울, 공격성, 자위행위, 성적인 놀이, 성적 공격성, 충동조절의 어려움, 동물 학대, 영적 고통, 신체화, 소외, 두려움, 수치심, 자기 비난, 자기파괴적 행동, 도주, 그리고 무단결석이 흔히 나타난다(Cook, 2005; Davis & Petretic-Jackson, 2000; Valente, 2005; Waite et al., 2010). 학대가 심각할수록, 사춘기 즈음에 억압이 시작될 가능성이 커진다. 만일 성적 학대가 청소년기 내내 계속된다면, 억압이 덜할 것이다. 억압은 일반적으로 희생자가 20대 또는 30대가 될 때까지 지속되며, 그들은 친밀한 관계를 유지하거나 자녀를 양육하는 것 모두에 어려움을 겪게 된다.

Clinical example: 학대당한 아동

탁아시설에서 반복적 학대를 당한 아이들을 대상으로 조사한 결과, 아이들은 새장이나 관 속에 갇히고, 물속에 넣어지고, 바늘로 찔리고, 갈고리로 묶어 매달거나, 성폭행을 당하고, 총과 칼로 위협을 당했다고 보고되었다. 아이들은 학대에 대해 누군가에게 말하면 부모나 형제, 애완동물이 사망할 것이라는 말을 들었다고 한다.

② 청소년기

성적 학대의 청소년 희생자는 충동적 행동화, 타인에 대한 폭력이나 학대, 동물 학대, 자기파괴적 행동, 수면장애, 섭식장애, 자살 시도, 가출, 무단결석, 비행, 약물 남용, 영적 고통, 문란한 성행동, 성매매, 조기 임신, 조기 결혼과 같은 대부분의 역기능적 대처를 나타낸다(Cook, 2005; Davis & Petretic-Jackson, 2000; Valente, 2005). 자해를 통해 대응하는 희생자의 경우, 이러한 행동이 12~14세에 시작되는 경향이 있다(Cerdorian, 2005).

청소년들은 보복의 환상을 가지고 가해자의 죽음을 바랄 수 있다. 가해자와 다른 성인들(그들을 보호하지 않은 것에 대해)에 대한 분노는 격분에 가깝지만, 직접적으로 표현되지는 않는다. 희생자들은 격분, 수치, 죄의식, 혼란, 소외감, 고립에 대한 이유를 인식하지 못하고, 자신의 행동화된 반응들이 학대와 관련되어 있음을 깨닫지 못할 수도 있다. 퇴행, 우울, 이인증, 해리, 조종, 낮은 자존감, 사회적 기술의 저하, 영적 고통, 사고 및 기억 장애, 자기방치, 목표 상실과 사회적 위축이 일반적으로 나타난다. 성적 학대 생존자는 또한 청소년기와 이후의 삶에서 파트너에 의해 강간 또는 폭행을 당할 가능성이 더 높다(Annan, 2011; Davis & Petretic-Jackson, 2000; Gladstone et al., 2004; Valente, 2005).

③ 성인기

아동기 성적 학대를 겪은 많은 희생자가 아동기와 청소년기에 살아남아 어른이 되는 과정은 지연된 PTSD 반응과 유사하다. 즉, 기억을 억압하거나(성과 관련이 없는 것조차도), 원치 않는 침습적 기억(intrusive memory)이 갑자기 나타나기도 한다. 기억은 악몽이나 근육 운동감각(kinesthetic sensations)(예: 파트너가 가해자와 같은 방식으로 터치했을 때 움찔하거나 질 통증을 느끼는 것) 또는 플래시백으로 시작될 수 있다. 기억은 점진적으로나 조각조각, 또는 갑작스럽고 압도적인 홍수처럼 떠오를 수 있다. 희생자들은 그것에 대응할 준비가 되기 전에 학대의 기억을 섣불리 떠올려서는 안 된다.

성인 희생자는 부정, 해리, 기억상실, 정서적 둔화 또는 억압으로 인해 겉으로는 상대적으로 상처 입지 않은 것처럼 보일 수 있다. 그들은 근친상간이나 성적 학대 그 자체보다 학대의 징후에 대한 상담을 시작한다. **표 20-4**의 전형적인 반응 목록은 상담에서 다루어야 할 문제를 확인하기 위한 체크리스트로 활용할 수 있다. 희생자들이 이 목록의 증상들을 알게 되면, 한편으론 성적 학대로부터 이렇게 많은 일이 일어나게 된다는 것에 놀라고, 다른 한편으로는 자신들이 미쳐가고 있다는 느낌이 성적 학대로 인한 증상이라는 점을 알게 되어 안도감을 느낄 수도 있다. 지금까지 희생자들은 성적 학대와 현재 문제의 어떤 부분과의 관계를 부정하거나 최소화하는 경향이 있었다. 그 사건이 희생자들의 전체 성장발달 과정과 자존감을 저해하고, 그들을 다른 학대적인 관계에 놓이게 해왔다는 것이 입증되고 있다(Waite et al., 2010). 희생자의 33%만이 아동기 성적 학대에 중점을 둔 상담을 받는다(Gladstone et al., 2004). 상담이 마침내 분노와 근본적인 원인에 초점을 맞출 때까지, 희생자는 고통이 완화되지 못한 채 반복적으로 치료를 받는 경향이 있다.

표 20-4 아동기 성적 학대의 성인기 징후
기억 장애
• 학대에 대한 기억상실
• 아동기에 대한 기억결손
• 논리적으로 사고할 수 없음
불필요한(부적절한) 비밀 유지
대인관계 문제
• 타인과 관계를 맺는 것의 어려움
• 다른 사람들로부터의 도피
• 남성이나 여성에 대한 두려움
• 타인과 그들의 동기를 신뢰하는 것의 어려움
• 친밀감에 대한 두려움, 친밀감을 유지할 수 없음
• 버림받는 것과 거절에 대한 두려움
• 애정을 주고받는 것의 어려움
• 다른 사람들로부터의 소외감
• 학대와 이용당하는 것에 대한 두려움
• '아니요'라고 말하거나 타인을 돌보는 것의 어려움
• 양육의 어려움
• 학대적인 관계에 들어감
• 부적절한 파트너 선택
신체 증상
• 모호한 일시적인 통증
• 신체적 고통의 기억
• 만성 통증 또는 편두통
• 구역질, 오심, 구토
• 신체접촉 시 불쾌한 감각
• 부정적이고 왜곡된 신체상
• 신체에 대한 민감한 자의식
• 외모에 대한 과잉 의식
분노 문제
• 분노를 표현하는 것에 대한 두려움
• 화를 참는 것
• 화내는 것 대신에 우는 것
• 복수에 대한 환상
• 공격적이고, 격렬한 분노로 가득 찬 느낌
• 폭력에 대한 두려움
• 살인에 대한 생각
불안 문제
• 쉽게 깜짝 놀라고, 긴장을 풀지 못함

〈계속〉

- 공격을 받거나 노출되는 것에 대한 두려움
- 과도한 경계심(hypervigilance)
- 겁먹은 아이 같은 느낌
- 어둠에 대한 두려움
- 공황 발작, 공포증, 광장 공포증

중독 문제

- 알코올 또는 약물의 남용이나 의존
- 강박적 소비

침습적 사고와 기억

- 강렬한 악몽, 원치 않는 생각
- 플래시백: 외상 당시의 감각(촉각, 시각, 청각, 후각, 미각)을 현재의 일처럼 재경험

해리 문제(detachment issues)

- 비현실적인, 마비된 느낌
- 몸에서 느끼는 감정으로부터 벗어남
- 내면에 여러 '인격들'이 있는 것 같은 느낌
- '유체이탈' 경험('out-of-body' experiences)

통제 문제

- 권위, 규칙에 대한 두려움
- 통제 하에 있고 싶은 욕구, 통제 불능의 느낌
- 무력하거나 통제 불능인 척함
- 취약한 것에 대한 두려움
- 돌봄을 받는 것에 대한 양가감정
- 타인을 통제 하에 두거나 직접 통제를 시도함
- 어린이가 학대당하도록 둠

정체성 문제

- 정체성이나 역할에 대한 혼란
- 부정적인 자아상
- 완벽하거나 완벽하게 나빠지고 싶은 욕구
- 낮은 성취(성적부진) 또는 높은 성취(기대 이상의 성적)
- 완전히 유능해지고 싶은 욕구

성적인 문제(sexual issues)

- 성적인 감정을 숨기거나 성적인 느낌이 없음(nonsexual)
- 성적인 접촉에 대한 불편함
- 오르가슴을 느끼지 못함, 성기능 장애
- 성과 성적 정체성에 대한 혼란
- '더럽고' 오염된 느낌
- 상대방의 호의를 얻기 위해 성관계를 맺음
- 문란한 성행동, 성매매
- 자신이 동성애자인지 고민함

자기 처벌(self-punishment)

- 자살사고, 자살시도
- 죽고 싶어 함
- 자해
- 강박적인 과식 또는 다이어트
- 폭식, 하제 사용 또는 구토(purging)

기타 감정들

- 낮은 자존감, 죄책감, 수치심
- 두려움의 감정
- 꼼짝 못하는 느낌(feeling stuck)
- 실패했다는 느낌(패배감)
- 만성적인 불만족
- 감정적인 마비(frozen emotions)
- 유머 감각의 결핍
- 부적절한 느낌
- 벽으로 둘러싸인, 또는 미친 것 같은 느낌

학대의 기억과 고통스러운 감정, 특히 분노를 다루지 못하는 것은 흔히 자살사고를 유도한다. 이는 고통과 우울에서 벗어나기 위해, 비밀을 묻어둔 채로 죽기 위해, 가족이나 가해자와의 갈등을 피하기 위해, 미친 것 같은 느낌을 멈추기 위해, 그들을 너무 무섭게 만드는 악몽과 플래시백을 끝내기 위해 죽고 싶어 하는 것이다. 심지어 고통을 느끼지 못하는 경우에도, 자해(self-harm or mutilation)는 정서적 고통, 상실감, 극도의 분노, 그리고 버림받은 느낌을 다루는 일반적인 방법이다. 자해 도중 해리가 나타나는 경우가 흔하다. 희생자들은 다음과 같은 여러 형태의 자해를 시도한다(Anorexia Nervosa and Associated Disorders, 2002; Cerdorian, 2005; Isaacs, 2011; Starr, 2004; Williams & Bydalek, 2009).

- 압도당한 느낌이 들 때, 아무도 들어주거나 신경 쓰지 않는다는 생각이 들 때, 그들은 도움을 요청하기 위한 울부짖음으로 자해를 한다.
- 감정이 누적되면 그들은 무감각해지거나 해리가 일어날 수 있는데, 자신이 여전히 느낄 수 있다는 것을 확인하기 위해 고통을 가한다.
- 그들은 비현실감(이인증)이 느껴질 때, 스스로 살아있다는 것을 확인하기 위해 몸에 상처를 낸다.
- 감정적인 고통에 집중할 필요가 없도록 신체적 고통을 일으킨다.
- 자기혐오, 죄책감, 수치심 또는 두려움이 느껴질 때 그들 자신을 처벌한다.
- 자살을 피하려는 방법으로 자해를 이용한다.
- 자신과 타인을 향한 분노나 격분을 해소하기 위해 자해를 이용한다.
- 다른 사람을 조종하기 위해 자해를 이용할 수도 있다.
- 자해는 만성화되고 중독이 될 수 있다(특히 자해 시 내인성 아편/엔도르핀과 관련된 물질이 많이 생성될 때).

일부 연구들은 자살시도가 자해와 비슷하고 독특한 역동을 공유하며, 만성화 또는 중독성을 나타낼 수 있다는 것을 보여준다(Mynatt, 2000). 미국 내 연구들에 따르면, 청소년의 4~38%가 아동기 성적 학대 경험 여부와 상관없이 스트레스 해소를 위해 자해 행동을 한다고 보고되었다(Williams & Bydalek, 2009).

알코올과 마약은 고통과 기억들을 회피하거나 무감각하게 만들고, 순간적인 쾌락을 느끼기 위해 자주 사용된다(Davis & Petretic-Jackson, 2000; Gladstone et al., 2004). 음식은 일시적인 즐거움을 제공하거나 내면의 공허감을 채워주지만(폭식), 속이 거북하고 죄책감을 일으켜 하제를 먹거나 구토를 하고 싶어지도록 만든다. 성관계(sex)는 대개 즐겁지는 않지만, 외로움에서 벗어나게 해주고 일시적인 관심과 애정을 확인할 수 있게 한다. 성적 경험(sexual encounter)은 또한 외상성 플래시백, 불안, 공포, 수치심, 혐오 또는 무력감을 촉발할 수 있다. 그들은 다른 사람을 신뢰하는 데 어려움이 있고, 학대와 사랑을 연결 짓는 과거의 경험 때문에, 성인과의 건강한 관계나 성적 친밀감을 느끼는 것이 어렵다. 그들은 다른 사람과의 경계를 긋는 것이나 한계를 설정하는 데 어려움을 느끼며, 그들이 진정 필요로 하는 것을 요청하는 데에도 어려움을 겪는다(Davis & Petretic-Jackson, 2000). 희생자들은 또한 누군가를 돌보는 일을 하거나 구조대원이 되는 경향이 있으며, 공동의존적(codependent) 관계에 놓이기도 한다.

희생자의 외상에 대한 반응(**표 20-5**)은 흔히 임상 증상으로 인식된다. 또한 뇌에 미치는 외상 효과로 인해 편두통, 과민성 대장증후군, 섬유근육통(Cassels & Vega, 2007), 만성 피로증후군(Heim et al., 2009)뿐만 아니라, 측두엽 간질, 뇌파 검사상 변화, 자폐장애, 주의력결핍 과잉행동장애 등의 문제를 보이기도 한다(Rick & Douglas, 2007; Isaacs, 2011; Waite et al., 2010). 정신의학적으로 흔히 우울증(비정형 유형), PTSD, 물질남용 장애, 섭식장애, 불안장애, 신체증상장애, 해리장애(해리성 정체성장애 포함), 양극성 장애, 조현병 또는 충동조절장애 등의 진단이 내려질 수 있다. 성격장애로는 경계성, 자기애성, 연극성, 회피성, 의존성, 비정형 또는 혼합 유형 등의 진단이 있을 수 있다(Davis & Petretic-Jackson, 2000; Rick & Douglas, 2007).

의학 진단을 내리는 것은 희생자에게 낙인을 찍고 비난을 하는 것이며, 그것이 근본적인 문제보다는 치료에만 초점을 맞추도록 만들기 때문에 주의를 기울여야 한다. 특히 아동기 성적 학대의 증상이 PTSD 대신 경계성 성격장애로 진단되는 경우에 더욱 그렇다(Schwecke, 2009). 특히 생존자가 아직 억압의 단계에 있는 경우에, 적절한 치료를 받지 못하면 성인 생존자뿐만 아니라 그들의 자녀들에게 중대한 위험을 초래할 수 있다. 치료를 받지 못했거나 부적절하게 취급된 희생자는 간혹 역기능적이고 무질서한 가정을 이루며, 또한 그들의 가정 내에서 근친상간과 아동학대가 일어난다는 연구결과가 있다. 그들 자신의 부정, 억압, 기억상실 또는 기타 기전으로 인해, 생존자는 그들의 파트너와 관련된 어려움을 겪거나 배우자와 자녀 간의 애착을 받아들이지 못한다. 가해자(때때로 희생자도)는 그들의 어린 동생, 자녀, 손자/손녀, 조카 등을 성적으로 학대할 수도 있다. 근친상간의 사례들은 한 가정의 3~4세대를 거치고 나서 드러난 경우도 있다. 이러한 악순환을 깨는 것이 중요하다.

Clinical example: 근친상간

30세인 정OO 님은 자살사고와 손목을 그은 12개의 상처로 인해 정신과 병동에 입원하게 되었다. 그녀는 9개월 전부터 악몽을 꾸기 시작했는데, 꿈에서 자신은 어린아이이고 자신의 몸 위에 누군가 올라와 있는 것이었다. 악몽을 꾸는 동안, 그녀는 이상한 몸의 감각, 구역질, 가슴 압박감, 질 통증과 함께 울면서 깨곤 하였다. 악몽과 기억이 더 완전해지고 생생해짐에 따라, 그녀는 어릴 적 어머니가 잠들어있는 동안 아버지와 자주 성관계를 가졌던 것을 깨달았다. 아버지의 생일이 되었지만, 그녀는 도저히 생일축하를 위해 부모님 집에 가는 것을 견딜 수가 없었다. 그녀는 죽기를 원했지만, 자신의 손목을 더 깊게 벨 수는 없었다. 그녀는 도움을 원하고 있었다.

(3) 회복

아동기 성적 학대 또는 근친상간에서의 회복은 어떤 면에서 모든 범죄와 PTSD로부터의 회복과 유사하지만, 특히 가족에 의한 정서적 학대가 진행 중이거나 생존자가 여전히 학대 가해자와 함께 살고 있는 경우, 회복과정이 더 복잡하고 어려우며 장기화되는 경향이 있다. 그로 인한 기억과 감정은 강하고 고통스러우며 혼란스럽다. 가해자에 대한 격렬한 분노와 양가감정(가해자로부터 여전히 인정과 사랑을 원하고 있기 때문에)은 생존자와 간호사 모두에게 다루기 어려운 문제이다. 생존자는 과거 경험을 되새기면서 증상과 정서적 고통이 더 악화될 것임을 간호사는 치료가 시작되기 전에 알고 있어야 한다. 심상 노출기법을 사용하기 전에, 생존자들은 치료기간 동안 스트레스를 견디고 안전한 방법을 사용할 수 있도록 감정 조절과 관리에 대해 학습할 필요가 있다(Dunbar, 2004; Goodwin, 2005; Spinhoven et al., 2009).

외래 상담이 2년 이상 소요되지만, 생존자는 산발적으로 치료를 받는 경향이 있다. 생존자는 먼저 학대받은 사실을 폭로하고, 그에 관한 얘기를 나누며 감정을 분출하고 나서 치유되는 과정을 밟는 것이 일반적이다. 그다음 새로운 위기나 관계 문제가 발생하면, 생존자는 각 문제와 외상과의 관련성에 대해 다루는 상담으로 돌아간다. 때로 환자가 지속적이고 장기적인 상담을 받도록 하는 것은 어렵지만, 간호사는 적어도 필요시 상담을 받는 것이 바람직하고 가치 있는 것임을 강조할 수 있다.

회복의 전반적인 목표는 안전(safety)과 안정(security)이다. 이는 신뢰 회복, 자존감과 자기수용 향상, 자신에 대한 용서, 삶과 스트레스에 대한 적응적 대처, 자기주장 기술, 친밀한 관계와 진정한 성적 쾌락의 능력, 기분의 안정, 불안, 분노, 수치심, 죄책감, 두려움, 해리의 감소, 자살 및 자해의 예방과 다음 세대의 성적 학대를 예방하는 것 등을 포함한다.

(4) 치료 및 간호중재

① 간호사-환자 관계

많은 것들이 생존자와 신속히 신뢰 관계를 발전시켜 나가는 간호사의 능력에 달려 있다. 공감, 적극적 지지, 연민, 따뜻함, 비판단적 태도가 중요하다. 생존자가 아동기 성적 학대를 자발적으로 드러내기 어려우므로, 간호사는 침착하게 그것에 대해 객관적으로 질문하는 것이 중요하다. 오래전 일이거나 현재에도 진행 중일 수 있는 비밀을 지켜야 한다는 압박감은 생존자들의 마음속에 강하게 남아 있다. 그들은 자기노출을 하기 전에, 비밀이 보장되고 간호사가 이를 수용해줄 것이라는 안전감을 느낄 필요가 있다. 희생자가 얼마나 많은 세부 사항을 얼마나 빨리 공개할지는 간호

핵심 간호중재: 아동기 학대 생존자

- 안전에 대한 계약을 맺고, 자신이나 타인을 해치려는 충동을 조절한다.
- 자기파괴적이거나 자해적 양상에 대해 제한을 설정한다.
- 신뢰할 수 있고 지지적인 환경을 조성한다.
- 모든 감정과 반응을 정상적인 반응으로 받아들인다.
- 생존자와 신체적으로 접촉하기(예: 손 잡기, 어깨를 두드리기 등) 전에 허락을 구한다.
- 어려운 일이지만, 회복이 가능하다는 것을 강조한다.
- 학대와 회복과정의 역동에 대해 교육한다.
- 생존자가 아동기에 사용했던 생존 전략을 반영하여 현재 행동을 이해하도록 돕는다.
- 과도한 반추를 하도록 압박하지 않으면서 성적 학대와 그 영향에 대한 재평가를 촉진한다.
- 생존자의 최선의 이익에 부합하는 대응을 선택하도록 격려한다.
- 가해자가 여전히 위험성을 갖고 있다면, 다른 아이들을 보호하는 것에 대해 논의한다.
- 생존자가 추후 자신의 비밀을 노출하거나 직면, 보고함에 있어서 그의 선택을 지지한다.
- 가족구성원과 다른 사람들이 가족에 대한 충성심이 분열된 느낌을 가질 수 있고, 역기능적인 역할과 상호작용 양상에 관여할 수 있음을 알고 있어야 한다.
- 고립감, 수치심, 낙인의 감정을 감소시킨다.
- 자기수용을 격려한다.
- 자녀에 대한 인정과 용서, 사랑을 촉진한다.
- 스트레스 관리와 분노 감소에 대해 교육하고 격려한다.
- 가해자에게 책임을 전가하고 분노의 감정을 표출하되, 복수의 환상을 행동에 옮기지는 않도록 돕는다.
- 가족으로부터의 분리와 개별화가 이루어지도록 강화한다.
- 경험에서 의미를 찾고 모든 상실을 애도하는 데 도움을 준다(애도는 매우 고통스러운 경험임).
- 희생자에서 생존자 상태로의 전환을 촉진한다(긍정적, 부정적, 양가감정과 기억에 대한 재경험과 통합).
- 누락되거나 미성숙하게 경험된 발달 과제들의 재경험과 재작업을 촉진한다.
- 일상생활 기술, 의사소통 기술, 대처 기술, 자기주장 기술, 의사결정, 갈등 해결, 경계 설정, 우정, 친밀감, 성(sexuality), 양육에 관해 교육한다.
- 외래 상담과 적절한 지지그룹에 연계한다.

사가 가해자나 다른 가족구성원, 그리고 그들에 대한 생존자의 충성심을 비판하지 않고 경험을 있는 그대로 받아들이는지에 달려 있다. 생존자에게 모든 감정(긍정적, 부정적, 그리고 양가감정)은 타당하고 그것들을 탐색하는 것이 회복으로 가는 과정의 시작이라는 것을 재확인시켜줄 필요가 있다(Davis & Petretic-Jackson, 2000). 그들이 성적 학대에 책임이 있거나 그런 일을 당할 만한 사람이어서가 아니라는 점, 그리고 비난을 받아서는 안 되며 통제할 수 있는 상황이 아니었고, 당시에 할 수 있는 최선의 방법으로 상황을 극복했다는 것을 주기적으로 상기시켜주는 것이 도움이 된다. 성적 학대의 역동을 알려주고 회복이 가능함을 확신시키는 인지 행동적 접근과 교육이 학대에 대한 잘못된 인식을 수정하고, 자기비난과 죄의식을 줄이며, 과거를 바꿀 수는 없지만 미래에 대한 희망을 심어주는 데 도움이 될 수 있다(**핵심 간호중재: 아동기 학대 생존자**).

외상에 대한 기억과 감정을 심리적·정서적으로 재경험하는 것은, 주기적이고 사소한 경우에는 견딜 수 있지만, 희생자를 불안하게 만든다. 반대로 사건에 대한 과도한 반추는 비생산적일 수 있다(Schwecke, 2009). 그들이 학대는 홀로 겪었지만, 그것을 혼자서 기억해낼 필요는 없다는 것을 상기시키는 것이 도움이 된다. 외상성 플래시백이나 해리가 발생하면, "지금 당신은 어디에 있나요?"라고 물어봐 주고, 간호사와 함께 있다는 것을 상기시켜 생존자가 현재로 돌아올 수 있도록 돕는 것이 중요하다. 간호사는 생존자가 격한 감정에 휩싸이거나, 칩거(retreating), 자살시도 또는 자해를 하지 않도록 그의 안전과 상황에 대한 수용 정도를 지속적으로 모니터링해야 한다. 심리극(psychodrama)의 형식으로 가해자 또는 보호해주지 않은 어른들에게 하고 싶었던 말을 빈 의자를 향해 이야기하는 것은 어린 시절 표현할 수 없었던 생각과 감정을 표현하는 데 도움이 된다. 또한 심리극에서 고무방망이를 통해 분노를 표현하거나 분노조절 기술을 훈련하는 것은 분노 해소의 좋은 전략이다. 놀이치료와 이야기치료, 미술치료는 학대에 직면하는 아동과 성인 환자에게 특히 유용할 수 있다(Bennett, 1997; Hinds, 1997; Isaacs, 2011; Prugh, 2011; Rick & Douglas, 2007). 일기장에 외상과 관련된 기억과 고통스러운 느낌을 작성하고, 가해자와 보호해주지 않은 사람들에게 '보내지 않을 편지'를 쓰는 것도 도움이 될 수 있다(Cerdorian, 2005; Kreidler & Einsporn, 2012; Miller, 2011).

생존자가 가족이나 가해자를 직접 대면하게 하는 것은 좋은 결과를 가져오지 못하며, 안전한 방법도 아니다. 직면(confrontation)은 직접적인 대면의 방식보다 간호사와 함께 은유적 방법이나, '편지'를 통해 이루어질 수 있다. 만일 생존자가 직접 대면하는 것을 선택한다면, 사전에 많은 준비가 필요하다. 생존자는 부정, 합리화, 희생자를 비난하는 것과 같은 가족구성원의 전형적인 반응들을 고려하고, 대응방식을 계획하며, 예행연습을 해야 한다. 고백과 사과는 거의 없을 것이라는 점도 미리 알아야 한다. 생존자는 대면의 이점과 위험뿐만 아니라 가족과 접촉하기를 원하는 정도와 유형에 대해 논의하는 것이, 심지어 대면이 이루어지지 않거나 생존자가 자신의 자녀를 보호해야 하는 경우에도 도움이 된다. 간호사와 생존자가 상의해야 할 중요한 고려 사항은 어린 아동이 현재 동일한 가해자에 의해 학대당하고 있다면, 아동 학대를 의무적으로 신고해야 한다는 것이다. 이러한 유형의 보고가 간호사와 생존자 모두에게 당연히 어렵겠지만, 신중하게 직접 해결해야 한다.

생존자가 외래 상담을 받는 경우, 각 상담 회기의 우선순위를 고려하는 것이 중요하다. 현재의 위기와 문제는 발생하는 대로 해결될 필요가 있다. 예를 들어, 부인과 및 신체 검진은 고통스럽고 플래시백을 촉발할 수 있다(Roberts, 2000). 이러한 측면은 상담으로 인해 증가하는 자살사고, 자해, 물질남용 등의 자기파괴적 행동에도 중요하다. 위기가 심각하다면 입원이 필요할 수 있다. 의료진은 재외상화(retraumatization: 어떤 후속 사건에 의해 유발된 외상 상태로의 재발)의 원인이 될 수 있는 억제대의 사용을 피해야 한다(Chandler, 2008). 생존자들은 회복을 무섭고 고통스러운 것으로 여기지만, 점차 진전을 보이면서 안도감을 경험하기도 한다.

② 약물치료

아동기 성적 학대를 겪은 성인 생존자에게 약물치료가 항상 필요하거나 바람직한 것은 아니다. 특히 물질남용이 실재적·잠재적 문제인 경우 더욱 그렇다. DSM-5에 따라 우울장애로 진단을 받은 경우와 같이 심각한 정신병리가 있는 소수의 생존자에게만 약물을 투여해야 한다. 우울 증상이 수면을 방해한다면, 트라조돈과 같은 항우울제를 사용할 수 있다. 벤조디아제핀 또는 클로니딘(clonidine)

은 외상 기억의 재경험 중에 발생하는 강한 감정반응이나 자율신경계 흥분의 조절을 돕기 위해 단기간 제공될 수 있다. 지속적이고 심각한 악몽에 시달리거나 플래시백, 억제 불능, 부정적 감정상태, 초조감이 지속되는 경우, 간혹 저용량의 리스페리돈, 쿠에티아핀, 프라조신, 아리피프라졸(aripiprazole) 또는 토피라메이트(topiramate)가 투여된다(Ripol, 2012; Zawahir & Scudder, 2012).

③ 치료적 환경관리

외래 치료와 단기 입원 동안 외상 간호와 인지행동적 접근의 감정관리 집단치료는 유용한 간호중재 방안이 될 수 있다(Kreidler & Einsporn, 2012). 가능하다면, 단기 또는 지속적인 성적 학대나 근친상간 회복 집단을 통해 도움을 받도록 한다. 일부 자조집단에는 익명의 근친상간 생존자 모임(Incest Survivors Anonymous), 성적 학대의 생존자, 그리고 자녀연합모임(Daughters and Sons United) 등이 있다. 비가해자 부모를 위한 '부모 연합모임'이 있으며, 가해자 또한 상담을 받을 수 있도록 연계할 수 있다. 때로는 가족치료가 적절할 수 있지만, 이는 사전에 철저한 준비와 계획이 필요하다.

생존자의 증상과 필요에 따라 권장될 수 있는 다른 집단으로는 익명의 공동의존자 모임(Co-dependency Anonymous), 알코올 중독자의 성인아이(Adult Children of Alcoholics), 익명의 알코올 또는 마약 중독자 모임(Alcoholics or Narcotics Anonymous) 등이 있다. 생존자는 또한 의사결정, 문제해결, 의사소통 또는 대인관계 기술, 갈등 해결, 분노 관리, 양육 기술과 성(human sexuality)에 관한 문제를 다루는 프로그램이나 단기 집단에 참여할 수 있다.

CRITICAL THINKING QUESTION

2. 당신은 어릴 때 아버지에게 성적 학대를 당한 환자를 돌보고 있다. 아버지는 딸이 입원해 있는 병동에 방문하여 그녀가 정서적 문제를 보여왔다고 말하고, 가족에 대해서도 거짓 주장을 펼치고 있다. 이 아버지에 대해 당신은 간호사로서 어떤 접근방식을 계획할 것인가?

3) 파트너 및 노인 학대

(1) 문제의 특성

미국에서는 1년에 약 2백만 명이 상해를 입는데, 여성이 9초에 한 번씩 구타를 당하는 것으로 보고되었다(Solnit, 2013). 미국의 7~21%의 남성과 여성이 파트너에 의해 신체적 폭행을 당한 것으로 추산된다. 미국의 젊은 성인들을 대상으로 한 조사에서 여성의 35%와 남성의 37%가 파트너로부터 폭력을 당한 것으로 보고하였다(Carretta, 2008; Gratz et al., 2009). 심리적 학대 및 기타 인권침해까지 포함하면 그 비율은 훨씬 더 높을 것이다(**그림 20-1**)(Daniels, 2005; Dutton & Nicholls, 2005). 신고의 부족으로 인해 여성-여성, 여성-남성, 남성-남성 학대에 대한 통계를 수집하기가 어렵다(Brown, 2008; Dutton & Nicholls, 2005). 우리나라 여성가족부의 부부폭력 통계에 따르면, 2013년 여성의 29.8%, 남성의 27.3%가 배우자로부터 폭력을 당했으며, 가해자는 남성의 35.3%, 여성의 30.2%로 보고된 반면, 2016년의 통계에서는 여성의 12.1%와 남성의 8.6%가 배우자로부터 폭력을 당했으며, 가해자는 남성의 11.6%, 여성의 9.1%로 보고되어 부부 간 폭력 발생률이 현저히 감소한 것을 볼 수 있다(여성가족부, 2017). 여성들이 남편, 남자친구 또는 여자친구, 남성 또는 여성 애인, 이전 배우자 또는 별거 중인 배우자에 의해 학대, 강간, 고문 또는 구타를 당하지만(Carretta, 2008; Daniels, 2005), 이들 중 대부분은 심지어 치료가 필요할 만큼 심각한 상해를 입은 경우에도 신고하지 않는다. 배우자의 학대는 임신 중에 발생할 수 있는 위험을 증가시킨다(Tilley & Brackley, 2004). 일차진료 현장에서 여성 환자의 34~46%가 파트너 학대의 희생자로 추정된다(Lie & Barclay, 2006).

청소년의 데이트 폭력은 10~35%로 추정된다. 우리나라에서는 경찰청 통계에 따르면, 데이트 폭력 신고 및 상담 건수가 2017년 4,848건으로 2016년 3,575건에 비해 26% 증가한 것으로 나타났다(경찰청, 2018). 11~14세의 아동 가운데 최대 20%가 정서적·성적 교제 관계가 시작될 때 데이트 폭력의 영향을 받는다(Anonymous, 2008). 이러한 아이들의 폭력 기여 요인으로 부모의 폭력을 목격하는 것, 이전의 외상이나 학대, 조기 사춘기, 초기 청소년기의 전형적인 스트레스와 문제, 약물 및 알코올의 조기 사용, 매체와

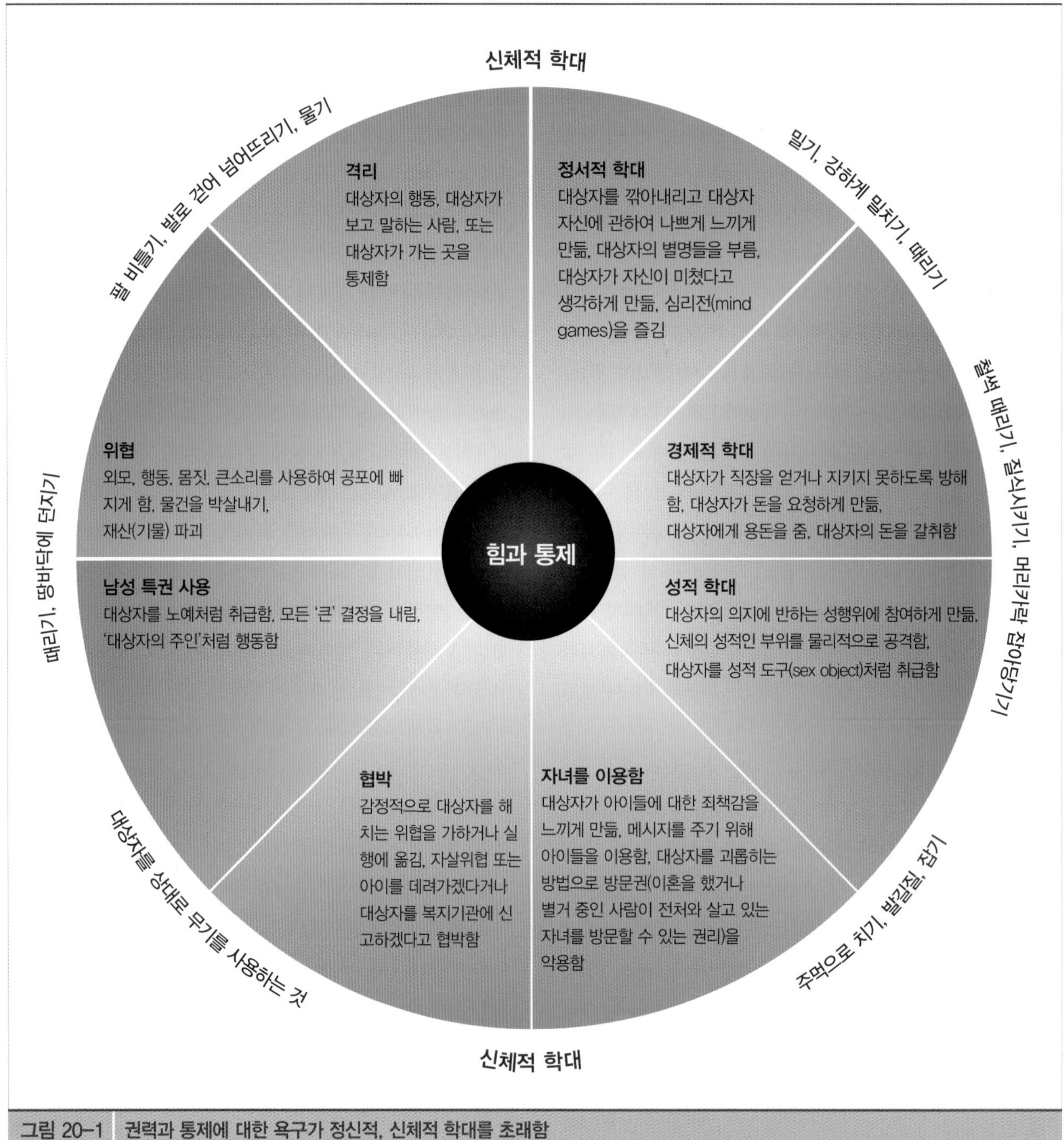

그림 20-1 권력과 통제에 대한 욕구가 정신적, 신체적 학대를 초래함

출처: Domestic Abuse Intervention Project [1987]. Power and control. Duluth, MN: Domestic Abuse Intervention Project.

인터넷 폭력에의 노출 등이 있다(Close, 2005; Gratz et al., 2009; Miller, 2004).

마지막으로, 노인들 사이에서는 성적·신체적·정신적인 학대가 있을 뿐만 아니라 경제적인 이유로 미망인의 자살이나 살인을 강요하는 경우도 있다(Carretta, 2008). 노인학대 역시 개인적 권리의 침해, 버림받음, 물질적 및 재정적 착취를 포함한다(Baker, 2007). 65세 이상 노인 중 3.2%가 학대를 당하면서도 여전히 가정 내에서 지내고 있는 것으로 보고되었는데, 5명 중 1명만 보고하는 것으로 추정된다(Baker, 2007). 우리나라 보건복지부 통계에 따르면 노인학대로 판정된 건수는 2017년 4,622건으로 전년 대비 8%가 증가한 것으로 나타났다(보건복지부, 2018). 이와 같이 학대받는 노인이 해마다 증가하고 있어 이들에 관한 관심이 요구된다. 학대는 주로 가정에서 일어나는데, 자녀에 의한 경우가 48.4%, 배우자에 의한 경우가 24.8%로 나타났다(보건복지부, 2018).

파트너 학대의 희생자들은 그들의 학대 사실을 숨기려고 한다. 그들은 자신들의 곤경을 폭로했을 때, 파트너, 친구, 친척들에 의해 부정되거나 파트너의 학대가 심해질 것임을 잘 알고 있다(Merrell, 2001). 학대받는 여성이 감정적·재정적으로 더 독립적이 되면, 파트너의 폭력 빈도도 함께 증가한다. 미국에서 살해된 여성의 30~50%가 떠나려고 시도했거나 떠난 후에 파트너에 의해 죽임을 당했다는 사실은 여성들에게 두려움을 갖게 한다(Carretta, 2008; Jordan, 2004; Logan & Walker, 2004). 파트너에 의해 살해당한 희생자의 약 50%는 그들이 사망하기 전에도 상해를 입고 응급실에 내원한 과거력이 있다(Gerard, 2000). 남성 또한 그들의 파트너에 의해 살해되는데, 이는 전체 남성 피살자의 4%에 해당한다(Carretta, 2008; Daniels, 2005). 때로는 구타를 당한 후 또는 학대를 당하는 동안 자기방어로 피학대자에 의한 살인이 일어나기도 한다.

연구들은 파트너 학대는 동성애와 이성애 관계를 비롯한 모든 사회나 인종, 문화 및 경제적 계층에 걸쳐 나타난다는 것을 보여주지만, 기초생활 수급을 받는 사람들에 의해 보고되는 경우가 더 많다. 이러한 경향은 희생자가 보건소 간호사, 복지 관련 기관, 국공립 병원이나 응급실과 같은 기관과 접촉하는 기회가 많기 때문이다. 고소득자는 학대를 공공기관에 보고하지 않는 개별 서비스를 받을 가능성이 있다(Poirier, 2000). 간호사는 어느 세팅에서도 환자의 과거나 현재의 학대에 대해 사정해야 한다. 희생자들은 학대에 관한 정보를 노출하기를 꺼리므로, 가정폭력에 관한 질문은 기본적인 사정에 포함해야 한다(Howard et al., 2010; Trevillion et al., 2012).

알코올 및 약물 남용과 폭력적인 행동의 관계는 파트너 학대에 관한 많은 연구의 주제가 되어 왔다. 술을 마시지 않는 학대자도 종종 있지만, 학대자 중 물질 남용자가 훨씬 더 높은 비율을 차지한다(Murphy et al., 2005). 희생자들의 보고에 따르면 학대자들은 폭력적이 되어갈 때쯤 술을 마신다고 한다. 따라서 알코올이나 약물은 학대자의 폭력 행동의 원인이라기보다는 학대자가 알코올이나 약물을 폭력의 변명으로 삼는다고 볼 수 있다. 희생자들은 또한 학대자의 음주량이 증가할수록 폭력의 심각성도 증가하는 것으로 보고해왔다(Murphy et al., 2005). 여성 희생자들은 종종 학대자를 극단적 성격으로 변화하는 '지킬박사와 하이드'로 묘사한다. 그들이 어떤 때는 부드럽고 사랑스러우며 친절하다가도, 또 어떤 때에는 무례하고 무정하며 폭력적이기 때문이다. 이러한 변화는 나중에 '폭력의 주기(cycle)' 부분에서 설명될 것이다.

어떤 사람들의 경우 폭력이 상호 간에 일어나는데(Dutton & Nicholls, 2005; Whitaker, 2007), 이는 부정적인 의사소통과 갈등의 증가를 해결하려는 노력의 결과이다. 이러한 커플들은 종종 스스로 변화하기를 원하고, 갈등과 분노를 다루기 위한 보다 효과적인 기술을 배울 수 있다. 그러나 일반적으로는 파트너를 이용하고 통제하기 위해 폭력을 사용하며, 분노나 버림받는 것에 대한 두려움, 질투심 때문에 폭력이 일어나는 것이다(McClellan & Killeen, 2000). 이 두 번째 양상은 대부분 여성을 학대하는 남성에게 더 빈번하며, 이러한 남성들은 변화하려는 동기가 거의 없다. 이런 경우 남성을 따로 분리하여 동기강화 면담(motivational interview) 후 치료를 진행해야 폭력의 악순환을 끊을 수 있다(Alexander & Morris, 2008). 한편, 일부 연구에서는 비상호적 학대 관계에서도 남녀가 거의 동일하게 폭력을 사용하며, 성격장애를 가진 경우에 파트너에게 폭력을 행사하는 비율이 더 높다고 보고하였다(Dutton & Nicholls, 2005).

현대 사회의 특성은 파트너 학대에서 고려되어야 할 요소 중 하나이다. 매체(예: 인터넷, TV, 뮤직비디오 및 영화)에서의 신체적·성적 폭력에 관한 묘사의 빈도와 강도가 계속 증가하고 있기 때문이다. 대중매체에서는 여전히 여성을 사회적 약자(second-class citizens)로 묘사한다. 30세 미만의 여성이 30세 이상의 여성보다 친밀한 관계에서 더 공격적이다(Dutton & Nicholls, 2005). 또한 가정 폭력의 목격자와 아동 학대 및 방임의 희생자는 다른 폭력의 가해자나 학대자, 그리고 파트너 학대자가 되는 경향이 있다고 보고되었다(Hill & Nathan, 2008; Kelly et al., 2010; Stith et al., 2004; Woods & Wineman, 2004).

노인 학대 및 방임의 경우, 가해자의 90%가 가족구성원, 특히 성인 자녀와 배우자이다. 그밖에 다른 친척, 손자, 친구, 이웃 및 재택 서비스 제공자에 의해서도 학대나 방임이 일어날 수 있다(Baker, 2007). 장기 요양시설에서의 노인 학대, 성적 학대와 방임은 직원이나 다른 입소자에 의해서도 발생할 수 있다(Ramsey-Klawsnik et al., 2007). 노인 학대는 파트너 학대와 유사하게 권력과 통제의 역동을 보여준다(**그림 20-1**)(Spangler & Brandl, 2007).

(2) 영향

대부분의 전문가들이 계속되는 정서적 및 신체적 학대에 대한 반응으로 학습된 무력감(learned helplessness), 절망감, 고립감, 체념을 제시한다. 학대당한 여성들은 학대를 두려워하고 싫어하면서도, 그들이 학대당할 만하다는 파트너의 생각을 믿는 경향이 있다고 보고한다. **표 20-5**는 여성들이 장기간의 학대를 견디는 일반적인 이유를 보여준다. 여성들이 왜 학대를 참는지에 대한 또 다른 견해는 폭력의 주기(cycle)가 존재한다는 것이다(**표 20-6**). 허니문 단계에서 남성의 좋은 면을 확인하고, 여성은 그들 관계에서 잠재적인 사랑과 행복을 상기하게 된다(Farella, 2000; Gerard, 2000; Walker, 1979). 여성들은 파트너가 그의 문제와 폭력적인 행동을 극복하도록 여성 자신이 도울 수 있다고 생각한다. 희생자가 독립적일 수 있도록 도와주는 서비스와 그들이 갈 수 있는 안전한 장소가 여전히 부족하다. 많은 국가에서 학대자를 폭행 및 구타로 체포하기보다 간접적으로 학대를 지속하도록 만드는 비효율적이고도 시대에 뒤떨어진 법을 시행하고 있다. 체포는 그들의 폭력이 권리가 아니라 범죄라는 메시지를 전하는 방법이다(Jordan, 2004; Williams, 2005).

매맞는 여성 증후군(battered woman syndrome)은 반복적인 학대가 희생자의 건강과 삶에 심각한 위협이 되므로

표 20-5 | 왜 학대받는 여성들이 오랫동안 떠나지 못하는가?

상황적 요인
- 경제적 의존성, 직업 기술 부족
- 그들이 떠나거나 배우자가 체포된다면 자신과 자녀에게 닥칠 더 큰 신체적 위험에 대한 두려움
- 아버지의 부재로 인한 아이들의 정서적 악영향에 대한 두려움
- 자녀의 양육권 박탈에 대한 두려움
- 대안적 주거시설의 부족
- 사회적 고립, 가족이나 친구의 지지 부족
- 대안에 관한 정보 부족
- 법원 절차 참여에 대한 두려움
- 배우자와 배우자 가족의 보복에 대한 두려움

감정적 요인
- 부정적인 자아상, 혼자 있는 것에 대한 두려움
- 현실을 부정하며 비밀스러운 삶을 살아가는 것
- 개인적인 당혹감과 남편 및 가족의 이미지를 보호하려는 마음
- 잠재적인 독립성에 대한 불안감, 정서적 지지 부족
- 결혼 또는 관계의 실패에 대한 죄의식
- 파트너가 혼자서 살아갈 수 없을 것이라는 두려움
- 파트너가 아프고 자신의 도움이 필요하다는 믿음
- 파트너가 변화할 것이라는 믿음
- 삶의 큰 변화와 책임 증가에 대한 양가감정과 두려움

문화적 요인
- 폭력 행동에 대한 책임이 구타하는 사람에게 있지 않다고 여기는 것
- 학대가 자신의 잘못이라고 믿는 것
- 수동적이고 순종적으로 성장한 경우
- 탈출의 기술 대신 생존의 기술이 발달한 것
- 법적 시스템이 남성 중심적이라고 인식하는 것

추가 요인: 여전히 그를 사랑하는 마음

출처: Julian Center Shelter, Indianapolis, IN, and Task Force on Families in Crisis, Nashville, TN.

표 20-6 | 폭력의 주기(cycle of violence)

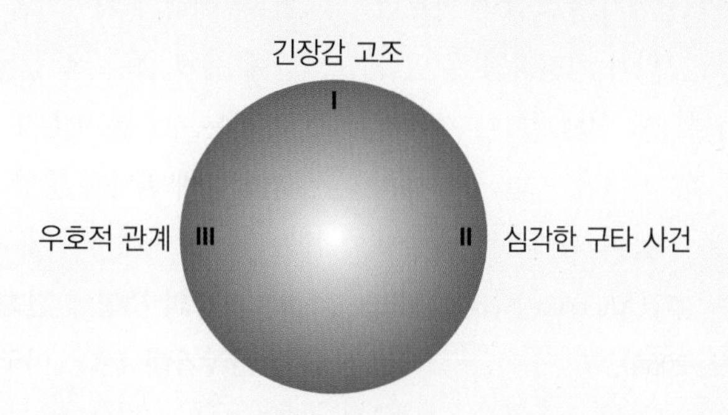

남성	여성
I. 긴장감 고조 • 그녀에 대해 지나치게 높은 기대가 있다. • 잘못되어 가는 일에 대해 그녀를 비난한다. • 자신의 행동을 통제하려 하지 않는다. • 자신의 부적절한 행동을 알고 있지만 인정하지는 않는다. • 언어적 학대와 소소한 신체적 학대가 증가한다. • 그녀가 떠날까 봐 두려워, 그녀를 계속 붙잡아두려는 소유욕이 더 강해진다. • 더욱 광적이고 통제적이 되어간다. • 그녀의 위축을 거절로 잘못 해석한다. **II. 심각한 구타 사건** • 내적, 외적 사건이나 알코올에 의해 촉발된다. • 구타는 대개 다른 사람이 없는 곳에서 발생한다. • 그녀가 외부(경찰, 의료진)에 도움을 청하려고 하면, 더 큰 해를 끼칠 것이다. • 자신의 행동을 정당화하려 하지만, 정작 무슨 일이 일어나는지 이해하지는 못한다. • 학대의 심각성을 최소화한다. • 사건 후에 그의 스트레스는 경감된다. **III. 우호적 관계** • 다정하고, 매력적이며, 용서를 빌고, 약속한다. • 자신이 다시는 학대를 하지 않을 것이라고 진심으로 믿는다. • 그녀에게 교훈을 가르쳤고, 그녀가 다시는 그렇게 행동하지 않을 것이라고 느낀다. • 그녀의 죄책감을 빌미로 그녀를 계속 가둬두려 한다.	**I. 긴장감 고조** • 보살피고 순응하며 그를 기쁘게 하려고 한다. • 문제의 심각성을 부인한다. • 그의 행동을 통제할 수 있다고 느낀다. • 그의 행동을 안심할 수 있는 상태로 바꾸기 위해 노력한다. • 그가 분노하지 않게 하려고 노력한다. • 외적인 요인(알코올, 직장) 탓으로 돌린다. **II. 심각한 구타 사건** • 구타가 오래 지속되는 경우, 구타를 끝내기 위해 오히려 자극(도발)할 수도 있다. • 살해당할 것이 두려워지면, 도움을 청하기도 한다. • 초기 반응은 충격, 믿기지 않음, 부정이다. • 경찰이 오면 더 심한 학대를 당할까 봐 두려워져서, 그를 체포하지 말라고 간청할 수도 있다. • 불안, 수치심, 굴욕감을 느끼고, 잠을 이루지 못하며, 피로하고 우울해진다. • 하루 또는 그 이상이 지나도 상해에 대한 도움을 청하지 않고, 상해의 원인을 둘러댄다. **III. 우호적 관계** • 그의 다정한 행동을 실제 모습이라고 보고, 그와 화해하려고 한다. • 학대가 다시는 일어나지 않을 것이라고 믿고 싶어 한다. • 자신이 그대로 있으면, 그에게 도움이 될 것이라고 느끼며, 떠난다는 생각이 죄책감을 느끼게 한다. • 관계의 영속성을 믿고 덫에 걸린다.

출처: Gerard, M. (2000). Domestic violence: how to screen and intervene. RN, 63, 52; McFarlane, J., et al. (2004). Increasing the safety-promoting behaviors of abused women. American Journal of Nursing, 104, 40; Walker, L. (1979). The battered woman. New York: Harper & Row.

PTSD의 하위분류로 제안되어 왔다. 희생자들은 흔히 악몽, 플래시백, 폭력이 또다시 반복될 것에 대한 두려움, 정서적 해리(emotional detachment), 무감각, 놀람 반응(startle response), 수면 문제, 죄책감, 집중력 장애 및 과도한 경계심(hypervigilance)을 호소한다. 이 외에도 우울, 적대감, 낮은 자존감, 자기 비난, 수동적 태도, 의사결정 능력의 저하, 정신신체 증상 호소, 운명론적 태도, 사회적 고립, 도움 요청을 꺼림과 같은 증상들이 있다(Anorexia Nervosa and Associated Disorders, 2002; Carretta, 2008; Logan & Walker, 2004). PTSD 환자와 마찬가지로, 폭행을 당한 여성은 정신병리적 증상이 아닌 만성 외상에 대한 전형적인 반응을 보인다. 희생자에게 꼬리표를 붙이고 그들을 비난하는 것은 가해자의 책임을 희생자에게 전가하는 것이다.

희생자들에 따르면, 학대받는 여성들은 이 악순환이 멈

추지 않을 것이라는 점과 정서적 지지를 받을 수 있는 안전한 장소가 있다는 사실을 깨닫기 전까지는 그들의 파트너를 떠나려 하지 않는다. 그다음의 구타가 치명적일 수 있다는 두려움, 그들의 배우자가 자녀들도 신체적이나 성적으로 학대하고 있음을 알게 되는 것, 자녀가 또한 학대하는 것을 배우고 있음을 깨닫는 것은 그들이 학대하는 배우자를 영원히 떠나는 계기가 될 수 있다(Anorexia Nervosa and Associated Disorders, 2002; Miller, 2004).

(3) 회복

심각한 폭행 사건의 직전 또는 시작 시점에 희생자들은 무서워하며 위기 개입을 받아들이고 경찰이나 위기관리 기관에 도움을 요청할 가능성이 크다. 즉각적인 위험과 상해의 위험이 있을 때, 그들이 가려는 의지만 있다면, 희생자와 자녀를 보호시설이나 다른 안전한 장소로 이동시키는 것이 좋다. 희생자에게 부상이 발생했다면 응급실에 갈 수 있도록 격려해야 한다. 위기중재자나 보호소 직원, 간호사는 중요한 평가 과정을 시작하고 폭력의 주기를 늦출 수 있는 정보를 제공해야 한다. 생존자가 아직 파트너를 떠날 준비가 되어 있지 않더라도, 경찰, 검찰관, 위기서비스 기관, 희생자 지원기관, 보호소 및 지지그룹의 전화번호와 함께 쉽게 숨길 수 있는 카드를 주는 것이 좋다. 학대당해도 되는 사람은 아무도 없다는 사실과 폭력 주기의 불가피성에 관해 간단히 설명하는 것이 좋다. 전화로만 연락이 가능하거나 학대자가 카드를 발견하게 될까 봐 걱정되는 경우, 지갑의 뒷면에 전화번호를 적어두거나 911에 전화하도록 이야기해 둔다. 미국의 일부 도시에서는 가정폭력 네트워크(Domestic Violence Network)에 직접 연결되는 211 전화가 있으며, 우리나라에는 가정폭력과 성폭력 발생 시 지원하는 여성긴급전화 1366이 있다. 생존자는 안전 또는 탈출 계획을 마련할 수 있는 아이디어를 얻을 수 있다(Daniels, 2005). 예를 들어, 의약품과 옷, 집과 자동차 열쇠, 돈과 공중전화를 할 수 있는 동전(휴대전화가 없는 경우), 중요한 전화번호와 서류(예: 은행 계좌번호, 출생증명서, 주민등록증, 의료보험 카드, 접근 금지/보호 명령) 등을 챙겨 짐을 꾸려놓는 것이 도움이 된다. 또한, 법규나 보호 명령 및 스토킹 방지법에 의해 제공되는 보호에 대해서도 알려주어야 한다. 노인 학대 및 방임 상황에서 의무적으로 보고하도

표 20-7 | 파트너 학대 희생자의 공통적인 양상

- 검사로 확인되지 않은 반복적이고 막연한 증상: 요통, 복통, 소화 불량, 두통, 과호흡, 불안, 불면증, 피로, 식욕부진, 심계항진
- 설명되지 않는 상해, 또는 당황해하면서 설명하지 못하는 상해
- 옷에 가려지거나 보이지 않는 부위의 상해, 신체검진이나 X선 검사로만 확인할 수 있는 숨겨진 상해(예: 머리와 목의 부상, 내장 손상, 생식기 부상, 흉터, 화상, 관절 통증이나 탈구, 무감각, 청력 저하, 원형 탈모)
- 벨트, 다리미, 반지, 치아, 손톱, 담배, 칼에 의한 눈에 띄는 상해
- 치유의 여러 단계에 있는 다양한 골절 또는 타박상
- 학대자 앞에서 흠칫 놀라거나 움찔함
- 물질남용, 자살사고나 자살시도
- 가해자에 대한 두려움을 숨기려고 노력함
- 학대자가 화를 내지 않게 하기 위한 지속적인 노력
- 관계에서의 문제에 대한 부정
- 가족이나 친구와의 상호작용 저하
- 집에서의 고립 또는 감금
- 죄책감, 우울, 불안, 낮은 자존감, 실패감, 숨겨진 분노
- 자신의 행동과 학대자의 행방에 대한 지속적인 정당화
- 다른 사람들 앞에서 학대자의 행동에 대한 지속적인 정당화, 변명, 합리화
- 어떤 희생을 치르더라도 전통적 관념에 따라 가족이 깨지지 않도록 지켜야 한다는 믿음
- 치료적 도움을 제공하려 해도 희생자 혼자서 할 수 있다고 믿음
- 학대자는 희생자가 병원이나 기관 직원, 가족이나 친구와 함께 있어도 희생자를 혼자 두고 떠나고 싶어하지 않으며 지나치게 신경을 씀

출처: Carretta, C.M. (2008). Domestic violence: a worldwide exploitation. Journal of Psychosocial Nursing and Mental Health Services, 46, 3; Constantine, R.E., & Bricker, P.L. (1997). Social support, stress, and depression among battered women in the judicial setting. Journal of the American Psychiatric Nurses Association, 3, 8; Merrell, J. (2001). Social support for victims of domestic violence. Journal of Psychosocial Nursing and Mental Health Services, 39, 30; Miller, M.C. (2004). Countering domestic violence. The Harvard Mental Health Letter, 20, 1.

록 하는 절차가 있는데, 생존자는 이를 알고 있을 필요가 있다. 이는 비밀보장에 영향을 미치고 더 많은 안전 문제를 야기할 수 있다. 성인 보호 및 옹호 서비스와 사법 제도는 필수 자원이다(Spangler & Brandl, 2007). 파트너 학대 생존자를 위한 장기목표는 자기 확신, 자기존중, 독립성, 건강한 지지체계, 자유로움, 안전, 자율성 등을 가지도록 돕는 것이다.

(4) 치료 및 간호중재

① 간호사-환자 관계

대부분의 학대 여성들은 적어도 한 번은 상해나 정신신체 증상에 대한 도움을 구하고자 하므로, 간호사는 정보와 도움을 주기에 용이한 위치에 있다. 응급실, 진료소, 정신과 시설, 보건소의 간호사는 가정폭력에 관한 교육을 받아야 하고, 생존자를 어떻게 인식해야 하는지 알아야 하며, 문제를 사정하고, 지지를 제공하며, 필요한 환자에게 기관 연계를 제공해야 한다. 학대의 몇 가지 공통적인 단서가 **표 20-7**에 있다. 노인의 경우, 영양실조, 허약함, 면역 억제, 욕창, 조기 사망 등이 있을 수 있다(Baker, 2007). 또한 일반적으로 이들은 의식주나 물, 위생, 약품, 안경, 의치, 보청기, 안전과 편안함 등 생존에 필수적인 것들을 제공받지 못한 상황이다(Strasser & Fulmer, 2007). 생존자들이 노출하기를 두려워하고, 상황에 당황하면서 빨리 진료를 받고 떠나기를 원하며, 때로 학대자가 희생자의 옆에 있기 때문에, 흔히 평가 진행이 어렵다. 개별적이고 민감하게, 연민을 가지고 공감적으로 면담하는 것이 중요하다. **표 20-8**은 생존자에게 도움이 되는 치료자의 반응들이다. 초기 접촉 시 작성해야 할 문서의 핵심적인 정보들은 아래와 같다.

- 학대자의 신원 정보와 현재 위치
- 자녀들의 위치와 안전
- 학대의 지속 기간과 빈도
- 학대의 유형(신체적, 정신적, 성적, 재정적)과 무기의 사용 여부
- 상해의 종류와 위치(사진과 신체 그림)
- 희생자와 학대자의 알코올과 약물의 사용 및 남용
- 적극적, 소극적 자살사고(자살 계획의 유무, 죽고자 하는 바람)
- 원하는 서비스의 유형(경찰, 법적 지원, 피난처, 위기 상담, 성직자, 사회복지 기관, 교통)
- 이전의 연계 서비스

표 20-8 파트너 또는 노인 학대에 도움이 되는 치료적 반응
• 비판단적·객관적이며, 비위협적인 태도를 취한다. • 학대가 일어나고 있는지 직접 질문한다. • 학대자의 행동이 학대적인지 확인한다. • 학대의 심각성을 알려준다. • 희생자가 스스로 내면의 강점을 찾아보도록 돕는다. • 희생자가 갖고 있는 개인적인 자원을 활용하도록 격려한다. • 희생자에게 피난처, 재정적 도움, 경찰, 법적 도움 등의 자원 목록을 제공한다. • 희생자가 자신의 선택을 할 수 있게 허용한다. • 관련 지원 단체에 관한 정보를 제공한다. • 희생자가 안전과 탈출을 위한 계획을 세우도록 돕는다. • 학대자에게 학대를 멈추고 도움을 받으라고 이야기한다. • 희생자를 믿지 않거나 비난하지 않는다. • 희생자에게 화를 내지 않는다. • 희생자가 학대자를 떠날 준비가 되어 있지 않더라도, 도움 받기를 거부하지 않도록 한다. • 희생자에 맞서 학대자에 동조하는 행동을 하지 않는다. • 희생자가 준비되기 전에 학대자를 떠나라고 다그치지 않는다.

초기 접촉이 짧더라도, 그들은 혼자가 아니고, 준비가 되었을 때 도움을 줄 의향이 있으며, 실제로 도와줄 수 있는 사람들이 있다는 것을 전달하는 것이 중요하다. 생존자에게 학대를 받아 마땅한 사람은 아무도 없다는 것을 여러 번 말해줄 필요가 있다. 간호사는 그들이 중요하고, 인간으로서의 존엄성을 가지는 가치 있는 존재임을 전달해야 한다. 이들은 자신의 정신적·신체적 탈진, 두려움, 양가감정(학대자에 대한, 떠나는 것에 대한, 그들 자신뿐만 아니라 학대자를 돕고자 하는 바람에 대한)을 인정할 필요가 있다. 간호사를 비롯한 전문가들은 희생자들이 준비되기 전에 학대자로부터 떠날 것을 다그치거나 서두르거나 강요할 수 없다는 것을 받아들이는 것이 쉽지 않은 일이다. 생존자들은 그들이 사랑하는 이(학대자)를 돕고 관계를 유지하고자 하는 희망을 포기하기 전에, 부부/가족 상담 혹은 개인 상담(학대자가 상담을 거부한 경우)을 한 번 이상 원할 수 있다. 희생자들이 여러 번 떠났다가 돌아오는 것이 일반적이며, 이는 하나의 사건이 아니라 과정이라는 것을 생존자가 인식하고 인정할 수 있게 돕는 것이 중요하다(Leone et al., 2007; Spangler & Brandl, 2007). 생존자는 관계 개선을 위해

애쓴 것에 대해 죄책감이나 수치심을 느끼지 않아도 된다. 그들이 여러 가지 방법을 시도했었다는 것과, 폭력을 통제하고 학대를 멈출 수 있는 유일한 사람은 학대자이기 때문에 결국 아무것도 변하지 않으리라는 것을 인정할 수 있다면, 생존자는 떠나는 것에 대한 죄책감이 줄어들 것이다.

학대받은 여성이 파트너를 떠난다고 해서 문제가 끝나는 것은 아니다. **표 20-9**에는 가해자가 보일 수 있는 일반적인 반응과 행동방식이 나열되어 있다. 별거 후에도 정신적·신체적 학대가 계속될 수 있다(Logan & Walker, 2004). 생존자의 회복과 독립을 위해 장기간 상담과 사회복지서비스가 자주 필요한데, 특히 학대자가 부부 상담이나 학대자 프로그램(법원 명령에 따른 집단 교육 및 상담 프로그램)에 참여하는 것을 꺼리는 경우 더욱 필요하다. 생존자를 위한 간호중재(인지행동적 접근, 외상간호 기술을 이용한 개인 및 집단요법)는 일반적으로 아래 사항에 중점을 둔다.

- 파트너의 학대로부터 안전 모니터링 및 자살 방지
- 학대, 폭력의 주기, 학대자의 책임에 관한 정보를 강조함
- 자존감, 자기확신, 독립성, 희망감을 증진시킴
- 분노, 좌절, 공포, 불안감과 같은 감정을 공유함
- 수치심, 죄책감, 당혹감, 조종, 고립 및 공동의존을 감소시킴
- 개인적, 법적 권리들을 확인해줌
- 스트레스 관리, 의사소통, 갈등 해결, 자기주장 기술을 교육함
- 부모 양육 기술을 교육함
- 새롭고 향상된 지지체계를 구축함
- 당장 직면한 미래를 위한 목표와 구체적인 계획을 수립함
- 슬픔을 해결함

표 20-9 | 당신이 학대하는 남자를 떠났다면

- 당신의 문제는 끝나지 않는다.
- 학대자는 가족과 친구를 통해 당신의 위치를 찾아내려 할 것이며, 그들의 동정심을 이용하거나 그들을 협박할 것이다.
- 그는 반복적으로 사과하고, 변화할 것을 약속하며, 선물을 줄 것이다.
- 그 다음에는 당신과 당신의 자녀, 가족, 친구들을 위협하거나 협박할 것이다.
- 당신 때문에 자살하겠다고 협박할 수도 있다.
- 그는 종종 당신의 아이를 죽일 것이라고 협박할 것이다.
- 다른 단계로 그는 상담에 들어가거나 종교적 열의를 보일 것이다.
- 당신이 그에게 돌아올 것이라는 확신을 갖기 위해 상담자나 종교지도자를 찾아갈 수도 있다.
- 다음으로, 그는 괴롭히거나 스토킹할 수 있다(매달림, 울기, 전화하기, 서면 또는 구두로 위협하기, 법적 조치, 당신이 가는 곳마다 따라다니기).

가해자의 술책과 상관없이, 당신은 자신과 아이들을 보호하기 위해 법적 지원이나 지역사회 자원, 개인적 자원을 이용해야 한다.

출처: the Salvation Army Domestic Violence Program, Indianapolis, IN.

직업 상담 및 훈련, 법률 보조, 재정 지원, 아동 보육, 영구 주택을 위한 연계가 필요할 수도 있다. 생존자와 작업하는 모든 단계에서, 상해, 자살시도, 자해, 물질남용과 더불어 우울, 불안, 공황 발작 등의 심각한 문제를 치료하기 위해 단기 입원이 필요할 수 있다. 또한 지속적인 두통, 위장관 통증, 요통, 골반통, 과호흡, 흉통, 불면증에 대한 평가와 치료가 필요할 수 있다(Amar & Clements, 2009).

CRITICAL THINKING QUESTION

3. 당신의 직장 동료가 남편의 음주와 장기간 정서적 학대 때문에 그를 떠날 것을 생각하고 있다고 털어놓았다. 그녀는 그가 자신을 죽이려고 할 수도 있다는 두려움과, 두 자녀를 혼자 키우는 것에 대한 두려움을 표현한다. 그녀에게 어떤 정보를 제공할 것인가?

② 약물치료

약물은 대개 필요하지 않지만, 생존자에게 흔히 제공되고 있다. 이때 주로 처방되는 약물은 항우울제, 벤조디아제핀 및 수면제이다. 이러한 약물은 생존자의 우울, 불안, 불면, 악몽 또는 플래시백의 증상이 심각한 경우, 적절히 사용될 수 있다. 약물 남용과 중독을 예방하고, 더 이상 약물이 필요하지 않은 시기를 결정하기 위해 지속적인 평가가 필요하다.

③ 치료적 환경관리

입원 또는 외래 세팅에서의 치료 집단은 자존감, 문제해결, 자기주장 기술, 대인관계 문제, 스트레스 관리 및 공동의존에 중점을 둔다. 필요한 경우 물질남용 집단에 연계해 줄 수 있다. 지역사회에서는 학대받는 여성을 위한 단체가 도움이 된다. 중재의 한 형태로 안전을 증진하기 위한 행동에 초점을 맞춘 전화 지원 프로그램이 있다. 연구 결과, 8주에 걸쳐 6회의 전화를 하여 이러한 행동을 더 많이 사용하도록 격려하였더니, 18개월 후에는 이런 행동을 더 많이 실행에 옮긴 것으로 나타났다(McFarlane et al., 2004). 우리나라에서는 전국 가정폭력 핫라인(1366)과 가족상담센터 희망의 전화(www.woman21.org) 또한 이용 가능하다.

CRITICAL THINKING QUESTION

4. 응급실 간호사로서, 당신은 지역 조직폭력단에 의해 고문과 강간을 당한 19세의 남성 희생자를 치료하고 있다. 희생자는 세부 사항에 대해 진술하거나 그 폭력단 조직원의 신원을 확인하는 것을 거부하고 있다. 당신은 그에게 희생자로서의 상태와 추후 상담의 이점에 대해 어떤 정보를 줄 것인가?

CASE STUDY

아버지로부터 근친상간을 당해온 26세 김OO 님은 남편 이 씨와 결혼했다. 그녀는 8세가 된 딸 A 양이 있었고, 남편 이 씨에게는 3명의 아들, 11세, 8세, 7세의 B, C, D 군이 있었다. 김OO 님과 이 씨가 결혼한 후에 딸 E 양(5세)이 태어났다. A 양은 가장 나이가 많은 이복오빠인 B 군에 의해 학대를 당한 후 집에서 옮겨진 상태이다. 김OO 님은 매 맞는 여성의 모임에 참석함으로써 도움을 구했지만, 상황을 해결하기가 어려웠다. 이 씨는 과도한 음주로 직장을 잃고 일자리를 구하고 있다. 그의 수입은 줄고 불규칙했지만, 지출은 줄지 않았다. 김OO 님은 월경 불순, 요통, 만성의 심한 두통, 설사로 반복적인 치료를 받았지만, 이에 대한 의료비를 지불하지 못했다. 그녀는 수치심으로 학대로 인한 멍이나 자상, 타박상 등의 치료를 기피했다. 이 씨는 김OO 님이 임신 중일 때 반복적으로 배를 주먹으로 때렸고, 이는 유산의 원인이 되었다.

이 씨가 김OO 님을 강간했을 때, 그녀는 변화에 대한 희망이 없고 떠나야 한다는 것을 깨달았다. 김OO 님이 보다 자기주장적이고 독립적이 되자, 이 씨는 그녀에게 집에 머물러 있을 것을 요구했고, 그것을 확실하게 하기 위해 칼로 협박하곤 하였다. 그는 동료와 함께 차를 타고 출근했다. 김OO 님은 이 씨의 아이들을 입양하지 않았기 때문에, 이 아이들을 데려갈 수가 없었다. 그녀는 자신이 떠났을 때, 이 씨의 아이들에 대한 언어적 학대가 신체적 폭력으로 변할까 봐 두려웠다. 이 씨는 그녀가 갈만한 곳은 모두 알고 있었다.

김OO 님과 막내딸 E 양이 안전하게 이 씨를 떠나기 위해 준비하고 조정하고 실행하는 데 4개월이 걸렸다. 이웃과 친구, 교사들에게 남아 있는 아이들의 잠재적인 학대에 대해 알렸고, 익명으로 아동 학대를 신고할 수 있는 전화번호도 전달했다. 김OO 님의 어머니는 그녀에게 시골에 작은 컨테이너 하우스를 빌려주었고, 동사무소에 부양가족 아동보조 신청서를 제출하였다. 김OO 님은 매맞는 여성의 모임에서 만난 친구의 도움으로 비밀리에 옷과 중요한 문서를 조금씩 그녀의 차 트렁크에 실었다.

어느 날 밤 이 씨는 술에 취해 김OO 님을 때리고 또다시 강간하려 했다. 그녀는 그와 싸워서 저지했고, 그가 곯아떨어질 때까지 기다렸다. 짐을 실은 차의 주인인 친구는 그녀를 시골의 컨테이너 하우스로 데려다주었다. 예상대로 이 씨는 칼을 안주머니에 숨기고 김OO 님의 모든 친구에게 찾아갔지만, 그녀가 어디에 있는지 아무도 알지 못했다. 그는 마지막으로 김OO 님의 어머니 집으로 차를 몰고 갔고, 그의 차가 시골로 들어왔을 때 그녀는 경찰에 신고했다. 이 씨는 경찰에 의해 호송되었고, 김OO 님이 있는 지역에 돌아오지 못하도록 경고를 받았다. 일주일 내에, D 군의 선생님은 아이의 몸에서 타박상을 발견하고 아동 학대 신고서를 제출했다. 2주 이내에 아이들은 집에서 나왔고, 그들의 친모에게로 돌아갔다.

김OO 님은 적절한 의료 처치를 받았고 보다 건강해진 상태이다. 그녀는 이제 이혼했고, 직업 훈련 프로그램에 참석하며, 그녀의 비밀 장소에 머물고 있다. 그녀는 안전하다고 느끼지만, 정서적으로 완전히 회복하기 위해 월 1회의 상담을 받고 있다. 그녀는 일주일에 한 번 폭력 피해여성을 위한 지지 모임에 참석한다.

간호과정	
이름: 김OO DSM-5 진단: 아동기 성적 학대	입원일: ________
사정	**강점:** 밝고, 분명한 표현능력과 문제해결 능력이 있음, 어머니와 한 친구가 기꺼이 도와줌, 환자는 치료집단에서 신뢰를 발전시키고, 자신의 감정과 권리에 대해 알아가는 중임 **간호문제:** 안전한 주거와 직장을 구하기 어려움, 남편의 아이들을 집에서 데려올 수 없는 문제와 그가 아이들을 학대할 것에 대한 두려움, 그녀가 떠나려고 했을 때 더 심한 학대(심지어 죽음)에 대한 두려움, 극심한 두통
진단	1. 의사결정 갈등(decisional conflict) (근거: 폭력 피해여성 지지 모임에 참석함) 2. 외상후 증후군(posttrauma syndrome) (근거: 신체적 상처, 두려움, 정서적 외상) 3. (남편을 떠나는 것의) 두려움 (근거: 의붓아들을 두고 떠나는 것을 꺼림)
관련요인	1. 역기능적인 결혼, 학대받는 관계를 벗어나야 한다는 당위성 인지 부족 2. 성적 학대, 신체적, 정서적 및 경제적 학대가 반복될 것이라는 부정적인 인지 3. 남편이 아들을 학대할 것에 대한 두려움
간호목표 날짜: ______ 날짜: ______ 날짜: ______ 날짜: ______ 날짜: ______	**단기 목표** 환자는 칼을 집에서 제거하고, 탈출 계획을 세울 것이다. 환자는 스스로 생존 능력이 있다고 말하고, 신체적, 정서적 외상 후 반응의 빈도가 감소한다. **장기 목표** 환자는 직업 훈련 프로그램에 등록할 것이다. 환자는 이혼에 대한 법적 지원을 받을 것이다. 환자는 만성 건강문제에 대한 의료 처치를 받을 것이다.
계획 및 중재	**간호사-환자 관계** • 비판단적이고 공감적으로 경청한다. • 농촌 지역의 교육, 재정, 상담 및 의료 자원을 찾는다. • 배우자를 비난하거나 떠날 것을 강요하는 것을 피한다. • 비밀 및 자기보호와 관련된 이상해 보이는 행동을 수용해준다. **약물치료:** 우울을 완화하고 수면을 개선하기 위해 취침 시 트라조돈(Trazodone[Desyrel]) 50mg, 심한 두통에 필요한 이브프로펜(Ibuprofen)을 제공 **치료적 환경관리:** 지역의 지지 모임에 계속 참여하도록 격려함, 농촌 지역의 지지 모임을 찾음, 환자와 아이들의 안전에 대해 지속적으로 평가함
의뢰	농촌 지역의 직업 훈련 프로그램에 연계한다.
평가	환자가 농촌 지역으로 이동하여 지지 모임에 가입하였고, 상담 및 의료 처치를 받고 있다. 남편의 아이들은 집에서 나와 친엄마와 함께 지낸다.

3. 해리장애

해리장애(diassociative disorders)는 의식, 기억, 정체성, 감정, 지각, 신체적 표현, 운동 조절, 행동 등의 붕괴가 특징이다. 해리장애의 주요 특징은 이인증, 비현실감, 기억상실, 마비, 플래시백이다. 이러한 장애는 종종 외상을 경험한 후에 나타나며 (1) 해리성 기억상실(dissociative amnesia), (2) 이인성/비현실감 장애(depersonalization/derealization disorder), (3) 해리성 정체성장애(dissociative identity disorder, DID)를 포함한다(American Psychiatric Association, 2013). 해리장애는 외상 및 스트레스 관련 장애와 밀접한 관련이 있다. 외상후 스트레스장애와 급성 스트레스장애 모두 해리 증상을 포함한다(예: 기억상실, 플래시백, 이인증). 해리는 고통스러운 감정, 기억, 생각, 정체성 등을 의식으로부터 제거함으로써, 감정적인 고통의 경험이나 억압된 갈등으로부터 자신을 보호하려는 무의식적인 방어기전이다. 이러한 해리는 개인들이 격렬한 감정적 사건이나 육체적 고통을 견뎌내고 생존하는 데 도움을 준다. 전쟁, 강간, 혹은 어린 시절의 성적 학대와 같은 외상 사건들은 해리 삽화와 밀접하게 연관되어 있다.

1) 해리장애의 유형

(1) 해리성 기억상실

해리성 기억상실(dissociative amnesia)은 대개 외상과 관련된 중요한 개인정보를 기억하지 못하는 것이 특징이다(보통의 망각과는 다름). 기억상실은 국소적 기억상실, 선택적 기억상실, 전반적 기억상실의 3가지 유형으로 구성된다. 국소적 기억상실은 특정 기간 동안 발생한 일을 개인이 기억할 수 없는 것을 말하며(예: 교통사고 후 몇 시간 동안 일어난 일을 기억하지 못하는 경우), 선택적 기억상실은 어떤 사건의 특정한 측면만 기억하는 것을 말한다. 전반적 기억상실은 전 생애를 다 기억하지 못하는 것으로, 드물지만 주로 전쟁 참전 군인과 성폭행 희생자들에게 나타난다(American Psychiatric Association, 2013). 전반적 기억상실을 보이는 환자들은 때로 목적 없이 방황하다가 경찰에 의해 발견되기도 하는데, 이들은 혼란스러워하고 지남력을 잃기도 한다. 이들은 또한 병원으로 이송될 때 공포감이나 당혹감을 느낄 수도 있다.

(2) 이인성/비현실감 장애

이인성/비현실감 장애(depersonalization/derealization disorder)는 스트레스에 압도되어 나타나는 반응으로, 이인증이나 비현실감의 삽화를 지속적이거나 반복적으로 보이는 것이 특징이다. 이인증의 근본적인 특징은 자신으로부터 분리된 느낌과 비현실적인 느낌이다. 환자는 마치 자신의 몸 밖에서 자신을 보고 있는 것처럼 느낀다(American Psychiatric Association, 2013). 또한 환자들은 감정으로부터 분리되어 감정적 마비를 경험할 수도 있고, 신체적 감각의 변화를 경험할 수도 있다(예: 로봇이 된 것 같은 느낌, 말이나 행동의 통제력 저하). 비현실감의 특징은 자신의 환경에 대해 분리된 느낌이나 생소한 느낌이 드는 것이다. 환자들은 흐릿한 시야나 물체에 대한 거리감 변화, 예민함 증가, 소리가 들리지 않는 등의 지각 왜곡을 경험한다. 예를 들어, 건물들이 기울어 있는 것처럼 보이거나 모든 것이 회색으로 흐릿하게 보일 수 있다. 어떤 환자는 안개나 꿈, 거품 속에 있는 것처럼 느낀다고 말한다.

(3) 해리성 정체성장애

해리성 정체성장애(dissociative identity disorder, DID)는 (1) 2개 이상의 구별되는 정체성이나 인격 상태가 존재하고, (2) 반복되는 기억상실의 삽화가 나타나는 것이 특징이다(American Psychiatric Association, 2013). 대체 인격(alternative personalities)은 마치 다른 사람이 그 사람을 조종하고 있는 듯한 양상으로 나타나는데, 이럴 때 환자는 현저하게 다른 방식으로 말하거나 행동하기 시작한다. 예를 들어, 대체 인격은 어린이나 10대 청소년, 심지어 다른 성(gender)으로 나타나기도 한다. 대체 인격들은 원래의 인격과는 구별되는 태도나 감정, 행동을 보인다. 각각의 인격들은 그 자신의 이름, 행동특성, 기억, 감정적 특성, 그리고 사회적 관계를 가지고 있다. 원래의 인격은 그 사람 본래의 이름으로 행동하는 인격으로서, 억제되어 있고 의존적이며 죄책감을 갖고 있는 반면, 대체 인격들은 적대적이고 상대를 조종하려 하며 자기파괴적인 특성을 가진다. 원래의 인격은 대체 인격들의 존재를 어느 정도 인지하고 있을 수도 있고 아예 모를 수도 있다. 환자들은 기억력의 문제와 이인증, 시간의 손실, 자기 안에서 두 인격이 서로 대화하는 소리, 신체적 증상 등을 경험할 수 있다(Gillig, 2009).

다른 해리장애와 마찬가지로 해리성 정체성장애는 매우 고통스러운 감정의 외상 사건에서 발생하고, 극도의 불안으로부터 자신을 방어하기 위한 것이며, 아동기 성적 학대를 경험한 경우에 가장 빈번하게 나타난다. 이러한 고통스러운 사건들을 기억에서 분리시키는 것은 사람으로 하여금 외상에서 살아남을 수 있게 해주지만 외상으로 인해 손상된 인격이 따로 분리된 채 남아 있게 된다. 대체 인격들은 외상성 사건과 관련된 감정과 행동을 나타낸다. 해리된 상태는 그 사람의 정체감에서 떨어져 나온 일부로서, 특정한 정보를 기억하는 다른 정체성들로 구성된다(Weber, 2007). 이 정체성들은 감정적인 기억들이 살아남도록 돕는다. 수줍고 조용한 여성은 문란하고, 화려하고, 아이 같고, 공격적인 대체 인격을 가질 수 있다. 예를 들어, 어떤 여성이 아침에 잠에서 깨어보니 자신의 아파트 거실에 장난감이 흩어져 있거나 빈 술병과 음식 찌꺼기들이 널려 있는 것을 보게 된다. 그녀는 자신에게 무슨 일이 일어났는지 기억하지 못한다. 왜냐하면, 그녀는 다른 인격이 출현하여 지배한 시간 동안의 기억을 상실했기 때문이다. 해리성 둔주도 흔히 나타나는데, 이들은 자신이 갑자기 해변이나 직장, 나이트 클럽에 있는 것을 발견하게 되지만 자신이 어떻게 그곳에 오게 되었는지를 전혀 기억하지 못한다.

이 환자들은 자살을 시도하거나 환각을 경험할 때 폐쇄 병동에 입원하게 된다. 해리성 정체성장애는 주요우울장애, 양극성장애, 외상후 스트레스장애, 정신병적 장애, 물질사용장애, 경계성 성격장애, 그리고 신체증상장애 등의 질환을 동반한다. 환자들은 이러한 증상들을 경험할 때 압도된다. 힘들거나 압도적인 문제를 다룰 때 병원 환경의 안전한 구조는 환자에게 감정적인 안전과 안정감을 제공한다.

2) 치료 및 간호중재

(1) 간호사 – 환자 관계

간호사는 해리 및 기억상실을 경험하는 환자와 관계를 맺을 때 신뢰와 지지를 구축하는 것이 매우 중요하다. 간호사는 환자가 해리나 기억상실이 있기 전에 경험했던 감정이나 갈등, 상황에 관한 자료를 수집하는 것을 돕는다. 또한 잊어버린 기억에 대한 자료를 얻기 위해 의료진에 의해 최면요법이 시행될 수도 있다. 간호사는 환자가 불안감과 삶의 갈등을 다루고 대처기술들을 향상시킬 수 있도록 천천히 도와야 한다. 이인성/비현실감 장애가 있는 환자들은 그들이 자살을 시도하거나 극도로 불안 또는 우울해지지 않는 한 보통 입원하지 않는다. 간호사는 외래에서 이러한 환자들을 간호할 수도 있다. 해리성 정체성장애에 대한 장기적인 치료목표는 인격이나 기억을 통합하여 가능한 한 원래의 인격으로 살아가게 하는 것이다. 기억을 되살리기 위해 최면요법을 사용하는 것은 논란의 여지가 있다. 어떤 연구에서는 최면요법이 추가적인 대체 인격과 거짓 기억을 만들어 낼 수 있으므로 그것의 사용이 해로울 것이라고 보고하였다(Miller, 2005b).

이러한 환자들을 돌보는 간호사들은 신뢰를 구축하기 위해 공감을 제공하는 것이 중요하다. 왜냐하면, 이러한 환자들은 대부분 권위 있는 인물과의 관계에서 일관성이 없고 경직되어 있으며, 예측불허한 경험을 했을 가능성이 높기 때문이다. 잠재적인 자해와 폭력의 가능성을 줄이기 위해 환자들의 안전을 위한 치료적 동맹이 맺어져야 한다. 대체 인격은 학대의 사실을 폭로한 것 때문에 살인을 저지를 수도 있다. 극도의 불안이나 우울이 발생할 때는 자해와 자살이 나타날 수도 있다. 환자에게서 '어린아이 대체 인격(child alter)'이 출현했을 때, 간호사는 그 환자가 아이가 아니라 성인이라는 것을 기억해야 한다. 연민 어린 돌봄과 함께 장애에 대한 교육도 균형 있게 제공되어야 한다(Shusta-Hochberg, 2004). 지지적인 환경에서 감정을 관리하는 것은 신뢰감을 증가시키고 예측 가능한, 긍정적인 학습 환경을 제공한다.

(2) 약물치료

약물이 해리장애 자체를 치료하는 것은 아니지만, 만약 불안과 우울 증상이 있다면 약물이 도움이 될 것이다. 해리성 정체성 장애를 가진 환자의 경우, 약물에 대한 반응은 부분적일 수 있으며, 약물에 대한 대체 인격들의 반응도 서로 다르고 일관성이 없을 수 있다.

(3) 치료적 환경관리

간호사는 자살이나 반복적인 자해 시도로 인해 입원 중인 정신과 병동 환자들을 돌보는 데 중요한 역할을 한다. 이 환자들은 대부분 누구와도 신뢰 관계를 맺지 못했었기 때문에, 안전한 환경과 신뢰할 수 있는 관계를 위한 자원들은 매우 중요하다. 이들을 위한 간호중재에는 집단치료에 참여하게 하고, 정서적 안정감과 공감, 수용, 지지를 제공하며, 환자들이 일상생활에 대처할 수 있도록 돕는 것 등이 있다.

해리성 정체성장애 환자에게는 과정에 중심을 둔 집단치료(process-oriented group)가 시행될 수 있는데, 이때 환자가 너무 많은 노출을 하게 될 경우 나머지 구성원들이 이에 압도되어 오히려 비치료적일 수도 있다. 따라서 과업에 중심을 둔 집단치료(task-oriented group)가 과정 중심의 집단치료보다 더 유용할 수 있다. 만약 집단치료가 용이하지 않다면, 장기간의 개인 정신치료가 시작되어야 한다. 작업치료와 예술치료는 환자들에게 언어적으로 표현하지 못하는 부분을 비언어적으로 표현할 수 있게 해준다. 환경치료의 다양한 활동요법에 참여하는 것도 공동체 안에서의 고립감을 감소시켜 준다.

해리장애를 가진 환자들에게는 이완기법과 스트레스 관리, 명상, 운동이 유익하다. 중요한 치료적 중재에는 질환에 대한 교육, 증상관리, 적응적인 대처전략과 인지행동치료가 포함된다(Gillig, 2009; Turkus & kahler, 2006). 변증법적 행동치료는 환자들이 신체적, 성적 학대에 대한 감정반응을 관리할 수 있도록 도움을 준다.

퇴원 전 중재로는, 환자를 위한 지속적인 지지체계를 모색하고, 안전에 대한 계획을 세우며, 자조집단에 연결해주는 것 등이 포함된다. 자조집단은 외래 환자들에게 통제감과 임파워먼트를 발달시키기 위하여 문제해결 능력과 사회적 기술을 연습하는 기회를 제공한다.

성적 학대는 해리성 정체성장애를 발생시키는 강력한 요인이다. 그러나 학대를 당한 모든 아동에게 정신병리가 발병하는 것은 아니다. 새로운 연구에서 해리성 정체성장애의 발달은 이러한 학대와 함께 가족과 사회의 지지가 결여되었을 때, 즉 초기 애착 형성이 결여되었을 때 가장 위험하다고 설명하고 있다(Korol, 2008). 초기에 건강한 애착과 단단한 사회적 지지체계가 있다면 희생자는 정신적 건강을 유지하기 위한 회복력(resilience)을 가질 수 있다.

위기에 놓인 아동에게 지지를 제공하는 것은 정신적 회복력에 영향을 미칠 수 있다. 학교에서 아동을 위한 멘토십과 같은 사회적 지지체계를 제공하는 것은 가정 외 지지와 역할모델을 제공하기 위한 방법 중 하나이다. 물질남용의 위험이 있는 어머니와 계부모에 대한 중재는 아동에게 안전한 애착을 증진시킬 수 있다. 그렇게 되면 아동은 트라우마에 직면하였을 때 위기를 잘 극복할 수 있는 회복력을 가질 수 있게 된다.

CRITICAL THINKING QUESTION

5. 해리성 정체성장애를 가진 환자가 자살시도를 하여 입원하게 되었다. 본인의 인격들 중 한 인격이 그 환자를 죽이려 했는데, 이는 곧 자살을 의미했다. 환자는 자조집단과의 접촉을 거절하고 있다. 당신은 안전의 중요성을 고려하여, 환자를 돕기 위해 어떠한 주제로 중재적 접근을 하겠는가?

STUDY NOTES

1. 일상생활에서 외상에 준하는 사건(전쟁, 테러, 사고)에 노출될 수 있으며, 그 노출은 영구적인 영향을 미친다.
2. 외상후 스트레스장애의 주요 증상은 재경험, 회피와 과각성이다.
3. 외상후 스트레스장애 환자는 동반질환을 갖고 있는 경우가 많은데, 그중 약물남용, 불안, 우울장애를 흔히 볼 수 있다.
4. 외상후 스트레스장애의 경우, 현저한 신경학적 변화(예: 교감신경계와 부신피질자극호르몬방출호르몬 시스템의 만성적 과활성화)는 외상성 스트레스에 의한 직접적인 결과이다.
5. 외상후 스트레스장애와 급성 스트레스장애, 적응장애 환자들의 치료는 본래의 외상 사건에 대한 감정과 기억을 통합시킴으로써 희생자에서 생존자로 변화하게 하는 것을 목적으로 한다.
6. 외상후 스트레스장애 환자가 겪고 있는 주요 증상에 따라 SSRIs와 TCAs, 항정신병 약물 등의 약물을 선택할 수 있다.
7. 생존자를 돕는 과정에서, 그들의 요구를 민감하게 알아채야 그들과의 신뢰를 구축하고 희생자를 비난하지 않을 수 있다.
8. 비록 초기에는 도움의 필요성을 거부하더라도, 범죄나 외상 생존자에게 이후에 이용할 수 있는 상담 자원 및 지지그룹에 대한 정보를 제공하는 것이 좋다.
9. 아동기 성적 학대의 성인 생존자들은 정서적인 혼란과 학대자 및 타인에 대한 배신감으로 인해 수년간 기억을 억압할 수 있다.
10. 아동기 성적 학대의 성인 생존자들은 전형적으로 아동기의 외상과 어떻게 관련되는지 인식하지 못한 채 다양한 외현적 문제들에 대해 상담받기 시작한다.
11. 학습된 무력감의 개념, 폭력의 주기, 그리고 기타 상황적 · 정서적 · 문화적 요인은 종종 생존자가 그들의 학대적인 파트너와 함께 남아 있는 이유를 설명하는 데 도움이 된다.
12. 학대 희생자는 심각한 폭행 사건의 바로 직전이나 시작되는 시점에서 위기중재 및 필요한 서비스 연계를 가장 잘 받아들인다.
13. 인내심과 지지, 정보제공은 모든 외상의 생존자를 위한 간호중재의 중요한 측면이다.
14. 해리성 정체성장애는 외상적 경험을 의식적 인지로부터 분리시켜, 환자가 극심한 정서적, 신체적 고통에서 살아남을 수 있도록 돕는다.

참고문헌

REFERENCES

Abramowitz, J. S., & Braddock, A. E. (2006). Hypochondriasis: Conceptualization, treatment, and relationship to obsessivecompulsive disorder. Psychiatric Clinics of North America, 29, 503.

Aguilera, D. C. (1998). Crisis intervention: Theory and methodology (8th ed.). St. Louis: Mosby.

Ai, A. L., et al. (2005). Hope, meaning, and growth following the September 11, 2001, terrorist attacks. Journal of Interpersonal Violence, 20, 523.

Alexander, P. C., & Morris, E. (2008). Stages of change in batterers and their response to treatment. Violence and Victims, 23, 4.

Alexy, E. M., Burgess, A. W., & Prentky, R. A. (2009). Pornography use as a risk marker for an aggressive pattern of behavior among sexually reactive children and adolescents. Journal of the American Psychiatric Nurses Association, 14, 6.

Alim, T. N., et al. (2008). Trauma, resilience, and recovery in high-risk African-American population. American Journal of Psychiatry, 165, 12.

Amar, A. F. (2007). Behaviors that college women label as stalking or harassment. Journal of the American Psychiatric Nurses Association, 13, 4.

Amar, A. F., & Clements, P. T. (2009). The intersection of violence, crime, and mental health. Journal of the American Psychiatric Nurses Association, 14, 6.

Amaya-Jackson, L., et al. (1999). Functional impairment and utilization of services associated with posttraumatic stress in the community. Journal of Traumatic Stress, 12, 709.

American Deaths through History. (n.d.). From the War of Independence to Operation Enduring Freedom—blood spilled from sea to shining sea. Military Factory. http://www.militaryfactory.com/american_war_deaths.asp, Accessed 07.06.13.

American Psychiatric Association. (2013). Diagnostic and statistical manual of mental disorders. (5th ed.). Arlington, VA: APA.

American Psychiatric Nurses Association. (2008). APNA 2008 position statement: Workplace violence executive summary. Falls Church, VA: APNA.

American Psychiatric Association. (2013). Diagnostic and statistical manual of mental disorders (5th ed.). Arlington, Virginia: APA.

Anderson, M. I., et al. (2009). Differential pathways of psychological distress in spouses vs. parents of people with severe traumatic brain injury (TBI): Multi-group analysis. Brain Injury, 23, 931.

Annan, S. L. (2011). "It's not just a job. This is where we live. This is our backyard": The experiences of expert legal and advocate providers with sexually assaulted women in rural areas. Journal of the American Psychiatric Nurses Association, 17, 2.

Antai-Ontong, D. (2003). Current treatment of generalized anxiety disorder. Journal of Psychosocial Nursing and Mental Health Services, 41, 20.

Anonymous. (2008). RAINN hotline for sexual assault victims goes digital. Journal of Psychosocial Nursing and Mental Health Services, 46, 10. http://www.healio.com/psychiatry/journals/jpn/%7B4c27c25e-02db-4ddc-89ef-716256a2593a%7D/news?fulltext=1

Anonymous. (2012). Obama commits to fight human trafficking. Journal of Psychosocial Nursing and Mental Health Services, 50, 12.

Anorexia Nervosa and Associated Disorders. (2002). Anorexia Nervosa and Associated Disorders (Indianapolis Chapter of ANAD): Personal interviews. Indianapolis: ANAD.

Ashman, T., et al. (2006). Neurobehavioral consequences of traumatic brain injury. The Mount Sinai Journal of Medicine, New York, 73, 999.

Axelrod, S. R., Morgan, C. A., & Southwick, S. M. (2005). Symptoms of posttraumatic stress disorder and borderline personality disorder in veterans of Operation Desert Storm. American Journal of Psychiatry, 162, 270.

Badger, J. M. (2001). Understanding secondary traumatic stress. American Journal of Nursing, 101, 26.

Batten, S. V., & Pollack, S. J. (2008). Integrative outpatient treatment for returning service members. Journal of Clinical Psychology, 64, 928.

Baker, M. W. (2007). Elder mistreatment: Risk, vulnerability, and early mortality. Journal of the American Psychiatric Nurses Association, 12, 6.

Baliko, B., & Tuck, I. (2008). Perception of survivors of loss by homicide: Opportunities for nursing practice. Journal of Psychosocial Nursing and Mental Health Services, 46, 5.

Beckham, J. C., Moore, S. D., & Reynolds, V. (2000). Interpersonal hostility and violence in Vietnam combat veterans with chronic posttraumatic stress disorder. Aggression and Violent Behavior, 5, 451.

Bennett, L. (1997). Projective methods in caring for sexually abused young people. Journal of Psychosocial

Nursing and Mental Health Services, 35, 18.
Bigler, E. D. (2008). Neuropsychology and clinical neuroscience of persistent post-concussive syndrome. Journal of the International Neuropsychological Society, 14, 1.
Bille, D. A. (1993). Road to recovery, posttraumatic stress disorder: The hidden victim. Journal of Psychosocial Nursing and Mental Health Services, 31, 19.
Bisson, J. I. (2008). Using evidence to inform clinical practice shortly after traumatic events. Journal of Traumatic Stress, 21, 507.
Boscarino, J. A., Figley, C. R., & Adams, R. E. (2004). Compassion fatigue following the September 11 terrorist attacks: A study of secondary trauma among New York City social workers. International Journal of Emergency Mental Health, 6, 57.
Bremner, J. D., et al. (1999). Neural correlates of memories of childhood sexual abuse in women with and without posttraumatic stress disorder. The American Journal of Psychiatry, 156, 1787.
Broome, B. S., & Williams-Evans, S. (2011). Bullying in a caring profession: Reasons, results, recommendations. Journal of Psychosocial Nursing and Mental Health Services, 49, 10.
Brown, K. (2001, August 29). Rape and sexual assault: The nursing role. Nursing Spectrum (DC/Baltimore Metro Ed.), 29.
Brown, C. (2008). Gender-role implications on same-sex intimate partner abuse. Journal of Family Violence, 23, 457.
Brown, R., et al. (1999). Distance education and caregiver support groups: Comparison of traditional and telephone groups. The Journal of Head Trauma Rehabilitation, 14, 257.
Burgess, A. W., Slattery, D. M., & Herlihy, P. A. (2013). Military sexual trauma: A silent syndrome. Journal of Psychosocial Nursing and Mental Health Services, 51, 2.
Burgess, A. W., et al. (2005). Sexual abuse of older adults. American Journal of Nursing, 105, 66.
Burgess, A. W., et al. (2008). Cyber child sexual exploitation. Journal of Psychosocial Nursing and Mental Health Services, 46, 9.
Campbell, R., & Wasco, S. M. (2005). Understanding rape and sexual assault. Journal of Interpersonal Violence, 20, 127.
Carretta, C. M. (2008). Domestic violence: A worldwide exploration. Journal of Psychosocial Nursing and Mental Health Services, 46, 3.
Cassels, C., & Vega, C. (2007, September 7). Childhood abuse linked to migraine with major depression. http://cme.medscape.com/view article/562572, Accessed 14.09.07.
Center for American Nurses. (2008, February 27). The Center for American Nurses calls for an end to lateral violence and bullying in nursing work environments. http://www.thefreelibrary.com/The center for American nurses calls for an end to lateral violence…-a0179457552, Accessed 10.03.14.
Cerdorian, K. (2005). The needs of adolescent girls who self-harm. Journal of Psychosocial Nursing and Mental Health Services, 43, 40.
Chandler, G. (2008). From traditional inpatient to traumainformed treatment: Transferring control from staff to patient. Journal of the American Psychiatric Nurses Association, 14, 5.
Charney, D. S. (2004). Psychobiological mechanisms of resilience and vulnerability: Implications for successful adaptation to extreme stress. American Journal of Psychiatry, 161, 195.
Chrousos, G. P., & Gold, P. W. (1992). The concepts of stress and stress system disorders: Overview of physical and behavioral homeostasis. JAMA, 4, 1244.
Clark, C. (1997). Posttraumatic stress disorder. American Journal of Nursing, 97, 27.
Clements, K., & Turpin, G. (2000). Life event exposure, physiological reactivity, and psychological strain. Journal of Behavioral Medicine, 23, 73.
Close, S. M. (2005). Dating violence in middle school and high school youth. Journal of Child and Adolescent Psychiatric Nursing, 18, 2.
Cole, H. (2009). Human trafficking: Implications for the role of the advanced practice forensic nurse. Journal of the American Psychiatric Nurses Association, 14, 6.
Cook, L. J. (2005). The ultimate deception: Childhood sexual abuse in the church. Journal of Psychosocial Nursing and Mental Health Services, 43, 19.
Cooke, B. B., & Keltner, N. L. (2008). Traumatic brain injury: War related: Part II. Perspectives in Psychiatric Care, 44, 54.
Courey, Y. J., et al. (2008). Hildegard Peplau's theory and the health care encounters of survivors of sexual violence. Journal of the American Psychiatric Nurses Association, 14, 2.
Crane, P. (2013). A human trafficking toolkit for nursing intervention. In M. de Chesnay (Ed.), Sex trafficking: A clinical guide for nurses. New York: Springer Publishing Company.
Crawford, N. C. (2013, March 20). The Iraq war: Ten years in ten numbers. Foreign Policy: The Middle East Channel. http://mideast.foreignpolicy.com/

posts/2013/03/20/the_iraq_war_ten_years_in_ten_numbers, Accessed 07.06.13.
Daniels, K. (2005). Violence and depression: A deadly comorbidity. Journal of Psychosocial Nursing and Mental Health Services, 43, 45.
Davidson, J. R. (2009). First–line pharmacotherapy approaches for generalized anxiety disorder. Journal of Clinical Psychiatry, 70(Suppl. 2), 25.
Davidson, J. R. (2006). Pharmacologic treatment of acute and chronic stress following trauma: 2006. The Journal of Clinical Psychiatry, 67(Suppl. 2), 34.
Davis, L. L., et al. (2006). Long–term pharmacotherapy for posttraumatic stress disorder. CNS Drugs, 20, 465.
de Chesnay, M. (2013). Sex trafficking as a new pandemic. In M. de Chesnay (Ed.), Sex trafficking: A clinical guide for nurses. New York: Springer Publishing Company.
de Chesnay, M., et al. (2013). First–person accounts of illnesses and injuries sustained while trafficked. In M. de Chesnay (Ed.), Sex trafficking: A clinical guide for nurses. New York: Springer Publishing Company.
Diaz, A. B., & Motta, R. (2008). The effects of aerobic exercise on posttraumatic stress disorder symptom severity in adolescents. International Journal of Emergency Mental Health, 10, 49.
DiVasto, P. (1985). Measuring the aftermath of rape. Journal of Psychosocial Nursing and Mental Health Services, 23, 33.
Dowben, J. S., Grant, J. S., & Keltner, N. L. (2007). Psychobiological substrates of posttraumatic stress disorder: Part II. Perspectives in Psychiatric Care, 43, 146.
Driessen, M., et al. (2004). Posttraumatic stress disorder and fMRI activation patterns of traumatic memory in patients with borderline personality disorder. Biological Psychiatry, 55, 603.
Dunbar, B. (2004). Anger management: A holistic approach. Journal of the American Psychiatric Nurses Association, 10, 16.
Dutton, D. G., & Nicholls, T. L. (2005). The gender paradigm in domestic violence research and theory: Part I—the conflict of theory and data. Aggression and Violent Behavior, 10, 680.
Eisner, R. (2004). Stresses stress in his research: A profile of Bruce McEwen, Ph.D. NARSAD Research Newsletter, 16, 1.
Everly, G. S., Flannery, R. B., & Mitchell, J. T. (2000). Critical incident stress management (CISM): A review of the literature. Aggression and Violent Behavior, 5, 23.
Faravelli, C., et al. (2004). Psychopathology after rape. American Journal of Psychiatry, 161, 1483.
Farella, C. (2000, November). Love shouldn't hurt: Understanding domestic violence. Nursing Spectrum (D.C./Baltimore Metro Ed.).
Farella, C. (2001, September 14). Hot and bothering: Sexual harassment in the workplace is no joke. Nursing Spectrum (D.C./ Baltimore Metro Ed.), 14.
Fakhran, S., Yaeger, K., & Alhilali, L. (2013). Symptomatic white matter changes in mild traumatic brain injury resemble pathologic feature of early Alzheimer dementia. Radiology, 269, 249.
Figley, C. R. (2000). Families coping with trauma, clinical update: Posttraumatic stress disorder. American Association for Marriage and Family Therapy, 2, 1.
Foa, E. B. (2005). The psychological aftermath of Hurricane
Friedman, M. J. (1997). Posttraumatic stress disorder. Journal of Clinical Psychiatry, 58, 33.
Friedman, M. (2006). Post traumatic and acute stress disorder. Kansas City, MO: Compact Clinicals.
Galovski, T., & Lyons, J. (2004). Psychological sequelae of combat violence: A review of the impact of PTSD on the veteran's family and possible interventions. Aggression and Violent Behavior, 9, 447.
Gerard, M. (2000). Domestic violence: How to screen and intervene. RN, 63, 52.
Gillig, P. M. (2009). Dissociative identity disorder: A controversial diagnosis. Psychiatry, 6, 24.
Girardin, B. (2001). Is this forensic specialty for you? RN, 64, 37.
Gladstone, G. L., et al. (2004). Implications of childhood trauma for depressed women. American Journal of Psychiatry, 161, 1417.
Glod, C., & Cawley, D. (1997). Psychobiology perspectives: The neurobiology of obsessive–compulsive disorders. Journal of the American Psychiatric Nurses Association, 3, 120.
Goldberg, E. (2013, February 3). Superbowl is single largest human trafficking incident in U.S: Attorney General. The Huffington Post. http://www.huffingtonpost.com/2013/02/03/super–bowlsex–trafficking_n_2607871.html, Accessed 05.02.13.
Goodwin, J. M. (2005). Redefining borderline syndromes as posttraumatic and rediscovering emotional containment as a first stage in treatment. Journal of Interpersonal Violence, 20, 20.
Gorman, J. M., et al. (2000). Neuroanatomical hypothesis of panic disorder, revised. American Journal of Psychiatry, 157, 493.
Gratz, K. L., et al. (2009). Exploring the relationship between childhood maltreatment and intimate partner

abuse: Gender differences in the mediating role of emotion dysregulation. Violence and Victims, 24, 1.

Hader, R. (2008). Workplace violence: Survey 2008. Nursing Management, 39, 13.

Hammer, R. (2000). Caring in forensic nursing: Expanding the holistic model. Journal of Psychosocial Nursing and Mental Health Services, 38(18), 200.

Hanks, R. A., Rapport, L. J., & Vangel, S. (2007). Caregiving appraisal after traumatic brain injury: The effects of functional status, coping style, social support and family functioning. NeuroRehabilitation, 22, 43.

Harvey, B. H., et al. (2006). Cortical/hippocampal monoamines, HPA-axis changes and aversive behavior following stress and restress in an animal model of post- traumatic stress disorder. Physiology & Behavior, 87, 881.

Heim, C., & Nemeroff, C. B. (2009). Neurobiology of posttraumatic stress disorder. CNS Spectrums, 14, 13.

Heim, C., et al. (2009). Childhood trauma and risk for chronic fatigue syndrome. Archives of General Psychiatry, 66, 1.

Hill, J., & Nathan, R. (2008). Childhood antecedents of serious violence in adult male offenders. Aggressive Behavior, 34, 329.

Hinds, J. (1997). Once upon a time: Therapeutic stories as a psychiatric nursing intervention. Journal of Psychosocial Nursing and Mental Health Services, 35, 46.

Hines-Martin, V. P., & Ising, M. (1993). Use of art therapy with post-traumatic stress disordered veteran clients. Journal of Psychosocial Nursing and Mental Health Services, 31, 29.

Hoerrner, M. (2013). Working with law enforcement. In M. de Chesnay (Ed.), Sex trafficking: A clinical guide for nurses. New York: Springer Publishing Company.

Hoerrner, M., & Hoerrner, K. (2013). Human trafficking. In M. de Chesnay (Ed.), Sex trafficking: A clinical guide for nurses. New York: Springer Publishing Company.

Hoffart, M. B., & Keene, E. P. (1998). The benefits of visualization. American Journal of Nursing, 98, 44.

Hoge, C. W., et al. (2004). Combat duty in Iraq and Afghanistan, mental health problems, and barriers to care. The New England Journal of Medicine, 351, 13.

Hoge, C. W., et al. (2008). Mild traumatic brain injury in U.S. soldiers returning from Iraq. The New England Journal of Medicine, 358, 453.

Howard, L. M., et al. (2010). Domestic violence and severe psychiatric disorders: Prevalence and interventions. Psychological Medicine, 40, 881.

Horowitz, M. J., et al. (1980). Signs and symptoms of posttraumatic stress disorder. Archives of General Psychiatry, 37, 85.

Howe, E. G. (2003). Treating torture victims and enhancing human rights. Psychiatry, 66, 65.

Huang, M. X., et al. (2009). Integrated imaging approach with MEG and DTI to detect mild traumatic brain injury in military and civilian patients. Journal of Neurotrauma, 26, 1213.

Hughes, F. A., Thom, K., & Dixon, R. (2007). Nature and prevalence of stalking among New Zealand mental health clinicians. Journal of Psychosocial Nursing and Mental Health Services, 45, 4.

Institute for Safe Medication Practices. (2004). For most nurses, intimidation is commonplace. RN, 67, 17.

Inglese, M., et al. (2005). Diffuse axonal injury in mild traumatic brain injury: A diffusion tensor imaging study. Journal of Neurosurgery, 103, 298.

Institute of Medicine. (2013). Returning home from Iraq and Afghanistan: Assessment of readjustment needs of veterans, service members, and their families. http://www.iom.edu/Reports/2013/Returning-Home-from-Iraq-and-Afghanistan.aspx.

Isaacs, M. M. (2011). Therapist's page. Many Voices, 23, 6.

Jackson, J. (2011). The evolving role of the forensic nurse. American Nurse Today, 6, 11.

Jiwanlal, S. S., & Weitzel, C. (2001). The suicide myth. RN, 64, 33. Kaplan, Z., Iancu, I., & Bodner, E. (2001). A review of psychological debriefing after extreme stress. Psychiatric Services, 52, 824.

Jonzon, E., & Lindblad, F. (2005). Adult female victims of sexual abuse. Journal of Interpersonal Violence, 20, 651.

Jordan, C. E. (2004). Intimate partner violence and the justice system. Journal of Interpersonal Violence, 19, 1412.

Jorge, R. E. (2005). Neuropsychiatric consequences of traumatic brain injury: A review of recent findings. Current Opinion in Psychiatry, 18, 289.

Katchen, M. H. (2005). Ritual abuse vs. religious abuse: The development of an artificial distinction. MKzine, 3, 9, 2005.

Keltner, N. L., Perry, B. A., & Williams, A. R. (2003). Panic disorder: A tightening vortex of misery. Perspectives in Psychiatric Care, 39, 41.

Keltner, N. L., & Cooke, B. B. (2007). Traumatic brain injury: War related. Perspectives in Psychiatric Care, 43, 223.

Keltner, N. L., Doggett, R., & Johnson, R. (1983). For the Viet Nam veteran the war goes on. Perspectives in Psychiatric Care, 21, 108.

Keltner, N. L., & Dowben, J. S. (2007). Psychobiological

substrates of posttraumatic stress disorder: Part I. Perspectives in Psychiatric Care, 43, 97.
Kelly, P. J., et al. (2010). Profile of women in a county jail. Journal of Psychosocial Nursing and Mental Health Services, 48, 4.
Kendall, E., & Terry, D. (2009). Predicting emotional well-being following traumatic brain injury: A test of mediated and moderated models. Social Science & Medicine, 69, 947.
Kessler, R. C., et al. (2012). Twelve-month and lifetime prevalence and lifetime morbid risk of anxiety and mood disorders in the United States. International Journal of Methods in Psychiatric Research, 21, 169.
Kim, E., et al. (2007). Neuropsychiatric complications of traumatic brain injury: A critical review of the literature (a report of the ANPA Committee on research). The Journal of Neuropsychiatry and Clinical Neurosciences, 19, 106.
Kneisl, C. R., & Ames, S. W. (1986). Adult health nursing: A biopsychosocial approach. Menlo Park, CA: Addison-Wesley.
Knight, R. G., Devereux, R., & Godfrey, H. P. (1998). Caring for a family member with a traumatic brain injury. Brain Injury, 12, 467.
Kokiko, O. N., & Hamm, R. J. (2007). A review of pharmacological treatments used in experimental models of traumatic brain injury. Brain Injury, 21, 269.
Koskinen, S. (1998). Quality of life 10 years after a very severe traumatic brain injury (TBI): The perspective of the injured and the closest relative. Brain Injury, 12, 631.
Koob, G. F. (2008). A role for brain stress systems in addiction. Neuron, 59, 11.
Korol, S. (2008). Familial and social support as protective factors against the development of dissociative identity disorder. Journal of Trauma & Dissociation, 9, 249.
Kreidler, M., & Einsporn, R. (2012). A comparative study of therapy duration for survivors of childhood sexual abuse. Journal of Psychosocial Nursing and Mental Health Services, 50, 4.
Kreutzer, J. S., Serio, C. D., & Bergquist, S. (1994). Family needs after brain injury: A quantitative analysis. The Journal of Head Trauma Rehabilitation, 9, 104.
Kreutzer, J. S., et al. 2009a. Caregivers' concerns about judgment and safety of patients with brain injury: A preliminary investigation. PM & R, 1, 723.
Kreutzer, J. S., et al. 2009b. Caregivers' wellbeing after traumatic brain injury: A multicenter prospective investigation. Archives of Physical Medicine and Rehabilitation, 90, 939.
Lacter, E. P. (2011). Torture-based mind control: Psychological mechanisms and psychotherapeutic approaches to overcoming mind control. In O. B. Epstein (Ed.), Ritual abuse and mind control: the manipulation of attachment needs. London: Karnac Books.
Lacy, T. J., & Benedek, D. M. (2003). Terrorism and weapons of mass destruction: Managing the behavioral reaction in primary care. Southern Medical Journal, 96, 394.
Lanza, M. L., Zeiss, R. A., & Rierdan, J. (2009). Multiple perspectives on assault: The 360-degree interview. Journal of the American Psychiatric Nurses Association, 14, 6.
Lapp, C. A., & Overman, N. (2013). Mental health perspectives on care of human trafficking victims within our borders. In M. de Chesnay (Ed.), Sex trafficking: A clinical guide for nurses. New York: Springer Publishing Company.
Lazarus, R. S. (1966). Psychological stress and the coping process. St. Louis: McGraw-Hill.
Lazarus, R. S. (2006). Emotions and interpersonal relationships: Toward a person-centered conceptualization of emotions and coping. Journal of Personality, 74, 9.
Lazarus, R. S., & Folkman, S. (1984). Stress, appraisal, and coping. New York: Springer.
Leiper, J. (2005). Nurse against nurse: How to stop horizontal violence. Nursing, 35, 44.
Leone, J. M., Johnson, M. P., & Cohan, C. L. (2007). Victim help seeking differences between intimate terrorism and situational couple violence. Family Relations, 56, 427.
Lew, H. L., et al. (2008). Overlap of mild TBI and mental health conditions in returning OIF/OEF service members and veterans. Journal of Rehabilitation Research and Development, 45, xi.
Lie, D., & Barclay, L. (2005). Consequence of childhood sexual abuse similar for both sexes. www.medscape.com, Accessed 11.07.05.
Lie, D., & Barclay, L. (2006). Patients might prefer that physicians ask about family conflict. www.medscape.com, Accessed 03.06.06.
Liston, C. (2009, June). Some brain effects of stress may be reversible. The Harvard Mental Health Letter.
Logan, T. K., & Walker, R. (2004). Separation as a risk factor for victims of intimate partner violence: Beyond lethality and injury. Journal of Interpersonal Violence, 19, 1478.
Marcks, B. A., Weisberg, R. B., & Keller, M. B. (2009).

Psychiatric treatment received by primary care patients with panic disorder with and without agoraphobia. Psychiatric Services, 60, 823.

Marchetti, C. A. (2012). Regret and police reporting among individuals who have experienced sexual assault. Journal of the American Psychiatric Nurses Association, 18, 1.

Marsh, N. V., et al. 1998a. Caregiver burden at 1 year following severe traumatic brain injury. Brain Injury, 12, 1045.

Marsh, N. V., et al. 1998b. Caregiver burden at 6 months following severe traumatic brain injury. Brain Injury, 12, 225.

Martenson, M. E., Cetas, J. S., & Heinrecher, M. (2009). A possible neural basis for stress-induced hyperalgesia. Pain, 142, 236.

Martin, L., et al. (2000). Psychological and physical health effects of sexual assaults and nonsexual traumas among male and female United States Army soldiers. Behavioral Medicine, 26, 23.

Martin, E. M., et al. (2008). Traumatic brain injuries sustained in Afghanistan and Iraqi wars. The American Journal of Nursing, 108, 40.

Masho, S. W., & Anderson, L. (2009). Sexual assault in men: A population-based study of Virginia. Violence and Victims, 24, 98.

Mathias, J. L., & Wheaton, P. (2006). Changes in attention and information-processing speed following severe traumatic brain injury (TBI). Brain Injury, 20, 569.

Mayo Clinic Staff. (2011, April 8a.). Post-traumatic stress disorder (PTSD). http://www.mayoclinic.com/health/post-traumaticstressdisorder/DS00246/DSECTION=risk-factors.

Mayo Clinic Staff. (2011, April 8b.). Post-traumatic stress disorder (PTSD): Treatments and drugs. http://www.mayoclinic.com/health/post-traumatic-stress%20disorder/DS00246/DSECTION=treatments-and-drugs, Accessed 07.06.13.

Mawson, A. R. (2005). Intentional injury and the behavioral syndrome. Aggression and Violent Behavior, 10, 375.

McClellan, A. C., & Killeen, M. R. (2000). Attachment theory and violence toward women by male intimate partners. Journal of Nursing Scholarship, 4, 353.

McCollough-Zander, K., & Larson, S. (2004). "The fear is still in me": Caring for survivors of torture. American Journal of Nursing, 104, 54.

McFarlane, J., et al. (2004). Increasing the safety-promoting behaviors of abused women. American Journal of Nursing, 104, 40.

Merrell, J. (2001). Social support for victims of domestic violence. Journal of Psychosocial Nursing and Mental Health Services, 39, 30.

Miller, M. C. (2005a). Conversion disorder. Harvard Mental Health Letter, 22, 1.

Miller, M. C. (2005b). Falling apart: Dissociation and its disorders. Harvard Mental Health Letter, 21, 1.

Miller, M. C. (2005c). Questions and answers. Harvard Mental Health Letter, 21, 8.

Miller, M. C. (2009a). MRI scans reveal altered brain response to criticism in patients with social phobia. Harvard Mental Health Letter, 25, 7.

Miller, M. C. (2009b). Treating obsessive-compulsive disorder. Harvard Mental Health Letter, 25, 9.

Miller, M. C. (2004). Countering domestic violence. The Harvard Mental Health Letter, 20, 1.

Miller, M. C. (2005). The biology of child maltreatment. The Harvard Mental Health Letter, 21, 1.

Miller, L. (2011, July). Expressive writing for mental health. The Harvard Mental Health Letter.

Murphy, C. M., et al. (2005). Alcohol consumption and intimate partner violence by alcoholic men: Comparing violent and nonviolent conflicts. Psychology of Addictive Behaviors, 19, 35.

Muscari, M. E. (2005). What should I do when a client is being stalked? Medscape Nurses. www.medscape.com, Accessed 11.07.05.

Mynatt, S. (2000). Repeated suicide attempts. Journal of Psychosocial Nursing and Mental Health Services, 38, 24.

Naifeh, J. A., et al. (2008). Clinical profile differences between PTSD-diagnosed military veterans and crime victims. Journal of Trauma & Dissociation, 9, 3.

National Center for PTSD. (2010, June 28). Effects of disasters: Risk and resilience factors. http://www.ptsd.va.gov/public/pages/effects_of_disasters_risk_and_resilience:factors.asp, Accessed 07.06.13, http://www.ptsd.va.gov/public/types/disasters/effects_of_disasters_risk_and_resilience:factors.asp, Accessed 21.03.14.

National Institute of Mental Health. (n.d.). Post-traumatic stress disorder. http://www.nimh.nih.gov/health/topics/posttraumatic-stress-disorder-ptsd/index.shtml, Accessed 10.06.13.

Neurobehavioral Guidelines Working Group, et al. (2006). Guidelines for the pharmacologic treatment of neurobehavioral sequelae of traumatic brain injury. Journal of Neurotrauma, 23, 1468.

Newby, A., & McGuinness, T. M. (2012). Human trafficking: What psychiatric nurses should know to help children and adolescents. Journal of Psychosocial Nursing and Mental Health Services, 50, 4.

Ninan, P., & Dunlop, B. (2005). Neurobiology and etiology of panic disorder. Journal of Clinical Psychiatry, 66(Suppl), 4.

Nisenoff, C. D. (2008). Psychotherapeutic and adjunctive pharmacologic approaches to treating posttraumatic stress disorder. Psychiatry, 5, 42.

Okie, S. (2006). Reconstructing lives—A tale of two soldiers. The New England Journal of Medicine, 355, 2609.

Osterman, J. E., Barbiaz, J., & Johnson, P. (2001). Emergency interventions for rape victims. Psychiatric Services (Washington, D.C.), 52, 733.

Parslow, R., et al. (2008). Combined pharmacotherapy and psychological therapies for post traumatic stress disorder. Cochrane Database of Systematic Reviews, 3, CD007316.

Paul, J., & Blum, D. (2005). Workplace disaster preparedness and response: The employee assistance program continuum of services. International Journal of Emergency Mental Health, 7, 169.

Peternelj–Taylor, C. (2001). Forensic psychiatric nursing: A work in progress. Journal of Psychosocial Nursing and Mental Health Services, 39, 8.

Poirier, N. (2000). Psychosocial characteristics discriminating between battered women and other women psychiatric inpatients. Journal of the American Psychiatric Nurses Association, 6, 144.

Raadsheer, F. C., et al. (1995). Corticotropin–releasing hormone mRNA levels in the paraventricular nucleus of patients with Alzheimer's disease and depression. The American Journal of Psychiatry, 152, 1372.

Prugh, P. (2011). Art, art therapy and the inpatient experience. Many Voices, 23, 5.

Ragavan, C., & Guttman, M. (2004, December 13). Terror on the streets. US News and World Report, 21.

Ramsey–Klawsnik, H., et al. (2007). Sexual abuse of vulnerable adults in care facilities: Clinical findings and a research initiative. Journal of the American Psychiatric Nurses Association, 12, 6.

Rand Corporation. (2008). Invisible wounds of war: Psychological and cognitive injuries, their consequences, and services to assist recovery (T. Tanielian & L. H. Jaycox, Eds.). Santa Monica, CA: The Center for Military Health Policy Research and the Rand Corporation, http://www.rand.org/content/dam/rand/pubs/monographs/2008/RAND_MG720.pdf (accessed 23.04.14).

Rauch, S., et al. (2009). Prolonged exposure effective for PTSD with a variety of traumas. Journal of Traumatic Stress, 22, 60.

Rauch, S., et al. (2000). Exaggerated amygdala response to masked facial stimuli in posttraumatic stress disorder: A functional MRI study. Biological Psychiatry, 47, 769.

Ray, S. L. (2008). Evolution of posttraumatic stress disorder and future directions. Archives of Psychiatric Nursing, 22, 217.

Rick, S., & Douglas, D. H. (2007). Neurobiological effects of childhood abuse. Journal of Psychosocial Nursing and Mental Health Services, 45, 47.

Ripol, L. H. (2012, January 29). Clinical psychopharmacology. Medscape.com, Accessed 08.02.12.

Rivera, P., et al. (2007). Predictors of caregiver depression among community–residing families living with traumatic brain injury. NeuroRehabilitation, 22, 3.

Roberts, S. J. (2000). Primary health care of survivors of childhood sexual abuse: How can psychiatric nurses be helpful? Journal of the American Psychiatric Nurses Association, 6, 191.

Roberts, N. P., et al. (2009). Systematic review and meta–analysis of multiple–session early interventions following traumatic events. American Journal of Psychiatry, 166, 3.

Rodgers, M. L., et al. (2007). Adapting multiple–family group treatment for brain and spinal cord injury intervention development and preliminary outcomes. American Journal of Physical Medicine & Rehabilitation, 86, 482.

Rowell, P. A. (2005). The victor(y) over interpersonal trauma. Journal of the American Psychiatric Nurses Association, 11, 103.

Rutz, C. (2007, August 11). The world will know: Preliminary results of the 2007 International Survey for Adult Survivors of Extreme Abuse. Presented at the Tenth Annual Ritual Abuse, Secretive Organizations and Mind Control Conference, Windsor Locks, CT.

Sabella, D. (2013). Health issues and interactions with adult survivors. In M. de Chesnay (Ed.), Sex trafficking: A clinical guide for nurses. New York: Springer Publishing Company.

Sammons, M. T., & Batten, S. V. (2008). Psychological services for returning veterans and their families: Evolving conceptualizations of the sequelae of war–zone experiences. Journal of Clinical Psychology, 64, 921.

Sander, A. M., et al. (2009). A web–based videoconferencing approach to training caregivers in rural areas to compensate for problems related to traumatic brain injury. The Journal of Head Trauma Rehabilitation, 24, 248.

Sarson, J., & MacDonald, L. (2004). Human trafficking and ritual abuse–torture. Persons Against Non–State Torture (NST). http://nonstatetorture.org/, Accessed 05.08.04.

Sarson, J., & MacDonald, L. (2009, May 8). Behavioural harms: Enforced and survival tactics in ritual abuse–torture. Presented at the Thirty–first SALIS Conference. Halifax, Nova Scotia, Canada.

Schwartz, J. (2011). Introduction. In O. B. Epstein, J. Schwartz, & R. W. Schwartz (Eds.), Ritual abuse and mind control: The manipulation of attachment needs. London: Karnac Books.

Schwecke, L. H. (2009). Childhood sexual abuse, PTSD, and borderline personality disorder. Journal of Psychosocial Nursing and Mental Health Services, 47, 7.

Seal, K. H., et al. (2009). Trends and risk factors for mental health diagnoses among Iraq and Afghanistan veterans using Department of Veterans Affairs health care, 2002 – 2008. American Journal of Public Health, 99, 1651.

Selye, H. (1956). The stress of life. St. Louis: McGraw–Hill.

Selye, H. (1946). The general adaptation syndrome and the diseases of adaptation. Journal of Clinical Endocrinology, 6, 117.

Shah, D. B., et al. (2008). Functional neurosurgery in the treatment of severe obsessive compulsive disorder and major depression: Overview of disease circuits and therapeutic targeting for the clinician. Psychiatry, 5, 25.

Shea, D. J. (2008). Effects of sexual abuse by Catholic priests on adults victimized as children. Sexual Addiction and Compulsivity, 15, 250.

Shusta–Hochberg, S. R. (2004). Therapeutic hazards of treating child alters as real children in dissociative identity disorder. Journal of Trauma & Dissociation, 5, 13.

Shurter, D. (2012). Rabbit hole: A satanic ritual abuse survivor's story. Council Bluffs, IA: Consider It Creative.

Smith, J. E., & Smith, D. L. (2000). No map, no guide. Family caregivers' perspectives on their journeys through the system. Care Management Journals, 2, 27.

Smith, M. J., et al. (2006). The impact of community rehabilitation for acquired brain injury on carer burden: An exploratory study. The Journal of Head Trauma Rehabilitation, 21, 76.

Simon, T. R., Kresnow, M., & Bossarte, R.M. (2008). Self reports of violent victimization of U.S. adults. Violence and Victims, 23, 6.

Solnit, R. (2013, January 24). Violence against women. The Huffington Post. www.huffingtonpost.com/rebecca–solnit/violence against women b 254194, Accessed 26.01.13.

Soderstrom, M., et al. (2000). The relationship of hardiness, coping strategies, and perceived stress to symptoms of illness. Journal of Behavioral Medicine, 23, 311.

Solomon, E. P., & Heide, K. M. (2005). The biology of trauma: Implications for treatment. Journal of Interpersonal Violence, 20, 51.

Solomon, Z., & Mikulincer, M. (2006). Trajectories of PTSD: A 20–year longitudinal study. The American Journal of Psychiatry, 163, 659.

Spangler, D., & Brandl, B. (2007). Abuse in later life: Power and control dynamics and a victim centered response. Journal of the American Psychiatric Nurses Association, 12, 6.

Spinhoven, P., et al. (2009). Childhood sexual abuse differentially predicts outcome of cognitive–behavioral therapy for deliberate self–harm. The Journal of Nervous and Mental Disease, 197, 455.

Starr, D. L. (2004). Clients who self–mutilate. Journal of Psychosocial Nursing and Mental Health Services, 42, 33.

Stiglitz, J. E., & Bilmes, L. J. (2008). The three trillion dollar war: The true cost of the Iraq Conflict. New York: WW Norton & Company.

Stith, S. M., et al. (2004). Intimate partner physical abuse perpetration and victimization risk factors: A meta–analytic review. Aggression and Violent Behavior, 10, 65.

Strasser, S. M., & Fulmer, T. (2007). The clinical presentation of elder neglect: What we know and what we can do. Journal of the American Psychiatric Nurses Association, 12, 6.

Stein, M. B. (2009). Neurobiology of generalized anxiety disorder. Journal of Clinical Psychiatry, 70(Suppl. 2), 15.

Stuhlmiller, C., & Tolchard, B. (2009). Computer–assisted CBT for depression and anxiety. Journal of Psychosocial Nursing and Mental Health Services, 47, 32.

Substance Abuse and Mental Health Services Administration. (2009). Results from the 2008 national survey on drug use and health: National findings. http://www.samhsa.gov/data/nsduh/2k8nsduh/2k8Results.htm, Accessed November 13, 2013.

Tanielian, T., & Jaycox, L. H. (2008). Invisible wounds of war: Psychological and cognitive injuries, their consequences, and services to assist recovery. Santa Monica, CA: RAND.

Taylor, S. E., et al. (2001). Biobehavioral responses to stress in females: Tend-and-befriend, not fight-or-flight. Psychological Review, 107, 411.

Tenuvuo, O. (2006). Pharmacological enhancement of cognitive and behavioral deficits after traumatic brain injury. Current Opinion in Neurology, 19, 528.

Tilley, D. S., & Brackley, M. (2004). Violent lives of women: Critical points for intervention-phase I, focus groups. Perspectives in Psychiatric Care, 40, 157.

Tolces, R. (2005). Electronic harassment. MKzine, 3, 5.

Trevillion, K., et al. (2012). The response of mental services to domestic violence: A qualitative study of service users' and professionals' experiences. Journal of the American Psychiatric Nurses Association, 18, 6.

Trossman, S. (2008). Issues up close: The costly business of human trafficking. American Nurse Today, 12, 26.

Turner, B., et al. (2007). A qualitative study of the transition from hospital to home for individuals with acquired brain injury and their family caregivers. Brain Injury, 21, 1119.

Turkus, J. A., & Kahler, J. A. (2006). Therapeutic interventions in the treatment of dissociative disorders. Psychiatric Clinics of North America, 29, 245.

Twibell, R., & Townsend, T. (2011). Trust in the workplace: Build it, break it, mend it. American Nurse Today, 6, 11.

Tyerman, A., & Booth, J. (2001). Family interventions after traumatic brain injury: A service example. NeuroRehabilitation, 16, 59.

Tynhurst, J. S. (1951). Individual reactions to community disaster. American Journal of Psychiatry, 107, 764.

U.S. Centers for Disease Control and Prevention. (2003). Report to Congress on mild TBI after injury in the United States: Steps to prevent a serious public health problem. Atlanta: CDC.

Uomoto, J. M. (2012). Best practices in veteran traumatic brain injury care. The Journal of Head Trauma Rehabilitation, 27, 241.

Vaidya, V. A., & Duman, R. S. (2001). Depression-emerging insights from neurobiology. British Medical Bulletin, 57, 61.

van der Kolk, B. A. (1997). The psychobiology of post traumatic stress disorder. Journal of Clinical Psychiatry, 58, 16.

Valente, S. M. (2005). Sexual abuse of boys. Journal of Child and Adolescent Psychiatric Nursing, 18, 10.

Vasterling, J. J., Verfaellie, M., & Sullivan, K. D. (2009). Mild traumatic brain injury and posttraumatic stress disorder in returning veterans: Perspectives from cognitive neuroscience. Clinical Psychology Review, 29, 674.

Vieweg, W. V., et al. (2006). Posttraumatic stress disorder: Clinical features, pathophysiology, and treatment. The American Journal of Medicine, 119, 383.

Wade, S. L., et al. (2008). Preliminary efficacy of a Web-based family problem-solving treatment program for adolescents with traumatic brain injury. The Journal of Head Trauma Rehabilitation, 23, 369.

Waite, R., Gerrity, P., & Arango, R. (2010). Assessment for and response to adverse childhood experiences. Journal of Psychosocial Nursing and Mental Health Services, 48, 12.

Walker, L. (1979). The battered woman. New York: Harper & Row.

Walrafen, N., Brewer, M. K., & Mulvenon, C. (2012). Sadly caught up in the moment: An exploration of horizontal violence. Nursing Economic$, 30, 1.

Wallace, D. (2009). Improvised explosive devices and traumatic brain injury: The military experience in Iraq and Afghanistan. Australasian Psychiatry, 17, 218.

Warden, D. (2006). Military TBI during the Iraq and Afghanistan wars. The Journal of Head Trauma Rehabilitation, 21, 398.

Weber, S. (2007). Dissociative symptom disorders in advanced nursing practice: Background, treatment, and instrumentation to assess symptoms. Issues in Mental Health Nursing, 28, 997.

Weigartz, P. S., & Rasminsky, S. (2005). Treating OCD in patients with psychiatric morbidity: How to keep anxiety, depression, and other disorders from thwarting interventions. Current Psychiatry, 4, 57.

Weinberger, D. R. (1987). Implications of normal brain development for the pathogenesis of schizophrenia. Archives of General Psychiatry, 44, 660.

Whitaker, D. J. (2007). Domestic violence: Not always one sided. The Harvard Mental Health Letter, 24, 3.

Wilcox, H. C., Storr, C. L., & Breslau, N. (2009). Posttraumatic stress disorder and suicide attempts in a community sample of urban American young adults. Archives of General Psychiatry, 66, 305.

Williams, K. R. (2005). Arrest and intimate partner violence: Toward a more complete application of deterrence theory. Aggression and Violent Behavior, 10, 660.

Williams, K. A., & Bydalek, K. (2009). Self-mutilation: The cutting truth. American Nurse Today, 4, 8.

Willis, D. G. (2009). Male-on-male rape of an adult man: A case review and implications for interventions. Journal of the American Psychiatric Nurses Association, 14, 6.

Wood, R. L. (2004). Understanding the "miserable minority": A diathesis–stress paradigm for post–concussional syndrome. Brain Injury, 18, 1135.

Woods, S. J., & Wineman, N. M. (2004). Trauma, posttraumatic stress disorder symptom clusters, and physical health symptoms in post–abused women. Archives of Psychiatric Nursing, 18, 26.

Young, B. J., & Furman, W. (2008). Interpersonal factors in the risk for sexual victimization and its recurrence during adolescence. Journal of Youth and Adolescence, 37, 297.

Zawahir, N., & Scudder, L. E. (2012, January 26). PTSD: Principles of diagnosis and treatment. Medscape.org, Accessed 06.02.12.

Zeanah, C. H., & Gleason, M. M. (2015). Annual Research Review: Attachment disorders in early childhood – clinical presentation, causes, correlates and treatment. Journal of Child Psychology and Psychiatry, 56, 207–222.

Zeitzer, M. B., & Brooks, J. M. (2008). In the line of fire: Traumatic brain injury among Iraq war veterans. AAOHN Journal, 56, 347. doi:10.1111/jcpp.12347.

경찰청(2015, 2017, 2018). 범죄통계. 서울: 경찰청.

김현우(2017, 1, 5). 아동학대 가해자 88.3%가 부모. 인천일보.

박종헌(2017, 3, 1). 아동–청소년 대상 성범죄 피해자 평균연령 14.3세, 95% 여. 메디컬투데이.

보건복지부(2016). 정신질환실태 역학조사. 서울: 보건복지부

보건복지부(2018). 2017년 노인학대 현황보고서. 서울: 보건복지부.

여성가족부(2017). 2016 전국 가정폭력 실태조사. 서울: 여성가족부.

한국여성인권진흥원(2018). 2017 전국 성폭력 피해자 통합지원센터(해바라기센터) 운영 통계. 서울: 한국여성인권진흥원.

CHAPTER

21

신경인지장애

Neurocognitive Disorders

evolve WEBSITE

http://evolve.elsevier.com/Keltner

학습목표

- 신경인지장애의 관련요인을 이해한다.
- 섬망의 관련요인과 행동특성을 기술한다.
- 치매(주요 및 경도 신경인지장애)의 관련요인과 행동특성을 기술한다.
- 섬망과 치매의 차이점을 비교한다.
- 신경인지장애 대상자를 위한 치료적 환경을 조성한다.
- 치매 환자에게 적합한 약물치료에 대해 논의한다.
- 신경인지장애 환자에게 간호과정을 적용한다.
- 신경인지장애와 관련된 가족문제에 대해 논의한다.

1. 신경인지장애의 정의

신경인지장애(neurocognitive disorder)는 뇌의 영구적인 손상이나 일시적 기능장애로 인하여 사고와 행동에 심각한 변화를 나타내는 장애이다. 인지장애는 가역적 유형과 비가역적 유형으로 나뉜다. 이런 장애는 몇 시간에서 몇 년 동안 진행될 수 있고, 즉각적으로 삶에 위험을 주거나 그렇지 않을 수 있다. 환자들은 한 가지 이상의 인지장애가 있거나 정신적인 문제를 동시에 나타내기도 한다. 즉, 신경인지장애와 함께 우울과 불안 증상을 보이는 경우가 많다.

정신상태의 현저한 변화를 나타내는 환자는 종종 인지장애가 있다. DSM-5에서는 신경인지장애를 섬망, 경도(mild) 신경인지장애, 주요(major) 신경인지장애로 분류한다(American Psychiatric Association, 2013). 섬망은 급성으로 발병하며, 주 증상은 의식혼탁, 혼동, 지남력 상실 등이다. 경도 신경인지장애는 환자의 독립적인 기능이 떨어지지 않는 경미한 정도의 인지기능장애를 뜻하고, 주요 신경인지장애는 환자의 독립적인 능력을 방해하는 인지기능장애인 치매를 말한다. 즉, DSM-5에서는 치매(dementia)를 '주요 및 경도 신경인지장애'로 명칭을 변경하였으나, 이 장에서는 치매라는 용어를 혼용하고 있다.

신경인지장애의 주요증상에는 지남력 감소, 집중력 감소, 추상적 사고의 손상 및 언어의 혼란 등이 있다. 망상, 환각, 착오는 환자에게 매우 큰 두려움을 초래한다. 환자는 운동기능에 문제가 없다고 할지라도 기억손상으로 인해 궁극적으로는 일상적인 활동을 수행할 수 없게 된다. 치매와 섬망의 비교는 표 21-1과 같다(Wilson & Helton, 2011).

2. 원인

1) 노화

노화는 신경인지장애를 유발하는 가장 중요한 소인 중 하나로, 뇌 조직의 누적된 위축은 노화와 밀접한 관련이 있다.

2) 생물학적 소인

신경인지장애의 생물학적 원인은 유전과 감염 질환, 신경유독물질, 혈관장애, 신경전달물질, 저산소증, 대사장애,

표 21-1 치매와 섬망의 비교

특징	섬망	치매
발병	빠르게 나타나며 명백함	느리게 나타나며 초기에 알아차리기 어려움
과정	급성: 빠른 전개, 일반적으로 몇 시간에서 며칠~몇 달 동안 지속될 수 있음	만성: 몇 달~몇 년에 걸친 느린 진행, 3~10년에서 죽음에 이를 때까지의 점진적인 악화
원인	일반적으로 다른 신체적 문제에 기인함 (예: 질병, 수술 후 합병증, 독소)	일반적으로 일차 질병이지만 다른 질병과 관련될 수 있음 (예: AIDS)
기억	의식이 뚜렷하거나 명확한 순간에 사정하면, 단기기억이 손상되어 있음.	초기에 단기기억의 손실, 장기기억은 천천히 손상됨
의식수준	의식수준의 변화: 혼동, 혼탁(가끔은 명료하기도 함)	의식수준의 변화 없음; 수면패턴은 밤낮이 바뀔 수 있음
사고내용	의식수준과 일치	처음에는 정상이나 차츰 혼돈, 표현성 실어증, 수용성 실어증과 사고내용의 빈곤 등이 나타남
사고과정	의식수준에 따라 논리적, 비논리적 사고가 교대로 나타남	처음에 논리적, 이후에는 추상적 개념의 상실(예: 농담 이해), 질병이 진전됨에 따라 구체적 사고가 나타남
언어	불분명한 발음	정상적인 발음
지각 차이	환각: 피부 위나 아래에 벌레가 기어가는 느낌, 실제 존재하지 않는 동물이나 특별한 색채를 봄, 허공을 휘저음	• 착각: 친인척을 다른 호칭으로 부름(예: 딸에게 '엄마'라고 부름) • 환각이 일반적으로 처음에는 나타나지 않으며 마지막 단계에서 발생할 수 있음
기분	불안과 두려움	감정의 범위가 넓음
정동	두렵고 겁먹은 모습	감정과 얼굴표정에 일관성이 있음

뇌 구조의 변화 및 물질중독 등이 있다.

(1) 유전적 소인

Apo E(apolipoprotein)가 포함된 염색체 19번과 14, 21번의 손상은 노인기 후반의 알츠하이머병 발생과 관련이 있으며, 이러한 최신 보고는 신경인지장애가 유전과 관련이 있음을 뒷받침해주고 있다. Apo E에는 ε2, ε3, ε4의 유전인자가 있는데, 그중 ε4 유전인자가 알츠하이머병의 위험성에 영향을 미치는 것으로 알려져 있다.

(2) 감염질환

섬유성 단백질인 프리온(prion)이나 미세단백질은 크로이츠펠트-야콥병(Creutzfeldt-Jakob disease)의 염증 과정과 관련이 있다. 아밀로이드 미세섬유의 특성을 가진 프리온은 대뇌피질의 회백질에서 발견되는데, 이는 프리온과 알츠하이머와의 관련성을 시사해주고 있다. 뇌 및 수막의 급성 감염은 의식장애, 섬망 등의 급성 증후군을, 단순포진 뇌염은 급성 정신증적 행동을, 매독 등의 만성 세균감염은 지적 능력의 저하 및 성격 변화 등을 초래한다. HIV는 면역세포뿐만 아니라 중추신경의 감염 및 뇌병변을 일으킨다.

(3) 신경유독물질

알츠하이머 환자의 뇌에서 발견된 알루미늄이 유독성으로 인하여 알츠하이머 발병에 영향을 준다는 주장이 있으며 현재까지 계속 연구를 진행하고 있다.

(4) 혈관장애

알츠하이머병 환자 뇌의 모세혈관에서 아밀로이드 침전물이 관찰되었다. 그 원인은 혈관결절과 미세 신경세포의 상실 등으로 인해 뇌혈관 장벽에서 뇌 안으로의 혈청유입을 발생시키기 때문이다. 이 외에도 치매는 뚜렷한 신경학적 증후를 일으키지 않는 다발성의 소동맥 경색에 의해 발생된다. 따라서 혈관장애가 신경인지장애에 영향을 미친다고 말할 수 있다.

(5) 신경전달물질

알츠하이머병 환자는 아세틸콜린 전이효소(acetylcholine transferase)의 활동이 저하되어 있다. 아세틸콜린 전이효소는 아세틸콜린의 생성에 필요한 효소로, 이의 감소는 아세틸콜린의 기능을 감소시켜 기억 및 인지 손상 등이 발생한다.

(6) **저산소증**

천식, 폐기관지염, 고열 등으로 인한 조직독성 저산소증과 울혈성 심부전, 죽상동맥경화증, 저혈압, 고혈압, 뇌경막하 혈종, 종양 등으로 인한 허혈성 저산소증이 신경인지장애의 촉진요인으로 작용한다.

(7) **대사장애**

갑상선 기능저하증의 경우 인지기능의 저하가 발생하며, 갑상선 기능항진증의 경우 과도 각성과 같은 인지 및 의식기능의 변화를 초래한다. 뇌하수체 기능저하, 부신질환 등의 내분비계 질환은 신경인지장애의 발생을 촉진하는 요인으로 작용한다.

(8) **뇌의 구조적 변화**

종양, 사고, 뇌 수술 등에 의한 외상과 같이 뇌 조직의 구조적인 변화를 일으키는 과정이 신경인지장애를 발생시킬 수 있다.

(9) **물질관련**

알코올, 진정제, 수면제, 항불안제, 흡입제 등과 같은 물질의 과다사용이나 남용으로 인해 신경인지장애가 발생할 수 있다.

3. 신경인지장애의 유형

1) 섬망

섬망(delirium)이란 여러 가지 원인에 의해서 갑자기 발생한 의식수준의 변화, 주의력 저하, 언어력 저하 등 인지기능 전반의 장애로 주변상황을 잘못 이해하며, 생각의 혼돈이나 방향상실 등이 일어나는 정신적 혼란상태이다. 섬망은 '뇌부전(brain failure)'이라고도 언급되는데, 심장계에 심부전(heart failure)이 있는 것과 같이 섬망 또한 뇌 문제의 다양한 원인을 대표할 수 있기 때문이다(Phillips, 2013).

섬망은 인지기능의 전반적인 손상을 특징으로 하는 뇌의 광범위한 장애이다. 정보를 받아들이고, 처리하고, 저장하고 또 기억해내는 능력과 적절한 정신활동을 유지하는 능력이 감소한다. 이러한 증상은 특히 야간에 가장 심하게 나타나므로, 치매와 마찬가지로 일몰증후군(sundown syndrome)이라 불리기도 하며, 야간 수면에 영향을 미친다.

섬망의 특징은 급성으로 발병하여 대부분의 경우 병의 경과가 빠르게 전개된다는 점이 핵심이다. 특징적인 증상은 의식수준이 혼탁해지고 말이 불분명하며, 무의미한 사고와 밤낮의 수면이 바뀌는 것이다. 의식이 혼탁한 섬망 환자는 환시(예: 다양한 색의 쥐가 보이는 것)나 환촉(예: 피부에 벌레가 기어 다니는 느낌)이 있다. 환자는 마치 허공에 별을 따려고 하는 행동을 취하거나 짧은 시간 대화를 이어나갈 수 있으나, 그 후에 극심한 혼란이 뒤따를 것이다. 감정은 예민하게 곤두서 있으며 쉽게 깜짝 놀라는 반응을 보이기도 한다. 섬망 상태가 일어나기 전에 흔히 나타나는 전구증상은 불안, 초조, 빛이나 소리에 대한 과민성, 논리적인 사고의 곤란, 불면증 및 야간에 일어나는 생생한 꿈이나 일시적인 환시 현상 등이다.

신체적 문제나 질병에 대한 사정과 중재는 즉각적으로 이루어져야 한다. 섬망 환자는 때로 지남력을 상실하고 혼란스러운 상태에 있거나 억제대로 묶여있는 경우도 있는데, 간호사는 환자의 안전을 보장하고 환자에게 최상의 간호서비스를 제공하기 위해 환자를 신중하게 평가하고 중재해야 한다(Phillips, 2013).

섬망은 입원한 노인환자에게 가장 일반적으로 발생하는 합병증이다(Phillips, 2013). '중환자실 정신증(ICU psychosis)'은 병원에서 흔히 부르는 섬망의 또 다른 명칭이다. 환자의 정신상태의 급격한 변화는 심각한 기저질환이 있음을 나타내는 증상이나 증후가 될 수 있다. 섬망은 신체적 질병, 특히 폐렴, 심근경색, 요로감염증과 관련되어 있다. 약물에 대한 독성 반응은 처방된 약물이나 처방전 없이 살 수 있는 약물에서 발생한다. 예를 들어, 디펜하이드라민(diphenhydramine), 삼환계 항우울제, 벤즈트로핀(benztropine)과 같은 항콜린성 약물은 섬망을 일으킨다. 리튬(lithium)과 디발프로엑스(divalproex)를 포함한 약물들은 연구소에서 언급한 범위의 지표보다 더 낮은 혈중 농도의 수치에서 독성이 나타날 수 있다. 다양한 약물복용(4개 이상), 알레르기, 수화, 전해질 불균형, 장·방광의 장애는 섬망의 발생과 관련이 있다(Phillips, 2013). 간호사는 초기에 약물을 사정하는 동안, 환자나 가족에게 처방약과 일반의약품 복용 등, 특히 기침약, 다이어트 약물, 알레르기 치료제, 진통제, 진정제에 대해 확인해야 한다.

섬망은 의학적으로 응급상황이기 때문에 치료를 즉시 시

작해야 한다. 섬망의 중증도는 치료자의 적절한 개입으로 최소화될 수 있다(Phillips, 2013). 일단 안정된다 하더라도, 환자는 증상이 더 심해질 수도 있고, 그렇지 않을 수도 있다. 치매는 섬망의 위험요소이며, 환자는 치매와 섬망 둘 다 있을 수 있다. 그러나 섬망은 생명을 위협하기 때문에 신속한 치료를 요한다. 먼저 섬망이 치료되어 사라진 후에, 치매 여부를 재평가하여 진단이 내려져야 한다.

Clinical example: 약물에 의한 섬망

64세 차OO 님은 자신의 남편이 자기를 죽이려 한다고 생각하고 허공에 목을 조이는 시늉을 하고 있었는데, 마침 그 현장을 딸이 발견하였다. 대상자는 일반의약품 중 3가지 디펜하이드라민을 복용하고 있었다(기침약, 알레르기약, 수면유도제). 약물복용을 중단한 후 인지적 기능이 임상증상 발현 전의 수준으로 돌아왔다.

2) 경도 신경인지장애

경도 신경인지장애(mild cognitive impairment, MCI)는 정상적인 노화의 결과가 아닌 인지의 퇴행이다. DSM-5 진단기준 이전에 비치매성 경도인지장애에 대한 진단기준은 없었다. 비치매성 경도인지장애의 DSM-5의 진단은 일상생활의 독립을 방해하지 않을 정도인 경미한 정도의 인지기능장애이다. 영수증 처리와 같은 복잡한 활동에는 타인의 도움이 많이 필요하다.

경도 신경인지장애의 다른 병리적 원인이 없을 때, 간호사는 특별히 개인의 인지적 변화에 관해 더 많은 정보를 수집해야 한다. 경도 신경인지장애의 증상이 있거나 유전적 소인이 있는 사람은 알츠하이머병으로 진행되기가 쉽다. 또한 우울증이 있는 환자가 우울증이 없는 환자보다 알츠하이머병으로 발전되기 쉽다(Albert et al., 2011). 최근 연구에서 도네페질(donepezil)의 약물사용은 알츠하이머병으로 진전되는 과정을 늦추는 효과가 있다고 보고되었다.

현재 경도 신경인지장애를 위한 특정 치료방법은 없지만, 다음과 같은 다양한 건강습관을 유지하도록 해야 한다.

- 수면을 방해하는 문제를 제거하고 수면습관을 향상시킴
- 우울과 같은 정신장애를 치료함
- 신체질병을 치료하고 술을 자제하며 양질의 음식을 섭취함
- 인지적으로 자극을 주는 활동과 사회활동을 증가시킴

인지를 자극하는 방법은 서로 다른 것을 비교하고 대조하는 활동(스크린이나 책을 이용), 그리고 보드 게임이나 퍼즐맞추기, 단어 맞추기 게임 등이 있다. 그 외 암기, 단어연상 게임, 인지를 촉진하는 컴퓨터 훈련(training) 등도 인지를 자극하는 데 활용될 수 있다.

3) 주요 신경인지장애

라틴어에서 유래된 'dementia'라는 용어는 사전적으로 '사람의 마음에서 벗어난'이란 의미이다. 치매는 인지, 지각, 언어, 행동 그리고 운동능력에 영향을 미쳐 점진적으로 악화되는 질병이다. 많은 유형의 치매가 있지만 공통점은 치매의 점진성이다. 의료진은 초기에 치료를 시작하기 위해 치매를 최대한 빨리 확인하는 데 중점을 두어야 한다.

치매는 잠재적으로 가역적이거나 비가역적일 수 있지만, 대부분 비가역적이다. 그리고 가역적인 치매도 전적으로 가역적이라고 하기 어렵다. 정상 뇌압 수두증과 비타민 B_{12} 결핍증은 잠재적으로 가역적일 수 있는 치매이다. 알코올성 치매는 가역적일 수 없다. 그러나 종종 만성 알코올 중독자에게 발견된 2가지 신경 문제인 베르니케 증후군과 코르사코프 증후군은 티아민(Vitamin B_1) 결핍과 영양실조를 치료함으로써 호전 가능한 가역적 치매 유형이다(Thomson et al., 2012). 베르니케-코르사코프 증후군과 연관된 후향적 기억상실(retrograde amnesia: 뇌 손상 시점 이전의 일을 기억하지 못함)과 혼돈은 개선될 수도 있다. 증상이 치매 증상과 유사하기 때문에 증상의 회복은 마치 치매가 가역적인 것처럼 느껴지게 한다. 환자에게 치매라는 진단을 내리기 전에, 대사장애 또는 종양과 같은 모든 신체적 질병의 가능성을 검사하여 배제되어야 한다(American Psychiatric Association, 2013).

비타민 B_{12} 결핍증(vitamin B_{12} deficiency)은 일반적으로 노인에게 잘 발생한다. 위에서 비타민 B_{12} 흡수가 되지 않으면 비타민 B_{12}가 불충분할 수 있다. 악성빈혈은 비타민 B_{12} 결핍증의 가장 일반적인 원인이다. 비타민 B_{12} 결핍증과 관련된 치매는 드물다. 결핍증이 진행되면, 망상, 우울, 정신증이 나타날 수 있다. 비타민 B_{12} 대체요법은 즉시 시작되어 일생 동안 지속되어야 하며, 근육으로 주사한다.

Clinical example: 중증 비타민 B_{12} 결핍증

불결한 환경에서 인지기능이 떨어진 84세 할머니가 인지평가를 위해 입원하였다. 할머니는 영양실조를 보였으며, 낮은 수준의 비타민 B_{12}로 탈수상태였다. 그녀는 상체와 하체가 약해져서 불안정하였다. 환자는 기억력 저하로 인해 식사하는 것 자체를 잊어버렸다. 비타민 B_{12} 대체요법이 시작되었고 곧 인지기능을 회복하여 퇴원하였다.

현 시점에서 비가역적 치매는 어떤 방법으로도 완치가 불가능하지만, 알츠하이머병을 적응증으로 하는 FDA(Food and Drug Administration) 약물들이 개발되었다. 유일하게 파킨슨병과 관련된 치매에 효과가 입증된 약물이 FDA 승인을 받았다.

최근 국내 치매 환자 현황을 보면 65세 이상 노인 인구 중 치매환자는 75만488명이다. 치매 유병률은 10.16%로, 65세 이상 노인 10명 중 1명꼴로 치매를 앓는 셈이다. 치매환자는 향후 지속적으로 증가해 2024년에는 100만명, 2039년에는 200만명, 2050년에는 300만명을 넘어설 것으로 예상된다(중앙치매센터, 2019).

CRITICAL THINKING QUESTION

1. 치매와 섬망의 차이를 인식하는 것이 왜 중요한가?
2. 치매환자가 노인복지센터 프로그램에 참여하는 것이 치료적일 수 있는가?

DSM-5 진단기준: 주요 신경인지장애

주요 신경인지장애

A. 하나 또는 그 이상의 인지 영역(주의집중, 집행 기능, 학습과 기억, 언어, 지각-운동 또는 사회인지)에서 인지 저하가 이전의 수행 수준에 비해 현저하다는 것은 다음에 근거함.
   1. 대상자, 대상자를 잘 아는 정보제공자 또는 임상의가 현저한 인지기능 저하를 걱정함.
   2. 인지 수행의 현저한 손상이 표준화된 신경심리 검사 또는 다른 정량적 임상평가에 의해 입증됨.

B. 인지결손은 일상 활동에서 독립성을 방해함(즉, 최소한 계산서 지불이나 치료약물 관리와 같은 일상생활의 경우 도움을 필요로 함).

C. 인지결손이 섬망이 있는 상황에서만 발생하는 것이 아님.

D. 인지결손이 다른 정신질환(예: 주요우울장애, 조현병)으로 더 잘 설명되지 않음.

병인에 따라 다음 중 하나를 명시할 것:

- 알츠하이머병
- 전두측두엽 변성
- 루이소체병
- 혈관질환
- 외상성 뇌손상
- 물질/치료약물 사용
- HIV 감염
- 프라이온병
- 파킨슨병
- 헌팅턴병
- 다른 의학적 상태
- 다중 병인
- 명시되지 않은 경우

출처: American Psychiatric Association (2013). Diagnostic and statistical manual of mental disorders (5th ed.) (pp. 602~603). Arlington, Virginia: APA.

(1) 알츠하이머병에 의한 신경인지장애

알츠하이머병(Alzheimer's disease)은 가장 일반적인 형태의 치매이다. 1907년 독일 신경학자인 알츠하이머(A. Alzheimer)는 알츠하이머병의 특징으로 대뇌 피질에 다발성 플라크(plaque)와 퇴행성 신경섬유 엉킴(tangle)이 발생하는 것을 확인하고 이를 원인으로 기술하였으나 그 당시에는 많은 관심을 끌지 못하였다.

그 후 알츠하이머병은 지난 20년 동안 관심의 대상이 되었고, 광범위하게 연구되었으며, 발병에서 사망까지의 과정이 10년 또는 그 이상이라는 사실이 알려졌다. 알츠하이머병은 2000년에서부터 2010년까지 사망률이 68% 증가를 보였다. 미국에서는 64세 이상의 노인인구에서 알츠하이머병이 주요 사망원인 중 5위에 해당한다(Alzheimer's Association, 2013).

알츠하이머병의 가장 주요한 위험요소는 연령이다. 그 외 다른 위험요소는 가족력, 심장과 관련된 과거력(고혈압, 고콜레스테롤혈증, 뇌졸중, 심장질환)과 뇌손상 등이다(Alzheimer's Association, 2013).

표 21-2 알츠하이머병의 3단계

단계	기간(년)	변화
1단계 경증(mild) (MMSE점수 =20~30)	2~3	• 단기기억 감소 • 단어 및 이름 찾기 어려움 • 의사결정, 집중, 추론 판단 문제 • 일상생활 수행의 어려움 • 치매 문제를 부정함(denial) • 방향감 상실 • 기억력 저하로 반복적인 질문을 함
2단계 중등도 (moderate) (MMSE점수 =10~19)	3~4	• 운동불능, 실인증, 이해력 저하에 의한 실어증, 지남력 상실, 둔마된 정동, 착오, 수면장애, 망상, 일상생활을 하는 데 도움이 필요함 • 극도의 감정적 불안정성, 자기 몰두(self-absorption), 배회, 요실금 등으로 감독이 필요함
3단계 중증(severe) (MMSE 점수 =0~9)	5~10	• 보행장애, 스스로 음식을 먹을 수 없음, 심한 요실금, 분변 매복, 침대를 떠나지 못함, 연하곤란, 태아형 자세 • 24시간 감독이나, 철저한 감시가 필요함

MMSE, mini-mental state examination.

출처: Folstein, M.F., Folstein, S.E., & McHugh, P.R. (1975). "Mini-mental state." A practical method for grading the cognitive state of patients for the clinician. Journal of Psychiatric Research, 12, 189.

① 알츠하이머병의 단계

알츠하이머병의 단계는 2가지 다른 방식으로 나눌 수 있다. 이 중 하나는 경증, 중등도, 중증의 3단계로 나뉘고, 각 단계별로 전형적인 특징이 있다(표 21-2). 각 단계는 인지 상태를 사정하는 간이정신상태 검사에서 획득된 점수를 기초로 한다(Bellenir, 2008).

알츠하이머병과 관련된 인지적 감소를 살펴보는 방식인 또 다른 단계는 Reisberg 척도로 알려진 GDS(Global Deterioration Scale)에 의해 분류된다. 이는 알츠하이머 질병 과정의 인지 수준을 7단계로 세분화하고 있다(표 21-3). 알츠하이머병 환자를 돌보는 간호사는 단계별로 환자의 인지 능력에 대한 사정과 적절한 중재를 계획할 수 있다(Reisberg et al., 1982).

CRITICAL THINKING QUESTION

3. 치매와 알츠하이머병의 차이를 어떻게 설명할 수 있는가?

표 21-3 알츠하이머병의 GDS 7단계

단계		변화
1단계	인지 감소 없음	• 일상생활에 어떤 문제도 없음
2단계	매우 경미한 인지 감소	• 이름이나 물건의 위치를 잊어버림 • 단어를 말하는 데 문제가 있을 수 있음
3단계	약간의 인지 감소	• 새로운 장소로 여행하는 데 어려움이 있음 • 문제를 처리하는 데 어려움이 있음
4단계	중등도의 인지 감소	• 복잡한 업무에 어려움이 있음 (예: 재정관리, 쇼핑, 고객응대, 계획 수립)
5단계	중등도보다 심한 인지 감소	• 옷 입는 데 도움이 필요함 • 목욕을 하는 데 설득이 필요함
6단계	심각한 인지 감소	• 옷을 옷장에 넣는 데 도움이 필요함 • 목욕에 대한 두려움이 있으므로 도움이 필요함 • 화장실 사용 능력이 감소하거나 실금이 있음
7단계	매우 심각한 인지 감소	• 어휘 사용이 제한되고 단순한 언어 사용도 감소함 • 걸어 다니고 앉는 능력을 상실함 • 웃을 수 없게 됨

② 알츠하이머병의 원인

알츠하이머병에 관한 다양한 연구

알츠하이머병의 소인으로 무수히 많은 개념이 소개되고 연구되었다. 오늘날 밝혀진 알츠하이머병의 주요 소인은 뇌의 신경섬유 엉킴(neurofibrillary tangles)과 β-아밀로이드 플라크(β-amyloid plaques)이다(Tarawneh et al., 2011). 한 세기가 지나도록 플라크와 엉킴이 알츠하이머병의 원인이거나 이 질병의 결과라는 사실을 알지 못했다. 최근에는 질병의 임상증상 없이 성인에게 나타나는 알츠하이머병의 원인을 나타내는 단백질 표지자를 확인하기 위해 뇌척수액을 검사하고 있다.

뉴런의 소실

진단영상을 통해 알츠하이머병의 대뇌피질, 해마, 편도체, 전뇌의 4개 영역에서 신경세포가 소실된 것이 확인되었다(Teipel et al., 2013). 전뇌 기저핵에 위치한 마이네르트 부위는 콜린성 세포체의 주요부위이다. 아세틸콜린 신경전달물질을 생산하는 콜린성 뉴런의 손상은 알츠하이머병의 강력한 원인이며, 질병 치료를 위해 개발된 1세대 약물은 이 결함을 목표로 하였다. 그러나 콜린성 체계가 기억습득의 기초를 형성하지만 전부라고 할 수 없으며, 다른 많은 인지적 측면이 새로운 정보과정과 복잡한 결정을 하는 데 영향을 미치므로, 알츠하이머병의 단계가 진행됨에 따라 추상적 사고 능력이 서서히 사라진다. 자기공명영상(MRI) 검사에서 보이는 해마의 부피 감소는 알츠하이머병을 예측하는 데 사용되는 생물학적 지표로서, 해마의 변화가 발생하기 전에 내후각 피질의 크기가 감소하기 시작한다(Teipel et al., 2013). 이 영역에 문제가 있으면, 해마는 새로운 기억을 쌓는 데 필요한 일련의 정보를 더 이상 받아들일 수 없다. 해마 위축은 자기공명영상 검사를 통해 확인한다.

신경섬유 엉킴

미세소관(microtubules)은 세포의 영양소 운송을 담당하고, 타우단백질(tau protein)은 미세소관 안에 구조적 토대를 제공하여 미세소관이 적절한 기능을 하도록 한다. 알츠하이머병 환자의 뇌에 평상시보다 더 추가된 타우단백질은 미세소관을 붕괴시킨다. 이 타우단백질 섬유는 미세소관에서 분리되어 비틀어지기 시작하며, 신경섬유 엉킴으로 알려진 이러한 비틀림은 영양소 부족을 초래하여 신경세포가 죽게 되고, 신경세포는 점차 위축되고 수축되어 간다(그림 21-1)(National Institute on Aging, 2011).

β-아밀로이드 플라크

알츠하이머병은 시작과 동시에 불가피한 일련의 사건이 뒤따른다. 아밀로이드 전구체 단백질(APP, amyloid precursor protein)로 알려진 단백질은 반투막을 통해 세포 밖으로 이동할 때 세크레타제(secretase)라는 효소에 의해 절단된다. 이때 알파 또는 감마 세크레타제에 의해 절단되어야 하는데, 베타 세크레타제에 의해 절단된 단백질은 β-아밀로이드 펩타이드 형태로 모인다(National Institute on Aging, 2011). β-아밀로이드 펩타이드 중 일부는 저중합체(oligomers)를 형성한다. 이러한 저중합체는 신경의 수용체나 시냅스를 방해하고 세포를 죽이는 원인이 된다(**그림 21-2**)(National Institute on Aging, 2011).

산화스트레스(oxidative stress)는 뉴런을 파괴하는 데 관여한다. 노화과정으로 산화스트레스가 발생하지만 알츠하이머병 환자는 더 많은 산화스트레스를 경험한다. 유리기의 일련 반응은 원자가 전자 중 하나를 잃어버릴 때 시작된다. 즉, 특이한 전자가 불안정한 원자를 만들어내며, 전자가 부족한 원자는 그 자체의 안정화를 위해 또 다른 전자를 찾는다(Borda, 2006). '빼앗긴 원자가 빼앗는 원자가 되는' 반복된 패턴이 세포를 파괴한다.

뇌 위축

플라크, 엉킴, 산화 스트레스로 인한 뉴런 소실(neuronal loss)은 뇌의 실제 크기를 감소시킬 수 있다. 이는 알츠하이머병의 또 다른 특징을 나타낸다. 정상 성인의 뇌의 무게는 약 1,500g이다. 알츠하이머병이 진전된 환자의 뇌는 정상 뇌의 절반보다 다소 작다(**그림 21-3**). 이러한 뇌 위축(brain atrophy)은 측두엽, 두정엽 부분에서 시작되어 전체 뇌로 진행되지만 측뇌실이 가장 현저하다. **그림 21-4**는 뇌가 수축할수록 뇌실은 더 커지는 양상을 보여준다(National Institute on Aging, 2011).

유전학

알츠하이머병의 진행 과정에는 유전적 소인이 관여하는데, 특별히 알츠하이머병 발병이 늦은 경우 위험요소의 60~80%를 차지할 정도로 강하게 작용한다(Casey, 2012). 알츠하이머병의 유전적 요소는 다음과 같다.

a. 알츠하이머병: 조기 발병

가족성 알츠하이머병에는 상 염색체 우성 유전 패턴이 존재한다. 이 환자들은 대개 50세 이전에 진단을 받으며(또는 더 빨리 진단받기도 함), 노년에 진단받는 알츠하이머병 환자보다 진행과정 또한 빠르다. 알츠하이머병이 조기 발병한 개인에게서 1번, 14번, 21번 염색체의 돌연변이가 확인되었다.

- 1번 염색체-프레세닐린(presenilin) 2 유전자
- 14번 염색체-프레세닐린 1 유전자
- 21번 염색체-비정상적인 APP를 만듦

부모 중 한 사람이 이러한 비정상적인 염색체를 가지고 있다면, 자녀가 알츠하이머병에 걸릴 확률은 50%이다(National Institute on Aging, 2011).

b. 알츠하이머병: 늦은 발병

19번 염색체의 대립유전자 Apo ε4는 알츠하이머병에서 보여진 β-아밀로이드 플라크의 진행과 연관되어 있다. β-아밀로이드 플라크가 뇌에 침전될수록 손상

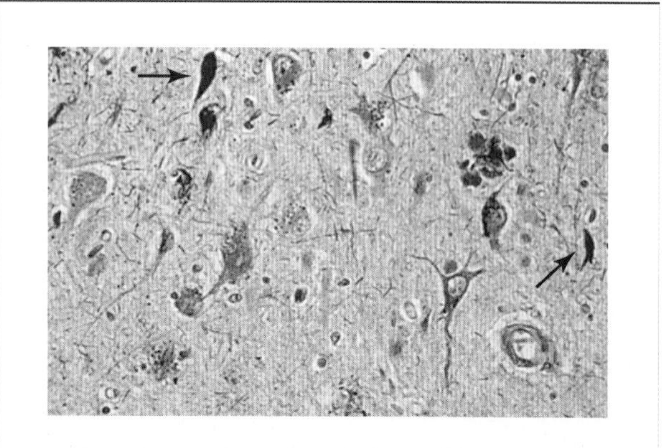

그림 21-1 알츠하이머병의 현미경 소견: 신경섬유 엉킴

▶ 어두운 불꽃 모양의 이미지(화살표)가 신경섬유 엉킴 또는 죽은 뉴런임. 엉킴은 뉴런 내부의 꼬인 원섬유 세포 과정을 방해하고 결국 세포를 죽게 함.

출처: Courtesy of Dr. Richard E. Powers, University of Alabama at Birmingham Brrain Resource Program.

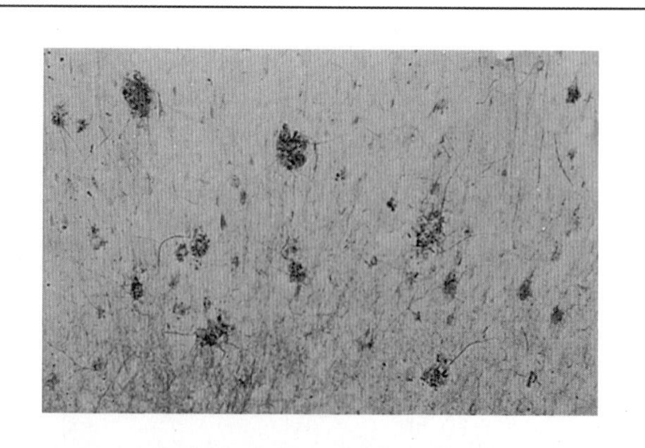

그림 21-2 알츠하이머병의 현미경 소견: 플라크

▶ 어두운 이미지가 플라크이며, 이는 70세 이상 노인 중 약 50%에서 발견할 수 있음. 플라크의 양과 연령의 관련성이 매우 큼.

출처: Courtesy of Dr. Richard E. Powers, University of Alabama at Birmingham Brain Resource Program.

이 더 심해지는 것으로 생각된다. 한 명 또는 두 명의 부모가 Apo ε4 유전자를 자녀에게 물려준다면, 그 자녀는 대립유전자가 없는 사람보다 알츠하이머병으로 진전되기 쉬울 뿐만 아니라 더 이른 나이에 질병으로 진행될 가능성이 높다. Apo ε4 유전자를 물려받지 않은 사람도 알츠하이머병으로 진행될 수 있다(National Institute on Aging, 2012).

호르몬

일부 연구에서는 성호르몬이 알츠하이머병으로의 진행을 막도록 어느 정도 보호해주므로, 폐경기 동안의 에스트로겐 감소는 알츠하이머병 진행의 위험요소가 된다고 하였다(Barron & Pike, 2012). 그러나 미국의 대규모 임상연구 Women's Health Initiative Memory Study에서는 프로게스테론과 에스트로겐을 사용한 여성에게서 알츠하이머병의 위험이 증가하는 것으로 나타났다. 따라서 치매 환자에게 여성호르몬 투여는 아직 논란의 대상이다.

알츠하이머병과 중금속의 연관성에 관한 근거가 반복적으로 보고되었지만, 이를 원인으로 확정할 수는 없다. 그러나 뇌에 알루미늄과 같은 금속이 존재할 경우 항염증 반응이 시작되어 조직을 둘러싼 손상이 나타난다. 치과용 혼합물(dental amalgams)의 약 50%는 수은으로 구성된다. 수은

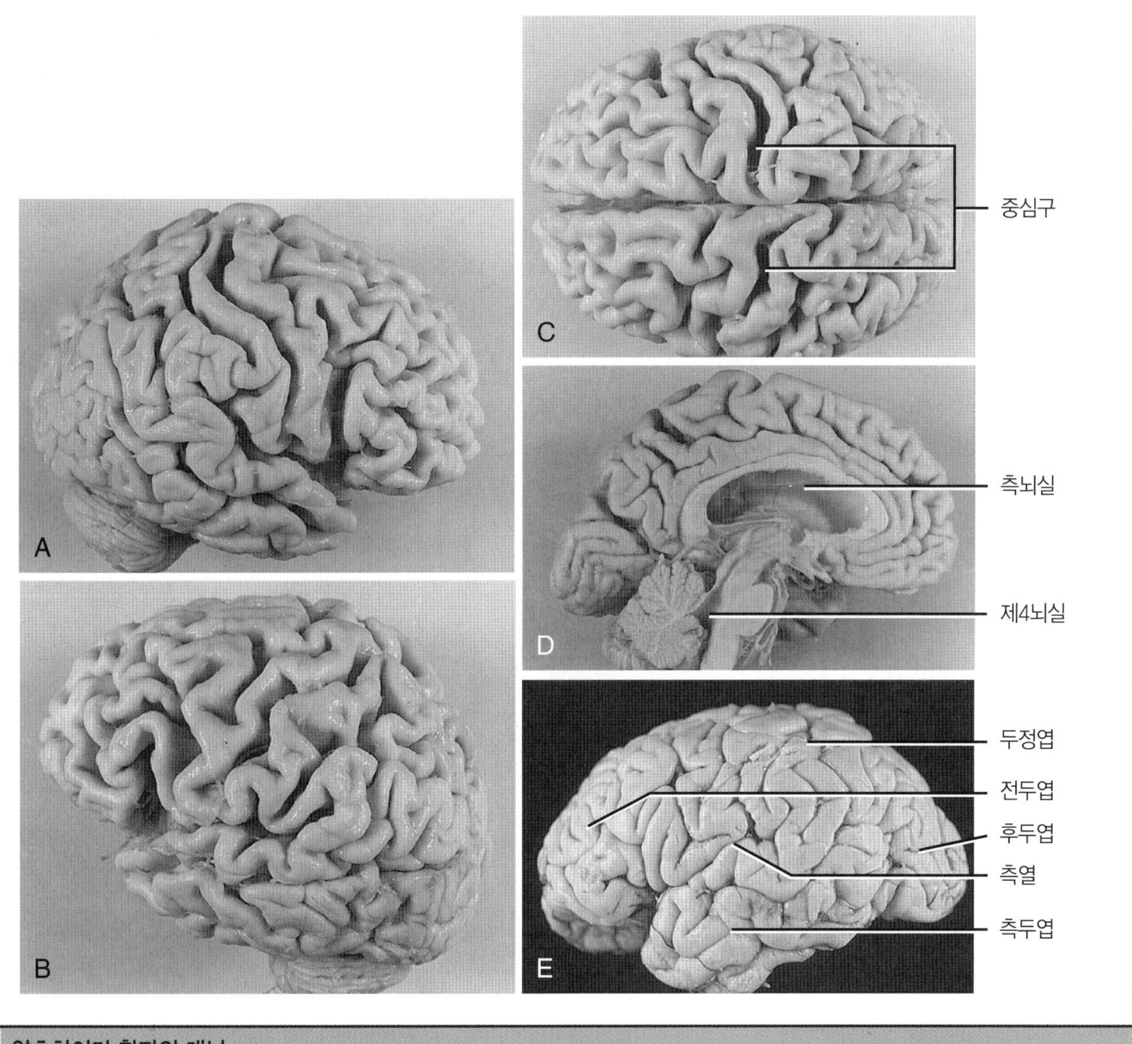

그림 21-3 알츠하이머 환자의 대뇌

▶ A: 알츠하이머 환자의 우뇌. 좁은 뇌회(gyri) 및 큰 열구(sulci)가 보임
B: 같은 환자의 좌뇌. 더 좁은 뇌회와 큰 열구를 보임
C: 위에서 내려다볼 때 뇌 중심구가 매우 넓음
D: 왼쪽 뇌반구의 중앙면: 크게 확장된 측뇌실 및 제4뇌실이 보임
E: 정상적인 뇌

출처: A–D, Berto Tarin, Western University of Health Science; E, courtesy of Dr. Richard E. Powers, University of Alabama at Birmingham Brain Resource program.

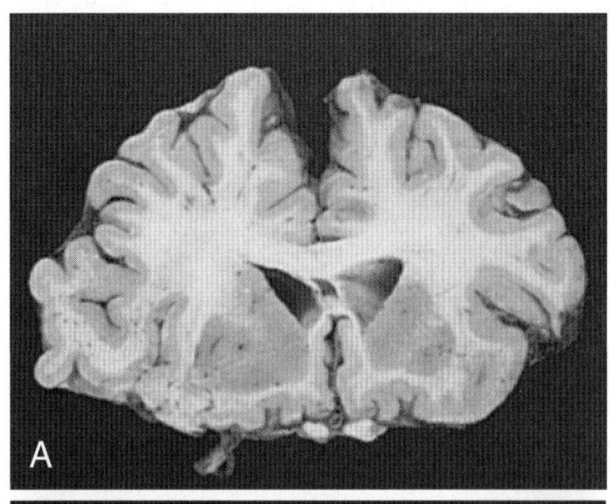

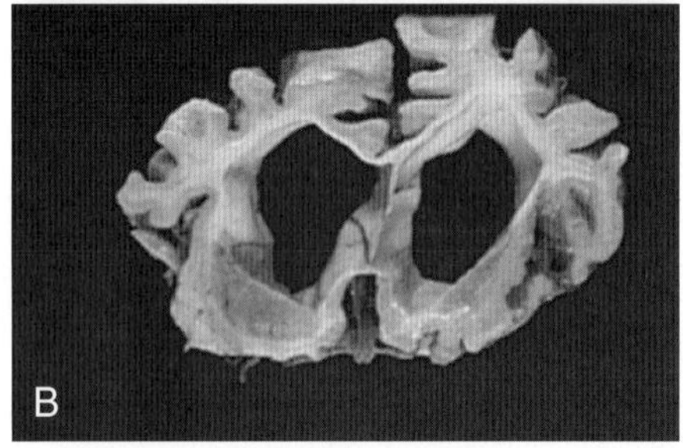

그림 21-4 알츠하이머 환자의 확대된 뇌실

▶ A: 정상적인 뇌. 열구와 뇌회는 위축되지 않음
B: 뇌는 알츠하이머병의 영향을 보여줌. 넓은 열구와 좁은 뇌회(gyri)가 보임. 측뇌실은 알츠하이머병과 관련된 뇌량 감소로 크기가 증가함

출처: Courtesy of Dr. Richard E. Powers, University of Alabama at Birmingham Brain Resource Program.

증기는 시간이 흐르면 작은 양이 매우 천천히 발산된다. 미국치과협회는 치아복원에 사용되는 수은이 안전하다고 하였다. FDA도 성인과 6세 이상의 어린이가 아말감을 사용해도 안전하며 아말감 충전재에 포함된 수은은 상당한 위험이 없다고 결정하였다. FDA는 아말감 충전재와 승인된 연령의 건강문제 간에 유의한 관계가 있다고 보고한 임상연구는 없다고 밝혔다(U.S. Food and Drug Administration, 2009).

③ 비전통적인 연구결과

알츠하이머병과 정상 노년층에 관한 종적 연구인 'Nun study'는 678명의 20세 이상 수녀들의 동의 하에 매해 신체적·정신적 사정과 뇌 검시(해부)를 연구했다.

'Nun study' 결과, 100년 이상 살았던 한 수녀는 뇌 해부에서 플라크와 엉킴 형성이 많았지만 인지장애의 증상이 없었고, 70세에 사망한 또 다른 수녀는 치매가 심했지만 플라크와 엉킴이 적었다. 'Nun study' 연구자들은 이런 특별한 연구결과에 대한 근거를 분석하여 언어사용, 교육 정도, 삶에 대한 태도가 알츠하이머병의 증상에 어느 정도 영향을 미친다고 결론지었다(Snowdon, 2003). 즉, 가장 인지능력이 우수했던 수녀의 경우 복잡한 언어사용과 고등교육을 받은 것이 확인되었으며, 가장 긍정적인 삶의 태도를 지닌 수녀는 가장 높은 인지그룹에 속해 있었다(Snowdon, 2001).

④ 행동특성

기억손상은 초기에 가장 현저하다. 일반적으로 단기기억 손상이 먼저 발생하고, 이후 장기기억 손상이 나타난다. 환자와 가족은 장기기억이 온전히 남아있는 초기에 단기기억 손상의 문제를 가볍게 생각한다. 그러나 환자는 점차 발달적 퇴행을 보인다. 예를 들면, 여성 환자가 아들을 고인이 된 남편으로 혼동할 때, 남편이 아들의 나이였던 그 시기를 기억할 가능성이 크며, 퇴행이 계속됨에 따라 그녀의 아들을 취학연령으로 생각할 수 있다. '엄마'를 찾으며 우는 아기로 아들을 생각한다면, 이는 완전한 기억의 악화를 반영하며, 이 질병의 마지막 단계에 이른 것으로 볼 수 있다.

간호사는 처음에 환자의 단기기억 손상에 대해 쉽게 알아차릴 수 없으며, 환자가 단어를 표현하거나 기억해내는 것을 어려워할 때 단기기억 손상으로 평가할 수 있다. 환자는 종종 이름을 말하기보다는 그 단어의 의미를 설명한다. 예를 들어, 시계는 '시간을 알려주는 것', 홈런은 '공을 담장 너머로 친 것'으로 표현하는 경우가 그 예이다. 이처럼 명칭을 말하기보다 의미를 설명하는 것이 실어증의 일반적 형태인데, 표현형과 수용형의 2가지가 있다. 표현형 실어증(expressive aphasia)은 말을 할 때 단어를 찾는 문제와 같이 자기 자신을 표현하는 데 어려움을 경험하는 것이다. 수용형 실어증(receptive aphagia)은 상대방이 말한 것을 이해하는 데 어려움이 있는 것을 의미한다. 이 2가지의 실어증을 동시에 갖는 경우가 흔하고, 이는 의사소통을 방해하는 요인이 된다.

Clinical example: 알츠하이머병 환자

72세의 김OO 님은 수년 동안 자신의 교회에서 사람들의 이름을 기억하는 데 어려움을 겪어 왔다. 그녀는 '단어를 찾는 데 어려움'을 겪는 표현형 실어증이 있다. 그녀는 성가대라는 표현을 기억해내지 못해 '교회에서 노래하는 사람들'이라고 묘사했다. 그녀는 추상적인 사고능력이 떨어져 농담을 이해하는 데에도 어려움이 있다. 최근에는 그녀가 그 전날에 지갑을 오븐에 넣어뒀다는 걸 생각하지 못하고 오븐을 켜는 바람에 주방에 화재가 발생했다.

주의집중 저하는 처음에는 감지하기 힘들다. 환자는 초기에 텔레비전 프로그램이나 책의 줄거리, 대화를 이해하는 데 어려움을 느낄 수 있다. 질병이 진전됨에 따라 평소 즐기던 활동에 더 이상 흥미를 갖지 않을 수 있다. 정신적 자극의 결핍은 인지능력 저하에 영향을 미친다.

시공간 인식장애는 환자가 가려고 했던 길의 방향을 찾지못해 길을 헤매게 되어 집으로 되돌아오거나, 길을 잃고 경찰서에 보내지기도 한다.

실행증(apraxia)은 치매가 진행될수록 익숙하게 하던 활동방법을 잊어버리게 되어 가전제품의 조작법을 제대로 몰라 고장내거나 사용하지 못한다. 또한 계절에 맞는 옷을 고르지 못해 겨울에 여름 옷을 입고 외출하는 등 일상생활이 어려워진다. 이러한 기억력, 시공간 인식장애, 실행증 등은 인지훈련치료를 통해 특정한 인지기능을 증진시키고 환자 스스로의 문제해결능력을 향상시킴으로써 일상생활능력을 좀더 호전시킬 수 있다.

표 21-4에는 알츠하이머병의 4A's[Agnosia(실인증), Aphasia(실어증), Amnesia(기억상실증), Apraxia(실행증)]가 언급되어 있다.

알츠하이머병과 연관된 일반적인 문제 중 하나는 환경에 대한 잘못된 해석이다. 환자는 종종 사망한 친척들을 보는 환시를 경험한다. 어떤 환자는 사망한 가족을 위해 일상적으로 음식을 준비하기도 한다. 음성이나 소리를 듣는 환청은 전형적으로 환시를 동반하고, 환촉, 환후, 환미도 흔히 경험한다.

망상(delusion)은 일반적으로 나타나며, 이는 현실에 기초하지 않은 잘못된 믿음이다. 알츠하이머병이 있는 환자의 망상은 만성 정신질환(예: 조현병)과 관련된 정신증 환자의 망상과 매우 다르다. 조현병 환자의 망상은 전형적으로 기이하고 무서운 망상이다. 알츠하이머병 환자는 현실을 기초로 한 망상이며 일반적으로 환상적이지 않다. 알츠하이머병 환자의 일반적인 망상은 다음을 포함한다. 간호사는 이런 생각이 사실인지 아닌지 확인할 필요가 있다.

- 사망한 친척이 살아있다고 생각함(가장 일반적임)
- 배우자가 혼외정사 중일 것이라는 병적인 질투

착각(illusion)은 일반적이며 질병의 악화를 의미한다. 이는 실제로 존재하는 어떤 것을 잘못 해석하는 것이다. 거울 속에 있는 사람의 형상이 침입자라고 생각한다거나, 인형에게 아이스크림을 주려고 애쓰는 것은 환자가 자기 모습을 투영하거나 무생물이 아닌 다른 어떤 것을 본다는 것을 의미한다.

때로는 실어증이 신체증상 호소와 혼합된 양상을 나타내기도 하는데, 환자는 질문과 상관없이 "배가 아파요"라고 말할 수 있다. 자주 신체증상을 호소하는 경우, 불필요한 여러 가지 검사를 받게 한다.

우울증(depression)으로 환자가 슬프거나 위축되는 경우 먼저 항우울제 투여를 고려한다. 또한 환자에게 어떤 활동에 참여하도록 강요하지 말고 같이 있어주며 따뜻하고 솔직하며 수용적인 의사소통을 하도록 한다.

무감동(apathy)은 그냥 쉽게 지나칠 수 있는 증상으로 원인을 사정하는 것이 중요하다. 무표정하고 반응이 없더라도 지속적으로 관심을 갖고 환자가 관심을 보이는 활동을 중심으로 적당한 환경적 자극을 제공한다.

불안(anxiety)이나 초조증상이 생기면 먼저 원인을 파악하여 빨리 해결하여 안심시켜주는 것이 중요하다. 가급적 혼자있는 시간을 줄여 근심과 염려를 줄여주며 마음이 편안하도록 지지해주고 보호해주며 안정감을 제공한다.

착오(misidentification; **오인**)의 한 예는 가족이나 친구를 다른 사람의 이름으로 부르는 것이다. 가족은 환자가 자신의 이름을 기억할 수 없을 때 충격을 받는다. 간호사는 착오에 대해 가족에게 교육함으로써 환자가 장난으로 한 행동이라는 잘못된 생각을 하지 않도록 한다.

일몰증후군(sundowning)은 전형적으로 오후 4시 30분 이후에 발생하는 불안정한 초조 행동으로 석양증후군이라고도 한다. 일몰증후군은 치매로 진단받은 환자의 20%에서 나타나는데, 확실한 원인은 아직 밝혀지지 않았다(Sparks, 2011).

자가간호 상실은 환자와 관련된 모든 사람들에게 힘든 부분이다. 시간이 지나면서 환자는 모든 자가간호의 필요성을 잊는다. 변실금과 요실금, 배회는 다루기 힘든 행동이다. 이러한 행동능력과 기능이 저하되면 환자는 24시간 간호가 요구된다. 실금과 배회를 보이는 대상자를 돌보는 가족들을 위해서도 적절한 간호가 필요하다.

표 21-4 알츠하이머병의 4As*와 적응을 위한 행동

Agnosia(실인증)

시각이나 청력장애가 없음에도 사람과 익숙한 사물을 식별하거나 인식할 수 있는 능력이 손상된 상태이다.

- 시각장애에 대해 사정하고 중재한다.
- 환자가 당신을 인지할 것이라고 기대하지 말고, 대신 스스로를 소개한다.
- 거울이나 그림이 고통을 야기한다면 커버를 씌워준다.
- 물체의 이름을 알려주며 사용법에 대해 예시를 보여준다.
- 삼킬 위험이 있는 물건(예: 세면도구, 청결 물품, 단추, 관리되지 않는 약)을 잘 치워둔다.

Aphasia(실어증)

단어를 이해하거나 표현하는 데 있어 언어장애를 보인다. 표현형 실어증은 생각을 단어로 표현하는 능력이 없는 것이며, 수용형 실어증(언어상실증)은 자신이나 상대방의 말을 이해하지 못하는 것을 말한다.

- 청각 상실에 대해 사정하고 중재한다.
- 제스처, 어조, 얼굴 표정을 관찰하고 이를 적절하게 사용한다.
- 단어를 찾는 데 도움을 준다.
- 환자가 표현한 단어와 행동에 대해 당신이 이해한 바를 재진술한다.
- 언어적 · 비언어적으로 표현된 느낌을 이해한다.
- 간단한 단어와 어휘, 즉 간결하고 조직화된 표현을 사용한다.
- 반응할 수 있는 시간을 준다.
- 주의 깊게 듣고 비언어적 칭찬으로 격려한다.
- 그림, 기호, 몸짓을 적절하게 사용한다.

Amnesia(기억상실)

이전에 배웠던 정보를 회상하거나 새로운 정보를 배우는 것이 불가능하다.

- 환자가 당신을 인지할 것이라고 기대하지 말고, 대신 스스로를 소개한다.
- 불필요하게 환자의 기억을 검증하지 않는다.
- 지금 현재에 살도록 도와준다.
- 방향의 단서를 제공해준다.
- 환자가 변화할 수 없을 때 수용해야 함을 늘 기억한다.
- 환자의 손상된 판단력과 사고를 보완해주도록 한다.

Apraxia(실행증)

운동기능이 손상되지 않았음에도 불구하고 운동수행이 불가능하다.

- 약화된 운동기능(motion weakness)과 삼킴의 어려움에 대해 사정하고 적응하도록 돕는다.
- 업무를 단순하게 해준다. 반응시간을 주고 단계적으로 가르쳐준다.
- 세심한 안내와 접근으로 환자가 운동을 시작하도록 돕는다.

(2) 혈관성 신경인지장애

두 번째로 흔한 주요 및 경도 신경인지장애는 혈관성 질환에 의해 유발된다. 혈관성 신경인지장애(vascular neuro-cognitive disorder)는 대뇌피질과 피질 하부의 여러 개의 혈관 병변이 있을 때 진단된다. 즉 뇌경색이나 뇌출혈 등의 질환이 뇌조직의 손상으로 뇌기능 저하를 동반하면서 발생하는 경우이다. 기억상실은 가장 흔히 나타나는 증상이다. 알츠하이머병 환자와 달리, 혈관성 신경인지장애 환자는 말하는 데 어려움 없이 말하기 능력을 유지한다. 혈관성 신경인지장애의 증상은 전형적으로 갑작스럽게 발생하고, 뇌의 국소부위 병변과 관련이 있다(Huether & McCance, 2012). 환자가 특정한 인지 수준에 머무르는 시간은 혈관 변화에 따라 며칠, 몇 달 또는 몇 년이 될 수 있다. 인지 수준의 감소는 계단식으로 악화될 것이다. 극심한 저혈압, 지속적인 고혈압 또는 혈관의 염증과 같은 근본적인 병리적 문제가 질병에 영향을 미치기 때문에, 질병의 경과를 예측하는 것은 불가능하다(National Institute of Neurological Disorders and Stroke, 2013c). 혈관성 신경인지장애의 주요 위험요소는 고혈압, 당뇨병, 뇌졸중 병력, 심장부정맥, 관상동맥질환, 담배, 알코올 또는 물질 남용 등이다.

Clinical example: 혈관성 신경인지장애

76세 홍OO 님은 우울증으로 입원했다. 처음 인터뷰하는 동안 그는 왜 그가 입원했는지 이해하기가 어려웠다. 그는 시간, 일, 월, 또는 연도를 몰랐다. 그러나 그는 일련의 계산을 할 수 있었다. 그는 일주일 전에 주변을 보지 않고 운전하다가 교통사고를 당했다. 그는 고혈압과 당뇨병을 앓고 있었고, 지난 6개월 동안 일시적으로 두 번의 허혈성 발작이 있었다.

치료는 환자의 의학적 문제와 건강관리 문제에 초점을 둔다. 혈관성 신경인지장애에 대한 FDA의 승인을 받은 약물은 아직 없다. 치료는 대부분 위험요소를 최소화하고 뇌손상을 줄이는 데 초점을 둔다(National Institute of Neurological Disorders and Stroke, 2013c).

신체 건강을 향상시키는 것이 혈관성 신경인지장애의 유일한 치료법이기 때문에, 알츠하이머 협회는 전반적인 심혈관 건강을 개선하는 생활습관의 변화를 강조한다. 여기에는 식이습관 개선, 규칙적인 운동, 혈압과 혈당 및 콜레스테롤 수치 조절이 포함된다(Alzheimer's Association, 2013).

? CRITICAL THINKING QUESTION

4. 혈관성 신경인지장애의 위험요소 중 환자 또는 돌봄제공자가 교정해줄 수 있는 것은 무엇인가?

(3) 전두측두엽 신경인지장애

전두측두엽 신경인지장애(frontotemporal lobe dementia)는

뇌의 전두엽과 전 측두엽의 위축에 의한 치매의 일종이다. 위축은 대칭이거나 비대칭일 수 있다. 피크병(Pick's disease)은 전두측두엽 신경인지장애의 아형 중의 하나이다. 이는 두뇌의 피크세포(Pick cells)와 피크체(Pick bodies)를 갖추고 있다. 피크세포는 부어오르고 팽창한 뉴런이다. 이 질환은 50대 또는 60대 초반에 주로 나타난다.

전두측두엽의 기능에는 판단, 의사결정, 충동 조절, 사회적 규범 준수 등이 포함된다. 억제능력의 상실로 인해 대상자는 공개적인 곳에서 옷을 벗거나, 타인에 대한 과도한 방해, 과도한 성욕, 추상화 및 추론 능력과 주체성 부족, 무계획성 등과 관련된 문제를 보일 수 있다. 뇌의 두정엽에는 문제가 없어서 알츠하이머병에서 흔히 볼 수 있는 증상인 기억력, 계산력 및 시공간 능력 등은 일반적으로 초기에 발견되지 않는다. 전두측두엽 신경인지장애 환자는 24시간 간호나 돌봄이 필요하고 진행경과가 빠르기 때문에 예후가 매우 좋지 않다.

Clinical example: 전두측두엽 신경인지장애(피크병)

66세 한OO 님은 보조 요양시설의 현관에서 옷을 벗은 채로 발견되었다. 그녀는 1주일에 세 번이나 옷을 벗는 행동을 보였다. 이 사건이 일어나기 전에 그녀는 아주 겸손했다. 며칠 후, 그녀는 가사도우미에게 저주를 퍼부었다. 그녀의 행동, 비교적 좋은 기억력, 그리고 전두엽과 전측두엽 위축을 밝히는 신경영상검사(neuroimaging)를 통해 피크병이 진단되었다.

(4) 파킨슨병 관련 신경인지장애

파킨슨병은 추체외로에 영향을 미치는 복잡한 신경장애이다. 이 시스템에 영향을 미치는 모든 질병에는 비정상적인 움직임이 연관되어 있다. 파킨슨병은 대개 환자가 50대 또는 60대가 되었을 때 진단되지만, 30대에서도 발병할 수 있다.

파킨슨병 진단을 받은 환자의 10%가 매년 신경인지장애에 걸린다. 신경인지장애가 있는 파킨슨병 환자는 언어능력은 유지되나 기억상실과 함께 시공간 능력 · 주의력 · 실행 기능에서의 문제, 환각과 망상 등이 발생할 수 있다. 환시를 경험한 환자는 신경인지장애 유발 가능성이 더 높다. 일부 연구에서 환시를 경험한 환자의 75%가 치매를 일으켰다고 보고했다(Barone et al., 2011).

Clinical example: 파킨슨병 환자의 환각

72세 조OO 님은 7년간 파킨슨병을 앓았다. 그는 둔마된 감정을 보이며 과도하게 침을 흘리며 걷는다. 작년에는 흡인성 폐렴으로 입원했다. 그의 파킨슨병 증상을 관리하는 약물 레보도파-카비도파(levodopa-carbidopa)의 도파민 성분이 환시를 유발하였으며, 환각을 줄이기 위해 비정형 항정신병 약물을 처방받았다.

파킨슨병(흑질선조체에서의 도파민 결핍)과 도파민 차단 항정신병 약물(중변연계 경로의 과도한 도파민)에 대한 도파민성 약물 처방의 균형은 정신의학 분야에서 가장 어려운 처방일 수 있다. 하나는 도파민을 증가시키는 것이고, 다른 하나는 그 효과를 감소시키는 것이다. 도파민이 너무 높으면 환자가 환각을 일으킬 수 있고, 너무 적으면 강직이 올 수 있다. 강직 증상을 줄이기 위해 도파민 수치를 증가시킬 경우, 환각이 나타날 수 있는데, 이에 당황하지 않아야 한다. 환자들은 일반적으로 환각이 병의 일부임을 알게 되며, 환각을 경험하면서 살아가는 법을 배워나간다.

(5) 루이소체 신경인지장애

루이소체 신경인지장애(dementia with Lewy bodies, DLB)는 인지장애와 추체회로 증상, 두 가지가 모두 나타나는 신경인지장애의 한 형태이다. 원래 진단방법이 발전함에 따라 루이소체는 흑질에서만 발견되었고 파킨슨병과 유일하게 연관이 있다고 생각되었으나, 진단방법이 발전함에 따라 루이소체는 피질에서도 발견되었다.

루이소체 신경인지장애의 일반적인 증상은 우울증, 수면장애, 망상, 환각이다(Huether & McCance, 2012). 루이소체 신경인지장애는 알츠하이머병에 이어 치매유형 중 두 번째로 많으며, 알츠하이머병과 구별하는 것이 어려울 때가 많다. 증상은 정신운동 강직, 운동 지연, 휴식 시의 떨림, 후각장애 및 급속안구운동(REM) 수면장애 등이 있다(Fujishiro et al., 2013).

행동과 기분의 기복이 심한 것은 이 질병의 주요 특징이다. 가족들은 이러한 변화에 대처하기가 어렵다. 어느 날은 의식이 명료하고, 다음 날에는 명료하던 의식이 혼란스러워질 수도 있다. 가족구성원은 때때로 환자가 자신들을 속이고 있다고 생각한다. 또는 환자의 의식이 명료하고 때때로 환각을 일으키지 않을 때도 있기 때문에 환자가 치매에 걸렸다고 생각하지 않을 수 있다. 간호사는 이러한 모든 변화가 질병의 일부라는 것을 가족들이 이해할 수 있도록 도와야 한다.

(6) 크로이츠펠트-야콥병에 의한 신경인지장애

광우병(mad cow disease)으로 알려져 있는 소해면상뇌증(bovine spongiform encephalopathy)이 화제가 되면서 크로이츠펠트-야콥병(Creutzfeldt-Jakob disease, CJD)이 광우병의 인간 형태인 변종임을 많은 사람들이 알게 되었다. 광우병에 감염된 고기 섭취는 CJD의 발병과 관련이 있다.

현미경 검사에서 뇌 세포는 스폰지처럼 보인다. 감염인자는 박테리아 또는 바이러스와 달리 단백질 입자인 프리온(prion)이다. CJD는 적어도 12개의 프리온 관련 질병 중 하나이다. 관련 유전 성분이 있지만, 이에 해당하는 경우는 CJD 환자의 10% 이하이다. 이 유전인자는 타우단백질의 돌연변이이다. CJD를 확인하는 진단검사는 아직 존재하지 않으나, 발병 연령은 60세 전후이다(National Institute of Neurological Disorders and Stroke, 2013a). 혈액과 체액으로 사람들 사이에서 전염될 가능성이 있지만, 환자와의 우연한 접촉으로 전염되지는 않으며, 공기에 의한 감염도 일어나지 않는다.

이 질병으로 인한 신경인지장애는 질병 초기에 예외 없이 발생하며, 인격의 변화, 발작 및 간대성 근경련이 발생할 수도 있다. 시력장애와 실명은 흔히 볼 수 있다. 진행과정이 매우 빠르고, 평균적으로 환자의 90%가 12개월 이내에 사망한다(National Institute of Neurological Disorders and Stroke, 2013a).

Clinical example: 크로이츠펠트-야콥병에 의한 신경인지장애

65세 박OO 님은 남편에게 갑자기 화를 내고 적대감을 표시하여 병원에 오게 되었다. 그녀의 시력은 계속 나빠져 6개월 만에 시력을 완전히 잃었으며, 약물치료로 낫지 않는 경련을 보이기도 하였다. 그녀의 인격의 변화와 시각장애 및 운동장애의 변화를 바탕으로 크로이츠펠트-야콥병이 진단되었다. 그녀는 9개월 후에 사망했고 사후 검사로 진단이 확정되었다.

간호사는 환자가 아직 인지능력을 유지하고 있다면 가족과 환자의 예상되는 슬픔에 집중해야 한다. 또한 가족구성원들이 이 질병의 유전 가능성에 대해 염려하고 불안해하는 것을 이해해야 한다.

(7) HIV 감염으로 인한 신경인지장애

HIV 감염으로 인한 에이즈치매증후군(AIDS dementia complex)은 에이즈(acquired immune deficiency syndrome, AIDS) 환자의 10~20%에서 발생하는데, 적절한 약물치료와 함께 5~10%까지 감소시킬 수 있다. 뇌 영상촬영 결과 대뇌피질 위축이 가장 흔하게 나타난다. 에이즈치매증후군에서 나타나는 일반적인 증상은 기억력 상실, 집중력 감소, 독서력 장애 등이 있다(Theroux et al., 2013). 에이즈와 관련된 치매에 대한 구체적인 치료법은 없다. 에이즈는 모든 연령대에서 발생할 수 있으므로, 젊은 에이즈 환자의 행동 및 인지적 변화는 환자가 치매일 수 있음을 경고하는 신호이다.

Clinical example: HIV 감염으로 인한 신경인지장애

36세의 강OO 님은 의식하지 못한 상태로 8년 동안 에이즈에 감염되었다. 그녀의 가족은 그녀가 10년 전에 강간을 당했었으며, 강간범은 HIV 양성이었던 것으로 나타났다고 말했다. 그녀는 불안해하며, 제대로 먹지 않고 잠도 잘 자지 못한다. 지난 6개월 동안 그녀는 기억하는 것에 어려움을 겪기 시작했다. 이러한 인지장애의 조기 발병으로 그녀는 HIV 검사를 받았으며 그 결과 양성으로 나타났다. 그녀는 에이즈치매증후군 진단을 받은 지 10개월 만에 사망했다.

(8) 알코올중독 관련 신경인지장애

수년에 걸친 과도한 알코올 섭취는 신경인지장애로 이어질 수 있는데, 신경인지장애 발병 전에 2가지 신경학적 이상이 나타난다. 첫 번째는 베르니케 증후군, 두 번째는 코르사코프 증후군이며, 둘 다 티아민(thiamine) 결핍에서 기인한다. 알코올 중독 환자는 대개 좋지 않은 식생활 습관을 가지고 있으며, 알코올 자체가 위장에 흡수장애 문제를 일으킨다. 베르니케 증후군(Wernicke's encephalopathy)의 전형적인 3가지 증상은 혼란, 운동실조, 안구진탕증이다. 따라서 티아민 치료가 중요하며, 환자가 흡수장애가 있으므로 가장 효과적인 투여 경로는 근육 또는 정맥 내 투여이다.

코르사코프 증후군(Korsakoff 's syndrome)은 코르사코프 정신증으로도 알려져 있으며, 만성 신경학적 문제이다. 코르사코프 증후군의 주요증상은 전향성 기억상실이다. 질병이 발병된 후로 아무 것도 기억할 수 없고 환자는 계속해서 의견을 말하고 질문에 대답하지만, 기억이 안 나면 무의식적으로 말을 만들어 내는데, 이는 기억결손을 메우려는 시도로 작화증(confabulation)이라고 한다. 기억상실 외에도 환자는 피로, 허약함, 무관심, 불면증, 집중력장애를 경험할 수 있다(Guerrini & Mundt-Leach, 2013).

Clinical example: 알코올중독 관련 신경인지장애

75세 신OO 님은 가슴통증 때문에 종합병원에 입원했다. 그는 3일 후 심각한 정신이상을 보여 정신의학과로 이송되었다. 그는 조리 있게 말하지 못하고 환시 증상으로 무언가를 보는 듯한 행동을 보였다. 그의 아내는 그가 매일 저녁에 술을 마셨다고 말했다. 금단 3일 후 그는 알코올 금단과 관련된 섬망을 경험하고 알코올 금단 프로토콜을 적용받아 치료받았다. 그러나 2년 후 단기기억상실로 병원에 재입원하였다. 그는 입원 전에 어디에 있었는지 물었을 때 제주도에 있었다고 말했으나, 부인은 그가 제주도에 가지 않았다고 하였다. 그는 코르사코프 증후군으로 작화증을 보이고 있었다. 그가 계속해서 술을 마시면 알코올성 신경인지장애에 걸릴 가능성이 높다.

이들에게는 알코올의 섭취를 금지하고 티아민 대체요법이 시급히 시행되어야 한다. 환자가 계속해서 술을 마시면 치매가 발생할 수 있으나 알코올 섭취를 중지하면 인지기능 향상이 가능하다. 코르사코프 증후군으로 이어질 수 있는 장기간의 알코올 사용은 환자뿐만 아니라 사회적 비용도 증가시킨다(Guerrini & Mundt-Leach, 2013).

환자의 인지능력이 심하게 손상되면 새로운 정보를 처리할 수 없게 된다. 환자는 익명의 알코올중독자 모임 AA(Ancoholics Anonymous) 등의 자조모임에 참여함으로써 알코올 중독으로부터 벗어나도록 도움을 받을 수 있다.

(9) 헌팅턴병 관련 신경인지장애

헌팅턴병(Huntington's disease)은 부모의 상염색체 우성 유전자를 통해 자녀에게 유전되는 치명적인 질병이다. 상염색체 우성 유전자 하나만 존재해도 질병을 일으킬 수 있다. 환자는 자녀가 태어나기 전에는 자신이 헌팅턴병에 걸렸음을 알지 못할 수도 있다. 헌팅턴병 환자의 자손은 4번 염색체로 알려진 쌍을 이루는 염색체 중 하나가 유전될 확률이 50%이다(National Institute of Neurological Disorders and Stroke, 2013b). 헌팅턴병은 감염된 4번 염색체를 가지고 있는 경우에만 세대를 통해 유전된다. 이 질병은 환자가 30대 또는 40대가 될 때까지 진단되지 않는다.

대개 첫 증상으로 성격 변화가 나타난다. 급격한 기분 변화를 보이거나 음주를 시작할 수 있다. 보통 운동장애는 성격이 바뀐 후에 발생한다. 무도병으로 알려진 이러한 움직임은 안면경련 또는 무의식적인 사지 움직임과 모든 사지의 근육간대경련으로 진행된다. 이러한 비자발적 운동은 걷기와 균형을 어렵게 할 수 있는 조정력 결핍을 야기한다(National Institute of Neurological Disorders and Stroke, 2013b). 치매는 무도병 운동이 시작되기 전후에 발생할 수 있다. 단기기억이 먼저 영향을 받고 장기기억 상실이 뒤따른다.

질병이 진행됨에 따라 환자는 지속적인 운동으로 소비된 모든 에너지를 보충하기 위해 더 많은 칼로리가 필요할 수 있다. 아직까지 헌팅턴병에는 효과적인 치료법이 없다. 약물은 단지 증상만을 해결할 뿐이다.

CRITICAL THINKING QUESTION

5. 헌팅턴병 환자에게 유전 상담이 필수적인 이유는 무엇 때문인가?
6. 환자가 가지고 있는 신경인지장애의 유형을 아는 것이 중요한가?

4. 간호과정

1) 사정

(1) 과거력

환자의 인지기능의 저하로 과거력은 가족구성원들로부터 정보를 수집하게 되며, 주로 환자의 최근 및 장기 기억과 같은 인지변화와 성격변화, 파국적 정서반응, 주의집중력, 기분상태의 변화, 사고 및 행동의 변화, 지남력, 사회적 행동 등이 해당된다.

(2) 인지기능검사

대표적인 인지검사도구로는 Folstein이 개발한 간이정신건강상태(Mini Mental Status Examination)가 가장 많이 사용되고 있다. 약 5분-10분 간 소요되며 인지 손상에 대한 자료수집 채점 및 해석이 표준화되어 있다.

국내에서는 2011년 국가치매검진사업용으로 MMSE-DS(mini-mental state examination-dementia screening, MMSE-DS) 도구가 연구개발 되어 사용되고 있다. 검사내용은 시간 및 장소에 대한 지남력, 기억력, 주의집중 및 계산(뺄셈), 이름대기, 따라 말하기(발음의 정확성), 명령수행, 오각형그리기, 이해 판단력(세탁의 이유), 속담풀이 등 총 19문항으로 구성되어 있다.

2) 간호진단 및 목표

- 간호진단: 자가간호 결여
- 관련요인: 우울, 불안, 초조, 망상, 환각

기대되는 결과	간호중재	이론적 근거
• 단기목표: 환자는 2주 이내로 자기 돌봄행동을 말로 표현한다. • 장기목표: 환자는 자기돌봄능력향상으로 일상생활을 수행한다.	• 매일의 일과를 규칙적이고 세밀하게 구성하여 대상자가 혼동 없이 일상생활 속에서 자기돌봄을 최대화 할 수 있도록 한다. • 단순하고 안전한 환경을 조성한다. • 어려운 활동을 피하고 단순한 활동을 선택하도록 한다. • 대상자의 작은 변화에도 칭찬하여 대상자가 자존심을 유지할 수 있도록 돕는다.	• 망상이나 환각 등으로 외부환경자극을 오인할 수 있으므로 최대한 단순하고 안전한 환경을 제공하여 혼동을 최소화한다. • 우울, 불안, 초조 등으로 위축된 환자에게 긍정적 강화를 제공함으로써 자존감을 향상시킨다.

- 사정자료: 식사, 몸단장, 위생, 배설 등을 스스로 수행하기 어려움

5. 치료 및 간호중재

1) 간호사-환자 관계

주요 및 경도 신경인지장애 환자 간호에는 많은 어려움이 있다. 간호사는 환자 개개인의 고유한 특성을 알고 있어야 하며, 무엇보다도 가장 중요한 점은 환자의 기능을 최대 수준으로 촉진시키고 인내심을 갖는 것이다.

CRITICAL THINKING QUESTION

7. 주요 및 경도 신경인지장애 환자를 돌보는 사람은 스트레스를 줄이기 위해 무엇을 할 수 있는가?

(1) 환자와의 의사소통

신경인지장애에서 간호사-환자 관계 내의 의사소통은 매우 중요하다. 간호사는 인지기능이 손상된 환자는 지금, 현재의 순간의 일상이 가장 중요함을 알고 있어야 한다. 환자들은 기억상실로 과거를 회상할 수 없고 미래에 대해 계획할 수도 없다. 하지만 그들은 지금 현재에 존재한다. 간호사는 웃으면서 친절하고 따뜻한 시선을 보내야 한다.

- 언어적 의사소통은 명확하고 구체적으로, 그리고 단순하게 천천히 이야기한다.
- 목소리 크기는 환자가 알아들을 수 있게 보통 정도로 한다. 청력 손실을 고려하여 너무 큰 소리로 말할 경우, 환자는 간호사가 화가 나 있다고 생각한다.
- 상호작용이 제대로 이루어지지 않을 경우 잠시 멈췄다가 몇 분 후에 다시 시작한다.
- 효과적인 의사소통은 비언어적인 행동으로 시작되므로 친절한 목소리로 눈을 마주친다.
- 긍정적이고 즐거운 주제로 이야기하며, 감정이입을 통하여 따뜻하고 사려 깊은 관계를 유지한다.
- 환자의 추상적 사고력 상실로 인해 언어의 미묘함을 이해하는 것이 거의 불가능하기 때문에 풍자나 농담, 은유를 사용하지 않는다.
- 환자는 논쟁이나 토론 등을 이해하거나 진행하는 것이 어렵고, 특히 직원들이 논쟁하는 상황을 보게 되면 두려움을 느끼고 혼란스러울 수 있다.
- 복잡한 문장이 아닌 짧은 문장을 사용한다.
- 질문은 '예', '아니오'로 답할 수 있게 해야 하며, 한 번에 한 가지씩 천천히 지시한다.
- 환자를 위해 대신 문장을 완성해주지 말고 환자에게 생각할 여유를 주고 끝낼 수 있는 충분한 시간을 주어야 한다.
- 시각장애나 청각장애가 있는 경우 환자의 앞쪽에서 접근한다.
- 여러 대화가 진행될 때 환자는 한 대화에 집중하려고 노력하기 때문에, 동시에 많은 대화가 진행되면 혼란스러울 수 있음을 알아야 한다.

(2) 일상생활의 활동

인지장애가 있는 환자의 하루 일정은 치료 계획에서 매우 중요하다.

- 환자가 예측 가능한 일을 할 때 적응력이 향상되기 때문에 하루 일정을 구체적이고 세밀하게 제공하고 매일 일과를 반복적으로 진행한다.
- 환자 중심의 활동에 중점을 둔다.
- 여러 활동은 환자를 혼란스럽게 하기 때문에 단순한 활동을 제공한다. 예를 들어, 환자가 퍼즐을 조립하는

동안 텔레비전은 끈다.

- 한 번에 한 가지 주제에 접근하여 집단 경험을 제공한다. 자극이 과도하면 불안이 증가하고 초조(agitation)로 이어질 수 있다.

(3) 식사와 영양

신경인지장애를 가진 많은 환자들은 음식 섭취를 거부하고 때로는 먹을 수 없다. 영양 요구를 충족시키기 위한 인내와 전략 개발이 중요하다. 간호사는 다음 사항을 고려해야 한다.

- 환자의 식사를 개별 조정하여 환자가 제대로 먹는지 확인한다.
- 하루에 여러 번 적은 양의 식사를 제공한다. 하나의 그릇에 여러 종류의 음식을 담으면 환자가 혼란스러워한다.
- 한 곳에 머물지 않고 돌아다니는 환자에게는 들고 다니면서 먹을 수 있는 음식이 효과적이다.
- 환자가 좋아하는 음식에 대해 3알아보고 식사 메뉴로 제공한다.
- 정기적인 식사에서 영양 섭취가 부족할 때 유동성 영양 보조식품으로 보완한다.
- 삼키는 데 어려움이 있는 경우 구강외과 전문의의 진료가 필요하다. 의사는 환자가 먹는 음료의 농도를 변경할지 또는 환자가 동일한 질감을 가진 음식을 필요로 하는지 결정할 수 있다.

(4) 배변에 대한 간호

- 환자의 배변에 영향을 줄 수 있는 질병이 있는지 확인한다.
- 환자가 편안함을 느낄 수 있도록 돕는다.
- 개인위생 및 배변과 관련된 요구에 세심한 주의를 기울인다.
- 2~4시간마다 환자를 화장실로 데려가 배변을 유도함으로써 실금을 예방한다. 실금은 욕창을 유발하는 요인이 될 수 있다.

(5) 배회행동에 대한 간호

배회(wandering)는 가족이 장기요양보호시설로 환자를 보내는 두 번째 주요 원인이다. 한편, 배회는 일종의 보행운동으로도 볼 수 있다. 환자에게 해가 되지 않는 배회를 허락하고 안전한 환경에서 배회할 수 있도록 한다(Halek & Bartholomeyczik, 2012). 시각적인 표지판을 제공하여 불안감을 감소시키고, 화장실, 부엌 등에 글자나 그림을 붙여 위치를 잘 알 수 있도록 한다. 환자가 밖에 나가 길을 잃을 경우에 대비하여 목걸이와 팔찌 등에 환자의 이름과 주소, 연락처 등을 기록하여 착용시켜 준다.

미국에서는 많은 기관들이 알츠하이머 협회의 'Safe Return' 프로그램과 제휴했다. 환자들은 식별 가능하고 기타 개인정보를 제공하는 'Safe Return' 완장을 착용한다. 일부 가정에서는 MedicAlert의 비상사태 정보가 담긴 팔찌, 목걸이 또는 시계를 사용할 수 있다. 아동 및 청소년 휴대전화에 사용되는 GPS(global positioning system) 모니터링 서비스를 치매 환자에게 사용할 수 있다. 예를 들어, 환자가 특정 지역에서 일정 거리 이상 멀어질 때 알림을 받을 수 있다. 미국의 뉴저지 주에서는 알츠하이머병 환자에게 무료로 이러한 손목밴드를 제공하는 프로그램을 운영하고 있다.

플래시 드라이브(flash drive)는 USB(universal serial bus) 연결을 통하여 환자의 이름, 주소, 전화번호, 알레르기, 약물 목록, 의사의 이름과 전화번호, 보험정보 및 기타 개인정보를 쉽게 저장할 수 있다. 플래시 드라이브는 USB 포트가 있는 모든 컴퓨터에 연결할 수 있기 때문에 병원과 경찰에 즉시 정보를 제공할 수 있다. 국내에서도 국민건강보험공단에서 치매 환자 보호를 위한 사회안전망 서비스로 '배회 감지기'를 장기요양 등급을 받은 대상자에게 무상 대여하고 있다.

(6) 가족과 지역사회 중재

많은 치매 환자가 지역사회에서 가족과 함께 생활한다. 치매는 장기적인 돌봄을 필요로 하는 질병으로 환자 개인뿐 아니라 가족이 모두 함께 대처해야 하는 가족 공동의 질병이다. 가족의 부담감은 치매 환자를 주로 돌보는 가족의 안녕에 영향을 미치고, 지속적이고 과도한 부담감은 환자를 돌보는 가족의 우울, 노인 학대, 유기 또는 죽음까지 이르게 한다.

우리나라는 급속한 고령화로 치매 환자 수가 급증하여 이로 인한 사회경제적 비용이 증가하고 있다. 이에 따라 국가에서는 2008년에 노인장기요양 보험제도를 마련하고, 2011년에는 치매관리법을 제정하여 치매 환자와 가족에게 보다 질 좋은 치료와 보호 서비스를 제공하고자 중앙 및 광역 치매센터, 보건소의 치매안심센터를 중심으로 치매 국가책임제를 시행하고 있다. 치매 환자와 가족을 지원하기 위한 정보는 치매상담콜센터, 치매종합포털 앱 '치매체크', 중앙치매센터 홈페이지에 있는 '나에게 힘이 되는 치매가이드북'과 치매 환자 가족을 위한 온라인 자기심리검사 '마음검사수첩' 등을 통해 얻을 수 있다.

치매 환자 가족은 환자를 위한 24시간 관리체계, 재가방문서비스, 주간보호센터 등의 기관에 관한 정보를 알고 적절하게 이용할 수 있어야 한다. 따라서 가족지원서비스로 치매에 대한 정보, 치매 환자의 가족들이 이용할 수 있는 지역사회 자원에 대한 정보, 치매 증상에 효과적인 대처방법 등의 지원서비스와 지역사회 치매 관련 기관의 이용안내, 그리고 홈페이지에서 제공하는 온라인 서비스 등을 통해 지원받을 수 있도록 안내해주는 것이 필요하다.

(7) 활동요법

신경인지장애 중 치매(주요 및 경도 신경인지장애) 예방 및 치료를 위한 비약물치료로 인지요법, 회상치료, 미술치료, 음악요법, 웃음치료 등의 다양한 활동요법이 시행된다.

(8) 이상행동에 따른 간호진단

이상행동	간호진단
배회, 낙상, 혼돈, 환각, 기억장애	손상의 위험성
망상, 의심, 편집증, 지남력 상실	사고과정 장애
공격성, 폭력성	폭력의 위험성
환각, 착각	감각지각장애
일상생활능력 상실	자가간호결여
우울, 무감동	낮은 자존감, 사회적 고립

2) 약물치료

노인성 신경인지장애 환자는 종종 다른 만성적인 질병이 같이 진행되기 때문에 여러 가지 약물을 수시로 처방받게 된다. 간호사의 역할은 처방된 약물이 환자에게 해롭지 않도록 도와주며 약물 순응도를 모니터링하는 것이다. 노인정신의학에서 사용되는 대부분의 약물에는 신경인지장애 환자를 위한 FDA 승인이 없는 약이 많으므로 간호사는 약물 영향 평가에 특히 주의해야 한다. 그러나 알츠하이머병에 대한 약물치료는 예외이다. 이 약들은 FDA 승인을 받았고 사용이 가능하다.

신경인지장애 환자에게 다른 향정신성 약물을 처방한 경우, 이를 'off-label'이라고 한다. 이는 처방자가 FDA 승인을 받은 적응증 이외의 증상이나 질병에 대해 약물을 사용하고 있음을 의미한다. 'off-label' 약물은 알츠하이머를 비롯하여 다른 치매와 관련된 행동문제, 정신질환, 우울, 불안 등을 해결하기 위해 자주 사용된다.

(1) 알츠하이머병 치료제

알츠하이머병에 대해 FDA의 승인을 받은 의약품은 5종류뿐이며 다른 치매에 대해서는 승인된 약물은 없다. 아세틸콜린 결핍증은 알츠하이머병과 관련되어 있어, 20년 전부터 아세틸콜린을 증가시키는 약물이 출시되어 알츠하이머병 치료에 사용되어 왔다.

① 타크린

타크린(tacrine)은 알츠하이머에 최초로 사용된 약물로 아세틸콜린 분해를 막는 콜린에스테라아제(cholinesterase) 또는 아세틸콜린에스테라아제(acetylcholinesterase, AChE) 억제제라고 불리는 약물로 콜린성 신경세포의 기능을 극대화시켜 증상을 감소시킨다.

② 도네페질, 갈란타민, 리바스티그민

도네페질(donepezil), 갈란타민(galantamine), 리바스티그민(rivastigmine)은 아세틸콜린 분해효소 억제제로, 경증 및 중등도 알츠하이머병 및 혈관성 신경인지장애 환자에게 사용된다. 흔한 부작용은 위장계 증상과 환각, 흥분, 실신, 어지러움 등이다.

③ 메만틴

메만틴(memantine)은 중등도에서 중증에 이르는 알츠하이머병에 대한 치료제로서, 유일하게 콜린에스테라아제 억제제가 아닌 약물이다. 메만틴은 *N*-메틸-D-아스파르테이트 수용체(*N*-methyl-D-aspartate receptor)에서 글루타민산염(glutamate)에 의한 비정상적인 신호 전달을 차단함으로써 작용한다. 글루타민산염은 뇌에서 가장 풍부한 흥분성 신경전달물질이며, 학습과 기억에 관여한다. 그러나 이러한 경로를 과도하게 자극하면 세포 사멸(신경 흥분 독성)이 발생할 수 있다. 콜린에스테라아제 억제제를 사용할 경우 질병이 계속해서 진행되는 반면, 메만틴은 신경퇴행의 발병을 늦추는 것으로 생각된다. 메만틴은 단독으로 사용하거나 콜린에스테라아제 억제제와 함께 사용할 수 있다.

표 21-5 치매치료제

치료제(상품명)	일일 권장 복용량	작용기전
Donepezil(Aricept)	5~10mg(잠들기 전)	콜린에스테라아제 억제제
Rivastigmine(Exelon)	6~12mg(2회로 나눠서)	콜린에스테라아제 억제제
Galantamine(Razadyne)	8~16mg(1일 2회)	콜린에스테라아제 억제제
Memantine(Namenda)	20mg(2회로 나눠서)	NMDA 길항제

NMDA, N-methyl-d-aspartate.

CRITICAL THINKING QUESTION

8. 콜린에스테라아제 억제제(예: 도네페질, 리바스티그민 또는 갈란타민)를 복용하는 환자가 6개월 동안 동일한 상태를 유지될 수 있음을 어떻게 설명할 수 있는가?
9. 환자는 평생 동안 콜린에스테라아제 억제제를 사용해야 하는 것인가?

3) 치료적 환경관리

치료적 환경관리는 환자를 편안하게 만드는 데 많은 도움이 된다. 집이나 특수 치료시설에서 실내 온도와 조명은 환자의 선호도에 따라야 하며 가족이나 직원의 선호도에 맞춰서는 안 된다. 간호사는 환자를 불쾌하게 하거나 두려움을 유발하는 유해한 소음을 줄이기 위해 노력해야 한다. 전문 치료시설에 있는 환자의 경우 가능한 한 같은 방을 사용하는 환자와 성격 등에서 비슷한 사람을 배치하는 것이 중요하다.

(1) 기억 보조 장치

기억보조 장치의 혜택을 얻으려면 인지장애가 없어야 한다. 많은 환자들이 각 날짜별로 숫자와 칸이 크게 기재된 달력을 보고 약속을 확인한다. 메모는 좋은 알림이지만 환자가 이를 알아볼 수 있어야 한다. 전자제품과 같은 새로운 기기를 작동하는 방법에 대해 환자에게 교육할 때는 큰 글씨로 작성해야 한다.

환자의 아들이 어머니의 알약을 디지털 사진으로 찍어 시간대에 따라 배치한다면, 환자가 약의 사진을 보고 하루, 한 주 또는 한 달 동안의 약물을 분류하는 데 도움이 될 것이다. 일부 약 상자에는 환자에게 약물복용 시기를 상기시키기 위해 경보음이 울리는 기능이 있다. 때로 환자가 필요로 하는 약을 복용하기 위한 전화 알림도 사용할 수 있다.

환자는 어떤 약을 먹을지 모를 수도 있고 한꺼번에 모든 약을 먹을 수도 있으며 한 의사가 처방한 로라제팜(lorazepam)과 다른 의사가 처방한 아티반(Ativan)을 중복 복용할 수도 있다. 환자 스스로 약물을 복용할 수 없다고 판단되면, 간호사는 환자에게 복용할 약물과 복용시기를 잘 교육하고 간호하는 것이 필요하다.

CASE STUDY

제2형 당뇨병을 앓고 있는 81세의 여성인 남OO 님은 은퇴한 고등학교 교사로 남편과 5년 전 사별하였으며 노인정신병동에 입원하기 전에 혼자 살고 있었다. 환자는 집을 나가 자신이 살던 아파트로 돌아가는 것을 기억하지 못하고 거리를 배회하다가 경찰서로 가게 되었다.
보호자인 아들이 와서 환자의 아파트를 함께 방문했을 때, 주방과 거실에 먹다 남은 음식 접시와 당뇨병 용품 및 처방전이 담긴 비닐봉지, 더러운 옷들이 널브러져 있었다. 환자는 자신이 언제 목욕했는지 기억조차 하지 못했다. 그녀는 자신이 아무런 문제가 없다고 생각했지만 인지상태 변화에 대해 평가받기로 동의하여 정신과에 입원했다. 검사결과 환자의 뇌 자기공명영상검사에서 위축이 나타났고 뇌에 대한 단일광자방출 단층촬영 검사 결과 전두엽에서 낮은 관류를 보였다. 신경심리검사에서는 단기기억장애가 있는 것으로 나타났고, 입원 시 환자는 간이정신상태검사에서 30점 중 23점을 보였다. 이러한 검사 결과 알츠하이머병으로 진단되어 콜린에스테라아제 억제제를 복용하기 시작하였다. 의사는 환자에게 알츠하이머병이 있다고 말하자 "기억력에 문제가 있는 것을 인정하지만 알츠하이머병은 없다"라고 자신의 질병을 인정하지 않았다. 그러나 환자는 퇴원 후 요양시설에서 비교적 생활을 잘하고 다양한 활동에 참여하는 것을 좋아했다. 환자는 콜린에스테라아제 억제제 처방에 긍정적인 효과를 보였다.

간호과정

이름: 남OO **입원일:** ______________
DSM-5 진단: 알츠하이머병-배회하는 환자

사정	**강점:** 환자는 사정에 기꺼이 참여함, 은퇴 공동체의 동료 거주자 및 직원들과 좋은 관계를 유지하며 강한 신앙심을 갖고 있음 **간호문제:** 단기기억 상실, 혼란, 판단력 부족, 방황
진단	1. 급성 혼돈: 길을 잃어버림 2. 기억상실: 2형 당뇨병으로 진단받은 것을 잊어버림 3. 사회적 고립: 아들과의 관계는 좋지만, 멀리 떨어져 살고 있음 4. 소홀한 개인 위생 및 아파트 오물처리 미흡 5. 배회행동
간호목표	**단기 목표**
날짜: _______	환자는 포괄적인 노인 정신의학적 평가를 받게 될 것이다.
날짜: _______	환자는 2형 당뇨병과 관련하여 의학적으로 안정될 것이다.
날짜: _______	환자는 그룹활동에 참여할 것이다.
날짜: _______	환자와 아들은 여러 전문분야의 치료팀을 만나 진단 및 환자의 퇴원 계획을 논의할 것이다.
	장기 목표
날짜: _______	환자는 안전하고 신체적 및 정서적 부상이 없을 것이다.
날짜: _______	환자는 적절한 치료 수준으로 퇴원할 것이다.
날짜: _______	환자가 지금은 도움이 필요하더라도 가능한 한 오랫동안 독립성을 유지할 것이다.
날짜: _______	환자는 그녀가 새로운 거주지에서 참여할 수 있는 다양한 사회활동을 소개받을 것이다.
날짜: _______	환자는 퇴원 전에 내과와 정신건강의학과의 추후 진료를 예약할 것이다.
날짜: _______	환자는 자신의 존엄성을 보존하고 자기 존중감을 높일 것이다.
계획 및 중재	**간호사-환자 관계** • 간호사와 다학제 분야 치료팀의 평가와 치료과정을 설명한다. • 환자가 자신을 모니터링하지 않을지라도 최근에 발병한 당뇨병에 대해 환자에게 교육한다. • 입원과 관련하여 환자를 교육하고 지원한다. 특히 다른 사람들이 자신을 '미쳤다(자신의 표현)'라고 생각할 것이라는 환자의 우려에 대해 교육하고 지지한다. **약물치료:** 환자와 아들에게 콜린에스테라아제 억제제와 복용 중인 특정 약물에 대한 교육, 제2형 당뇨병 치료를 위한 경구 혈당강하제에 대한 교육, 약물의 부작용을 모니터링함 **치료적 환경관리:** 목욕, 위생, 정리정돈과 관련된 일상생활 활동을 평가하고 간호를 제공함. 새로운 지인을 사귈 수 있는 기회를 갖게 될 시설로 퇴원하기 위해 환자와 유사한 인지 및 기능수준을 가진 환자들과의 상호작용을 촉진함
평가	• 환자는 단기 및 장기 목표를 달성한다. • 환자는 퇴직 커뮤니티의 보조시설로 이동할 준비가 되어 있다. • 환자의 아들은 3개월마다 그의 어머니를 방문하고 적어도 일주일에 한 번 그녀에게 전화하기로 동의한다. • 건강보험 관련 규정을 준수하기 위해 환자는 자신의 아들이 걱정할 필요가 없는 보조생활시설(assisted-living facility) 관리자에게 전화할 수 있도록 정보 공개에 서명한다.
의뢰	환자는 자신이 살던 아파트에서 은퇴 공동체의 보조 생활시설로 이사하도록 의뢰되었다.

STUDY NOTES

1. 정상적인 노화 과정에는 신경인지장애의 발생이 포함되지 않는다.
2. 섬망과 치매는 공통점이 있다. 그러나 치매와는 달리 섬망은 생명을 위협할 수 있으며 섬망은 즉시 치료해야 한다.
3. 대부분의 주요 및 경도 신경인지장애 유형은 시간 경과에 따른 점진적 인지기능 저하를 특징으로 한다. 잠재적으로 가역적인 유형은 몇 가지뿐이다. 정상 혈압 수두증, 비타민 B_{12} 결핍 및 알코올관련 신경인지장애는 초기단계에서 치료될 수 있다. 알츠하이머병, 루이소체 및 혈관성 신경인지장애는 만성적으로 악화되는 특징이 있다.
4. 알츠하이머병은 새로운 질병이 아니다. 독일의 신경학자 알츠하이머(Alzheimer)는 1907년에 처음으로 이 증상을 보이는 환자를 기술했다. 신경학자이자 현대의 알츠하이머 박사인 프레드릭 루이(Frederic Lewy)는 처음 루이소체를 묘사했다.
5. 알츠하이머병에 대한 완벽한 예측 인자는 아니지만 경도 신경인지장애가 있는 사람은 인지기능 장애가 없는 사람보다 알츠하이머병이 발생할 확률이 높다.
6. 혈관성 신경인지장애는 경증의 뇌졸중으로 인해 발병한다. 진행은 다른 혈관질환 발생과 관련되어 있기 때문에 예측할 수 없다. 위험인자로는 고혈압, 당뇨병, 흡연, 비만 등이 있다.
7. 파킨슨병 환자는 치매나 우울증을 앓을 수도 있다.
8. 간호는 환자 중심적이어야 한다. 환자의 존엄성을 보존하고 안전을 유지해야 한다. 간호사는 가능한 한 환자에게 스스로 할 수 있도록 촉진한다.
9. 유전학은 일부 유형의 치매(예를 들어, 헌팅턴병은 상염색체 우성형 유전질환)와 관련이 있으며 이러한 사실은 알츠하이머병과 관련된 여러 염색체로부터 확인되었다.
10. 치매 환자의 돌봄제공자의 부담은 신체질환(예: 당뇨병, 고혈압)뿐만 아니라 정신의학적 장애(예: 우울증, 불안)를 유발하거나 악화시킬 위험이 있다.

참고문헌 REFERENCES

Albert, M. S., et al. (2011). The diagnosis of mild cognitive impairment due to Alzheimer's disease: Recommendations from the National Institute on Aging–Alzheimer's Association workgroups on diagnostic guidelines for Alzheimer's disease. Alzheimer's & Dementia, 7, 270.

Alzheimer's Association. (2013). 2013 Alzheimer's disease facts and figures. http://www.alz.org/alzheimers_disease_facts_and_figures.asp, Accessed 17.02.14.

American Psychiatric Association. (2013). Diagnostic and statistical manual of mental disorders (5th ed.). Arlington, Virginia: APA.

Barone, P., et al. (2011). Cognitive impairment in nondemented Parkinson's disease. Movement Disorders, 26, 2483.

Barron, A. B., & Pike, C. J. (2012). Sex hormones, aging, and Alzheimer's disease. Frontiers in Bioscience (Elite edition), 4, 976.

Bellenir, K. (Ed.), (2008). Alzheimer disease sourcebook (4th ed.). Detroit: Omnigraphics.

Biddle, W., & van Sickel, M. (1948). Introduction to psychiatry (2nd ed.). Philadelphia: Saunders.

Borda, C. (2006). Alzheimer's disease and memory drugs. New York: Chelsea House Publishers.

Caselli, R. J., & Reiman, E. M. (2013). Characterizing the preclinical stages of Alzheimer's disease and the prospect of presymptomatic intervention. Journal of Alzheimer's Disease, 33(Suppl. 1), S405.

Casey, G. (2012). Alzheimer's and other dementias. Kai Tiaki Nursing New Zealand, 18, 20.

Fortinash, K. M. & Holoday–Worret, P.A. (2000). Psychiatric Mental Health Nursing 2nd ed, Mosby.

Folstein, M., Folstein, S., & McHugh, P. (1975). "Mini–mental state." A practical method for grading the cognitive status of patients for the clinician. Journal of Psychiatric Research, 12, 189.

Fong, T. G., et al. (2009). Delirium accelerates cognitive decline in Alzheimer disease. Neurology, 72, 1570.

Fujishiro, H., et al. (2013). Dementia with Lewy bodies: Early diagnostic challenges. Psychogeriatrics, 13, 128.

Guerrini, I., & Mundt–Leach, R. (2013). Preventing long–term brain damage in alcohol–dependent patients. Nursing Standard, 27, 43.

Halek, M., & Bartholomeyczik, S. (2012). Description of the behaviour of wandering in people with dementia living in nursing homes—A review of the literature. Scandinavian Journal of Caring Sciences, 26, 404.

Halter, M. J. (2013). Varcarolis' Foundations of Psychiatric Mental Health Nursing 7th ed, Saunders.

Henderson, V. (2006). Estrogen–containing hormone therapy and Alzheimer's disease risk: Understanding discrepant inferences from observational and experimental research. Neuroscience, 138, 1031.

Huether, S. E., & McCance, K. L. (2012). Understanding pathophysiology (5th ed.). St. Louis: Mosby.

Huntington Outreach Project for Education at Stanford. (2011). The basics of Huntington's disease. https://www.stanford.edu/group/hopes/cgi–bin/

wordpress/2011/06/the-basics-ofhuntingtons-disease-text-and-audio/, Accessed 17.02.14.

Kessler, R. C., et al. (2012). Twelve-month and lifetime prevalence and lifetime morbid risk of anxiety and mood disorders in the United States. International Journal of Methods of Psychiatric Research, 21, 169.

Kiefer, M., & Unterberg, A. (2012). The differential diagnosis and treatment of normal-pressure hydrocephalus. Deutsches Ärzteblatt International, 109, 15.

Lu, P., et al. (2009). Donepezil delays progression to AD in MCI subjects with depressive symptoms. Neurology, 72, 2115.

Lyseng-Williamson, K. A., & McKeage, K. (2013). Once-daily memantine. Drugs & Aging, 30, 51.

Maki, P. M., & Henderson, V. W. (2012). Hormone therapy, dementia, and cognition: The Women's Health Initiative 10 years on. Climacteric, 15, 256.

National Institute of Neurological Disorders and Stroke. (2013a). Creutzfeldt-Jakob disease information page. http://www.ninds.nih.gov/disorders/cjd/cjd.htm, Accessed 17.02.14.

National Institute of Neurological Disorders and Stroke. (2013b). Huntington's disease: Hope through research. http://www.ninds.nih.gov/disorders/huntington/detail_huntington.htm#160593137, Accessed 17.02.14.

National Institute of Neurological Disorders and Stroke. (2013c). Dementia: Hope through research. http://www.ninds.nih.gov/disorders/dementias/detail_dementia.htm#2531319213.

National Institute on Aging. (2011). Alzheimer's disease: Unraveling the mystery. Bethesda, MD: National Institutes of Health, U.S. Department of Health and Human Services.

National Institute on Aging. (2012). Alzheimer's disease genetics: Fact sheet. Bethesda, MD: National Institutes of Health, U.S. Department of Health and Human Services.

Perese, Eris F. (2012) Psychiatric Advanced Practice Nursing, F. A. Davis.

Petersen, R. C. (2011). Clinical practice. Mild cognitive impairment. New England Journal of Medicine, 364, 2227.

Phillips, L. A. (2013). Delirium in geriatric patients: Identification and prevention. Medsurg Nursing, 22, 9.

Reisberg, B., et al. (1982). The Global Deterioration Scale for assessment of primary degenerative dementia. American Journal of Psychiatry, 139, 1136.

Rountree, R. (2012). Neurodegenerative disease: Part 1—Common pathways to brain injury in Alzheimer's and Parkinson's disease. Alternative and Complementary Therapies, 18, 4.

Snowdon, D. (2001). Aging with grace: What the Nun Study teaches us about leading longer, healthier, and more meaningful lives. New York: Bantam Books.

Snowdon, D. (2003). Healthy aging and dementia: Findings from the Nun Study. Annals of Internal Medicine, 139(5 Pt. 2), 450.

Sparks, M. (2011). Preventing and managing sundowning. Long-Term Living for the Continuing Care Professional, 60, 58.

Stabler, S. P. (2013). Clinical practice. Vitamin B12 deficiency. New England Journal of Medicine, 368, 149.

Substance Abuse and Mental Health Services Administration. (2009). Results from the 2008 national survey on drug use and health: National findings. http://www.samhsa.gov/data/nsduh/2k8nsduh/2k8Results.htm, Accessed 13.11.13.

Tarawneh, R., et al. (2011). Visinin-like protein-1: Diagnostic and prognostic biomarker in Alzheimer disease. Annals of Neurology, 70, 274.

Teipel, S. J., et al. (2013). Relevance of magnetic resonance imaging for early detection and diagnosis of Alzheimer disease. Medical Clinics of North America, 97, 399.

Theroux, N., et al. (2013). Neurological complications associated with HIV and AIDS: Clinical implications for nursing. Journal of Neuroscience Nursing, 45, 5.

Thomson, A. D., Guerrini, I., & Marshall, E. J. (2012). The evolution and treatment of Korsakoff's syndrome: Out of sight, out of mind? Neuropsychology Review, 22, 81.

U.S. Food and Drug Administration. (2009). About dental amalgam fillings. http://www.fda.gov/MedicalDevices/ProductsandMedicalProcedures/DentalProducts/DentalAmalgam/ucm171094.htm, Accessed 17.02.14.

Wilson, J., & Helton, B. (2011). PSYCHed: Continuing education and consultation dementia module. In N. Keltner, C. Bostrom, & T. McGuinness (Eds.), Psychiatric nursing. (6th ed.). St. Louis: Mosby.

권준수 등(2013). DSM-5. 정신질환의 진단 및 통계 편람. 학지사.

김성재 등(2016). Mary C, Townsend. 정신건강간호학 8th. 정담미디어.

김수진 등(2017). 사례로 배우는 정신건강간호학. 2017. 현문사.

도복늠 등(2009). 최신 정신건강간호학, 개론, 각론. 정담미디어.

도복늠 등(2015). 지역사회 정신건강간호학. 정담미디어.

박현숙 등(2016). 실무중심의 정신건강간호학. 현문사.

양수 등(2016). 정신건강간호학. 현문사.

양승희(2018). 정신간호학. 포널스.

이경희 등(2013). 정신건강간호학. 퍼시픽출판사.

이경희 등(2017). 정신건강간호학. 정문각.

차영남 등(2016). NANDA 간호진단과 중재가이드. 현문사.

치매전문교육교재(2018). 보건복지부. 중앙치매센터. 국민건강보험.

한금선 등(2017). 정신건강간호학. 수문사.

CHAPTER

22

성격장애

Personality Disorders

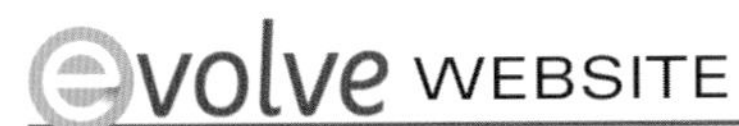

http://evolve.elsevier.com/Keltner

학습목표

- 성격장애를 정의한다.
- 각 유형에 따른 성격장애의 행동특성을 설명한다.
- 성격장애의 관련요인을 설명한다.
- 성격장애의 정신역동을 인식한다.
- 성격장애 대상자에게 간호과정을 적용한다.
- 성격장애 대상자와 치료적 관계를 유지한다.
- 성격장애 대상자에게 치료적 환경을 조성한다.

이 장은 정신과 병동에 입원하거나 외래에서 치료받고 있는 성격장애 환자에 대해서 기술하고 있다. 일반적으로 경계성 성격장애(borderline personality disorder, BPD) 환자를 제외하고 성격장애와 관련된 문제만으로는 병동에 입원하지 않으며, 다른 정신장애를 공존질환으로 진단받은 경우 입원치료를 받게 된다. 그러나 이러한 경우라고 해도 치료방법의 선택과 그 효과는 환자가 가진 성격장애에 따라 크게 영향을 받는다는 점을 유의해야 한다. 중재에 관해서는 각 성격장애 특유의 간호사-환자 관계에 먼저 초점을 맞추고 설명하고 있다. 모든 장애를 대상으로 특정 환경 및 약물중재를 적용할 수 없기 때문에 각 성격장애에 대한 환경적 문제와 정신약물학적 요인은 다루지 않았다. 다만 공존질환이 있거나 극심한 불안, 우울과 같이 기능이 저해될 만큼 심각한 증상이 있는 경우에는 약물을 투여할 수 있음을 알아두어야 한다.

1. 개요

모든 개인은 자신만의 독특하고 흥미로운 성격특성과 특징을 가지고 있다. 이 특성은 개인이 자신과 타인에 대해 생각하고 행동하는 방식에 따라 드러난다. 개인의 경험은 자신이 속한 환경, 문화, 사회적 계층에 따라 다르지만, 모든 인간은 일정한 범위 내에서 행동 및 인지에 대해 지속적이고 예측 가능한 측면을 보인다. 이러한 특성은 성격을 구분하는 데 사용될 수 있다(Adelstein et al., 2011). 표 22-1에 제시된 5-요인 모델(five-factor model)은 이러한 특성을 정서적 안정성(emotional stability), 외향성(extroversion), 친화성(agreeableness), 성실성(conscientiousness), 그리고 개방성(openness)으로 분류하고 있다(Blais, 2008).

정서적 안정성은 정반대 개념인 부정적 정서 또는 신경증(neuroticism)과 비교하여 정의할 수 있다. 신경증은 부정적 정서 및 비관주의와 관련이 있다. 부정적 정서가 높은 사람은 '걱정이 많은 사람'으로 보일 수 있으며, 과도한

표 22-1 성격장애와 5-요인 모델 영역과의 관계

성격장애	신경증 (neuroticism)	외향성 (extroversion)	개방성 (openness)	친화성 (agreeableness)	성실성 (conscientiousness)
편집성	+			−	
조현성		−			
조현형	+		+	−	
반사회성				−	−
경계성	+			−	
연극성		+			
자기애성			+	−	
회피성	+	−			
의존성	+			+	
강박성		−			+

PD, personality disorder.
출처: Blasis, M.A., et al. (2008). Personality and personality disorders. I T.A. Stern, et al. (Eds.), Massachusetts General Hospital Clinical Psychiatry (pp.527–540). Philadelphia: Mosby.

신경증을 보이는 사람은 불안이나 우울과 같은 정신질환에 걸릴 확률이 높다. 외향성(extroversion)은 그 사람이 가지고 있는 긍정적 정서와 낙관주의 정도를 반영한다. 외향적인 사람은 타인과의 교류 및 사교의 중심이 되는 경향이 있다. 그들은 주로 긍정적인 강화에 반응하고 자신의 노력에 대한 칭찬을 즐겁게 받아들인다. 외향성의 반대는 내향성(introversion)이다. 내향적인 사람은 거의 사회적 교류를 맺지 않는 고독한 생활을 선호하고, 긍정적인 격려(예: 칭찬)로부터 영향을 받는 정도가 적다. 친화성(agreeableness)은 대인관계와 관련된 특성이다. 친화성이 높은 사람은 때로는 지나칠 정도로 타인에게 협력적이고 느긋한 태도를 보이기 쉽다. 친화성이 낮은 사람은 반대로 자주 타인과 대립하고 쉽게 화를 내며, 논쟁의 여지가 있는 관계에 빠지기 쉽다. 더 나아가 친화성이 극도로 낮은 사람은 타인에게 적의를 품을 수도 있다. 성실성(conscientiousness)은 개인이 갖고 있는 자제력과 집중력이 어느 정도 수준인지를 반영한다. 성실성이 높을수록 삶의 방식이 조직적이고 목적 지향적으로 강화된다. 성실한 사람은 장기적인 목표를 달성하기 위해 노력하며, 타인으로부터 책임감 있고 신뢰할 수 있는 사람이라고 여겨진다. 성실하지 않은 사람은 충동적이고 체계적이지 못하며 즉각적인 만족을 추구하므로, 억제를 잘 하지 못하는 성향이 있다. 개방성(openness)은 호기심 및 상상력과 관련이 있다. 개방성이 높은 사람은 다양한 지적·문화적 탐구에 관심을 갖고 참여한다. 개방성이 낮은 사람이라고 해서 지적 탐구를 할 수 없는 것은 아니지만, 좀 더 실제적이고 현실에서 적용 가능한 것을 선호하고, 안정적이고 편안한 생활을 유지하려 한다(Blais et al., 2008). 개방성이 너무 과도하여 적정 수준으로 조절하기 어려운 사람에게 정신증적 증상이 나타날 수 있다.

성격장애 환자들은 자신의 성격특성에 대해 주로 자아동조적(egosyntonic)이기 때문에 자아나 자신만의 감각에 계속해서 수용적인 모습을 보인다. 성격장애가 있는 사람은 5-요인 모델의 연속선상에서 어느 한쪽 극단에 고정된 특성과 습관을 지니고 있기 때문에 융통성이 없고 기능적이지 못하다. 성격장애 환자는 평생 유연성이 부족하고 역기능적인 패턴으로 사람들과 관계를 맺으며 행동하게 되고, 이러한 패턴과 행동은 대개 타인에게 상당한 고통을 야기한다. 그러나 자아 동조적인 특성 때문에 성격장애 환자들은 자신의 행동이 스스로를 괴롭게 한다는 것을 알아차리지 못하고, 오히려 자신을 향한 다른 사람의 반응이나 태도 때문에 괴로워한다. 이때 타인의 부정적인 반응과 태도는 환자에게 엄청난 감정적 고통과 불편감을 초래한다. 이러한 문제로 인해 환자들이 정신건강서비스를 찾는 경우가 증가하고 있다. 그러나 환자들은 그들의 성격장애 자체에 대한 치료가 아닌 우울, 불안, 신체증상, 알코올과 물질에의 의존, 그리고 업무와 인간관계에서의 어려움에 대해 치료받기를 원한다. 환자들이 자신의 성격에 대한 고충을 드러내기도 하지만, 보통 자의적인 것이 아니다. 예를 들어, "저는 문제가 없다고 생각하지만, 제 아내는 내가 아이들에게 너무 엄격하다고 생각해요. 높은 기준을 가지고 있는 게 뭐가 나쁘다는 건지 이해가 안 갑니다!"라고 전문가에게 불만을 토로하는 식이다.

성격장애에 대한 진단기준의 범주는 주로 개인이 속한 문화권에서 기대되는 것과는 매우 다른 경험과 행동 양상을 포함하며, 개인은 인지, 정동, 대인관계 기능 및 충동조절 중 2가지 영역에서 장애가 있어야 한다. 성격장애를 범주별로 접근하여 일반적 성격장애 기준과 각 성격장애의 구체적인 기준을 제시하고 있다(American Psychiatric Association, 2000). DSM-5의 성격장애 진단기준은 다음과 같다.

DSM-5 진단기준: 성격장애

일반적 성격장애

A. 내적 경험과 행동의 지속적인 유형이 개인이 속한 문화에서 기대되는 바로부터 현저하게 편향되어 있음. 이러한 형태는 다음 중 2가지(또는 그 이상)에서 나타남.
  1. 인지(즉, 자신과 타인 및 사건을 지각하는 방법)
  2. 정동(즉, 감정 반응의 범위, 불안정성, 적절성)
  3. 대인관계 기능
  4. 충동 조절

B. 지속적인 유형이 개인의 사회 상황의 전 범위에서 경직되어 있고 전반적으로 나타남.

C. 지속적인 유형이 사회적, 직업적, 또는 다른 중요한 기능 영역에서 임상적으로 현저한 고통이나 손상을 초래함.

D. 유형은 안정적이고 오랫동안 있어 왔으며 최소한 청년기 혹은 성인기 초기부터 시작됨.

E. 지속적인 유형이 다른 정신질환의 현상이나 결과로 더 잘 설명되지 않음.

F. 지속적인 유형이 물질(예: 남용약물, 치료약물)의 생리적 효과나 다른 의학적 상태(예: 두부 손상)로 인한 것이 아님.

A군 성격장애

편집성 성격장애

A. 타인의 동기를 악의가 있는 것으로 해석하는 등 타인에 대한 전반적인 불신과 의심이 있으며, 이는 성인기 초기에 시작되어 여러 상황에서 나타나고 다음 중 4가지(또는 그 이상)로 나타남.
  1. 충분한 근거 없이, 다른 사람이 자신을 관찰하고 해를 끼치고 기만한다고 의심함
  2. 친구들이나 동료들의 충정이나 신뢰에 대한 근거 없는 의심에 사로잡혀 있음
  3. 어떠한 정보가 자신에게 나쁘게 이용될 것이라는 잘못된 두려움 때문에 다른 사람에게 비밀을 털어놓기를 꺼림
  4. 보통 악의 없는 말이나 사건에 대해 자신의 품위를 손상하는 또는 위협적 의미가 있는 것으로 해석함
  5. 지속적으로 원한을 품음. 즉, 모욕이나 상처 줌 혹은 경멸을 용서하지 못함
  6. 다른 사람에겐 분명하지 않은 자신의 성격이나 평판에 대해 공격으로 지각하고 곧 화를 내고 반격함
  7. 정당한 이유 없이 애인이나 배우자의 정절에 대해 반복적으로 의심함

B. 조현병, 정신병적 양상을 동반한 양극성장애 또는 우울장애, 다른 정신병적 장애의 경과 중 발생한 것은 여기에 포함하지 않으며, 다른 의학적 상태의 생리적 효과로 인한 것이 아님.

주의점: 진단기준이 조현병의 발병에 앞서 만족했다면 '병전'을 추가해야 함. 즉, '편집성 성격장애(병전)'

조현성 성격장애

A. 다양한 형태의 사회적 유대로부터 반복적으로 유리되고, 대인관계에서 제한된 범위의 감정 표현이 전반적으로 나타나며, 이러한 양상이 성인기 초기에 시작되며 여러 상황에서 나타나고 다음 중 4가지 이상에 해당할 때 조현성 성격장애로 진단함.
  1. 가족과의 관계를 포함해서 친밀한 관계를 바라지 않고 즐기지도 않음
  2. 항상 혼자서 하는 행위를 선택함
  3. 다른 사람과의 성적 경험에 대한 관심이 거의 없음
  4. 거의 모든 분야에서 즐거움을 취하려 하지 않음
  5. 일차 친족 이외의 친한 친구가 없음

〈계속〉

6. 다른 사람의 칭찬이나 비난에 무관심함
7. 감정적 냉담, 유리 혹은 단조로운 정동의 표현을 보임

B. 단, 조현병, 정신병적 양상을 동반한 양극성장애 또는 우울장애, 다른 정신병적 장애 혹은 자폐스펙트럼장애의 경과 중 발생한 것은 조현성 성격장애로 진단하지 않으며, 다른 의학적 상태의 생리적 효과로 인한 것이 아님.

주의점: 진단기준이 조현병의 발병에 앞서 만족했다면 '병전'을 추가해야 함. 즉, '조현성 성격장애(병전)'

조현형 성격장애

A. 친분 관계를 급작스럽게 불편해하고 그러한 능력의 감퇴 및 인지 및 지각의 왜곡, 행동의 괴이성으로 구별되는 사회적 및 대인관계 결함의 광범위한 형태로, 이는 성인기 초기에 시작되며 여러 상황에서 나타나고 다음 중 5가지(또는 그 이상)로 나타남.

1. 관계사고(심한 망상적인 관계망상은 제외)
2. 행동에 영향을 주며, 소문화권의 기준에 맞지 않는 이상한 믿음이나 마술적인 사고를 갖고 있음(예: 미신, 천리안, 텔레파시 또는 육감 등에 대한 믿음, 다른 사람들이 내 느낌을 알 수 있다고 함, 아동이나 청소년에서는 기이한 공상이나 생각에 몰두하는 것)
3. 신체적 착각을 포함한 이상한 지각 경험
4. 이상한 생각이나 말을 함(예: 모호하고, 우회적, 은유적, 과장적으로 수직된, 또는 상동적인)
5. 의심하거나 편집성 사고
6. 부적절하고 제한된 정동
7. 기이하거나 편향되거나 괴이한 행동이나 외모
8. 일차 친족 이외에 친한 친구나 측근이 없음
9. 친하다고 해서 불안이 감소하지 않으며 자신에 대한 부정적인 판단보다도 편집증적인 공포와 관계되어 있는 과도한 사회적 불안

B. 조현병, 정신병적 양상을 동반한 양극성장애 또는 우울장애, 다른 정신병적 장애 혹은 자폐스펙트럼장애의 경과 중 발생한 것은 여기에 포함시키지 않음.

주의점: 진단기준이 조현병의 발병에 앞서 만족했다면 '병전'을 추가해야 함. 즉, '조현형 성격장애(병전)'

B군 성격장애

반사회성 성격장애

A. 15세 이후에 시작되고 다음과 같은 다른 사람의 권리를 무시하는 행동 양상이 있고 다음 중 3가지(또는 그 이상)를 충족함.

1. 체포의 이유가 되는 행위를 반복하는 것과 같은 법적 행동에 관련된 사회적 규범을 맞추지 못함
2. 반복적으로 거짓말을 함, 가짜 이름 사용, 자신의 이익이나 쾌락을 위해 타인을 속이는 사기성이 있음
3. 충동적이거나, 미리 계획을 세우지 못함
4. 신체적 싸움이나 폭력 등이 반복됨으로써 나타나는 불안정성 및 공격성
5. 자신이나 타인의 안전을 무시하는 무모성
6. 일정한 직업을 갖지 못하거나 혹은 당연히 해야 할 재정적 의무를 책임감 있게 다하지 못하는 것 등의 지속적인 무책임성
7. 다른 사람을 해하거나 학대하거나 다른 사람 것을 훔치는 것에 대해 아무렇지도 않게 느끼거나 이를 합리화하는 등 양심의 가책이 결여됨

B. 최소 18세 이상이어야 함.

C. 15세 이전에 품행장애가 시작된 증거가 존재함.

D. 반사회성 행동은 조현병이나 양극성장애의 경과 중에만 발생되지는 않음.

경계성 성격장애

A. 대인관계, 자아상 및 정동의 불안정성과 현저한 충동성의 광범위한 형태로 성인기 초기에 시작되며 여러 상황에서 나타나고, 다음 중 5가지(또는 그 이상)를 충족함.

1. 실제 혹은 상상 속에서 버림받지 않기 위해 미친 듯이 노력함(주의점: 5번 진단기준에 있는 자살 행동이나 자해 행동은 포함하지 않음)
2. 과대이상화와 과소평가의 극단 사이를 반복하는 것을 특징으로 하는 불안정하고 격렬한 대인관계의 양상
3. 정체성 장애: 자기 이미지 또는 자신에 대한 느낌의 현저하고 지속적인 불안정성
4. 자신을 손상할 가능성이 있는 최소한 2가지 이상의 경우에서 보이는 충동성(예: 소비, 물질 남용, 좀도둑질, 부주의한 운전, 과식 등)(주의점: 5번 진단기준에 있는 자살 행동이나 자해 행동은 포함하지 않음)
5. 반복적 자살 행동, 제스처, 위협 혹은 자해 행동
6. 현저한 기분의 반응성으로 인한 정동의 불안정(예: 강렬한 삽화적 불쾌감, 과민성 또는 불안이 보통 수 시간 동안 지속되며 아주 드물게 수일간 지속됨)
7. 만성적인 공허감
8. 부적절하고 심하게 화를 내거나 화를 조절하지 못함(예: 자주 울화통을 터뜨리거나 늘 화를 내거나, 자주 신체적 싸움을 함)
9. 일시적이고 스트레스와 연관된 피해적 사고 혹은 심한 해리 증상

연극성 성격장애

A. 과도한 감정성과 주의를 끄는 광범위한 형태로 이는 성인기 초기에 시작되며 여러 상황에서 나타나고 다음 중 5가지(또는 그 이상)로 나타남.

1. 자신이 관심의 중심에 있지 않는 상황을 불편해함
2. 다른 사람과의 관계 행동이 자주 외모나 행동에서 부적절하게 성적, 유혹적 내지 자극적인 것으로 특징지어짐
3. 감정이 빠른 속도로 변화하고 피상적으로 표현됨
4. 자신에게 관심을 집중시키기 위해 지속적으로 외모를 사용함
5. 지나치게 인상적이고 세밀함이 결여된 형태의 언어 사용
6. 자기극화, 연극성 그리고 과장된 감정의 표현을 보임
7. 피암시적임. 즉, 다른 사람이나 상황에 의해 쉽게 영향을 받음
8. 실제보다도 더 가까운 관계로 생각함

자기애성 성격장애

A. 과대성(공상 또는 행동상), 숭배에의 요구, 감정이입의 부족이 광범위한 양상으로 있고 이는 청년기에 시작되며 여러 상황에서 나타나고, 다음 중 5가지(또는 그 이상)로 나타남.

1. 자신의 중요성에 대한 과대한 느낌을 가짐(예: 성취와 능력에 대해서 과장함, 적절한 성취 없이 특별대우 받기를 기대함)
2. 무한한 성공, 권력, 명석함, 아름다움, 이상적인 사랑과 같은 공상에 몰두함
3. 자신의 문제는 특별하고 특이해서 다른 특별한 높은 지위의 사람(또는 기관)만이 그것을 이해할 수 있고 또는 관련해야 한다는 믿음
4. 과도한 숭배를 요구함
5. 특별한 자격이 있는 것 같은 느낌을 가짐(즉, 특별히 호의적인 대우를 받기를, 자신의 기대에 대해 자동적으로 순응하기를 불합리하게 기대함)
6. 대인관계에서 착취적임(즉, 자신의 목적을 달성하기 위해서 타인을 이용함)
7. 감정이입의 결여: 타인의 느낌이나 요구를 인식하거나 확인하려 하지 않음
8. 다른 사람을 자주 부러워하거나 다른 사람이 자신을 시기하고 있다는 믿음
9. 오만하고 건방진 행동이나 태도

C군 성격장애

회피성 성격장애

A. 사회관계의 억제, 부적절감, 그리고 부정적 평가에 대한 예민함이 광범위한 양상으로 나타나고 이는 청년기에 시작되며 여러 상황에서 나타나고 다음 중 4가지(또는 그 이상)로 나타남.

1. 비판이나 거절, 인정받지 못함 등 때문에 의미 있는 대인 접촉이 관련되는 직업적 활동을 회피함
2. 자신을 좋아한다는 확신 없이는 사람들과 관계하는 것을 피함
3. 수치를 당하거나 놀림 받음에 대한 두려움 때문에 친근한 대인관계 이내로 자신을 제한함
4. 사회적 상황에서 비판의 대상이 되거나 거절되는 것에 대해 집착함
5. 부적절감으로 인해 새로운 대인관계 상황에서 제한됨
6. 자신을 사회적으로 부적절하게, 개인적으로 매력이 없는, 다른 사람에 비해 열등한 사람으로 바라봄
7. 당황스러움이 드러날까 염려하여 어떤 새로운 일에 관여하는 것, 혹은 개인적인 위험을 감수하는 것을 드물게 마지못해서 함

의존성 성격장애

A. 돌봄을 받고자 하는 광범위하고 지나친 욕구가 복종적이고 매달리는 행동과 이별 공포를 초래하며, 이는 청년기에 시작되며 여러 상황에서 나타나고 다음 중 5가지(또는 그 이상)로 나타남.

1. 타인으로부터 과도히 많은 충고, 또는 확신 없이는 일상의 판단을 하는 데 어려움을 겪음
2. 자신의 생활 중 가장 중요한 부분에 대해 타인이 책임질 것을 요구함
3. 지지와 칭찬을 잃는 것에 대한 공포 때문에 타인과의 의견 불일치를 표현하는 데 어려움을 나타냄(**주의점**: 보복에 대한 현실적인 공포는 포함하지 않음)
4. 계획을 시작하기 어렵거나 스스로 일을 하기가 힘듦(동기나 에너지의 결핍이라기보다는 판단이나 능력에 있어 자신감의 결여 때문임)
5. 타인의 돌봄과 지지를 지속하기 위해 불쾌한 일이라도 자원해서 함
6. 혼자서는 자신을 돌볼 수 없다는 심한 공포 때문에 불편함과 절망감을 느낌
7. 친밀한 관계가 끝나면 자신을 돌봐주고 지지해 줄 근원으로 다른 관계를 시급히 찾음
8. 자신을 돌보기 위해 혼자 남는 데 대한 공포에 비현실적으로 집착함

강박성 성격장애

A. 융통성, 개방성, 효율성을 희생시키더라도 정돈, 완벽, 정신적 통제 및 대인관계의 통제에 지나치게 집착하는 광범위한 양상으로 이는 청년기에 시작되며 여러 상황에서 나타나고 다음 중 4가지(또는 그 이상)로 나타남.

1. 내용의 세부, 규칙, 목록, 순서, 조직 혹은 스케줄에 집착되어 있어 활동의 중요한 부분을 놓침
2. 완벽함을 보이나 이것이 일의 완수를 방해함(예: 자신의 완벽한 기준을 만족하지 못해 계획을 완수할 수 없음)
3. 여가 활동이나 친구 교제를 마다하고 일이나 성과에 지나치게 열중함(경제적으로 필요한 것이 명백히 아님)
4. 지나치게 양심적임, 소심함 그리고 도덕 윤리 또는 가치관에 관하여 융통성이 없음(문화적 혹은 종교적 정체성으로 설명되지 않음)

〈계속〉

5. 감정적인 가치가 없는데도 낡고 가치 없는 물건을 버리지 못함
6. 자신의 일하는 방법에 대해 정확하게 복종적이지 않으면 일을 위임하거나 함께 일하지 않으려 함
7. 자신과 타인에 대해 돈 쓰는 데 인색함, 돈을 미래의 재난에 대해 대비하는 것으로 인식함
8. 경직되고 완강함을 보임

출처: American Psychiatric Association (2013). Diahnostic and statistical manual of disorders (5th ad.). Arlington, VIrginia: APA

DSM-5 모델은 성격장애를 두가지 범주, 즉 성격의 기능과 병리적 상격특성에서의 손상으로 특징짓는다. 성격의 기능은 다시 자아기능과 대인관계 기능으로 나뉘는데, 자아기능은 정체성과 자기 주도성(self-direction: 스스로 방향을 결정함)으로 구성되며, 대인관계 기능은 공감과 친밀성을 포함한다. 병리적 성격특성은 부정적인 정서, 사회적 고립(어울리지 못함), 적대감, 탈억제(disinhibition), 정신증적 경향성 등 5가지 광범위한 영역으로 분류되고, 이 5가지 영역 내에서 다시 25가지의 구체적인 특성 양상을 확인할 수 있다(American Psychiatric Association, 2013).

어떤 모델을 적용하든 간에 성격장애는 개인이 속한 문화권의 기대에서 현저히 벗어난 지속적인 내적 경험과 행동양식을 보이는 것으로, 청소년기 또는 성인기 초기에 시작된다. 성격장애는 성격 전반에 지속적으로 나타나야 하며, 발달적 측면과 사회문화적 환경 측면에서 정상으로 간주되지 않을 때 진단 내리게 된다. 이러한 이유로 성격장애는 증상이 나타난다 해도 대부분의 경우 만 18세 이전에는 진단 내리지 않는다.

2. 원인

오랫동안 성격장애의 원인은 어린 시절 겪은 문제들, 성장 및 발달 장애, 가족, 기타 환경적인 요소들에 의한 정신심리학적인 것으로 생각되었다. 현재 생물학적 연구 및 신경영상 연구를 통해 일부 성격장애에 대한 정신병리학적 원인이 추가로 밝혀지고 있다. 어린 시절에 경험하는 외상과 애착장애는 코르티솔 분비나 세로토닌 등의 신경전달물질의 변화로 전전두엽 피질에 영향을 주는 것으로 밝혀졌다(Saradjian et al., 2010). 또한 어린 시절의 부정적인 경험은 편도체의 기능에 영향을 주어 위험에 대한 지각을 변화시킨다(Plodosdki et al., 2009). 일부 성격장애(경계성, 반사회성, 조현형)는 다른 유형보다 더 많이 연구되었기 때문에 일정 수준 이상의 정보가 확보되었지만, 다른 유형의 성격장애들에 대한 정보는 거의 없는 상태이다. 생물학적 요인 하나만으로는 이러한 성격장애들이 발생하는 이유를 충분히 설명할 수 없고, 정신적 취약성이 동반된 사회적 환경이 개인에게 많은 영향을 미친다는 사실을 알고 있어야 한다. 생물학적인 요인과 더불어 사회적인 변화, 스트레스가 심한 환경, 그리고 부정적인 어린 시절 경험의 영향이 통합적으로 성격장애를 유발한다.

3. 성격장애의 유형

DSM-5에 의하면, 성격장애는 행동의 유사성에 따라 3가지 군으로 분류된다. A군에 속하는 성격장애는 편집성, 조현성, 조현형 성격장애로, 이 군에 속하는 사람들은 괴상하고 별난 경향을 보이는 것이 특징이다. B군에 속하는 성격장애는 반사회성, 경계성, 연극성, 자기애성 성격장애로, 이 군에 속하는 사람들은 극적이고 감정적이며, 변덕스러운 특징이 있다. C군에 속하는 성격장애는 회피성, 의존성, 강박성 성격장애로, 불안해하고 두려움이 많은 것이 특징이다.

DSM-5 분류: 성격장애(A, B, C군)

A군: 괴상하고 별난 경향
- 편집성 성격장애(paranoid personality disorder)
- 조현성 성격장애(schzoid personality disorder)
- 조현형 성격장애(schizotypal personality disorder)

B군: 극적이고 감정적이며 변덕스러움
- 반사회성 성격장애(antisocial personality disorder)
- 경계성 성격장애(borderline personality disorder)
- 연극성 성격장애(histrionic personality disorder)
- 자기애성 성격장애(narcissistic personality disorder)

C군: 불안해하며 두려움이 많음
- 회피성 성격장애(avoidant personality disorder)
- 의존성 성격장애(dependent personality disorder)
- 강박성 성격장애(obsessive-compulsive personality disorder)

1) A군: 편집성, 조현성, 조현형 성격장애

(1) 편집성 성격장애

편집성 성격장애(paranoid personality disorder)는 사람들에 대한 의심과 불신이 특징적이다. 타인의 행동을 위협으로 해석하기 때문에 불안과 방어 행동이 증가하게 된다. 그들은 타인의 동기에 대해 과민하게 반응하고 타인이 자신을 부당하게 이용한다고 느낀다. 편집성 성격장애 환자들은 보통 유머가 없고, 융통성이 없으며 방어적이다. 말하는 내용은 논리적이고 목표 지향적이지만, 의심이 많기 때문에 논거는 사실적이지 않다. 또 다른 증상으로 편견과 관계사고가 나타날 수 있다. 이들은 극소수의 사람들과 친밀한 관계를 맺을 수 있기는 하지만, 대체로 감정이 둔마되어 있어서 타인에게 냉담해 보일 수 있다. 그러나 근거 없이 배우자의 부정을 의심하는 등 가까운 사람에게도 의심과 질투를 할 수 있다.

편집형 조현병 환자와는 달리, 망상이나 환각을 지속적으로 겪지 않지만, 매우 극심한 스트레스를 받으면 단기 정신병적 삽화(몇 분에서 몇 시간 지속됨)를 경험하기도 한다. 편집성 성격장애 환자들은 압도적이거나 즉각적인 위협이 발생하여 자신의 행동을 통제할 수 없을 때 입원하게 된다. 자신에게 위협적이라고 느껴지는 상황에서는 즉시 격분하여, 경우에 따라 통제력을 상실하고 잠재적인 폭력 위험성을 보여 타인에 의해 입원하거나 법원 명령에 따라 치료를 받기도 한다.

- **원인**: 편집성 성격장애는 특히 조현병 가족력이 있는 환자에게서 더 많이 발병하는 경향이 있으며, 여성보다 남성에게서 발병률이 높다고 밝혀졌다(American Psychiatric Association, 2000).

Clinical example: 편집성 성격장애

김OO 님은 아내와 동행하여 병원에 입원하였다. "옆집 남자가 내 땅을 침범하려고 들어요. 자기 땅이 아닌 내 땅에 울타리를 설치하고, 항상 나를 속이려고 해요"라고 말했다. 그의 아내는 그가 집에 틀어박혀서 "죽여버릴 거야"라고 혼자 얘기하고 있었다고 했다. 그는 아내가 얘기하는 것을 듣더니 부인에게 "너도 그 남자와 한편이군! 나를 여기에 데려온 건 나를 돕기 위해서가 아니라, 나를 없애고 너랑 그 놈이 내가 평생 동안 일궈온 재산을 훔쳐 가려고 하는 거 아냐?"라고 비난했다.

(2) 조현성 성격장애

조현성 성격장애(schzoid personality disorder) 환자는 대인관계나 사회적인 관계에 속하는 것을 원하지 않고 사람들과 감정적인 거리를 유지하려 한다. 그들은 다른 사람들과 지내기보다는 혼자서 지내는 것을 더 좋아하고, 내향적이기 때문에 종종 사회적으로 고립되어 보인다. 또한 다른 사람들과 함께 하는 활동보다는 혼자서 하는 활동이나 취미를 선택한다. 대화의 방식은 질문에 대해 짧게 대답하고 자발적으로 불필요한 이야기를 시작하지 않는다. 만일 그의 직장이 독립성이 보장되고 그다지 대화가 필요 없는 곳이라면 직무를 성공적으로 수행할 수 있다. 환자들은 현실지향적이지만, 사회적 상호작용이 있는 상황보다는 혼자서 하는 활동에서 더 만족감을 느낀다. 따라서 어떤 측면에서는 자폐스펙트럼장애(autism spectrum disorder)라는 다른 진단을 생각할 수도 있다. 조현성 성격장애와 자폐스펙트럼장애에 대한 연구가 현재 진행 중이긴 하지만, 대인관계와 사회적인 상호작용에서의 장애가 공통적으로 나타나기 때문에 조현성 성격장애가 기능 수준이 높은 자폐장애의 변형된 양상이라고 볼 수 있다.

- **치료 및 간호중재**: 조현성 성격장애를 가진 사람이 입원한 경우, 간호사-환자 관계 초기에 공감적이고 적절한 언어를 사용하여 감정을 표현하도록 함으로써 신뢰를 쌓는 것에 중점을 두어야 한다. 초기에 환자는 다른 사람들과 함께 할 필요나 어울리고 싶은 욕구가 없기 때문에 그룹 활동의 일부에만 수동적으로 참여하게 된다. 환자를 치료 환경과 그룹 활동에 점차적으로 더 많이 참여할 수 있도록 유도하면서, 가능하다면 사회적인 기술을 강화하도록 도움을 줘야 한다.

(3) 조현형 성격장애

조현형 성격장애(schizotypal personality disorder)는 경증의 조현병을 앓는 환자들과 비슷해 보이지만 정신증이나 조현병으로 진단 내리기에는 기준을 충분히 충족시키지 못한다는 차이점이 있다. 이 환자들은 친분관계를 불편해하고 대인관계 능력의 감소나 인지 및 지각의 왜곡, 괴이한 행동이나 외모로 이상해 보이기 쉽다. 타인의 행동에 예민한데, 특히 거절과 분노에 대해 민감하게 반응하며, 자신이 다른 사람들과 다르고 어울리지 않는다고 느낀다. 편집증적인 상상, 관계사고(idea of reference), 괴이한 믿음이 이 장애를 진단하는 데 가장 중요한 기준이다(McGlashan et al., 2005).

• **원인**: 조현형 성격장애는 조현병 스펙트럼 장애의 일부이기 때문에 조현병 가족력이 있으면 조현형 성격장애의 유병률이 높다. 신경생물학적 연구에 따르면 조현형 성격장애가 있는 사람은 인지 · 지각과 대인관계에서의 장애를 겪긴 하지만, 전두엽 부피의 보존된 정도를 보면 정신병적 증상이나 심각한 기능저하는 피할 수 있다고 본다(New et al., 2008a).

• **치료 및 간호중재**: 간호사–환자 관계에서 신뢰 문제를 다루는 것이 심리적 중재의 가장 중요한 과제이다. 정직하면서도 환자의 영역을 함부로 침해하지 않는 전문적인 태도가 신뢰를 쌓는 데 도움이 된다. 정확하고 단순한 설명과 요청은 환자가 자신이 위협적이거나 통제적인 상황에 있다고 느끼지 않도록 해준다. 이 환자들은 치료자가 집단치료에 참여하도록 요청하거나 직면 또는 감정 표현을 요구하는 상황을 견디기 힘들어한다.

조현형 성격장애를 가진 사람이 입원했을 때는 친절하고 지지적인 태도로 부드럽게 제안하는 중재가 필요하다. 이러한 중재는 환자가 다른 사람과 함께 하는 활동에 참여할 수 있도록 한다. 또한 간호사는 반드시 환자가 대인관계와 사회적인 기술을 향상시키고 적절한 행동을 할 수 있도록 도움을 주어야 한다. 환자의 기이한 외모와 행동으로 인한 타인의 부정적 시선은 환자로 하여금 불편감과 불안을 느끼게 할 수 있다. 이러한 환자들에게 직업 관련 상담 및 직업소개 등을 통해 사회적 상호작용을 세심하게 조정하고 긍정적인 사회화 경험을 제공한다면, 환자의 성공 기회를 증가시킬 수 있다.

2) B군: 반사회성, 경계성, 연극성, 자기애성 성격장애

(1) 반사회성 성격장애

반사회성 성격장애(antisocial personality disorder)의 주요 특징은 타인의 권리를 존중하지 않고 무시하며, 사회적 규범을 따르지 않는 것이다. 환자가 만 15세 이전에 이런 특징을 보인다면 품행장애로 진단받게 된다. 환자들은 위법적인 행동을 쉽게 저지르는데, 예를 들면, 음주운전, 아동이나 배우자 학대 등이 있다. 또한 알코올과 기타 여러 물질을 남용하고 성적으로 난잡할 수 있으며, 타인을 해치는 것에 죄책감을 느끼지 않는다. 따라서 거짓말, 속임수, 도둑질을 쉽게 저지르기 때문에 정신건강 관련 기관보다는 재판을 받거나 교도소 등에 있는 경우가 흔하다. 그러나 모든 범죄자가 반사회성 성격장애를 가지고 있는 것은 아니다.

반사회성 성격장애의 진단은 정신 상태보다는 실제 삶 속에서의 기능장애 이력에 기초하여 내려진다. 이들은 타인이 자신에게 적대감을 품기 때문에 고통과 괴로움을 겪게 되지만, 문제의 원인이 자신이 아닌 타인에게 있다고 본다. 또한 이득을 얻기 위해 타인을 이용하고 자신의 행동에 대하여 책임지려고 하지 않는다. 자신을 매력적이고 지적으로 보이게 포장하는 능력이 좋기 때문에 말주변이 좋고, 문제가 되는 자신의 행동을 부인하고 합리화한다. 그리고 자신이 처한 곤경에 불안해하지 않으며 양심의 가책, 죄책감, 범죄에 대한 후회 등을 느끼지 않고, 충성심이 결여되어 있다.

CRITICAL THINKING QUESTION

1. 반사회성 성격장애 환자에게 타인을 조종하려는 행동을 제한하자, 치료자를 말로써 위협하려 한다. 이 경우 간호사는 환자의 위협적인 태도 및 행동에 어떻게 대처할 것인가?

• **원인**: 반사회성 성격장애의 원인으로 환경과 유전적 영향이 있다. 부모와 자녀 간의 관계가 불안정하고 혼란스러운 가정환경이 한 가지 이유이다. 또 다른 이유는 유전적 요인인데, 예를 들면, 유전자 C-521T는 도파민 4 수용체를 만드는 데 관여하는데, 이것이 반사회성 성격장애 환자의 위험을 감수하는 행동과 충동성, 이 두 가지의 역기능적인 특성과 관련 있음이 밝혀졌다(Basoglu et al., 2011).

비정상적인 모노아민 산화효소(monoamine oxidase, MAO) A 유전자는 반사회성 행동과 관련되어 있다. 이 유전자의 기능장애로 인해 도파민과 세로토닌을 분해하는 MAO가 적게 생성되고, 도파민과 세로토닌 등 신경전달물질이 과도하게 축적되며, 이러한 소견은 공격적인 행동의 증가를 유발한다(Merriman & Cameron, 2007). 또한 MAO A의 활성화와 어린 시절 학대와 같은 부정적인 경험 사이에 상관관계가 있다. 유전적으로는 MAO A 활성이 낮은 수준에서 아동기에 심각하게 학대를 당하면 반사회성 행동을 나타내기 쉽다는 것이 확인되었다(Caspi et al., 2002).

반사회성 성격장애를 가진 사람들에게서 나타나는 또 다른 일반적인 생물학적 지표는 스트레스에 대해 자율신경계가 약하게 반응하는 것이다. 낮은 심박동수와 불안 수준이 증가하지 않는다는 점이 바로 그 증거이다. 또한 이런 환자들은 언어의 함축된 감정적인 의미에 둔감하기 때문에 훈육으로부터 교훈을 얻을 수가 없다. 반사회성 성격장애 환자들의 뇌 영상을 보면, 전전두엽 피질, 전두 측두엽, 해마편도의 기능장애가 확인되며, 전두엽이 비효율적으로 기능한다. 유해한 자극이 들어왔을 때 기능적으로 처리하지 못하며, 부정적인 말을 들었을 때 편도체 활성도가 감소되어 있다(Goodman et al., 2007). 또한 시상하부-뇌하수체-부신 축의 코르티솔 반응의 감소는 아동의 반사회성 행동을 시사한다(Von Polier et al., 2013).

• **치료 및 간호중재**: 간호사-환자 관계에서 환자의 지속적인 변화가 나타나기 위해서는 장기간의 치료가 필요하다. 일단 단기간의 입원에서 간호사는 확실한 제한을 설정하면서 심리적 중재를 시작할 수 있는데, 환자들은 자신의 욕구와 필요를 위해 직원을 조종하고 규칙을 바꾸려고 시도할 것이다. 이때 간호사는 환자의 행동에 대하여 규칙과 방침을 엄격하고 일관성 있게 적용해야 한다. 환자의 행동이 집단과 개인 모두에게 어떤 영향을 주는지 주목할 수 있도록, 환자의 행동 결과가 어떤 것인지 또는 어떻게 될 것인지에 대해 깨닫도록 구체적으로 돕는다. 이를 통해 환자는 자신의 행동에 책임지는 법을 배워야 한다. 환자의 행동이 다른 사람에게 끼치는 영향에 대해 지적하는 것은 치료과정 중 한 부분이다. 환자는 자신의 행동에 대하여 다른 사람의 반응을 인지하고, 왜 사람들이 그렇게 반응하는지에 대해 이해하기 시작해야 한다. 간호사는 환자에게 설교하듯 훈육하는 대신, 환자가 불안과 우울의 감정을 느낄 수 있으니 그것을 말로 표현할 수 있도록 도와주어야 한다. 비록 환자의 행동이 부적절할 수 있긴 하지만, 집단활동에 참여하는 것만으로도 환자가 자신이 한 인간으로서 집단에 받아들여졌다고 느낄 수 있다. 따라서 집단활동은 치료 시 중요한 부분이 된다. 또한 성격장애 환자들은 그럴듯한 말솜씨나 합리화, 거짓말을 쉽게 알아차리기 때문에 동일한 진단을 받은 성격장애 환자와의 집단활동에서 자신들의 부적절한 행동(예: 타인의 조종 등)을 직면할 수 있다. 그러므로 이러한 집단요법은 반사회성 성격장애 환자의 치료에 효과적일 수 있다. 반사회성 성격장애 환자들을 대하는 가장 효과적인 방법은 간호제공자가 일관성이 있는 태도로 책임감을 갖고 환자를 대하는 것이다.

(2) 경계성 성격장애

경계성 성격장애(borderline personality disorder)는 불안정한 정동, 무모하고 충동적인 행동, 불안정한 대인관계, 조종행동, 자아정체성의 혼란, 의존성 및 자기부정, 분노, 버림받을 것에 대한 두려움, 자해 또는 자살 위험성 등의 특징을 갖는다. 모든 성격장애 중에서 가장 흔히 나타나고, 입원하여 전문적인 정신건강 돌봄을 받아야 하는 경우도 많다(Gunderson, 2009; New et al., 2008b). 그러나 한 번 단기간 입원을 한다 해서 증상의 복잡성을 제대로 모두 다 인식하는 것은 어려운데, 증상과 행동의 전체적인 범위와 정도가 특정적으로 나타나지 않고 계속해서 변화하고 증가할 수 있기 때문이다. 또한 신체증상으로 인해 내과 의사를 방문하거나 약물을 처방받는 환자도 많다(Sansone & Sansone, 2008). 이 환자들은 보통 자해나 자살시도를 하거나 위기를 경험할 입원을 하게 된다.

자아정체성 혼란, 불안정한 대인관계, 불안정한 사고 및 정동 그리고 충동적인 행동과 관련된 문제들은 기능을 많이 손상시킨다. 자아정체성의 문제는 그들의 자아상, 직업적인 목표, 개인의 가치관, 성적인 성향이 불확실한 개인에게 더 분명히 나타난다. 대인관계는 혼란스럽고 건강하지 않으며, 단기간 내에 친밀한 관계를 맺으려 하는 문제점이 있다. 어쩌다 만난 사람과 충동적으로 성관계를 갖거나 다수의 파트너와 성관계를 갖기도 한다(Sansone & Wiederman, 2009). 환자는 반복하여 타인을 너무 긍정적으로 과대평가하거나 평가절하한다. 예를 들어, 잘 알지 못하는 상태에서 완벽한 사람이라 생각하고 '사랑에 빠지게' 되지만 얼마 지나지 않아 이상적으로 여겼던 사람에게 큰 결점을 발견하며 그를 경멸하기도 한다. 또한 사람들이 가지고 있는 다양한 측면을 인식하지 못하고, 한두가지 요소로만 평가함으로써 '좋은 사람' 또는 '나쁜 사람'으로 이분법적인 지각을 한다. 이에 대인관계에 어려움을 겪으면서도 혼자 있는 것을 매우 어려워하기 때문에 강렬하지만 짧은 관계를 추구하게 된다.

투사적 동일시(projective identification)는 스스로를 보호하

기 위해 사용되는데, 자기의 참을 수 없는 결점을 다른 사람에게 투사하고 그와 병적인 인간관계를 맺게 된다. 다른 사람들을 비난하는 것은 역기능적이고 부적절한 행동이지만, 환자가 자신의 감정을 다루는 데는 도움이 된다. 기분의 변화는 우울, 격분, 불안정한 기분의 증상으로 나타난다. 강렬한 감정적 고통은 감정 기복을 유발하여 다행감, 울음, 분노, 몸싸움, 자해, 자살시도 등의 행동화까지 다양하게 나타난다. 충동성은 물질 사용(남용)과 거식 또는 폭식행동으로 나타나는 경향이 있다. 기타 흔한 충동적인 행동으로 과소비, 성적 문란, 폭식, 위험을 감수하는 행동이나 의사결정을 내리는 것이 포함된다(McGlashan et al., 2005). 자해 시도와 같은 일부 행동은 버림받는 것을 피하려는 극단적인 노력, 감정조절 장애, 충동적인 폭력성에 대응하기 위한 것이다(McGlashan et al, 2005).

예전에는 환자의 75%가 아동기에 성적 학대를 겪었다고 파악했으나(American Psychiatric Association, 2000), 최근 연구에 따르면 경계성 성격장애를 가지고 있는 사람 중 20~45%가 아동기에 성적 학대를 겪지 않았으며, 오히려 아동기 성적 학대 피해자 중 80%는 성격장애를 앓지 않는 것으로 확인되었다(New et al., 2013). 연구에서 아동기에 겪은 따돌림이나 학교폭력, 정서적 학대 등은 성적 학대보다 성격장애, 특히 경계성 성격장애와 더 관련성이 높다고 보고하고 있다(Hengartner et al., 2013). 경계성 성격장애와 관련된 복잡한 행동에는 학대 및 고통 경험과 관련된 외상후 스트레스장애와 해리장애의 심각한 증상이 포함된다.

아동학대 피해자에게서 나타나는 해리(dissociation)는 분리(splitting)를 야기할 수 있는데, 이는 경계성 성격장애 환자들에게서 발견된다. 분리의 방어기전은 자기 자신과 타인에게 좋은 특성과 나쁜 특성, 즉 양면의 특성이 있다는 것을 인식하지 못하는 것이다. 경계성 성격장애 환자는 한순간에 대상을 '여태까지 중 최고'로 여기기도 하지만 실망하는 순간 '최악', '쓰레기', '악마'로 생각하게 된다. 분리는 또한 자신에게도 적용되기 때문에 자신을 최악이라고 생각할 때 자해를 하거나 충동적인 행동을 하는 경향이 있다. 이는 과거의 학대와 시련, 거절이나 버림받는 것에 대한 두려움을 포함하여 현재 상황과 관련된 고통의 감정을 회피하게 해준다.

정신과 병동에 입원하게 되면 경계성 성격장애 환자는 조종, 의존, 행동화 등의 모순되는 행동을 통해 관심과 애정이 필요하다고 어필할 수 있다. 간호사의 거절은 환자를 좌절시킬 수 있고, 이러한 인식은 버림받는 것에 대한 두려움을 느끼게 하므로 환자는 분노를 표출하거나 위축될 수도 있다. 우울, 불안, 다행감, 분노 사이를 넘나드는 기분의 요동은 환자의 불안정한 기분에서 볼 수 있다. 스트레스를 받으면 미성숙한 행동으로 퇴행하고 갈등에 대처할 수 없게 된다. 환자는 타인에게 집착 또는 분리라는 극단적인 선택 사이에서 망설이는데, 간호사가 모든 문제를 해결해 주기를 바라거나 입원 치료를 불필요하고 무의미한 것으로 보는 것이다. 호전되는 상황에서 환자가 갑자기 반대로 악화된 행동을 보일 수 있기 때문에 간호사는 마치 처음부터 다시 시작해야 하는 것처럼 보일 수도 있다.

경계성 성격장애 환자의 자해 행동은 분리에 의한 인지왜곡의 결과인데, 자신을 '나쁜 사람'이라고 인식하기 때문에 자기 처벌적 목적으로 사용한다. 자해는 신체적 통증에 초점을 맞추고 신경호르몬을 방출시킴으로써 정신적인 고통과 견딜 수 없는 감정을 완화해 준다(Gunderson, 2009). 자해는 절단, 화상, 심하게 긁힌 자국을 통해 확인할 수 있으며, 이로 인해 환자의 기분은 일시적으로 나아질 수 있다(Muehlenkamp, 2005). 자해가 나타난 경우 심각한 자살 위험성도 동반된다. 절망, 체념, 우울한 감정은 자살 위험성을 높인다는 것을 인식하고, 자해를 절대 타인을 자기 뜻대로 조종하거나 시선을 끌려는 행동만으로 해석해서는 안 된다. 경계성 환자들은 잦은 빈도로 오랫동안 자살에 대해 생각해 왔으며, 우울, 공격성, 충동성이 높고, 자신들의 행동 결과로 오는 치사율에 대해 과소평가하기 때문에 자살의 위험이 높다. 이러한 환자들의 사망 가능성과 치사율에 대해 잘못 인식하는 경우가 많은데, 이들의 치사율은 자살에 대한 생각을 오랫동안 품지 않고 시도를 하는 사람들만큼 심각하다(Stanley et al., 2001). 따라서 자해나 자살시도는 절대 가볍게 여기거나 무시되어서는 안 된다. 외상후 스트레스장애와 주요우울장애가 동반되면 자살의 위험성은 더욱 높아진다.

• **원인**: 경계성 성격장애의 원인은 다양하다. 유전, 환경요인, 아동기 경험, 스트레스에 대한 과민반응, 신경학적·생화학적 기능장애 등이 경계성 성격장애의 복합적인 요인이다(Goodman et al., 2007; Gunderson, 2009; New et al., 2008a, 2008b). 신경전달물질 세로토닌의 조절에 장애가 발

생하여 감정조절 장애와 충동적인 행동이 나타난다. 세로토닌 기능장애는 특정 유전적 위험인자와 관련될 수는 있지만 정확한 원인은 아직 밝혀지지 않고 있다(Leichsenring et al., 2011). 환경적 요인은 가족의 정서적 불화와 같은 혼란스러운 가족환경과 아동의 욕구 및 감정 무시, 언어적·정서적·신체적·성적 학대를 포함한다.

환자들은 유전적으로 취약하기 때문에 스트레스를 유발하는 사건들이 환자에게 고통과 좌절감을 야기할 수 있다. 이전의 스트레스나 외상을 떠올릴 수 있고 이는 증상들을 발현시키게 된다(Goodman et al., 2007). 또한 외상이나 스트레스는 뇌의 해마에 영향을 준다. 뇌 영상 연구에 따르면 해마의 부피가 줄어든 성인의 경우, 어렸을 때 학대를 경험한 것으로 밝혀졌다. 추가로, 학대를 경험한 아동은 뇌의 좌우 반구의 통합성이 부족하여 무서운 기억에 대하여는 우뇌 반구를 사용하고, 일반적인 기억은 좌뇌 반구를 사용하게 된다. 이것이 환자의 '분리' 현상을 설명할 수 있는 기전이다(Gabbard et al., 2005).

환자의 뇌신경 영상 검사에서는 행동을 억제하거나 조절하는 것을 돕는 전전두엽 피질의 위축과 편도체의 과잉활동이 확인되는데, 이는 과잉각성 이상조절 증후군(hyperarousal-dyscontrol syndrome)에 해당하는 내용이다(Goodman et al., 2007).

신경펩타이드 조절장애에 대한 연구도 진행 중인데, 여기에는 오피오이드, 옥시토신, 바소프레신 등이 해당된다(Stanley & Siever, 2010). 신체 내부에서 발생하는 아편(엔돌핀)은 감정과 스트레스 조절에 영향을 주고 옥시토신은 소속감 및 신뢰와 관련되는데, 이는 경계성 성격장애가 있는 환자에게 부족할 가능성이 있다. 바소프레신은 공격성, 흥분성과 연관이 있다. 행동 양상은 이러한 신경펩티드에 의해 조절되기 때문에 연구를 통해 치료 효과를 향상시킬 수 있다.

CRITICAL THINKING QUESTION

2. 22세 여성이 경계성 성격장애와 자해 행동으로 병동에 입원하였다. 간호사가 가장 우선으로 해야 하는 것은 무엇인가?

- **치료 및 간호중재**: 경계성 성격장애 환자와 관계를 형성할 때, 간호사는 환자의 친구가 아닌 건강관리 전문가로서 반드시 명확한 경계를 유지하면서 공감해야 한다. 간호사는 환자의 고통이 실제로 존재하는 것이라는 것을 인정하고, 환자가 자신을 이해하며 조절하고 변화할 수 있도록 도움을 주며 함께 노력해야 한다. 환자가 통제력을 벗어난 것처럼 보인다 해도 궁극적으로는 자신의 행동을 조절할 수 있으며(Smith et al., 2001), 간호사의 도움으로 환자는 자신의 감정을 확인하고 표현하며, 보다 적절한 행동을 취하게 된다.

환자가 자살충동, 자해, 급성 성격와해 또는 기능상실로 입원하게 되면 위기상황임을 인지해야 한다. 간호사는 자살에 대한 사정을 시행하고 자해 행동과 충동을 억제시키기 위해 안전한 환경을 제공한다. 또한 분노 및 심적 고통을 덜 파괴적으로 다루는 방법을 찾도록 환자와 협력하며 도와야 한다. 이러한 감정을 환기시키는 방법에 대하여 이야기하거나 베개 밟기, 솜방망이를 사용하는 것 등이 다른 대안법이 될 수도 있다. 자해 행동을 줄이기 위하여 간호사는 환자가 감정을 인식하고 공격적이지 않게 말로 표현하도록 도와주며, 환자가 자신의 자해 행동이 감정적인 문제를 처리하는 습관적인 반응이라는 것을 이해할 수 있도록 한다. 행동과 감정의 신호를 민감하게 인식하게 되면 충동성과 자해 행위를 줄일 수 있고, 간호사는 환자와 안전하게 감정을 다루는 다른 대안적인 방법에 대해 이야기를 나눌 수 있다. 입원환경과 외래치료 환경에서 행동계약(behavioral contract)을 적용하면 환자에게 행동의 기대치를 명확하게 제공할 수 있으므로 자해행동을 줄이는데 도움이 된다. 행동계약이란 변화되어야 할 행동과 이러한 행동에 어떤 결과가 따르게 되는지에 대해 설명하여 환자와 치료자 간에 행동에 대한 계약을 맺는 것을 말한다. 또한 바람직한 행동에는 긍정적 결과가, 바람직하지 못한 행동에는 부정적 결과가 따른다는 점도 설명한다(Gail W. Stuart, 2009). 환자는 스스로 자해 행동과 불안의 수준을 경감시키고 감정을 관리하는 대안을 선택할 수 있다는 것을 인식하도록 도와야 한다(Aviram et al., 2004).

환자는 매일 노트나 일기를 쓰면서 자신과 자신의 감정을 이해할 수 있고, 간호사와 일기를 공유함으로써 자신에 대한 이해도를 높이며, 자율성과 책임감을 향상시킬 수 있다. 이는 많은 경계성 성격장애 환자에게 활용될 수 있는 방법이다.

학대당한 경험이 있는 경계성 성격장애 환자의 경우, 완전히 안전한 환경에서 외상에 대해 이야기해야 한다. 간호사는 환자의 고통을 이해하고 공감하며 환자가 느끼는 감정이 타당하다는 것을 전달한다. 환자들이 현재의 행동이 과거의 외상과 연관이 있다는 것을 먼저 이해한다면, 자신과 타인을 향한 역기능적인 행동을 인식하고 변화시키는 법을 배울 수 있게 된다.

경계성 성격장애 환자들은 보통 타인을 조종하려고 들기 때문에, 환자의 행동과 관련하여 명화하게 예측해내기 위해서는 일관성, 제한 설정 및 지지적인 태도가 필요하다. 그들이 원하는 것을 얻기 위해 규칙을 따르지 않고 결과를 회피하며, 간호사들끼리 서로 싸우도록 만드는 데 능숙하다는 점을 인식하도록 도와야 한다. 환자가 처음에 격렬하게 저항하더라도 명확한 구조를 설명하고 병동 규칙을 시행하여 적절한 행동에 대한 책임을 부여하면 치료에 큰 도움이 된다. 환자 스스로에 대한 책임감이 강화되면 현실적인 단기 목표를 세우도록 돕는 계획이 치료에 포함되어야 한다.

정신간호사는 경계성 성격장애 환자의 일상에서 발생하는 많은 문제를 해결하는 데 도움이 되는 최적의 위치에 있다. 따라서 간호사는 환자의 행동으로 인해 대처에 어려움을 느낄 수 있지만, 환자를 비난하지 않고 공감해주며 감정 및 자기주장을 적절한 언어로 표현하도록 환자와 함께 노력한다.

경계성 성격장애 환자들은 일정 목표에 빨리 도달하게 되면 오히려 스스로를 손상시키는 행동 양상을 보인다(American Psychiatric Association, 2013). 즉, 치료 기간이 끝나고 난 후 환자는 보상작용을 상실하고 이전의 자해와 충동적인 행동으로 퇴행할 수 있는 것이다. 이 경우 간호사는 환자의 분노 표출과 방어적인 태도로 인해 자신이 무능력하다고 느끼거나 좌절감을 느낄 수 있다. 이러한 좌절감을 겪는 것이 싫기 때문에 일부 간호사는 문제에 대해 피상적인 해결책을 제공하거나 규칙을 지적하고, 표면적으로만 상호작용하는 것을 선택하기도 한다. 그러나 환자를 치료적으로 이해하고 함께 협력하는 것이 간호사에게도 환자에게도 긍정적인 결과를 낼 수 있음을 기억해야 한다.

약물은 경계성 성격장애 환자의 특정 증상을 완화하기 위해 사용된다. 증상은 인지적-지각적인 증상, 정서적 혹은 감정적 조절장애, 충동-행동 조절부전의 3가지 범위로 나눠진다(Livesly, 2000, Soloff, 2000). 약물치료는 일반적인 치료계획의 한 부분이지만, 모든 환자의 문제를 약물로 해결하려 해서는 안 된다는 점을 기억하면서 약물을 사용해야 한다. 인지적-지각적 증상은 일시적인 환각, 의심, 편집적 사고, 그리고 망상이다. 극심한 스트레스로 인해 일시적인 정신증적 증상이 나타나면, 증상 완화를 위해 저용량의 정형 항정신병 약물과 비정형 항정신병 약물을 3~12주간 투여한다. 정서적 혹은 감정적인 조절장애에는 우울, 불안정한 기분, 분노, 불안, 적대감, 그리고 불신이 포함된다. 선택적 세로토닌 재흡수 억제제(selective serotonin reuptake inhibitor, SSRIs)가 분노, 불안, 만성적인 공허함, 분노의 폭발을 줄이기 위해 사용된다(New et al., 2008a). 필요시 불안 관리를 위해 클로나제팜(clonazepam)을 사용할 수도 있고(Soloff, 2000), 리튬(lithium), 발프로산(valproic acid), 카르바마제핀(carbamazepine)이 급격한 기분 변화를 완화하기 위해 사용될 수 있다. 충동-행동 조절부전의 증상에는 자살충동과 관련된 위협이나 시도, 폭력성, 충동적인 공격성, 알코올, 약물, 그리고 성관계 중독이 포함된다. 이때도 역시 선택적 세로토닌 재흡수 억제제가 충동적인 행동을 감소시키기 위해 사용된다.

? CRITICAL THINKING QUESTION

3. 경계성 성격장애 환자가 자꾸 데이번 간호사와 이브닝번 간호사들 간의 불화를 조장하는 바람에 병동의 간호사들이 분노하고 있다. 심지어 간호사들끼리 서로 다투기 시작했다면, 그들을 돕고 궁극적으로 환자를 치료하기 위해 수간호사는 어떤 전략을 사용해야 하는가?

간호사-환자 관계에서의 확실한 제한 설정, 일관성 유지, 명확한 구조화 등의 중재는 경계성 성격장애 환자를 위해 반드시 필요한 환경이다. 경계성 성격장애 환자는 직원에게 맞서도록 다른 환자들을 조종하려 들 수 있기 때문에, 이러한 분열 시도를 최소화하려면 직원 간의 일관된 의사소통이 필수적이다.

변증법적 행동치료(dialectical behavior therapy)는 경계성 성격장애 환자에게 효과적이다(DuBose & Linehan, 2005, Paris, 2008). 입원 환경이든 외래 환경이든 간에 이 환자들에게 중요한 치료 활동에는 공격성 조절, 문제해결 능력 개발, 스트레스 및 분노 관리가 포함된다.

알코올과 약물 문제, 섭식장애, 그리고 학대의 피해자를 위한 자조모임에 참석하는 것 또한 치료의 중요한 부분이며, 직업상담 및 훈련은 자주적이고 독립적으로 기능하도록 하는 데 의미 있는 활동이다. 만약 환자가 만성적으로 자기 파괴적인 행동을 하는 경우 주거치료센터를 고려해야 할 필요가 있다.

(3) 연극성 성격장애

연극성 성격장애(histrionic personality disorder)를 가진 사람들은 사건을 각색하길 좋아하고 자신에게 주의를 끌려고

CASE STUDY

27세의 여성 강OO 님은 응급실에서 정신과 입원 병동으로 이송되었는데, 양쪽 손목 모두 봉합된 후 붕대가 감겨져 있는 상태였다. 그녀는 화내고 울기를 반복하며, "내가 제일 나빠요. 그러지 말았어야 했어요. 죽고 싶진 않지만 더 이상 살아갈 자신이 없어요. 당신은 이해하지 못할 거예요"라고 말했다. 면담하는 동안 간호사는 그녀가 지난 8년간 이 병동에 3차례 입원했다는 것을 알게 되었다. 그녀는 그녀의 상사가 맡은 일은 하지도 않으면서 다른 직원을 괴롭히고, 자신이 알코올과 물질 남용의 문제가 있다는 거짓말로 비난을 해왔으며, 자신이 직장을 빠질 수밖에 없는 정당한 사유가 있었던 경우에도 상사가 이를 받아들여주지 않았기 때문에 직장에 다시 돌아가고 싶지 않다고 말했다.

입원 당일 아침에 그녀는 진료를 받아오던 정신과 의사에게 1년 반 만에 연락하여 오후 3시에 상담을 받기로 예약했으나, 해당 의사에게 정오에 연락했을 때 그가 점심을 먹으러 나갔다는 사실을 확인하고 가위로 자신의 손목을 자해하였다. 그녀는 면담 시 "그가 나를 이해해준다고 생각했는데, 이제는 더 이상 나에게 신경을 써주지 않네요"라고 말했다. 간호사가 더 확인해 본 결과, 그녀의 부모는 해외여행 중이며, 하나뿐인 친한 친구는 아이가 아파 경황이 없는 상황이었다. 그녀는 어머니가 복용하고 있는 바륨(Valium)을 하루에 몇 알 복용해 왔음에도 불구하고, 지난 5년간 매일 평균 3~4시간밖에 자지 못했고 일반적인 식사도 하지 못했다. 또한 알고 지낸 지 2주 된 남자와는 더 이상 연락하지 않았고, 술집에 자주 드나들며 남자들을 집에 초대했다. 그 관계가 성적으로 만족스럽다고 생각했지만, 그 남자들로부터 다시는 연락이 오지 않았다.

그녀는 2년제 대학을 졸업했으며, 옷을 매력적으로 입고 로맨스 소설을 읽는 것을 좋아한다. 현재는 가장 좋아하는 책 5권을 집에서 가지고 와 입원 중이다.

간호과정

이름: 강OO　　**입원일:** ______

DSM-5 진단: 주요우울장애, 경계성 성격장애

사정	**강점:** 환자는 단정하고 깨끗함, 똑똑하고 독서를 좋아함 **간호문제:** 자해행동, 지지체계의 부족, 실직, 수면 및 식사량 감소, 무책임하고 충동적인 성적 행동
진단	1. 자해 위험성 2. 방어적 대처(근거: 분노와 불안정한 감정을 보임)
관련요인	1. 자해위험성(지지체계 부족, 손목 자해 이력, 중요한 관계를 잃을 것 같은 두려움) 2. 방어적 대처(낮은 자존감, 불충분한 통제감)
간호목표	**단기 목표**
날짜: ______	환자는 자해행동 대신 분노와 슬픔의 감정에 대해 적절하게 말로 표현할 수 있다.
날짜: ______	감정을 조절하기 위한 대안적인 방법을 사용할 수 있다.
	장기 목표
날짜: ______	퇴원하여 외래 통원하고, 직장 상사와 직장문제에 대해 직접 면담할 수 있다.
계획 및 중재	**간호사-환자 관계** • 행동화에 대해 모니터링하고 제한을 설정한다. • 자신의 감정을 깨닫고 말로 표현할 수 있도록 돕는다. • 스트레스에 대한 건강한 대처법을 알려준다. • 자기 자신과 의사결정에 책임을 지는 것에 대한 두려움을 느끼므로 이에 대해 논의한다. • 업무능력에 지장을 주는 행동에 대해 토의한다. **약물치료:** 아침: fluoxetine(Prozac) 20mg, 취침 시: trazodone 150mg **치료적 환경관리:** 자아존중감 향상, 스트레스와 분노 관리, 자기주장훈련, 사회적인 기술, 문제해결 기술, 퇴원계획
평가	• 환자는 자신의 감정을 적절하게 말로 표현한다. • 환자는 자해를 시도하지 않으며, 자살할 생각이 없다고 분명히 밝힌다.
의뢰	퇴원 후 변증법적 행동치료(DBT) 외래 그룹에 연결해 준다.

Highlighting the evidence

서론

변증법적 행동 치료(dialectical behavior therapy, DBT)는 감정을 조절하는 데 문제가 있고 자살충동을 느끼는 경계성 성격장애 환자를 돕는 근거기반 치료기법이다. DBT 외래환자 모델에서는 환자가 매주 개별 심리치료 및 사회기술훈련 그룹에 참여할 것을 요구한다. 환자는 자살위기 행동을 줄이고 행동 기술을 향상시키며 갈등이나 소외감, 치료자와의 심적 거리감을 줄이기 위해 치료 기간 동안 치료자와 전화로 상담한다.

DBT는 **4단계**로 구성된다.

- 1단계: 환자는 심한 행동장애를 조절·통제하여 자살 및 기타 생명을 위협하는 행동을 줄인다.
- 2단계: 우울을 벗어나 감정을 표현한다.
- 3단계: 행복과 불행과 관련된 문제들을 얘기한다.
- 4단계: 환자는 미완성의 상태에서 즐거움과 자유를 위한 능력을 갖게 된다.

결과

7명의 무작위 통제 실험을 통해 DBT는 경계성 성격장애 환자들에게 그 유용성을 입증받았다. DuBose와 Linehan(2005)의 초기 실험에서 실험자들은 1년의 치료기간 동안, 그리고 그 후 1년 동안 4개월마다 평가를 받았다. DBT는 자살시도와 자해 행동을 줄이고 치료의 조기 탈락률, 응급실 및 정신과 입원 기간을 단축시키며, 약물 사용, 우울증, 절망 및 분노를 경감시키는 데 효과적이었다.

결론

DBT를 훈련받은 간호사들은 경계성 성격장애 환자에게 근거를 기반으로 한 효과적인 간호와 함께 배려 있는 간호를 제공할 수 있다.

출처: DuBose, A.P., & Linehan, M.M. (2005). Balanced therapy: how to avoid conflict and help ""borderline"" patients. Current Psychiatry, 4, 12.

노력한다. 외향적이고 관심의 중심이 되는 것을 즐기기 때문에 행동은 화려하고 유혹적이나, 유치하고 경박하다. 말은 모호하고 서술적이고 피상적이며 과도하게 과장되어 있지만, 구체성과 깊이가 부족하며 통찰력이 없다. 환자는 성격이 급하고 안절부절하지 못하며, 작은 사건에 과잉된 반응을 보이며 폭발적인 울분을 표출한다. 연극성 성격장애를 진단받은 환자들은 책임을 회피하고 의존성을 충족하기 위해 신체적 증상을 호소할 수도 있다(신체화). 환자는 자신의 실제 감정을 다룰 수 없기 때문에 해리(dissociation) 상태가 되기 쉽다. 이는 감정을 직면하는 것을 피하기 위해서 사용하는 흔한 방어기전이다. 또한 타인과의 관계를 특별하게 생각하거나 실제보다 더 친밀하다고 보기 때문에 근래에 만난 사람들을 둘도 없는 친구로 생각한다. 연극성 성격장애의 원인에는 많은 요인이 작용하겠지만 확실한 원인은 규명되지 않고 있다.

- **치료 및 간호중재**: 간호사-환자 관계는 환자가 이기적으로 굴지 않고 타인을 위한 이타적인 행동을 했을 때 관심, 인정, 칭찬 등의 긍정적인 강화를 제공하도록 한다. 환자가 불안해하고 무력하다고 느끼기 때문에 간호사는 독립적인 문제해결과 일상적인 기능을 향상시키기 위해 지지를 제공해야 한다. 자신의 감정이 어떤지 정확히 알지 못하고 이를 처리하지도 못하기 때문에, 간호사는 환자의 실제 감정을 분명하게 인지하도록 돕고 그 감정들을 적절한 방법으로 표현하는 것을 배우도록 도와야 한다.

(4) 자기애성 성격장애

자기애성 성격장애(narcissistic personality disorder)의 주요 특징은 과장이다(Pincus & Lukowitsky, 2010). 환자는 자신의 중요성과 성취에 대해 지속적이고 비현실적인 과대평가를 하는데, 조현병이나 양극성장애에서 발견되는 과대망상과는 차이가 있다. 이들의 과장은 현실에 기초하지만, 자신이 중요한 존재임을 알리기 위해 사실을 왜곡하고 미화하며 이해하기 난해하다. 예를 들어, 자기애성 성격장애를 가진 남성은 실제로 고등학교 때 축구팀의 후보 선수였으나 간호사에게는 "고등학교 때 잘 나가던 선수였기 때문에 진짜 프로팀에서 선수로 활동할 수도 있었다"라고 말할 수도 있다.

자기애성 성격장애 환자의 과장은 대인관계의 이용, 공감 부족, 오만함, 강력한 질투, 그리고 특권 의식을 보인다. 이 환자들은 표면적으로는 선의로 다른 사람을 돕는 것 같이 보일 수 있지만, 속으로는 도움을 받는 사람에 대한 경멸을 숨긴 채, 자신의 특별함, 선함 또는 우수한 능력을 보여주기 위해 상호관계를 조종하려 한다(Pincus & Lukowitsky, 2010).

또 다른 주요 특징은 자아도취의 취약성이다. 자기애성 성격장애 환자들은 과도하게 긍정적인 자아상을 갖고 있기 때문에, 자신에 대해 실망스럽거나 위협적인 상황에 직면하면 심각한 문제를 겪게 된다. 사람은 누구나 완벽할 수 없음에도 불구하고, 이 환자들은 자신의 부족한 점이나 도달할 수 없는 완벽성에 도전하기 위해 부적응적인 전략을 사용한다. 그래서 자아도취가 있는 사람은 분노, 격분 또는 공허한 감정을 숨김과 동시에 비난에 대해 태연하거나 무관심해 보일 수 있다. 자존감을 높이기 위해서는 타인으로부터의 지속적인 강화가 필요하다. 타인과의 관계는 얕을

지라도 환자의 자존감이 긍정적으로 향상되었다면 의미가 있다. 환자는 타인과 공감할 수는 있지만 매우 자기중심적이다. 자신의 필요를 충족하고 외로움과 불충분한 느낌을 누그러뜨리기 위해 타인을 이기적으로 이용한다.

Clinical example: 자기애성 성격장애

정신과 병동에 입원한 임OO 님은 경제뉴스를 계속 확인해야 한다는 이유로 전화기와 텔레비전이 있는 독방을 고집한다. 그는 자신은 여기 있는 다른 환자들과 다르며, 자신은 중요한 일을 해야 하는데 다른 환자들이 방해된다고 불평했다. 간호사가 그의 요구를 들어줄 수 없다고 대답하자 그는 잘난 체하며 "당신은 얼마나 중요한 결정을 내리고 있는지 이해하지 못해. 당신은 그저 간호사일 뿐이니까"라고 쏘아붙였다.

- **원인**: 자기애성 성격장애와 관련된 원인으로 생물학적, 유전적 요인에 대한 연구는 거의 없다. 환경적 요인과 관련하여 일부 이론가들은 부모가 아이에게 적절한 것과 부적절한 것에 대해 제대로 피드백 해주지 못했기 때문에 정서적인 발달이 정지되고 자기 중심적인 사람으로 성장한 것이라고 주장한다(Miller, 2004). 결과적으로 아이는 자신의 행동에 대한 피드백 없이 성장하면서 이러한 장애를 갖게 되는 것이다.
- **치료 및 간호중재**: 간호사-환자 관계에서 간호사는 환자가 끊임없이 자신의 중요성과 과대성에 대해 이야기 하는 것을 줄여나가도록 힘써야 한다. 특히 모순된 내용이 있다면 환자의 말이 타인에게 어떻게 들리는지 보여주어야 한다. 또한 자신의 감정을 인식하고 말로 표현하는 것에 중점을 두도록 도와야 한다. 지지적인 직면은(supportive confrontation) 환자가 자기 자신에 대한 책임감을 갖게 하도록 간호사가 환자의 말과 실제 존재하는 사실 사이의 불일치를 지적하는 것이다. 제한을 설정하고 일관성 있는 접근 방식을 취함으로써 환자로 하여금 타인에 대한 조종과 특권의식에서 비롯된 행동을 줄여나가게끔 한다. 지금-여기(here and now)에 초점을 둔 현실적 단기목표는 상상이나 합리화를 감소시키고 자기 자신에 대한 책임감을 높이는 데 있어서 중요하다. 실수를 하거나 불완전함이 있더라도 모든 사람이 가치 있다는 것을 알게 해야 한다. 집단요법은 자신의 행동이 어떻게 타인에게 영향을 미치는지 알고 타인의 문제에 관여해보는 기회를 마련해준다. 이때 환자가 자기에 대한 이야기를 제한 없이 하지 않도록 주의해야 한다(Miller, 2004).

3) C군: 회피성, 의존성, 강박성 성격장애

(1) 회피성 성격장애

회피성 성격장애(avoidant personality disorder)를 가진 환자들은 소심하고 사회적인 관계에서 불편해하며 내성적이다. 타인과의 관계에서 부적응적인 모습과 비판에 과민한 반응을 나타내며 관계 형성을 두려워하고 수줍어하지만, 대인관계를 강하게 원한다. 그러나 사회적인 관계를 맺기 전에 상대방이 자신을 좋아한다는 확신을 필요로 한다(McGlashan et al., 2005). 불안을 최소한의 수준으로 유지하기 위해 실망할 것 같은 상황 또는 거절당할 것 같은 상황을 피한다. 누군가와 대화할 때 자기확신이 부족하여 불확실하게 말하거나 말끝을 흐린다. 또한 질문하거나 사람들 앞에서 말하는 것을 두려워하며, 사회적 지지를 받아도 위축된 모습을 보이고, 무력감을 경험한다.

- **원인**: 생물학, 유전학, 심리학의 영역에서 회피성 성격장애에 대해 연구한 바에 따르면, 편도체의 과잉활성이 불안과 두려움을 야기한다고 알려져 있다(Goodman et al., 2007). 수줍음은 아동기에 일반적으로 나타날 수 있지만, 청소년기 때 수줍음이 늘어나고 회피하는 행동을 보이게 되면 이 장애로 이어질 수 있다. 회피성 성격장애는 사회공포증과 특히 관련이 있으며, 사회공포증의 가장 심한 형태로 간주되기도 한다(Borge et al., 2010).
- **치료 및 간호중재**: 간호사-환자 관계에서 간호사는 환자가 두려움에 서서히 직면할 수 있도록 도와야 한다. 두려워하는 일을 시작하기 전이나 후에 환자의 감정과 두려움에 대해서 이야기를 반드시 나눠야 한다. 간호사는 환자가 작은 목표부터 달성할 수 있도록 지지해주고 유도한다. 또한 환자가 자신의 의사를 주장해 나가고, 사회적인 기술을 배울 수 있도록 도와야 한다. 간호사는 환자가 타인과의 소통에 어느 정도 적응한 상태이면, 환자가 견딜 수 있는 수준에서 작은 규모의 집단에 참여하도록 해야 한다. 환자들은 불안감이 심하기 때문에 성공적인 소통을 위해서는 이완요법에 대한 교육이 제공되어야 하며, 간호사는 성공적인 치료와 환자의 자존감 증진을 위해서 환자가 타인과 상호작용하려는 노력에 긍정적인 피드백을 제공해야 한다.

(2) 의존성 성격장애

의존성 성격장애(dependent personality disorder)는 순종적인 태도, 대상에게 집착하는 행동, 분리에 대한 두려움, 돌봄을 받고 싶어 하는 과도한 욕구가 특징이다(American Psychiatric Association, 2013). 의존적인 환자들은 타인이 그들을 위해 입을 옷을 고르거나 직업을 선택하는 것 같은 일상적인 의사결정을 대신 해주기를 원한다. 이들은 타인의 지시와 확신을 필요로 한다. 이들은 심한 열등감을 가지고 있으며, 혼자 남겨질까 봐 두려워 다른 사람에게 지나치게 매달린다. 책임을 회피하고 무력감을 표현하여, 타인에게 의지할 필요성을 유지한다. 또한 스스로를 타인의 도움 없이는 기능할 수 없는 존재라고 인지한다.

의존적인 사람들은 타인에게 선행을 베풀면 누군가가 자신의 그러한 행동을 보상해줄 것이라고 믿는다. 배우자가 자신을 학대하고 바람을 피우며 알코올에 중독된 상태이더라도 애착 관계가 손상되지 않도록 참고 견디며, 배우자와의 갈등을 피하기 위해 성적인 부분에 대한 감정과 분노를 숨기며 수동적인 태도를 유지한다.

Clinical example: 의존성 성격장애

배OO 님은 간호사에게 16살 때부터의 결혼생활이 불행하다고 고통을 토로했다. 그녀의 남편이 알코올 중독자이며 폭력적이기 때문에 결혼생활이 슬프고 좌절스럽다고 표현했지만, "내가 어떻게 그를 떠나겠어요? 그럼 누가 날 돌봐줘요? 나는 절대 혼자 살 수 없어요. 그는 완벽하지 않지만 최소한 나를 신경은 써줘요"라고 말했다. 그러면서도 그녀는 간호사에게 계속해서 어떻게 해야 좋을지에 대해서 물었다.

- **원인**: 의존성 성격장애가 생물학적, 유전적 요인과 관련이 있는지는 아직 밝혀지지 않았다. 정신사회적 이론들은 문화가 이 성격장애를 형성하는 데 기초가 된다고 생각한다. 부모나 사회는 아이가 자율적으로 행동해서는 안 된다고 믿고, 아이는 만약 그러한 행동을 했을 경우 부모로부터 질책을 받거나 애착관계를 잃게 될 것이라고 믿는 것이다. 매우 권위적인 부모로부터 과잉보호를 받으며 자랐거나 반대로 학대를 받으며 자란 경우가 많다. 따라서 아이가 부모의 뜻에 반하는 행동을 독자적으로 하려고 할 때, 부모는 미묘한 방법으로 아이를 처벌함으로써 아이가 자율적인 행동양식을 배우는 것을 방해한다.
- **치료 및 간호중재**: 간호사-환자 관계에서 간호사는 환자가 스스로 일상생활에 책임감을 갖게 하기 위해 천천히 의사결정을 내릴 수 있도록 도와야 한다. 스스로에게 책임감을 더 느낄수록 불안 역시 심해지기 때문에 환자는 불안을 조절하기 위한 도움이 필요하다. 간호사의 교육 중 자기주장 훈련은 매우 중요한 부분인데, 환자가 그의 감정, 필요, 욕구를 명확하게 말할 수 있도록 돕는 것이다. 감정을 말로 표현하는 것과 그 감정을 다루는 방법은 치료에 필수적이며 기초적인 부분이다.

(3) 강박성 성격장애

강박성 성격장애(obsessive-compulsive personality disorder) 환자는 완벽주의적이고 융통성이 없다는 점이 특징적이다. 이들은 지나치게 엄격하고 때로는 스스로를 위한 기준을 너무 높게 설정하기도 하는데, 그에 비해 결과는 그리 좋지 못하다. 규칙들, 사소한 세부사항, 그리고 절차에 집착하기 때문이다. 다른 사람들에게 '모든 일을 자기 뜻대로 하려는 사람(control freak)'으로 보이기 쉽고, 따뜻하고 부드러운 감정 표현에 어려움을 겪는다. 타인과의 상호작용에서 주고받는(give-and-take) 것이 거의 없고, 매사에 통제하려 하며 감정적으로 냉정하다. 모든 활동에 진지하게 임하기 때문에 일을 즐기거나 즐거움을 경험하기 어렵다. 실수하는 것을 두려워하여 우유부단하게 굴기도 하고 모든 정보가 파악될 때까지 결정을 미루기도 한다. 이 환자의 정동은 제한되어 있고 대부분 단조로운 톤으로 말한다. 성격특성이 자아 동조적이기 때문에 그들의 완벽주의는 환자 자신에게 불편감을 초래하지 않으며, 엄격하고 질서정연한 생활방식도 문제가 있다고 생각하지 않는다. 즉, 자신의 성격 문제에 대한 통찰력이 없다.

반면에 강박장애(obsessive-compulsive disorder)는 불안장애의 일부로서, 자아 이질적(egodystonic)인 특성을 갖는다. 환자들 스스로가 자신의 생각과 행동이 비정상적이라는 것을 인지하기 때문에 모든 것을 확인해야 하는 강박적 욕구가 환자에게 엄청난 고통을 유발한다. 따라서 강박장애와 강박성 성격장애 간의 이러한 차이를 간호사는 분명히 인식하고 있어야 한다.

- **원인**: 유아기의 부모-자녀 관계에서 자율성과 통제, 권위와 관련된 문제가 있는 경우 강박성 성격장애가 유발되기 쉽다. 강박성 성격장애의 특징은 'type A 성격'과 유사

하며, 심근경색의 고위험군에게 나타날 수 있다. 또한 강박성 성격장애와 섭식장애 사이에도 높은 관련성이 보고되고 있으며, 두 질환의 원인도 유사할 수 있다.

• **치료 및 간호중재**: 간호사-환자 관계에서 간호사는 환자가 자신의 감정을 탐색하고, 새로운 경험과 상황을 시도할 수 있도록 지지해야 한다. 간호사는 환자가 의사결정을 내리고, 이를 실행에 옮기도록 격려해야 한다. 때로는 환자의 미루는 버릇과 주지화(intellectualization)를 직면시킬 필요가 있다. 간호사는 환자에게 여가활동과 그 활동에서 흥미를 느끼는 것이 중요하다는 점을 교육해야 한다. 더불어 자신이 타인에게 어떤 방법으로 영향을 미치는지에 대한 인식이 부족하기 때문에 타인의 시선을 살피고 이해하도록 돕는다. 환자에게 누구나 인간이기 때문에 실수해도 괜찮다는 것을 교육함으로써 완벽해야만 한다는 비논리적인 믿음을 줄여나가도록 한다.

STUDY NOTES

1. 성격특성이란 개인이 생각하고 느끼고 행동하는 방식으로, 일상생활에서 나타나는 지속적인 접근 방식이다.
2. 성격특성이 융통성 없고 역기능적이며 자신과 타인에게 고통을 야기할 때 성격장애가 진단된다. 개인적인 불편감은 주로 자신에 대한 다른 사람의 부정적인 반응이나 행동으로 인해 발생한다.
3. 괴상하고 별난 경향의 성격장애 군은 다음과 같다.
   a. 편집성: 의심이 많고 신뢰하지 못한다.
   b. 조현성: 혼자 있고 은둔자처럼 생활한다.
   c. 조현형: 조현병의 증상과 비슷하지만 덜 심각한 증상이 특징적이다.
4. 극적이고 감정적이며 변덕스러운 성격장애 군은 다음과 같다.
   a. 반사회성: 죄책감 없이 타인의 권리를 무시하거나 침해한다.
   b. 경계성: 자아정체성, 대인관계, 감정조절 장애, 자해 행동의 문제를 가진다.
   c. 자기애성: 자신을 과대평가하고, 자만하는 태도를 가지며 타인의 비판에 무관심하다.
   d. 연극성: 극적인 행동을 하고 타인의 관심을 추구하며 피상적인 감정표현이 특징적이다.
5. 불안해하며 두려워하는 성격장애 군은 다음과 같다.
   a. 의존성: 소극적이고 무력하며, 책임지는 것을 두려워하고 의사결정 시 타인에게 의존하려 한다.
   b. 회피성: 겁이 많고 사회적으로 위축된 행동을 보이며, 비난에 과민반응한다.
   c. 강박성: 우유부단하고 완벽주의적이며, 융통성이 없고 감정을 표현하는 데 어려움이 있다.
6. 성격장애를 가진 환자들을 위한 간호중재: 자신이나 타인에게 고통을 주는 특정 행동을 인식하고, 자신의 감정을 직시하며 역기능적인 대처 행동을 줄일 수 있도록 돕는다.

참고문헌

REFERENCES

Adelstein, J. S., et al. (2011). Personality is reflected in the brain's intrinsic functional architecture. PLoS One, 6, 11.
American Psychiatric Association. (2000). Diagnostic and statistical manual of mental disorders, text revision (4th ed.). Arlington, Virginia: APA.
American Psychiatric Association. (2013). Diagnostic and statistical manual of mental disorders (5th ed.). Arlington, Virginia: APA.
Aviram, R. B., et al. (2004). Adapting supportive psychotherapy for individuals with borderline personality disorder who self-injure or attempt suicide. Journal of Psychiatric Practice, 10, 145.
Basoglu, C., et al. (2011). Synaptosomal-associated protein 25 gene polymorphisms and antisocial personality disorder: Association with temperament and psychopathy. Canadian Journal of Psychiatry, 56, 341-347.
Blais, M. A., et al. (2008). Personality and personality disorders. In T. A. Stern, et al. (Eds.), Massachusetts General Hospital clinical psychiatry (pp. 527-540). Philadelphia: Mosby.
Borge, F. M., et al. (2010). Pre-treatment predictors and intreatment factors associated with change in avoidant and dependent personality disorder traits among patients with social phobia. Clinical Psychology & Psychotherapy, 17, 87-99.
Bornstein, R. F. (2012). Illuminating a neglected clinical

issue: Societal costs of interpersonal dependency and dependent personality disorder. Journal of Clinical Psychology, 68, 766–781.

Caspi, A., et al. (2002). Role of genotype in the cycle of violence in maltreated children. Science, 297, 81.

DuBose, A. P., & Linehan, M. M. (2005). Balanced therapy: How to avoid conflict and help "borderline" patients. Current Psychiatry, 4, 12.

Gabbard, G. O. (2005). Mind, brain, and personality disorders. American Journal of Psychiatry, 162, 648.

Gail W. S. (2009). Principle and practice of Psychiatric Nursing (9th). USA: Mosby.

Goodman, M., et al. (2007). Neuroimaging in personality disorders: Current concepts, findings, and implications. Psychiatric Annals, 37, 2.

Gunderson, J. G. (2009). Borderline personality disorder: Ontogeny of a diagnosis. American Journal of Psychiatry, 166, 5.

Hengartner, M. P., et al. (2013). Childhood adversity in association with personality disorder dimensions: New findings in an old debate. European Psychiatry, 28, 476–482.

Leichsenring, F., et al. (2011). Borderline personality disorder. The Lancet, 377, 74–84.

Livesly, W. J. (2000). A practical approach to the treatment of patients with borderline personality disorder. Psychiatric Clinics of North America, 23, 211.

McGlashan, T. H., et al. (2005). Two-year prevalence and stability of individual DSM-IV criteria for schizotypal, borderline, avoidant, and obsessive-compulsive personality disorders: Toward a hybrid model of axis II disorders. American Journal of Psychiatry, 162, 883.

Merriman, T., & Cameron, V. (2007). Risk-taking: Behind the warrior gene story. The New Zealand Medical Journal, 120, 1250.

Miller, M. C. (2004). Narcissism and self-esteem. Harvard Mental Health Letter, 20, 1.

Muehlenkamp, J. J. (2005). Self-injurious behavior as a separate clinical syndrome. American Journal of Orthopsychiatry, 75, 324.

New, A. S., et al. (2008a). Recent advances in the biological study of personality disorders. Psychiatric Clinics of North America, 31, 3.

New, A. S., Triebwasser, J., & Charney, D. S. (2008b). The case for shifting borderline personality disorder to axis I. Biological Psychiatry, 64, 653.

Paris, J. (2008). Clinical trials of treatment for personality disorders. Psychiatric Clinics of North America, 31, 3.

Pincus, L., & Lukowitsky, M. (2010). Pathological narcissism and narcissistic personality disorder. Annual Review of Clinical Psychology, 6, 421–446.

Plodowski, A., Gregory, S. L., & Blackwood, N. J. (2009). Persistent violent offending among adult men. In S. Hodgins, E. Viding, & A. Plodowski (Eds.), The neurological basis of violence: Science and rehabilitation. Oxford: Oxford University Press.

Sansone, R. A., & Sansone, L. A. (2008). Borderline personality disorder: Are proliferative symptoms characteristic? Psychiatry, 5, 18.

Sansone, R. A., & Wiederman, M. W. (2009). Borderline personality symptomatology, casual sexual relationships, and promiscuity. Psychiatry, 6, 36.

Saradjian, J., Murphy, N., & McVey, D. (2010). Fundamental treatment strategies for optimising interventions with people with personality disorder. In N. Murphy, & D. McVey (Eds.), Treating personality disorder. Creating robust services for people with complex mental health needs. London: Routledge, Taylor & Francis Group.

Smith, G. W., Ruiz-Sancho, A. R., & Gunderson, J. G. (2001). An intensive outpatient program for patients with borderline personality disorder. Psychiatric Services (Washington, D.C.), 52, 532.

Soloff, P. H. (2000). Psychopharmacology of borderline personality disorder. Psychiatric Clinics of North America, 23, 169.

Stanley, B., & Siever, L. (2010). The interpersonal dimension of borderline personality disorder: Toward a neuropeptide model. American Journal of Psychiatry, 167, 24.

Stanley, B., et al. (2001). Are suicide attempters who self-mutilate a unique population? American Journal of Psychiatry, 158, 427.

Von Polier, G. G., et al. (2013). Reduced cortisol in boys with earlyonset conduct disorder and callous-unemotional traits. BioMed Research International, 2013, 349530.

CHAPTER

23

성 관련 장애

Sexual Disorders

evolve WEBSITE

http://evolve.elsevier.com/Keltner

학습목표

- 정상 성반응을 확인한다.
- 성정체감의 발달을 확인한다.
- 성 관련 장애의 관련요인을 설명한다.
- 성기능부전, 변태성욕장애, 성별 불쾌감의 범주에 따른 성 관련 장애의 유형을 설명한다.
- 성 관련 장애의 행동특성을 설명한다.
- 대상자에게 간호과정을 적용한다.

사람들은 다양한 성적 활동에 관여하고 이로 인한 다양한 범위의 성적 반응을 보인다. 성행위가 동의 하에 이루어지지 않거나 아동과 연관이 있는 경우 합법적으로 용납될 수 없으며, 성행위가 문화 규범, 기준 및 가치관을 위반할 경우 윤리적으로 받아들여질 수 없다. 성적 활동을 사정할 때는 기능수준, 자아존중감, 타인과의 관계가 개인과 타인에게 미치는 영향을 반영하여 평가되어야 한다.

적응적 성반응은 성 파트너 간에 동의한 것인지, 강요나 강압에 의한 것인지 고려하는 것이 중요하며, 신체적, 심리적 해를 주지 않으며, 사생활이 보장되어야 한다. 성행위는 결코 개인의 권리와 욕구를 침해해서는 안 된다. 권력과 통제는 동의의 의미를 흐리게 하는데, 예를 들면, 영향력 있는 상사와 부하 직원의 성적 관계는 표면적으로는 서로 합의 하에 이루어졌다고 보일 수 있으나, 그 핵심에는 강압적인 위력이 포함되어 있을 수도 있는 것이다.

1. 정상 성반응 주기

정상적인 성반응을 마스터스와 존슨은 다음의 4단계로 설명하였다.

욕밍기(desire stage)는 성행위에 대한 욕구가 발생하며 성적인 흥분이 시작되는 단계이다. 욕망기는 신체적, 시각적 자극, 성적인 공상 등과 같이 다양한 외부자극에 따라 영향을 받는다. 흥분기(excitement stage)에는 성적 자극에 의해 신체적인 변화가 나타난다. 남성은 음경이 발기 되고 고환의 크기가 커지며, 여성은 질의 윤활작용, 외부 생식기의 팽창, 유두 발기가 시작된다. 절정기(orgasmic stage)는 성적 긴장과 흥분이 최고조에 이르게 된다. 이 시기에 남성은 음경이 최대로 길어지고, 고환도 흥분기보다 더욱 커지며, 쿠퍼스샘으로부터 소량의 분비물이 배설되어 정자를 보호한다. 여성의 경우, 질과 자궁이 더욱 확장되며 질의 율동적인 수축이 일어난다. 또한 절정기에는 남녀 모두 혈압, 심박동, 호흡수와 근육 긴장도가 증가하며 절정감을 경험한다. 해소기(resolution stage)는 성 반응 주기의 마지막 단계로 생식기 및 신체반응이 흥분 전 상태로 다시 복원되는 시기이다. 남성은 음경이 줄어들고 음낭과 고환의 울혈이 감소하며, 여성은 음핵이 정상 크기로 돌아온다. 이 단계에 남성은 불응기가 있어 성적 자극을 받아도 발기반응이 나타나지 않는 반면, 여성은 오르가슴 이후에도 성적 자극이 지속되면 다시 오르가슴을 느낄 수 있다. 이러한 남성과 여성의 생리적 차이를 극복하지 못하면 성적 갈등이 나타날 수 있다. 이러한 성반응 주기를 이해하는 것은 성기능부전의 문제를 파악하기 위해 필수적인 과정이다.

2. DSM-5의 기준과 용어

DSM-5(American psychiatric association, 2013a)에서는 성장애를 성기능부전, 변태성욕장애, 성별 불쾌감으로 분류하고 있다. 성기능부전은 일반적으로 개인의 성적인 반응 또는 성적 즐거움을 경험하는 능력에 현저한 장애를 가지는 것이 특징이다. 변태성욕장애는 비정상적인 성적 활동이나 선호(성적 관심)에 초점을 맞춘 강렬한 성적 충동이 특징이다. 성별 불쾌감은 자신의 생물학적인 성별과 자신이 원하거나 표현한 성별이 서로 다름으로 인한 심한 고통과 사회적 적응곤란을 나타내는 것이 특징이다. 모든 장애와 마찬가지로, 성 관련 장애는 임상적으로 극심한 고통을 동반하거나 사회적 기능에 큰 손상이 있을 때 진단을 내릴 수 있다.

DSM-5 분류: 성 관련 장애

성기능부전(sexual dysfunctions)
- 남성성욕감퇴장애(male hypoactive sexual desire disorder)
- 발기장애(erectile disorder)
- 사정장애(ejaculation disorder)
- 여성 성적 관심/흥분장애(female sexual interest/arousal disorder)
- 여성극치감장애(female orgasmic disorder)
- 성기-골반통증/삽입장애 (genito-pelvic pain/penetration disorder)

변태성욕장애(paraphilic disorders)
- 소아성애장애(pedophilic disorder)
- 노출장애(exhibitionistic disorder)
- 물품음란장애(fetishistic disorder)
- 마찰도착장애(frotteuristic disorder)
- 성적피학장애(sexual masochism disorder)
- 성적가학장애(sexual sadism disorder)
- 복장도착장애(transvestic disorder)
- 관음장애(voyeuristic disorder)

성별 불쾌감(gender dysphoria)
- 아동에서의 성별 불쾌감(gender dysphoria in children)
- 청소년과 성인에서의 성별 불쾌감(gender dysphoria in adolescents and adults)

3. 원인

성적 발달과정이나 부적응적인 성반응을 발생시키는 요인들에 관해서는 많은 다른 정신장애들과 마찬가지로 대부분 생물학적, 심리적, 사회적, 환경적 요인들이 복합적으로 관여하고 있다. 성적 장애와 관련해서 특히 유전, 가족력 및 심리적, 사회문화적 요소 등이 중요한 원인이 된다. 어린 시절 성적 학대와 관련된 외상, 발달상의 친밀감 부족, 성장기 동안의 지나치게 억압적이고 제한된 환경, 성 역할에 관한 억압, 성에 관한 해부적 구조나 성적 무지 등이 성 관련 문제 또는 기타 정신장애로 이어질 수 있는 것으로 본다.

1) 생물학적 요인

생물학적인 요인은 초기에 성별 형성에 영향을 미쳐 유전학적으로 남성인가 여성인가를 구분하는 기준이 되며, 염색체, 호르몬, 내·외부 생식기, 생식선 등이 포함된다.

여성은 XX 염색체와 에스트로겐 호르몬, 내·외부 여성 생식기와 난소를 가지고 있고, 남성은 XY 염색체, 안드로겐 호르몬, 내·외부 남성생식기, 고환이 있다. 그러나 이러한 전형적인 형태가 변형되는 경우도 있다. 어떤 사람은 XXX, XXY 혹은 XYY와 같은 3개의 염색체나 XO와 같은 단일 염색체를 가지는 경우도 있다. 3개의 염색체 XXX형과 단일 염색체 XO형은 여성에서 나타나고, 반면에 XXY형과 XYY형은 남성에서 나타난다. 일단 염색체가 결정이 되면 남성 또는 여성의 한쪽 성으로 발달하여 생물학적인 변형이 발생하지 않을 경우 하나의 유일한 성을 가지게 된다. 현재 유전인자와 성 장애 간의 관련성에 관한 생물학적 연구들이 이루어지고 있다.

2) 정신분석학적 요인

프로이트(Sigmund Freud)는 성적 욕구가 사춘기 이전에 발달되며 인간의 성적인 표현에 대한 선택은 유전적, 생물학적, 사회적 요인의 상호작용에 따른다고 믿었다. 그는 유아들의 성적 욕구가 인격발달의 중심이 된다고 생각하였고, 성적인 충동을 '리비도(libido)'라고 언급하였으며, 이 리비도를 공격적인 충동과 함께 인간이 살아가는 데 필요한 2가지 주요 충동 중의 하나로 보았다.

프로이트에 따르면, 아동은 일련의 발달단계를 거치는데, 각 발달단계에서는 각자 다른 성감대가 지배한다. 첫 번째 발달단계인 구강기(출생~12개월)의 주요 성적 쾌감은 입술과 입의 자극에서 비롯되고, 두 번째 단계인 항문기(1~3세)에는 배설기능과 신체의 괄약근을 조절하는 데 관심이 모아진다. 세 번째 단계인 남근기(3~5세)의 성적 쾌감의 초점은 성기에 있다. 이 단계에서 중요하게 발생하는 것은 남아의 오이디푸스 콤플렉스(Oedipus complex)와 여아의 일렉트라 콤플렉스(Electra complex)이다.

프로이트에 따르면 남아는 자신의 어머니를 갈망하는 것에 대한 아버지의 보복을 두려워하고 아버지가 자신의 성기를 자를 것이라는 망상에 사로잡힌다(거세공포증). 이러한 두려움은 어린 남아가 결국 아버지에 대한 분노를 억압하고 아버지를 동일시하여 남성의 역할을 닮아가고 인식하게 만든다. 반대로 여아에게는 상실을 두려워할 페니스가 없다. 여아는 한때는 자신도 페니스를 가지고 있었으나 누군가에 의해 제거되었다고 생각하며, 이에 대해 어머니를 원망한다. 상실감을 가질만한 페니스가 없기 때문에, 일렉트라 콤플렉스를 해결하고자 하는 동기 부여는 남아만큼 강하지가 않고 완전히 해결되지 않은 상태로 남아있다. 또한 프로이트는 여성이 남성의 페니스를 부러워한다고(penis envy) 주장하였으나, 최근 여성주의자들에 의해 비난을 받고 있다.

오이디푸스 콤플렉스를 해결한 후에는 아이는 성적 충동이 억압되는 잠복기에 돌입한다. 이 단계는 사춘기가 될 때까지 지속되며, 사춘기 때는 성적 충동에 다시 눈을 뜨는 이성애기(생식기) 단계에 들어선다. 이 발달단계 동안에는 오이디푸스 콤플렉스가 다시 나타나고, 부모에 대해 자신의 권리를 주장하고자 하는 욕구가 생겨나지만 결국 성인으로서의 생식기에 대한 성적 관심으로 전환하게 된다. 발달의 초기단계에 고착이 나타났을 경우, 대상에 대한 정서적 집중이 불완전하고 개인은 결국 자기애적 대상을 선택하게 될 수도 있다.

하지만 이러한 이론의 과학적인 연구 자료가 부족하다는 점이 프로이드 학설이 가지는 주요 문제점 중의 하나로 여전히 지적받고 있다.

3) 행동이론적 관점

행동주의자의 입장에서 볼 때, 성적인 반응을 이해하는 데 가장 합리적인 자료는 명백하면서도 측정 가능한 자극에 대해 나타나는 반응으로, 이들은 유년 시절의 콤플렉스나 심리 내적 과정에 크게 초점을 두지 않는다. 다만 성 관련 장애가 어린 시절의 성 학대에 따른 결과로 나타나며, 부모의 성행동이 아동의 성 발달에 중요한 영향을 미치는 것으로 보았다.

행동주의자는, 성적인 행동이 경험된 자극이나 강화사건(예: 성적 학대, 근친상간, 부적절한 성관계 등)에 대해 생리학·심리학적으로 측정 가능한 반응이라고 보고 있다. 따라서 성적인 문제를 치료함에 있어, 원인론과 정신역동을 다루지 않고, 직접적인 개입을 통한 행동 변화를 유도하고자 한다.

4) 기타 관련 요인

(1) 노화

나이가 들어감에 따라 성행위는 점차 감소되는 경향이 있으며, 노화작용으로 인해 남성과 여성 모두에게 해부학적 성의 구조 및 성 반응에 있어 약간의 변화를 초래하게 된다.

일반적으로 노인은 성에 전혀 관심이 없으며 흥미가 없는 것이 당연하다고 생각하여, 때때로 정상적인 성 욕구를 가진 노인을 '변태적'이라거나 '성적 욕구 과잉'으로 여기기도 한다. 노인들 스스로도 성행위와 노화에 관한 사회의 그릇된 관점에서 벗어나지 못하고 대다수가 성적인 유혹이나 느낌을 부정하는데, 이는 노인들에게 있어서 성적인 행위는 비정상적이거나 그릇된 것이라고 믿도록 관념화되었기 때문이다.

성적 활동의 능력은 전 인생을 통하여 지속되지만, 대부분의 노인들에게 있어서 성에 대한 무관심, 성에 대한 권태, 신체적인 성적 욕구의 감소, 문화적인 억제, 자존감 저하, 개인의 건강 상태의 변화 등으로 인해 성생활에 점차적으로 변화가 발생한다.

(2) 약물

약물로 인한 부작용의 가장 일반적인 현상은 성적 욕구의 감소로, 남녀 모두에게 나타날 수 있다. 남성에게 주로 발생하는 성적 문제는 발기상의 어려움이며, 여성의 경우에는 대체로 오르가즘의 지연현상이다. 항정신병 약물과 항우울제를 포함한 정신과 약물을 복용하는 사람들의 30~60%가 발기, 성적욕구, 오르가즘 및 월경에 관한 문제를 경험할 수 있다.

간호사는 약물의 성적 부작용에 관해서 교육하고, 이러한 부작용이 발생했을 때 전문가에게 알리도록 해야 한다. 이러한 경우 대체로 성적 장애를 해결하기 위해서 약물 또는 복용량을 바꾸기도 하지만, 알코올이나 물질 남용으로 인해 성적 욕구 감퇴 현상이 나타나기도 하므로 이에 대한 주의가 필요하다.

(3) 질병과 상해

신체적, 정신적인 질병은 성적인 변화를 촉진시키고, 성적인 감정과 행동에 변화를 초래한다. 예를 들어 류마티스 관절염을 앓는 사람은 신체적인 결함과 관절 주위의 통증 때문에 성적 흥미도가 감소될 것이며, 과거에 심근경색증을 앓았던 사람은 성적으로 흥분이 될 경우에 심장마비가 초래될 것에 대한 두려움 때문에 성적인 흥미가 줄어들 것이다. 또한 알코올을 오랫동안 남용한 경우 발기 불능과 그 밖의 성적인 기능마비 현상이 나타나며, 상해나 수술로 인해 신체상의 변화가 온 환자의 경우 성적인 변화까지 겪을 수 있다. 예를 들어, 외부 신체부위의 상실(유방절제술이나 성기절제술), 내부 신체기관의 상실(전립선절제술이나 자궁절제술), 신체구조의 재배치(결장조루술이나 회장누공설치술) 등은 대표적으로 상해나 수술 후에 겪게 되는 성적 반응의 어려움을 내포하고 있다.

(4) 정신질환

정신질환은 성행위 자체뿐 아니라 파트너와의 만족도에도 영향을 미친다. 우울증은 성기능부전과 연관성이 높아 우울증 환자 가운데 70% 가량이 성적 욕구가 감퇴되고 성관계 횟수도 줄어드는 것으로 나타났다. 한편 성적 욕구 과잉은 조증 증상의 대표적인 양상으로, 양극성장애가 있는 환자들은 성적 억제력이 감소되어 때로 충동적으로 성 파트너를 선택하거나, 부적절한 성행위를 보이고 성적으로 무분별하게 행동하는 경우도 있다.

정신질환이 있는 환자의 성적 표현은 부적절하게 나타날 수 있으며, 성적인 내용에는 환상이 존재할 수도 있다. 조현병과 같은 정신질환이 있다는 것이 곧 성기능부전을 의미하는 것은 아니지만, 최소한 성적 표현은 영향을 받을 수 있으며 그러한 경우 환자는 성적인 생각이나 충동을 조절할 수 없게 된다. 환자는 사고 및 판단력 손상으로 인해 공공연하게 다른 사람들이 있는 곳에서 자위행위를 하거나 무분별하게 다른 사람을 만지는 등 부적절한 성행동을 보이게 된다.

4. 성기능부전

환자와 면담 중 간호사는 잠재적 혹은 실질적인 성기능 문제에 대해 사정하게 된다. 성장애 환자의 주요 문제와 감정을 사정하기 위한 질문은 **표 23-1**과 같다. 감정적, 생리학적 요인, 혹은 두 요인 모두로 인해 잠재적 또는 실질적인 문제가 나타날 수 있으며, 약물이나 물질의 사용 또는 오용으로 인해 성욕과 성기능에 변화를 줄 수도 있다. 적절한 치료를 위해서는 철저한 사정과 평가가 이루어져야 하며, 해당 원인 또는 복합적인 원인에 따라 치료가 개별적으로 이루어져야 한다. 예를 들어, 의학적인 질병 혹은 약물 부작용으로 인해 발기장애를 앓고 있는 환자는 자존감과 자신감이 저하될 수 있다. 치료는 환자의 생리학적 측면과 개인의 정서적 요구 모두에 대한 고려가 필요하다.

과거에는 인간의 성행위를 4단계의 성반응 주기로 욕망기(desire stage), 흥분기(excitement stage), 절정기(orgasmic stage), 그리고 해소기(resolution stage)로 분류했으나, 연구를 통해 성반응은 항상 선형의 균일한 과정이 아니라 특정 단계(예: 욕망기와 흥분기) 사이에 명백한 구별이 없을 수 있음을 알아냈다. 예를 들어, DSM-IV-TR에서는 여성의 성적 욕망기와 흥분기를 구별하고 있으나, DSM-5에서 이 두 질환은 여성의 성적 관심/흥분장애로 통합했다(American psychiatric association, 2013b).

또한 성기능부전은 발병 시기에 따라 분류된다. 평생형

표 23-1 | 환자의 성적 주요 문제에 대한 초기 간호사정

- 성적 만족감 혹은 성행위와 관련하여 경험한 어려움에 대해 얘기해 주세요.
- 당신이 성에 대해 느끼는 감정과 염려는 무엇입니까?
- 당신의 성관계에 얼마나 만족하십니까?
- 당신은 성관계를 어떻게 바꾸고 싶습니까?
- 어떤 종류의 부정적인 성경험을 해 보았습니까?

(lifelong)은 환자의 첫 번째 성경험 때부터 존재해온 것을 말하고, 후천형(acquired)은 환자의 정상 성기능 시기 이후에 발생한 것을 말한다. 전반형(generalized)은 특정한 종류의 자극이나 상황, 또는 성적 파트너에 관계없이 발생하는 경우를 말하고, 상황형(situational)은 특정한 종류의 자극, 상황 또는 파트너와 관계가 있을 때 나타나는 것이다(American psychiatric association, 2013b). 그밖에도 성적 파트너의 개인적 요인, 대인관계 요인, 문화적 또는 종교적 태도와 억제, 내외과적 문제 등은 성기능부전의 발병 및 지속 기간에 영향을 미친다. 또한 환자는 신체상 저하, 학대받은 경험, 정신건강 문제 또는 다른 스트레스 요인 등을 가지고 있을 수 있다. 증상이 적어도 6개월 이상 지속되어야 성기능부전이라 진단을 내린다.

1) 성기능부전의 유형

(1) 남성 성욕감퇴장애

남성성욕감퇴장애는 성적인 생각이나 환상, 그리고 성적 활동에 대한 욕구가 지속적이거나 반복적으로 결여되어 있어 개인에게 현저한 고통을 초래할 때 진단한다. 원인은 주로 대인관계에서의 갈등이나 수행불안, 임신에 대한 불안, 종교적 신념, 스트레스 등 심리적 요인에 있다. 성욕감퇴장애가 있는 남성은 성적 자극을 추구할 동기가 거의 없고, 성행위에 있어 매우 수동적인 태도를 보인다.

(2) 발기장애

발기장애가 있는 남성은 성관계 중 대부분(75% 이상) 반복적으로 발기가 되지 않거나, 성관계를 끝낼 때까지 유지하는 데 실패한다. 또한 발기 후 단단함이 감소하는 증상을 보이는 경우에도 진단 내린다. 원인은 성기능부전에서의 일반적인 심리적 요인과 함께 알코올 남용이나 흡연, 약물의 부작용, 당뇨 및 다발성 경화증 등의 신체적 요인도 관여한다. 또한 음경 해면체를 둘러싸고 있는 섬유질 근육층의 기능이 저하되었을 때에도 발기장애가 발생할 수 있는데, 이는 흥분기에 음경의 혈관에 증가된 혈류가 다른 곳으로 빠져나가지 못하도록 막아주는 것이 섬유질 근육층의 역할이기 때문이다.

(3) 사정장애

사정장애는 사정지연(delayed ejaculation)과 조기사정(premature ejaculation)으로 분류된다. 사정지연은 사정에 도달하지 못하거나 사정에 도달하는 시간이 지연되는 것을 말하며, 지루증이라고도 한다. 외상적 성 경험이나 임신에 대한 두려움 등 심리적 요인도 있으나, 50대 이후 성 호르몬의 현저한 감소로 인해 나타나기도 한다. 조기사정의 경우, 질 내 삽입 이전 또는 직후에 개인이 추정한 사정 대기 시간이 되기 전, 대략 1분 안에 사정이 일어나 본인을 포함한 성적 파트너가 불만족을 경험하기도 한다. 이는 남성에게 가장 흔하게 일어나는 성기능부전으로서, 6개월 이상 반복적으로 나타날 때 진단 내린다. 때로는 신체적 피로감이나 성행위가 오랫동안 없었던 경우에 일어나기도 하며, 알코올이나 약물을 남용한 경우 발생한다.

(4) 여성 성적 관심/흥분장애

성적 관심/흥분장애는 여성이 성적인 생각이나 환상, 성적 활동, 쾌락 및 흥분에 대해 관심이 결여되어 있어 발생하며, 정서적 어려움을 특징으로 한다. 성적 활동에서의 결핍이나 감소된 관심은 성적 흥분을 어렵게 하여 성행위의 감각(흥분)과 쾌락에 영향을 준다. 성행위를 먼저 시작하려는 시도가 감소할 뿐 아니라, 파트너의 성적 시도를 거부하기도 하여 관계의 갈등으로 이어질 수 있다. 여성의 성적인 활동에는 특히 파트너와의 친밀감이 영향을 미치므로, 갈등상태에 있다면 성관계를 원치 않을 수 있다. 흥분장애에 대한 중재로는 흥분기의 특징인 윤활액 분비를 용이하게 하는 질 윤활제(vaginal lubricants)를 사용하도록 한다.

(5) 여성극치감장애

여성극치감장애는 여성절정억제 또는 성불감증이라고도 하며, 여성의 극치감이 반복적, 지속적으로 억제되는 것이 특징이다. 여성에게 가장 흔히 나타나는 성기능부전으로서, 대부분의 원인은 부부 갈등이나 죄책감, 문화적, 종교적 영향을 들 수 있다. 이에 대한 중재로는 파트너가 흥분기에 적절한 성적 자극을 제공하는 것이 중요하며, 여성도 성적인 감정과 의견을 적극적으로 표현할 수 있다는 교육이 필요하다.

(6) 성기-골반통증/삽입장애

성기-골반통증/삽입장애 시 여성은 음경 삽입에 의한 통증을 겪거나 질 내 삽입이나 통증에 대한 두려움, 예기불안을 경험하여 음경의 삽입과 성교에 어려움을 겪게 된다. 질 삽입을 시도하는 동안 골반 저부 근육이 현저히 긴장하거나 수축되는 증상을 보인다. 흥분기에 질 입구가 넓어지고 길어져야 하나, 오히려 질 경련증과 같이 경련과 위축을 나타낼 수 있다. 이는 과거 성폭행을 당한 경험이나 과도한 죄책감, 충분한 윤활액 분비가 일어나지 않은 성교 등이 원인일 수 있다. 질 윤활제와 함께 실리콘 재질로 된 질 확장기(vaginal dilator)를 작은 것부터 사용하여 점차 크기를 늘려가는 것이 도움을 준다.

2) 성기능부전의 치료

성기능부전을 치료하기 위한 첫 번째 단계는 질병, 약물 부작용, 식이요법, 운동과 같은 생활방식, 의학적인 원인이 있는지를 확인하는 것이다. 성기능부전이 우울증과 같은 정신증상에 의한 것이라면 정신질환의 진단이 우선되어야 하고, 이러한 근본적인 조건이 교정되면 완화된다. 기존의 질병이나 의학적 상태에 의한 것이 아님을 확인한 후에는, 유용하다고 입증된 약물치료나 외과적 수술 등이 사용되고 있다. 심리치료 및 행동 치료는 성적 파트너 간의 소통을 통해 스트레스를 감소시키고 행위의 압박감을 낮추는 데 효과적이다. 여기에는 카플란(1975) 또는 마스터스와 존슨에 의한 성 치료(sex therapy)가 널리 알려져 있는데, 감각집중 활동(sensate focus exercise)을 통해 성기를 접촉하지 않고 피부의 따뜻함 등을 통해 성적 흥분을 불러 일으키는 효과적인 애무방법을 교육한다. 또한 부부 간의 갈등을 해결하기 위한 의사소통 증진 등의 심리상담도 제공된다.

CRITICAL THINKING QUESTION

1. 인슐린 의존성 당뇨병 환자가 "퇴원 후에 처방받은 인슐린이 성적 활동에 영향을 미칠 수 있다고 들었기 때문에 처방받은 양의 절반만 사용할 겁니다"라고 말했다. 간호사는 환자에게 어떻게 말할 수 있는가?

5. 변태성욕장애

변태성욕은 비정상적인 성행위나 비정상적인 대상에 강렬하고 지속적인 성적 관심을 가지는 것을 말한다(표 23-2). 이는 상식적으로 허용되지 않는 행동으로, 가학적인 행동을 포함하며 고통과 손상을 수반한다. 주로 인간 또는 동물, 물체에 변태적인 목표가 설정된다. 변태성욕장애는 성적으로 아동에게 집착하거나, 성기를 낯선 사람에게 노출하는 것에 집착하는 등 변태성욕의 질적인 특징을 나타내면서, 이로 인해 타인에게 고통, 손상, 위해를 가하는 등 부정적인 결과가 발생하는 2가지 기준을 모두 만족할 때 진단

표 23-2 변태성욕장애

다음과 같은 변태성욕적인 활동이 적어도 6개월 이상 지속되면서, 사회적, 직업적, 혹은 다른 중요한 활동 범위 내에서 고통이나 손상을 줌.

노출장애(exhibitionistic disorder)
생각지도 않는 낯선 사람에게 자신의 성기를 노출하는 행위를 통한 반복적이고 강렬한 성적 흥분이 성적 공상, 성적 충동 또는 성적 행동으로 발현되는 경우

물품음란장애(fetishistic disorder)
무생물의 물체를 이용하거나, 성기가 아닌 신체 부위에 특정한 집착을 함으로써 반복적이고 강렬한 성적 흥분이 성적 공상, 성적 충동 또는 성적 행동으로 발현되는 경우

마찰도착장애(frotteuristic disorder)
동의하지 않은 사람에게 접촉, 문지르는 행위를 통한 반복적이고 강렬한 성적 흥분이 성적 공상, 성적 충동 또는 성적 행동으로 발현되는 경우

소아성애장애(pedophilic disorder)
일반적으로 13세 이하의 아동들을 상대로 한 성적 활동을 통한 반복적이고 강렬한 성적 흥분이 성적 공상, 성적 충동 또는 성적 행동을 일으키는 경우를 말하며, 소아성애장애 환자는 적어도 16세 이상이어야 하며, 대상 아동보다 적어도 5세 이상 연상이어야 함

성적피학장애(sexual masochism disorder)
상대방에게 굴욕을 당하거나, 매를 맞거나, 묶이거나 기타 다른 방식으로 고통을 당하는 행위를 통한 반복적이고 강렬한 성적 흥분이 성적 공상, 성적 충동 또는 성적 행동으로 발현되는 경우

성적가학장애(sexual sadism disorder)
상대방에게 신체적 또는 심리적 고통을 주는 행위를 통한 반복적이고 강렬한 성적 흥분이 성적 공상, 성적 충동 또는 성적 행동으로 발현되는 경우

복장도착장애(transvestic disorder)
옷 바꿔 입기(이성의 옷을 입기)를 통한 반복적이고 강렬한 성적 흥분이 성적 공상, 성적 충동 또는 성적 행동으로 발현되는 경우

관음장애(voyeuristic disorder)
옷을 벗는 과정에 있거나, 성행위에 있는 사람, 눈치채지 못하고 옷을 벗고 있는 사람을 관찰하는 행위를 통한 반복적이고 강렬한 성적 흥분이 성적 공상, 성적 충동 또는 성적 활동으로 발현되는 경우

출처: McManus, M., et al. (2013). Paraphilias: definition, diagnosis and treatment. F1000 Prime Reports, 5, 36.

이 내려진다(American psychiatric association, 2013a).

변태성욕장애 환자가 성장애와 관련이 없는 다른 정신의학적 진단으로 입원치료를 받을 수 있다. 병동 간호사는 이들이 형사기소를 피하거나 감형을 받기 위해 주요우울장애와 자살충동 등을 이유로 들어 입원하는 것을 간혹 보게 된다. 또한 기분장애, 불안장애, 물질관련장애 등으로 인해 입원 및 외래 치료를 받기도 하는데, 이러한 경우 간호사는 변태성욕장애에 대하여 특정하게 다루기보다는 우선적으로 정신장애와 관련된 치료적 기법으로 환자를 중재해야 한다.

변태성욕장애를 가진 대부분의 사람들은 자신의 성적 활동과 성 관심사를 질병이라 생각하지 않기 때문에 성장애로 인하여 정신건강의학과를 찾지 않는다. 하지만 조사결과, 변태성욕장애를 가진 사람들은 사회적인 관계를 형성하는 데 어려움을 겪고, 외로움, 불만족스러운 생활을 경험하며, 최악의 경우 범죄행위로까지 이어지는 것을 볼 수 있다.

소아성애장애, 노출장애, 관음장애의 치료는 일반적으로 외래에서 시행된다. 소아성애장애의 경우 가해자와 피해자로부터 자료를 얻는데, 대부분의 조사는 가해자를 통해 이루어진다. 이 밖에 외래치료 프로그램, 피치료감호자(수감된 환자)를 위한 프로그램에서 사정 및 치료에 대한 정보를 얻을 수 있으므로, 대부분의 연구는 유죄 판결을 받은 성범죄자를 대상으로 이루어진다(Hall, 2007).

변태성욕장애는 남녀 모두에게 나타날 수 있으며, 변태성욕장애를 가진 환자의 행동은 만성적이거나 반복적인 행동 패턴을 따르는 것이 아니라 스트레스의 기간에 따라 다양하다. 변태성욕장애는 보통 사춘기에 시작된다. 종종 기분장애, 불안장애, 충동조절장애, 물질관련장애, 성격장애, 특히 반사회적 및 C군 성격장애가 동반성 질환으로 진단 내려진다고 알려졌다. 신경심리 검사, 내분비기능검사, 뇌 영상촬영, 그리고 성격특성검사를 통한 연구가 이루어져 왔으나 연구결과는 매우 다양하며 때로는 상반된 결과를 보이기도 한다.

1) 소아성애장애

소아성애장애는 아동을 상대로 한 성적 활동을 통해 반복적이고 강한 성적 충동 및 환상을 가지고 있으며, 성적 충동에 따라 행동하거나 그런 충동에 시달리는 사람을 의미한다(American psychiatric association, 2013a). 소아성애장애 피해자는 13세 이하로 사춘기 이전의 아동이며, 소아성애장애 환자는 16세 이상이면서 적어도 대상 아동보다 나이가 5세 이상 많아야 한다. 소아성애증 행동은 여아뿐 아니라 남아를 대상으로도 나타날 수 있다.

전형적인 소아성애증 행동은 아동을 만지거나 애무하는 부적절한 접촉, 아동 앞에서의 자위, 그리고 아동의 입이나 항문, 질 내에 자신의 성기나 손가락을 삽입하는 것을 포함한다. 또한 소아성애장애 환자는 아동의 옷을 벗기고 바라보며 노출시키는 관음장애와 노출장애가 있을 수 있다(Hall, 2007). 이들은 자신들이 아이들을 교육시키는 것이고, 아이들도 즐기고 있다며 자신의 행동을 정당화한다. 소아성애장애 환자는 아동들을 지배하고 위협하여 자신들의 무력함을 보상하려 한다. 일부 성범죄자들은 공격적이지 않으며, 속임수나 뇌물을 사용한다. 아동에게 폭로하지 못하도록 폭력을 사용하는 경우도 있다. 소아성애장애 환자는 학교 교사, 보육원, 베이비시터, 코치 또는 스카우트 등 아이들에게 접근하기 쉬운 직업을 얻으려 할 수 있다.

소아성애적 행동에 기초한 심리적 특성이나 동기는 매우 다양하다. 반사회적 성격이나 아동기 부모로부터의 성적 학대를 받은 경험은 소아성애장애의 위험요인이다. 뇌 영상촬영을 통해 일부 가해자들의 전두측두엽과 편도체 및 다른 신경에 이상이 있는 것으로 나타났다(Cohen & Galynker, 2009).

인터넷의 접근성과 익명성으로 인해 아동 포르노의 유통이 증가했으며, 이와 같은 포르노는 18세 미만의 아동 청소년을 대상으로 하여 노골적인 성행위를 시각적으로 묘사하고 있다. 아동들은 성적 학대 및 착취로부터 보호받아야 하는 존재이므로, 아동 포르노에 대한 처벌은 성인 포르노와 명백하게 법적 차별화가 마련되어야 한다. 비록 아동 포르노를 보는 것만으로 고위험 소아성애장애가 되는 것은 아니지만, 여러 연구에 의하면 성적 공격성 및 소아성애적 행위의 재발과 상관관계가 있는 것으로 나타났다. 즉, 아동 포르노를 보는 모든 개인이 성범죄자가 되는 것은 아니지만, 거의 모든 아동 학대자는 아동 포르노를 보았다는 것이다(Burgess et al., 2012).

아동을 학대한 가톨릭 성직자에 대한 존 제이 대학(John

Jay College)의 연구에 따르면, 피해자 대부분은 11세에서 17세 소년이었으며(Cartor et al., 2008), 일반적으로 피해는 호텔 방, 교구 거주지 또는 별장에서 발생했다. 범죄자들은 성행위를 서로 간의 동의로 간주하며 성적 접촉, 상호 간의 자위 그리고 구강성교를 했던 것으로 나타났다. 비-법의학 집단(non-forensic population)에서 진행된 첫 번째 연구 중 하나에 의하면 피해자는 성행위 참여에 대한 죄책감과 자기 비난을 할 가능성이 높은 것으로 나타났다.

아동 성적 학대를 저지르는 가장 전형적인 가해자는 아동이 신뢰할 수 있는 가족이나 친구일 가능성이 높다. 대부분의 아동 성추행자들은 피해자의 여성 친척과 장기간의 이성 관계를 맺었던 남성이다(Jenny et al., 1994). 또한 피해자의 성별과 가해자의 성적 지향성(sexual orientation)은 명백하게 구분되어야 한다. 비록 범인이 자신과 동성의 아동을 학대했다고 해도, 가해자의 성인에 대한 성적 지향성은 이성이 될 수 있다. 소아성애장애 환자는 아동 성적 학대자와는 약간의 차이점을 갖는데, 소아성애장애의 경우 아동에 대한 성적 집착이 시간이 지나도 계속 지속된다는 점과 우발적인 범죄나 아동 착취에 국한되지 않는다는 점이다.

치료의 목표는 아동을 향한 성적 행동을 교정하는 것이 아니라 아동을 향한 범죄를 중지하는 것이다(Hall, 2007). 치료에는 다양한 인지행동치료, 성욕을 감소시키는 항안드로겐제(antiandrogen) 및 선택적 세로토닌 재흡수 억제제(selective serotonin reuptake inhibitor, SSRIs)의 약물치료가 포함된다. 특수 집단에 속한 환자들은 피해자 공감 교육, 질병이나 약물 및 대처에 대한 심리교육, 사회기술훈련 그리고 재발예방 프로그램으로 치료를 받는다.

근친상간

근친상간은 자녀, 친척, 동거인의 아동 및 청소년과의 소아성애이다. 피해자는 자신이 의존하고 신뢰하는 사람에 의해 근친상간의 희생양이 되기 때문에 큰 정신적 외상(trauma)을 입는다.
근친상간 가해자는 소아성애장애처럼 다양한 특징을 보인다. 근친상간이 이루어지는 가정은 일반적으로 파국적이며 상호관계도 불안정한 상태에 있다. 가해자는 만족, 친밀감, 감정적 성취, 권력, 통제 등을 느끼기 위해 아이와 성관계를 하며 의지한다. 가해자는 아이에게 성에 관한 교육을 해주며 쾌락을 준다는 왜곡된 생각을 한다. 근친상간의 경우 소아성애장애와는 대조적으로 가해자가 피해자에게 쉽게 접근할 수 있기 때문에 아동에게 접근이 용이한 직업을 선택하지는 않는다. 치료는 피해자와 배우자에게 제공된다. 몇몇 가족 연구에 의하면 피해자와 배우자는 가해자를 증오하지 않으며, 다른 사람들이 가해자를 비난하는 것을 원하지 않는다.

2) 노출장애

노출장애의 주요 특징은 전혀 예상하지 못하고 있는 사람에게 자신의 성기를 노출하는 행위를 통해 성적인 흥분을 얻는 것이다. 골목에서 코트를 입은 젊은 남성이 여성에게 성기를 노출하는 행동이 이에 해당된다. 가해자는 피해자의 충격과 두려움에서 성적 흥분을 느끼며 그 외의 다른 성적 행동은 시도하지 않는다. 이들은 상대방의 놀라는 반응을 볼 때, 상대방이 자신을 보고 성적 흥분을 느낄 것이라고 상상하는 것으로 만족을 느끼는 것이다.

3) 물품음란장애

물품음란장애의 주요 특징은 무생물의 물체에서 성적 흥분을 얻는 것으로, 남성에게만 나타난다. 흔히 물품음란의 대상이 되는 물체는 브래지어, 팬티, 스타킹, 신발 등 여성의 물건이며, 이를 성적 공상이나 자위행위에 사용한다. 드물게는 소변 혹은 대변이 묻은 물품들이 있다. 물품음란장애 환자들은 종종 이러한 물품들을 문지르거나 붙잡고 자위를 한다. 또한 그들은 성적 흥분을 높이기 위해 성적 파트너에게 이러한 물품을 착용시킨다.

4) 마찰도착장애

마찰도착장애의 주요 특징은 동의하지 않는 사람의 허벅지나 엉덩이를 만지거나 성기를 문지르면서 성적 흥분을 느끼는 것이다. 손으로 상대방의 가슴과 성기를 만지며, 대부분의 마찰 도착은 버스나 지하철, 엘리베이터 등 붐비는 장소에서 이뤄진다.

5) 성적피학장애

성적피학장애의 주요 특징은 상대방에게 신체적 또는 정신적 학대 그리고 굴욕을 당하는 행위를 통해 성적 흥분을 느끼는 것이다. 이러한 충동과 행동에는 모욕을 당하거나 구타를 당하거나 묶이는 등의 방식으로 고통을 당하는 것 등이 포함되며, 어떤 사람들은 성적 흥분을 위해 신체적 상해를 입거나 생명의 위협을 의도적으로 받으려 한다. 저산소기호증(hypoxphilia) 또는 성적인 질식은 목조임 혹은 다른 기구나 물질을 사용하여 산소를 박탈하며 성적 흥분을 고조시키는 행위이다. 이러한 행위는 성적 반응을 증가시키며, 심지어 극도의 성적 흥분을 느끼기 위한 과정에서 사망하는 경우도 있다. 이러한 성적피학장애는 상대방이 신체적 가해를 통해 자신을 조종할 수 없음을 과시함으로써 무능감과 상해의 공포를 극복하려는 정신역동에 기인한다.

6) 성적가학장애

성적가학장애의 주요 특징은 상대방에게 신체적 또는 심리적 고통을 주는 행위를 통해 성적 흥분이나 만족감을 느끼는 것이다. 그들의 파트너는 그러한 행동에 동의하였거나 성적피학장애자일 수도 있으나, 대부분은 동의하지 않는 사람을 대상으로 성적 가학 행위가 충동적으로 행해진다. 가학적인 행위에는 때리기, 채찍질, 물기, 구타, 태우기 그리고 구속 등 상대방을 괴롭히거나 상해 입히는 행동이 포함된다. 일부 가학자들은 상대방을 고문하거나 성관계 후 살해함으로써 큰 쾌락을 느끼며 대부분 여성보단 남성들이 가학성의 영향을 받아 가학성 강간으로 발전할 가능성이 있다.

7) 복장도착장애

복장도착장애는 남성에게만 나타나며, 주요특징은 이성의 옷을 입거나 바꿔 입는 행위를 통해 성적 흥분이나 만족감을 얻는 것이다. 이들은 주로 남성이라는 성 정체성을 지속적으로 유지해 온 이성애자이므로 성별 불쾌감과는 구별된다. 즉, 이들은 자신이 여성이라는 정체성 때문에 여성의 옷을 입으려는 것이 아니라, 여성의 속옷을 입음으로써 성적 흥분을 얻고자 한다는 점에서 성별 불쾌감과는 차이가 있다. 이들의 여성 파트너는 이러한 행동을 눈치채지 못하거나 의상 선택에 도움을 줄 수 있다(Blanchard, 2010).

8) 관음장애

관음장애의 주요 특징은 옷을 벗는 과정에 있거나 성행위에 몰입해 있어, 다른 사람이 자신을 지켜보는 것을 눈치채지 못하는 사이에, 그의 나체나 성행위 장면을 몰래 훔쳐 봄으로써 성적 흥분을 얻고자 한다. 옷 벗는 대상과의 실제적인 성행위는 시도하지 않으며, 몰래 훔쳐보는 것만이 성적 흥분에 도달하는 유일한 방법일 때 진단 내려진다. 오늘날 포르노를 즐겨보려는 성향도 관음장애의 일부로 보기도 한다. 관음장애를 가진 환자는 훔쳐보는 도중이나 집에 돌아와 자위를 하는 것이 특징적이다.

6. 성별 불쾌감

성인의 성별 불쾌감은 자신의 생물학적 성별과 성 정체성의 부조화에 대한 감정을 포함한다. 이 장애를 개념적으로 해석하기 위해서는 용어의 차이를 이해하는 것이 중요하다. 성(sex)은 성염색체, 성호르몬, 생식기와 같은 남성과 여성의 생물학적인 표준을 말하며, 이를 바탕으로 성 정체감(sexual identity)을 확립한다. 성별(gender)은 대중 앞에서의 남성 혹은 여성 중 한 명의 역할을 일컫는 말이다. 즉, 사회적, 문화적, 심리적인 환경에 의해 후천적으로 학습된 남녀의 특성을 의미한다. 환경, 특히 남녀의 행동에 대한 사회적 기대와 가치관으로부터 성별 정체성(gender identity)이 형성된다. 성별 할당(gender assignment)은 보통 태어날 때 성별에 따라 남성 혹은 여성으로 성별이 할당되는 것을 말한다. 성별 정체성(gender identity)은 한 개인이 자신을 남성이나 여성으로 식별하는 개인의 정체성을 말하며, 이것은 사회적 정체성의 한 측면이다.

성별 불쾌감(gender dysphoria)은 DSM-IV에서 성 정체감 장애 (gender identity disorder)로 명명되었으나, 자신에게 주어진 생물학적 성(sex)과 후천적으로 경험된 성별(gender) 사이의 부조화에 의해 야기되는 괴로움에 초점을 맞추므로, 더 이상 정신질환으로 간주되지 않는다. 성별 불쾌감은 '아동에서의 성별 불쾌감'과 '청소년 및 성인에서의 성별 불쾌감' 유형으로 나뉜다.

1) 아동에서의 성별 불쾌감

자신의 생물학적 성을 거부하고 반대되는 성을 갈망하며, 어린 시절부터 이성의 옷을 입으려 하거나 이성이 좋아하는 장난감이나 놀이를 선호한다. 이들은 성인기에 트렌스 젠더보다 동성애와 더 높은 관련성을 보인다. 이 아동들의 대부분은 사춘기가 되면 다른 성별이 되고 싶어하지 않으며, 치료적 개입 여부와 상관 없이 레즈비언이나 양성애자로 성장한다. 성별 불쾌감이 사춘기 이후에도 지속되면 영구적일 가능성이 높다.

2) 청소년 및 성인에서의 성별 불쾌감

성인의 경우, 성별 불쾌감은 다른 성별로 살고 싶은 욕구를 포함하거나 다른 성별에 대한 감정과 반응을 포함할 수 있다. 또 다른 특징은 1차, 2차 성징을 없애는 것에 강박관념이 있다는 것이다. 그들은 잘못된 성별로 태어났고, 자신의 생물학적 성별로 인해 불행하다 느끼며, 다른 성별이 되기 위해 호르몬 요법 또는 외과적 수술을 원할 수도 있다.

성전환 수술은 요청 즉시 이루어지지 않는다. 성전환 수술을 요청한 사람들은 성기능장애의 증상인 일차적인 기능장애가 될 수 있는 다른 정신질환의 존재 여부가 철저히 평가되어야 한다. 재평가를 원하는 사람은 대략 6~12개월 동안 심리치료를 받아야 하며, 상담은 개인의 문제와 욕구를 둘러싼 문제들을 명확히 하는 것에 도움이 되어야 한다. 관련된 위험과 함께 정서적, 의료적, 외과적, 재정적, 법적 문제들이 평가되거나 진단검사가 시행되어야 한다. 성전환 수술은 성별에 불만을 가진 모든 사람에게 해답이 될 수는 없다. 일부 프로그램은 외과적 성전환 수술을 진행하기에 앞서 다른 의사나 심리학자의 서면으로 제2의 의견을 요구할 수 있다. 호르몬 치료와 생활 그리고 관계의 변화는 개인이 치료를 받는 동안 몇 달에 거쳐 서서히 이루어진다. 이 기간 동안, 성전환 수술에 대한 태도가 바뀔 수도 있고, 수술을 선택하지 않을 수도 있다. 성전환 수술을 선택한 사람들은 더 편안하고 생산적인 삶을 살아갈 수 있도록 도움을 받을 수 있다. 성별 불쾌감에 대한 DSM-5 진단기준은 다음과 같다.

DSM-5 진단기준: 성별 불쾌감

아동에서의 성별 불쾌감

A. 자신의 경험된/표현되는 성별과 할당된 성별 사이의 현저한 불일치가 최소 6개월의 기간으로, 최소한 다음 중 6가지를 보임(진단기준 A1을 반드시 포함).
1. 이성이 되고 싶은 강한 갈망 또는 자신이 이성이라고 주장함
2. 남자아이(할당된 성별)는 이성의 옷을 입거나 여성 복장의 흉내 내기를 강하게 선호하고, 여자아이(할당된 성별)는 전형적인 남성 복장만 착용하기를 강하게 선호하고 전형적인 여성 복장을 착용하는 것에 강한 저항을 보임
3. 가상 놀이 또는 환상 놀이에서 이성의 역할을 강하게 선호함
4. 이성에 의해 사용되거나 참여하게 되는 인형, 게임, 활동을 강하게 선호함
5. 이성 놀이 친구에 대한 강한 선호
6. 남자아이(할당된 성별)는 전형적인 남성 인형, 게임, 활동에 대한 강한 거부감과 난투 놀이에 대한 강한 회피, 여자아이(할당된 성별)는 전형적인 여성 인형, 게임, 활동에 대한 강한 거부감을 보임
7. 자신의 해부학적 성별에 대한 강한 혐오
8. 자신이 경험한 성별과 일치하고자 하는 일차적 또는 이차적 성적 특징에 대한 강한 갈망

B. 이 상태는 사회적, 직업적, 또는 다른 중요한 기능 영역에서 임상적으로 현저한 고통이나 손상과 연관됨.

다음의 경우 명시할 것

성발달장애 동반(예: 255.2[E25.0] 선천성 부신과형성 또는 259.50[E34.50] 안드로겐 무감성 증후군 같은 선천성 부신 성기장애)

부호화 시 주의점: 성별 불쾌감처럼 성발달장애를 부호화하시오.

청소년과 성인에서의 성별 불쾌감

A. 자신의 경험된/표현되는 성별과 할당된 성별 사이의 현저한 불일치가 최소 6개월의 기간으로, 최소한 다음 중 2가지를 보임.
1. 자신의 경험된/표현되는 일차 또는 이차 성징 사이의 현저한 불일치(또는 어린 청소년에서 기대하는 이차 성징)
2. 자신의 경험된/표현되는 성별(또는 어린 청소년에서 기대되는 이차 성징의 발달을 막고자 하는 갈망)의 현저한 불일치로 인해 자신의 일차 또는 이차 성징을 제거하고자 하는 강한 갈망
3. 이성의 일차 또는 이차 성징에 대한 강한 갈망
4. 이성이 되고 싶은 강한 갈망(또는 자신에게 할당된 성별과는 다른 어떤 대체 성별)
5. 이성으로서 대우받고 싶은 강한 갈망(또는 자신에게 할당된 성별과는 다른 어떤 대체 성별)
6. 자신이 이성의 전형적인 느낌과 반응을 가지고 있다는 강한 확신(또는 자신에게 할당된 성별과는 다른 어떤 대체 성별)

B. 이 상태는 사회적, 직업적, 또는 다른 중요한 기능 영역에서 임상적으로 현저한 고통이나 손상과 연관됨.

다음의 경우 명시할 것

성발달장애 동반(예: 255.2[E25.0] 선천성 부신과형성 또는 259.50[E34.50] 안드로겐 무감성 증후군 같은 선천성 부신 성기장애)

부호화 시 주의점: 성별 불쾌감처럼 성발달장애를 부호화하시오.

다음의 경우 명시할 것

전환 후 상태: 갈망하던 성별로 온종일 살아가도록 바뀌며(성별 변화의 적법성이 있든지 없든지) 최소한 하나의 이성cross-sex의 의학적 조치나 치료 요법-즉, 갈망하던 성으로 확정하기 위한 규칙적인 이성 호르몬 치료나 성전환 수술(예: 남성으로 태어나 음경절제술, 질성형술, 여성으로 태어나 유방절제술이나 음경형성술)-을 받았음(또는 준비하고 있음).

출처: American Psychiatric Association (2013). Diagnostic and statistical manual of mental disorders (5th ed.) (pp. 452-453). Arlington, VA: APA.

7. 치료 및 간호중재

1) 간호사-환자 관계

환자들이 자신의 성적인 문제를 충분히 개방하며 면담을 하기 위해서 간호사는 수용적이고, 공감할 줄 알며, 편견 없는 태도를 가져야 한다. 이러한 신뢰는 간호사가 그의 감정을 비판 없이 받아들인 후에 생겨난다. 간호사가 성과 성적인 문제에 대해 불편함을 느낄 때, 환자들은 자신의 성적인 문제와 관심사를 간호사가 비난한다고 해석할 수 있다. 환자의 성행위와 관련된 문제를 상담할 때 비공개적인 장소를 선택한다면, 환자가 자신의 감정을 숨기지 않고 얘기하도록 하는 데 도움이 된다. 간호사는 성기능과 효과적인 의사소통, 건강한 대인관계에 관하여 명료화하고 교육하는 것이 필요하다. 또한 간호사는 환자의 자존감, 불안감, 죄책감에 대하여 개입할 필요가 있을 수 있다.

간호사는 가해자인 환자들을 돕기 위해 그들의 신체적, 정서적 측면을 반드시 다루어야 한다. 신체적인 측면은 식욕부진, 불면증, 그리고 체중감량을 포함하며, 정서적 측면은 죄책감, 무력감, 수치심 등을 다루어야 하며, 성 범죄자의 경우 수감된 상황에 대해 편안함을 느낄 수 있도록 도와야 한다. 특히 다른 집단의 구성원 중 성폭행 피해자가 있는 경우 환자에 대한 정보를 얼마나 노출해도 되는지에 대한 논의가 있어야 한다. 간호사는 입원환자의 구체적인 현안 및 문제 그리고 외래환자의 치료 중 겪는 문제에 대한 환자 관리 계획에 관여한다. 또한 간호사는 환자들의 요구가 있는 경우, 감정적인 문제를 다루거나 종교적인 관점에서 중재할 때 사회복지사 혹은 종교지도자와 함께 협력해야 한다. 아동학대 신고는 의무적으로 이루어져야 하며, 간호사는 법적으로 의심되는 아동 성 학대 사실을 경찰이나 적절한 기관에 신고할 의무가 있다. 간호사는 환자 및 가족과 함께 어떤 의뢰가 가능한지를 의논해야 하며, 필요한 경우 환자를 전문적인 성 치료사(sex therapist)에게 의뢰한다. 상황에 따라 외래환자 치료 프로그램이나 특정 질환 치료 그룹으로 의뢰가 필요할 수 있다. 근친상간의 피해자인 개인, 집단 그리고 가족을 대상으로 치료가 제공되어야 하며, 미국에서는 피해자 및 가해자를 위한 자조집단도 운영되고 있다.

CRITICAL THINKING QUESTION

2. 환자의 성 문제를 치료할 때 간호사는 어떤 방법을 사용할 것인가?

2) 약물치료

특정 장애에 대한 진단을 받은 환자들은 정신과 약물을 처방 받는다. 간호사는 모든 약물에 대해 성행위 능력이나 기능 장애에 영향을 미치는 부작용이 있는지 사정한다.

성욕감퇴장애가 있는 남성들은 바데나필(vardenafil), 타다라필(tadalafil) 혹은 실데나필(sildenafil)을 처방 받을 수 있다. 변태성욕장애가 있는 남성들은 그들의 성욕을 감소시키기 위해 테스토스테론(testosterone) 수치를 낮춰주는 약을 처방받을 수 있다. 항안드로겐 약물은 성적 욕구와 환상을 줄여 소아성애를 억제하는 것이 입증되었다. 이는 경구약 또는 근육 주사로 몇 개월간 처방될 수 있다. 메드록시프로게스테론(medroxyprogesterone)과 초산류 프롤리드(leuprolide acetate)는 테스토스테론의 생산을 줄여주는 뇌하수체의 황체 호르몬 방출을 억제한다(Miller, 2004). 황체형성호르몬 방출호르몬(luteinizing hormone-releasing hormone) 작용제는 테스토스테론의 생성을 억제하거나 약리학적 거세를 통해 성욕을 감소시킨다(Briken, 2002). 이 약물은 변태성욕장애 치료의 또 다른 방법이 될 수 있다. 항안드로겐제 외에도 선택적 세로토닌 재흡수 억제제(SSRIs)는 변태성욕장애 및 관련 장애의 치료에 사용된다. 하지만 약물이 우울증과 강박적인 행동을 감소시킴으로써 효과를 나타내는지, 아니면 성기능을 감소시키는 데 도움이 되는지는 확실하지 않다(Cohen & Galynker, 2009).

3) 치료적 환경관리

성기능부전을 포함한 성 관련 장애가 있는 환자에게는 자아존중감, 자기주장, 분노 조절, 사회기술 및 대인관계 기술, 성 교육 및 스트레스 관리를 다루는 집단요법이 많은 도움이 된다. 성 중독자 자조집단(Sex Addicts Anonymous)은 일부 사람들에게 도움이 될 수 있다. 성 범죄자들의 재범률을 줄이기 위해서는 교육, 인지행동치료, 가족중재가 병합된 다차원적인 치료방법을 적용해야 한다. 또한 재범률을 줄이고 효과적인 치료계획을 수립하는 데 도움을 줄 수 있는 종단연구들이 시행되어야 할 것이다.

CASE STUDY

62세의 김OO 님은 입원 병동에 있다. 그의 아내는 2년 전에 사망했으며, 그에게는 딸 한 명과 세 명의 손자가 있다. 현재 그는 직업을 가지고 있지만, 친구나 취미가 없고, 이성 친구나 애인도 없다. 그는 한 달에 한 번 정도 그의 딸과 손주들을 방문한다. 지난 1년 동안, 그는 아동에 대한 성적 환상이 증가하고 있다는 것을 알아챘으나, 막내 손녀(8살)를 돌봐주기 전까지 성적 환상을 실행에 옮기는 행동은 전혀 하지 않았다. 그는 손녀의 가슴을 만진 것을 인정하지만 다른 성적 접촉은 부인한다. 그는 간호사에게 이렇게 말했다. “내가 이렇게 끔찍한 일을 할 수 있을지 몰랐어요. 나는 죽어 마땅해요. 자살까지 생각했어요”

간호과정

이름: 김OO **입원일:** ______________
DSM-5 진단: 주요우울장애 및 소아성애장애

사정	**강점:** 환자는 직업이 있음, 딸과 손자들을 방문하고 있음, 후회하고 있음, 초범 **간호문제:** 아내의 죽음, 친구가 거의 없음, 문제가 되는 성적 환상, 자살사고
진단	1. 죄책감 및 자살사고와 관련된 자신을 향한 폭력 위험성 2. 배우자의 부재와 관련된 성욕구의 비효율적 대처 3. 사회적 지지 부족과 관련된 사회적 고립
간호목표	**단기 목표**
날짜: ______	환자는 더 이상 자살에 대한 생각을 하지 않는다고 말할 것이다.
날짜: ______	환자는 성적 욕구를 충족시키기 위한 성적인 관심사와 욕구, 방법을 논의할 것이다.
	장기 목표
날짜: ______	환자는 소아성애자 자조집단과 노인 복지기관에 연락하여 참여할 것이다.
날짜: ______	환자는 앞으로 성 장애에 대한 사정평가와 치료를 위해 외래진료 예약을 할 것이다.
계획 및 중재	**간호사-환자 관계** • 자살사고가 있을 경우 직원이 환자에게 접근하도록 지시한다. • 죄책감, 후회, 분노, 외로움, 낮은 자존감에 대해 논의한다. • 성관계에 대한 환자의 믿음과 가치에 대해 논의한다. • 환자의 성적 관심사 및 욕구, 이를 충족시키는 방법에 대해 환자와 논의하고 이를 적절한 방법으로 해결할 수 있도록 돕는다. **약물치료:** 매일 아침 플루옥세틴(fluoxetine) 20mg 경구투약 **치료적 환경관리:** 자존감, 스트레스와 분노 조절, 자기주장훈련, 사회기술훈련, 그리고 퇴원 계획에 도움을 주는 집단에 참여
평가	환자는 더 이상 자살하지 않을 것이라고 말한다.
의뢰	환자는 친구와 함께 교회에서 열리는 노인 활동에 참여할 것이다. 성장애 클리닉을 예약한다.

STUDY NOTES

1. 성기능부전은 심리적, 생리적, 약리학적 요인에 의해 발생할 수 있다.
2. 변태성욕장애는 사회적으로 금지, 수용 불가 또는 동의하거나 동의하지 않은 성인, 물체 및 아동과의 생물학적으로 바람직하지 않은 성행위를 포함한다.
3. 성적 쾌락을 얻기 위해 개인은 강압과 통제에 의해 다른 사람들을 침해할 권리가 없다.
4. 인지행동치료와 항안드로겐제의 사용은 지금까지의 가장 효과적인 변태성욕장애의 치료법이다.
5. 성인의 성별 불쾌감은 생물학적 성에 대한 지속적인 불편함을 포함한다.
6. 성 관련 장애를 치료하는 데 있어서 간호사의 역할은 주로 환자를 의뢰하는 것이다.

참고문헌

REFERENCES

American Psychiatric Association. (2013a). Diagnostic and statistical manual of mental disorders (5th ed.). Arlington, Virginia: APA.

American Psychiatric Association. 2013b. Highlights of changes from DSM-IV-TR to DSM-5. Arlington, Virginia: APA.

Blanchard, R. (2010). The DSM diagnostic criteria for transvestic fetishism. Archives of Sexual Behavior, 39, 363.

Briken, P. (2002). Pharmacotherapy of paraphilias with luteinizing hormone-releasing hormone agonists. Archives of General Psychiatry, 59, 469.

Burgess, A. W., Carretta, C. M., & Burgess, A. G. (2012). Patterns of federal Internet offenders: A pilot study. Journal of Forensic Nursing, 8, 112.

Cartor, P., Cimbolic, P., & Tallon, J. (2008). Differentiating pedophilia from ephebophilia in cleric offenders. Sexual Addiction & Compulsivity, 15, 311.

Cohen, L. J., & Galynker, I. (2009). Psychopathology and personality traits of pedophiles: Issues for diagnosis and treatment. The Psychiatric Times, 26, 6.

Fee, E., Brown, T. M., & Laylor, J. (2003). One size does not fit all in the transgender community. American Journal of Public Health, 93, 899.

Hall, R. C. W. (2007). A profile of pedophilia: Definition, characteristics of offenders, recidivism, treatment outcomes, and forensic issues. Mayo Clinic Proceedings, 82, 4.

Jenny, C., Roesler, T., & Poyer, K. (1994). Are children at risk for sexual abuse by homosexuals? Pediatrics, 94, 41.

McManus, M., et al. (2013). Paraphilias: Definition, diagnosis and treatment. F 1000 Prime Reports, 5, 36.

Miller, M. C. (2004). Pedophilia. The Harvard Mental Health Letter, 20, 1.

Scheela, R. A. (1999). A nurse's experiences, working with sex offenders. Journal of Psychosocial Nursing and Mental Health Services, 37, 25.

CHAPTER

24

물질관련 및 중독 장애

Substance-related and Addictive Disorders

http://evolve.elsevier.com/Keltner

학습목표

- 물질관련 및 중독 장애의 기본 개념을 정의한다.
- 물질관련 및 중독 장애의 관련요인을 설명한다.
- 물질관련 및 중독 장애와 관련된 DSM-5의 진단기준 및 용어를 이해한다.
- 물질관련 및 중독 장애의 유형과 행동 특성을 알고 설명한다.
- 물질관련 및 중독 장애 환자에게 간호과정을 적용한다.
- 물질관련 및 중독 장애가 신체에 미치는 영향을 확인하고 중독의 위험성을 교육한다.
- 물질관련 및 중독 장애 환자와 가족을 지역사회 자원과 연계한다.

1. 개요

물질 사용에 관한 통계는 문화와 시대에 따라 다양하게 나타날 수 있다. 국내 물질관련장애와 다른 정신장애의 평생유병률을 현황을 비교하면 표 24-1과 같다. 통계나 수치가 다양하기 때문에, 대부분의 사람들은 실제 물질 사용과 오용이 어떻게 개인적 또는 사회적으로 고통을 초래하는지 정확히 파악하기 어렵다. 이 장에 등장하는 실제 환자들의 사례를 보면, 약물과 알코올 사용이 사회 전반에 걸쳐 큰 영향을 끼치고 있다는 것을 알 수 있다. 미국의 경우 많은 사람들의 다양한 물질 사용으로 인해 미국 경제에 5천억 달러 이상의 엄청난 비용이 발생하고 있다고 보고되었다(National Institute on Drug Abuse, 2012).

인류는 역사가 기록되기 시작한 이후로 언제나 기분에 영향을 주는 물질을 사용해 왔다. 극동의 아편, 남미의 코카인(cocaine), 북미의 페요테(peyote: 선인장에서 채취한 마약), 프랑스의 와인, 각종 처방 약물, 혹은 현대의 커피, 즉 종류와 상관없이 인간은 끊임없이 자신의 기분을 바꿀 수 있는 물질을 사용해 왔다. 그러나 기분이나 생각을 바꿔주는 물질을 사용하면, 많은 합병증과 문제 증상이 야기될 수 있다. 반면, 이러한 약물들은 치료적 이점(예: 진통 완화, 불안 경감)을 제공하는 경우도 많으므로, 결국 치료와 남용 사이의 구별이 어려워진다는 점이 문제가 된다.

1) 뇌질환으로서의 물질 사용

도파민(dopamine)은 사용하는 물질의 강화 효과와 관련이 있는 신경전달물질로, 모든 중독성 물질은 도파민 경로에 영향을 미친다. 중독성 물질은 원자핵을 포함하여 변연계에서 직접적 또는 간접적으로 세포 내의 도파민을 증가시키는데, 중독성 물질에 노출되면 음식이나 섹스와 같은 자연적 보상으로 인한 경우보다 훨씬 더 높게 오랫동안 도파민 수치를 지속시킨다. 따라서 중독성 물질을 반복적으로 사용하면 뇌는 더 이상 자연적인 보상에 반응하지 않게 되며, 물질에 자주 노출될 경우 뉴런이 영구적으로 변하게 된다. 이처럼 물질사용장애는 지속적인 위험이 있기 때문에 만성 질환으로 간주되어야 한다. 이러한 개념에 관하여 AA 모임(Alcoholics Anonymous; 익명의 알코올중독자 모임)에서는 뇌를 오이에 빗대어 설명한다. 일단 물질에 노출되면 오이가 피클로 변하여 다시 원상태의 오이로 되돌릴 수 없다는 것이다. 이렇듯 뇌도 물질에 노출되면 이전 상태로 복원될 수 없다.

청소년의 경우 발달 과정상 위험을 감수하고 충동적인 행동을 하는 측면이 있으며, 의사결정과 실행 기능을 조절하는 전두엽이 완전히 발달되지 않았기 때문에 약물사용의 위험 가능성이 높아진다. 성인이 되어 물질에 노출될 경우 그 위험이 상대적으로 낮다. 이는 성인의 뇌는 전두엽 부분에 보다 복합적인 수초(myelination)가 형성되어 있어서 물질에 노출되었을 때 청소년과 동일한 정도의 신경 적응적 변화가 발생하지 않기 때문이다(Cavacuiti, 2011).

정신간호사는 물질 사용의 결과로 고통받는 대상자를 주위에서 많이 볼 수 있다. 물질 사용의 가능성을 인식하고 적절한 의뢰나 중재를 제안할 수 있는 정신간호사의 능력이 한 사람의 가정, 또는 인생 자체를 구할 수 있을지도 모른다. 친구나 지인의 물질 사용이 어느 순간 문제가 되고 있음을 깨달았을 때, 우선적으로 간호사는 물질 사용에 관한 정보를 탐색해야 한다. 회복으로 가는 길은 첫 사정으로부터 시작됨을 인식하고 신중히 접근해야 한다.

2) 물질의존에 대한 사정 전략

간호사는 환자나 가족이 사용하는 알코올 및 기타 약물(alcohol and other drugs, AOD)의 양과 종류에 대해 조사해야 하며, 이것은 모든 사정의 필수적인 구성요소이다. 간호사는 환자가 실제로 복용하는 처방 약물의 양에 대해서도 반드시 질문해야 한다. 또한 환자나 가족 구성원의 AOD 사용과 관련된 의학적 문제에 대해서도 환자에게 질문해야 한다. 많은 경우 환자들은 AOD 사용 수준을 최소한으로

표 24-1 연도별 정신장애 평생유병률[a] 비교(만 18~64세)

진단	2001년	2006년	2011년	2016년	증감
	유병률(표준편차)	유병률(표준편차)	유병률(표준편차)	유병률(표준편차)	
알코올사용장애	15.9(0.5)	16.2(1.2)	14.0(1.0)	13.4(0.7)	-0.6
알코올의존	8.1(0.4)	7.0(0.9)	5.6(0.6)	5(0.5)	-0.6
알코올남용	7.8(0.4)	9.2(0.5)	8.5(0.8)	8.4(0.6)	-0.1
니코틴사용장애	10.3(0.4)	9.0(0.7)	7.3(0.7)	6.5(0.5)	-0.8
니코틴 의존	9.4(0.4)	7.7(0.7)	5.5(0.6)	5(0.4)	-0.5
니코틴 금단	2.4(0.2)	2.9(0.3)	3.1(0.5)	2.7(0.3)	-0.4
약물사용장애	–	–	–	0.2(0.1)	–
조현병 스펙트럼장애	1.1(0.1)	0.5(0.1)	0.6(0.2)	0.5(0.1)	-0.1
조현병 및 관련 장애[b]	0.2(0.1)	0.1(0.1)	0.2(0.1)	0.2(0.1)	0.0
단기정신병적 장애	0.8(0.1)	0.3(0.1)	0.4(0.2)	0.3(0.1)	-0.1
기분장애	4.6(0.3)	6.2(0.6)	7.5(0.7)	5.4(0.4)	-2.1
주요우울장애	4.0(0.3)	5.6(0.5)	6.7(0.7)	5.1(0.4)	-1.6
기분부전장애	0.5(0.1)	0.5(0.1)	0.7(0.2)	1.3(0.2)	0.6
양극성장애	0.2(0.1)	0.3(0.1)	0.2(0.1)	0.2(0.1)	0.0

[a]지역사회에 거주하고 있는 정신장애 환자의 유병률. 조사 당시 정신의료기관, 정신요양시설 등에 입원 혹은 입소 중인 환자는 포함되지 않음.
[b]조현병과 유사 장애인 조현양상장애, 조현정동장애, 망상장애를 포함.
※ 무응답, 조사상황, 표본가구 내 성인가구 수, 광역도시, 성별, 연령에 가중치를 부여한 값임.
출처: 홍진표 등(2017). 2016년 정신질환 실태조사. 보건복지부 삼성서울병원.

Clinical example: 자기 파괴의 위기로부터 벗어나다

40대 후반의 이OO 님은 가족과 함께 평범한 어린 시절을 보냈고, 학창시절 학업성적이 우수하였다. 그의 부모님은 지역사회에서 적극적으로 활동하는 인사였다. 고등학교 때는 특히 스포츠에 재능이 있었고 친구들 사이에서도 인기가 많은 학생이었다. 그는 15살 때 자신이 속한 야구팀의 팀원들과 술을 마시기 시작했고, 고등학교를 우등으로 졸업하여 야구특기생으로 장학금을 받고 대학에 입학했는데, 그 후부터 마리화나에 손을 대기 시작했다. 그는 "운동이나 학업에 관련해서는 결코 방해가 되는 일은 없을 거야"라고 장담했다. 물질 사용을 다른 사람들에게 잘 숨겼고 자기 스스로도 '문제가 있는 인생'이라는 생각을 해 본 적이 없었다. 심지어 자기 파괴적인 모습이 타인에게 분명히 드러났을 때조차도 그는 그런 생각을 하지 못했다.

처음에는 큰 경기를 앞두고 늦은 밤까지 밖에서 시간을 보냈고, 이후로는 경기력이 조금씩 떨어져 한두 경기밖에 참가하지 못했다. 결국 그는 코카인에도 손을 댔고 정맥에 주사한 사실이 발각되면서 유망한 스포츠 경력까지 잃게 되었다. 그뿐만 아니라 개인적인 삶도 엉망이 되어갔는데, 아내와는 이혼하고, 도둑질과 거짓말을 일삼아 감옥에 가게 되었으며, 자살까지 시도하였다. 감옥에서 지내는 동안 드디어 그는 약물 사용이 얼마나 자신을 파괴시켰는지 깨닫게 되었고, 마약을 끊기 위해서 무엇이든 하겠다고 굳게 다짐했다. 그는 마약을 손에 넣기 위해서라면 어떤 일이든 기꺼이 했기 때문에, 마약중독에서 벗어나기 위해서도 동일한 양의 에너지를 기꺼이 쏟을 수 있을 것이라 생각했다. 감옥에 오기 전, 해독을 위해 입원한 적도 있었지만 "준비가 되지 않았어요"라고 말하며 포기했었다. 하지만 그가 감옥에서 소규모의 치료 그룹에 참석했을 땐 마약을 끊을 준비가 돼 있었다. 당시 그는 20대 후반이었다. 현재 그는 40대 후반으로, 끝내지 못했던 대학을 졸업하였고, 더 이상 법적인 문제 없이 좋은 직장을 다니고 지역 리그에서 공을 던지고 있으며, 자신을 지지해 주는 배우자를 만나 결혼하였다. 그리고 가장 중요한 것은 20년이 지난 지금까지 약물에 손을 대지 않는다는 것이다. 현재 그의 삶은 사랑, 희망, 행복으로 가득 차 있다. 오늘날 그를 알게 된 사람이라면 그가 한때 중독자로 삶이 엉망진창이었다는 사실을 믿지 못할 것이다. 약물 사용으로 인한 장애나 어려움을 없애기 위해 수년간 노력했지만, 그가 겪은 손상 중 일부는 끝내 치유될 수 없을 것이다. 하지만 약물 사용으로 발생할 수 있는 문제에 대한 인식은 훨씬 뚜렷해졌다.

말하려는 경향이 있기 때문에, 의료시설에서는 객관적인 정보를 얻기 위해 정기적으로 혈액 또는 소변으로 약물 스크린 검사를 실시하고 있다.

AOD 사용자의 약 40~60%는 첫 면담에서 물질 사용에 관하여 최소한으로 보고하려고 한다. 많은 중독 환자들은 초기 면담에서 자신의 물질 사용 수준에 대해 쉽게 밝히지 않는다. 예를 들면, 알코올 사용으로 인해 치료를 받고 있는 환자는 법적인 문제에 연루되는 것이 무섭기 때문에, 객관적인 검사를 통해 밝혀지기 전까지는 코카인이나 마리화나(marijuana)의 복용을 인정하지 않는 경우가 있다. 일부 환자들은 심지어 물질이 검출됐음에도 불구하고 물질 사용을 부정하기도 한다. 물질사용장애를 의심할 수 있는 징후와 증상은 다음과 같다.

- 휴일 다음 날의 결근
- 잦은 사고 또는 부상
- 졸음, 멍한 모습, 눈물, 빨개진 눈
- 불분명한 발음, 떨림, 홍조
- 외모가 단정치 못하거나 외모에 무관심함
- 혼자 시간을 보내려는 경향이 증가함
- 알 수 없이 사라지는 경우가 빈번함
- 호흡 시 알코올 또는 구강청결제 냄새가 강하게 남
- 신체 불편감에 대한 호소가 많음
- 처방 약품이 사라짐(의약품 보관장소에서 의약품이 사라짐)

물질에 중독된 사람의 일차적 방어기전은 부정(denial)이다. 물질관련장애가 있는 사람은 물질 사용으로 인한 파괴적인 성격특성을 인지하지 못한다. 부정의 방어기전을 사용함으로써 자신의 문제를 물질 사용과 연결하지 못한다. 자기 파괴적인 행동이나 태도를 인지하지 못하거나, 정신 및 신체 상태가 악화됨을 알고 있음에도 불구하고 사용을 중단하지 못하는 것, 물질 사용과 삶의 문제를 연결시키지 못하는 것을 기초로 물질관련장애를 정의할 수 있다. 물질 사용의 초기에 가장 많이 사용되는 종류는 마리화나로 진통제, 흡입제, 진정제의 순으로 사용 정도가 나타나고 있다 **(그림 24-1)**. 또한 이들은 치료가 필요하지 않다고 생각하는 비율이 현저히 높고, 치료의 필요성을 일부 느끼기는 하지만 치료는 받지 않고, 아주 소수만이 치료의 필요성을 느끼고 치료를 받는다는 것을 알 수 있다**(그림 24-2)**.

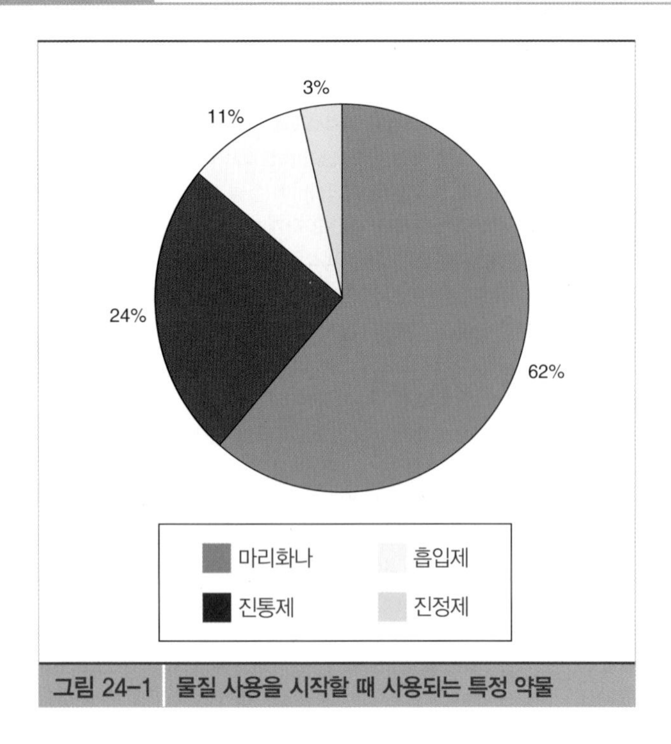

그림 24-1 물질 사용을 시작할 때 사용되는 특정 약물

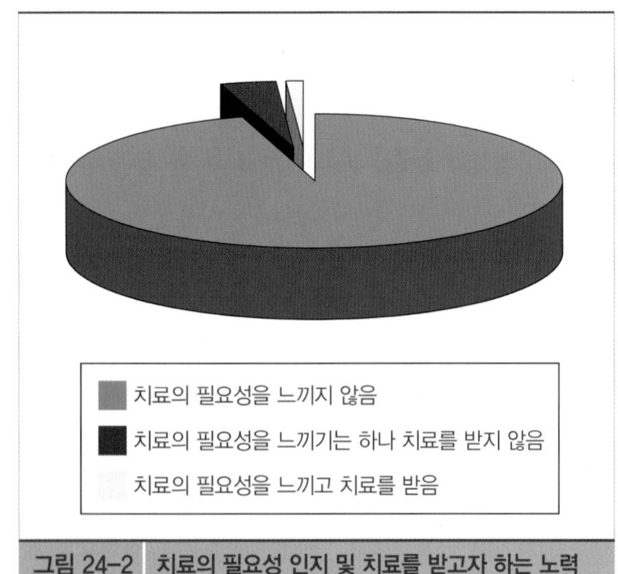

그림 24-2 치료의 필요성 인지 및 치료를 받고자 하는 노력

소변검사는 약물 사용에 대한 가장 객관적인 척도를 제공한다(표 24-2). 또한 혈액과 타액을 이용해 약물을 언제 사용하였는지 확인하여 치료 프로토콜을 준비할 수 있다. 모발독성은 장기적인 사용 양상을 보기에 효율적이지만, 다른 검출법보다 비용이 많이 드는 단점이 있다. 자녀의 약물사용이 의심되는 경우에는 부모가 처방 없이도 모발독성 자가검진 키트를 구매하여 직접 검사할 수도 있다.

표 24-2 약물 사용 후 소변으로 검출되는 기간

약물의 종류	소변으로 검출되는 기간
아편제(opioids)	1~3일
바비튜레이트(barbiturates)	1~7일
벤조디아제핀(benzodiazepines)	24~36시간에서 30일까지 지속되는 약물(long-acting agents)
암페타민(amphetamines)	2~3일
코카인(cocaine)	가끔 사용할 경우에는 2~3일, 자주 또는 과도한 양을 사용할 경우에는 최대 8일
마리화나(marijuana)	3~30일
펜시클리딘(phencyclidine, PCP)	7~14일

출처: Standridge, J., Adams, S., & Zotes, A. (2010). Urine drug screening: A valuable office procedure. American Family physician, 81(5), 635-640.

2. 알코올관련장애

알코올 사용은 주요 물질 문제로, 미국 내 알코올 사용과 관련된 건강문제, 근무시간 손실, 가정붕괴와 범죄행위 등에 의해 연간 2,230억 달러가 넘는 비용이 드는 것으로 추산되고 있다(Gordis, 2000; Rehm et al., 2009). 만 12세 이상 미국인의 52.1% 이상이 술을 마시고, 23%가 폭음을 하며 약 6.5%가 과음을 한다(Substance Abuse and Mental Health Services Administration, 2013). 폭음과 과음을 하는 사람들 중 대부분은 노동자이고(약 75%), 미국 성인 인구의 6.8%가 알코올사용장애(alcohol use disorder)의 증상을 보이는 것으로 나타났다. 알코올 중독은 미국에서 사망 및 장애의 주요 원인 중 하나로 꼽히고 있으며(Kessler et al., 2005), 심혈관질환이나 암의 발병률 증가와 관련이 있기 때문에, 알코올을 사용하지 않는 그룹에 비해 알코올 중독자는 조기 사망률이 2~4배 정도 더 높게 나타난다.

1) 원인

(1) 정신역동학적 이론

오래전부터 많은 정신의학 이론들이 물질 의존성을 설명하려고 시도해 왔다. 알코올 의존자들은 대개 알코올이 제공하는 도피처에 쉽게 의지하는 경향을 보이는데, 최근 이론들은 알코올 의존자가 자신의 삶에 두려움을 느끼는 만큼 알코올에 의존하게 되고, 사회적 음주자에 비해 열등감을 더 많이 느낀다고 설명한다. '알코올 중독자 성격'에 대한 연구는 중독의 생물심리사회적 구성요소를 포함하여 다양한 변수를 제시하고 있다. 최근 연구자들은 알코올 의존자에서 발견되는 많은 전형적인 특성들(예: 의존성, 낮은 자존감, 소극성, 내향성)이 물질의존의 원인이 아닌 결과라고 주장하기도 한다. 정신역동적 치료 관점에서는 행동관리 기술을 강조하고 물질사용장애의 질병 모델을 거부하는 경향이 있다. 발달론적 접근에서는 물질관련 중독의 원인을 징벌적 초자아와 구강기 고착에 초점을 둔다(Sadock & Sadock, 2007). 물질관련 중독을 무의식적 불안과 충동을 감소시키고, 충족되지 못한 구강기 욕구를 채우는 방어적인 행동이라고 설명한다.

(2) 생물학적 이론

알코올 중독이 유전에 의한 것인지에 관한 연구는 오랫동안 진행되어 왔다. 유전적 성향은 알코올 중독을 식별하는 가장 중요한 정보로(Spanagel, 2009), 알코올 중독자 부모의 자녀는 알코올 중독자가 될 가능성이 4~10배 더 높다(Mayfield et al., 2008). 그러나 유전적 요인에 의해 물질 사용으로부터 개인이 보호받는 경우도 있다. 알코올 탈수소효소의 변형이 유전된 사람은 알코올 중독으로부터 보호받는다. 반대로 감마-아미노부티르산(gamma aminobutyric acid, GABA) type A의 유전자 변형을 가진 사람은 알코올 중독에 취약하다(Cavacuiti, 2011). 이러한 연구 결과가 완전히 일치하는 것은 아니지만, 적어도 알코올 의존성에 취약한 사람을 설명하는 근거로 제공되고 있다. 유전적으로 특정한 암에 취약한 대상자들도 위험을 최소화하기 위한 조치를 취할 수 있듯이, 알코올 중독과 관련된 가족적 성향을 인식하게 되면 알코올에 노출되는 것을 줄이려는 노력을 할 수 있다.

2) 알코올 속성

(1) 흡수

알코올은 수용성이 높은 지질로서 위장(20%)에서 부분적으로 흡수되고 대부분 소장(80%)에서 흡수된다. 공복 시 알코올을 섭취하면 15분 내에 50%가 혈류에 유입되고, 최대치에 도달하는 데 40~60분이 걸린다(Colyar, 2003). 이때 알코올 형태는 흡수 속도에 영향을 미치는데, 맥주와 와인은 독한 알코올에 비해 흡수 속도가 느리다. 이러한 특성은 희석의 결과라고 볼 수 있으며, 음식물 또한 알코올 흡수 속도를 늦춘다.

(2) 분포

에탄올(ethanol)은 수분의 양에 따라 모든 신체 내 조직에 균등하게 분포하게 된다. 따라서 체내 수분량이 많은 사람(예: 몸집이 큰 사람)과 근육량이 많은 사람이 체내 수분량이 적은 사람들보다 더 많은 양의 알코올을 섭취할 수 있다. 또한 대뇌와 소뇌가 상대적으로 더 많은 수분을 함유하고 있기 때문에, 알코올은 척수와 중추보다 대뇌와 소뇌에 먼저 영향을 미친다.

(3) 대사

흡수율은 얼마나 빨리 취하는지를 결정하지만, 신진대사율은 주로 얼마나 오랫동안 알코올이 신체에 영향을 미치는지를 결정한다. 건강한 신체는 시간당 15mL의 알코올을 대사할 수 있으며, 수년간 지속적으로 알코올을 마시는 사람은 알코올 대사를 촉진하는 간의 약물-대사 효소(hepatic drug-metabolizing enzymes)가 증가됨을 알 수 있다. 알코올의 약동학적 대사를 보면, 뜨거운 커피를 마시거나 사우나에서 땀을 흘리는 등의 민간치료법은 알코올 대사율을 증가시키지 못하며, 술이 깨는 과정을 촉진시키지도 못한다. 알코올 중독의 후기 단계로 가면, 간은 더 이상 알코올을 적절하게 대사할 수 없기 때문에 내성이 감소하게 된다.

알코올의 화학적 이름은 에탄올(CH_3CH_2OH)이다. 알코올은 주로 간에서 대사되지만, 10%는 호흡, 땀, 소변 등으로 배출된다(Colyar, 2003). 흡수된 알코올은 간에 있는 효소 ADH(alcohol dehydrogenase)에 의해 독성이 있는 아세트알데히드(acetaldehyde)로 산화되고, 이어서 알데히드 탈수소효소는 아세트알데히드를 독성이 없는 상태의 아세트산(acetic acid)으로 산화되게 한다. 아세트알데히드는 신체에 유독하며 간에 있는 정상적인 세포 기능을 억제한다. 아세트알데히드의 대사가 손상되면 아세트알데히드가 간에 축적되어 세포의 괴사를 일으키고, 비타민의 활성화를 방해한다. 만약 아세트알데히드에 대한 효소작용이 알데히드탈수소효소 차단제인 디설피람(disulfiram)에 의해 차단되면, 아세트알데히드가 체내에 축적되어 심각한 질병이 발생하게 된다. 섭취된 알코올은 약 95%가 흡수되고 신진대사되어 최종적으로 탄산가스 CO_2와 물이 되며, 탄산가스는 폐를 통해 배출되고 물은 신장을 통해 배출된다.

(4) 혈중 알코올 농도

혈중 알코올 농도는 뇌에 노출된 에탄올의 양을 정확하게 보여주는 지표로 이를 통해 음주자의 행동과 생리적인 영향을 예측할 수 있다. 예를 들어, 혈중 알코올 농도가 0.005%라면 대부분의 사람들은 좋은 기분을 느끼고 탈억제(disinhibition)를 경험한다. 즉, 일반적으로 생각하는 것이 가능하고 생각하는 일을 제대로 말하고 수행할 수 있다. 다음은 혈중 알코올 농도에 대한 전형적인 반응이다.

알코올의 임상적 효과

혈중 알코올 농도(%)	생리적 효과
0.05	다행감, 자제력 감소
0.10~0.15	불안정한 기분, 수다스러움, 판단력 손상
0.15~0.20	운동기능 저하, 느린 말투, 복시
0.25	지각의 변화
0.30	균형감각 변화
0.34	무감동, 무기력
0.40	인사불성, 혼수
0.40~0.50	심각한 호흡저하, 사망

3) 알코올의 생리적 작용

알코올은 다음의 신경전달물질 수용체를 표적으로 한다. 글루타민산염(glutamate), *N*-methyl-D-aspartate(NMDA), GABA, 5-hydroxytryptamine 3 및 니코틴성 아세틸콜린 수용체가 바로 그것이다. 각각의 수용체는 '쾌락' 신경전달물질인 도파민에 영향을 미치기 때문에, 알코올은 뇌의 쾌락경로를 활성화한다. 'Second hit'이라고 부르는 이차 작용은 알코올이 아편성 물질과 엔도칸나비노이드 물질(endocannabinoids)을 분해할 때 발생한다. 이러한 물질에 추가적으로 도파민이 작용하면 알코올의 '보상' 효과가 나타나게 된다(Spanagel, 2009).

탈억제와 판단력 저하 및 흐릿한 사고는 알코올 섭취의 초기 반응으로, 이런 징후들은 뇌의 중독을 나타낸다. 많은 경우에 이러한 정신적 이완은 즐겁게 느껴지지만, 동시에 알코올은 정신운동을 저하시킨다는 점에 유의해야 한다. 알코올 중독자는 음주 후의 불안 완화 효과가 사라지면, 오히려 더 많은 긴장과 불안감이 발생하게 되기 때문에 불안감이 없는 상태를 되찾기 위해 더 많은 양의 알코올을 섭취하게 된다. 심한 알코올사용장애를 앓고 있는 많은 사람들은 술을 최대한 많이 마셔도, 수년간의 알코올 관련 CNS 자극으로 인해 반동성 정신운동성 격변(rebound psychomotor upheaval)을 가라앉힐 수 없다. 그래서 알코올 의존 상태를 치료하고자 하는 많은 사람들은 그들의 물질 사용과 관련하여 직접적으로 불안 또는 우울감을 갖는다.

(1) 중추신경계에 미치는 영향

알코올이 중추신경계(central nervous system, CNS)에 미치는 작용은 진정 및 독성과 관련되고, 혼돈에서부터 무의식 정신상태에까지 이르게 한다. 많은 양의 알코올은 수면, 혼수 혹은 사망을 초래할 수 있다. 중독의 흔한 증상은 불분명한 발음, 짧은 기억, 시끄러운 대화 및 기억력 결핍이 있다. '블랙아웃(blackout)'은 음주자가 술을 마신 이후에 기억이 나지 않는 기간을 말하는데, 다량의 알코올이 해마(hippocampus)에서 단기기억을 기록하는 것을 방해하여 나타나는 현상이다.

또한 알코올 섭취는 뇌손상을 일으키는데, 이는 NMDA 수용체 감수성의 변화와 관련이 있을 가능성이 크며 글루타민산염의 독성 위험성을 증가시킨다(Harper & Matsumoto, 2005). 뇌의 변화에는 뇌 중량의 감소, 전뇌피질 회백질의 손실, 위축, 백질 감소, 해마의 변화, 시상하부 및 소뇌의 신경 소실이 포함된다(Harper & Matsumoto, 2005; Quertemont et al., 2005).

알코올 사용의 결과로서 증가한 정신운동성 활동은 '알코올 금단증후군(alcohol withdrawal syndrome)'이라고 불린다. 진정작용은 알코올의 주 효과인데, 진정작용이 약해질수록 정신운동 활동이 증가하게 되고 이러한 상태를 '반동현상(rebound phenomenon)'이라고 한다. 중추신경계가 자극을 받게 되면 보통의 음주자는 숙취(메스꺼움과 불쾌감)를 느끼게 되는데, 그때 다시는 숙취를 겪을 만큼 마시지 않겠다고 다짐하게 된다. 하지만 알코올에 대한 의존성이 높거나 알코올 중독자인 경우에는 정신운동 시스템을 진정시키기 위해 또다시 술을 마시게 되고, 정상적인 기분을 느끼기 위해 더 많은 양을 마셔야 한다. 어떤 음주자는 술을 충분히 마시지 않은 시점에서도 알코올로 인한 진전, 발한, 심계항진 및 흥분 등을 경험하기도 한다. 이러한 증상은 대개 알코올 섭취가 중단되거나 감소되었을 때 발생하지만, 혈중 알코올 농도가 감소할 때에도 중추신경계의 과민반응으로 금단현상이 시작될 수 있다. 또한 중추신경계 반동에 대한 반응으로 혈압과 맥박이 상승한다(표 24-3).

알코올로 유발된 정신증적 장애(알코올성 환각증이라고도 함)는 알코올 의존자가 음주를 중단한 후 48시간 정도 지나면 일시적인 망상이나 환각을 경험하게 되는 것을 말한다. 알코올로 인한 환각은 환청이나 환시를 주로 경험하고, 의식장애가 없으면서 협박이나 비난하는 내용의 환청이 많이 나타난다. 환각 상태에서도 지남력은 유지되고 회복 후에 질병 과정 동안의 정신증적 사건이나 감정에 대한 기억이 생생하며 다른 신체적·정신적 장애는 없는 편이지만 드물게는 만성화된다.

중추신경계 과민성이 최대 수준으로 올라가면 진전섬망(delirium tremen, DT)이 나타나게 되는데, 신체는 잘못된 감각을 경험할 뿐만 아니라 극단적인 운동성 흥분을 느낀다. 환각은 주로 환시로 나타나고(예: 분홍색 코끼리), 음주자는 떨면서 겁에 질리게 된다. 이때 강직성 간대성 발작(대발작)이 발생하면 흡인이나 사망의 위험이 높아진다.

베르니케-코르사코프(Wernicke-Korsakoff) 증후군은 기억상실, 작화증, 기억소실이 있는 의식의 혼탁, 말초 신경병증을 특징으로 하는 정신질환이다. 베르니케 증후군은 일차적으로 환각, 섬망 등이 나타나며 증상이 진전될 경우 안구운동장애로 복시가 나타날 수 있고 악성빈혈도 생긴다. 뇌간과

표 24-3 | 중독성 약물의 금단증상

약물		급성기 해독 기간	해독제	금단 징후 및 증상
중추신경억제제 (CNS depressants)	알코올 (alcohol)	3~5일	리브륨(librium), 세락스(serax), 바륨, 비스타릴(vistaril), 알코올	불안, 땀, 떨림, 홍조, 과민성, 불면증, 혼란, 발작, 섬망
	바륨 (valium)	서서히 약을 줄이고, 최대 2주	리브륨, 바륨	
	페노바르비탈 (phenobarbital)	서서히 약을 줄이고, 2~4주	리브륨, 페노바르비탈	
아편제 (opioids)	헤로인 (heroin)	3~5일	메타돈, 부프레노르핀(bu-prenorphine), 아편제의 점진적 감량	하품, 동공확장, 소름, 구토, 설사, 콧물 및 눈물, 불면증, 불안, 과민성, 혈압 및 맥박 증가, 마약에 대한 갈망
	모르핀 (morphine)	3~5일	리브륨, 바륨	
	메타돈 (methadone)	2주		
각성제 (stimulants)	암페타민 (amphetamines)	3~5일	약물 중재는 요구되지 않음	일반적 피로, 무관심, 우울, 졸음, 과민성, 편집증, 자살충동
	코카인 (cocaine)	3~5일		
환각제 (hallucinogen)	마리화나 (marijuana)	2~3일(대사 산물은 2주까지 체내에 남아 있음)	약물 중재는 요구되지 않음	금단증상이 거의 없음, 마리화나에 대한 갈망, 일반적 불안과 안절부절못함

출처: Mueller, L. A., & Ketcham, K. (1987). Recovering: How to get and stay sober. New York: Bantam Books.

3, 4뇌실을 구성하고 있는 회백질 내의 신경세포와 모세관의 비타민 부족이 원인이다.

코르사코프 증후군은 베르니케 징후의 잔재로 오는 만성적 장애로 특히 전향성 기억장애와 작화증이 나타나고, 지적 황폐화 및 다양한 감각 · 운동장애가 나타난다. 즉, 이 질환들은 알코올 중독자의 영양부족(특히 식사에서 티아민과 니아신이 부족할 때)과 알코올의 신경 독성에서 비롯되기 때문에, 근육 내 티아민 주사가 알코올 해독을 촉진하기 위한 표준 프로토콜이 된다.

알코올로 인한 치매(alcoholic dementia)는 장기간에 걸쳐 많은 알코올을 섭취한 사람들에게 인격이 와해되고 감정이 불안해지는 등 근본적인 기질장애가 나타나는 것으로, 비타민 결핍증이나 전두엽 피질의 진행성 위축에 의해 나타난다. 주된 증상은 알코올 사용 중단 후 적어도 3주 이상 증상이 지속되며, 초기에는 충동성이 심하고 점차 사고의 빈곤과 주의력 및 판단력 결핍이 심해지게 된다.

(2) 말초신경계에 미치는 영향

말초신경계(peripheral nervous system, PNS)의 영향은 다양하게 나타나고 많은 문제를 야기한다. 간경화 및 말초 신경염은 주로 알코올과 관련된 신체적 질환이다. 간기능이 나빠짐에 따라 알코올 의존자는 더 이상 알코올 섭취를 견딜 수 없게 되고, 따라서 누구보다 술을 잘 마신다고 자랑하던 음주자도 단 몇 잔만에 금방 취하게 된다. 간경화는 문맥성 고혈압, 복수 및 식도정맥류, 간세포의 기능저하, 혈청 알부민 수치 감소, 암모니아 및 빌리루빈 혈청 농도 상승, 응고 문제 등의 신체적 문제를 발생시킨다. 말초신경염은 다리의 무감각과 그에 따르는 부상을 초래하고, 보행의 변화를 야기한다.

알코올은 자극제이기 때문에 입과 목을 마르게 하고 위에서 더 많은 위산이 분비되도록 자극한다. 알코올 중독자는 위궤양, 위염, 위출혈을 경험할 수 있고, 결국 위궤양이 천공으로 이어져 생명이 위협받는 상황에 당면하게 될 수도 있다. 또한 만성적인 알코올 사용은 구강암과 위암의 위험을 증가시킨다(Cavacuiti, 2011).

췌장은 여러 가지 면에서 알코올의 영향을 받기 때문에 알코올 중독 시 췌장염과 당뇨가 흔히 발생한다. 흡수장애 증후군(malabsorption syndrome)은 장 내벽의 자극에 의해 유발되는데, 이 질환은 일반적으로 비타민B 흡수에 영향을 미치고, 말초신경염의 원인이 되는 비타민 결핍을 초래한다. 또한 알코올은 근육 조직에도 직접적인 영향을 미쳐서 근육병(myopathy)을 유발한다. 이 외에도 알코올의 영향을 받는 다른 장기로는 눈(말초 및 야간 시력 상실), 심장(고혈압, 좌심실 비대) 및 생식기관이 있다. 알코올은 신체기능 억제제로 발기부전을 초래할 수 있고, 장기적인 음주는 고환을 수축시켜서 테스토스테론 호르몬을 감소시킨다. 남성 음주자는 간기능의 저하로 여성 호르몬을 해독할 수 없게 되어 에스트로겐 수준이 증가하게 되고, 성기능 저하로 인해 성적 능력은 더욱 악화된다. 알코올로 인해 성관계 자체는 증가할 수 있지만, 성적 수행능력(sexual performance)은 감소하게 된다.

Clinical example: AA가 생명을 구하다

박OO 님은 신체적 의존이 심한 알코올사용장애를 가진 36세의 남성이다. 알코올 외에 다른 물질도 사용했고, 자살충동으로 인해 여러 번 응급상황을 경험한 과거력이 있다. 알코올과 기타 약물들이 항상 그의 삶 속에 있었는데, 어느 날 지역 치료시설에서 "더 이상 견딜 수가 없어요. 술을 마신 지 벌써 23년이 넘었고, 제 삶은 무너지고 있어요. 내가 아는 모든 사람들이 나를 싫어해요. 직업을 가질 수도 없고, 아무도 날 믿으려고 하지 않아요. 도움이 필요해요"라고 고통을 호소했다. 그는 우선 해독이 필요했기 때문에 28일간 치료 프로그램에 참여했다. 매주 5회 AA 모임에 참석하면서 후원자를 두었는데, 그의 후원자는 믿을 만한 사람이며 모범적인 사람이었다. 또한 그는 일주일에 3회 회복기 치료 모임(aftercare treatment group)에도 참석했다. 108일간 절주한 이후, 그는 이제 완치되었기 때문에 더 이상 치료 및 지원시스템이 필요하지 않다고 생각하기 시작했다. 이후 그는 다시 술을 마시게 되었고, 음주운전으로 경찰이 차를 세웠을 때에는 코카인까지 사용한 상태였다.
5개월 후 그는 상습범으로 체포되어 20년의 징역형을 선고받게 되었다. 알코올을 끊고 AA 모임에 다시 나가기 시작한 그는 이제 자신의 책임을 회피하려 하지 않고 모든 것을 겸허하게 받아들였다. AA 프로그램은 자신의 행동에 대한 책임감을 가져야 하며, 자신보다 '하나님' 앞에서 아집(self-will)을 포기해야 한다고 가르친다. 그는 "나는 내 아집을 버렸습니다. 당연히 감옥에 가고 싶진 않지만, 나의 어리석은 결정 때문에 하나님께서 그렇게 하시는 것이라면 따르겠습니다. 어쩌면 내 이야기를 들을 필요가 있는 또 다른 누군가가 있을지도 모릅니다. 나의 경험과 힘, 희망을 함께 나누고, 그들에게 하나님께서 길을 만들어 주신다는 것을 알려주고 싶습니다"라고 이야기하였다. '더 높은 곳에 계신 분' 앞에서 아집을 버리는 태도는 12단계 프로그램의 특징이며, 회복에 있어 필수적인 부분이다.

4) DSM-5 진단기준

DSM-5(American Psychiatric Association, 2013a)에서는 정신건강관리 공동체를 위한 공통 언어를 포함하며, 물질사용장애(substance use disorders), 물질중독(substance intoxication) 및 물질금단(substance withdrawal) 증상을 분류하기 위한 기준을 명시하고 있다. 또한 물질 사용의 심각성도 경도, 중등도, 중증으로 나누고 있다. 진단기준은 다음의 내용을 포함한다. (1) 의도한 것보다 더 오래 더 많이 사용함, (2) 사용을 줄이길 원하지만 늘 실패함, (3) 물질을 구하고 사용하며 회복하는 데 많은 시간을 소비함, (4) 물질에 대한 강한 갈망을 경험함, (5) 역할 이행에 실패함, (6) 사회적 또는 대인관계 문제가 초래되고 악화될 가능성이 있음에도 불구하고 사용을 계속함, (7) 중요한 의무를 포기함, (8) 신체적 위험이 있을 때도 사용하고, 사용 시 악화되는 신체적 또는 정신적 문제가 있음에도 불구하고 사용을 계속함 등이다.

추가적인 기준으로는 원하는 효과를 얻기 위해 더 많은 물질을 사용하고, 이전과 같은 양을 사용해도 동일한 효과를 경험하지 못하는 '내성(tolerance)'과 물질 사용을 줄이거나 중단할 때 경험하는 증상인 '금단(withdrawal)'이 있다. 또한 알코올의존(dependency)은 알코올을 사용하고 싶은 강력하고 압도적인 욕구가 있고 음주의 시작과 종결 및 음주량 등을 조절하기 어려운 것이다. 알코올 남용(abuse)은 건강에 장해를 일으킬 정도의 알코올을 복용하는 상태로 신체적, 정신적 장애를 초래하게 되어 결국 사회적 또는 대인관계적 문제들이 반복되게 한다. 복합물질남용(polysubstance abuse)은 물질 사용에서 금단증상을 줄이거나 중독의 성질을 변화시키려고 동시에 또는 결과적으로 두 개 이상의 물질을 함께 사용하는 것을 말한다.

연구자들은 물질 사용의 효과가 가족, 직장 또는 사회적 관계에 악영향을 미치고 붕괴하게 만들 때 문제가 발생하는 것이라고 정의해왔다. 만약 한 사람의 삶의 영역에 악영향을 미치기 시작했다면, 그 사람은 물질 사용 문제를 가지고 있는 것으로 반드시 치료가 필요하다.

DSM-5 진단기준: 알코올사용장애

A. 12개월 이내에 다음 중 2개 이상의 알코올 사용의 부적응적 패턴(임상적으로 심각한 기능 손상이나 고통을 유발함)이 나타남.
1. 알코올을 자신의 의도보다 더 많은 양 또는 더 오랫동안 사용함
2. 알코올 사용을 줄이려고 지속적인 노력을 기울이지만 매번 실패함
3. 알코올을 마시고 난 후 그 효과로부터 회복하는 데 많은 시간이 소요됨
4. 알코올을 마시고 싶은 갈망이나 강렬한 욕구를 지님
5. 반복적인 알코올 사용으로 인해서 직장, 학교나 가정에서의 주요 역할을 수행하지 못함
6. 알코올 효과 때문에 반복적으로 사회적 또는 대인관계적 문제가 초래되고 악화됨에도 불구하고 지속적으로 알코올을 사용함
7. 알코올 사용으로 인해서 중요한 사회적 · 직업적 활동 또는 여가 활동을 포기하게 되거나 줄어들고 있음
8. 신체적 문제가 발생했음에도 불구하고 반복적으로 알코올을 사용함
9. 알코올에 의해서 초래되거나 악화될 수 있는 지속적인 신체적 · 심리적 문제가 있음을 알면서도 알코올 사용을 계속함
10. 내성: 다음 중 하나 이상에 해당함
    - a: 원하는 효과를 얻기 위해 사용하는 양을 현저하게 증가시켜야 함
    - b: 동일 용량의 알코올을 지속적으로 사용함에도 효과가 현저하게 감소됨
11. 금단: 다음 중 하나 이상에 해당함
    - a: 특징적인 알코올의 금단증후군이 나타남
    - b: 금단증상을 완화시키려고 알코올(또는 관련된 물질)을 사용함

다음의 경우 명시할 것:

조기 관해 상태: 이전에 알코올사용장애의 진단기준을 충족했으나, 최소 3개월 이상 최대 12개월 이내의 기한 동안 진단기준에 맞는 항목이 전혀 없는 경우(진단기준 A4의 '알코올에 대한 갈망, 강한 욕구'는 예외)

지속적 관해 상태: 이전에 알코올사용장애의 진단기준을 충족했으나, 12개월 또는 그 이상의 기간 동안 어떤 시기에도 진단기준에 맞는 항목이 전혀 없는 경우(진단기준 A4의 '알코올에 대한 갈망, 강한 욕구'는 예외)

다음의 경우 명시할 것:

통제된 환경에 있음: 알코올에 대한 접근이 제한된 환경에 개인이 있을 때 부가적으로 명시함

출처: American Psychiatric Association (2013). Diagnostic and statistical manual of mental disorders (5th ed.). Arlington, Virginia: APA.

DSM-5 진단기준: 알코올 급성중독

A. 최근의 알코올 섭취가 있다.
B. 알코올을 섭취하는 동안 또는 그 직후에 임상적으로 심각한 문제적 행동 변화 및 심리적 변화가 발생한다(예: 부적절한 성적 또는 공격적 행동, 기분 가변성, 판단력 손상).
C. 알코올 사용하는 동안 또는 그 직후에 다음 징후 혹은 증상 중 한 가지(혹은 그 이상)가 나타난다.
(1) 불분명한 언어
(2) 운동실조
(3) 불안정한 보행
(4) 안구진탕
(5) 집중력 또는 기억력 손상
(6) 혼미 또는 혼수
D. 징후 및 증상은 다른 의학적 상태로 인한 것이 아니며, 다른 물질중독을 포함한 다른 정신질환으로 더 잘 설명되지 않는다.

DSM-5 진단기준: 알코올 금단

A. 알코올을 과도하게 장기적으로 사용하다가 중단(혹은 감량)한다.

B. 진단기준 A에서 기술된 것처럼 알코올을 사용하다가 중단(혹은 감량)한 지 수시간 혹은 수일 이내에 다음 항목 중 2가지(혹은 그 이상)가 나타난다.
   (1) 자율신경계항진(예: 발한, 또는 분당 100회 이상의 빈맥)
   (2) 손떨림 증가
   (3) 불면
   (4) 오심 또는 구토
   (5) 일시적인 시각적, 촉각적, 청각적 환각이나 착각
   (6) 정신운동 초조
   (7) 불안
   (8) 대발작

C. 진단기준 B의 징후 및 증상이 사회적, 직업적, 또는 다른 중요한 기능영역에서 임상적으로 현저한 고통이나 손상을 초래한다.

D. 징후 및 증상은 다른 의학적 상태로 인한 것이 아니며, 다른 물질 중독 및 금단을 포함한 다른 정신질환으로 더 잘 설명되지 않는다.

다음의 경우 명시할 것:
지각장애 동반: 이 명시자는 드물게 환각(주로 환시 혹은 환촉)이 현실 검증력이 손상되지 않은 상태에서 생기거나, 청각적, 시각적 혹은 촉각적 착각이 섬망 없이 발생할 때 적용한다.

출처: American Psychiatric Association (2013). Diagnostic and statistical manual of mental disorders (5th ed.). Arlington, Virginia: APA.

5) 간호문제

(1) 과다복용

알코올이 중추신경계를 억제하기 때문에 과다한 음주는 사망을 초래할 수 있다. 호흡중추가 마비됨에 따라 호흡과 심장박동이 저하되고 혼수상태 또는 사망으로까지 이어진다. 알코올의 효능을 과소평가하여 너무 많은 알코올을 소비하면 사망에 이를 수 있다. 물론 알코올만으로도 사망할 수 있지만, 대부분의 과다복용으로 인한 사망은 알코올과 함께 다른 중추신경 억제제를 함께 복용한 결과이다.

(2) 상호작용

알코올을 다른 중추신경 억제제와 함께 복용하면, 심각한 중추신경계 억제가 유발되고 이는 사망으로 이어질 수 있다. 예를 들어, 디아제팜(diazepam)은 단독 복용 시에는 그다지 치명적이지 않지만 알코올과 함께 사용하면 사망을 초래할 수 있다. 바비튜레이트, 항정신병 약물, 항우울제, 벤조디아제핀 및 기타 진정제를 복용할 때에도 알코올을 피해야 한다.

(3) 고령자의 사용

노인 알코올 중독자는 크게 평생 사용자, 스트레스에 의한 후발성 사용자로 나눌 수 있다. 평생 사용자는 음주와 관련하여 신체적 · 인지적 · 정서적 문제를 더 많이 경험하게 된다. 스트레스에 의한 후발성 사용자는 나이가 들수록 음주로 인해 발생하는 지속적인 손실에 대해 대처하는 경향이 있다. 물론 효과적으로 치료하지 않으면 빠르게 악화될 수 있지만, 치료를 받게 되면 강력한 반응을 보인다. 고령 인구가 증가함에 따라 노인들의 물질 관련 문제도 증가하고 있다. 간기능장애가 있는 사람은 알코올을 효율적으로 대사하지 못하고 알코올에 대한 낮은 내성을 가진다. 노화에 따라 간기능은 감소하게 되며, 결과적으로 노인이 많은 양의 알코올을 섭취하게 될 경우 취하거나 혼란에 빠지거나 진정된 상태가 되어버린다. 간호사는 특히 노인이 알코올과 다른 중추신경 억제제를 함께 사용하는지를 주의깊게 살펴봐야 한다.

(4) 금단 및 해독

알코올 중독자가 금주를 시작하면 고통스럽고 무서울 뿐만 아니라 치명적인 상태에 이를 수도 있다. 금주 시 떨림, 신경질, 불안, 식욕부진, 오심 및 구토, 불면증 및 기타 수면장애, 빠른 맥박, 고혈압, 다량의 땀, 설사, 발열, 비틀거리는 걸음걸이, 집중력 장애, 놀람반사 항진, 알코올이나 다른 약물에 대한 갈망 등과 같은 중추신경계 자극을 느끼기 시작한다. 금단증상이 점차 악화되면 일부 환자들은 환각을 경험할 수도 있다. 알코올 중독의 심각성이 어느 정도인가에 따라 감독의 필요성과 수준도 결정된다. 가벼운 의존성인 경우는 외래에서도 치료가 가능하지만, 심각한 중독성이 있는 환자는 금단증상과 관련된 고통과 사망의 위험 때문에 의학적 감시를 받아야 한다. 알코올과 교차 의존성이 있는 약물, 즉 다른 중추신경 억제제를 사용하여 금단증상을 감소시킬 수 있다.

6) 약물요법

(1) 알코올사용장애의 치료제

① 아캄프로세이트

아캄프로세이트(acamprosate)의 작용기전은 정확히 알려져 있지 않지만, 결과적으로 알코올성 뇌의 화학적 균형을

회복시킨다. 지속적인 알코올 섭취는 신경 억제와 흥분 사이의 화학적 균형을 변화시킨다(Forest Laboratories, 2004). 이 약물은 금주가 시작되었을 때 사용할 수 있지만, 알코올 중독자가 술을 마시는 동안에는 사용할 수 없다. 이 약물은 디설피람(disulfiram)의 혐오 효과나 날트렉손(naltrexone)의 쾌감을 자아내는 효과를 일으키지 않는다. 아캄프로세이트는 금주 행동을 강화시키므로 회복을 돕기 위한 다른 약물과 함께 사용될 수 있다.

② 디설피람

디설피람은 음주를 고통스럽게 만드는 혐오 약물(aversive drug)이다. 이 약물은알데히드 탈수소효소(enzyme aldehyde de-hydrogenase)에 의한 CH_3CHO(아세트알데히드)의 분해를 억제한다. CH_3CHO는 독성이 있으므로, 디설피람을 복용하는 동안 음주를 하는 사람은 고통을 경험한다(예: 땀, 목과 얼굴의 홍조, 빈맥, 저혈압, 현기증, 오심과 구토, 심계항진, 호흡곤란, 떨림, 근력약화 등). 또한 디설피람과 알코올은 부정맥, 심근경색, 심부전, 발작, 혼수상태 및 사망을 초래할 수 있다. 알코올에 대한 불쾌한 반응은 알코올을 끊으려는 알코올 중독자의 노력을 강화하는 데 도움을 준다. 기본적으로 디설피람을 복용하는 환자는 음주에 대해 하루에 한 가지 결정만 하면 된다. 즉, 일단 약을 복용하면 그 환자는 술을 마실 수 없게 되는 것이다. 디설피람의 영향에 매우 민감한 사람은 알코올이 피부를 통해 흡수되어 반응을 일으킬 수 있기 때문에, 피부 강화 화장수나 향수도 피해야 한다. 디설피람은 매일 약물 섭취를 감독받을 의지가 있으면서 장기적인 변화에 대한 중요한 내적 동기를 가지고 있는 환자에게 가장 효과적이다.

③ 기타

FDA 승인 없이 처방되는 약물(off label)로, 이러한 약물은 술을 완전히 끊을 준비가 되어 있지 않은 사람이 알코올 섭취를 줄이는 데 유용할 수 있다. 많은 사람들은 술을 완전히 끊는 것 대신에 '줄이는 것(cutting back)'을 원하기 때문에 이러한 약물을 선택한다. 과음을 줄이면 과도한 알코올 사용으로 인한 부작용 역시 줄일 수 있다(Aubin & Daeppen, 2013).

토피라메이트(topiramate)

과음의 일수를 줄이는 것은 물론 금주 상태를 유지할 가능성을 높여주는 항경련제이다. 이 약물은 GABA의 기능을 향상시키고 글루타민산염을 감소시킨다. 토피라메이트는 행복감을 증진시키고, 술을 찾는 것을 줄이며, 폭음을 줄이고, 갈망도 감소시킨다. 용량은 하루에 50~200mg을 복용한다. 이 약물의 효과를 높이기 위해 날트렉손과 병용해서 사용할 수 있다.

온단세트론(ondansetron)

항암화학요법과 함께 사용되는 항염증제(5HT3 antagonist)로 하루에 kg당 8㎍(마이크로그램)의 용량으로 투여한다. 이는 유전형, 즉 조기발병 알코올 중독과 같은 일부 특정한 경우에 유용하다. 온단세트론은 알코올 분해를 방해하지 않기 때문에, 여전히 술을 마시고 있는 사람에게도 투여할 수 있다. 5HT3 수용체의 차단은 갈망을 줄이고 금주를 증가시키는 것으로 생각된다(Myrick et al., 2008).

설트랄린(sertraline)

A형 후기발병 알코올 중독 남성 환자의 과음 일수를 줄이는 데 도움이 되는 SSRIs 약물이다. 이 약물은 A형 또는 B형 알코올 중독인 여성에게는 효과가 없었다.

(2) 알코올 금단 치료제

클로르디아제폭사이드(chlordiazepoxide), 디아제팜, 그리고 로라제팜(lorazepam)과 같은 장시간 작용하는 벤조디아제핀(benzodiazepines) 약물은 알코올 금단 치료에 유용하다. 이 치료의 원리는 금단증상을 억제하기 위해 알코올을 벤조디아제핀으로 빠르게 대체하는 것이다. 벤조디아제핀은 GABA-벤조디아제핀 수용체 부위와 결합하는데, 이후 며칠에 걸쳐 점진적으로 감소하게 된다. 일부 임상가들은 알코올 금단증상을 치료하기 위해 바비튜레이트(barbiturates)를 선호하지만, 호흡 억제와 안전에 대한 우려 때문에 처방을 포기하기도 한다. 알코올 중독 치료를 받는 모든 환자에게 티아민(thiamine)을 투여해야 하는데, 티아민은 특히 베르니케의 뇌증(Werincke's encephalopathy)의 발병을 예방한다.

3. 진정제(중추신경 억제제)

1) 바비튜레이트

바비튜레이트(barbiturates)는 19세기 후반에 처음 진정제로 사용되었다. 중추신경을 억제하여 감각자극에 대한 인

CASE STUDY

28세 남성인 김OO 님은 3번째 음주 운전을 한 후에 병원에 방문해 치료 상담을 받았다. 입원 시 혈중 알코올 농도는 0.002%였다. 그는 14살 때부터 술과 마약을 사용해 온 과거력이 있고, 그의 부모는 모두 술을 마시지 않았지만 할아버지는 간경변과 식도정맥류 출혈로 사망한 가족력이 있다. 그는 과거에 결혼생활의 문제를 해결하기 위해 2번이나 상담을 받았지만, 결국 이혼을 하게 되었고 직장마저 잃게 되면서 극도의 우울감을 겪게 되었다. 술을 마시면 공격적으로 변하여 전처와 아들을 위협하기도 했고, 아들에 대한 단독 양육권을 그녀에게 요구하기도 했다. 또한 이 기간 동안 그는 돈을 벌기 위해 도박을 시작하였다. 그는 이혼하여 아내를 잃게 되거나 도박으로 인해 경제적으로 더 나빠질 것이 두려워 현재 치료에 기꺼이 참여할 것이라고 말했다. 그는 자신이 무엇을 해야 할지 정확히 알게 되기 전까지는 병원에서 지내는 것이 더 안전할 것이라는 사실을 알고 있었다. 하지만 자신에게 술, 마약, 도박에 관한 문제가 있다는 사실을 부정하며 자신의 불행을 다른 사람의 탓으로 돌리려 하였다. 또한 그는 현재 자살충동은 느끼지 않는다고 하였다.

간호과정

이름: 김OO **입원일:** ____________

DSM-5 진단: 알코올사용장애, 중증(또는 알코올 중독)

사정	**강점:** 의학적 문제가 없고 자살충동 없음, 이전에 2번 상담을 받았으며, 가족과 함께 시간을 보내려 함 **간호문제:** 물질 의존성, 알코올 및 약물의 장기 사용과 관련된 가족력, 가정과 직업에 문제가 생겼음에도 불구하고 알코올이 그의 인생에서 문제점이라는 사실을 부정함
진단	1. 법적 및 재정적 문제로 입증된 알코올, 남용과 관련된 비효율적 개인 대처 2. 비효율적인 가족 대처: 가능한 이혼과 재정적 어려움으로 입증된, 알코올 남용과 관련된 불능 상태(disabled)
간호목표 날짜: ______ 날짜: ______	**단기 목표** 결혼생활과 직업상의 어려움이 음주 문제에 기인한 것임을 인정한다. **장기 목표** 매달 소변검사 시 화학물질이 검출되지 않는다.
계획 및 중재	**간호사-환자 관계** • 문제를 부정하는 환자의 초기 요구를 인식한다. • 음주의 결과로 발생한 문제와 금주의 필요성에 대해 논의한다. • 알코올 중독의 진단에 관한 교육을 시행하고, 장기 회복을 위한 희망을 제공한다. • AA 모임에 참여하도록 장려한다. **약물치료:** 카페인이나 설탕 섭취를 금하고, 매일 복합 비타민 섭취하도록 장려한다. **치료적 환경관리:** 가족치료를 실시하고, 일상생활의 활동을 장려한다.
평가	보호관찰관에 따르면, 한 달 후 술에 취하지 않은 상태를 유지하고 있다고 한다.
의뢰	AA에의 연계를 의뢰하고, 약물치료 상담사와 약속을 잡도록 한다.

지와 반응을 감소시키고, 신체적 의존을 유발할 수 있다. 중추신경 억제제는 발작장애에 효과적이며, 심한 두통과 관련된 통증을 감소시킬 수 있어 오늘날에도 여전히 처방되고 있는 약물이다. 바비튜레이트의 효과는 대개 마지막 투여 후 8~12시간 후에 시작된다. 또한 중추신경계를 억압하기 때문에, 복용을 중단하면 반동효과(rebound effect)가 발생하며, 금단증상은 심각한 수준이기 때문에 사망까지 유발할 수 있다. 경미한 금단증상에는 불안, 근육경련, 떨림, 진행성 근육약화, 현기증, 왜곡된 시각, 오심과 구토, 불면증 및 기립성 저혈압 등이 있다. 보다 심각한 금단증상으로는 경련과 섬망이 있고, 치료를 받지 않으면 약 1주일 동안 증상의 강도가 감소하지 않을 수 있다(Lehne, 2007). 해독 시 약물을 신중하고 점진적으로 감량시켜야 한다.

2) 벤조디아제핀

벤조디아제핀(benzodiazepines)은 합법적 용도로 다양하게 사용된다. 불안관련장애를 위한 치료제로 바비튜레이트보다 더 안전한 약물로 알려져 있다. 그러나 중독성 및 신체적·심리적 의존이 있다. 특히, 플루니트로제팜(flunitrazepam; Rohypnol)의 경우 남용 가능성이 높고, 진정 및 기억상실의 효과가 있기 때문에 데이트 강간에 악용된 것으로 알려져 있다.

3) 흡입제

흡입제(inhalants)는 가스 생성물을 흡입하여 코나 입을 통해 폐 내로 흡수된다. 흡입제는 가격이 저렴하면서 쉽게 구할 수 있으며, 일반적으로 합법적이기 때문에 사용률이 높다. 접착제, 가솔린, 고무 시멘트, 폴리염화비닐, 시멘트, 헤어스프레이, 공기청정제, 얼룩제거제, 페인트제거제, 키보드클리너 및 라이터오일 등이 모두 흡입제에 해당한다. 대부분의 사용자는 남성이며, 가장 흔하게 사용되는 흡입제는 휘발유이다. 흡입제는 흔히 중추신경계를 억제하고 민첩성을 증가시키며 흥분을 유발할 수 있다. 흡입량을 조절할 수 없기 때문에 흡입제는 특히 위험하다. 구토로 인한 기도폐색, 호흡곤란 및 질식으로 인한 사망이 계속 보고되고 있다. 흡입제는 혈액-뇌장벽(blood-brain barrier)을 신속하게 통과한다. 흔한 부작용으로는 구강궤양, 위장장애, 식욕부진, 혼란, 두통, 운동실조증 등이 있다. 또한 전두엽, 소뇌 및 해마를 포함한 뇌손상이 발생한다고 밝혀졌으며, 환자는 이로 인해 문제해결 능력이 떨어지게 되고 운동성 보행 및 기억장애를 겪게 된다. 흡입제 사용 여부는 얼굴, 코와 입 주위의 발진, 의복의 잔류물 등을 통해 관찰할 수 있다.

표 24-4 남용 약물의 작용기전 요약

남용 물질	작용기전
바비튜레이트	GABA의 작용을 증가시킴
아편제	아편계 수용체를 자극하여 내인성 신경전달물질(endogenous neurotransmitters)을 모방함, 중격핵(nucleus accumbens) 내에서 도파민의 분비를 증가시킴
코카인	도파민 재흡수를 감소시킴
암페타민	노르에피네프린과 도파민 분비를 향상시킴, 도파민 재흡수를 차단하고 지연시킴
메스암페타민	도파민 분해 차단, 도파민 분비 촉진, 도파민 재흡수 차단을 유발함
엑스터시	세로토닌과 도파민 분비를 증가시킴
마리화나	중격핵에서 도파민 경로를 자극함
LSD	환각효과를 일으키는 5-HT 수용체와 단단히 결합함

GABA, Gamma-aminobutyric acid; 5-HT2A, 5-hydroxytryptamine 2A; LSD, lysergic acid diethylamide.

4) 아편제

아편제(opioids)에 해당하는 약물로는 아편, 모르핀, 코데인, 헤로인(heroine), 하이드로모르폰(Dilaudid), 메페리딘(Demerol), 메타돈(Dolophine) 등이 있다. 지난 10년간 처방의약품의 불법적인 사용이 상당히 증가하였다. 아편제는 삼키기, 피우기, 코로 흡입하기, 피하주사, 정맥주사 등의 방식으로 사용될 수 있다. 아편제의 처방이 더욱 엄격해짐에 따라 값이 저렴하고 접근하기 쉬운 헤로인 사용이 증가할 것으로 예상된다.

Clinical example: 술, 마리화나, 진통제

최OO 님은 32세의 정비공이다. 그는 중학교 때부터 마리화나와 알코올에 노출되었고, 치과에서 발치한 후 통증을 완화하기 위해 사용한 아편제에 의존하기 시작했다. 그 후로 그는 여러 번 발치를 하였고, 연이어 극심한 통증을 호소하거나 치료가 필요한 다양한 상황에서 여러 번 응급실에 방문했다. 그는 도둑질을 했다는 의심을 받고 직장에서 몇 번 해고된 적이 있는데, 그때 그는 "사람들이 사용하지 않은 채 방치한 처방전을 내가 대신 쓰려 한 것뿐이고, 결코 뭔가를 훔친 것은 아니다"라고 변명했다. 그랬던 그가 최근 마약을 시작하면서 더욱 빠르게 변화했다. 아파트 단지를 돌아다니면서 욕설을 하고 혼란에 빠져 있는 모습을 직장에서 알게 되어 또 다시 해고당했다. 그는 해고 때문에 화가 난 상태에서 운전을 하다가 오토바이 사고로 거의 목숨을 잃을 뻔하였다. 그는 병원의 외상센터로 옮겨져서 치료를 받는 중 마약 금단증상을 보이기 시작했다. 그가 비교적 명료한 정신상태로 돌아왔을 때 의료진은 병원의 물질남용 치료 프로그램에 참여해 보도록 권장하였다. 그는 일단 치료과정에 동의하였고, 비록 성공적인 회복을 위해서는 갈 길이 멀지만, 최소한 치료를 통해 그가 다른 삶의 방식에 대해 배울 수 있을 것이다.

(1) 생리적 작용

아편제는 통증 역치를 높이고 불안과 두려움을 감소시켜 통증을 완화한다. 이러한 약물은 뇌에서 아편 수용체 부위를 자극함으로써 효과를 나타낸다. 자연적으로 발생하는 신경전달물질인 엔도르핀은 아편 수용체를 활성화하여 통증을 줄이고 기분을 조절하는 등 다양한 반응을 일으키는데, 아편제는 바로 이러한 엔도르핀 작용제이다. 아편제 사용자는 마약의 다행감에 매료되어 강렬한 쾌감을 경험하는 것 이외에도 전반적인 중추신경 억제로 인해 졸음과 수면의 효과가 나타난다. 헤로인은 혈액-뇌장벽을 더 쉽게 통과하기 때문에, 모르핀 및 기타 아편제와 비교할 때 남용 가능성이 더 높다. 헤로인이 뇌에 들어가면 화학구조가 모르핀의 구조로 바뀌어 뇌 속에 갇히게 되고, 이로 인해 더 높은 지속성을 갖게 된다. 아편제의 중추신경계 작용은 호흡억제를 유발하는데, 이는 호흡을 담당하는 연수에서 이산화탄소 자극에 대한 감수성이 감소되는 것과 관련이 있다. 이러한 호흡저하는 결과적으로 사망의 주요 원인이 된다. 말초신경계 작용은 변비, 위, 담즙 및 췌장 분비물 감소, 소변 정체, 저혈압, 동공축소 등을 포함한다. 동공축소는 아편제 과다복용 시 나타나는 징후이다. 또 다른 아편제인 메페리딘(meperidine)은 대개 의사와 간호사가 자주 접하게 되는 약물로, 경구복용 시 효과적이며 다른 아편제에 비해 변비의 발생률이 낮다는 장점을 갖고 있다(Lehne, 2007).

(2) 간호문제

① 과다복용

의료전문가가 처방한 치료 용량을 넘기지 않는 한, 아편제는 유용하고 안전한 진통제로 활용된다. 그러나 불법적으로 약을 구매하여 사용하면 알레르기 반응이나 과다복용으로 사망에 이를 수 있다. 길거리에서 마약을 구하는 사용자는 아편제의 사용량을 알 수 없고, 자신이 기대했던 것보다 더 정제되지 않은 마약을 구할 수도 있기 때문이다. 이 경우 아편제의 농도가 예상보다 무척 높기 때문에 의도치 않게 과다복용하게 될 수 있다. 과다복용 시 주로 나타나는 증상은 호흡 저하이며, 호흡수가 분당 12회 미만일 때는 반드시 주의가 필요하다. 중독성 복용량과 치사량은 차이가 크지 않기 때문에 무척 위험하다. 다른 중추신경계 억제제(예: 알코올, 벤조디아제핀)와의 병용은 과다복용으로 인한 치명적 위험을 증가시킨다. 과다복용 시 나타나는 증상은 다음과 같다.

- 분당 호흡수가 12회 미만이 된다.
- 인사불성이 되어 잠에 들게 된다.
- 호흡곤란과 저산소증이 동반된 혼수상태가 발생한다.
- 피부가 점차 차가워지고 축축해진다.
- 동공이 팽창한다.
- 즉시 사망할 수 있다.

호흡 저하가 나타났을 때 필요시 적절한 기도유지 및 보조 인공호흡장치를 제공하는 것이 치료의 최우선이다. 마약성 길항제 투여는 아편제의 효과를 억제하기 위해 사용된다. 일부 노인 환자는 장기적인 마약성 진통제의 처방을 받아 온 만성 통증과 관련된 질환이 있을 수 있다. 노인은 특히 아편제와 관련하여 폐 환기가 감소될 위험이 높다.

② 마약 길항제: 아편제 해독제

아편제는 남용되고 있는 마약 중 유일하게 특정한 해독제를 가지고 있다. 날록손(naloxone)은 아편제 과다복용이 의심될 때 선택할 수 있는 마약성 길항제이다. 날록손은 아편성 물질에 의해 영향을 받는 신경 수용체를 차단하기 때문에, 환자는 날록손을 정맥 주사한 후 몇 분 내에 반응하게 된다. 그러나 대부분의 아편제는 날록손보다 더 오래 지속되는 효과가 있기 때문에, 적절한 호흡을 유지하기 위해 길항제를 반복적으로 투여할 필요가 있다. 날록손을 투여한 간호사는 추가적인 길항제가 필요한지 여부를 결정하기 위해 환자를 주의 깊게 관찰해야 한다. 만약 길항제의 투여량이 아편제의 투여량보다 상대적으로 높으면, 마약 금단증상 또는 금단증후군이 나타날 수 있다. 만성 통증 및 아편제 의존성 때문에 아편제를 사용하는 환자는 아편제의 중단 후 엄청난 고통을 겪게 된다.

Clinical example: 무지가 생명을 위협할 수 있다

호스피스팀에서 일하는 직원이 다음과 같은 이야기를 들려주었다. 환자는 70세의 남성으로 전립선암을 앓고 있고 골전이로 인해 고통스러워했다. 간호의 관심사는 통증 관리의 필요성과 호흡억제의 위험 사이에서 균형을 유지하는 것이었는데, 환자가 진통제에 대한 내성을 보였다. 그의 가족들은 그가 '중독자'가 될까 걱정되어 의사와 상담하지 않고 진통제의 복용량을 줄이기로 결정했다. 시간에 따라 지속적인 진통효과가 있는 진통제(파손되었을 때 시간-방출 특성을 잃는 합성 모르핀)를 반으로 잘라서 투여했을 때, 환자에게 좋지 않은 반응이 나타났다. 그는 병원으로 이송된 후 날록손(Narcan)을 투여받았다. 날록손은 아편 수용체를 차단하기 때문에, 환자에게는 더 이상 효과적인 통증완화 효과가 없었다. 가족들이 진통제를 합법적으로 사용하는 것을 두려워한 것으로 인해 환자는 극심한 육체적 고통을 겪었다. 또한 서방형 약물이 어떻게 작동하는지에 대한 지식이 부족했기 때문에 부적절한 용법으로 환자에게 투약하였고, 이는 환자에게 치명적인 결과를 낳게 할 수 있다.

③ 금단 및 해독

알코올이나 바비튜레이트의 금단증상을 치료하지 않으면 치명적인 결과로 이어질 수 있지만, 아편제의 금단증상을 치료하지 않는다고 해서 치명적인 결과는 나타나지 않는다. 물론 환자는 상당한 고통을 겪는다. 금단증상은 하품, 콧물, 발한, 오한, 떨림, 불안, 과민반응, 다리경련, 뼈

통증, 설사 및 구토 등의 증상이 36~72시간 내에 최고 강도에 도달하고 약 1주일 후에 소멸한다.

클로니딘(clonidine)은 일부 자율신경계 증상(예: 구토와 설사)을 완화시키기 때문에 금단증상을 조절하는 데 사용되어 왔다. 그러나 클로니딘이 갈망이나 불면증을 감소시키지는 못한다. 또한 부프레노르핀(buprenorphine) 또는 메타돈(methadone)은 금단증상과 관련된 통증을 완화할 수 있다. 이렇듯 치료는 주로 증상을 조절하는 것에 초점을 둔다.

④ 몰핀(morphine)

아편계의 천연물질 중 대표적인 물질인 몰핀(morphine)은 심한 신체적 의존, 심리적 의존, 내성이 일어나는 것이 특징이다. 특히 의존성 정도가 모든 습관성 약물 중 가장 높다.

몰핀을 사용하는 초기에는 진통작용, 졸음, 기분변화, 다행감(euphoria), 생산력과 자신감 증가 등이 나타난다. 장기적으로 사용할 시에는 내성, 금단증상(withdrawal syndrome), 의식혼탁, 집중력 장애, 무감각(apathy), 모든 일에 관심 상실, 신체적 욕구 저하, 뚜렷한 외모 변화, 일의 능률 저하, 식욕부진(anorexia)과 더불어 영양실조, 판단력 · 지적 능력 · 도덕적 가치관 저하 등의 증상이 나타난다. 몰핀의 금단증상은 약물에 대한 욕구가 강해지고, 금단 6~12시간 후부터 나타나기 시작하여 48~72시간에 절정을 이루며, 이후 감소하여 7~10일 정도 지속된다.

⑤ 메타돈

메타돈(methadone)은 모르핀과 유사한 아편제이지만, 특별히 금단증상을 예방하기 위해 사용되고, 암과 같은 극심한 통증이 있는 조건에서는 진통제로도 사용된다. 메타돈은 중독자가 아편 사용을 중단할 수 없을 때 대체요법으로 사용된다. 메타돈은 경구로 투여되며, 간에서 잘 대사되지 않는다. 메타돈은 모르핀(약 2시간)보다 훨씬 더 긴 반감기(15~30시간)를 갖는데, 반감기가 길기 때문에 외래환자 치료에 1일 1회 투약을 적용한다. 이는 효과적이며 유용한 결과를 가져온다. 하지만 만성 통증을 조절하기 위해 메타돈을 사용할 때는 오용으로 인해 우발적인 과다복용으로 이어지는 경우가 증가하고 있어 주의해야 한다.

⑥ 헤로인

헤로인(heroin)은 모르핀 중독의 치료제로 개발되었으나, 치료의 유효성에 비해 중독성이 더 강하다는 것이 증명되었다. 헤로인은 아편 중독자들이 매우 선호하는 물질로, 전형적으로 정맥주사로 주입(효과는 7~8초 이내로 느껴짐), 담배로 태우기, 코를 통한 흡입, 코카인과 같은 다른 물질과 혼합하여 사용하는 등의 방식으로 사용된다(효과는 10~15분)(Lehne, 2007). 헤로인은 모르핀보다 더 강력하고 지용성이기 때문에 혈액-뇌장벽을 더 빨리 통과할 수 있고 그 결과 더 빠른 효과가 나타난다.

Clinical example: 과다복용으로 죽어갔지만, 아무도 몰랐다

두 아이를 둔 32세 여성이 응급실에 이송되었다. 그녀는 정신질환과 약물사용에 관한 병력이 있었고, 다량의 옥시코돈(oxycodone)을 다른 중추신경 억제제와 함께 복용한 사실을 인정했다. 의식이 명료할 때도 있었지만, 불분명한 언어를 사용하며 정신운동지연을 보이기도 하였다. 초기 사정 후 의료진은 그녀를 정신과로 이송하기로 결정하였다. 시간이 흘러 그날 오후가 되자, 그녀의 말은 이해할 수 없는 상태였고 호흡 상태는 느리고 불규칙하였다(12회/분). 추가적인 종합 사정이 연기된 사이 그녀는 새벽에 아편에 의한 호흡저하로 사망하였다.

4. 중추신경 자극제/흥분제

중추신경 자극제(stimulants)로는 탄산음료, 커피, 차와 같이 카페인(caffeine)이 함유된 각성제가 널리 보급되어 사용되고 있다. 많은 사람들이 하루를 시작할 때 커피를 마시지 않으면 무기력하다고 느낀다. 카페인은 암페디민(amphetamines)과 코카인처럼 보다 강력한 각성제로, 광범위하게 남용되고 있어 현대 사회에 헤아릴 수 없는 해를 끼치고 있다. 카페인 중독(caffeine intoxication)은 카페인이 300mg(12oz) 이상일 때 불안감과 심박수가 증가하는 것을 의미하는데, 시중의 커피 한 잔에는 약 250mg의 카페인이 함유되어 있다. 카페인은 주의력과 경계심을 증가시키고 피로를 감소시키는 장점이 있지만, 반대로 불안감을 증가시킬 수 있고 과도한 사용이 중단되면 금단현상이 야기될 수 있다.

1) 코카인

코카(coca) 식물은 안데스 산맥의 높은 곳에서 자라는데, 스페인 탐험가들이 처음 도착하기 훨씬 전부터 잉카인들은 코카잎을 섭취하였다. 이 식물은 코코아가 아니라 초콜릿을 얻을 수 있는 코카 종류이다. 코카인은 안데스 남아메리카의 일부 지역에서 여전히 합법적으로 사용되고 있는데, 순한 차로 마시는 코카인은 고산병 완화에 도움을 준다. 코카인은 1858년 서양 의학에서 마취제로 소개되었는데, 쓴맛을 지닌 미세한 무취의 분말이다. 프로이트(Sigmund Freud)는 신경증 치료에 코카인을 사용하였고, 코카인이 모르핀 중독을 위한 치료제라고 믿었다고 한다. 그는 'Cocaine Papers'라는 책을 통해 코카인의 효과를 보고하였다. 코카인은 한때 일부 콜라 음료(예: 코카콜라)에 실제로 사용되었으나, 1906년 순수식품의약법(Pure Food and Drug Act)이 통과된 후로 콜라 음료에 코카인을 더 이상 사용하지 못하게 되었다. 코카인(cocaine hydrochloride)과 크랙(freebase cocaine)은 현재 마약 문제의 주범이다.

(1) 생리적 작용

코카인은 사용자를 흥분시키는 효과를 갖고 있는데, 이는 도파민 재흡수 차단과 관련이 있다. 특히 뇌의 중격핵(nucleus accumbens) 쾌락 중추에서 도파민의 재흡수를 차단한다. 다행감, 정신적 경계심 및 힘 증가, 식욕부진 및 성적 자극의 증가는 이러한 약물을 사용할 때 기대되는 효과들이다. 말초신경계 효과는 운동량 증가, 빈맥(최대 200회/분) 및 고혈압으로 나타난다. 중추신경계 효과는 깊은 호흡(수질 자극에 의해 유발됨), 다행감, 정신적 경계심 증가, 동공 확장, 식욕부진 및 힘 증가 등이다. 코카인 사용자는 수다스러워지고, 성욕이 증가하며, 흔히 극심한 편집증이 동반된다.

특정 환각과 망상은 위에서 언급한 증상들보다 상대적으로 드물게 나타난다. 코카인 사용자는 자신의 피부밑으로 벌레가 기어다닌다고 끔찍해하기도 하고 더러운 냄새가 난다고도 이야기한다. 비중격 천공은 코카인 흡입과 관련이 있으며, 비중격 부위에 심각한 혈관수축이 발생해 혈액 공급이 저하되어 비강 괴사로 이어질 수 있다. 코카인에 의한 사망은 대사성 및 호흡성 산증, 장기간의 발작과 관련된 고열에 기인한다. 또한 빈맥과 관상동맥 경련 역시 사망으로 이어질 수 있으며, 자살은 코카인 금단증상의 중요한 문제점 중 하나이다.

(2) 코카인 사용 경로

코카인(cocaine hydrochloride)은 코로 흡입하거나 정맥주사로 주입하는 방식으로 사용되며, 담배로 태우지는 않는다. 반면에 크랙(freebase cocaine)은 담배로 태운다는 차이가 있다. 코카인은 혈액-뇌장벽을 빠르게 통과하여 순식간에 폭발적으로 높은 수치에 도달하게 된다. 정맥 주사로 투여할 경우 코카인은 간에서 급속히 대사되는데, 사용자의 기분이 들뜨긴 하지만 오래 유지되지는 못한다. 코카인은 시냅스 전 뉴런으로의 노르에피네프린과 도파민 재흡수를 차단하기 때문에, 중추신경계와 말초신경계 둘 다 활성화시키게 된다.

CASE STUDY

손OO 님은 25세의 목수로 최근 실직한 후 이모와 함께 살고 있다. 어느 날 밤 그는 집을 부수기 시작했고 욕실에서 문을 잠근 후 자살하겠다고 소리를 질렀다. 그의 이모는 바로 경찰을 불렀고, 경찰은 그를 응급실로 데려갔다. 응급실 조사관은 그가 자살한다고 위협하고 있으며, 그 외에도 환청, 피해망상, 혼란스러운 사고, 식욕부진, 불면증, 불안감 및 흥분을 보이고 있다고 했다. 그는 극도로 흥분하여 경찰뿐만 아니라 응급실 직원들에게도 위협을 가했다. 이러한 증상과 이모가 제공한 병력에 기초하여 코카인 중독 진단을 받게 되었다.

그의 이모는 지난 2년 동안 그에게 마약과 관련된 문제가 발생할 것을 우려해 왔지만, 이 문제를 적극적으로 해결하려고 하지는 않았다. 그는 공격적이었고, "마약을 끊게 되면 다시 일하러 나와도 좋아"라는 말을 들으며 직장에서 해고되었다. 이모는 집에서 없어진 물건들이 있는 것을 눈치챘지만 따져 묻지 않았다.

응급실 의사는 그의 의식이 명료해질 때까지 응급실에서 빈맥, 심장부정맥 및 발작 상태를 모니터링하기로 결정하였다. 의료진은 발작이 나타나면 디아제팜(diazepam) 5mg을 10~15분마다 2~3분 동안 정맥주사로 주입했다. 또한 심장부정맥이 확인되면 프로프라놀롤(propranolol) 0.1~0.15mg/kg을 1~2분 간격으로 0.5~0.75mg의 속도로 정맥 투여하였다. 발작이나 심장부정맥이 나타나지 않는 것을 확인하고 4시간의 모니터링을 추가로 실시하고 나서야 그는 정신과 병동으로 옮겨졌다. 병동에 도착하자마자 그는 매우 신경질적이고 흥분 및 불안한 상태로 두통을 호소했다. 의료진의 질문에 대해서는 오랫동안 집중하길 어려워하면서 일부 혼란스러운 사고로 제대로 대답하지 못하였다.

CRITICAL THINKING QUESTION

1. 일부 코카인 사용자는 나이가 들면서 헤로인을 사용하게 되는데, 그 이유가 무엇이라고 생각하는가?

간호과정

이름: 손OO 입원일: ______

DSM-5 진단: 코카인 중독

사정	**강점:** 환자는 젊고, 상태가 좋아져서 돌아오기를 원하는 이모와 함께 살고 있음, 이전 고용주는 그가 중독 상태를 벗어나면 다시 고용하겠다고 약속한 상태임 **간호문제:** 물질 의존성, 알코올 및 약물의 장기 사용과 관련된 가족력, 가정과 직업에 문제가 생겼는데도 알코올이 그의 인생에서 문제점이라는 사실을 부정함
진단	1. 물질 남용 또는 CNS 초조와 관련된 자해 위험성 2. 물질 남용 또는 CNS 초조와 관련된 감각 지각의 변화(근거: 자살사고, 혼란스러운 사고,환각, 망상을 보임) 3. 코카인의 식욕부진 효과와 관련된 영양 불균형: 신체요구량을 충족시키지 못하는 상태(근거: 체중 감소를 보임)
간호목표	**단기 목표**
날짜: ______	입원 중에 신체적 부상을 입지 않는다.
날짜: ______	코카인 금단증상을 경험하지 않는다.
날짜: ______	밤에 6~8시간 동안 잠을 잘 수 있다.
날짜: ______	코카인이 자신의 인생에서 문제가 되고 있음을 인정한다.
	장기 목표
날짜: ______	최적의 영양 수준을 유지하고 정상 체중의 90% 이상을 유지한다.
날짜: ______	외래에서 코카인 익명 모임에 참석한다.
날짜: ______	정신활성 약물에 더 이상 의존하지 않을 것이다.
날짜: ______	마약을 하지 않는 친구들과 교제하고, 이를 구두로 또는 행동으로 입증할 수 있다.
계획 및 중재	**간호사-환자 관계** • 자살충동이 생기면 간호사와 상담하기로 약속한다. • 환자와의 신뢰관계를 구축한다. • 현실에 기반한 대화를 수행한다. • 환자를 수용적인 태도로 대한다. • 행동에 대한 한계 및 제한을 설정하고, 불규칙적으로 환자와 대면하며 환자가 조종할 수 없도록 한다. • 모든 직원들은 환자에게 일관성 있게 행동해야 한다. • 환자가 불안과 두려움을 언어로 표현할 수 있도록 허용한다. • 환자에게 약물이 신체에 어떠한 영향을 미치는지에 대하여 교육한다. • 자가간호와 방어기전인 '자기 부정' 및 만족감 지연에 관한 예시를 들어 환자의 독립성을 강화하고 격려한다. **약물치료:** 2주 동안 코카인 금단 치료를 위해 로라제팜(lorazcpam) 투여, 필요시 처방에 따라 할로페리돌(haloperidol) 5mg을 4시간마다 경구투여, 할로페리돌을 처음 복용한 날에 벤즈트로핀(benztropine mesylate) 2mg을 구강으로 투여, 두통이 있다면 처방에 따라 아세트아미노펜(acetaminophen)을 4시간마다 투여함 **치료적 환경관리:** 자극과 흥분을 줄일 수 있는 조용한 공간을 제공함 • 자주 모니터링함, 흡연 및 생체 징후에 대한 사정도 자주 실시하여 안전한 환경을 제공함 • 유리, 면도기, 벨트와 같은 위험한 물건이 있는지 확인함 • 영양상태를 증진하기 위해 환자가 좋아하는 음식을 제공함 • 다른 환자들과 약물남용에 대해 토의하고, 아무도 자신의 문제를 이해하지 못한다는 생각을 극복하도록 그룹치료에 참여하도록 함 • 환경에 적응하도록 도움
평가	• 환자에게 코카인 금단증상이 나타나지 않고, 식욕이 회복되며 잠을 더 잘 자기 시작한다(4~6시간). • 환자는 자해를 시도하지 않으며, 자살할 생각이 없다고 분명히 밝힌다.
의뢰	코카인 익명 모임 및 무작위 소변검사를 실시하는 회복기 치료(after care)를 담당하는 외래 기관에 환자를 연결해 준다.

2) 암페타민류

1887년에 개발된 암페타민은 비만의 단기 치료, 유년기의 주의력결핍 과잉행동장애(attention deficit hyperactivity disorder, ADHD), 기면증 등에 의료적 목적으로 사용된다. 하지만 암페타민과 스피드, 크리스탈, 필로폰, 얼음, 크랭크로 언급되는 일부 변종들이 널리 남용되고 있다. 관련 약물에는 ADHD 치료에 사용되는 약물인 메틸페니데이트(methylphenidate)와 3,4-메틸렌디옥시메스암페타민(MDMA 또는 엑스터시)이 포함된다. 이러한 약물들은 대학생들이 시험 성적을 올리거나 과제를 마무리하기 위해서 깨어 있는 상태를 유지하고자 할 때 거래되거나 판매되고 있다. 암페타민은 경구로 투여하여 위장관에서 흡수되고, 신장에서 변형되지 않고 그대로 배설되며 제거될 때까지 효과가 지속된다.

(1) 메스암페타민

메스암페타민(methamphetamine) 사용은 제2차 세계대전 중에 정점을 찍었을 것으로 추측되며, 지난 10년 동안 다시 활발히 사용되고 있는 추세이다. 이에 따라 2005년 마약 관련법(Combat Meth Act)이 제정되어 슈도에페드린(pseudoephedrine), 에페드린(ephedrine)과 같이 메스암페타민 생산을 위한 일부 성분의 판매를 제한하였고, 이는 메스암페타민 제한에 효과적이었다. 이 마약들은 이제 약국 카운터 뒤에 따로 보관해야 하며 판매량에 제한을 두고 있다.

메스암페타민은 코카인보다 체내에 10배 더 오래 잔존하여 더 강하고, 효과가 오래 지속되며, 일반적으로 가격은 더 저렴하여 코카인으로 위장되어 판매되기도 한다(표 24-5)(Herrick, 2005; Medline Plus, 2013). 메스암페타민은 코로 흡입하거나 삼킴, 주사 그리고 가열하여 연기를 흡연하는 식으로 사용할 수 있다. 사용자는 즉각적으로 강렬한 기분을 느끼게 되고, 최고조로 상승한 기분은 상당히 지속된다. 그러나 이러한 절정의 순간이 지나가고 나면 동일한 기분을 경험하고 싶은 강렬한 충동이 일어나게 된다. 따라서 사용자는 편집증적 성격으로 변하고, 환각을 느끼거나 격렬한 분노를 경험할 수 있다. 메스암페타민의 장기적인 사용은 도파민 체계와 그 밖의 뇌 영역에도 손상을 줄 수 있다(Zickler, 2000).

(2) 엑스터시

엑스터시(ecstasy)는 1900년대 초에 만들어졌고, 나중에는 심리치료의 보조제로도 사용되었다(MDMA, XTC, E, X, rolls, Adam이라고도 알려져 있음). 미국에서 12세 이상 성인의 약 0.2%(최초 사용 평균 연령 20.3세)가 사용하고 있는 것으로 추정되고 있다(Substance Abuse and Mental Health Services Administration, 2013). 엑스터시의 화학구조는 메스칼린(mescaline)과 메스암페타민과 밀접한 연관이 있다. 또한 클럽에서 인기 있는 약물로 알려져 있는데, 다른 사람들과의 친밀감, 애정 및 의사소통 능력을 향상시키는 것으로 홍보되고 있다(Keltner & Folks, 2005). 많은 용량을 복용하면, 행복감, 성욕 증가, 자의식 감소, 의식불명 등의 암페타민과 유사한 자극이 발생한다. 또한 빈맥, 혈압상승, 식욕부진, 구강건조 및 이 갈이와 같이 암페타민 종류 사용 시 발생하는 불쾌한 부작용 및 고열, 탈수, 횡문근융해증, 신부전, 사망을 초래할 수 있다.

표 24-5 메스암페타민과 코카인의 비교

메스암페타민	코카인
화학 합성물	식물에서 추출함
태워서 흡입하면 8~24시간 지속됨	태워서 흡입하면 20~30분 지속됨
반감기: 12시간	반감기: 1시간
제한적으로 의료에 사용됨	국소마취제로 사용할 수 있음

출처: National Institute on Drug Abuse. http://www.drugabuse.gov/publications/me. February 23, 2014.

(3) 생리적 작용

암페타민은 신경 말단에서 노르에피네프린의 방출을 야기하는 간접-작용 교감신경 흥분제이다. 또한 암페타민은 시냅스 전 신경말단에서의 노르에피네프린 재흡수를 차단한다. 암페타민은 코카인과 유사하게 쾌락 신경전달물질이라고 불리는 도파민을 강화시킴으로써 쾌락 경로에 중대한 영향을 미친다. 암페타민은 도파민 재흡수를 차단할 뿐만 아니라, 도파민의 과다분비를 자극하고 분해를 지연시킨다. 이렇듯 도파민과 도파민 시스템에 영향을 미치기 때문에 암페타민은 중독성을 띠게 된다. 암페타민이 중추신경계에 작용하면, 각성, 경계심 및 집중력 증가, 에너지 및 다행감 증가, 불면증, 기억상실에 이르기까지 다양한 증상이 발생한다. 암페타민 사용의 가장 흔한 부작용은 안절부절못함, 현기증, 흥분 및 불면증이 있다. 말초신경계에 미치는 작용으로는 심계항진, 빈맥, 고혈압이 있고, 코카인과 유사한 암페타민이 뇌의 수질(medulla)을 자극하기 때문에 호흡이 빨라진다. 암페타민 사용으로 인한 정신증적 부작용을 암페타민 유발 정신증(amphetamine-induced psychosis)이라고 한다. 실제 응급실에서 암페타민 유발 정신증으로 인한 증상과 편집증적 조현병을 구별하는 것은 매우 어렵다.

(4) 간호문제

① 과다복용

코카인과 암페타민의 과다복용 시 주로 심장부정맥과 호흡부전이 유발되고, 이는 수많은 사망자를 낳았다. 흡연용 코카인은 문제를 더 심각하게 만드는데, 그 이유는 더 많은 양을 피워서 도파민 시스템에 빨리 도달하기 때문이다. 암페타민의 독성 수준은 빈맥, 심한 고혈압, 심장 허혈, 뇌출혈, 발작 및 혼수를 유발한다. 구토 유발, 소변의 산성화, 강제 이뇨 등으로 증상을 치료한다.

② 금단 및 해독

코카인과 암페타민은 중독성이 강한 것에 비해 신체적 금단증상은 경미하다. 그러나 우울증과 관련된 것으로 알려진 모노아민(monoamines)의 고갈로 인해 심리적 금단이 심하다. 의학적 모니터링을 시행하는 동안 암페타민을 끊게 되면 금단증상이 크게 나타나지 않을 수 있다. 하지만 그러한 모니터링 없이 갑자기 중단하면, 자살충동과 함께 흥분, 과민반응, 심각한 우울증이 금단증상으로 나타나게 된다.

3) 환각제

환각제(hallucinogens)는 환각을 일으키는 물질로 정신증 유도약물(psychotomimetic) 또는 환각성 약물(psychedelics)이라고도 불린다. 환각제는 성분에서 천연과 합성의 2가지로 나뉜다. 천연 성분으로는 메스칼린[mescaline; peyote(선인장)], 실로시빈[psilocybin; psilocin(버섯)], 마리화나가 있다. 합성 또는 반합성 성분에는 리세르산 디에틸아미드(lysergic acid diethylamide, LSD)와 펜시클리딘(phencyclidine, PCP)이 있다. 일반적으로 환각제는 현실에 대한 인식을 과도하게 높이거나 공포스러운 정신증적 증상을 유발할 수 있다. 사용자들은 신체상의 왜곡과 이인증을 경험하게 된다.

(1) 마리화나

마리화나(marijuana)는 5,000년 이상의 재배 역사가 있는 불법 약물로서 미국에서 가장 널리 사용되고 있으며, 우리나라에는 대마초로 알려져 있다. 일부 주에서는 합법화되었고, 일부 주에서는 의료를 위한 목적으로만 사용이 가능하도록 규제하고 있다. 마리화나와 기타 관련 약물[해시시(hashish)와 테트라하이드로칸나비놀(tetrahydrocannabinol, THC)]은 인도의 대마식물의 성분을 기초로 한다. 마리화나는 재배 시 기후와 토양의 상태에 따라 강도가 크게 달라진다. 마리화나의 활성 성분은 THC이다. THC는 체내의 대사물로 변화된 후 지방조직에 저장되며, 흡연 후 6주 동안 신체에 머무를 수 있다. 마리화나의 사용 방법 및 수준에 따라 3일에서 4주 동안 혈액과 소변에서 검출된다. 예를 들어, 마리화나를 연기로 흡입하면 효과는 2~4시간 정도 지속되고, 정맥으로 주입한다면 효과는 12시간 동안 지속될 수 있다.

① 생리적 작용

마리화나는 행복감과 편안함을 느끼게 하며 사용자의 지각을 변화시킨다. 특히 다행감(euphoria)은 마약을 사용하게 만드는 원인이자 결과이다. 또한 마리화나는 배고픔을 더 많이 느끼게 해주는 효과가 있어 식욕감퇴 환자들에게 유용하며, 마리화나의 구토억제 작용은 화학요법과 관련된 오심 및 구토를 치료하는 데 유용하다(예: 화학요법을 받고 있는 암환자). 마리화나 사용 후 8시간 동안 안정감, 단기기억력, 의사결정 및 집중력이 손상된다. 신체적 반응으로는 구강건조, 인후 통증, 심박수 증가, 동공확장, 결막충혈, 시력 및 청력의 민감도 증가 등이 나타난다. 또한 마리화나를 만성적으로 사용하면 동기를 찾지 못하는 의욕상실(무동기증후군)이 초래되는데, 경우에 따라 오히려 흥분하거나 공격적으로 반응하는 사용자도 있다. 마리화나의 사용에 따른 부작용으로는 폐의 기능저하(기관지염), 심장수축의 약화, 면역억제, 혈청 테스토스테론 수치 및 정자 수 감소 등이 있다. 또한 불안, 판단 저하, 편집증 및 공황상태는 마리화나 사용에 의한 일반적인 반응이며, THC 수용체가 해마를 점유하고 있기 때문에 기억력도 손상된다.

표 24-6 | 약물정보

분류	예시 또는 다른 약물명	금단증상	금단치료	만성 사용자의 정신과적 증상	과용량 사용 시의 치명적인 결과 발생 여부	금단증상을 치료하지 않았을 경우 치명적 결과 발생 여부	과다복용 증상
중추신경 억제제 (CNS depressants)	바비튜레이트, 기타 억제제	떨림, 땀, 자율신경계 과민증, 경련, 불안, 과민성, 환각, 사망*	벤조디아제핀, 바비튜레이트 장기간 사용 시 용량을 점차적으로 줄이기	기분장애, 우울증, 정신증, 치매	예*	예*	얕은 호흡, 차고 축축한 피부, 동공산대, 약하고 빠른 맥박, 혼수상태, 사망
아편 (opioids)	Demerol, heroin, morphine, opium, codeine, oxyContin	누수, 콧물, 발한, 오한, 근육통, 오심/구토, 다리경련, 소름	Methadone, buprenorphine, clonidine, 보조 약물을 점차적으로 줄이기	정신증, 기분장애	예	아니오	호흡억제, 폐부종, 동공수축(pinpoint pupils), 발작, 혼수상태, 사망
마리화나 (Marijuana; 대마제제)	Marijuana, hash	갈망, 과민성	도파민 작용제, 카테콜아민 전구체	정신증, 편집증	아니오	아니오	환각, 편집증, 불면증, 과잉행동
코카인 (cocaine)	Crack, coke, snow	무쾌감증, 갈망, 과민성, 피로, 기분장애, 불안	지지적	정신증	예	아니오	섬망, 정신증, 폭력, 빈맥, 고혈압, 혼수상태, 과반사증, 심근경색
메스암페타민 (methamphetamine)	• 구강섭취: speed, meth • 흡연섭취: ice, crystal, crank	불쾌감, 피로, 불면증	지지적	정신증, 기분장애, 불안장애	예	아니오	섬망, 정신증, 폭력, 빈맥, 고혈압, 혼수상태, 과반사증
흡입제 (inhalants)	가솔린, 프레온, 페인트 등	구강궤양, 위장장애, 식욕부진, 혼란, 두통	지지적	정신증, 공황, 기억력 손상	예	아니오	경련, 혼수상태
환각제 (hallucinogens)	LSD, psilocybin, PCP	특이하지 않음		정신증, 공황	아니오	아니오	경련, 공황, 우울증

* 일반화한 내용임을 유의한다.
CNS, central nervous system; LSD, lysergic acid diethylamide; PCP, phencyclidine.

② 간호문제

마리화나는 알코올과 상호작용하는데, 과도한 알코올 섭취 시 발생하는 오심·구토의 증상을 감추기 때문에 알코올과 함께 사용하게 되면 호흡억제, 혼수상태 및 사망을 초래할 수 있다.

(2) 리세르그산 디에틸아미드

리세르그산 디에틸아미드(lysergic acid diethylamide, LSD)는 가장 효과가 강력하며 일반적으로 사용되는 환각제이다. LSD는 세로토닌 수용체에 단단히 결합하여 신경계를 자극하며, 경구로 복용하면 최대 12시간 동안 효과가 지속된다. LSD는 공감각(synesthesia) 현상을 유발하는데, 이 현상은 서로 다른 영역의 감각이 혼합되는 것(예: 색을 띤 냄새, 소리가 느껴지는 맛)을 의미한다. LSD 사용 초기에는 혈압상승, 빈맥, 떨림 및 동공산대가 나타나고, 중추신경계에 미치는 영향에는 비현실감, 지각 변형 및 왜곡, 판단력 저하가 있다.

Clinical example: LSD를 이용한 정신적 모험

김OO 님은 18세 고등학생으로 최근 모험심에 다양한 환각제를 사용하는 친구들과 어울리게 되었다. 그녀는 어젯밤 모임에 참석하여 처음으로 LSD를 사용했는데, 사용 후 갑자기 하늘이 푸른색으로 변하고 별이 마치 그녀의 앞에서 직접 서 있는 것처럼 밝게 빛나는 것을 보았다. 처음에는 불안감을 느꼈지만 곧 미소를 짓기 시작했고, '삶의 여정'의 깊이와 우리 모두는 '하늘에 떠 있는 별의 일부'라는 것을 깨닫게 되었다고 한다. 이러한 감정 및 감각의 고조는 저녁 내내 계속되었다. 다음 날에 이르러서는 행복과 통찰력에 대한 기억만 남았고, 그녀의 실제 의식 상태는 이전에 그녀가 가지고 있던 모든 내적 갈등을 그대로 간직한 채 평소와 같이 돌아왔다.

4) 기타 중추신경 자극제

(1) 담배관련장애

니코틴(nicotine)은 가지과의 식물에서 발견되는 알칼로이드 물질로 주로 담배에 많이 들어있는 성분이다. 기도, 볼 점막 및 피부에서 쉽게 흡수되고 독성이 강하며, 저농도에서 각성 효과나 이완의 느낌을 느끼게 한다. 니코틴은 가장 일반적으로 사용되는 흥분제로 중독을 결정하는 약리학적, 행동학적인 특성은 헤로인이나 코카인의 그것과 유사하다.

2016년 국내 정신질환 실태 역학조사(보건복지부)에 따르면, 흡연자의 전체 비율은 '01년 10.3%, 06년 9.0%, 11년 7.3%, 16년 6.5%'로 감소 추세이나, 여성과 청소년에서는 증가하고 있다. 특히, 청소년들에게 있어서 담배는 다른 약물을 폭넓게 경험하기 전 사용하는 첫 번째 약물일 수 있다. 또한 성장발육의 저하, 암 발생 위험의 증가, 학업능력 감소, 비행, 다른 물질의 사용 등과의 상관관계가 높다.

담배사용장애(tobacco use disorder)는 과다하게 오랫동안 니코틴을 사용하여, 사용을 중단하거나 줄였을 때 인지적·신체적·행동적인 부적응 증상이 나타나는 경우를 의미한다. 니코틴 의존과 금단증상을 포함하는 담배사용장애 평생 유병률은 6.0%(남자 10.6%, 여자 1.4%), 일년 유병률은 2.5%(남자 4.5%, 여자 0.6%)로 남성이 여성에 비해 약 7배 이상 높다.

① DSM-5 진단기준

DSM-5 진단기준: 담배사용장애

A. 임상적으로 현저한 손상이나 고통을 일으키는 문제적 담배 사용 양상이 지난 12개월 사이에 다음의 항목을 최소한 2개 이상으로 나타남.
1. 담배를 종종 의도했던 것보다 많은 양, 혹은 오랜 기간 동안 사용함
2. 담배 사용을 줄이거나 조절하려는 지속적인 욕구가 있음. 혹은 사용을 줄이거나 조절하려고 노력했지만 실패한 경험들이 있음
3. 담배를 구하거나 피우기 위한 활동에 많은 시간을 보냄
4. 담배에 대한 갈망감, 혹은 강한 바람, 또는 욕구가 있음
5. 반복적인 담배 사용으로 인해 직장, 학교 혹은 가정에서의 주요한 역할 책임 수행에 실패함(예: 업무수행에 방해가 됨)
6. 담배의 영향으로 지속적으로, 혹은 반복적으로 사회적 혹은 대인관계 문제가 발생하거나 악화됨에도 불구하고 담배 사용을 지속함(예: 다른 사람과 담배 사용에 대한 문제로 다툼)
7. 담배 사용으로 인해 중요한 사회적, 직업적 혹은 여가 활동을 포기하거나 줄임
8. 신체적으로 해가 되는 상황에서도 반복적으로 담배를 사용함
9. 담배 사용으로 인해 지속적으로, 혹은 반복적으로 신체적, 심리적 문제가 유발되거나 악화될 가능성이 높다는 것을 알면서도 계속 담배를 사용함
10. 내성은 다음 중 하나로 정의됨
    a. 중독이나 원하는 효과를 얻기 위해 담배 사용량의 뚜렷한 증가가 필요함
    b. 동일한 용량의 담배를 계속 사용할 경우 효과가 현저히 감소함
11. 금단은 다음 중 하나로 나타남
    a. 담배의 특징적인 금단증후군(담배 금단 진단기준 A와 B 참조)
    b. 금단증상을 완화하거나 피하기 위해 담배(혹은 니코틴과 같은 비슷한 관련 물질)를 사용함

다음의 경우 명시할 것:

조기 관해 상태: 이전에 담배사용장애의 진단기준을 만족했고, 최소 3개월 이상 최대 12개월 이내의 기한 동안 진단기준에 맞는 항목이 전혀 없는 경우(진단기준 A4의 '담배에 대한 갈망감, 혹은 강한 바람, 혹은 욕구'는 예외)

지속적 관해 상태: 이전에 담배사용장애의 진단기준을 만족했고, 12개월 또는 그 이상의 기간 동안 어떤 시기에도 진단기준에 맞는 항목이 전혀 없는 경우(진단기준 A4의 '담배에 대한 갈망감, 혹은 강한 바람, 혹은 욕구'는 예외)

② 간호문제

생리적 반응

니코틴을 흡입하여 과다 노출이 되면 적은 용량으로도 오심·구토, 설사, 두통, 어지럼증 및 신경자극 등의 전신 중독이 일어날 수 있다. 이로 인해 빈맥, 고혈압, 과다호흡, 빠른 호흡, 발한 및 침분비가 일어난다. 심하게 중독되면 경련 및 심근 부정맥이 발생하고, 치명적인 경우 1시간 이내에 사망할 수 있다. 장기간 노출되면 심장부정맥 및 호흡기 자극뿐만 아니라 폐, 입, 혀, 구강 점막에 암이 발생할 수 있다.

금단증상 및 대치요법

니코틴의 금단증상으로 불쾌하거나 우울한 기분, 짜증, 불안, 초조, 좌절, 안절부절못함, 집중력 저하, 갈망, 심박수 감소, 식욕 증가와 체중 증가 등이 나타날 수 있다. 니코틴 대체요법으로 니코틴성 아세틸콜린 수용체(nAChR) 부분항진제(varenicline/Chantix)가 있고, 항우울제(bupropion/Zyban)가 현재 FDA에서 승인된 치료법이다. 그리고 일반적으로 흡연 욕구를 줄여주는 데 도움이 되는 패치, 껌, 흡입제 등이 적용된다. 담배를 끊는다는 것은 오랜 습관을 버리고 담배에 대한 의존성에서 벗어나야 하는 것이다. 금연으로 인한 금단증상을 최소화하기 위해서 상담과 약물요법, 행동요법, 집단치료, 이완요법이 활용된다.

(2) 카페인

카페인은 알칼리성이며 메틸크산틴 계열의 중추신경계 각성제이다. 일차적 작용기전은 아데노신 수용체에 대한 길항작용을 통해 졸음을 예방하는 것이다. 커피나무, 차 그리고 카카오와 콜라 열매에 존재한다. 다른 향정신성 물질과는 달리, 거의 모든 세계에서 합법적이고 규제가 없기 때문에 커피, 차, 초콜릿, 콜라, 에너지음료 등의 카페인 함유 식품은 매우 인기가 있다. 카페인 중독(caffeine intoxication)이나 카페인 금단(caffeine withdrawal)의 유병률은 불확실하다. 중독을 예방하기 위해서는 음료나 식품 및 약품에 함유된 카페인 함량을 인지하고 카페인 섭취량을 조절함이 바람직하다.

① DSM-5 진단기준

DSM-5 진단기준: 카페인사용장애

임상적으로 현저한 손상이나 고통을 일으키는 문제적 카페인 사용 양상이 지난 12개월 사이에 다음의 항목 중 최소한 처음 3개의 증상이 나타남.

1. 카페인 사용을 줄이거나 조절하려는 지속적인 욕구가 있음. 혹은 사용을 줄이거나 조절하려고 노력했지만 실패한 경험들이 있음
2. 카페인 사용으로 인해 지속적으로, 혹은 반복적으로 신체적·심리적 문제가 유발되거나 악화될 가능성이 높다는 것을 알면서도 계속 카페인을 사용함
3. 금단은 다음 중 하나로 나타남
   a. 카페인의 특징적인 금단증후군
   b. 금단증상을 완화하거나 피하기 위한 카페인(혹은 비슷한) 물질 사용
4. 카페인을 종종 의도했던 것보다 많은 양, 혹은 오랜 기간 동안 사용함
5. 반복적인 카페인 사용으로 인해 직장, 학교 혹은 가정에서의 주요한 역할 책임 수행에 실패함(예: 카페인 사용 또는 금단과 관련된 반복적인 지각 또는 결석)
6. 카페인의 영향으로 지속적으로, 혹은 반복적으로 사회적 혹은 대인관계 문제가 발생하거나 악화됨에도 불구하고 카페인 사용을 지속함(예: 물질 사용의 결과에 대한 문제로 인한 다툼, 의학적 문제, 비용)
7. 내성은 다음 중 하나로 정의됨
   a. 중독이나 원하는 효과를 얻기 위해 카페인 사용량의 뚜렷한 증가가 필요함
   b. 동일한 용량의 카페인을 계속 사용할 경우 효과가 현저히 감소함
8. 카페인을 구하거나, 사용하거나, 그 효과에서 벗어나기 위한 활동에 많은 시간을 보냄
9. 카페인에 대한 갈망감, 혹은 강한 바람, 또는 욕구

출처: American Psychiatric Association (2013). Diagnostic and statistical manual of mental disorders (5th ed.). Arlington, Virginia: APA.

Clinical example

41세 남성인 안OO 님은 아침에 출근하면서 카페에서 사이즈가 큰 커피를 한 잔 마시는 것을 시작으로 업무 중에도 3~4잔씩의 커피를 마시는 습관을 대수롭지 않게 여겼다. 그러나 최근 위장장애가 있어 커피를 줄여야겠다고 생각하며 참으려다 보니, 일이 손에 잡히지 않고, 집중이 안 되어 힘들고, 자주 피곤함과 지끈지끈한 두통이 몰려왔다. 그는 며칠 후에 커피 끊기를 포기하고 다시 커피를 전처럼 시작했다.

② 간호문제

생리적 반응

카페인이 신체에 미치는 영향은 긍정적인 것과 부정적인 것으로 구분된다. 카페인은 기관지 형성장애로 인한 미숙

아 호흡장애와 무호흡 등을 치료하고 예방할 수 있으며, 파킨슨병(Parkinson's disease)을 포함한 일부 질병에 대해서 약간의 보호 효과를 나타낼 수 있다. 한편, 어떤 사람들은 카페인을 섭취하면 수면장애나 불안을 겪기도 한다. 카페인을 거의 날마다 장기적으로 섭취한 경우, 신체에 내성이 생겨 증가한 카페인에 대응하여 신체의 변화가 나타난다. 즉, 같은 양의 카페인으로 각성 효과를 볼 수 없거나 오히려 피로감을 느낄 수 있으며, 혈압 및 심장 박동수의 증가, 소변 생산량의 증가 등이 발생할 수 있다. 카페인 과다 섭취는 체내에서 칼슘과 철분의 흡수성을 떨어뜨려 골다공증이나 빈혈을 유발하고 위산분비를 촉진하여 위궤양이나 위염을 일으킬 수도 있다. 또한 아동의 성장발달과 집중력 저하, 학습 능력에 큰 영향을 미친다. 카페인은 250mg을 초과하여 사용할 때 중독이 진행되며, 오심, 위장관 불편감, 짜증, 불안, 신경과민, 피로감, 졸림, 무력감, 흥분, 불면, 안면홍조, 두통, 배뇨과다증, 근육경련, 빈맥 또는 심부전, 정신운동초조 등의 증상이 나타난다(APA, 2013).

금단증상

두통이 가장 일반적이며 12~48시간 이내에 증상이 나타나고 2~4일 이내에 사라진다. 그리고 졸음, 집중력 감퇴, 피로, 불안, 우울증, 운동능력의 저하, 발한, 구역질, 카페인 섭취 갈망 등이 있다. 중증의 경우 지속적인 불안, 긴장, 수면장애, 만성피로, 감각의 이상 현상 등이 발생한다.

5. 비물질관련장애: 도박장애

오늘날 남용과 중독의 문제는 특정 물질의 사용에 국한되는 것이 아니라 도박이나 인터넷 게임, 휴대폰 등의 비물질적인 대상의 과다사용에서도 나타나고 있다. 도박이란 예기치 못한 결과가 초래될 위험이 있어도 승산에 기대를 걸고 게임이나 시합 또는 그 결과가 불확실한 사건 등에 내기를 거는 것이다. 또한 개인적, 가족적 그리고 직업적 기능수행을 저해하는 지속적이고도 반복적인 비적응적 행동이다. 다양한 문화권에서 여러 가지 형태의 도박이 있으나 일부는 도박행동으로 인해 상당한 장애나 고통을 겪기도 한다. 이들은 대개 도박에서 잃은 것을 만회하려고 더 많은 베팅을 하게 되며, 절박감에서 벗어나지 못하고, 재정적·사회적·건강 문제에 직면하고도 도박을 지속한다. 개정된 '정신장애의 진단 및 통계 편람(DSM-5)'에서는 충동조절장애(impulse control disorder) 범주에 속해 있던 병리적 도박(pathological gambling)을 도박장애(gambling disorder)로 수정하여 물질관련 및 중독 장애(substance-related and addictive disorders) 범주로 재분류하였다.

1) DSM-5 진단기준

DSM-5 진단기준: 도박장애

A. 지속적이고 반복적인 문제적 도박행동이 임상적으로 현저한 손상이나 고통을 일으키고 지난 12개월 동안 다음의 항목 중 4개(또는 그 이상)가 나타남.

1. 원하는 흥분을 얻기 위해 액수를 늘리면서 도박하려는 욕구
2. 도박을 줄이거나 중지시키려고 시도할 때 안절부절못하거나 과민해짐
3. 도박을 조절하거나 줄이거나 중지시키려는 노력이 반복적으로 실패함
4. 종종 도박에 집착함(예: 과거의 도박 경험을 되새기고, 다음 도박의 승산을 예견해 보거나 계획하며, 도박으로 돈을 벌 수 있는 방법을 생각함)
5. 괴로움(예: 무기력감, 죄책감, 불안감, 우울감)을 느낄 때 도박을 함
6. 도박으로 돈을 잃은 후, 흔히 만회하기 위해 다음 날 다시 도박을 하게 됨(손실을 쫓아감)
7. 도박에 관여된 정도를 숨기기 위해 거짓말을 함
8. 도박으로 인해 중요한 관계, 일자리, 교육적·직업적 기회를 상실하거나 위험에 빠뜨림
9. 도박으로 야기된 절망적인 경제 상태에서 벗어나기 위한 자금 조달을 위해 남에게 의존함

B. 도박행동이 조증 삽화로 더 잘 설명되지 않음.

다음의 경우 명시할 것:

삽화성: 진단기준을 만족하는 것이 1회 이상이며, 도박장애 사이에 적어도 수개월 동안 증상이 줄어든 시기가 있는 경우

지속성: 진단기준을 수년간 만족시키는 증상이 지속되는 경우

다음의 경우 명시할 것:

조기 관해 상태: 이전에 도박장애의 모든 진단기준을 만족했고, 최소 3개월 이상 12개월 이내의 기간 동안 진단기준에 맞는 항목이 전혀 없는 경우

지속적 관해 상태: 이전에 도박장애의 모든 진단기준을 만족했고, 12개월 이상의 기간 동안 진단기준에 맞는 항목이 전혀 없는 경우

현재의 심각도를 명시할 것:

경도: 4~5개 진단기준을 만족

중등도: 6~7개 진단기준을 만족

고도: 8~9개 진단기준을 만족

출처: American Psychiatric Association (2013). Diagnostic and statistical manual of mental disorders (5th ed.). Arlington, Virginia: APA.

2) 특성

한국도박문제관리센터의 보고에 따르면, 한국의 도박 중독 유병률은 12년 7.2%에서 16년 5.1%로 감소하였지만, 해외 주요 선진국에 비해 여전히 높은 수준이다(표 24-7). 도박행동은 정신분석적 견해로는 충동적이고, 피학적이며 강박적인 성격 성향, 사회적 규범에 대한 반항, 권위에 대한 도전, 좌절 및 우울감을 없애려는 노력 등과 관련이 있다(양수 등, 2016). 그리고 부적절한(방임, 비일관성, 가혹함) 가정교육이나 도박 환경에 노출된 청소년기, 물질만능주의 환경 등이 도박장애의 예측 요인이다. 도박은 스트레스나 우울한 기간, 그리고 물질의 사용 혹은 금단 기간 동안 증가할 수 있으며, 약물사용장애, 우울장애, 불안장애, 성격장애와 같은 다른 정신장애와의 중복 유병률이 높다.

표 24-7 주요국 최근 도박 중독 유병률

국가	기준연도	도박 중독 유병률(%)
호주	2013	2.3
체코	2012/2013	2.3
뉴질랜드	2012	1.3
스웨덴	2012	1.4
말레이시아	2011	3.7

출처: 박병일 등(2016). 2016년 사행산업 이용실태 조사. 사행산업통합감독위원회.

3) 원인

(1) 유전적 요인

가족과 쌍생아 연구에서 도박 중독의 경우 가족력이 있음이 나타나는데, 자극 추구 성향이 높은 남성이 알코올 중독과 도박 중독에 대한 유전적인 취약성이 있다(Brewer & Potenza, 2008)

(2) 생리학적 요인

병리적 도박행동은 세로토닌, 노르에피네프린, 도파민 신경전달체계의 비전형적인 자극과 관련이 있다. 학습과 동기, 보상에 관여하는 도파민 경로의 변화가 도박행동과 같은 보상추구 행동과 관련되며, 쾌감과 욕구 조절 문제는 오피오이드계와 관련이 있다(Hodgins, Stea & Grant, 2011).

(3) 사회심리적 요인

청소년기 이전에 겪은 의미 있는 대상의 상실, 부적절한 양육을 받은 경우, 청소년기에 도박에 노출된 경우, 물질적 가치를 추구하는 가족 내에서 성장한 경우가 도박 중독의 발달적 유발요인이 될 수 있다(Sadock & Sadock, 2007).

(4) 성격 요인

병리적인 도박행동을 하는 사람들의 성격이나 성향으로 자기애적 성격과 충동조절의 문제가 있는 것이 보편적이며, 이는 알코올 중독자와 대체로 유사하다. 성격장애(강박성, 회피성, 조현성, 편집성)를 가진 경우가 다수의 연구들에서 보고된다(Unwin, Davis, and Leeuw, 2000).

4) 치료

물질에 의한 중독에서 내성이나 금단증상이 나타나듯이 도박 중독 역시 이와 유사한 증상이 동일하게 나타나며 치료가 필요한 질병이다. 하지만 부정적인 인식으로 인해 적극적인 치료를 받는 도박 중독 환자들은 극히 소수에 지나지 않는다. 그러므로 도박장애 환자에 따라 도박에 대한 잘못된 생각과 신념을 교정하여 도박 충동을 조절할 수 있게 하는 인지행동치료 및 약물치료 등이 필요하다. 약물로는 선택적 세로토닌 재흡수 차단제나 오피오이드 길항제, 또는 기분안정제 등이 치료효과가 있다. 또한 도박장애 환자 가족들은 대부분 심각한 고통을 경험하고 있으므로, 가족치료와 같은 가족적 접근이 적용되어야 한다. 무엇보다 환자의 의지와 가족들의 협조가 함께 이루어질 때 치료의 성공을 기대할 수 있다. 도박의 치료는 물론 재발예방과 재활을 위해 도박을 끊고 이를 대체할 수 있는 단도박 모임에의 참여가 도움이 된다.

6. 물질사용장애 관련 이슈

1) 가족에게 미치는 영향

물질남용 문제가 있는 환자의 가족은 반드시 그와 관련된 영향을 받게 된다. 따라서 물질 남용 환자뿐만 아니라 그 가족 역시 치료를 통해 도움을 받아야 하는 존재임을 기억해야 한다. 가족은 중독 및 남용 문제가 있는 구성원을 보호하려 할 때도 있고(예: 대신 거짓말을 해주거나 변명해 주기도 하고, 심지어 약물을 구해 주기도 함), 비난하기도 하는 혼란스러운 태도를 보인다. 또한 환자가 물질 사용 문제를 겪고 있을 때보다 오히려 문제를 극복하고 회복한 뒤에 더 잘 지내지 못하는 일도 있음을 인지해야 한다.

가족은 물질을 사용하지 않더라도 중독된 가족구성원의 행동에 큰 영향을 받는다. 약물 문제로 인하여 서로 간에 기만이 초래되고, 그것은 또 서로 간의 실망과 존중감 상실 등의 문제로 이어진다. 따라서 가족은 가족구성원 전체의 회복을 위해 도움을 요청하게 된다. 가족치료는 가족이 새로운 대처방법을 개발할 수 있도록 도우며, AI–Anon은 중독자인 가족구성원이 AA나 NA에 참석하는 동안 가족의 치유를 도울 수 있다.

Clinical example: 모유수유가 독이 되다

김OO 님은 자신의 6주밖에 되지 않은 신생아 아들을 고의적으로 살해한 혐의로 유죄 판결을 받았다. 그녀는 6년 징역형을 선고받았는데, 아들은 모유수유 시 메스암페타민 과다복용 상태가 되어 사망한 것으로 밝혀졌다. 그녀는 3살에 입양되었는데, 가정 폭력, 알코올 중독 가족, 성적 학대로 인해 고통스러운 어린 시절을 보냈다. 그녀는 11세까지 신체적·성적 학대의 희생자였으며, 8세부터 마리화나를 피우기 시작했고, 13세에 메스암페타민을 사용하였다. 그녀는 어린 시절부터 가정 폭력, 마약 사용 같은 법적 문제가 되는 삶을 지속해 왔으며, 현재는 자신의 아들이 본인 때문에 죽게 되었다는 끔찍한 현실 속에서 살고 있다.

2) 물질 의존자의 치료

물질 의존자 치료 시 가장 보편적인 목표는 알코올이나 약물을 끊고 지낼 수 있게 하는 것이다. 한 가지 물질에 의존하는 사람은 다른 물질에도 쉽게 의존할 수 있고, 이를 교차 의존(cross-dependence)이라고 한다. 따라서 물질 의존자를 다루는 전문가들은 환자의 이러한 취약성을 인식하고, 일반적인 회복 사례와 구별하여 다룰 수 있어야 한다. 전문가는 환자가 물질을 사용하지 않는 상태를 유지하도록 노력하면서 동시에 회복 중일지라도 이러한 문제가 만성적·반복적·지속적으로 이어질 수 있는 과정임을 잊지 말아야 한다. 만성질환 모델은 현재의 상태에서 '회복'의 가능성을 보여주는 동시에 재발의 가능성도 존재함을 보여준다.

3) 물질의존 및 중독 평가용 진단도구

물질 의존성을 평가하기 위해 다양한 진단도구가 존재하는데, 이를 활용하여 조기에 정확한 진단을 내린다면 치료 예후가 향상될 수 있다. 반대로 오진 시 예상치 못한 금단증상이나 약물의 교차 상호작용 또는 2가지 모두가 문제로 이어질 수 있다. 궁극적으로 정확한 진단은 환자를 죽음으로부터 구해낼 수 있음을 인식하여 간호사가 치료팀과 함께 진단평가를 수행할 때 환자의 행동 및 신체적 단서를 발견할 수 있도록 한다.

(1) 알코올 중독 진단도구

알코올사용장애 진단을 용이하게 하기 위해 여러 검사 질문지가 개발되었다. 가장 사용하기 쉬운 진단도구 중 하나는 미시간주 알코올 중독 선별검사(Michigan Alcoholism Screening Test, MAST)와 CAGE 질문지이다. 진단도구를 활용할 때(특히 약물 사용자를 대상으로 한 경우)에는 환자의 거짓 및 부정에 대한 민감도를 높여야 하는 것이 관건이며, 환자가 자신의 행동이 변화하기를 원한다는 것을 식별할 수 있도록 도와야 한다.

① CAGE 질문지(CAGE questionnaire)

CAGE 질문지는 진단 시 활용할 수 있는 또 다른 유용한 평가도구이다. CAGE의 장점은 관리하기가 쉽고 MAST에 비해 순화된 내용(환자가 질문 내용이 자신을 비난하고 있지 않나고 느낄 수 있음)으로 구성되어 있다는 것이다.

1. 당신은 스스로 음주를 줄여야겠다고 생각한 적이 있나요?
2. 다른 사람들이 당신의 음주에 대해 비난하여 화를 낸 적이 있나요?
3. 당신은 음주에 대해 문제가 있다고 생각하거나 죄책감을 느낀 적이 있나요?
4. 당신은 다음 날 아침 숙취 후의 불편감을 없애기 위해서 일어나자마자 술을 마신 적이 있나요?

이 중 2개에 그렇다고 대답한다면 알코올 중독을 의심할 수 있고, 3~4개에 그렇다고 대답한다면 알코올 중독으로 진단한다(Whitfield et al., 1986).

② 알코올 중독 자가검사(alcohol use disorder identification test, AUDIT)

질문	0점	1점	2점	3점	4점
1. 얼마나 술을 자주 마십니까?	전혀 안 마심	월 1회 미만	월 1회	주 1회	거의 매일
2. 술을 마시면 한 번에 몇 잔 정도 마십니까?	전혀 안 마심	소주 1/2병 이하	소주 1/2병	소주 1병 미만	소주 1병 이상
3. 한 번에 소주 한 병 또는 맥주 4병 이상 마시는 경우는 얼마나 자주 있습니까?	전혀 안 마심	월 1회 미만	월 1회	주 1회	거의 매일
4. 지난 1년간 한번 술을 마시기 시작하면, 멈출 수 없었던 때가 얼마나 자주 있었습니까?	없음	월 1회 미만	월 1회	주 1회	거의 매일
5. 지난 1년간 평소 같으면 할 수 있던 일을 음주 때문에 실패한 적이 얼마나 자주 있습니까?	없음	월 1회 미만	월 1회	주 1회	거의 매일
6. 지난 1년간 술을 마신 다음 날 일어나기 위해 해장술이 필요했던 적은 얼마나 자주 있었습니까?	없음	월 1회 미만	월 1회	주 1회	거의 매일
7. 지난 1년간 음주 후에 죄책감이 든 적이 얼마나 자주 있었습니까?	없음	월 1회 미만	월 1회	주 1회	거의 매일
8. 지난 1년간 음주 때문에 전날 밤에 있었던 일이 기억나지 않았던 적이 얼마나 자주 있었습니까?	없음	월 1회 미만	월 1회	주 1회	거의 매일
9. 음주로 인해 자신이나 다른 사람이 다친 적이 있었습니까?	없음	–	있지만 지난 1년은 없음	–	지난 1년간 있었음
10. 친척이나 친구, 의사가 당신이 술을 마시는 것에 대하여 걱정하거나 당신에게 술 끊기를 권유한 적이 있었습니까?	없음	–	있지만 지난 1년은 없음	–	지난 1년간 있었음

(2) 도박 중독 진단도구

① 도박 문제 선별검사(The Korean Version of Canadian Problem Gambling Index, KCPGI)

각 문항들에 대해 귀하가 지난 1년간 도박(사행성 게임)과 관련하여 경험하신 것에 대하여 솔직하게 응답해 주시기 바랍니다. 문항의 오른쪽에 있는 4개의 눈금 중 하나에 V 표시해 주십시오.

질문	아니다 (0)	가끔 그렇다 (1)	자주 그렇다 (2)	거의 항상 그렇다 (3)
1. 귀하는 잃으면 감당할 수 없는 금액을 걸어 본 적이 있습니까?				
2. 귀하는 도박에서 이전과 같은 흥분을 느끼기 위해 더 많은 돈으로 도박을 해야 할 필요가 있었던 적이 있습니까?				
3. 귀하는 도박으로 잃었던 돈을 만회하기 위해서 다른 날 다시 간 적이 있습니까?				
4. 귀하는 도박할 돈을 마련하기 위해서 돈을 빌리거나 물건을 팔아 본 적이 있습니까?				
5. 귀하에게 도박과 관련된 문제가 있다고 느낀 적이 있습니까?				
6. 도박이 귀하에게 스트레스나 불안감을 포함한 건강상의 문제를 일으킨 적이 있습니까?				
7. 사실 여부에 상관없이 귀하가 하는 도박에 문제가 있다는 말을 남들로부터 들은 적이 있습니까?				
8. 귀하의 도박행위로 인해 본인이나 가정에 경제적인 문제가 발생한 적이 있습니까?				
9. 귀하의 도박하는 방식이나 도박할 때 생기는 일에 대해 죄책감을 느낀 적이 있습니까?				
총 점				

KCPGI 결과		
비문제 도박(non-problem gambling)	0	도박으로 인한 어떤 문제도 없음
저위험 도박(low-risk gambling)	1~2	재미나 사교 목적의 도박, 금액/시간 조절 가능, 일상생활과 역할에 지장이 없음. 그러나 도박을 자주 한다면 도박으로 인한 문제가 생길 가능성을 찾아보아야 함
중위험 도박(moderate risk gambling)	3~7	도박에 사용하는 금액/시간이 증가하고, 도박행동 및 결과를 숨기며, 조절능력이 일부 상실하여 일상생활과 역할에 피해가 발생함
문제 도박(problem gambling)	8~27	도박행동을 조절하는 능력이 심각하게 상실되어 일상생활과 역할에 심각한 손상을 경험함. 점수가 높을수록 문제의 정도는 더욱 심각함

출처: 한국도박문제관리센터(2015). 도박문제 선별 안내서. from https://www.kcgp.or.kr

7. 치료 및 간호중재

알코올 중독은 치료 가능성이 높은 물질사용장애임을 인지하고 치료를 시작해야 한다. 다른 화학물질의 사용 여부에 따라 치료의 성공 가능성이 영향을 받긴 하지만, 모든 물질 의존성은 치료가 가능하기 때문이다. 치료의 성공 여부를 좌우하는 가장 중요한 것은 환자의 동기이고, 그 다음이 임상 실무자의 동기이다. 따라서 간호사는 심리치료적 중재에 관해 환자와 임상 실무자의 역할을 이해해야 하고, 특히 중독 문제를 가진 환자들에게 환경관리가 보다 중요하다는 것을 인식해야 한다.

치료의 이상적인 목표는 물질사용의 완전한 중단이다. 그러나 준비가 되지 않은 일부 환자의 경우에는 일차적으로 위험요소를 줄이는 것을 목표로 할 수 있다. 알코올 중독자의 삶에서 알코올과 같은 중요한 부분이 사라지면 다른 무언가가 알코올의 빈자리를 채워야 한다. 간호사나 다른 전문가에 의해 진행되는 집단 상담 또는 성공적인 개인 회복을 지도하는 12단계 프로그램을 활용하여 빈자리를 성공적으로 메울 수 있다.

1) 간호사 – 환자 관계

대부분의 중독 환자들은 치료를 받을 때 자기 삶의 많은 부분에서 문제를 경험하기 때문에, 긍정적인 동기를 찾도록 하는 것이 환자가 삶의 새로운 목표와 방향을 설정하는 데에 도움이 된다. 그동안 직장, 가정, 사회에서 환자의 역할과 기능은 술과 약물에 의해 약화되었다. 그럼에도 생활하는 데 별 문제가 없으면 거의 치료를 받지 않기 때문에, 결국 직장에서 해고되고 배우자가 떠나거나 죄를 짓고 감옥에 가는 것이 현실이다. 물질에 의존적인 환자들의 치료는 대개 삶의 위기에서 시작된다. 치료는 비효율적인 행동을 새로운 대처기술, 즉 일하는 기술과 습관, 육아, 가족 간의 의사소통, 가족으로서의 역할과 책임 그리고 여가활동 탐색 등을 포함하는 활동으로 대체하도록 한다.

환자와 신뢰할 수 있는 치료적 관계를 수립하기 위해서는 치료 규칙을 일관되게 적용해야 한다. '진실성(genuineness)'은 이러한 관계에서 가장 중요한 요소이다. 환자와의 감정이입을 통하여 감정을 공유하고 효과적으로 의사소통하며 불안을 최소화하는 안전한 환경을 제공하는 것이 특히 치료의 초기 단계에서 중요하다. 환자가 새로운 삶의 목표를 세우기 시작할 때 미래에 대한 희망의 감정을 일으키는 것 또한 필요하다. 화학적으로 의존적인 환자를 돌보는 간호사는 부정에 직면하고 속임수를 관리하는 데 능숙해져야 한다.

알코올 중독자의 가장 두드러진 방어기전은 부정(denial)이기 때문에, 이를 적절하게 다루는 것이 중요하다. 집단치료는 특히 부정의 방어기전을 무너뜨리는 데 효과적이기 때문에 치료를 위한 최선의 방법이다. 집단치료에서는 환자 자신이 진실로 여기는 것과 다른 사람이 사실로 알고 있는 것 사이의 불일치를 지적할 수 있다. 온화한 대립에 의해 물질 사용자들이 이러한 불일치를 인식하도록 돕는 것은 개인이 자신의 인지 불일치를 인식하도록 도울 수 있다. 공동의 목표를 공유하는 이들은 집단의 지지를 통해 개인의 고립을 줄이고 소속감과 신뢰감을 형성한다.

(1) 직면

다음은 직면에 대한 2가지 일반적인 예시이다.

- "당신은 술을 마시지 않았다고 하지만, 숨을 쉴 때 술 냄새가 납니다(또는 당신은 마약을 사용하지 않았다고 하지만, 소변검사에서 코카인이 검출되었습니다)."
- "당신이 도움이 필요하다고 생각하기 때문에 치료를 받고 있다는 말을 들었습니다. 그런데 일주일 내내 치료를 받지 않고 결석하고 있네요. 당신이 원하는 것이 무엇인지 이해할 수 있도록 말씀해 주세요."

가장 효과적인 방법은 환자의 동료들이 적절한 직면을 제공하는 경우이다. 예를 들어, 김OO 님은 지난 3개월 동안 술을 사용하지 않았다고 집단 모임에서 보고했다. 그런데 마침 그의 동료인 한OO 님이 최근 재발한 에피소드를 치료하기 위해 예전에 소속되었던 집단 모임에 참여하여, 자신이 지난 주말에 클럽에서 김OO 님을 보았다고 이야기해주는 것이다.

(2) 회복에 대한 책임

환자가 회복에 대한 개인적인 책임감을 갖는 것을 배우도록 돕는 것이 중요하다. 간호사는 환자 스스로가 변화에 책임이 있다는 인식을 가져야 한다. 비록 간호사가 환자의 회복에 대한 지원과 우려를 표현하더라도, 환자의 중독에 따른 부정적인 행동의 결과로부터 환자를 보호하려 해서는 안 된다.

2) 면담 접근법

환자는 면담에서 물질의 사용 수준에 대해 적게 보고하려는 경향이 있고, 이는 오진의 위험성과 관련된다. 따라서 간호사는 환자가 솔직하게 말할 수 있도록 접근할 줄 알아야 한다. 수치심을 느낄 수도 있는 정보를 접할 때는 객관적이고(matter-of-fact) 비판적이지 않아야 한다. 대부분의 간호사가 물질관련장애를 가진 환자의 방어적 태도에 적절하게 대처하는 것을 어려워하지만, 환자에게 진정한 관심을 가진다면 이 부분도 극복할 수 있을 것이다. 또한 약물과 알코올 문제는 간호사에게 개인적으로 많은 영향을 미치기 때문에, 간호사가 먼저 자신의 감정 상태를 제대로 인식하는 것이 중요하며 환자에게 부정적인 태도를 보이지 않도록 해야 한다.

면담 중에 정확한 정보를 수집하는 것이 최우선이지만, 여러가지 이유로 인해 정확한 임상 정보를 확인하는 것이 어려울 수도 있다. 처음부터 '음주 문제', '마약 문제' 등과 같은 표현을 사용하면, 간호사가 찾는 정확한 정보를 이끌어 내지 못할 수도 있다. 따라서 면담 초기에는 카페인이나 니코틴과 같은 합법적인 물질 또는 문화적으로 큰 문제가 없다고 인식하고 있는 물질에 더 중점을 두고 면담을 시작하는 것이 효과적일 수 있다. 초기 사정 시 환자가 물질 관련 문제에 높은 위험성이 있는 것으로 확인되면, 환자의 소비량에 대해 좀 더 자세히 사정할 필요가 있다. 술을 마시거나 물질을 의도한 것보다 많이 사용했을 때 발생한 문제가 무엇인지 질문하게 되면 의료진은 더 정확한 진단을 내릴 수 있고, 동시에 환자는 질문이 크게 위협적이지 않다고 느끼면서도 물질의 사용과 삶의 문제를 연계시킬 가능성이 증가한다.

간호사는 주관적인 면담과 객관적인 사정도구를 포함하여 다양한 평가지침을 이용할 수 있다. 물질장애에 대한 오해, 부적절한 훈련, 또는 2가지 이유 모두와 관련된 오진이나 과소평가된 진단으로 인해 물질관련장애의 조기진단 기회를 놓치지 않도록 평가지침을 잘 적용해야 한다.

물질 사용은 다른 정신질환의 변수로서도 정신간호사의 관심이 필요한 부분이다. '2012년 미국 내 18세 이상의 성인 중에서 정신질환이 없는 성인보다 정신질환을 앓고 있는 성인이 불법적인 약물을 사용할 가능성이 높았다(13.2%)'는 보고가 이를 나타낸다(Substance Abuse and Mental Health Services Administration, 2013).

정신질환과 물질사용장애를 가진 환자는 공동질환(co-occurring disorder)을 가진 것으로 간주한다. 미국에서는 니코틴에 의존도가 있는 흡연자의 대다수가 정신질환을 가지고 있다. 2012년 외과의사 보고서(Surgeon General's report)에서 다음과 같이 니코틴에 대한 우려를 강조하였다. "예방활동은 청소년과 초기 성인 모두에게 초점을 맞추어야 한다. 왜냐하면 매일 흡연하는 성인들은 첫 흡연을 만 18세 이전(18%)에 시작하는 경우가 많고, 만 26세 이전에 첫 흡연을 시작한 경우는 전체의 99%로 확인되었기 때문이다(U.S. Surgeon General, 2012)." 젊은 사람들이 물질 사용을 피하도록 돕는 것이 예방 활동의 핵심이다.

문제성 물질을 사용하는 환자의 건강상태를 효과적으로 평가하기 위해서, 간호사는 환자가 변화할 준비가 어느 정도 되었는지 확인할 수 있는 간단한 중재를 수행할 수 있어야 한다. 또한 검사를 위한 도구와 방법들에 대해 잘 이해하고 있어야 한다. 동기부여 면담은 간호사가 지지적인 태도로 격려 및 교육을 제공함으로써 환자가 스스로 자신의 건강관리 결정에 참여하도록 도울 수 있다.

(1) 범이론 모델

Prochaska와 DiClemente(1983)에 의해 개발된 범이론 모델(transtheoretical model)은 물질 사용 문제로 인해 어떤 식으로든 인생에 차질을 빚을 수 있는 행동을 반복해 온 환자를 대상으로 하며, 환자가 긍정적으로 변화할 준비가 되어 있는지 식별하도록 도와주는 모델이다. 간호사는 이 모델을 지침을 사용하여 환자의 현재 변화단계를 파악하고, 건강한 생활양식으로 전환하도록 지원하거나 지지하기 위한 미래 계획을 수립할 수 있다. 또한 환자들에게 자신의 선택 결과를 객관적으로 보여주는 데이터를 제공하여 변화의 진행과정을 확인할 수 있게 도와줄 수도 있다. 환자의 행동변화가 바람직하다면, 간호사는 환자가 설정한 목표와 관련하여 매 방문마다 적절한 조치를 취하도록 돕는다. 변화가 바람직한지 추가적인 증거를 수집하기 위해 검사결과의 판독, 환자의 체력 및 기타 자료를 활용할 수 있다. 변화는 총 6단계를 거치게 되고, 각 단계는 사전숙고, 숙고, 준비, 작업, 유지 및 재발에 대한 것이다.

- **1단계: 사전숙고(precontemplation).** 환자는 가까운 미래의 변화에 대한 생각을 하고 있지 않다. 자신의 행동에 문제가 있다는 것을 인식하지 못할 수 있고, 행동 변화에 대한 관심이 없다.
- **2단계: 숙고(contemplation).** 환자는 자신의 행동에 문제가 있다고 인식하고, 변화의 장단점을 고려하기 시작한다.
- **3단계: 준비(preparation).** 환자는 변화의 행동을 취하려 하고, 변화를 위한 약간의 시도를 해볼 수 있다.
- **4단계: 작업(action).** 환자는 자신의 행동에 대하여 명백한 수정을 하거나 새로운 건강한 행동을 취한다.
- **5단계: 유지(maintenance).** 환자는 건강한 행동을 유지할 수 있고, 예전 행동으로 돌아가는 것을 막기 위해 노력한다.
- **6단계: 재발(relapse).** 환자는 치료 작업 단계나 유지 단계에서 초기 단계로 되돌아간다.

행동 변화는 선형적이지 않고 유동적이기 때문에, 행동 변화는 언제든지 진전될 수도, 퇴보할 수도 있다. 각 문제는 개별적으로 대처할 필요가 있는데, 이는 환자 자체가 문제라기보다 유동적으로 발생할 수 있는 문제가 행동 변화를 유발할 수 있기 때문이다. 예를 들면, 환자가 매주 체중 관리 모임에 참석하고 있음에도 불구하고(작업 단계), 여전히 식단에서 알코올을 거부하고 싶지 않을 수도 있다(사전숙고 단계). 하지만 체중 감량이라는 목표를 성공적으로 달성하려면 궁극적으로 알코올 섭취를 줄여야만 한다.

3) 치료적 환경관리

물질 의존자의 입원이나 외래 방문 환자에게도 환경관리의 측면은 중요하다. 물질 사용이 없는 안전한 환경이 매우 중요하므로, 간호사와 보호자들은 물질을 유입시킬 수 있는 사람으로부터 환자의 환경을 보호해야 한다. 정신과 병동이라고 해서 반드시 약물을 구할 수 없는 것은 아니며, 불법 약물을 구입하기 위한 여러 경로가 존재할 수 있다. 자살예방과 부적절한 성행위를 방지하는 것과 같은 안전 문제는 간호사의 책임이다. 효과적인 병동 구조는 환자에게 제공하는 환경의 가치를 극대화한다. 비폭력적 행동, 개방적인 태도, 피드백 그리고 비처방 약물의 금지에 대한 규정은 효과적인 치료프로그램에 있어서 매우 중요하다. 앞서 언급했듯이, 물질의존 환자를 간호할 때 직면(confrontation)과 코칭(coaching)이 유용한 기술이다.

한계 설정은 간호사가 사용하는 환경관리 기술에서 가장 중요하면서 도전적인 일일 것이다. 한계 설정은 환자를 자신과 다른 환자로부터 보호하는 환경을 제공하는 것을 특징으로 한다. 간호사는 적극적으로 중독과 관련된 정신증상(즉, 감정의 기복 및 물질 추구, 완고함, 적대적, 폭력적, 공격적 행동)을 인식하고 이러한 행동에 한계를 설정할 필요가 있다. 또한 소변 약물검사는 한계 설정 중 하나의 차원으로, 만일 약물 사용의 결과가 발견되면, 환자는 직면하고 책임을 져야 한다.

균형(balance)과 환경 수정(environmental modification)은 물질 의존 환자의 환경관리에서 중요한 역할을 한다. 균형은 특히 중요하다(예: 직면의 기술을 사용할 때). 직면이 치료적으로 중요하긴 하지만, 덜 숙련된 직원과 일부 환자들이 사용하면 그것은 몇 년 전에 환자들이 경험했을지도 모르는 강압적인 대응에 지나지 않을 수도 있다. 적절한 기술은 환자를 압도하거나 완전히 소홀히 하지 않고도 환자와 정면으로 맞서는 민감성을 필요로 한다. 숙련된 직면의 기술은 지식, 공감 그리고 관심을 정확한 타이밍으로 결합하여 사용해야 한다.

4) 약물치료

뇌 생화학에 대한 지식이 증가함에 따라 약물을 이용한 화학적 의존에 대한 치료가 점점 중요해지고 있다. 현재 이용 가능한 물질사용장애의 치료제 중 많은 수가 일부에게는 도움이 되고 다른 이들에게는 효과적이지 못하다. 현재로서는 물질사용장애가 하나 이상의 신경전달물질이나 뇌 영역에 영향을 미칠 수 있기 때문에, 어떤 약물이 특정인에게 효과가 있는지 알 수 있는 일반적인 방법이 없다. 하지만 모든 약물들은 개인의 회복 과정에 추가적인 도움을 제공한다. 바레니클린(varenicline)과 같은 니코틴 의존 약물은 흡연자가 니코틴이 없는 상태가 되도록 돕지만, 세로토닌과 니코틴 수용체의 신경화학적 변화에 민감한 사람들은 자살 충동이나 극도의 과민반응과 같은 기분 변화를 경험할 수 있다. 뇌기능에 대한 지속적인 연구에 따라, 이상적인 처방에 대한 이해가 회복 결과를 향상시킬 것이다. 유전학 연구의 개발은 금주를 지원하는 약물에 어떤 사람이 효과적으로 반응하는지 식별하는 데 도움이 될 수 있다(Arias & Sewell, 2012; Johnson et al., 2013).

8. 기타 중재 및 치료 프로그램

약물의존을 치료하기 위한 많은 프로그램들이 있다. 다양한 프로그램이 존재한다는 것은 약물의존의 복잡성과 심각성에 대한 증거이기도 한다.

1) 자조집단(self-help group)

가장 잘 알려진 중재프로그램으로 AA와 NA(Narcotics Anonymous; 익명의 마약중독자 모임)가 있다. 이러한 프로그램은 다양한 회복 단계에 있는 동료 사용자로 구성된 자조, 지지그룹 모델을 사용한다. 철학적으로 AA와 NA는 심리사회적인 문제를 약물남용에서 기인한 것으로 보고, 일반적으로 잠재되어 있는 정신병리가 남용의 원인이라는 생각을 거부한다. AA(미국 내 회원이 100만 명 이상임)는 12단계를 설정하였고(표 24-8), 이는 알코올에 대한 개인의 무력감을 인정하는 것으로 시작하여, 도움이 필요한 다른 알코올 중독자를 돕기 위해 밤낮으로 이용 가능한 사람이 되는 것으로 끝난다(Bates, 2005). AA와 NA는 오직 완전한 절제만이 화학물질에 의존하는 사람들이 알코올과 약물의 속박으로부터 자유로울 수 있다는 믿음에 동의한다. 누군가 하나의 물질에 중독되어 있다면, 그 사람은 잠재적으로 모든 물질에 중독되어 있다는 것을 의미하기 때문이다. 특히 AA는 많은 사람들을 돕는 프로그램이지만, 모든 사람에게 매력이 있는 것은 아니다. 이유는 다양하지만, 일부 전문가는 AA의 종교적인 특성이 도움을 구하는 일부 환자에게 잘 맞지 않는다고 설명한다. 12단계 중 8단계는 영적인(종교적) 관점을 가지고 있다. 구체적으로 말하자면, 더 높은 힘의 개념, 자신의 이야기를 공개적으로 말하도록 요구함, 자신에 대한 탐구와 두려움 없는 도덕적 가치관을 갖기, 그리고 필요할 때 보상을 하는 것은 일부 환자의 신념체계와 맞지 않다는 것이다. 그러나 여전히 AA는 알코올 중독인 수천 명의 사람들을 위한 중요한 치료 대안으로 계속해서 활용되고 있다.

표 24-8 | AA의 12단계

1. 알코올 앞에서의 무력함: 우리가 알코올에 약하다는 것을 인정한다면, 우리의 삶은 감당할 수 있게 된다. 중독으로 말미암아 자신의 인생이 엉망이 되었다는 것을 인정한다.
2. 희망의 발견: 우리 자신보다 더 큰 힘이 우리를 온전한 상태로 되돌릴 수 있다고 믿게 된다. 자신이 알코올에 무력하므로, 알코올보다 유력한 자를 찾아 도움을 받는다.
3. 조력자(위대한 힘)에게 의탁: 우리가 하나님을 이해함에 따라 우리의 의지와 삶을 하나님께 맡기기로 결정한다.
4. 생활(성격 및 대인관계) 점검: 우리 자신에 대해 탐구하고, 두려움 없는 도덕적 가치관을 검토해 본다.
5. 생활의 문제점 고백: 하나님과 우리 자신과 또 다른 사람에게 우리 잘못의 정확한 본질을 인정한다.
6. 성격 개선 준비: 밝혀진 문제를 해결하기 위해 성격의 결점을 해결하는 단계로, 하나님이 이 모든 성격적 결점을 제거해 주실 준비를 하고 계신다.
7. 겸손한 성격 개선에 대한 간청: 조력자에게 우리의 단점을 제거해 달라고 겸손하게 요청한다. 교활한 알코올의 꼬임에 넘어가지 않는 방법은 '겸손'밖에 없다.
8. 피해자 명단 작성: 우리가 피해를 입힌 모든 사람들의 명단을 작성하고, 그들에게 기꺼이 모든 것을 보상한다. 남이 내게 준 피해는 용서하고, 대신 내가 남에게 끼친 피해를 보상해 줄 생각을 함으로써 고립에서 벗어나 화해로 가는 수행 과제를 제시한다.
9. 피해 보상: 그들이나 다른 사람에게 상처를 입힐 수 있는 경우를 제외하고, 가능한 한 사람들에게 직접적으로 보상을 준다. 사과를 하거나 가능하다면 물질적으로 보상하려는 태도는 과거의 자기만의 행복 추구를 벗어나 타인들의 행동에도 관심을 갖는 것을 의미한다.
10. 매일 반성: 평생에 걸쳐서 자신의 문제점을 끊임없이 검토하고 시인하고 개선한다. 계속해서 개인의 재고 목록을 작성하고, 우리가 잘못했을 때 바로 인정한다.
11. 기도와 명상의 의미 및 생활화: 우리가 하나님을 이해하는 것처럼, 하나님과 우리의 의식적인 계약을 향상시키기 위해 기도와 명상을 통해 구한다. 우리를 향한 하나님의 뜻에 대한 지식과 그것을 수행할 수 있는 힘을 얻게 위해서 기도한다. 즉, 명상과 기도는 신과의 대화인 것이다.
12. 영적 각성과 메시지 전달: 앞서 11개 단계들의 결과로 영적인 각성을 한 이상, 우리는 알코올 중독자에게 이 메시지를 전달하고, 우리의 일상 업무에서 이러한 원칙들을 실천하려고 노력한다.

출처: Alcoholics Anonymous World Services, Inc.

A STUDENT'S CLINICAL LOG

저는 11월 2일 약물남용 프로그램에 참여했어요. 다른 두 학생들과 제가 도착했을 때, 우리는 건물 앞에 서 있는 모든 10대들을 보고 놀랐어요. 제가 줄을 서서 기다리는 동안 그들은 지난 주말에 갔던 파티가 어땠는지, 또 다음 주말에 다시 열 파티 계획에 대해 이야기하고 있었어요. 그들은 약물남용 프로그램이 끔찍하고 완전히 시간 낭비라고 비난했습니다. 그 대화를 듣는 동안 저는 괴로웠어요. 그들이 그런 태도를 취하고 있다면, 그들은 거기 있을 필요가 없다고 생각했으니까요. 그들은 시간과 돈을 낭비하고 있다고 말했지만, 그들 대부분은 그곳에 있어야 하기 때문에 거기에 있다는 사실을 깨닫지 못하고 있는 것 같아요. 판사들은 약물남용 프로그램이 문제에 대한 해결책이라고 생각하였지만, 저는 그들이 이 프로그램을 위해 돈을 지불했는지, 아니면 다른 누군가가 '돈을 버린 것'일 뿐인지 의문이 들었습니다. 그들 대부분이 이것을 사교 모임으로 여긴다는 생각이 들었는데, 저는 이런 식으로 생각하지 않았으면 좋겠습니다. 저는 아이들이 '더 나아지기'를 원한다고 믿고 싶지만, 그들의 행동을 보면 그들 중 일부는 준비가 되어 있지 않은 것 같았어요. 그들이 자신의 실수를 깨달으려면, 밑바닥까지 가봐야 할 것 같아요.

CRITICAL THINKING QUESTION

2. AA 설립자들은 회복 과정이 영적 여정임을 분명히 하였다. 그러나 타인에게 자신의 견해를 강요하는 것이 기분을 상하게 할 수 있고, 많은 사람들이 영적(종교적)인 부분에 대해 말하기를 꺼려하는 경향이 있다. 사람들을 '불쾌하지' 않게 하기 위하여 혹시 우리가 정신간호의 중요한 부분을 강조하지 않은 점은 없는가?

2) 정신치료(psychotherapy)

(1) 개인 정신치료

대상자는 열등감을 가지고 주로 부정 방어기제를 사용하므로, 설교식으로 대화하지 말고 마음을 편안하게 하여 신뢰감을 줄 수 있도록 대화한다. 실망하거나 포기하는 태도를 보이지 말고, 적극적이고 지지적인 태도로 대하며, 치료자는 대상자에게 성숙한 무비판적 역할모델, 온화하지만 엄격히 제한된 환경, 현실적이고 구체적인 격려, 의미있는 타인과의 사회적 관계를 유지해 나가도록 돕는다. 또한 불안이나 우울증 요인이 있으면 극복할 수 있는 새로운 방법을 학습하도록 하거나 필요한 경우 항우울제의 사용을 권유할 수 있다.

(2) 집단 정신치료

알코올 관련 장애 대상자는 대개 연극적이고 과장되어 있으며 우월감을 가지고 있다. 그래서 비슷한 알코올중독자끼리 모여 치료하게 되면, 이들 간의 동료의식과 연대감, 동일시, 병에 대한 통찰력, 이겨내고자 하는 힘이 작용하게 되므로 개인 정신치료보다 집단 정신치료가 더 효과적이다. 이를 통해 비효율적 부정을 극복하고, 집단과정의 역동을 통해 새로운 대안과 효율적 대응전략을 학습하게 된다. 역할극(role play)이나 심리극(psychodrama), 인지치료, 행동치료가 일종의 집단정신치료로서 알코올 관련장애 대상자에게 효과가 있다.

3) 가족치료(family therapy)

가족치료를 통해 대상자의 가족들은 알코올중독자의 심리와 방어기제를 이해하며, 대상자에게 너무 금주를 강요하지 않고 비록 치료에 실패하더라도 다시 노력할 수 있도록 대상자를 격려하고 지지하게 한다. 또한 대상자를 질환을 가진 사람으로 인정하고 치료에 참여하도록 지속적으로 대화하며 대상자에게 애정과 관심을 주도록 한다. 가족치료는 문제를 지속시키는 동기가 되는 공동의존 행동을 제거하도록 시도하는 것이다. 알코올의 가족 상호작용에 부정적인 영향을 끼치는 과정을 제거하기 위해 돕고, 가족이 더욱 효율적으로 대응하는 방안을 마련하도록 돕는다.

9. 고려 사항

약물 또는 알코올 중독자를 보는 전통적인 고정관념은 '사회의 밑바닥 부랑자(skid row bum)'이다. 어떤 사람은 약물(마약)을 사용하는 전문가, 특히 의료전문가를 알게 되면 충격을 받는다. 그러나 모든 사람은 위험에 처해 있으며, 특히 보건의료종사자는 약물 사용 가능성으로 인해 종종 더 높은 위험에 처한다. 약물 사용의 흔한 형태는 진통제나 항독제와 같은 처방 약물에 대한 중독이다. 처방된 약물에 중독된 사람들은 그 사실을 완강히 부정한다. 합법적으로 취득한 처방전은 처방약 중독으로 정당화될 수 있다. 처방약 중독자가 자신이 선택한 약물의 공급을 계속해서 증가시키는 기술은 상당한 합리화와 정교한 부정을 동반하여 수행된다. 처방약 사용 문제에 대한 우려는 지난 20년 동안 상당히 증가하였다(Meadows, 2011; Vastag, 2001). 진통제는 청소년과 젊은 성인들 사이에서 쾌락을 목적으로 사용되어 왔고, 그들은 종종 친구나 친척에게서 약물 처방전을 받는다(SAMHSA, 2013).

1) 중독된 의료 전문가

의료전문가들 사이에서 약물을 사용하는 것은 특히 어려운 문제인데, 이것은 전문가와 환자 관계의 윤리적 위반 문제이기 때문이다. 그러나 의료전문가는 물질 사용의 영향에 취약하다(Fogger & McGuinness, 2012). 물질 사용은 스트레스를 관리하기 위해 천천히 그리고 은밀하게 시작되며, 다른 사람들보다 더 쉽게 접근할 수 있는 개인의 대처방법이 된다. 환자로부터 약물을 빼돌려 복용하는 의료 전문가는 특히 경멸을 받는다(Bachman, 2001). 미국에서는 간호사가 회복에 적극적으로 참여하면서 엄격한 지침에 따라 일할 수 있는 기회를 제공하는 비처벌적 모니터링 프로그램을 채택하여 운영하고 있다.

Clinical example: 간호사 면허가 연기와 함께 사라지다

오OO 님은 27세에 간호사가 되었다. 그는 영리한 청년이었지만 재정적인 여유가 부족해서 생활비를 벌기 위해 끊임없이 힘든 생활을 하였다. 간호대학을 다니는 동안에는 심지어 차 안에서 잠을 자야만 했던 기간도 있었다. 그는 대학을 졸업하고 종합병원에서 근무하게 되었는데, 첫 한 달을 다 채우기도 전에 약물 검사에서 양성(마리화나)임이 확인되었다. 4년이 지난 후에도, 그는 여전히 면허증을 되찾지 못하고 있다.

2) 추후 관리

추후 관리는 재발을 예방하는 데 필수적이다. 환자와 간호사는 입원환자나 외래환자 프로그램이 완료되었을 때에만 회복이 시작됨을 알아야 한다. 물질의존 환자는 치료프로그램이 완료된 직후 몇 개월이 가장 위험한데, 대부분 이 기간 동안에 재발하기 때문이다. 치료 중에 환자가 물질 사용에 대한 '트리거(trigger)'를 피하도록 도와줄 수 있는 재발 예방 계획을 개발할 수 있다. 간호사는 퇴원하기 전에 회복기 치료, 외래상담 및 자조지원그룹 모임을 위한 준비가 이루어졌는지 확인해야 한다. 치료에 있어 중요한 말 중 하나는 'H. A. L. T(Don't get too hungry, angry, lonely, or tired: 너무 배고프거나, 화나거나, 외롭거나, 지친 상태가 되지 말아야 해요)'이다. 왜냐하면 이러한 상태가 될 때 부적절한 의사결정을 할 가능성이 높아지고, 이는 물질 사용의 재발 위험으로 이어지기 때문이다.

CRITICAL THINKING QUESTION

3. 청소년이 물질 사용을 피하도록 돕기 위해 할 수 있는 일은 무엇인가?

STUDY NOTES

1. 물질의존은 주요한 신체적, 정신적 건강문제이며, 대부분의 간호사는 그들이 원하든 원하지 않든 물질의존 및 중독 관련 환자를 돌보게 된다.
2. 물질남용은 (1) 알코올, (2) 중추신경 억제제, (3) 아편제, (4) 흥분제, (5) 환각제의 그룹으로 분류할 수 있다.
3. DSM-5는 물질사용장애를 물질 사용과 관련된 문제의 정도에 따라 경증, 중등도 및 중증으로 정의한다. 알코올은 주요 약물 문제를 대표한다. 알코올은 사회경제적으로 높은 대가를 요구하며 많은 경우 고통과 죽음을 초래하고 있다.
4. 알코올은 억제력 상실과 판단력 저하를 초래하며, 처음 사용할 때에는 긴장을 풀어준다. 알코올 과다복용과 관련된 주된 관심사는 심각하고 치명적인 중추신경계 억압이다. 금단증상은 떨림, 메스꺼움, 구토, 빈맥, 발한, 발작, 불안 및 우울증을 유발한다. 금단은 치명적일 수 있다.
5. 어린이, 청소년 및 젊은 성인에서 니코틴 사용을 예방하는 것이 건강의 우선순위이다.
6. 중추신경 억제제는 행복감, 억제력 상실 그리고 졸음을 야기한다. 과다복용의 주된 영향은 호흡저하이다. 중추신경 억제제로부터의 금단은 생명을 위협할 수 있다.
7. 아편제(마약)는 양귀비의 즙에서 추출하거나 합성물질로서 모르핀, 코데인 및 반합성 헤로인 등이 해당된다. 아편제는 정맥내, 경구, 근육내, 그리고 피하로 투여한다. 과다복용은 치명적일 수 있으며, 호흡기능 저하는 가장 심각한 부작용이다. 금단증상은 불쾌감을 주지만 생명을 위협하지는 않는다.
8. 날록손은 오피오이드 수용체 차단제이며, 아편제의 과잉투여를 치료하기 위해 응급실에서 제공된다. 날록손은 아편제 금단증후군을 일으킨다.
9. 자극제에는 암페타민과 코카인이 포함된다. 자극제는 의기양양함, 사고항진, 수다스러움 등을 야기한다. 과다복용의 주된 관심사는 흥분, 빈맥, 심부정맥, 경련이다. 환각제는 메스칼린, 마리화나, LSD, PCP 등을 포함한다. 환각제는 환상, 환각, 시간과 거리를 감지하는 능력, 불안 및 편집증적 사고를 유발한다. 환각제 과다복용의 주요 효과는 강렬한 기분, 정신증적 반응 그리고 공황이다. 여러 치료적 접근이 있지만, 대부분의 치료목표는 물질의 절제이다. 만약 환자가 끊을 준비가 되어 있지 않다면, 간호사는 동기부여 면담을 통해 환자가 물질의 위험을 줄이기 위해 어떤 변화를 시도할 수 있는지 도울 수 있다.
10. 부프레노르핀, 날트렉신, 디설피람 같은 약물은 회복을 지원하고, 갈망을 줄이거나 재발이 발생하는 불법 약물의 효과를 감소시킨다.
11. 간호중재에는 집단중재, 교육, 직면, 신뢰와 지지, 신체 및 영양상의 필요를 제공하고, AA 및 NA와 같은 그룹에 참여하도록 돕는 것이 포함된다.
12. 의료 전문가는 개인적인 용도로 전환할 수 있는 약물에 접근할 수 있다. 대부분의 심의 위원회에서는 장기간의 모니터링 프로그램을 통해 회복 중인 의료인이 금욕 상태를 유지하도록 함으로써 회복을 감시한다.

참고문헌

REFERENCES

American Psychiatric Association. 2013a. Diagnostic and statistical manual of mental disorders (5th ed.). Arlington, Virginia: APA.

Arias, A., & Sewell, R. (2012). Pharmacogenetically driven treatment for alcoholism: Are we there yet? CNS Drugs, 26(6), 461–476.

Aubin, H., & Daeppen, J. (2013). Emerging pharmacotherapeutics for alcohol dependence: A systemic review focusing on reduction in consumption. Drug and Alcohol Dependence, 133(1), 15–29.

Bachman, J. (2001). One nurse's story of addiction and recovery. Colorado Nurse, 101, 11.

Bates, F. (2005). Study detects some "heretics" among AA program faithful. Clinical Psychiatry News, 33(10), 50–50.

Cavacuiti, C. (2011). Principles of addiction medicine: The essentials. Philadelphia: Lippincott Williams & Williams.

Colyar, M. R. (2003). Testing for drugs of abuse. Advance for Nurse Practitioners, 11(9), 30–31.

Fogger, S., & McGuinness, T. (2012). Relationship between addictions and bariatric surgery for nurses in recovery. Perspectives in Psychiatric Care, 48(1), 10 – 15.

Forest Laboratories. (2004). Campral delayed–release tablets prescribing information. St. Louis: Forest Laboratories.

Frezza, M., et al. (1990). High blood alcohol levels in women: The role of decreased gastric alcohol dehydrogenase activity and first–pass metabolism. New England Journal of Medicine, 322(2), 95–99.

Gordis, E. (2000). Alcohol and the brain. Neuroscience and neurobehavior. In C. Armstrong, et al. (Eds.), Tenth special report to the U.S. Congress on alcohol and health. Washington, DC: National Institutes of Health.

Greenson, T. (2012). The tragic case of Maggie Jean Wortman: A woman who never had a chance gives her son the same fate. http://www.times–standard.com/ci_20252302/tragic–casemaggie–jean–wortman–woman–who–never, Accessed 14.07.13.

Harper, C., & Matsumoto, I. (2005). Ethanol and brain damage. Current Opinion in Pharmacology, 5(1), 73–78.

Herrick, T. (2005). The meth epidemic. Clinician News, 9, 21. Johnson, B., et al. (2013). Determination of genotype combinations that can predict the outcome of the treatment of alcohol dependence using the 5–HT3 antagonist ondansetron. American Journal of Psychiatry, 170(9), 1020 – 1031.

Keltner, N. L., & Folks, D. G. (2005). Psychotropic drugs (4th ed.). St. Louis: Mosby.

Kessler, R. C., et al. (2005). Prevalence, severity, and comorbidity of 12–month DSM–IV disorders in the national comorbidity survey replication. Archives of General Psychiatry, 62(6), 617–627.

Kessler, R. C., et al. (2012). Twelve–month and lifetime prevalence and lifetime morbid risk of anxiety and mood disorders in the United States. International Journal of Methods in Psychiatric Research, 21(3), 169–184.

Lehne, R. A. (2007). Pharmacology for nursing care (6th ed.). Philadelphia: Saunders.

Lieber, C. S. (2003). Relationships between nutrition, alcohol use, and liver disease. Alcohol Research & Health, 27(3), 220–231.

Mayfield, R. D., Harris, R. A., & Schuckit, M. A. (2008). Genetic factors influencing alcohol dependence. British Journal of Pharmacology, 154(2), 275–287.

Meadows, M. (2001). Prescription drug use and abuse. FDA Consumer, 35(5), 18–23.

Medline Plus. (2013). How is methamphetamine different from other stimulants, such as cocaine? http://www.nida.nih.gov/researchreports/methamph/methamph4.html, Accessed 04.03.13.

Myrick, H., Anton, R. F., Li, X., Henderson, S., Randall, P. K., & Voronin, K. (2008). Effect of naltrexone and ondansetron on alcohol cue–induced activation of the ventral striatum in alcohol–dependent people. Archives of General Psychiatry, 65(4), 466–475.

National Institute on Drug Abuse. (2012). Understanding drug abuse and addiction. DrugFacts. http://www.nida.nih.gov/PDF/InfoFacts/Understanding08.pdf, Accessed 23.02.14.

National Institute on Drug Abuse. (2013). http://www.drugabuse.gov/publications/me. Accessed 23.02.14.

Office of Alcohol and Drug Education. (2014). Differences between men and women. http://oade.nd.edu/educate–yourself–alcohol/al, Accessed 23.02.14.

Prochaska, J., & DiClemente, C. (1983). Stages and processes of selfchange of smoking: Toward an integrative model of change. Journal of Consulting and Clinical Psychology, 51(3), 390 – 395.

Quertemont, E., et al. (2005). Is ethanol a pro–drug? Acetaldehyde contribution to brain ethanol effects.

Alcoholism, Clinical and Experimental Research, 29(8), 1514–1521.
Rehm, J., et al. (2009). Global burden of disease and injury and economic cost attributable to alcohol use and alcohol-use disorder. The Lancet, 373(9682), 2223–2233.
Sinclair, J. D. (2001). Evidence about the use of naltrexone and for different ways of using it in the treatment of alcoholism. Alcohol and Alcoholism, 36(1), 2–10.
Spanagel, R. (2009). Alcoholism: A systems approach from molecular physiology to addictive behavior. Physiological Reviews, 89(2), 649–705.
Standridge, J., Adams, S., & Zotos, A. (2010). Urine drug screening: A valuable office procedure. American Family Physician, 81(5), 635–640.
Substance Abuse and Mental Health Services Administration. (2011). Results from the 2010 national survey on drug use and health: Summary of national findings. http://oas.samhsa.gov/NSDUH/2k10NSDUH/2k10Results.htm, Accessed 04.03.14.
Substance Abuse and Mental Health Services Administration. (2013). Results from the 2012 national survey on drug use and health: National findings. http://www.samhsa.gov/data/nsduh/2k8nsduh/2k8Results.htm, Accessed 25.02.14.
U.S. Surgeon General. (2012). 2012 Surgeon General's report: Preventing tobacco use among youth and young adults. Washington, DC: U.S. Department of Health and Human Services.
Vastag, B. (2001). Mixed message on prescription drug abuse. JAMA, 285(17), 2183–2184.
Whitfield, C., Davis, J., & Barker, L. (1986). Alcoholism. In L. R. Barker, J. R. Burton, & P. D. Zieve (Eds.), Principles of ambulatory medicine. Baltimore: Williams & Wilkins.
Zickler, P. (2000). Brain imaging studies show long-term damage from methamphetamine abuse. NIDA Notes, 15(3), 11.
박병일 등(2016). 2016년 사행산업 이용실태 조사. 사행산업 통합감독위원회.
양수 등(2016). 현문사. 정신건강간호학, pp. 352–388.
한국도박문제관리센터(2015). 도박문제 선별 안내서. from https://www.kcgp.or.kr
홍진표 등(2017). 2016년 정신질환 실태조사(보도자료). from http://www.ssis.or.kr

CHAPTER

25

수면-각성장애

Sleep-Wake Disorders

evolve WEBSITE

http://evolve.elsevier.com/Keltner

학습목표

- 정상 수면을 정의한다.
- 수면의 기능과 생리현상을 설명한다.
- 수면-각성장애의 유형을 설명한다.
- 수면-각성장애의 행동특성을 설명한다.
- 수면-각성장애 대상자에게 간호과정을 적용한다.

수면은 삶에서 가장 기본적인 요소로 신체적·정신적 피로에서 회복을 취하고 에너지를 충전하여 최적의 기능을 발휘할 수 있도록 하는 건강과 행복의 주요 결정요인으로 인식되고 있다. 하지만 현대사회에서 스마트폰, 컴퓨터 사용, 직장업무나 학업 등으로 인해 충분한 수면을 취하기가 어렵고, 이로 인해 생산성이 감소되거나 인지수행 능력이 저하되어 사고나 위험, 질병이 발생할 가능성이 높아짐에 따라 수면 문제에 대한 관심이 많아졌다.

수면에 문제가 발생하면 신체적 문제뿐만 아니라 정신적 활동에도 영향을 미치게 되므로 최근 의학, 간호와 더불어 사회과학 분야에서도 많은 관심을 가지고 있다. 특히, 수면장애에 대한 연구, 교육 등을 위해 국립수면장애연구센터(National Center on Sleep Disorder Research, NCSDR), 국립수면재단(National Sleep Foundation, NSF), 미국수면의학협회(American Academy of Sleep Medicine, AASM)와 같은 기관들이 활동하고 있다.

최근 수면-각성장애는 스트레스의 증가, 고령화, 물질남용, 수면주기 변화 등으로 인해 유병률이 높아지고 있으며, 신체적·심리적 안녕의 지표로 질병의 회복에 영향을 미친다. 따라서 간호사는 수면-각성장애의 원인을 탐색하여 효과적인 간호수행을 할 수 있어야 한다.

1. 수면의 정의

수면은 생명 유지에 꼭 필요한 것으로 생체 소모를 예방하고 에너지를 축적시켜 내외 환경의 자극이나 정신적 흥분, 심신의 피로로부터 보호한다. 따라서 수면이 박탈당하게 되면, 환각, 망상, 자아붕괴 등을 경험할 수 있고, 과민하고 쉽게 피로해진다. 림프구와 과립구 기능의 장애 및 이화작용이 증가하는 등 신체적 역기능을 보이게 되며, 탈진, 혼돈, 짜증, 공격성 증가 등의 심리적 역기능도 나타난다.

수면은 여러 단계로 구성되어 있으며, 각 단계는 주기적으로 반복되는 생리적 현상이다. 정상 수면이란 각 수면의 단계가 정상적인 비율로 유지되고 주기가 일정한 것을 말한다. 이때 신체적·심리적 요인이나 연령, 약물, 기타 환경적 요인으로 인해 수면의 질이나 양에 이상이 발생하여 낮 시간 동안의 활동에 지장이 생길 때 수면-각성장애로 진단할 수 있다.

2. 수면의 기능

수면의 중요한 기능은 다음과 같다. 수면은 첫째, 신체회복 기능을 담당하며 낮 시간 동안 소모되고 손상된 부분을 회복시킨다. REM 수면(rapid eye movement sleep)은 단백질 합성을 증가시켜 정신적으로 소모된 뇌의 기능을 회복시키고, NREM 수면(non-rapid eye movement)은 신체와 근육을 회복시킨다. 또한 REM 수면 동안 체온조절 기능이 상실되고, NREM 수면 동안 뇌 온도와 뇌 혈류량이 감소되어 생체에너지를 효율적으로 관리하고 저장하게 된다. 둘째, 낮 시간 동안 생존과 보존 기능을 담당한다. 셋째, 수면 동안 성장을 촉진한다. 특히 REM 수면은 성장과 관련되어 있어 신생아에게 더욱 활발하게 나타난다. 넷째, REM 수면은 낮 동안 학습된 정보를 재정리하고 불필요한 정보를 삭제하여 유용한 것을 재학습시키거나 기억에 저장하게 된다. 다섯째, 감정 조절 역할을 하게 한다. 즉, 불쾌하고 불안한 감정들을 꿈과 정보 처리를 통해 정화시켜, 다음 날 아침에 상쾌해지도록 한다.

수면요구는 과로, 스트레스, 임신, 질병 등의 상황이나 정신적·신체적 활동에 따라 증가되기도 하는데, 이를 충족하게 되면 신체 회복에 도움이 된다. 수면 중에 어느 단계에서 깨더라도 다시 1단계부터 수면이 시작되므로, 수면 중 자주 깰 경우 3,4단계의 수면이 박탈당하게 된다. 3,4단계의 수면과 REM 수면은 회복 기능에 특히 중요하여 이것이 박탈당하면 수면의 질이 낮아진다. 따라서 주기가 일정하게 유지되고, 특히 3,4단계의 수면이 충분할 때 건강한 수면이 된다.

3. 수면의 단계와 주기

1) 수면의 단계

수면의 단계는 뇌파(EEG)를 사용하여 전기생리학적으로 측정된다. 급속안구운동(rapid eye movement)이 있는지 여부에 따라 REM 수면과 NREM 수면으로 나뉘게 된다.

REM 수면은 전체 수면의 20~25%를 차지하며 '꿈 수면', '역설적 수면'이라고도 한다. 저진폭의 혼합된 주파수와 톱니 모양의 활동성 뇌파가 나타난다. 근육의 긴장도는 최저 수준으로 낮아지고, 자율신경계 활동(혈압, 심박동, 심박출량, 호흡수, 체온, 산소 소비량 등)은 항진되며 음경이 발기된다. 일반적으로 성인의 수면 중 REM 수면은 보통 3~5회 정도 나타나며, 이 단계에서 깨면 꿈을 꾸었다고 말하거나 비논리적인 사고를 보이기도 한다.

NREM 수면은 심화된 수면이 특징이며, 뇌파의 진폭에 따라 4단계로 구분할 수 있다(AASM, 2005). 1단계는 각성 상태에서 수면으로 이행되는 과정을 말하며, 수십 초에서 수 분 정도로 비교적 짧아 전체 수면의 5% 이하에 해당된다. 뇌파는 각성 시 보이던 알파파가 사라지고 4~7Hz의 저진폭 세타파로 변하게 된다. 이 단계에서는 근육이 이완되고 체온이 저하되며 외부 자극에 대한 반응이 둔해진다. 2단계에서는 심박동수와 호흡수가 감소하며, 1단계에 비해 각성하기 위해 더 많은 자극이 필요하다. 2단계 수면은 전체 수면의 45~55% 정도 차지하며 수면방추파와 K복합파가 나타난다. 수면방추파는 12 ~14Hz의 뇌파가 방추형을 이루며 0.5초 이상 지속되는 것이고, K복합파는 배경 뇌파와 비교하여 뚜렷이 진폭이 큰 하향파향(negative sharp wave) 직후 상향파형(positive sharp wave)이 나타나는 것을 의미한다. 수면방추파와 K복합체는 델타수면으로의 이행을 도와 수면을 유지시키는 기능을 한다. 3,4단계는 전체 수면의 15~20%에 해당되고 깊은 수면상태를 말한다. 진폭이 크고 느린 델타파가 나타나는 특징이 있어 '서파수면(slow-wave-sleep)' 또는 '델타수면'이라고도 한다. 이 단계는 심박동수, 호흡수, 혈압이 더욱 감소되고, 외부 자극에 대한 반응도 감소되어 각성이 어렵고 깨어나려면 시간이 오래 걸린다.

수면은 나이의 영향을 많이 받게 되는데, 신생아는 하루 총 16시간 정도 수면을 하고 REM 수면이 총 수면의 50% 이상을 차지한다. 2~3세에 이르면 REM 수면이 25%로 줄어들고, 사춘기 이후에는 성인과 비슷해진다. 3,4단계 수면은 10세경에 최고조에 이르며, 이후 감소하다가 노인이 되면 현저히 감소해 수면을 유지하기 어려워진다.

2) 수면의 주기

정상 수면은 NREM 수면으로 시작되어 NREM 수면과 REM 수면이 보통 90~100분 간격으로 반복되며, 잠자는 시간 동안 4~6회 정도 반복된다. 수면 전반부에는 NREM 수면이 지배적이며 깊은 수면이 주로 나타나다가, 후반부로 갈수록 REM 수면이 주로 나타나 수면이 얕아지게 된다. REM 수면은 수면 전반부에는 매우 짧게 나타나고 후반부로 갈수록 길어진다. 또한 수면과 각성은 일주기리듬과 항상성의 상호작용에 따라 조절된다. 일주기리듬은 약 24시간을 주기로 이루어지는 생체현상을 말하며, 이로 인해 하루 중 일정 시간 동안 활동과 수면을 할 수 있게 된다. 항상성은 수면을 결정하는 중요한 요인으로, 이전에 각성상태에 있던 시간에 비례해 수면을 취하려는 경향이 증가하고, 각성 역시 이전 수면시간에 따라 결정되는 것을 말한다. 그 밖에 수면과 각성은 신경전달물질의 영향을 받게 되는데, 암페타민(amphetamine)은 도파민과 노르에피네프린 방출을 증가시켜 각성을 촉진하고, 카페인(caffeine)은 아데노신을 차단하여 주의력을 높인다. 또한 선택적 세로토닌 재흡수 억제제(SSRIs)를 사용하는 대상자에게 수면장애가 자주 발견된다.

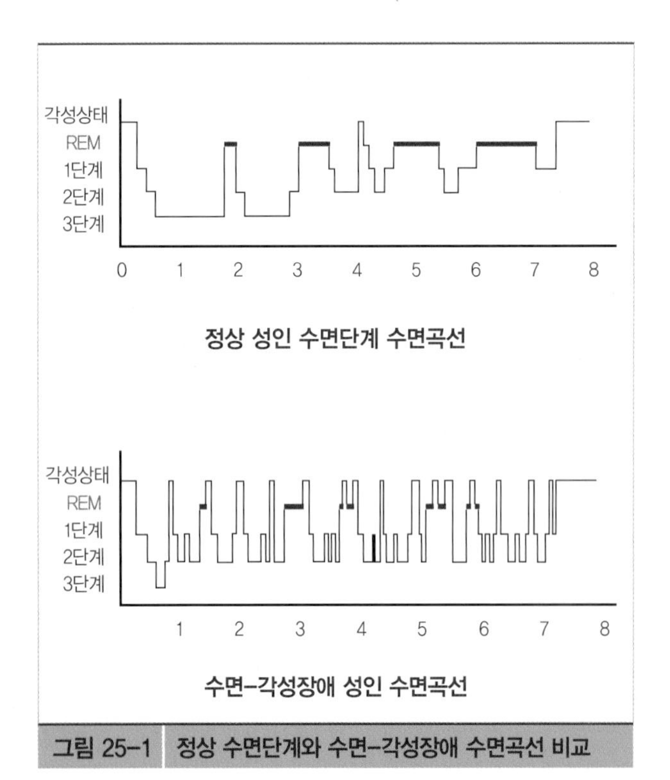

그림 25-1 정상 수면단계와 수면-각성장애 수면곡선 비교

출처: David N. Neubauer. MD. Johns Hopkins Sleep Disorders Center. Baltimore. MD[American Family Physician, 59(9):2551-2558, May 1, 1999].

4. 수면-각성장애의 원인

1) 생물학적 요인

수면에 영향을 주는 생물학적 요인으로는 연령, 성별, 질환, 신경전달물질, 기타 약물이나 물질 등이 있다. 각 요인에 따른 수면의 변화에 관해 기술하면 아래와 같다.

연령은 수면 양상을 결정하는 중요한 요소이다. 신생아나 유아의 수면은 하루에도 여러 번 반복되며, 5~6세까지는 오후에 낮잠을 자기도 한다. 이후로 낮잠이 없어지다가 노년에 다시 낮잠을 자게 된다. REM 수면의 양과 비율은 나이에 반비례하는데, 고령이 될수록 잠들기 힘들고 숙면을 취하지 못하여 자주 깬다. 일찍 잠들고 일찍 깨므로 총 수면량이 적어 자주 졸려하고 깊은 잠을 못 잤다고 호소하게 된다. 자려고 누워 있는 시간은 길어지나 실제 수면시간은 짧아져 4단계 수면이 감소하거나 없어지기도 한다. 특히 노인에게 보이는 수면-각성장애의 원인은 주로 은퇴, 사회활동·생활양식 변화나 배우자 또는 주변인의 죽음에 따른 정서적 문제, 신체질환, 약물의 영향을 들 수 있다.

성별로는 여성이 남성에 비해 수면 방해를 더 많이 받고, 수면의 질도 낮다. 특히 45세 이전에는 남녀의 수면-각성장애에 대한 호소가 비슷하게 증가하나, 여성의 경우 폐경 후에 남성보다 2배 정도 증가한다.

정신적·신체적 질환도 수면에 영향을 준다. 관련된 정신과적 질환으로 우울장애, 양극성장애, 불안장애, 강박장애, 물질사용장애 등이 있다. 신체적 질환으로는 협심증, 부정맥, 만성 심부전(CHF) 등의 심혈관계 질환, 만성 폐쇄성 폐질환, 천식 등의 호흡기 질환, 역류성 식도염, 궤양 등의 소화기계 질환, 치매, 뇌종양 등의 신경계 질환, 또는 심한 가려움증이 있어도 수면에 영향을 주게 된다. 만성 통증뿐만 아니라 갑상선 기능항진증이나 파킨슨병 역시 수면장애의 주요한 요인이 된다.

수면에 영향을 미치는 약물이나 물질로는 베타차단제, 중추신경 자극제(CNS stimulant), 기관지확장제(bronchodilator), 니코틴(nicotine), 알코올(alcohol), 삼환계 항우울제(TCAs), 벤조디아제핀(benzodiazepine) 등이 있다. 특히 니코틴의 경우, 적은 양에서는 진정 효과가 있지만 한도를 넘으면 중추신경계가 자극되어 만성 불면증을 초래하게 된다. 커피는 각성 상태를 유발하고 코카인 남용도 입면과 수면 유지에 어려움을 준다.

신경전달물질의 영향으로 세로토닌의 농도가 상승되면 전체 수면과 NREM 수면이 길어지고, 노르에피네프린이 상승하면 REM 수면은 줄어든다. 아세틸콜린이 증가하면 REM 수면이 늘어나고, 도파민이 증가하면 각성 상태가 길어진다.

2) 심리사회적 요인

심리사회적 요인으로 스트레스, 불안, 우울, 성격, 정신장애나 인지기능장애 등이 있다. 특히 스트레스는 평형 상태가 깨진 상태로, 이를 회복하기 위해 노력하는 과정에서 수면-각성장애가 나타날 수 있다. 특히 불안이 증가하는 입원이나 수술, 기타 여러 상황에서는 잠드는 데 시간이 걸리며, 자주 깨고 다시 잠들기 어렵기 때문에 4단계 NREM과 REM 수면이 감소하게 된다. 우울할 때도 잠들기 어렵고 새벽에 자주 깨며 수면이 부족한 느낌을 갖게 된다. 완벽주의나 억압하는 성향이 강한 강박적 성격일수록 수면이 조절되지 않으면 쉽게 긴장하고 불안해하며, 수면시간이 다가오면 긴장하고 각성 수준이 높아져 불면증을 경험하기 쉽다. 수면-각성장애를 가진 사람은 스트레스 상황에서 보통사람보다 더 쉽게 불안하거나 우울해질 수 있다.

5. 수면-각성장애의 유형

수면-각성장애의 유형은 DSM-5에서 불면장애, 과다수면장애, 기면증, 호흡관련 수면장애, 일주기리듬 수면-각성장애, 사건수면으로 분류하였으며, 각각의 특성은 다음과 같다.

1) 불면장애

불면장애(insomnia disorder)는 가장 흔한 수면장애로 유병률은 21~35%이며, 생물학적·심리적·사회적 요인을 포함한 과다각성상태가 지속되는 상태이다. 수면의 질이 나쁘고, 수면 시작과 수면 유지, 다시 수면을 취하기가 어려우며, 잠을 자고나서도 개운하지 않고 회복이 되지 않는 특성으로 인해 피로와 신체적 증상을 호소하면서도 졸리지 않는 상태를 말한다. 불면장애는 충분한 수면기회에도 불구하고 최소 3개월 동안 주당 3회의 증상이 나타나고, 사회적·직업적 기능 손상이나 집중력 저하, 기억력 손상, 신체적 호소, 기분장애 등 수면장애와 관련된 일상생활의 부적응적인 결과가 초래될 때 진단내려진다.

불면장애는 나이가 많아질수록 증가하며, 여성에서 더 빈번히 발생한다. 특히 성인에서는 수면을 취하기 어려움을, 중년과 노년기에는 수면 유지와 새벽에 깨어 다시 잠들기 어려움을 많이 호소한다. 만성적인 불면장애는 가정과 직장의 일상생활에서 현저한 고통이나 손상을 초래할 수 있다. 낮 시간 동안에는 불쾌감과 주의집중 및 활력을 감소시켜 피로나 권태감을 증가시키고, 수면에 대한 지나친 염려나 안절부절못함, 주의집중력 저하는 대인관계나 사회적·직업적 문제를 유발시킬 수 있다.

2) 과다수면장애

과다수면장애(hypersomnolence disorder)는 주간에 과도한 졸림이 있는 상태를 말하며, 발병률은 일반 인구의 15% 이상 정도이다. 3개월 이상 진행되는 만성 증상으로 젊은 성인기에 시작되며, 의도하지 않은 수면이 반복적으로 나타난다. 빈번히 낮잠을 자고 9시간 이상 수면을 취하지만 개운하거나 원기가 회복되지 않는다. 깨어있는 동안에도 각성상태가 되기 어려워 완전한 주의집중이 불가능하다. 과도한 졸림으로 직장생활에 어려움이 있으며, 인지손상이 나타나고 졸음과 관련된 사고의 위험이 커진다. 치료로는 수면-기상 스케줄을 정기적으로 유지하는 데 중점을 두며, 10시간 이상의 수면 기회를 제공하는 경우에 개선되기도 한다. 메틸페니데이트(methylphenidate)나 모다피닐(modafinil) 등의 약물치료가 사용된다.

3) 기면증

기면증(narcolepsy)은 발작성 수면 또는 히포크레틴 결핍증(hypocretin deficiency)이라고도 한다. 전형적인 특징은 3개월 이상 반복적으로 견딜 수 없게 잠에 빠져드는 현상이 주 3회 이상 나타나는 것이다. 히포크레틴(hypocretin)은 자율신경계와 내분비를 활성화시키고 감정이나 동기를 유발하는 뇌단백질로 시상하부에 집중적으로 나타난다. 기면증 환자의 경우, 이것이 결핍되어 있거나 정상인에 비해 현저히 적다. 전형적인 징후로 수면발작(sleep attack: 불가항력적인 수면 발생), 탈력발작, 입면환각과 수면마비 등이 있다. 수면발작은 밤에 충분한 수면을 취했음에도 불구하고 갑작스럽게 참을 수 없는 졸음이 오는 것을 말한다. 각성 시 개운한 기분이 들지만 2~3시간 이내에 다시 졸음을 느끼게 된다. 이는 수면의 양과 관계없이 피로가 풀리거나 개운함을 느끼지 못하는 과다수면장애와 구별된다. 탈력발작은 대상자의 사고나 의지와 관계없이 갑작스러운 근긴장의 감소가 나타나는 것이다. 의식이 있는 상태에서 양측 근육 긴장의 손실이 발생하며, 보통 분노, 좌절, 웃음과 같은 강한 감정과 함께 발생한다. 증상은 몇 분 동안 지속되며 일반적으로는 즉시 회복된다. 환자의 70~80%가 의식의 변화 없이 근긴장과 조절력을 갑자기 소실하는 탈력발작을 경험한다. 입면환각은 입면 시 환각이 나타나는 것으로 청각·시각·촉각적 환각일 수 있으며, 주로 수면 시작 시 발생한다. 수면마비는 근육의 긴장도가 일시적으로 소실되어 수면에서 깨어나는 동안 움직이거나 말하는 것이 불가능한 상태이다. 입면환각과 수면마비는 매우 무서운 느낌이 들며, 정신병적 증상으로 오진될 수 있기 때문에 치료를 지연시킬 수도 있다. 기면증 환자는 대부분 잠에 빠지거나 탈력발작이 나타날까 두려워 사회생활을 적극적으로 하지 못하며, 운전이나 기계조작 중에도 잠들어버릴 수 있기 때문에 자신이나 타인에게 손상을 입힐 위험이 있다. 기면증 진단을 위한 객관적 검사로 뇌척수액에서 히포크레틴을 측정한다.

4) 호흡관련 수면장애

호흡관련 수면장애(breathing related sleep disorders)는 폐쇄성 수면 무호흡(또는 저호흡), 중추성 수면무호흡증, 수면관련 환기저하로 분류된다. 수면 동안 호흡을 위해 자주 깨기 때문에 낮에 심하게 졸리거나 불면증이 나타날 수 있다. 참기 어려운 졸음을 경험하며, 심하면 식사 도중이나 운전 및 보행 중에도 잠에 빠질 수 있다. 폐쇄성 수면무호흡 저호흡은 가장 흔히 나타나는 호흡관련 수면장애로, 호흡하려고 애쓰지만 상부기도 협착과 폐쇄로 인해 무호흡이 나타난다. 중년의 2~15%, 노인의 20% 이상에서 나타나며, 보통 20~30초 동안 호흡정지 후에 짧게 헐떡거리고 큰 소리의 코골이가 나타나는데, 곁에서 자는 사람의 수면을 방해할 정도로 시끄럽다. 코골이는 때로 청색증을 동반하기도 하며, 무호흡 후 웅얼거리거나 신음소리를 내고 몸부림을 칠 수도 있다. 진단을 위해서는 임상 평가와 수면다원검사(polysomnography, PSG)를 실시하여 호흡 기록과 산소포화도 측정을 시행하게 된다. 치료로는 비강 마스크로 일정한 압력을 주입하여 공기부목을 만들어 수면 중에 기도가 열려 있도록 해주는 지속적 상기도 양압술이 있다. 좁혀진 부분의 조직을 제거하여 공기의 흐름을 원활하게 하는 입천장 인두 성형술을 하기도 한다. 중추성 수면무호흡증은 기도폐쇄 없이 호흡이 중단되며, 호흡조절중추의 불안정성으로 인해 발생한다. 심장질환 또는 폐질환이 있거나 신경학적 질환이 있는 고령자에게 흔하며, 무호흡 후 10~60초 동안 과호흡 후 호흡이 점차 감소하다 다시 무호흡이 되는 체인-스토크스 호흡을 보인다. 수면관련 환기저하는 CO_2 증가와 관련하여 호흡저하를 보이는 장애이다. 다른 내과적·신경학적 장애나 물질·약물 사용으로 인해 나타나기도 하지만 독자적으로 발생하기도 한다.

5) 일주기리듬 수면-각성장애

일주기리듬 수면-각성장애(circadian rhythm sleep-wake disorder)는 정상적인 일주기리듬과 물리적 환경이나 수면의 일정이 불일치할 때 나타난다. 일주기리듬 수면-각성장애는 사회적, 직업적 또는 다른 주요한 기능영역에 현저한 고통이나 손상을 초래하게 된다. 진단을 위해서는 임상평가, 수면일기, 수면각성활동량검사(actiorahpy)를 활용한다. 치료는 필요한 수면 일정을 조정하기 위해 적극적으로 생활방식을 관리하게 된다. 일주기리듬 수면-각성장애 유형으로는 뒤쳐진 수면위상형, 앞당겨진 수면위상형, 불규칙한 수면-각성형, 비24시간 수면-각성형, 교대근무형이 있다.

6) 사건수면

사건수면(parasomnias)은 수면이나 수면-각성의 전환 과정에서 이상행동이나 잠에서 불완전하게 깨어나는 삽화가 나타나는 것으로 자율신경계, 운동계, 인지과정의 활성화와 관련되어 나타난다.

(1) 비급속안구운동수면 각성장애

수면 중 보행 유형은 신체는 깨어있는 상태이나 정신은 자신의 행동을 알 수 없을 정도로 깊이 잠든 상태로, 꿈을 꾸는 REM 수면 상태에서는 나타나지 않는다. 비급속안구운동수면 각성장애(non-rapid eye movement sleep arousal disorders; NREM 수면 - 각성장애)는 자다가 일어나 돌아다니는 행동을 보여 흔히 몽유병이라고도 한다. 전체 인구의 1~6%에서 나타나며, 정신사회적 압박감, 알코올이나 진정제의 사용, 내·외적 자극에 의해 발생할 가능성이 높다. 서파수면 동안 시작되어 야간수면의 초기에 나타나고 멍하니 한 곳을 응시하고 말을 걸거나 깨워도 거의 반응을 보이지 않으며, 완전히 깬 후에는 기억하지 못한다. 증상은 보행 외에도 눈을 뜨고 옷을 갈아입거나 대화를 하기도 하며, 차를 운전하는 경우도 있다. 그리고 행동이 끝난 후에는 다시 잠자리로 돌아가 잠을 잔다.

야경증 유형은 갑자기 비명을 지르거나 울며 깨어나는 삽화가 반복되는 유형이다. 보통 야간수면의 초기에 발생하며 심한 공포반응과 함께 동공산대, 빈맥, 발한, 빈호흡 등의 자율신경계 반응을 보이며, 다른 사람이 안심시키려 해도 전혀 안정되지 않는다. 아동에게서 흔히 발생하며, 아침에 일어나면 잠자는 동안 있었던 일을 기억하지 못한다.

(2) 악몽장애

악몽장애(nightmare disorder)는 겁에 질려 깨어나는 무서운 꿈을 꾸는 것이 특징이다. 꿈의 내용은 주로 생존이나 절박한 신체적 위험과 관련 있고 이는 상세하게 기억이 난다. 악몽은 보통 야간이나 REM 수면에서 발생한다. 수면박탈이나 제대로 수면을 취하지 못했을 때, 스트레스에 노출되었을 때 발생하는 경향이 있다. 빈맥, 가쁜 호흡, 피부 홍조, 발한, 동공산대, 근육긴장 등의 가벼운 자율신경계 반응을 보인다. 주로 3~6세 아동에게 발생하기 시작하고 성인의 약 50%가 가끔 경험하며, 후기 청소년기와 초기 성인기에서 유병률과 중증도가 높다.

(3) 급속안구운동수면 행동장애

REM 수면 동안 전신 운동근육의 긴장도가 극도로 감소되어 몸을 움직이기 어려운 것이 정상이지만, 급속안구운동수면 행동장애(rapid eye movement sleep behavior disorder; REM수면행동장애)에서는 꿈을 꾸면서도 근육 긴장도가 감소하지 않아 대상자가 꿈의 내용을 행동화하여 난폭하고 복합적인 행동을 보이는 것이 특징이다. 이로 인해 같이 자는 사람에게 심각한 손상을 입히기도 하므로 위험하다. REM 수면행동장애는 고연령 남성에게 가장 흔하며, 파킨슨병, 치매와 같은 신경학적 질환에서도 나타난다. 진단을 위해서는 비디오 기록을 통한 임상평가 및 수면다원검사를 실시하며, 치료는 대상자와 수면파트너의 안전에 중점을 둔다.

(4) 하지불안증후군

하지불안증후군(restless legs syndrome)은 잠들 때나 수면 중에 느끼는 다리의 불편한 감각이 특징이며, 움직이고자 하는 충동이 강하게 나타난다. 3개월 이상 일주일에 적어도 3번 이상 지속되며, 저녁과 취침 시 악화되어 잠들거나 수면을 유지하는 데 영향을 준다.

6. 진단적 검사 및 치료

수면장애를 평가하기 위해서는 면담을 통해 병력, 정신상태 검진을 실시한 후 일반적으로 수면다원검사(polysomnography, PSG), 입면잠복기반복검사(multiple sleep latency test, MSLT), 각성유지검사(maintenance of wakefulness test, MWT), 수면각성활동량검사(sleep actigraphy)를 주로 사용한다.

1) 수면다원검사

수면다원검사는 수면관련 호흡장애나 기면증, 불면장애 대상자의 진단 및 평가를 위해 가장 흔하게 사용되는 검사이다. 수면다원검사에서는 뇌기능 상태는 뇌파검사(EEG), 눈 움직임은 안전도검사(EOG), 근육 상태는 근전도검사(EMG), 심장리듬은 심전도(ECG) 등을 이용하여 수면 중 뇌파, 안구운동, 근육의 움직임, 호흡, 심전도 등을 확인하고, 전체적인 상태를 보기 위해 비디오로 촬영하여 하룻밤 정도 수면을 검사하게 된다. 이렇게 종합적인 측정을 통해 얻은 기록을 분석하여 수면과 관련된 질환을 진단하게 된다.

2) 입면잠복기반복검사

입면잠복기반복검사는 과도한 주간 졸림을 검사하기 위한 주간 낮잠 시험으로, 수면에 도움이 되는 환경에서 졸린 정도를 객관적으로 측정하는 데 사용된다. 주간에 잠이 드는 데 걸리는 시간과 20분간의 짧은 주간 수면 중에 REM 수면이 나타나는지를 확인하기 위해서 2시간 간격으로 20분씩 낮잠을 자도록 하는 검사이다. 잠이 드는 데 걸리는 시간은 졸린 정도를 의미한다. 이 검사 시 수면 부족에 의한 졸림을 배제하기 위해서 검사 전 최소 2주 동안 밤에 적절한 수면을 취해야 한다. 정상 성인에서는 10~20분 정도 수면잠복기가 있으나 8분 이내일 경우 병적 졸림을 나타낸다. 또한 잠든 후 15분 이내에 REM 수면이 발생한다면 기면증이나 수면부족과 관련이 있다. 따라서 검사에서 평균 8분 이내로 잠이 들고, 두 번 이상 15분 이내로 REM 수면이 나타나면 기면증으로 진단할 수 있다.

3) 각성유지검사

각성유지검사는 수면에 도움이 되는 상황에서 깨어 있는 대상자의 능력을 평가하는 것이다. 졸음이 공공 안전에 위험을 초래할 수 있는 직업을 가진 사람에게 적절한 각성수준을 확인하는 데 사용한다.

4) 수면각성활동량검사

수면각성활동량검사는 신체 움직임을 기록하는 손목시계형 장치를 차고 일상생활을 하도록 하면서 1~2주 기간 동안 수면주기를 검사하게 된다. 수면유지에 어려움이 있는 경우나 불면장애, 과다수면장애의 진단에 도움을 준다.

7. 간호과정

1) 간호사정

간호사정 시 우선 평소의 수면양상과 문제가 되는 수면의 특성에 대해 정신적·사회적·영적 측면을 확인한다. 수면양상은 수면의 양적, 질적 특성을 확인하는 것이다. 수면다원검사, 수면잠복기검사, 수면관찰 등 수면과 관련된 평소 활동 및 수면습관을 객관적으로 측정하고, 개인의 주관적 측정으로 면접이나 질문을 통해 수면의 만족도나 질, 수면 효과 등을 확인한다. 우울이나 조증과 같은 정동장애를 가지고 있는지 정신적 측면을 확인한다. 피로감, 두려움, 악몽, 불안 및 수면 시 환각에 대한 두려움이 있는지 사정해야 한다. 사회적 측면으로는 수면과 관련된 환경이나 직업적 특성을 확인한다. 영적 측면은 대상자가 수면에 대한 갈등이 있는지, 불면과 관련되어 양가감정이 있는지를 확인한다. 또한 수면-각성장애에 영향을 줄 수 있는 의학적 상태가 있는지 혹은 물질을 사용하고 있는지를 확인한다. 신체적 측면에서 만성피로나 심혈관계, 호흡기계, 내분비계 등 신체적 상태를 사정하여 신체질환과의 연관성을 확인한다.

수면-각성장애가 의심되는 대상자와 면담할 때는 대상자의 주된 호소, 병력, 과거 수면양상, 수면생활습관, 복용약물, 전반적인 신체 상태 및 심리적 상태에 대한 자료를 수집해야 한다. 객관적이고 정확한 자료수집을 위한 방법

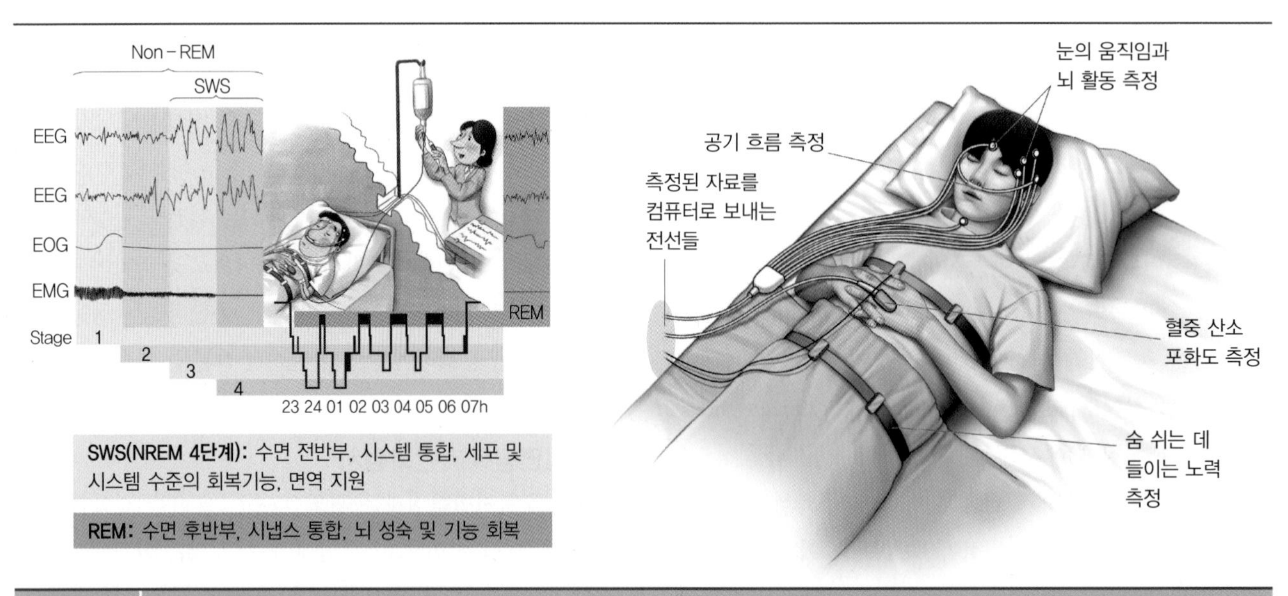

그림 25-2 수면다원검사

인 수면일지는 누워있는 시간, 수면시간, 깨어있는 시간 등에 대해 2주일 이상 기록하여 이를 통해 총 수면시간, 수면효율, 밤에 깬 횟수 등을 객관적으로 확인할 수 있다. 또한 수면장애를 기억하지 못하는 경우가 있으므로 함께 자는 사람으로부터 정보를 얻는 것도 중요하다. 수면-각성장애 대상자를 선별하기 위해 다음과 같은 질문을 할 수 있다.

- "밤에 잘 자나요?"
- "낮에 많이 졸린가요?"
- "낮에 일상생활이나 일을 할 때 졸리거나 이것으로 인한 문제가 있었습니까?"
- "같이 자는 사람이 당신의 수면에 대해 불평한 적이 있습니까?"

2) 간호진단

수면-각성장애는 다양한 간호문제의 원인이 될 수도 있고, 다양한 요인에 의해 나타나는 결과일 수도 있다. 이와 관련하여 내릴 수 있는 간호진단은 다음과 같다.

- **불면증:** 기능을 손상시키는 수면의 양과 질의 붕괴
- **수면박탈:** 장기간의 불면
- **수면양상 장애:** 사회적, 직업적 기능장애를 초래하는 수면습관의 변화
- **수면향상 가능성:** 적절히 휴식을 취하고 원하는 생활방식을 유지, 강화하는 상태

이 외에도 피로, 사회적 상호작용 장애, 신체손상위험성, 비효과적인 대응, 비효과적 역할수행 등을 진단 내릴 수 있다.

3) 간호계획과 수행

간호목표는 수면 문제를 정확히 파악하여 실현가능하고 현실적이며, 대상자의 사회·환경적 특성에 적절하게 설정되어야 한다. 궁극적인 간호목표는 환자가 자신의 수면문제를 인식하고, 극복하기 위한 기술을 익히며 실천하도록 하여, 적절한 수면시간과 정상 수면양상을 가지는 것이다. 간호목표의 예는 다음과 같다.

- 수면장애 발생 전에 잠을 잘 자도록 했던 활동을 알아낸다.
- 어려움 없이 잠에 들 수 있으며, 밤에 깨지 않고 6시간 이상 지속적으로 수면을 취한다.
- 수면 후 편안함과 원기가 회복되는 느낌을 갖는다.
- 낮잠에 빠지거나 졸지 않으며, 낮 시간 동안 활동량을 늘린다.
- 대상자 나름의 규칙적인 수면계획을 세우고 수면습관을 형성한다.
- 수면-각성장애로 인한 대인관계 및 직업적, 사회적 기능장애가 감소된다.
- 수면을 증진시켜 주는 여러 가지 방법을 익힌다.

간호계획 및 수행으로는 약물간호, 인지행동치료, 생활양식 수정 및 수면위생과 수면습관 교육 등이 있다.

(1) 약물치료

불면증을 해결하기 위해 수면제나 진정제가 처방되는데, 대부분 불안을 감소시키는 효과가 있고 단기간 사용해야 하는 특징이 있다. 특히, 바비튜레이트(barbiturate)는 독성과 습관성 때문에 사용하지 않고, 수면 잠복기를 감소시키고 총 수면시간을 증가시키는 효과가 있는 벤조디아제핀을 주로 사용한다. 불면증 치료를 위해 항불안, 항경련, 근육이완의 효과 없이 진정효과가 있고, 대개 작용이 빠르고 지속기간을 결정하는 반감기가 짧은 졸피뎀(zolpidem)이 사용된다. 비록 내성과 의존성이 BZDs보다 적게 보고되지만, 모두 미국의 Drug Enforoement Administration(DEA) 통제약물(schedule C-IV)로 분류되어 있다. 항히스타민제인 독실아민(doxylamine)이나 디펜히드라민(diphenhydramine)도 각성 저하 효과가 있어 불면증 치료에 사용되기도 하지만, 부작용에 주의해야 한다. 항우울제도 불면증에 사용되며 아미트립틸린(amitriptyline)이 대표적이다. 수면과다의 지나친 졸음을 막기 위해서 중추신경 자극제인 페몰린(pemoline), 메틸페니데이트(methylphenidate), 암페타민이 사용되고 있으나, 내성과 의존성, 간독성의 부작용이 있기 때문에 사용에 주의가 필요하다. 가장 좋은 수면제는 빠르게 수면을 유도하면서도 잔류효과, 기억력에 대한 영향, 내성이나 신체적 의존성, 호흡계나 중추신경계의 억제가 없을수록 좋다. 진정-수면제를 사용하는 경우 약물의 효과와 부작용을 잘 관찰해야 한다.

(2) 인지행동치료

불면의 초기에는 스트레스가 많은 사건이나 불안을 가져오는 위기와 관련이 많다. 걱정과 불안은 잠들지 못할 것 같은 걱정과 잠들고자 하는 집착으로 이어진다. 그래서 자려고 노력하면 할수록 더욱 잠들기가 어려워지며, 대상자가 경험하는 불안은 더 커지게 된다. 치료를 위해 교육적·행동적·인지적 구성요소가 포함된 인지행동치료를 제공할 수 있다. 이 치료는 불면증을 지속시키는 요인을 찾는 것을 목적으로 한다. 대상자에게 수면과 수면요구에 대한 교육을 제공하고, 대상자가 수면에 대해 현실적인 목표를 갖게 한다. 대상자가 가지고 있는 수면에 대한 생각을 확인하고, 왜곡되어 있는 부분을 수정해준다. 수면의 질과 주간의 기능을 확인해야 하며, 수면시간에 초점을 맞추는 것은 오히려 불면증을 증가시킬 수 있다. 불면증을 지속시키는 수면에 대한 부적응적인 태도와 신념이 있는지 확인하고 이를 수정해야 한다. 불면증을 치료하기 위한 인지행동치료의 효과는 수 주일이 걸릴 수 있으므로 의료진의 꾸준한 노력과 더불어 대상자에게 높은 동기를 부여하는 것이 필요하다.

(3) 생활양식 수정

대상자의 건강한 수면을 위한 행동중재로 잘못된 생활양식을 수정할 수 있다. 이를 위해 침대와 침실이 가지고 있는 부정적인 관련성을 줄여 수면자극을 강화하는 방법을 다음과 같이 교육한다.

- 졸릴 때에만 잠자리에 든다.
- 침실에서는 TV시청이나 독서 등 다른 활동은 하지 않고 수면만을 위해 사용한다.
- 잠이 오지 않으면 침대에서 나와 독서나 조용한 활동을 한다. 단, TV나 컴퓨터를 사용하지 않는다.
- 규칙적인 수면과 기상일정을 유지하도록 노력하되 매일 같은 시간에 일어나는 것이 중요하다.
- 주간에 낮잠을 피해야 하나, 만약 부상이나 사고를 방지하기 위해 필요하다면 20~30분 이내로 제한해야 한다.

(4) 수면위생 및 수면습관 교육

양질의 수면을 위해 다음과 같은 수면위생들이 제시되고 있다.

- 정기적인 수면과 기상 일정을 유지한다.
- 취침 전에 하루의 일과를 마감하는 일상습관을 만든다.
- 침실은 수면을 위한 장소로 만든다.
- 수면에 도움이 되는 환경(예: 빛, 온도, 습도 등)을 조성한다.
- 시계를 보는 것을 피한다.
- 카페인이 함유된 음료는 1~2잔으로 제한하고 저녁에는 마시지 않는다.
- 취침 전에 음식을 많이 섭취하지 않는다.
- 낮잠을 피한다.
- 매일 운동을 하고, 취침 전에는 과한 운동을 하지 않는다.

수면일지는 좋지 않은 수면습관을 수정하는 데 좋은 방법이 될 수 있다. 또한 전체 수면을 제한하는 수면제한은 수면박탈을 일시적으로 완화시키고 수면항상성을 강화시킨다. 즉, 침대에 있는 시간을 줄여 취침시간과 기상시간을 조절하는 방법이다.

4) 간호평가

간호수행을 통해 대상자가 기대되는 결과에 도달했는지 확인한다. 대상자의 수면양상 변화, 수면의 질 향상과 수면에 대한 주관적인 느낌의 변화, 대인관계나 직업적, 사회적 기능에서의 개선 정도를 바탕으로 평가해야 한다. 중요한 점은 대상자가 개선이 되었다고 인식하는 것이다.

CASE STUDY

41세 나OO 님은 잠들기가 어렵고, 자주 깨어 피로함을 호소하며 외래에 방문하였다. 그는 특별한 이유 없이 최근 6개월 전부터 잠들기가 어려웠고, 힘들게 잠이 들어도 새벽에 자주 깨며 다시 잠들기가 어렵다고 하였다. 잠을 자고나도 피곤하고 최근에는 직장생활에서도 집중하기가 어렵고 멍하니 앉아 있는 시간이 늘었으며, 기운이 없고 무기력하여 일을 제대로 하지 못하고 있어 외래를 방문하게 되었다고 한다. 그는 최근에 기분도 계속 가라앉는 것 같고, 신체적으로도 두통과 소화불량 등 하루 종일 무겁고 몽롱한 상태에서 시간을 보내게 되어 힘들다고 하였다.

간호과정

이름: 나OO　　**입원일:** ________

DSM-5 진단: 불면장애

사정	**강점:** 치료하고자 하는 의지가 있음 **간호문제:** 입면의 어려움, 자주 잠에서 깸, 피로함, 직장생활의 어려움
진단	수면부족과 관련된 피로
간호목표 날짜: ______	**단기 목표** 환자는 별 어려움이 없이 잠든다.
날짜: ______	**장기 목표** 환자는 수면 후 편안함과 회복된 느낌을 가지며, 수면으로 인한 사회적 기능장애가 감소된다.
계획 및 중재	**간호사-환자 관계** 걱정이나 불안이 있는지 확인하고, 수면에 대한 잘못된 인식이 있는지 확인한다. 환자의 생활양식을 확인한다. **약물치료:** 수면제 투여 및 부작용 확인 **치료적 환경관리:** 잘못된 생활양식 수정, 수면위생 및 수면습관 교육
평가	환자의 수면양상의 변화, 수면의 질 향상, 수면에 대한 주관적인 느낌의 변화, 사회적 기능 회복 등을 확인한다.

STUDY NOTES

1. 수면은 여러 단계로 구성되어 각 단계가 주기적으로 반복되는 생리적 현상이며, 급속안구운동(rapid eye movement)의 여부에 따라 REM 수면과 NREM 수면으로 나뉜다.
2. 수면의 중요한 기능은 신체기능의 회복과 낮 시간 동안 생존과 보존 기능을 담당하고, 수면 동안 성장을 촉진하며, 불필요한 정보를 삭제 또는 유용한 것을 재학습시키거나 감성 조절 역할을 하는 것이다.
3. 수면-각성장애의 원인으로 생물학적 요인, 심리사회적 요인 등이 있다.
4. 수면-각성장애의 유형은 불면장애, 과다수면장애, 기면증, 호흡관련 수면장애, 일주기리듬 수면-각성장애, 사건수면으로 분류된다.
5. 수면-각성장애의 진단적 평가를 위해 병력 및 수면다원검사(polysomnography, PSG), 입면잠복기반복검사(multiple sleep latency test, MSLT), 각성유지검사(maintenance of wakefulness test, MWT), 수면각성활동량검사(sleep actigraphy) 등이 주로 사용된다.
6. 수면-각성장애 대상자 간호는 수면 문제를 정확히 파악해 실현 가능하며 현실적인 간호목표를 설정하여 약물간호, 인지행동치료, 생활양식 수정 및 수면위생과 수면습관 교육 등을 수행하고 평가하는 것이다.
7. 불면장애는 수면을 취할 수 있는 여건에도 수면의 개시나 유지가 어렵거나, 자주 깬 뒤에 다시 잠들기 어렵거나, 이른 아침에 각성되어서 다시 잠들기 어려운 증상을 보이는 경우를 말한다.
8. 과다수면장애는 7시간 이상 수면시간에도 과도한 졸림을 호소하며, 과다수면이 일주일에 3회이상 발생하고 3개월이상 지속되는 것을 말한다.
9. 기면증은 3개월 이상의 기간 동안 주 3회 이상 동일한 날에 반복되는 졸음으로 잠들거나 낮잠을 자며, 탈력발작이 1달에 여러 차례 발생하거나 히포트레틴 결핍이 있거나 야간 수면다원검사에서 REM 수면 잠복기가 15분 이하, 또는 입면잠복기반복검사에서 평균 수면잠복 중 하나 이상이 나타나는 경우이다.
10. 호흡관련 수면장애 종류로는 폐쇄성 수면 무호흡(또는 저호흡), 중추성 수면 무호흡증, 수면관련 환기 저하가 있다.
11. 일주기리듬 수면-각성장애는 일주기리듬의 변화 또는 물리적인 환경으로 인해 수면-각성 일정 사이의 조정불량으로 인한 수면교란이 지속되거나 반복되는 것을 말한다.
12. 불면증을 해결하기 위해 수면제나 진정제가 처방되는데, 약물은 불안을 감소시키는 효과가 있지만, 내성과 금단증상이 발생할 수 있으므로 단기간 사용해야 한다.
13. 벤조디아제핀계 약물은 수면 잠복기를 감소시키고 총 수면시간을 증가시키는 효과가 있다.

참고문헌 REFERENCES

American Psychiatric Association (APA) (2013). Diagnostic and statistical manual of mental disorder (5th ed.). Washington, DC: APA.

Patel S. R., Malhotra A., White D. P., Gottlieb, D. J., & Hu F. B. (2006). Association between reduced sleep and weight gain in women. American Journal of Epidemiology, 64(10), 947-954.

Videbeck, S. L. (2011). Psychiatric mental health nursing (5th ed.). Philadelphia: Lippincott Williams & Wilkins.

고성희, 김경희, 김현경, 김지영 공역(2011). 정신간호진단과 중재. 파주: 수문사.

김성재 등(2016). 정신건강간호학. 서울: 정담미디어.

김수지 등(2012). 원리 및 실무중심의 정신간호학. 파주: 수문사.

김수진 등(2018). 정신건강간호학. 서울: 현문사.

김희자(2012). 환경적 중재가 중환자실 교대근무 간호사의 수면과 정서에 미치는 효과. 성인간호학회지, 24(1), 11-19.

대한신경정신의학회(2005). 신경정신의학. 서울: 중앙문화사.

민성길 등(2016). 최신정신의학(6판). 일조각.

박연희, 김희숙, 이혜경(2012). 정신약물치료지침서. 서울: 정담미디어.

박은옥(2014). 우리나라 30~64세 성인의 수면시간과 고혈압 관련 요인. 성인간호학회지, 26(3), 372-381.

유은승, 고영건, 성기혜, 권정혜(2009). 한국판 수면에 대한 역기능적 신념 및 태도 척도에 대한 타당화 연구. 한국심리학회지: 임상, 28(1), 309-320.

이경희 등(2018). 정신건강간호학. JMK.

임숙빈 등(2017). 정신간호총론(제 7판), 파주: 수문사.

최수정, 김금순(2013). 폐쇄성 수면 무호흡증 대상자의 건강 관련 삶의 질 구조 모형. 대한간호학회지, 43(1), 81-90.

http://www.journalsleep.org/ Journal SLEEP

http://www.aasmnet.org/American Academy of Sleep medicine

http://www.sleepfoundation.org/National Sleep Foundation

http://www.sleep.or.kr/ Korean Academy of Sleep Medicine

http://www.wfsrs.org/ World Federation of Sleep Research Societies

CHAPTER

26

섭식장애

Eating Disorders

http://evolve.elsevier.com/Keltner

학습목표

- 섭식장애를 정의하고, DSM-5의 기준을 이해한다.
- 섭식장애의 관련요인과 정신역동을 설명한다.
- 신경성 식욕부진증과 신경성 폭식증의 행동특성을 설명한다.
- 섭식장애 환자를 치료하는 건강전문가의 치료적 이슈를 설명한다.
- 다이어트에서 섭식장애에 이르는 연속선을 인식한다.
- 섭식장애 환자를 사정한다.
- 섭식장애 환자를 위한 간호계획을 개발하고 이를 수행한다.
- 섭식장애 환자 간호중재의 효과를 평가한다.

2006년 미국의 입원 통계에 의하면, 1999년에 비해 신경성 식욕부진증(anorexia nervosa)으로 인한 입원은 13% 증가하였고, 신경성 폭식증(bulimia nervosa)으로 인한 입원은 14% 감소한 것으로 보고되었다. 국내의 경우, 섭식장애로 진료를 받는 환자 수가 2008년 10,940명에서 2012년 13,002명으로 해마다 평균 4.5%씩 증가하였다(한국건강보험심사평가원, 2017). 국내 환자의 연령별 분포를 살펴보면 20대가 23.9%로 가장 많고, 30대가 16.2%로 나타나 진료 인원의 40.1%를 20~30대가 차지하고 있다(한국건강보험심사평가원, 2017). 국내 중고등학생을 대상으로 한 청소년 섭식장애 유병률은 연구에 따라 5.1%에서 29.5%로 추정되었으며, 대학생의 경우 최대 12%로 나타났다(김준호, 2013).

섭식장애 환자 10명 중 9명은 여전히 여성이지만, 최근 섭식장애로 입원한 남성 환자도 53% 증가하였다(Agency for Healthcare Research and Quality, 2011). 남성의 섭식장애 발생률은 미국의 경우 섭식장애 인구의 11% 정도를 차지한다(Agency for Healthcare Research and Quality, 2009). 국내의 경우 2012년 총 진료 인원 중 이상섭식행동으로 진료를 받은 남성은 20.2%로 보고되었으며, 20~30대만을 기준으로 보았을 때 동일한 연령대에서 남성 환자의 진료 비율은 약 11% 수준이었다(한국건강보험심사평가원, 2017). 섭식장애를 가진 남성과 여성에 대한 진단, 원인, 치료는 유사하지만, 발병, 진료, 평가에서는 차이가 있다. 섭식장애가 있는 여성에 비해 남성은 섭식장애 증상이 시작되기 전에 체질량지수(body mass index, BMI)가 높거나 비만한 경우가 많고, 늦게 발병하며, 폭식과 제거행동의 삽화에 대해 여성보다 죄책감을 덜 느끼는 경향이 있다. 하지만 공존정신질환의 유병률은 여성에 비해 남성에게서 더 높은 것으로 보고되었다(Woodside et al., 2001).

섭식장애는 치명적인 심리적·신체적 결과를 초래하는데, 수분 및 전해질 불균형과 같은 심각한 이차적 문제가 대표적이다. 이는 심부정맥, 영양 결핍 또는 기타 내분비 및 대사장애, 월경장애, 철분결핍 및 빈혈, 급성 신부전 또는 간부전, 경련과 간질 등을 유발한다(Agency for Healthcare Research and Quality, 2009; MacDonald, 2009). 섭식장애와 관련된 다른 증상으로는 집중력 저하, 우울, 불안, 분노, 슬픔, 흥분, 수면장애 및 강박 행동 등이 있다(Ansell et al., 2008; Attia, 2009; Cuzzocrea et al., 2012; Fox, 2009; Fox & Froom, 2009; Hutter et al., 2009).

섭식장애는 환자뿐만 아니라 다른 가족 구성원에게도 영향을 미친다. 가족 중 섭식장애 환자가 있을 때 나머지 구성원들은 일반적으로 슬픔, 두려움, 죄책감, 절망감 및 양가감정을 호소한다. 그들은 무력감과 무기력으로 상황을 통제할 수 없고 조종당한다고 느낀다(Espindola & Blay, 2009). 간호사를 비롯한 치료자들은 섭식장애 환자와 가족이 이러한 감정을 다루고 효과적인 치료법에 대해 알도록 도와주는 역할을 한다.

이 장에서는 가장 흔한 섭식장애인 신경성 식욕부진증 및 신경성 폭식증을 가진 환자에게 중점을 둘 것이다. 이 두 질환의 유사점과 차이점뿐만 아니라, 일반적인 다이어트로부터 신경성 식욕부진증, 신경성 폭식증 그리고 다른 섭식장애에 이르는 식행동이 연속선상에 있다는 점이 중요하다. 일부 전문가는 비만을 섭식장애로 간주하고 있지만, 이에 대해서는 이 장에서 논의하지 않을 것이다.

1. 신경성 식욕부진증

1) DSM-5 진단기준

신경성 식욕부진증(anorexia nervosa)의 핵심적 특징은 연령, 성별, 발달수준 및 신체 건강의 맥락에서 볼 때, 신체 요구량에 비해 칼로리 섭취를 제한하는 것이고, 이는 심각한 저체중으로 이어진다. 신경성 식욕부진증 환자들은 체중이 늘거나 과체중이 되는 것에 대한 강한 두려움을 가지고 있다. 그들은 적은 체중에도 불구하고, 체중을 늘리지 않기 위한 행동을 지속한다(American Psychiatric Association, APA, 2013). 신경성 식욕부진증 환자는 섭취를 제한하거나 먹는 것을 거부하지만 식욕을 잃는 것은 아니며, 이는 마른 체형을 유지하거나 더 날씬해지기 위해 식욕을 억지로 억제하는 것이다(Kaye et al., 2000). 신경성 식욕부진증 환자는 음식 혹은 식사에 대해서 생각하는 데 많은 시간을 소모하며, 그들은 자신의 체중이나 체형을 보는 시각에 장애를 가지고 있다. 이 2가지 요소는 신경성 식욕부진증 환자들의 자기가치감에 매우 중요한 영향을 주는 요인이다. 그들은 위험할 정도로 말랐거나 저체중 상태임을 인정하지 않거나, 그들의 상황이 문제라는 것을 부정할 수도 있다(Halmi, 2005; APA 2013).

무월경은 DSM-5에서는 신경성 식욕부진증의 진단기준에서 제외되었지만(APA, 2013), 신경성 식욕부진증 환자에게서 생리불순이나 불규칙성이 발생할 수 있다. 예를 들어, 심각한 질병의 초기에 월경이 중단되거나 월경이 계속되더라도 불규칙적이고 묻어나는 정도로 그칠 수 있으며, 초경이 시작되지 않은 경우 월경 시작이 늦어질 수 있다. 무월경의 원인에 대해 한 이론에서는 영양 결핍이 월경 주기의 기초가 되는 뇌하수체 기능을 현저히 저하시키기 때문이라고 설명한다. 여성의 월경이 원활하기 위해서는 BMI가 18 이상으로 유지되어야 한다(Muscari, 2002). BMI가 18 미만이면 호르몬 수치가 감소하고 2차 성징의 발달이 적절하게 이루어지지 않아 무월경을 초래한다. 신경성 식욕부진증 남성의 경우, 여성 환자에게서 무월경이 나타나는 것처럼 성욕이 감퇴하고 테스토스테론 수치가 낮게 유지된다(Misra et al., 2008; Treasure et al., 2010).

신경성 식욕부진증은 폭식증보다 흔하지 않으며, 여성에게서 평생유병률은 3.7% 정도이다(Finelli, 2001). 신경성 식욕부진증으로 보고된 사례 중 여성이 90%를 차지하지만, 남성 환자가 증가하고 있는 추세이다(Cohane & Pope, 2001). 국내 유병률에 관한 최근 연구는 시행되지 않았으나 1990년대 연구에 따르면, 남녀 대학생 2,847명을 대상으로 한 역학조사에서 신경성 식욕부진증 평생유병률은 0.7%로 보고되었고(한오수 등, 1990), 유희정 등(1996)은 남녀 고등학생을 대상으로 한 역학조사에서 신경성 식욕부진증의 유병률이 2.0%라고 보고하였다. 장수용 등(1998)의 연구에서는 무용학과 여대생을 대상으로 한 조사에서 신경성 식욕부진증의 유병률이 5.7%라고 보고하였다. 발병 시기는 청소년기부터 초기 성인기까지 다양하며, 초기 청소년기(12~13세)의 발생률이 증가할 뿐만 아니라 8세 이후(MacDonald, 2009)부터 중년 이후의 성인기(Bulik et al., 2005)까지 새로운 발병 사례가 나타나고 있다. 이 연령대는 삶의 과도기적 단계에 해당한다. 청소년기에 첫 발병이 시작된 후 성인기에 재발하기도 한다. 신경성 식욕부진증 환자 중 6~20%는 기아 또는 자살로 인한 질병의 결과로 사망한다. 신경성 식욕부진증은 다른 정신질환보다 자살률이 높다(Andrist, 2003; Keel et al., 2003; Pompli et al., 2004).

DSM-5 진단기준: 신경성 식욕부진증

A. 필요한 양에 비해 지나친 음식물 섭취 제한으로 연령, 성별, 발달 과정 및 신체적인 건강 수준에 비해 현저하게 저체중을 유발하게 됨. 현저한 저체중은 최소한의 정상 수준보다 체중이 덜 나가는 것으로 정의되며, 아동과 청소년의 경우, 해당 발달 단계에서 기대되는 최소한의 체중보다 체중이 적게 나가는 것을 의미함.

B. 체중이 증가하거나 비만이 되는 것에 대한 극심한 두려움, 혹은 체중 증가를 막기 위한 지속적인 행동, 이러한 행동은 지나친 저체중일 때도 이어짐.

C. 기대되는 개인의 체중이나 체형을 경험하는 방식에 장애, 자기평가에서 체중과 체형에 대한 지나친 압박, 혹은 현재의 저체중에 대한 심각성 인식의 지속적 결여가 있음.

부호화 시 주의점: ICD-9-CM에서의 신경성 식욕부진증의 부호는 307.1이며, 아형이 나눠지지 않는다. ICD-10-CM에서는 다음의 아형에 따른다.

다음 중 하나를 명시할 것:

(F50.01) 제한형: 지난 3개월 동안, 폭식 혹은 제거 행동(즉, 스스로 구토를 유도하거나 하제, 이뇨제, 관장제를 오용하는 것)이 반복적으로 나타나지 않는다. 해당 아형은 저체중이 주로 체중 관리, 단식 및 과도한 운동을 통해 유발된 경우를 말한다.

(F50.02) 폭식/제거형: 지난 3개월 동안, 폭식 혹은 제거 행동(즉, 스스로 구토를 유도하거나 하제, 이뇨제, 관장제를 오용하는 것)이 반복적으로 나타났다.

다음의 경우 명시할 것:

부분 관해 상태: 이전의 신경성 식욕부진증의 진단을 모두 만족한 후 진단기준 A(체중 감소)가 삽화 기간동안 나타나지 않았으나, 진단기준 B(체중 증가 혹은 비만이 되는 것에 대한 극심한 두려움 혹은 체중 증가를 막기 위한 행동) 혹은 진단기준 C(체중과 체형에 대한 자기지각의 장애)가 지속되고 있는 경우를 말한다.

완전 관해 상태: 이전의 신경성 식욕부진증의 진단을 모두 만족한 후 삽화 기간 동안 진단기준에 해당되는 행동이 아무것도 나타나지 않는다.

현재의 심각도를 명시할 것:

성인의 경우, 심각도의 최저 수준은 현재의 체질량 지수(BMI)를 기준으로 한다(다음을 참조). 아동/청소년의 경우, BMI 백분위수를 기준으로 한다. 다음의 범위는 세계보건기구(WHO)에서 제공하는 성인의 마른 정도의 범주에 따른다. 아동/청소년의 경우 BMI 백분위수에 해당하는 기준을 사용한다. 심각도의 수준은 임상 증상, 기능적 장애 정도, 그리고 관리의 필요성을 반영하여 증가될 수도 있다.

경도: BMI≥17kg/m2

중등도: BMI 16~16.99kg/m2

고도: BMI 15~15.99kg/m2

극도: BMI<15kg/m2

출처: American Psychiatric Association. (2013). Diagnostic and statistical manual of disorders (5th ed.). Washington, DC: Author; (pp. 338-339)

2) 행동특성

청소년기에 폭력이나 학대를 당하는 대상은 주로 여자 청소년들이며, 이들은 대부분 겉으로는 순종적이고 다른 사람에게 문제를 일으키지 않는 것처럼 보이지만 신경성 식욕부진증으로 발병하는 경향이 있다. 청소년기나 초기 성인기에는 다이어트를 흔히 하기 때문에 젊은 여성이 상당한 양의 체중을 감량하기 전까지 아무도 알아차리지 못하는 경우가 있다. 발병 전 성격적 특성은 자존감이 낮고 또래 관계에 문제가 있으며 완벽주의적이고 내성적인 성향이 대부분이지만, 적극적이고 학업을 잘 수행하는 경우도 있다(Bulik et al., 2005; Holland et al., 2013; Karpowicz et al., 2009). 또한 신경성 식욕부진증 환자는 섭식장애를 유발하는 방향의 위험한 의사결정을 내리는 등 의사결정에 결함이 있는 것으로 나타났다(Boisseau et al., 2013).

(1) 객관적 징후

신경성 식욕부진증에서 가장 눈에 띄는 행동은 식습관 변화를 통해 체중을 조절하려는 의도적인 체중 감량이다. 신경성 식욕부진증은 제한형와 폭식-제거형으로 구분할 수 있다. 제한형은 섭식장애가 시작되기 전에 체중이 정상이거나 정상 체중보다 약간 높은 정도의 젊은 사람에게 흔하다. 이 유형은 단순히 덜 먹거나 무언가 먹게 될 수 있는 사회적 상황(예: 친구의 생일 파티나 친구들과의 식사 모임 등)을 피한다면 체중 감량의 가능성이 크다고 생각하므로, 자신의 방에 은둔하면서 가족이나 친구와의 만남을 피한다. 이들은 경쟁적이고 충동적이며 강박적인 행동특성을 보인다. 체중을 줄이기 위해 엄격한 운동 프로그램에 참여할 수도 있다(Kaye et al., 2000). 제한형 환자는 지나치게 활동적인 양상을 보이는데, 이는 활동을 통해 체중을 감소하기 위함이며 매우 불안하고 긴장된 상태에 있기 때문이기도 하다. 이들은 불면증이 있고 칼로리 소모를 위해 이른 아침 산책을 하기도 한다.

Clinical example: 신경성 식욕부진증

15세 여자 청소년 김OO 님은 학교 배구 동아리에 가입하였다. 가입 당시 정상 체중이었으나, 처음 유니폼을 입었을 때 친구들은 그녀의 다리를 보고 '코끼리 다리'라고 놀렸다. 이에 그녀는 친구들의 놀림이 싫어 아무도 모르게 다이어트를 시작하였고, 동네 체육관에서 방과 후에 매일 늦게까지 운동을 하였다. 그녀는 운동을 하기 위해서 다른 사회 활동을 다 포기하고 운동에만 집착하였으며, 누구도 알아채지 못할 만큼 빠르게 5.5kg을 감량했다.

제한형과 비교하여, 폭식-제거형은 섭식장애가 시작되기 전에 대개 과체중이며, 체중 변동이 큰 경향이 있다(Kaye et al., 2000). 환자 대부분은 젊은 여성이며, 일부러 구토를 하거나 하제 또는 이뇨제를 과도하게 사용하는 등의 위험한 체중 감소 방법을 사용한다. 이러한 환자는 일반적으로 자신이 체중에 대해 매우 민감하다는 사실을 부정하고, 사회적인 상황에서는 정상적으로 먹는다. 그러나 폭식증과 마찬가지로, 식사 후 근처 화장실로 가서 섭취한 음식을 토한다. 산성 토사물이 치아의 법랑질을 부식시키기 때문에 치과 질환이 호발한다(Orbanic, 2001). 이 유형은 자신이 설정한 심각한 제한 식단 유지에 실패했을 경우 통제할 수 없을 정도로 많은 양의 음식을 먹을 수도 있다. 폭식-제거형 식욕부진증은 제한형 식욕부진증보다 행동문제, 약물남용의 병력이 더 많으며, 가족 갈등이 더 많이 드러난다(Kaye et al. 2000). 신경성 식욕부진증을 가진 680명 여성들을 면담한 한 연구에서는 스스로 유도한 구토(self-induced vomiting)가 잦을수록, 특성불안이 클수록 회복이 어렵다고 분석하였다(Zerwas et al., 2013).

Clinical example: 임신과 신경성 식욕부진증

최OO 님은 어릴 때부터 항상 통통했다. 그녀가 23세 때, 다이어트를 하여 체중을 상당히 감량하였으며, 그 직후 진지한 만남을 가져 결혼을 하게 되었다. 그녀는 자신의 새로운 외모에 전율을 느꼈고, 체중 감량 상태를 계속 유지하기 위해 열심히 노력했으며, 신장에 비례한 이상적인 체중보다 약간 저체중을 유지하였다. 결혼한 지 2년 후 임신을 하였고, 임신 중에 살이 찐다는 생각은 그녀를 크게 분노하게 했으며, 다시는 자신이 뚱뚱해지는 것을 용납하지 않겠다고 스스로에게 맹세했다. 얼마 지나지 않아 그녀의 주치의는 매달 시행하는 산전검사에서 그녀의 체중이 증가하지 않고 있음을 알아 차리고 식사 때 섭취하는 음식에 대해 물었다. 그녀는 간호사에게 제출하기 위해 식사 일지를 작성하였고, 이를 통해 의료진은 그녀에게 신경성 식욕부진증 증상이 있음을 알게 되었다.

〈계속〉

임신 초기의 여성 739명을 대상으로 한 연구에서 섭식장애와 관련된 증상을 조사한 결과(Easter et al., 2013), 대상자의 7.5%가 섭식장애의 진단기준을 충족시켰다(임신 전 유병률은 9.2%). 여성의 1/4 정도에서 임신기간 동안에 체중과 체형에 대한 우려가 높게 나타났고, 우려하는 여성 중 8.7%가 폭식하는 것으로 나타났다. 이러한 임상 사례는 임신 중 섭식장애 증상에 대한 이해를 높이고, 적절한 검진 도구를 개발하고 산전 관리에 이를 통합해야 할 필요성을 시사한다.

신경성 식욕부진증 환자는 영양소의 섭취가 너무 적기 때문에, 신체가 더 적은 에너지를 사용하여 이에 적응하려고 노력한다. 결과적으로, 다른 생리적 과정에 영향을 미쳐 저혈압, 서맥, 저체온증이 흔히 발생한다. 피부는 건조해지고, 신생아와 같은 솜털(lanugo)이 나타날 수도 있다. 이들은 위장관 운동 저하로 공복까지 걸리는 시간이 더 길어 더 오랫동안 포만감을 느끼고, 다른 사람들처럼 자주 먹고 싶어하는 정상적인 욕구가 없다. 그들은 하루 한끼의 적은 식사만으로 그럭저럭 지낼 수 있다고 생각한다. 섭취량 감소와 함께 복부의 연동운동이 느려지면 변비가 발생하는데, 이는 하제를 남용하게 만들고 탈수로 이어지며, 탈수는 환자들로 하여금 체중이 감소하였다고 잘못 생각하게 만든다. 탈수는 되돌릴 수 없는 신장 손상으로 이어진다. 심하게 쇠약해진 환자의 영양상태를 회복하기 위한 영양재개(refeeding)는 천천히, 그리고 매우 철저한 감독 하에 이루어져야 한다(Usdan et al., 2008). 이는 세포 바깥에서 세포 내 공간으로 체액과 전해질이 급격하게 이동하여 발생하는 영양재개 증후군(refeeding syndrome)을 유발하여 심혈관계, 신경계, 혈액학적 합병증과 사망을 초래할 수 있기 때문이다(Katzman, 2005). 일부 신경성 식욕부진증 환자에게서 발생하는 요흔 부종(pitting edema)은 대부분 치료 중 영양재개 과정에서 체중 증가를 위해 많은 음식을 섭취한 직후 발생한다. 환자가 붓는 것을 알아차리면 체중 증가에 대해 걱정하게 되어, 즉시 먹는 것을 멈추고 다시 체중 증가를 막으려고 할 수 있기 때문에 쇠약해진 상태를 더욱 악화시킬 수 있다. 또한 장기간의 무월경과 영양실조의 결과로 골감소증이나 골다공증이 발생할 수도 있다(Lock & Fitzpatrick, 2009; Muscari, 2002). 연구에 의하면, 심실 확장, 좌심실벽의 두께 감소, 심실 크기의 변화 및 심근에의 산소공급 감소로 생명을 위협하는 심부정맥이 유발될 수 있다(Bulik et al., 2005; Katzman, 2005).

신경성 식욕부진증 환자들은 음식과 식사에 몰두한다(Bulik et al., 2005). 이러한 집착은 삶의 모든 측면에서 나타난다. 환자는 종종 음식과 다이어트에 관한 많은 자료를 읽고, 가족의 식사를 통제하려고 한다. 환자들은 음식을 저장하거나 다른 사람들을 위해 정성껏 식사를 준비하지만, 자신은 준비한 음식을 먹지 않는 등 음식과 식사에 관한 기괴한 행동을 보인다. 식전과 식후에 행하는 특정한 의식(rituals)은 강박에 이를 수 있으며, 이는 환자의 문제를 악화시키고 신경성 식욕부진증뿐만 아니라 강박장애(obsessive-compulsive disorder)까지 진단받게 되는 결과를 초래한다(Kaye et al., 2004).

(2) 주관적 증상

신경성 식욕부진증의 두드러진 특징은 환자가 자신이 먹는 음식의 양을 조절하지 못해 그 결과 뚱뚱하게 될 것 같다는 두려움을 느끼는 것이다. 환자들은 비만, 체중 감량, 체중 증가를 막는 것에 대해서만 관심이 있다. 어떤 환자는 살찌는 것보다 차라리 죽는 것이 낫다고 말할 정도이다. 이러한 두려움은 다이어트 시작의 동기를 부여하며, 때로는 친구나 친척이 의례적으로 던진 말 한마디에 상처를 입고 다이어트를 시작하기도 한다. 환자들은 자신이 버림받았거나 무능하다고 느끼며, 이는 전반적인 무력감을 유발한다. 그들이 통제할 수 있는 것, 즉 먹는 음식의 양과 체중을 통제함으로써 무력감과 싸우려고 노력한다. 환자들은 에너지의 상당 부분을 이러한 노력에 쏟아 붓는다(Troop, 2012; Williamson et al., 2004).

식행동과 체중에 대한 문제 외에도 신경성 식욕부진증 환자는 반기아(semistarvation) 상태에 의해 초래된 우울증, 짜증스러움, 사회적 위축, 성욕 감소 및 강박 증상과 같은 심리적 증상들을 보인다. 환자들의 기괴한 행동 중 일부는 아마도 굶주림으로 인한 것일 것이다(Finelli, 2001; Treasure et al., 2010). 이러한 증상들은 체중 증가와 함께 감소하지만, 그렇지 않을 경우 환자는 강박장애, 주요우울장애, 약물남용 또는 성격장애와 같은 질환이 동반될 수 있다(Ro et al., 2005).

3) 원인

신경성 식욕부진증은 많은 문제에 의해 초래되며(Bruch, 1973), 오늘날 대부분의 전문가들은 개인 간 차이는 있으나 섭식장애가 복합적인 원인에 의해 발생한다는 것에 동의한다(Kaye et al., 2000). 원인에는 생물학적·사회문화적·가족적·인지적·행동적·정신역동적 요인이 포함된다.

(1) 생물학적 요인

생리학적 장애가 신경성 식욕부진증의 원인으로 가정된 것은 20세기 초에 이르러서이다. 현대의 연구자들은 신경성 식욕부진증 환자들에게서 발견된 생리적 이상은 무질서한 식행동이 원인이기보다는 반기아와 제거 행동(purging behavior: 음식을 먹은 후 체중 증가가 두려워 구토나 하제를 사용하여 음식을 배출하려는 행동)의 결과라고 생각한다. 세로토닌 수치의 증가는 예외일 수 있다. 연구에 따르면, 신경성 식욕부진증 환자의 경우 장기간에 걸쳐 체중이 정상으로 돌아오거나 섭식장애가 회복된 후에도 뇌척수액에서 세로토닌의 주요 대사산물인 5-하이드록시인돌아세트산(5-hydroxyindoleacetic acid)의 수치가 증가하였다(Kaye et al., 2005). 그러나 섭식장애 환자에게서 세로토닌(5-HT) 수용체 1A(5-HT1A)의 결합력은 증가하였다(Bailer et al., 2007; Galusca et al., 2008). 일부 연구에서 5-HT1D 수용체 유전자가 신경성 식욕부진증과 유의한 관련이 있음을 보고하였고(Bergen et al., 2003; Brown et al., 2007; Kiezebrink et al., 2010), 특히 제한형 환자에서 유전적 요인의 개입이 더 큰 것으로 나타났다(Brown et al., 2007; Kiezebrink et al., 2010). 음식 섭취를 조절하는 신경 회로는 주로 카테콜아민, 세로토닌, 펩타이드 시스템과 관련이 있다. 세로토닌 시스템에 이상이 생기면 식이를 제한하거나 행동을 억제하기가 어려워지고, 불안과 예측오차(error prediction: 뇌의 예측과 감각정보상의 불일치) 문제가 생기기도 한다. 한편, 도파민 시스템에 이상이 생기면 보상에 대한 반응에 변화를 초래한다(Kaye et al., 2009). 항우울제인 선택적 세로토닌 재흡수 억제제(SSRIs)를 신경성 식욕부진증 환자에게 투여하기도 하나, 그 결과는 신경성 폭식증에서만큼 효과적이지 못했다. 한 연구에서는 초기 치료에 있어서 신경성 식욕부진증의 영양 실조가 SSRIs의 긍정적 효과를 상쇄시킬 수 있다고 보고하였다(Kaye et al. 2005). SSRIs를 신경성 식욕부진증 치료에 사용할 것이라면, 체중이 다시 회복된 후 약물을 시작하는 것이 좋다.

(2) 사회문화적 요인

여성주의 이론가들은 섭식장애 발병에 있어서 서구 역사의 철학적, 정치적, 문화적 역할을 강조해 왔다. 20세기 이후로 섭식장애의 발병이 증가해 온 이유는 여성에 있어서 점점 더 비현실적인 마른 몸매를 이상적인 미의 기준으로 인식해 왔기 때문이다(Bachner-Melman et al., 2009; Rand & Wright, 2000). 또한 사회적으로 체중이 개인의 선택이며, 체형을 마음대로 조절할 수 있다는 개념을 보편적으로 받아들이고 있다. 컴퓨터 영상 기술이 발달하면서 이러한 이상적인 미의 기준에 부합하는 사진들이 인터넷상에 더 많아지게 되었다. 이러한 영상은 신경성 식욕부진증과 신경성 폭식증을 유발하는 주요 원인인 다이어트를 부추긴다(White, 2000).

또 다른 요인은 여성의 관계지향적 성향으로, 특히 청소년기에는 다른 사람들의 의견에 상처받기 쉬운 취약성을 가지고 있다(Andrist, 2003). 이들은 사람들의 인정을 얻는데 있어 신체적 매력의 중요성을 강조한다. 즉, 날씬한 몸매를 이상적인 미의 기준으로 인식하기 때문에 어떤 여자 청소년들은 말라야만 다른 사람에게 인정받을 수 있다고 믿는다. 여자 청소년들은 인정받지 못하는 것이 자신이 이상적인 체형을 갖지 못했기 때문이라고 해석하고, 다이어트를 시작한다.

(3) 가족 요인

일란성 및 이란성 쌍생아 연구에서는 신경성 식욕부진증의 원인에 유전적 요소가 작용함을 보고해 왔다(Dauney, 2013; Kaye et al., 2008; Trace et al., 2013). 그러나 여기에는 가족 환경도 영향을 주는데, 가족의 정서적 억압, 서로 얽혀있는 관계, 경직된 가족 구조, 아동 행동에 대한 부모의 엄격한 통제, 그리고 갈등회피 등이 영향을 줄 수 있다(Kaye et al., 2000). 또 독특한 식습관과 다른 가족구성원, 특히 엄마와 언니의 외모와 체중에 대한 강조도 원인으로 보고 있다(Mazzeo et al., 2005). 그러나 신경성 식욕부진증 환자의 가족 문제가 질병의 원인인지 아니면 장애의 결과인지는 아직 명확하지 않은 상태이다. 선행연구에서 가족

기반 치료가 신경성 식욕부진증을 앓고 있는 젊은 환자에게 유용할 수 있음을 제안하였다(Attia, 2009).

(4) 인지행동적 요인

행동주의 이론가들은 신경성 식욕부진증의 행동이 환경적인 개입이 작용함으로써 시작되고 지속된다고 설명한다. 즉, 음식을 거부하고 체중을 줄이는 행동이 다른 사람들로부터 긍정적인 관심을 받으면 강화된다는 것이다(Finelli, 2001). 자기주장훈련과 인지 재구조화 같은 인지행동치료는 이같은 인지적 요소에 기반을 두고 있다. 한 연구는 신경성 식욕부진증의 위험이 있는 여성들을 위한 예방 프로그램의 효과를 검증하였다(Ohlmer et al., 2013). 이 연구에서는 체중과 외모에 대한 관심이 높고, BMI가 낮거나 극도로 섭취를 제한하는 36명의 여성 대상자가 신경성 식욕부진증을 위한 인터넷 기반 인지행동 예방 프로그램에 10주간 참여했다. 연구자들은 더 큰 규모의 무작위 대조군 실험 연구에서 프로그램의 유용성을 검토할 것을 제안하기는 하였으나, 이 프로그램에 참여한 여성의 88%가 프로그램을 완수했고, 프로그램에 대한 만족도가 높았으며, 약간 마르거나 정상체중군, 저체중군, 폭식군에서 신경성 식욕부진증과 관련된 특정 정신병리적 증상이 유의하게 향상된 것으로 보고하였다.

또한 한 연구에서는 신경성 식욕부진증 청소년 인지치료에 대한 타당성 조사를 실시했다(Dahlgren et al., 2013). 연구 대상자는 매주 2회씩 총 7~12회기 치료에 참여했다(평균 10회기). 연구자들은 이 프로그램이 입원 및 외래 여성 환자뿐만 아니라 치료를 제공하는 치료자에게도 타당성이 있음을 입증하였다.

(5) 정신역동적 요인

현대 정신분석 이론가들은 신경성 식욕부진증에서 성 역할을 강조한다. 또한 일부 치료자들은 섭식장애가 어린 시절의 성적 학대와 관련이 있다고 설명한다. 일부 연구에 따르면, 아동기의 성적 학대가 신체적 수치심(body shame)을 증가시킨다고 하였고, 이는 섭식장애와 자해의 위험요인이다(Wonderlich et al., 2001). 성적 학대는 특별히 섭식장애에만 국한된 것이라기보다는 일반적인 정신질환의 예측요인이다.

몇몇 연구자들은 신경성 식욕부진증이 사춘기 이전 상태로 퇴행시키기 때문에 청소년이 신체적으로나 정서적으로 성장하는 것을 방해한다고 하였다. 신경성 식욕부진증 청소년의 의존 욕구가 충족되면 퇴행이 강화된다. 살이 찐다는 것은 몸이 더 커지거나 성장함을 의미하는 상징적인 표현이며, 이는 신경성 식욕부진증 환자의 진정한 무의식적 두려움이라 할 수 있다. 다른 정신분석 이론가들은 마르고 싶은 욕구(drive for thinness)는 엄마의 과도한 통제를 줄이거나 막기 위한 시도일 수 있다고 하였다(Stein & Corte, 2003).

또 다른 이론가들은 자아가 잘 정립되지 않은 경우 통제불능 상태에 대한 두려움을 느끼며, 여기에서 비롯된 체중에 대한 집착이 신경성 식욕부진증이라고 설명하였다. 환자들은 반동형성 방어기전을 사용하여 자신이 하는 모든 일에 대한 일련의 규칙과 규정을 만들고 일상생활을 조직화한다. 그들은 규칙이 깨지면 엄청난 불안을 경험하며, 규칙을 강화하고 실패에 대한 대가로 스스로를 처벌함으로써 통제력을 회복하려고 시도한다(Stein & Corte, 2003).

전문가들은 신경성 식욕부진증의 원인이 다원적이라는 것에 동의한다. 생물학적 · 사회문화적 · 가족 · 인지행동적 · 정신역동적 요인들이 모두 이 질환의 원인이 될 수 있다. 신경성 식욕부진증의 지속 요인은 질병의 발생 요인과는 차이를 보일 수 있다. 오늘날, 대부분의 연구들은 다이어트의 시작에 기여하는 요인에 초점을 맞추고 있다(White, 2000). 하지만 이 질환에 대한 이해를 도모하고 질병을 보다 효과적으로 예방하기 위해서 섭식장애 행동의 발달과 지속 요인에 중점을 둔 연구가 필요하다. 최근 성인기에 발병하는 섭식장애가 늘고 있으므로, 이에 대한 연구도 유익할 것이다(Bulik et al., 2005).

CRITICAL THINKING QUESTION

1. 일부 이론가들은 청소년 섭식장애 환자들이 성인이 되는 것에 대한 양가감정을 표현한다고 주장한다. 그 근거를 설명할 수 있는가?

2. 신경성 폭식증

1) DSM-5 진단기준

신경성 폭식증(bullimia nervosa)은 다음의 3가지 행동이 특징적이다. 반복되는 폭식 삽화, 체중 증가를 피하기 위한 부적절한 보상행동, 그리고 체중과 체형에 의해 크게 영향을 받는 자신에 대한 평가가 바로 그것이다. 이러한 행동은 최소 3개월 동안 일주일에 평균적으로 한 번 이상 나타나야 진단내릴 수 있다(American Psychiatric Association, 2013). 신경성 폭식증은 주로 사춘기나 초기 성인기에 시작되는데, 과거에 비해 남성 환자가 증가했지만 여전히 주로 여성에게서 진단된다(Scagliusi et al., 2009). 폭식증 유병률은 여자 청소년은 약 1~2%, 초기 성인기 여성은 4% 정도이다(Orbanic, 2001). 우리나라 남녀 고등학생을 대상으로 한 1996년 연구에서 신경성 폭식증 유병률은 1.17%였으며(유희정 등, 1996), 일개 지역 여고생 495명을 대상으로 한 2013년의 연구에서 신경성 폭식증 위험 여고생은 6.7%로 보고되어 확연한 증가 추세를 보였다(김지윤, 하은혜, 2013). 남녀 대학생 2,847명을 대상으로 한 한오수 등(1990)의 역학조사에서 신경성 폭식증의 유병률은 0.8%였으며, 여대생 174명을 대상으로 한 연구에서는 대상자의 10.4%가 유의한 수준의 폭식증 경향성을 보인다고 하였다(이수진, 장혜인, 2017). 섭식장애 고위험군이라 할 수 있는 무용학과 여대생을 대상으로 한 연구에서 신경성 폭식증의 유병률은 18.6%로 매우 높게 보고되었다(장수용 등, 1995). 신경성 폭식증의 일반적인 경과는 수년에 걸쳐 만성적이고 재발이 잦다. 대개 폭식 기간이 섭취 제한 기간과 교대로 발생하여 진단과 치료를 어렵게 만든다(Orbanic, 2001).

2) 행동특성

폭식증(bulimia)이란 단어는 문자 그대로 만족할 줄 모르는 식욕을 의미한다. 이 용어는 엄청난 대식(binge eating)이나 폭식(bingeing)과 같은 의미로 사용된다. 신경성 식욕부진증 환자의 거의 절반이 폭식 증상이 있는 것으로 관찰되었기 때문에, 최근까지 신경성 폭식증은 신경성 식욕부진증의 일부인 것처럼 간주되었다. 신경성 폭식증은 현재 별개의 장애로 분류되고 있지만, 둘 사이에는 여전히 많은 공통점들이 존재한다(Kaye et al., 2000). 많은 환자들이 섭식장애 행동을 감추려 하기 때문에, 신경성 폭식증의 정확한 유병률은 알려지지 않았다. 이러한 환자는 주요우울장애, 성격장애, 외상후 스트레스장애와 같이 더 잘 알려진 다른 정신질환으로 진단받을 수 있다(Orbanic, 2001). 대개 위장장애나 월경장애로 치료를 받는 환자들에게 폭식증이 있다 하더라도 체중 감소가 없는 경우엔 치료자가 환자의 폭식증을 알아차리지 못할 수 있다(Orbanic, 2001).

Clinical example: 신경성 폭식증

28세의 박OO 님은 활발한 사회생활을 하는 젊은 전문직 여성이다. 그녀는 평균보다 약 7kg정도 과체중이어서 외모에 대한 걱정이 무척 많았으며, 이를 감추기 위해 탁월한 유머 감각을 사용했다. 그녀는 체중 때문에 원하는 직장에서 일하지 못하게 될까 봐 걱정했고, 유명 은행에 입사하기 전에 다이어트를 시작했다. 점심 때 음식을 매우 적게 먹었는데, 이로 인해 귀가 후 배가 고팠고 저녁 식사 전 룸메이트 모르게 여러 개의 샌드위치를 만들어 먹었다. 그녀는 간식을 조절하지 못하고 먹어버린 것에 대해 죄책감을 느끼는 상태에서 룸메이트와 함께 저녁 식사를 하였고, 저녁 식사 후에 불편할 정도로 배가 불러 화장실로 가서 공복감을 느낄 때까지 토했다. 그녀는 다음 날 더 열심히 다이어트를 하겠다고 다짐했다.

질병의 발병은 보통 15~24세 사이에 나타난다. 이 질환은 신경성 식욕부진증이나 다이어트 이후에 발생할 수 있는데, 다이어트는 사람들을 폭식하게 만드는 경향이 있다. 제거 행동은 체중 증가를 막기 위한 시도로 과식 중에 섭취한 칼로리를 보상하기 위한 수단이다. 환자는 질병이 진행되는 동안 제한적인 식사를 지속하는데, 이는 폭식을 유발하고 폭식 후 제거 행동의 악순환을 지속시킨다.

과식을 폭식과 구별하는 것은 중요하다. DSM-5의 폭식 삽화 진단기준을 충족시키려면 식행동은 '객관적인 폭식증'의 기준을 충족시켜야 한다. 즉, 비교적 짧은 시간 내에 비정상적으로 많은 양의 음식을 섭취한다(예: 2시간 안에 수천 칼로리를 섭취함). 섭취한 음식의 양은 다른 사람이 동일한 상황에서 먹는 것보다 비정상적으로 많으며, 폭식하는 동안 먹는 것을 조절할 수 없다는 느낌을 가진다(Orbanic, 2001).

DSM-5 진단기준: 신경성 폭식증

A. 반복되는 폭식 삽화. 폭식 삽화는 다음의 2가지가 특징적임.
  1. 일정 시간 동안(예: 2시간 이내) 대부분의 사람이 유사한 상황에서 동일한 시간 동안 먹는 것보다 분명하게 많은 양의 음식을 섭취함
  2. 삽화 중에 먹는 것에 대해 조절 능력의 상실감을 느낌(예: 먹는 것을 멈출 수 없거나, 무엇을 혹은 얼마나 많이 먹어야 할 것인지를 조절할 수 없는 느낌)

B. 체중이 증가하는 것을 막기 위한 반복적이고 부적절한 보상 행동, 예를 들어, 스스로 유도한 구토, 이뇨제, 관장약, 다른 치료약물의 남용, 금식, 혹은 과도한 운동 등이 나타남.

C. 폭식과 부적절한 보상 행동이 둘 다, 평균적으로 적어도 3개월 동안 일주일에 1회 이상 나타남.

D. 체형과 체중이 자기평가에 과도하게 영향을 미침.

E. 이 장애가 신경성 식욕부진증의 삽화 기간 동안에만 발생하지 않음.

다음의 경우 명시할 것:

부분 관해 상태: 이전에 신경성 폭식증의 진단기준을 전부 만족시켰으며, 현재는 기준의 일부를 만족시키는 상태가 유지되고 있다.
완전 관해 상태: 이전에 신경성 폭식증의 진단기준을 전부 만족시켰으며, 현재는 어떠한 기준도 만족시키지 않는 상태가 유지되고 있다.

현재의 심각도를 명시할 것:

심각도의 최저 수준은 부적절한 보상 행동의 빈도(다음을 참조)를 기반으로 하고 있다. 심각도 수준은 다른 증상 및 기능적 장애의 정도를 반영하여 증가할 수 있다.

경도: 평균적으로 일주일에 1~3회의 부적절한 보상 행동 삽화
중등도: 평균적으로 일주일에 4~7회의 부적절한 보상 행동 삽화
고도: 평균적으로 일주일에 8~13회의 부적절한 보상 행동 삽화
극도: 평균적으로 일주일에 14회 이상의 부적절한 보상 행동 삽화

출처: American Psychiatric Association. (2013). Diagnostic and statistical manual of disorders (5th ed.). Washington, DC: Autor; (p. 345)

(1) 객관적 징후

대부분의 신경성 폭식증 환자는 자신의 폭식을 숨긴다. 폭식 중 다양한 음식을 먹을 수 있지만, 가장 흔한 것은 짧은 시간에 쉽게 섭취할 수 있는 고칼로리, 고탄수화물의 '간식' 들이다. 일부 신경성 폭식증 환자는 폭식 중 여러 패스트푸드 식당이나 음식점에서 음식을 먹기 때문에 어느 누구도 그들이 한 번에 얼마나 많이 먹고 있는지를 알지 못한다. 환자 중 일부는 음식을 훔치다 잡히기도 한다. 폭식은 주로 저녁이나 밤에 이루어진다. 폭식 중에 섭취한 칼로리의 양은 일일 허용량보다 훨씬 더 많으며(Orbanic, 2001) 먹는 속도가 매우 빠르다.

환자들은 토할 것 같거나 신체적으로 지치거나, 고통스러운 복부팽만감을 느끼거나, 다른 사람들에 의해 중단되거나, 음식을 다 먹어 치워야만 폭식 삽화를 끝낸다. 폭식을 하면, 환자들은 엄격한 식이요법을 준수할 것을 약속하고 다시는 과식을 하지 않겠다고 맹세하지만, 그들이 폭식을 할 때 경험하는 만족감에 중독되어 있기 때문에 이런 행동을 반복하게 된다. 많은 신경성 폭식증 환자들은 폭식 후 아무 일도 없었던 것처럼 일상생활을 계속한다. 폭식의 빈도는 환자에 따라 크게 다르며, 하루에 여러 번 폭식 삽화를 겪는 환자들도 있고, 일주일에 두세 번 통제력을 잃는 환자들도 있다(Orbanic, 2001).

신경성 폭식증 환자들의 의학적 합병증은 제거 행동의 양상과 빈도에 따라 달라지며, 폭식으로 인해 위장관의 물리적 자극과 위의 확장 등이 나타날 수 있다. 수분 및 전해질 불균형은 스스로 유도한 구토 또는 하제나 이뇨제 남용으로 인해 발생하는데, 탈수, 저나트륨혈증, 저염소혈증, 저칼륨혈증, 대사성 알칼리혈증 및 대사성 산증 등이 나타난다. 스스로 유도한 구토와 하제 남용은 위장관에 물리적 자극 및 손상을 유발하고, 하제, 이뇨제, 비만치료제 남용은 중독을 야기할 수 있다. 하제는 반사성 변비(reflex constipation)를 유발할 수 있으며, 하제와 이뇨제는 모두 반동성 부종(rebound edema)과 관련이 있다(Orbanic, 2001).

구토를 유도하기 위해 이페칵 시럽(ipecac syrup: 약물이나 독성물질의 경구중독 시 사용하는 구토제로 소화기에 직접 작용하여 구토를 유발함)을 사용하는 것은 위험하며, 치명적인 심근증(cardiomyopathy)을 유발한다. 폭식증 환자는 종종 월경 불순이나 침샘 확대를 경험하는데, 특히 이하선이 커진다. 만성 구토로 인하여 치아 법랑질의 부식이 흔히 발생하며, 구토를 유발하는 데 사용한 손가락 마디에 굳은살이 생기는 러셀 징후(Russell's sign)도 흔히 나타난다. 폭식증에서는 췌장염도 발생할 수 있다(Muscari, 2002).

(2) 주관적 증상

대부분의 신경성 폭식증 환자들은 정상 체중 범위에 있음에도 불구하고 자신의 체형과 체중에 대해 심각하게 걱정한다. 먹는 것에 대한 조절력 상실은 큰 불안감과 수치심을 주고, 신경성 식욕부진증 환자와 마찬가지로 뚱뚱해지는 것에 대한 두려움을 표현한다(Orbanic, 2001).

환자마다 기분(정서)은 상당히 다양한 양상으로 나타난

다. 일부 신경성 폭식증 환자들은 폭식 전에 몸이 쇠약해진 느낌을 받으며, 뒤이어 폭식을 하는 동안 지속적인 불안감을 느끼거나 긴장이 완화된다고 하였다(Orbanic, 2001). 어떤 환자들은 폭식 전에 불안감을 느끼거나, 외롭거나, 지루하거나, 통제할 수 없을 정도로 음식을 갈망한다. 폭식 전의 불안감은 폭식을 한 후에는 죄책감으로 바뀐다. 폭식 후에도 불안감이 해소되지 않으면, 환자는 분노와 초조감을 느끼고 우울해진다. 우울증은 신경성 폭식증 환자에게서 흔하게 나타난다. 폭식증과 우울증 사이의 관계는 하나가 다른 장애의 원인이 될 수도 있고, 2가지 질환을 유발시키는 독립적인 요인이 따로 존재할 수도 있다. 연구자들은 폭식증이 발생하는 가족 내에서 특히 우울증과 같은 기분 장애의 비율이 높다는 것을 발견했다(Keel et al., 2003). 물질 남용과 불안장애 또한 일반인에 비해 더 높은 비율로 발생한다. 약물치료가 도움이 될 수 있지만, 장기적으로도 가장 효과적인 결과를 얻기 위해서는 정신치료(psychotherapy)를 병행하여야 한다.

대부분의 폭식 환자는 뚱뚱해지는 것에 대한 두려움을 줄이기 위해 구토를 한다. 환자는 손가락, 칫솔 또는 식기구를 목구멍에 넣어서 구토를 유발하는데, 이는 사용하는 물건을 삼킬 수 있기 때문에 위험하다. 시간이 지남에 따라 구토가 더 쉬워지고, 폭식이 끝날 무렵에 구토를 하기 위해 가볍게 복부에 압력을 가하거나, 아예 물리적 조작이 필요하지 않을 수도 있다(Mendell & Logemann, 2001). 어떤 폭식증 환자는 '표식음식(marker food: 환자들이 폭식 후 구토할 때, 섭취한 모든 음식이 구토로 제거되었음을 식별하게 하는 음식)'을 폭식 시작 시에 먹고, 이 음식이 나올 때까지 토해 낸다. 신경성 폭식증 환자는 스스로 유도한 구토로 폭식한 칼로리를 모두 제거한다고 믿지만, 이는 음식물이 위에서 빠르게 섞이기 때문에 효과가 없으며, 연구자들은 섭취한 칼로리의 일부분만 제거된다고 보고하였다. 하제나 이뇨제 남용은 흡수된 칼로리를 줄이는 것이 아니라 수분 손실을 일으킨다(Orbanic, 2001). 당뇨병이 있는 섭식장애 환자의 경우, 체중감량을 위해 처방보다 인슐린 투여량을 줄이는 보상행동을 보이기도 한다(Poirier-Solomon, 2001). 이들은 포도당의 체세포 흡수와 글리코겐 형태로 간, 근육에 저장되는 것을 막아 체중증가를 억제할 목적으로 처방된 양보다 적은 양의 인슐린을 투여한다.

3) 원인

신경성 식욕부진증과 마찬가지로 신경성 폭식증의 원인은 생물학적·사회문화적·가족·인지적·행동적·정신역동적 요인들이 복합적으로 작용한다. 신경성 식욕부진증을 유발하는 것으로 생각되는 많은 요인들이 신경성 폭식증에도 관여한다. 여기에서는 신경성 식욕부진증에서 언급된 원인과 다른 부분을 중심으로 다룰 것이다.

(1) 생물학적 요인

뇌의 신경화학적 연구들은 다이어트를 하는 사람과 섭식장애 환자에게서 여러 신경 내분비계 및 신경전달물질의 이상을 보고하였다. 생물학적 요인과 유전적 요인도 신경성 폭식증의 원인으로 알려져 있다. 대부분의 연구자는 질병의 증상이 환자의 생리적 상태와 관련이 있으며, 체중이 회복되면 증상이 감소한다고 생각한다. 그러나 세로토닌의 활성은 예외이다. 우울증에서와 마찬가지로, 신경성 폭식증의 뇌에서 세로토닌 활성이 감소하는 것으로 나타났다(Kaye et al., 2001). 폭식은 세로토닌의 수치를 높이기 위한 자가 처방의 한 형태로 볼 수 있다. 급성기와 회복 단계의 신경성 폭식증 환자 모두에게서 말초 5-HT 흡수 이상이 관찰되었는데(Steiger et al., 2001), 이는 비정상적인 식사 패턴의 결과라기보다는 기질적인 특성 때문이라고 보고되었다(Trace et al., 2013).

근적외선 분광학(near infrared spectroscopy: 각종 성분의 분자구조와 유기성분에 의한 근적외선 영역의 흡수현상을 다중회귀분석과 같은 통계기법과 컴퓨터 기술을 이용하여 물질의 구성 성분 또는 이화학적 특성을 분석하는 방법) 소견에서 신경성 폭식증 환자는 인지 능력이 떨어지고, 자기조절 기능과 관련된 전전두엽 과활성화 패턴이 저하되어 있는 것으로 나타났다(Sutoh et al., 2013). 이 결과는 신경성 폭식증에서 전전두엽의 자기조절 기능이 비효율적임을 시사하며, 신경성 폭식증의 증상과 관련이 있다. SSRIs 항우울제, 특히 플루옥세틴(fluoxetine)은 우울증 동반 여부와 관계없이 폭식증 치료에 도움이 되는 것으로 알려져 있으며, 항우울제가 신경성 폭식증에 직접적인 영향을 미치는지는 아직 밝혀지지 않았다(Goldstein et al., 1999).

(2) 사회문화적 요인

이 장의 앞부분에서 언급했듯이 사회문화적 요인은 신경성 식욕부진증의 요인과 동일하다.

(3) 가족 요인

신경성 식욕부진증과 마찬가지로, 신경성 폭식증에도 유전적 요인이 영향을 미친다. 쌍생아 연구에서 이란성 쌍둥이보다 일란성 쌍둥이가 폭식증에 대한 일치율이 더 높게 나타났다(Trace et al., 2013). 또한 폭식증 환자의 가족에서 기분장애와 물질사용장애가 더 높은 비율을 보였는데(Kaye et al., 2000), 이는 생물학적 혹은 환경적 요인의 결과일 수 있다. 신경성 폭식증 환자의 가족은 많은 갈등을 겪고, 와해되어 있으며, 올바른 양육이 이루어지지 않고 결속력이 없는 것으로 나타났다(Kaye et al., 2000). 가족 상호작용을 관찰한 결과 이와 비슷한 양상을 보였는데, 이는 신경성 폭식증이 가족의 혼란(chaos) 때문에 발생한 것이라는 가설에 신빙성을 주고 있다.

(4) 인지 및 행동적 요인

페어번(Fairburn) 등은 신경성 폭식증의 발병과 질병을 지속시키는 요인에 관한 인지행동 이론에 근거한 연구를 시행하였다. 이 이론에 따르면, 신경성 폭식증은 낮은 자존감, 체형과 체중에 대한 과도한 염려, 엄격한 다이어트, 폭식, 그리고 보상행동으로 이어지는 악순환에 의해 유지되며, 이 요인들은 서로 상호작용하며 영향을 주고받는다. 폭식증은 다이어트, 폭식, 제거 행동에 의해 지속되며, 이러한 행위는 자아와 신체에 대한 인지 왜곡과 부정적인 인식에 의해 영향을 받고 영향을 주기도 한다(Williamson et al., 2004). 이 이론은 섭식장애의 행동과 인지의 변화를 목표로 하는 신경성 폭식증 환자를 위한 성공적인 인지행동치료 프로그램의 개발로 이어졌다(Bakke et al., 2001; O'Dea & Abraham, 2000). 폭식이 어떻게 자기인식을 감소시키고, 섭취 제한이 어떻게 감정적 인지를 감소시키는지를 이 인지행동치료 모델에 통합하여 설명하고 있다(Fox, 2009). 신경성 폭식증 치료를 위한 인지행동치료의 효과는 이 치료방법을 사용한 48개의 연구에 대한 검토를 통해 지지되었다.

인지행동치료의 효과에 관한 106개의 연구를 메타분석한 결과, 인지행동치료는 폭식증 및 기타 질환(예: 불안장애, 분노조절 문제)에 가장 효과적인 치료법으로 밝혀졌으며, 향후 연구에서는 무작위 대조군 실험연구와 다른 하위집단을 포함시킬 것을 제안하고 있다(Hofmann et al., 2012). 또한 신경성 폭식증 환자와 기타 섭식장애(not otherwise specified, NOS) 환자들에게 온라인 자조 인지행동치료 패키지(Overcoming Bulimia Online)를 이용한 프로그램을 시행하였고, 사후 8명의 참가자들에게 반구조화된 인터뷰를 시행하여 프로그램에 대한 경험을 조사하였다(McClay et al., 2013). 이들은 온라인 자조 인지행동치료가 전반적으로 도움이 되었고 수용가능한 치료법이라고 응답하였다. 섭식장애의 치료에 사용된 11년(2002~2012)간의 테크놀로지를 검토한 결과, 테크놀로지(예: 텔레비디오, 전자 메일, CD-ROM, 인터넷, 문자 메시지)가 섭식장애 치료에 성공적으로 활용될 수 있으며, 섭식장애에 대한 전문 치료를 받지 못하는 사람에게도 중재를 확장할 수 있는 새로운 방법으로 사용될 수 있음이 입증되었다(Shingleton et al., 2013). 비록 정신치료(psychotherapy)가 단독으로는 신경성 폭식증 환자의 체중을 줄이거나 변화시킬 수 없었지만, 기타 심리치료들, 특히 장기간의 정신치료는 효과적이었다고 보고했다(Hay et al., 2009).

(5) 정신역동적 요인

몇몇 정신역동 이론가들은 신경성 폭식증에서 자아존중감의 양가감정에 특히 중점을 두었다. 폭식과 제거 행동은 환자가 스스로에 대해 느끼는 양가감정의 표현이다. 환자들은 자신들의 부족한 부분을 보살필 가치가 있다고 생각하는데, 음식은 돌봄을 상징하기 때문에 폭식을 한다. 다른 한편으로는 환자들은 스스로를 돌볼 가치가 없다고 느끼고, 그래서 음식을 제거한다. 폭식과 제거는 또한 학대, 방임, 외상 및 강렬한 감정으로 인한 삶의 고통으로부터 자신을 무감각하게 하려는 환자의 시도로 볼 수 있다(Orbanic, 2001).

3. 폭식장애

DSM-5에 새로이 포함된 폭식장애(binge-eating disorder)는 신경성 폭식증(섭취에 대한 통제력 부족, 환자의 고통, 폭식에 대한 죄책감)과 진단기준이 비슷하지만, 하제, 단식 또는 과한 운동을 통해 과도하게 섭취한 것을 제거하려는 정규적인 보상 행동은 수반되지 않는다. 따라서 폭식장애 환자는 중등도 이상의 과체중인 경향이 있으며, 신경성 식욕부진증이나 신경성 폭식증 환자와 비교하여 체중의 변동이 심하다. 폭식장애는 신경성 폭식증과 마찬가지로 신경성 식욕부진증보다는 늦게 발생하고, 일반적으로 청소년기 후반부터 성인기 초반에 시작한다. 경험적 자료에 따르면, 가족 및 유전적 요인이 이 질환의 발생에 영향을 미친다(Javaras et al., 2008; Mitchell et al., 2010).

4. 기타 섭식장애

1) 이식증

이식증(pica)은 최소 1개월 이상 영양가가 없고 음식이 아닌 물질(예: 흙, 돌, 실, 종이, 머리카락, 회반죽, 헝겊, 동물의 배설물 등)을 지속적으로 먹는 경우, 이러한 물질을 먹는 것이 발달단계나 사회문화적 규범에 부합하지 않는 경우에 진단된다. 아동에게서 흔히 나타나며, 납중독이나 빈혈, 영양결핍(특히 철분 결핍), 변비, 소화기 흡수장애, 장 감염, 장폐색, 전해질 불균형 등의 합병증이 생길 수 있다. 아동의 경우 먹지 못하는 물질과 음식을 구분하는 능력이 없기 때문에 나타날 수 있으며, 정신사회적 스트레스, 병리적 가족구조 등이 영향을 미친다고 알려져 있다.

2) 반추장애

반추장애(rumination disorder)는 삼킨 음식을 역류시켜 다시 씹거나 삼키거나 뱉는 행동을 보이는 장애로, 이러한 증상이 1개월 이상 나타났을 때 진단된다. 영양의 흡수가 제대로 이루어지지 않아 아동의 체중 증가에 문제를 초래하며, 성장지연, 전해질 불균형 등이 흔한 합병증이다. 아동은 손가락 빨기, 옷 빨기, 몸 흔들기 등의 자기자극 행동을 동반한 반추 행위를 즐기고 이에 몰두한다. 이는 부모-자녀 사이의 잘못된 애착 형성이나 지적장애 등이 원인으로 알려져 있다.

3) 회피성/제한성 음식섭취장애

회피성/제한성 음식섭취장애(avoidant/restrictive food intake disorder)는 식사와 음식에 대한 관심의 결여, 음식의 감각적 특징에 따른 회피, 먹는 것의 혐오스러운 결과에 대한 염려 등으로 인해 섭취를 회피하거나 제한적으로 섭취하는 질환이다. 이로 인해 체중감소, 영양결핍, 경관식이나 경구 영양보충제에 대한 의존, 정신사회적 기능의 상당한 제한 등이 초래된다. 성인보다는 아동에게서 흔히 나타나며, 유아기에 편안한 수유환경이 형성되지 못했을 때, 모아애착형성의 문제, 어머니의 섭식장애, 위식도 역류나 구토 등의 위장관 질환이 있는 경우 등이 원인이 될 수 있다.

5. 치료 및 간호중재

신경성 식욕부진증과 신경성 폭식증에 대한 치료 및 간호중재는 서로 비슷하기는 하지만 약간의 차이가 있다. 이 장에서는 두 질환의 중재에 대한 공통점과 차이점을 강조하고 있다. 각각의 장애에 대한 치료 및 간호중재는 고려중인 치료 기간에 따라, 즉 치료의 초점이 단기 치료인지 또는 장기 치료인지에 따라 다르다. 예를 들어, 극심한 체중 감소와 생명을 위협하는 신체적 문제로 입원한 환자는 신체에 대한 인식을 변화시키거나 장기 목표를 다루기 전에 체중 회복에 중점을 두어야 한다.

신경성 식욕부진증 치료의 주요 목표는 다음의 3가지이다.

(1) 환자의 신장에 비례한 평균 체중의 90% 이상으로 체중을 증가시킨다.
(2) 환자가 적절한 식사 습관을 재형성하도록 돕는다.
(3) 자존감을 향상시킴으로써, 환자 스스로 완벽하게 날씬해야 할 필요가 없다고 느끼게 한다.

신경성 폭식증의 치료목표도 이와 비슷하지만, 신경성 폭식증은 정상 체중일 가능성이 크기 때문에, 체중을 증가시키는 것보다 제거 행동 없이 체중을 안정화하는 데 더 초점을 맞춘다.

한편, 섭식장애의 치료에 대한 예후는 선행연구에서 다양하게 보고되고 있다. 신경성 폭식증 환자를 대상으로 한 27편의 연구를 분석하여 질병의 회복, 호전, 만성화를 관찰한 결과, 평균적으로 45%에 가까운 환자가 신경성 폭식증의 완전한 회복을 보였고, 27%가 상당히 호전된 반면 약

신경성 식욕부진증과 신경성 폭식증의 비교

공통점

- 때때로 섭취 제한, 특히 신경성 식욕부진증
- 때때로 폭식이나 과식, 특히 신경성 폭식증
- 구토, 하제 또는 이뇨제를 통한 제거 행동
- 과도한 운동
- 외모에 대한 과도한 염려
- 완벽주의적 특성: 직장이나 학교생활에서 외모와 성과에 대한 불만족
- 외모만으로 자신의 가치가 정해진다는 믿음
- 특히 이성과 함께하는 사회 상황에서의 불편감
- 체형, 외모 및 뚱뚱함의 기준에 대한 왜곡
- 낮은 자존감

차이점

신경성 식욕부진증	신경성 폭식증
이른 나이에 발병	더 늦은 나이에 발병
심한 저체중	대개 정상 체중
호르몬 불균형	수분 및 전해질 불균형
하제를 사용하지 않으면 변비가 발생함	폭식 및 제거 행동에 따른 위장 관계 문제

23%가 만성화 과정을 밟았다. 또한 다른 섭식장애에 대한 교차진단을 받은 환자는 20% 이상이었다. 자연 사망률은 0.32%였으며, 공존 정신질환 이환도 매우 흔하게 나타나는 등 치료의 한계 또한 존재하므로, 더욱 정련된 중재를 환자들에게 제공하여야 할 것이다(Steinhausen & Weber, 2009).

1) 간호사-환자 관계

대부분의 신경성 식욕부진증 환자는 가까운 가족이나 친구가 치료를 받아야 한다고 강요해 왔기 때문에, 치료적 동맹 관계를 형성하는 것이 어렵다. 환자는 간호사의 목적이 단순히 체중을 늘리는 것이라고 생각하기 때문에 간호사를 동료가 아닌 적으로 인식한다. 신경성 폭식증 환자는 도움을 원하는 경향이 더 크다는 점에서 신경성 식욕부진증 환자와 차이가 있다. 신경성 폭식증 환자는 자신의 의지로 치료를 시작할 가능성이 더 크고, 기꺼이 수용하며, 치료자가 그들을 좋아할 만한 방식으로 행동한다. 그러나 폭식증 환자는 치료진에게 잘 보이기 위해 조종하려는 경향이 있고, 자신들의 모든 문제를 드러내지는 않으려고 한다. 도움을 받고자 하는 욕구는 폭식증 환자의 가장 큰 강점이다.

2) 약물치료

현재로서는 정신과 약물 중에서 신경성 식욕부진증의 치료제로 특별히 승인된 것은 없다. 불안, 우울증, 신체 장애, 또는 다른 공존질환의 약물치료가 신경성 식욕부진증의 치료를 도울 수 있다. 항우울제, 특히 SSRIs를 이용한 치료는 신경성 폭식증 환자의 폭식, 제거 행동 및 우울증을 줄이는 데 도움이 되는 것으로 입증되었다(Nakash-Eisikovits et al., 2002). 이 약물은 기분 관련장애와 체형과 체중에 대한 집착에 긍정적인 효과를 보이는 것으로 나타났다. 항우울제는 우울증 여부와 상관없이 신경성 폭식증 환자의 치료에 효과적이다. 이러한 결과는 약물의 작용기전이 항우울 작용이 아니라 신경전달물질 시스템, 특히 세로토닌과 노르에피네프린에 직접적인 영향을 미칠 수 있음을 시사한다. 그러나 항우울제가 단기적으로 유익한 효과를 보였지만, 그 효과가 장기적으로 유지되지는 않았다(Nakash-Eisikovits et al., 2002). 일반적으로 항우울제의 사용보다 정신치료(psychotherapy)가 먼저 권장된다. 항우울제는 환자가 정신치료만으로는 적절하게 반응하지 못하거나 심각한 우울증을 동반할 가능성이 있을 때 고려한다.

영양재개(refeeding)를 시작할 때, 소량의 항불안제를 식사 직전에 투여하면 환자가 음식을 먹을 수 있도록 도와준다. 또한 항우울제 사용이 더 안전하고 효과적인 방법이지만, 신경성 폭식증 환자에게 폭식과 제거 행동을 자극하는 불안감을 감소시키기 위해 항불안제를 사용할 수도 있다. 그러나 항불안제를 장기간 사용하면 약물 의존도가 높아질 수 있어 환자의 문제를 악화시킬 수 있다. 체중증가를 촉진하기 위해 비정형 항정신병 약물인 올란자핀(olanzapine)을 사용하기도 하지만, 환자의 체중이 증가하는 것이 체중 증가를 유발하는 약물의 영향 때문인지, 아니면 약물이 환자의 사고내용과 과정에 영향을 주기 때문인지는 명확하게 밝혀지지 않았다(Attia & Schroeder, 2005).

또한, 공존질환(comorbid diagnoses)이 있는 경우 정신치료와 약물치료를 병행하는 것이 치료의 성공을 높인다. 갑상선질환이나 위장질환, 췌장염, 암 또는 약물 부작용 등과 감별해야 하는데, 만일 이러한 질환들로 인해 식행동 문제가 유발된 것이라면 섭식장애에 의한 식행동과는 다른 치료법을 적용해야 한다. 당뇨병 환자도 섭식장애가 이환될 수 있는데, 이 경우 당뇨병의 심각한 의학적 합병증의 위험

과 케톤 산증의 위험을 증가시킬 수 있다(Poirier-Solomon, 2001).

3) 인지행동치료

폭식증 환자에 대한 인지행동치료는 많은 연구에 의해 효과가 가장 잘 입증되어 있다(National Collaborating Centre for Mental Health, 2004). 식행동을 안정시키기 위한 행동치료적 접근과 함께 폭식이나 거식을 유발하는 내재된 인지왜곡을 중재하는 인지치료적 접근을 병행한다. 행동치료적 접근으로는 식행동에 대한 자기감시(self-monitoring)를 위해 식행동 기록지를 적도록 하며, 규칙적인 식사를 통해 폭식과 구토를 예방하는 것이 포함된다. 또한 자극통제법(폭식을 자극하는 상황을 극복하는 방법)과 대체행동법(폭식의 욕구를 대체할 수 있는 즐거운 행동을 찾도록 함)도 사용된다. 인지치료적 접근으로는 다이어트가 폭식의 유발 요인임을 설명하여 체중감량 목표를 낮추도록 돕고, 신체상 왜곡, 자존감 저하, 대인관계의 문제 등이 폭식의 기저에 있음을 인식하도록 돕는다. 그밖에 문제해결 기술과 인지 재구조화 기법 등도 인지치료에 포함된다(Fairburn et al., 2009).

4) 정신치료

신경성 식욕부진증이나 폭식증 치료 시 환자들이 계속해서 통제력을 유지하기 위해 애쓰기 때문에 정신치료팀은 어려움에 봉착한다. 치료팀이 체중 감량 또는 폭식과 제거 행동을 중단하도록 요청할 때, 환자는 자신의 통제력을 상실한 것으로 인식하여 무의식적으로 무력감을 느끼고 치료 목표 및 중재에 대해 저항한다. 환자들은 뚱뚱해지는 것에 대한 공포감을 다시금 경험한다. 이 두려움은 더 많은 통제 욕구를 불러 일으키며, 다시 식행동 문제를 반복하게 하는 악순환이 시작된다. 간호사는 환자가 이러한 두려움을 직면하고, 이에 대처할 수 있는 방법을 찾도록 도와야 한다(Cummings et al., 2001). 섭식장애로부터 회복되고 있는 환자들이 전문가와 섭식장애 환자의 가족들에게 제시한 조언과 섭식장애 환자를 위한 **핵심 간호중재**를 참고한다.

또한 일부 연구에서는 대인관계 정신치료도 유사한 효과를 보였다고 보고했다(McIntosh et al., 2000). 폭식증에 대한 정신치료를 시행하는 과정에서 약물치료가 필요할 경우 부가적인 방법으로 사용된다(Nakash-Eisikovits et al., 2002). 그 밖에 섭식장애 환자를 대상으로 한 수용전념치료(acceptance and commitment therapy, ACT)가 환자의 병리적 식행동 감소에 도움이 되었다는 연구 결과도 보고 되었다(Juarascio et al., 2013).

5) 가족치료

신경성 식욕부진증이 있는 청소년에 대한 가족치료의 효과가 경험적 증거를 통해 입증되고 있다(Cook-Darzens etal., 2008). 신경성 식욕부진증 청소년 25명을 대상으로 가족치료와 가족정신건강교육의 효과성을 비교한 연구에서 가족치료와 가족정신건강교육 모두 체중이 회복되고 가족 병리를 인정하는 효과가 있었으며, 가족정신건강교육이 가족치료보다 비용 효과적이었으므로 비용이 제한된 상황에서는 가족정신건강교육을 통해서 더욱 효과적인 치료를 제공할 수 있는 것으로 나타났다(Geist et al., 2000).

6) 입원치료

간호사는 의료기관 및 정신과 병동, 진료실, 클리닉, 학교 등에서 신경성 식욕부진증이나 신경성 폭식증 환자를 접할 수 있다. 신경성 폭식증 환자의 경우 제거 행동이 의학적 합병증을 일으키지 않는 한 입원 환경에서 만날 가능성이 적지만, 다음 상황에서는 입원을 해야 한다. (1) 정신과적 또는 의학적 문제로 인한 위기를 치료해야 할 때, (2) 혼란스러운 가정 생활에서 휴식이 필요할 때, 입원을 통해 자신의 상황을 보다 객관적으로 바라볼 수 있게 한다. (3) 환자가 자신이 거주하는 지역사회에서 치료를 받을 수 없는 경우이다. 어떤 경우에라도 다학제적 치료 접근이 중요하다. 치료팀의 구성원은 섭식장애 치료를 전문으로 하는 의사, 간호사, 영양사 및 심리치료사를 포함해야 한다. 이러한 환자들은 철저한 의학적 및 정신과적 평가, 의학적 모니터링, 영양 교육 및 상담, 그리고 정신치료가 필요하다(Stewart & Williamson, 2004). 사정(assessment) 시에는 기분장애, 성격장애, 강박장애, 불안장애, 물질남용 또는 의존을 포함한 다른 정신과적 상태에 대한 감별진단뿐만 아니라 자기보고식 도구 및 구조화된 인터뷰 도구에 이르기까지 다양한 측정도구를 이용한 사정이 이루어져야 한다(Pike, 2005).

7) 영양요법

환자가 신경성 식욕부진증의 기아 단계에 있고, 영양실조가 심각한 의학적 문제가 될 때, 의료 세팅에서 정맥주사 및 경관영양과 같은 적절한 방법을 통해 자발적으로 먹지 않는 환자에게 영양을 공급하는 치료가 이루어진다. 신경성 식욕부진증 환자의 영양공급 및 체중회복은 서서히 그리고 신중하게 이루어져야 하며, 생명을 위협하는 신체적 합병증과 사망을 예방할 수 있도록 전문가가 면밀히 관찰해야 한다. 환자의 신체적 건강상태를 안정화하는 것이 초기 치료목표이다. 신체적 건강이 안정화된 후에 주로 정신 치료를 시행하게 된다(Castro et al., 2004). 의학적 위기가 해결되면, 환자는 효과적인 치료 및 간호중재가 이루어질 수 있는 정신과 병동으로 옮겨지거나 외래 치료를 받는다.

8) 기타 치료방법

섭식장애의 식생활 패턴을 정상화하기 위해 가상현실 환경을 사용한 연구가 시행되었다. 섭식장애 환자 22명과 건강한 식습관을 지닌 37명을 대상으로, 가상현실 환경이 그들의 식사 패턴을 정상화하는 데 효과가 있는지를 검증하였다(Perpina et al., 2013). 건강한 식습관 패턴을 가진 피험자와 비교했을 때, 섭식장애 환자는 가상 피자를 먹을 때 더 많은 관심을 기울였으며, 감정 개입과 불쾌감을 느꼈다. 이러한 결과는 가상 환경이 섭식장애 환자의 식습관 패턴을 정상화하는 데 유용한 치료 도구가 될 수 있음을 시사한다. 이와 유사한 다른 연구(Marco et al., 2013)에서는 섭식장애 인지행동치료에 참여하는 34명을 대상으로 가상 현실 기법을 사용하여 신체상 치료에 대한 세션이 있는 그룹과 없는 그룹으로 나누어 비교하였다. 그 결과 신체상 치료에 대한 세션이 있는 그룹이 없는 그룹보다 치료 효과가 높게 나타나 신체상 치료의 중요성을 보여주었다.

최근, '치료에 저항을 보이는 신경성 식욕부진증(treatment refractory anorexia nervosa)'의 치료를 위해 '뇌심부자극술(deep brain stimulation, DBS: 뇌 기저부에 삽입한 전극을 통해 전기자극을 줌으로써 이상 신경회로를 조절하여 외과적인 '뇌 기저핵 파괴술'과 같은 효과를 얻는 치료법)'의 안정성에 관한 연구가 시행되고 있다. 신경성 식욕부진증은 정신질환 중 가장 높은 사망률을 보인다. 장기간 치료되지 않은 섭식장애 환자의 치료 및 관리에 관한 문헌고찰에서, 이 환자들에 대한 치료법이 근거기반 연구 결과에 기초하지 않았을 뿐만 아니라 표준화된 치료가 적용되지 않았으며, 만성

섭식장애로부터 회복하고 있는 환자로부터의 전문가와 가족을 위한 팁

- 섭식장애를 진단하기 위해 DSM-5 진단기준을 엄격히 적용해야 한다.
  - 일부 환자는 절대로 과식하거나 구토를 하지 않고 운동과 섭취 제한으로 체중을 조절한다.
  - 일부 환자에게서 월경주기가 변경될 수는 있지만 월경이 중단되지 않는다.
  - 우울증, 불안, 방임, 가정 폭력은 섭식장애의 현재적 · 잠재적 소인이 된다. 만약 이러한 상태나 문제가 섭식장애에 대한 치료 없이 다루어진다면, 이 노력은 실패할 가능성이 크다.
  - 섭식장애 환자는 정확함과 완벽함에 대한 집착이 있어서, 질병의 모든 진단기준에 부합하지 않으면 자신은 환자가 아니라고 합리화함으로써 자신의 질병을 부인하려 한다.
  - 환자는 자신의 신체상이 왜곡되었음을 알아도, 신체에 해로운 행동을 멈추지 못할 수도 있다.
  - 섭식장애를 가진 모든 환자가 먹는 것에 대한 고유한 의식(rituals)을 갖고 있지는 않다. 그들은 단지 다른 사람들 앞에서 먹어야 하는 상황에 처하는 것을 피하려 한다.
- 청소년에게 섭식장애에 대해서 교육할 때, 10대들에게 식습관과 건강한 체중을 유지하는 체계를 망가뜨릴 수 있는 내용이 담긴 영화나 영상자료는 피해야 한다.
- 정직하지 않음(자신과 타인에게 거짓말하는 것)은 섭식장애를 가진 환자의 특징이다. 자신과 타인에 대한 정직함이 회복과 재발 방지의 핵심이다.
- 적응에 대한 압박감이 증가하는 주요한 삶의 과도기에 섭식장애가 잘 발생한다는 사실에 주의를 기울여야 한다. 초등학교에서 중학교로, 중학교에서 고등학교로, 그리고 고등학교를 졸업하고 대학이나 직장으로 옮기는 시기가 바로 그에 해당한다.
- 섭식장애를 가진 환자는 칼로리가 어디에나 있다고 믿고, 칼로리가 흡수될 것을 우려해서 음식 냄새를 맡지 않거나 우표핥기 같이 조금의 칼로리라도 발생하는 상황을 피하려고 애쓴다.
- 대중매체에서의 모델이나 유명인의 매우 마른 몸매는 어린 소녀들에게 이상적인 모습으로 보일 수도 있다. 그러나 이것이 대부분의 환자가 문제의 식행동을 시작하도록 하는 동기를 부여하기보다는 섭식장애가 시작된 후 그들의 행동을 정당화하기 위해 날씬한 미디어 이미지를 활용한다.

저자는 인디애나폴리스의 신경성 식욕부진증 협회(Anorexia and Associated Disorders Association)에서 2000년에 지지집단이 제공한 자료 일부를 공유하도록 승인을 받았으며, 회원들은 자신과 같은 환자를 치료하는 전문가를 돕기 위해 자신의 경험과 정보를 제공하였다.

(chronicity)에 대한 정의에도 일관성이 없었다고 지적하였다(Wonderlich et al., 2012). 이 연구자들은 환자를 위한 통합적이고 실용적인 임상 프로토콜의 필요성을 강조하였다.

1단계 실험에서, 심각하고 지속적인 치료-저항성 신경성 식욕부진증 환자 6명에게 뇌량 대상회(subcallosal cingulate)에 뇌심부자극술(DBS)을 적용하였다(Lipsman et al., 2013). DBS 활성화 후 환자를 9개월 동안 추적 관찰했다. 한 환자에게서 DBS 후 질병과 관련된 대사작용 문제로 경련이 발생하였고, 다른 한 환자에게서 수술 도중 공황발작과 색전증의 부작용이 발생하였지만, 잘 처리되었다. DBS 후 6개월이 경과했을 때 환자들의 삶의 질이 향상되었고, 4명의 환자는 기분, 불안, 정서적 조절 및 신경성 식욕부진증-관련 강박증이 개선되었다. 뇌심부자극술이 치료-저항성 신경성 식욕부진증 환자들에게 유용한지를 검증하기 위해 더 많은 연구가 시행되어야 한다.

핵심 간호중재: 섭식장애 환자

- 입원 기간 동안 매일 섭취하는 칼로리와 전해질의 상태를 모니터링한다. 환자의 체중을 너무 빨리 늘려서는 안 된다.
- 환자가 섭취한 음식에 대한 제거 행동 또는 기타 보상행동의 징후를 보이는지 관찰한다.
- 활동 수준을 모니터링하고, 환자에게 적합한 수준의 활동을 권장한다.
- 입원기간 동안 매일 체중을 측정하지만, 영양재개(refeeding) 후에 체중에 대한 관심을 줄이도록 환자를 격려한다.
- 영양사가 환자와 가족을 만나 다음과 같은 계획을 세운다. (1) 영양에 대한 정확한 정보를 제공, (2) 현실적이고 건강한 식단에 대해 논의, (3) 간호사가 환자의 영양 섭취를 모니터링할 수 있도록 도움 제공(특히 당뇨나 임신 중인 환자에게 중요함).
- 건강한 체중을 달성하고 재발을 방지하기 위해 치료나 지지그룹에 참여하는 것을 권장한다.
- 환자가 음식 이외의 문제들에 대해 스스로 의사결정을 하도록 격려한다.
- 다른 사람과의 상호작용뿐만 아니라 긍정적인 자아개념과 신체에 대한 인식을 증진시킨다.
- 따뜻함과 진실함을 전달한다. 간호사가 치료에 대한 양가감정을 극복하기 위한 그들의 노력과 걱정에 대해 진정으로 이해하고 관심을 기울이고 있다는 것을 환자가 믿도록 해야 한다(Sloan, 1999).
- 공감적으로 경청한다. 신경성 식욕부진증 환자는 체중이 문제라는 사실을 부인할 가능성이 높지만, 도달할 수 없는 목표를 달성하기 위해 강박적으로 노력하는 것이 외롭고 지친다고 시인한다. 신경증 폭식증 환자는 체중 문제를 인정할 가능성이 높지만, 여전히 문제를 해결하는 데 무력감을 느낀다(Muscari, 2002; Sloan, 1999).
- 진솔해야 한다. 환자는 모든 사람을 불신하면서 치료를 받기 시작한다. 진솔함은 섭식장애 환자와의 신뢰관계를 발전시키는 데 필수적이다.
- 적절한 행동 한계를 설정한다. 환자는 통제에 대한 욕구 때문에 간호사를 조종할 가능성이 있다. 간호사와 환자 간의 명확한 계약은 신뢰를 구축하고 권력 투쟁을 최소화하는 데 도움이 된다.
- 환자가 긍정적인 자질을 찾아내도록 돕는다. 환자는 자존감이 낮기 때문에, 긍정적인 자질에 대한 구체적인 증거를 찾아볼 필요가 있다. 환자의 자기-가치를 향상시키는 것이 회복의 주요 목표이다(Sloan, 1999).
- 환자와 협력한다. 협력을 이끌어 내기 위해 환자가 신뢰와 통제력을 증진시킬 수 있는 계획에 참여하도록 하고, 망가진 식습관을 통해 통제력을 유지하려는 욕구를 감소시킨다(Sloan, 1999).
- 환자에게 질병에 대해 교육한다. 섭식장애에 대한 정확한 정보를 제공하면 질병에 대한 부정이 줄어든다. 질병이 신체와 정신에 미치는 영향에 대해 이해하도록 돕는다(Sloan, 1999).
- 치료 초기단계가 신경성 식욕부진증 환자의 체중을 증가시킬 수 있는지를 결정한다. 환자의 체중에 대한 집중을 감소시키기 위해 체중계 눈금이 환자의 등 뒤에 위치하도록 서서 체중을 측정하게 할 수 있다.
- 행동수정 프로그램을 적용하여, 환자의 체중이 증가하거나 제거 행동이 감소하면 보상이나 특권을 부여한다. 체중을 늘리는 것은 환자에게 스트레스를 주지만 회복에 매우 중요하다. 안전한 체중에 도달하면, 퇴보하지 않는 한 환자로 하여금 자신의 경과와 프로그램에 대해 통제할 수 있게 한다. 궁극적으로 환자는 안전한 체중을 유지하는 것을 조절할 수 있어야 한다.
- 적절한 사회적 기술을 모델링하고 가르친다. 사회적 기술 습득, 특히 자기감정을 단호하게 표현하는 것은 섭식장애 환자에게 중요하다. 환자가 자신의 대인관계를 점검하고, 외로움을 줄이는 작업을 해 나가도록 격려한다.
- 환자가 자신의 질환과 관련된 신체적 감각과 느낌을 식별하고 표현하도록 돕는다. 신경성 식욕부진증 환자는 체형에 대한 왜곡된 인식 외에는 신체에 대한 인식이 거의 없음을 명심한다(Sloan, 1999).
- 환자가 체중 이외에 어떠한 분야에 관심을 갖고 있는지 확인한다. 이러한 관심사에 대한 개입은 환자가 식사와 관련이 없는 영역에 에너지를 투자하도록 하여 불안을 줄일 수 있다. 음식과 관련이 없는 새로운 취미와 관심사를 개발하도록 격려한다.

9) 치료적 환경관리

- 환자가 입원이나 외래치료에 대한 두려움을 줄일 수 있도록 오리엔테이션을 제공한다.
- 따뜻하고 보살핌을 받는 분위기를 만든다. 환자의 불안을 줄이고 신뢰를 높이기 위해 지지를 받고 있다고 느끼는 것이 중요하다.
- 환자를 세심하게 관찰한다. 적절한 중재 계획을 세우기 위해 회피 행동을 확인해야 한다. 일반적인 행동양상으로 종이 냅킨에 음식을 숨기고 나중에 버리기, 빵 껍질을 접시에 두고 나머지는 버리기, 화분이나 창밖으로 음식 버리기, 먹는 동안 음식을 쏟아 환자가 실제로 얼마나 먹었는지 확인할 수 없도록 하기, 양치질할 때 물고 있던 음식을 버리기 등의 행동이 포함된다. 그러한 행동에 대해서는 무비판적인 직면으로 대응한다. 체중 증가에 두려움을 느끼는 것을 이해함을 표현한다.
- 환자가 음식을 제거하고 싶은 욕구를 느낄 경우 치료팀에게 알리도록 격려한다. 감정표현은 불안을 줄여주며, 환자로 하여금 음식이나 구토를 제한하는 대신 대처행동을 발견하도록 도와준다.
- 필요한 경우 환자의 가족을 치료에 참여시킨다. 만약 가족이 문제를 부정하거나 치료를 지원하지 않는다면, 그 가족은 일시적으로 치료팀에서 제외되어야 한다. 만약 부모님이 특히나 미성년자에게 정서적인 지지를 제공한다면, 치료 노력은 성공할 가능성이 더 크다. 가족들은 그 질병과 치료법을 이해해야 한다. 가족치료와 가족교육은 단기 및 장기치료에서 섭식장애를 앓고 있는 청소년을 돕는 중요한 요소이다(Geist et al., 2000; Melrose, 2000).
- 일관성 있게 대응한다. 환자의 조종을 줄이고 치료 방해 행위를 방지하기 위해, 정해진 행동수정 프로그램 또는 치료방식을 전체 치료팀이 일관성 있게 수행해야 한다.
- 음악요법, 미술요법과 같은 예술치료와 레크리에이션 및 기타 유형의 치료에 참여하도록 격려한다. 이러한 치료는 환자에게 자신의 감정을 표현하게 하고, 음식과 다이어트에 집중하는 것 이외의 활동을 제공하는 대안적인 방법을 가르친다.
- 치료 계획에 영양사를 참여시켜 적절한 영양 섭취에 대해 교육하면서 환자에게 메뉴 선택의 기회를 제공한다. 체중 증가 프로그램에서 환자의 협조를 높이고, 환자 안전을 유지하며, 체중을 너무 빨리 증가시킬 때 발생하는 의학적 위험을 예방하기 위해서 칼로리 섭취를 점진적으로 증가시킨다. 식사와 간식에 대한 계획을 준수하도록 권장한다. 규칙적인 식사는 다이어트나 식사 제한으로 인한 폭식을 방지한다. 모든 환자가 식습관 정상화에 관한 영양사의 지침을 따르도록 한다(Stwart & Williamson, 2004).
- 집단치료에 참여하도록 한다. 환자가 동료와 함께 그룹에 참여할 수 있는 기회를 제공하면, 감정을 표현하고 발달적인 문제를 다루는 데 있어서 어려움을 겪는 것이 혼자만의 문제가 아니라는 것을 알게 해준다. 간호사가 주도하는 지지집단은 환자가 고민들과 감정 및 두려움을 공유하도록 해준다(Muscari, 2002).
- 환자와 가족을 위한 지속적인 집단 정신치료 및 지지집단, 그리고 개별 정신치료를 권장한다. 이러한 중재는 체중이 상당히 증가된 환자와 퇴원한 환자에게 유용하다(Castro et al., 2004). 퇴원 후 지속적인 외래치료가 뒤따르지 않는 경우, 질병이 재발 또는 사망하거나 자살을 시도할 수 있다(Pompli et al., 2004). 만성 질환의 특성을 고려할 때, 포괄적이고 지속적인 치료는 재발 예방을 위한 최선의 선택이다(Cummings et al., 2001).

다양한 치료 세팅, 즉 외래, 낮병동, 신체적 손상이 있는 환자의 입원치료에서 치료의 효과를 비교한 결과, 치료 환경에 따라 유의한 차이를 보이지는 않았다(Fairburn, 2005). 단계적 치료법이 유용할 수 있는데, 단계적 치료법은 환자가 먼저 자조집단 또는 가족과 함께 정신건강 교육집단과 같은 간단한 치료에 참여하고, 여기에 반응하지 않는다면 그 다음으로 인지행동치료를 시행하는 것이다. 집단치료는 일반적으로 사회기술훈련, 사회 불안 및 신체상 왜곡과 같은 문제에 초점을 두고 다룬다(Halmi, 2009). 이러한 치료를 통해 호전되지 않는 환자에게는 대인관계 정신치료, 부분 입원 또는 전체 입원, 항우울제 약물치료와 같은 보다 집중적인 치료 형태를 적용할 수 있다.

CASE STUDY

김OO 님은 17세 환자로, 지난 한 달 동안 외래에서 치료를 받으며, 매주 1kg의 체중을 증가시키기로 약속을 했지만 그녀는 계속해서 체중을 감량했다. 그 결과 그녀는 164cm의 키에 39kg의 몸무게에 이르러 입원이 결정되었고, 부모님과 함께 입원 병동으로 오게 되었다. 그녀는 자신의 입원을 강력히 반대했고 자신에게 문제가 있다는 것을 부정했다.

그녀는 27세, 24세, 17세의 세 딸 중 막내이며, 중산층 가정에서 늦둥이로 태어났다. 그녀의 부모님은 그녀가 지난 6개월 동안 꾸준히 체중을 감량했다는 것을 알고 있었다. 처음에 부모님은 그녀가 단순히 다이어트를 하고 있을 뿐이라고 믿었으나, 밤에 잠옷을 입었을 때 그녀의 갈비뼈와 척추가 노골적으로 드러나 있음을 보았고, 심각하게 걱정하게 되었다.

그녀는 최근 학교에서 장학금을 받게 되었다. 그녀는 학교 활동에 적극적이었고 열심히 공부했기 때문에 선생님들에게 좋은 평가를 받고 있었다. 사교성이 좋아 많은 친구가 있는 것처럼 보였지만, 본인은 단 한 명의 진정한 친구와 또 다른 신경성 식욕부진증 친구가 전부라고 얘기했다.

그녀는 약 6개월 전, 가족들과 함께 그녀가 매우 믿고 따르는 큰 언니를 만나러 갔을 때부터 자신의 몸무게에 집착하게 되었다. 어느 날 오후, 세 자매는 딸기를 함께 먹게 되었는데, 큰언니는 그녀에게 “다 먹지 마. 다 먹으면 너 진짜 뚱뚱해질 거야!”라며 놀렸다. 그녀는 언니가 자신을 뚱뚱하게 여긴다고 생각했다. 그녀는 식단에 집착하게 되면서 채식주의자가 되었으며, 식단을 계획하고, 적절한 영양에 대해 가족을 가르치려 하기도 하였다. 그녀의 어머니가 이에 대해 잔소리를 하자, 그녀는 자신이 무엇을 하고 있는지 알고 있으며 아기 취급을 받는 것에 질렸다고 소리쳤다. 어머니가 딸의 식습관에 대해 간섭하려 들면 그녀는 전혀 먹지 않는 행동으로 대응했다. 가족과 그녀 사이에 의사소통이 거의 없어질 정도로 가족 관계가 매우 악화되었다. 그녀는 식사할 때마다 음식을 저울에 재거나 특정 음식을 골라내고 먹는 등 그녀만의 독특한 의식을 행하였고, 14kg이나 체중을 감량했다. 그녀가 병적으로 말라 보이기 시작했을 때 가족은 치료를 받도록 설득했지만, 외래치료 중에도 체중 감량을 지속했다.

그녀는 호감이 가는 매력적인 소녀였고, 병원에 있는 다른 청소년 환자들은 그녀와 친구가 되고 싶어 했다. 하지만 그들은 바닐라 푸딩에 콘플레이크를 섞고 크랜베리 주스를 시리얼에 붓는 등 그녀의 식사 습관이 이상하다는 것을 곧 알게 되었다. 처음에 그녀는 식사와 간식을 먹는 것을 거부했지만, 영양 공급을 위해 튜브로 음식을 주입했을 때는 순순히 따랐다. 그녀는 항상 몸에 맞지 않는 헐렁한 환자복을 입고 있었다. 다른 환자가 왜 큰 옷을 입느냐고 묻자, 그녀는 자신의 뚱뚱한 몸을 다른 사람들이 쳐다보는 것을 원치 않는다고 대답하여 주위를 놀라게 하기도 했다.

휴식 시간에 그녀는 미묘한 자살충동의 메시지를 담고 있는 병적인 시를 쓰고 있었다. 그녀는 혼자 있기를 좋아했고 집단치료 모임에 참여하라는 요청을 받으면 짜증을 내고 무례하게 굴었다. 그녀는 가능한 한 다른 사람들이 원하는 대로 따르려고 노력했지만, 그녀가 병원에서 경험한 통제력의 부족은 불안감과 불편함을 가중시켰고, 자신에게 문제가 있다는 것을 더욱더 부인하게 만들었다.

간호과정

이름: 김OO **입원일:** ______________

DSM-5 진단: 신경성 식욕부진증

사정	**강점:** 지적 능력, 과거의 성취도, 호감도, 과거의 건강한 대인관계, 양호한 개인위생, 입원 이유에 대한 통찰력, 가족의 지지 **간호문제:** 저체중, 왜곡된 신체상, 낮은 자존감, 우울증, 영양에 관한 정확한 지식 부족, 조종적인 행동
진단	1. 영양불균형: 신체 요구량보다 적음(근거: 지속적인 체중 감량과 부적절한 식습관을 가지고 있음) 2. 신체상 장애(근거: 부적절한 복장과 자신이 얼마나 뚱뚱한지에 대해 반복해서 이야기함) 3. 자존감 저하(근거: 사회적 고립과 자살 메시지가 담긴 시를 씀)
관련요인	1. 적절한 영양에 대한 지식 부족, 살이 찌는 것에 대한 두려움, 식사 통제력을 잃을 것에 대한 두려움 2. 저체중임에도 불구하고 뚱뚱하다고 느끼는 것, 체중 및 체형에 대한 인지왜곡 3. 체중으로만 자신의 가치를 평가하려는 인지왜곡, 살이 찌면 다른 사람들이 무시할 것이라는 두려움
간호목표	**단기 목표**
날짜: _______	환자는 일주일에 0.5kg의 체중이 증가한다.
날짜: _______	환자는 자신이 뚱뚱하지 않다고 말한다.
날짜: _______	환자는 자신에 대하여 2가지 이상의 장점을 인식한다.
	장기 목표
날짜: _______	환자는 6개월 이내에 최소 9kg의 체중이 증가한다.
날짜: _______	환자는 자신이 매우 말랐음을 인정한다.
날짜: _______	환자는 다른 환자들과 함께 하는 것이 편안해졌다고 말한다.
계획 및 중재	**간호사-환자 관계** • 매일 20~30분씩 환자와 만나 감정에 대해 이야기하기로 계약을 맺는다. • 환자에 대한 관심을 표현한다.

〈계속〉

	• 우울증과 통제력 부족에 대한 감정을 언어로 표현하도록 격려한다. • 환자가 자신에 대한 긍정적인 특성을 확인하도록 돕는다. • 환자는 통제력을 잃을까봐 걱정하는 것에 대해 이야기한다. • 환자는 적절한 영양소와 질병에 대한 지식을 말로 표현한다. • 환자는 통제 불능 상태일 때 사용할 수 있는 3가지 대처방법을 설명한다. **치료적 환경관리:** 환자가 식사에 참석하고 동료와 함께 앉도록 격려한다. • 집단치료에 참여하여 동료들과 감정에 대해 이야기 나누도록 격려한다. • 동료와 자신의 긍정적인 특성을 함께 나누도록 격려한다. • 병동 규칙의 일관성을 유지하고 환자가 준수하는지 확인한다.
평가	• 환자는 입원 후 첫 10일 동안 체중이 1kg 증가하였다. • 병동의 모든 활동요법에 참석하였다. • 간호사와 함께 개인치료에 참석하였고, 자신의 장점 한 가지를 말했다.
의뢰	퇴원 후 지역사회에 있는 섭식장애 자조집단에 참여하도록 격려하고, 집단 프로그램 참여를 위해 접촉할 사람을 안내하는 등 구체적인 정보를 제공하였다.

Web resources

다음의 웹 사이트는 전문가, 환자 및 가족들이 이용 가능한 정보를 소개한다. 간호사는 환자와 가족에게 정보를 제공하기 전에 웹 사이트의 적합성을 평가해야 한다. Pro Ana, Pro Mia 등 일부 웹 사이트에는 '최고의 신경성 식욕부진증' 또는 '최고의 신경성 폭식증'이 되는 방법에 대한 정보를 제공하며, 경쟁적으로 환자들의 병적인 사진을 게시하는 등 유해한 정보가 있을 수 있기 때문이다. 이러한 사이트의 웹 주소는 환자에서 환자로 전달되기 때문에 추적 및 통제가 매우 어렵다(Andrist, 2003).

1. 미국 신경성 식욕부진증 및 관련 장애 협회(National Association of Anorexia and Associated Disorders, ANAD)
   http://www.anad.org
   이 사이트는 ANAD가 후원하고 유지 관리하고 있으며, 환자와 그 가족을 위한 네트워크, 지지그룹 및 옹호를 제공함으로써 섭식장애 환자와 그 가족을 돕는 데 전념하는 가장 오래된 미국의 비영리 단체이다. 현재는 섭식장애를 흥미거리로 묘사하거나, 이 단체를 위험하다고 모욕하는 언론의 보도를 감시하고 옹호하는 것에 중점을 두고 있다.
2. 섭식장애 의뢰 및 정보 센터(Eating Disorders Referral and Information Center, EDRIC)
   http://www.edreferral.com
   이 사이트는 비영리 단체인 국제 섭식장애 협회가 후원하고 관리한다. 이 웹 사이트는 전 세계에 의뢰할 수 있는 섭식장애 치료 경험이 있는 치료전문가에 대한 정보 및 많은 치료에 대한 정보와 여러 자원에 대한 링크를 포함하고 있다.
3. 섭식장애 아카데미(Academy for Eating Disorders, AED)
   http://www.aedweb.org/web/index.php
   AED는 섭식장애 분야의 최첨단 정보를 제공하는 국제적인 기구이다. 이 기구는 섭식장애에 대한 연구, 교육, 치료 및 예방에 있어 지도력을 발휘하는 세계적이고 종합적인 전문가 협회이다. AED는 환자, 일반인 및 섭식장애 전문가를 위해 이 분야를 옹호한다.

국내의 경우 섭식장애 환자와 가족, 전문가를 위한 공공 웹 사이트가 아직 구축되지 못하였으나, 추후 웹 사이트를 개발하여 신뢰할 만한 정보 제공과 네트워크 형성 등 치료 및 회복을 위한 지지체계가 제공되어야 할 것이다.

STUDY NOTES

1. 신경성 식욕부진증은 연령과 신장에 적절한 최소한의 정상 체중을 유지하는 것을 거부하고, 살찌는 것에 대한 강한 두려움, 왜곡된 신체상, 여성의 무월경 또는 불규칙한 생리주기, 남성은 테스토스테론 수치가 낮다는 특징이 있다.
2. 신경성 식욕부진증 환자는 정상적인 체중 범위에서 질병이 시작될 수도 있지만, 사회적으로 다른 사람들로부터 자신을 고립시키고, 체중 감량에 대해 강박적이 되며, 과도한 운동을 하기도 한다.
3. 신경성 폭식증은 폭식 삽화, 식사에 대한 통제력 부족, 보상 행동, 그리고 체형과 체중에 대한 과도한 관심을 갖는 것이 특징이다. 주로 우울증이 공존한다.
4. 신경성 식욕부진증 환자와 신경석 폭식증 환자는 사망으로 이어질 수 있는 다양한 생리적 문제를 경험한다. 또한 성격과 정서의 변화가 분명하게 나타나는데, 이는 섭식장애의 결과로 나타날 수도 있고 섭식장애의 원인이 될 수도 있다.
5. 섭식장애의 원인은 생물학적 · 사회문화적 · 가족적 · 인지적 · 행동적 · 정신역동적 요인 등 복합적인 요인에 기인한다.
6. 인지행동치료는 섭식장애 치료에 있어 가장 많은 연구들을 통해 효과가 입증된 치료법이다.
7. 남성의 섭식장애는 여성보다 더 늦은 나이에 발생하고 최근 발병률이 증가하고 있으며 여성 섭식장애 환자와 유사한 치료가 이루어진다.
8. 섭식장애 환자를 위한 간호중재는 지지적 관계 형성, 한계 설정, 행동수정 프로그램, 그리고 일관성 있는 환경치료가 필요하다. 가족 참여, 개인정신치료, 집단치료도 필수적이다.
9. 체중이 환자의 신장에 적합한 수준 이하로 감소하거나 환자의 질환과 관련된 의학적 합병증이 있는 경우, 구조화된 환경 하에 입원치료가 필요하며, 이 때 항우울제 처방이 고려될 수 있다.

참고문헌 REFERENCES

Agency for Healthcare Research and Quality. (2009). Statistical brief #70. http://www.hcup-us.ahrq.gov/reports/statbriefs/sb70.jsp. Accessed 22.08.13.

Agency for Healthcare Research and Quality. (2011). Hospitalizations for eating disorders declined, but big increase seen in pica disorder. http://www.ahrq.gov/news-andnumbers/090811.html. Accessed 22.08.13.

American Psychiatric Association. (2013). Diagnostic and statistical manual of mental disorders (5th ed.). Arlington, Virginia: APA.

Andrist, L. (2003). Media images, body dissatisfaction and disordered eating in adolescent women. The American Journal of Maternal Child Nursing, 28, 119.

Ansell, E. B., et al. (2008). Structure of diagnostic and statistical manual of mental disorders, fourth edition criteria for obsessive-compulsive personality disorder in patients with binge eating disorder. Canadian Journal of Psychiatry, 53, 863.

Attia, E. (2009). Anorexia nervosa: Current status and future directions. Annual Review of Medicine, 61, 425.

Attia, E., & Schroeder, L. (2005). Pharmacologic treatment of anorexia nervosa: Where do we go from here? International Journal of Eating Disorders, 37, S60.

Bachner-Melman, R., et al. (2009). Protective self-presentation style: Association with disordered eating and anorexia nervosa mediated by sociocultural attitudes towards appearance. Eating and Weight Disorders, 14, 1.

Bailer, U. F., et al. (2007). Exaggerated 5-HT1A but normal 5-HT2A receptor activity in individuals ill with anorexia nervosa. Biological Psychiatry, 61, 1090.

Bakke, B., et al. (2001). Administering cognitive-behavioral therapy for bulimia nervosa via telemedicine in rural settings. International Journal of Eating Disorders, 30, 454.

Bergen, A. W., et al. (2003). Candidate genes for anorexia nervosa in the 1p33-36 linkage region: Serotonin 1D and delta opioid receptor loci exhibit significant association to anorexia nervosa. Molecular Psychiatry, 8, 397.

Boisseau, C. L., et al. (2013). The relationship between decision making and perfectionism in obsessive-compulsive disorder and eating disorders. Journal of Behavior Therapy and Experimental Psychiatry, 44, 316.

Brown, K. M., et al. (2007). Further evidence of association of OPRD1 & HTR1D polymorphisms with susceptibility to anorexia nervosa. Biological Psychiatry, 61, 367.

Bruch, H. (1973). Eating disorders. New York: Basic Books.

Bulik, C. M., et al. (2005). Anorexia nervosa: Definition, epidemiology, and cycle of risk. International Journal of Eating Disorders, 37, S2.

Castro, J., et al. (2004). Predictors of rehospitalization after total weight recovery in adolescents with anorexia nervosa. International Journal of Eating Disorders, 36, 22.

Cohane, G. H., & Pope, H. G. (2001). Body image in boys: A review of the literature. International Journal of Eating Disorders, 29, 373.

Cook-Darzens, S., Doyen, C., & Mouren, M. C. (2008). Family therapy in the treatment of adolescent anorexia nervosa: Current research evidence and its therapeutic implications. Eating and Weight Disorders, 13, 157.

Crow, S., & Peterson, C. B. (2009). Refining treatments for eating disorders. American Journal of Psychiatry, 166, 266.

Cummings, M. M., et al. (2001). Developing and implementing a comprehensive program for children and adolescents with eating disorders. Journal of Child and Adolescent Psychiatric Nursing, 14, 167.

Cuzzocrea, F., Larcan, R., & Lanzarone, C. (2012). Gender differences, personality and eating behaviors in non-clinical adolescents. Eating and Weight Disorders, 17, e282.

Dahlgren, C. L., et al. (2013). Developing and evaluating cognitive remediation therapy (CRT) for adolescents with anorexia nervosa: A feasibility study. Clinical Child Psychology and Psychiatry, June 11 [Epub ahead of print].

Dauncey, M. J. (2013). Genomic and epigenomic insights into nutrition and brain disorders. Nutrients, 15, 887.

Easter, A., et al. (2013). Recognising the symptoms: How common are eating disorders in pregnancy? European Eating Disorders Review, 21, 340.

Espindola, C. R., & Blay, S. L. (2009). Anorexia nervosa treatment from the patient perspective: A metasynthesis of qualitative studies. Annals of Clinical Psychiatry, 21, 38.

Fairburn, C. G. (2005). Evidence-based treatment of anorexia nervosa. International Journal of Eating Disorders, 37, S26.

Fairburn, C. G., et al. (2009). Transdiagnostic cognitivebehavioral therapy for patients with eating disorders: A two-site trial with 60-week follow-up. American Journal of Psychiatry, 166, 311.

Finelli, L. (2001). Revisiting the identity issue in anorexia. Journal of Psychosocial Nursing and Mental Health Services, 39, 23.

Fox, J. R. (2009). Eating disorders and emotions. Clinical Psychology & Psychotherapy, 16, 237.

Fox, J. R., & Froom, K. (2009). Eating disorders: A basic emotion perspective. Clinical Psychology & Psychotherapy, 16, 328.

Galusca, B., et al. (2008). Organic background of restrictive type anorexia nervosa suggested by increased serotonin1A receptor binding in right frontotemporal cortex of both lean and recovered patients: [18 F]MPPF PET scan study. Biological Psychiatry, 64, 1009.

Geist, R., et al. (2000). Comparison of family therapy and family group psychoeducation in adolescents with anorexia nervosa. Canadian Journal of Psychiatry, 45, 173.

Goldstein, D. J., et al. (1999). Effectiveness of fluoxetine therapy in bulimia nervosa regardless of comorbid depression. International Journal of Eating Disorders, 25, 19.

Halmi, K. (2005). Psychopathology of anorexia nervosa. International Journal of Eating Disorders, 37, S20.

Halmi, K. A. (2009). Salient components of a comprehensive service for eating disorders. World Psychiatry, 8, 150.

Hay, P. P., et al. (2009). Psychological treatments for bulimia nervosa and binging. The Cochrane Database of Systematic Reviews, (4), CD000562.

Hofmann, S. G., et al. (2012). The efficacy of cognitive behavioral therapy: A review of meta-analyses. Cognitive Therapy and Research, 36, 427.

Holland, L. A., Bodell, L. P., & Keel, P. K. (2013). Psychological factors predict eating disorder onset and maintenance at 10-year follow-up. European Eating Disorders Review, 21, 405.

Hudson JI, Hiripi E, Pope HG, Kessler RC. (2012). The prevalence and correlates of eating disorders in the National Comorbidity Survey Replication. Biol Psychiatry, 72:164.

Hütter, G., Ganepola, S., & Hofmann, W. K. (2009). The hematology of anorexia nervosa. International Journal of Eating Disorders, 42, 293.

Javaras, K. N., et al. (2008). Familiality and heritability of binge eating disorder: Results of a case-control family study and a twin study. International Journal of Eating Disorders, 41, 174.

Juarascio, A., et al. (2013). Acceptance and commitment therapy as a novel treatment for eating disorders: An initial test of efficacyand mediation. Behavior Modification, 37, 459.

Karpowicz, E., Skärsäter, I., & Nevonen, L. (2009). Self-esteem inpatients treated for anorexia nervosa. International Journal of Mental Health Nursing, 18, 318.

Katzman, D. K. (2005). Medical complications in adolescents with anorexia nervosa: A review of the literature. International Journal of Eating Disorders, 37, S52.

Kaye, W. H., Fudge, J. L., & Paulus, M. (2009). New insights into symptoms and neurocircuit function of

anorexia nervosa. Nature Reviews. Neuroscience, 10, 573.
Kaye, W. H., et al. (2000). Anorexia and bulimia nervosa. Annual Review of Medicine, 51, 299.
Kaye, W. H., et al. (2004). Comorbidity of anxiety disorders with anorexia and bulimia nervosa. American Journal of Psychiatry, 161, 2215.
Kaye, W. H., et al. (2005). Neurobiology of anorexia nervosa: Clinical implications of alterations of the function of serotonin and other neuronal systems. International Journal of Eating Disorders, 37, S15.
Kaye, W. H., et al. (2008). The genetics of anorexia nervosa collaborative study: Methods and sample description. International Journal of Eating Disorders, 41, 289.
Keel, P. K., et al. (2003). Predictors of mortality in eating disorders. Archives of General Psychiatry, 60, 179.
Kiezebrink, K., et al. (2010). Evidence of complex involvement of serotonergic genes with restrictive and binge purge subtypes of anorexia nervosa. The World Journal of Biological Psychiatry, 11, 824.
Lipsman, N., et al. (2013). Subcallosal cingulate deep brain stimulation for treatment-refractory anorexia nervosa: A phase 1 pilot trial. Lancet, 381, 1361.
Lock, J. D., & Fitzpatrick, K. K. (2009). Anorexia nervosa. Clinical Evidence (Online), 1011.
MacDonald, A. (Ed.). (2009). Treating anorexia nervosa. A multidisciplinary approach is best, but relapses are common. In The Harvard Mental Health Letter, 26, 1.
Marco, J. H., Perpiñá, C., & Botella, C. (2013). Effectiveness of cognitive behavioral therapy supported by virtual reality in the treatment of body image in eating disorders: One year follow up. Psychiatry Research, 209, 619.
Mazzeo, S. E., et al. (2005). Parenting concerns of women with histories of eating disorders. International Journal of Eating Disorders, 37, S77.
McClay, C. A., et al. (2013). Online cognitive behavioral therapy for bulimic type disorders, delivered in the community by a nonclinician: Qualitative study. Journal of Medical Internet Research, 15, e46.
McIntosh, W. V., et al. (2000). Interpersonal psychotherapy for anorexia nervosa. International Journal of Eating Disorders, 27, 125.
Melrose, C. (2000). Facilitating a multidisciplinary parent support and education group guided by Allen's developmental health nursing model. Journal of Psychosocial Nursing and Mental Health Services, 38, 19.
Mendell, D. A., & Logemann, J. A. (2001). Bulimia and swallowing: Cause for concern. International Journal of Eating Disorders, 30, 252.
Misra, M., et al. (2008). Bone metabolism in adolescent boys with anorexia nervosa. The Journal of Clinical Endocrinology and Metabolism, 93, 3029.
Mitchell, K. S., et al. (2010). Binge eating disorder: A symptom level investigation of genetic and environmental influences on liability. Psychological Medicine, 40, 1899.
Muscari, M. (2002). Effective management of adolescents with anorexia and bulimia. Journal of Psychosocial Nursing and Mental Health Services, 40, 23.
Nakash-Eisikovits, O., Dierberger, A., & Westen, D. (2002). A multidisciplinary meta-analysis of pharmacotherapy for bulimia nervosa: Summarizing the range of outcomes in controlled clinical trials. Harvard Review of Psychiatry, 10, 193.
National Collaborating Centre for Mental Health. (2004). Eating disorders: Core interventions in the treatment and management of anorexia nervosa, bulimia nervosa, and related eating disorders. London: British Psychological Society and Royal College of Psychiatrists.
O'Dea, J. A., & Abraham, S. (2000). Improving the body image, eating attitudes and behaviors of young male and female adolescents: A new educational approach that focuses on self-esteem. International Journal of Eating Disorders, 28, 43.
Ohlmer, R., Jacobi, C., & Taylor, C. B. (2013). Preventing symptom progression in women at risk for AN: Results of a pilot study. European Eating Disorders Review, 21, 323.
Orbanic, S. (2001). Understanding bulimia. American Journal of Nursing, 101, 35.
Perpiñá, C., et al. (2013). Clinical validation of a virtual environment for normalizing eating patterns in eating disorders. Comprehensive Psychiatry, 54, 680.
Pike, K. (2005). Assessment of anorexia nervosa. International Journal of Eating Disorders, 37, S22.
Poirier-Solomon, L. (2001). Eating disorders and diabetes. Diabetes Forecast, 11, 43.
Pompli, M., et al. (2004). Suicide in anorexia nervosa: A metaanalysis. International Journal of Eating Disorders, 36, 99.
Rand, C. S. W., & Wright, B. A. (2000). Continuity and change in the evaluation of ideal and acceptable body sizes across a wide age span. International Journal of Eating Disorders, 28, 90.
Ro, O., et al. (2005). Two-year prospective study of personality disorders in adults with long-standing eating disorders. International Journal of Eating Disorders, 37,

112.
Scagliusi, F. B., et al. (2009). Nutritional knowledge, eating attitudes and chronic dietary restraint among men with eating disorders. Appetite, 53, 446.
Shingleton, R. M., Richards, L. K., & Thompson-Brenner, H. (2013). Using technology within the treatment of eating disorders: A clinical practice review. Psychotherapy (Chicago, Ill.), 50, 576.
Sloan, G. (1999). Anorexia nervosa: A cognitive behavioural approach. Nursing Standard, 13, 43.
Steiger, H., Bruce, K. R., & Groleau, P. (2011). Neural circuits, neurotransmitters, and behavior: Serotonin and temperament in bulimic syndromes. Current Topics in Behavioral Neurosciences, 6, 125.
Stein, K. F., & Corte, C. (2003). Reconceptualizing causative factors and intervention strategies in the eating disorders: A shift from body image to self-concept impairments. Archives of Psychiatric Nursing, 17, 57.
Steinhausen, H. C., & Weber, S. (2009). The outcome of bulimia nervosa: Findings from one-quarter century of research. American Journal of Psychiatry, 166, 1331.
Stewart, T. M., & Williamson, D. A. (2004). Multidisciplinary treatment of eating disorders—Part 2. Behavior Modification, 28, 831.
Sutoh, C., et al. (2013). Changes in self-regulation-related prefrontal activities in eating disorders: A near infrared spectroscopy study. PLoS One, 8, e59324.
Trace, S. E., et al. (2013). The genetics of eating disorders. Annual Review of Clinical Psychology, 9, 589.
Treasure, J., Claudino, A. M., & Zucker, N. (2010). Eating disorders. Lancet, 375, 583.
Troop, N. A. (2012). Helplessness, mastery and the development of eating disorders: Exploring the links between vulnerability and precipitating factors. Eating and Weight Disorders, 17, e274.
Usdan, L. S., Khaodhiar, L., & Apovian, C. M. (2008). The endocrinopathies of anorexia nervosa. Endocrine Practice, 14, 1055.
White, J. H. (2000). The prevention of eating disorders: A review of the research on risk factors with implications for practice. Journal of Child and Adolescent Psychiatric Nursing, 13, 76.
Williamson, D. A., et al. (2004). Cognitive-behavioral theories of eating disorders. Behavior Modification, 28, 711.
Wonderlich, S. A., et al. (2001). Eating disturbance and sexual trauma in childhood and adulthood. International Journal of Eating Disorders, 30, 401.
Wonderlich, S., et al. (2012). Minimizing and treating chronicity in the eating disorders: A clinical overview. International Journal of Eating Disorders, 45, 467.
Woodside, D. B., et al. (2001). Comparisons of men with full or partial eating disorders, men without eating disorders, and women with eating disorders in the community. American Journal of Psychiatry, 158, 570.
Zerwas, S., et al. (2013). Factors associated with recovery from anorexia nervosa. Journal of Psychiatric Research, 47, 972.
김준호(2013. 05. 23). 국내 청소년 섭식장애 유병률 30%, 메디칼 트리뷴. http://www.medical-tribune.co.kr/news/articleView.html?idxno=54642
김지윤, 하은혜(2013). 여고생의 완벽주의와 폭식행동의 관계에서 분노표현방식의 매개효과, 청소년상담연구, 2, 99-119.
유희정, 조성민, 김성윤, 김창윤, 홍택유, 한오수(1996). 한국 청소년 섭식장애의 역학. 정신병리학, 5(1), 130-137.
이수진, 장혜인(2017). 부적응적 완벽주의, 부정정서, 부정적 긴급성이 여자 대학생의 신경성 폭식증 증상에 미치는 영향. Korean Journal of Clinical Psychology, 36(2), 192-205.
장수용, 이영호, 정영조(1995). 무용과 대학생에서의 식사장애 유병률 및 식사 특성과 성격특성의 상관관계에 대한 연구. 정신의학, 20(2), 107-122.
한국건강보험심사평가원(2017). 보도자료: 살찌는 것이 두렵다, 20대 식사장애 여성 남성의 9배, http://www.mohw.go.kr/react/al/sal0301vw.jsp?PAR_MENU_ID=04&MENU_ID=0403&CONT_SEQ=286697&page=209
한오수, 유희정, 김창윤, 이철, 민병근, 박인오(1990). 한국인의 식이장애의 역학 및 성격특성. 정신의학, 15, 270-287.
홍강의 등(2014). DSM-5에 준하여 새로 쓴 소아정신의학. 서울: 학지사.

CHAPTER

27

아동 및 청소년 정신장애

Mental Health in Children and Adolescents

evolve WEBSITE

http://evolve.elsevier.com/Keltner

학습목표

- 아동 및 청소년 정신건강의 특성을 이해한다.
- 자폐스펙트럼장애의 특성을 이해하고 간호문제 해결을 위한 간호과정을 적용한다.
- 주의력결핍 과잉행동장애의 특성을 이해하고 간호문제 해결을 위한 간호과정을 적용한다.
- 반응성 애착장애의 특성을 이해하고 간호문제 해결을 위한 간호과정을 적용한다.
- 탈억제성 사회관계장애의 특성을 이해하고 간호문제 해결을 위한 간호과정을 적용한다.
- 의사소통장애의 특성을 이해하고 간호문제 해결을 위한 간호과정을 적용한다.
- 특정학습장애의 특성을 이해하고 간호문제 해결을 위한 간호과정을 적용한다.
- 품행장애의 특성을 이해하고 간호문제 해결을 위한 간호과정을 적용한다.
- 적대적 반항장애의 특성을 이해하고 간호문제 해결을 위한 간호과정을 적용한다.
- 운동장애의 특성을 이해하고 간호문제 해결을 위한 간호과정을 적용한다.
- 지적장애의 특성을 이해하고 간호문제 해결을 위한 간호과정을 적용한다.
- 배설장애의 특성을 이해하고 간호문제 해결을 위한 간호과정을 적용한다.

1. 아동 및 청소년 정신건강

1) 아동 및 청소년기 정신건강 문제의 위험성

정신질환은 성인기에 나타나는 현상으로만 생각하는 경향이 있으나, 대규모 연구에서 정신장애를 가진 젊은 성인의 75% 이상이 11~18세 사이에 초기 진단을 받은 것으로 밝혀졌다(Copeland et al., 2009). 미국의 경우 아동 및 청소년의 20% 가량이 가정, 학교, 또래친구, 지역사회에 유의한 손상을 야기하는 주요 정신질환으로 고통받고 있는 것으로 추정된다(Merekangas et al., 2010). 아동 및 청소년기의 정신장애 발병은 정상적인 발달단계에 지장을 초래하고, 그 결과 학업과 사회적·정서적 기능의 손상을 가져오게 된다. 정신장애는 아동에게 영향을 미칠 뿐만 아니라, 그들의 가족에게 심각한 스트레스를 유발하거나 가족기능을 손상시킬 수 있다. 사회적 낙인과 오해는 대상자와 가족들로 하여금 대상자의 건강상태를 숨기게 만들거나 심지어 전문적인 돌봄과 도움을 받는 데도 어려움을 야기한다. 다행스럽게도, 공중보건 분야에서 이처럼 빈번하면서도 조용한 질병의 확산은 점차적으로 정교해진 선별검사와 치료법에 의해 다루어지고 있다.

2) 아동 및 청소년기 정신건강 문제의 특성

(1) 아동의 기질

기질은 아동이 환경의 요구와 기대에 대처하기 위해 습관적으로 사용하는 행동양식이다. 이러한 양식은 유아기에 나타나며, 성숙과 함께 변경되고, 사회적 환경의 맥락에서 발달한다(Gemelli, 2008). 모든 사람은 기질을 갖고 있으며, 아동과 부모의 기질 적합도는 아동의 발달에 중요하다. 관계 형성에서 돌봄제공자의 역할이 주를 이루며, 간호사는 부모로 하여금 상호작용을 증진시키도록 행동을 수정하는 방식을 교육하기 위해 개입할 수 있다. 만일 부모와 아동의 기질이 불일치하고 돌봄제공자가 아동에게 긍정적으로 반응할 수 없다면, 불안정한 애착, 발달 문제, 향후 정신질환의 위험성이 있다.

아동이 초등학교에 입학하는 시기까지의 기질과 행동특성은 인생 후반기의 물질 사용 및 남용의 강력한 예측인자가 될 수 있다. 수줍음, 공격적임, 반항적인 특성들이 이에 해당된다. 물질 남용의 외적 위험요인으로는 또래 혹은 부모의 물질 사용, 무단결석이나 공공기물 파손과 같은 법적 문제의 개입이 해당된다. 또한 연구자들은 아동을 약물사용으로부터 보호하는 아동기 보호요소들로 자기조절, 부모의 모니터링, 학업 성취, 강력한 이웃의 지지를 확인하였다(National Institute on Drug Abuse, 2008).

(2) 아동의 회복탄력성

정신질환 발달의 위험요소를 가진 많은 아동들은 정상적으로 발달한다. 회복탄력성의 현상은 아동의 타고난 선천적 힘과 아동이 스트레스가 많은 환경적 요소를 다루는 데 성공한 경험의 관계를 기술하기 위해 사용되어 왔다. 연구에서 회복탄력성(resilience)은 자기개념, 미래 기대, 사교 능력, 문제해결 기술, 가족, 학교와 지역사회 상호작용과 같은 내·외적 요소에 의해 영향받는 것으로 보인다. 회복력이 있는 아동은 다음과 같은 특징들을 가진다(Bellin & Kovacs, 2006).

- 환경 변화에서의 적응력
- 부모가 어려운 경우 다른 어른과 양육 관계를 형성하는 능력
- 정서적 혼란 상태로부터 스스로 거리를 두는 능력
- 양호한 사회 지능
- 양호한 문제해결 기술
- 미래 인지 능력

(3) 아동의 정신질환과 환경적 요인

아동은 성인보다 훨씬 더 타인에게 의존적이다. 아동기에서의 주요 맥락은 가족이다. 부모는 행동의 모범을 보이고, 아동에게 세상에 대한 시각을 제공한다. 만일 부모가 폭력적이고, 아동을 거부하거나 과도하게 통제한다면, 아동은 정신적 외상이 발생한 발달 시점에서 손상으로 인해 고통을 받게 된다. 가족의 위험요소는 아동 정신질환과 상관관계가 있다. 심각한 부부 불화, 낮은 사회경제적 상태, 대가족과 과밀 거주, 부모의 범죄 관련성, 부모의 정신질환, 위탁가정 등은 이러한 위험요소들에 해당한다.

표 27-1 | 대기근과 정신질환

1944년 네덜란드 대기근이라고 불리는 역사적인 사건이 일어났다. 독일군이 암스테르담의 모든 부두시설을 파괴하여 운하 통과가 불가능하게 되었고, 네덜란드 사람들은 먹을 것조차 없이 유난히도 추운 겨울을 보내야 했다. 독일군은 제2차 세계대전에서 패한 후, 후퇴하며 모든 것을 초토화시켰다. 1945년 초 기근이 끝날 무렵에 암스테르담의 성인들은 하루 580kcal의 식량으로 연명했다. 이러한 만성적 식량부족은 다음의 결과를 초래했다. '배고픈 겨울'에서 살아난 젊은이들에게서 우울증이 나타나거나 태내에서 기근을 겪은 사람들에게서 조현병이 나타났다.

출처: Lumey, L. H., & Van Poppel, F. W. (1994). The Dutch famine of 1944–45: Mortality and morbidity in past and present generations. Social History of Medicine, 7(2), 229–246.

폭력을 목격하는 것은 정신적 외상(trauma), 우울, 불안, 외상후 스트레스장애(posttraumatic stress disorder, PTSD), 공격적이고 범죄 성향을 보이는 행동, 약물 사용, 학업 실패, 낮은 자존감을 포함한 많은 정신건강 문제들의 위험요소이다(Farrell et al., 2007). 학대를 경험해 온 아동은 공격자와 동일시하게 될 위험이 높으며, 비협조적으로 행동하고 타인을 괴롭히는 학대자가 되거나 성인기에 대인관계장애로 발전될 수 있다.

방치(neglect)는 미국에서 아동학대의 가장 흔한 유형이다. 미국의 국립 아동학대 및 방임 자료체계(National Child Abuse and Neglect Data System, NCANDS)에 따르면, 2010년에 170만 건의 아동학대 및 방치가 보고되었다. 확인된 사례 중, 신체적 학대 15%, 성적 학대 9%, 방치는 75%였다.

신체적 혹은 성적 학대보다 방치가 훨씬 더 높은 발생률을 보임에도 불구하고, 아동의 정신건강에 있어서 방치의 영향에 대한 연구는 드문 상태이다(National Child Abuse and Neglect Data System, 2010).

여아의 경우 남아보다 빈번히 성적 학대의 희생자가 된다. 남아들 또한 성적 학대 대상이 되는데, 수치심과 사회적 낙인으로 인해 실제 발생 건수보다 적게 보고되는 경향이 있다. 성적 학대의 사례들에서 보는 바와 같이 이러한 관계를 동의하기에는 지능과 정서적 성숙이 부족한 아동에게 엄청난 충격과 손상을 가하게 된다. 간호사는 취약계층 아동에게서 의심되는 학대가 있다면, 지역 아동보호서비스 기관에 보고하는 것이 필수적이다.

학교폭력 또한 우울·자살과 같은 문제들의 위험요소가 된다. 아동은 다른 아동을 괴롭히거나 폭력적으로 행동할 수도 있다. 또한 범죄조직의 개입은 청소년기에서 점차 확대되고 있는 문제이다. 범죄조직 입문의 대상 연령 그룹은 특히 발달상 취약시기인 11~13세 사이로 보인다. 이 시기에 의사결정 능력은 완전히 성숙되지 않은 상태이기 때문에, 청소년들은 좀 더 나이 든 또래를 따라야 하는 대상으로 우러러볼 수도 있다.

(4) 아동기 정신건강의 발달

전기 아동기(younger children)는 제한된 언어기술과 인지 및 정서 발달 상태로 인해 후기 아동기(older children)보다 진단하기가 어렵다. 아동은 성인보다 짧은 기간에 걸쳐서 급속한 심리적·신경학적·신체적 변화를 겪는다. 이러한 발달의 빠른 속도와 복합성은 정신질환 사정 시 반드시 고려되어야 한다. 임상의와 부모는 아동의 증상이 발달지연의 결과이거나 스스로 교정되는 외상성 반응인지 알아보기 위해 기다리면서 관찰해야 하고, 이로 인해 개입과 중재는 지연될 수 있다. 청소년기에 발생하는 취약성, 회복탄력성과 관련된 모든 발달 변화를 고려한다면, 대상 중재(target intervention)를 하기에 최적의 시기라는 것은 분명하다.

유전적·생물학적·환경적 요인 간의 복잡한 상호작용으로 정신적 취약성이 결정된다. 때로는 모든 시련에도 불구하고 생애 초기 문제(예: 부모의 중독, 빈곤, 위탁 보호 등)를 극복하여 안정적이며 유능한 사람으로 성장한다. 회복탄력성의 개념을 이해하면 취약한 아동이라고 해서 모두 정신질환에 이환되는 것이 아니라는 것을 알 수 있다(Geschwind et al., 2010). 개인적 요소와 가족적 요소가 모두 함께 작용하여 기질, 다른 사람과 관계하는 능력, 가족 자원 및 감정적인 지능을 포함하여 회복탄력성이 형성된다(Miller et al., 2013; Rutter, 2006).

회복탄력성을 증진시키기 위한 확실한 방법이 있는 것은 아니므로, 간호사는 아동 및 청소년의 정신건강과 발달 배경에 대한 이해를 통해 이를 개발해야 한다. 부모의 정신질환, 중독, 범죄와 같은 아동기의 부정적인 경험과 신체적·성적 학대는 정신질환과 밀접한 관련이 있는 것으로 알려져 있다(Green et al., 2010).

다양한 시련은 불안정의 원인이 된다. 아동기에 발병하는 정신질환의 약 45%가 아동기의 다양한 부정적인 경험과 관련이 있다(Green et al., 2010). 후에 발병한 다른 정신질환도 어린 시절의 부정적인 경험과 관련이 있다. 또한 아동기에 경험하게 되는 다양한 시련은 성인기의 신체적 건강 문제, 조기 사망과 관련성이 높고(Brown et al., 2009), 반대로 아동기에 외상 및 학대가 없는 안전한 환경은 신체적·정신적 건강과 관련이 있다(McGuinness, 2010).

태아기 때부터 정신건강 발달은 시작된다. 산모의 영양 결핍은 조현병, 기분장애, 중독 등의 발병과 관련이 있다(Franzek et al., 2008). 태아기의 물질 노출은 비유전적 정신지체의 가장 흔한 원인이 된다. 알코올은 신체장애, 인지장애, 행동장애를 유발한다(O'Connor & Paley, 2009; Salisbury et al., 2009). 태아이 알코올 노출과 관련된 2차 장애로 학습장애, 기분장애, 불안장애와 같은 정신질환이 나타날 수 있다(Paintner et al., 2012).

3) 아동 및 청소년기 정신건강을 위한 자원

국가적 차원으로 2002년부터 16개의 정신건강복지센터에서 아동정신건강사업이 실시되었다. 2005년부터 아동 및 청소년의 정신건강 증진을 위한 환경조성 사업을 운영하는 아동청소년지원팀을 개소하여 운영하고 있다. 2011년에는 학교기반의 아동 및 청소년 정신건강 문화 조성을 위한 서울시의 '마음 건강 학교 프로젝트'가 운영되고 있다.

진단범주를 살펴보면, 행동장애의 비율이 상대적으로 높았고, 아동의 자기보고를 통한 우울 문제 또한 높은 수준인 것으로 나타났다(서울시 소아청소년 광역 정신건강복지센터, 2007). 이를 토대로 문제의 심각성과 그 효과를 고려하여 주의력결핍 과잉행동장애, 우울, 불안, 틱장애 순으로 효율적 선별 및 관리체계의 수립과 시행의 필요성이 논의되었다(배은경, 2014).

2. 아동 및 청소년 정신장애의 유형

1) 자폐스펙트럼장애

(1) 진단

2013년 DSM-5(American Psychiatric Association, 2013)에서 자폐스펙트럼장애(autism spectrum disorder, ASD)의 정의가 크게 변경되었다. 가장 주목할 만한 것은 전반적 발달장애(자폐성 장애, 아스퍼거 장애, 소아기 붕괴성 장애, 전반적 발달장애 NOS)를 하나로 묶어 ASD로 기술하고 있다는 것이다.

DSM-5 진단기준: 자폐스펙트럼장애

A. 사회적 의사소통 및 사회적 상호작용의 결함
B. 제한적이고 반복적인 행동, 흥미, 활동
C. 증상은 반드시 초기 발달 시기부터 나타나야 함(그러나 사회에서 요구하는 범위가 아동의 제한능력을 넘어서기 전까지는 증상이 완전히 나타나지 않을 수 있음).
D. 증상은 현재의 기능 영역에서 임상적으로 뚜렷한 손상을 초래함

출처: American Psychiatric Association (2013). Diagnostic and statistical manual of mental disorders (5th ed.). Arlington, Virginia: APA.

DSM-IV-TR에서는 고정 관심사와 진단을 위한 반복적인 행동의 단 한 가지 증상만을 필요로 하였다. 반면, DSM-5에서는 최소 2개 이상 나타나야 한다고 정의하고 있다(APA, 2000; Simons Foundation Autism Research Initiative, 2012). 또한 DSM-IV-TR에서는 3세 이전에 증상이 반드시 나타나야 한다고 하였으나, 기능이 좋은 대상자는 연령 증가에 따라 사회적·교육적 요구가 늘어날 때까지 장애를 보이지 않을 수도 있다. DSM-5의 진단 기준은 나이를 명시하지 않고 이러한 부분을 고려하고 있다. 역으로 행동의 중재나 환경의 개선을 통해 자폐증의 몇 가지 증상들이 개선될 수 있다. DSM-5에서는 환자의 행동특성이 더 이상 나타나지 않아도 기록에 의해 ASD 진단이 내려질 수 있다.

(2) 행동특성

ASD 범주에는 여러가지 특정 행동양상이 있다. 의사소통과 사회적 상호작용의 현저한 장애, 제한적이고 반복적인 행동양식을 보이며 흥미나 활동이 매우 제한적이다. 언어지연, 말을 전혀 할 수 없거나 말을 할 수 있는 경우에도 대화를 시작하고 유지하는 능력의 결여, 상동적이고 반복적인 언어 사용, 괴상한 언어를 사용하는 등 다양한 특성의 언어 결함을 보인다. 사회적 상호작용 문제는 심각하고 지속적이다. 즐거움이나 흥미 등을 위해 서로 공유하고 자발적으로 노력하는 능력, 함께 하는 놀이나 연령에 맞는 적절한 사회적 모방을 하는 기술이 부족하다. 특정 행동이 연령과 발달 수준에 따른 자극에 대한 반응으로 나타날 수 있다. 예를 들어, 말을 하지 못하는 자폐증 진단을 받은 아동의 경우 스트레스에 대한 반응으로 손을 흔들거리는 행동을 보일 수 있고, 10대 청소년일 경우 파괴적인 행동과 폭언을 할 수 있다(McGuinness & Johnson, 2013).

자폐스펙트럼장애의 3가지 주요 공통점

- 사회적 기술의 장애: 타인에 대한 거부와 낮은 관심으로 나타난다. 사회적 신호에 대한 이해 부족으로 상호 간의 의사 표현은 드물다.
- 말하기 및 언어장애: 흔히 나타나는 증상으로 어떤 아동들은 언어능력을 전혀 갖추지 못한다. 음의 고저(pitch)와 억양(intonation)은 단어나 구를 반복적으로 되풀이하는 것과는 현저히 다르다. 얼굴 표정도 제한적일 수 있다.
- 제한적이고 고착된 관심사와 반복적으로 되풀이하는 행동: 숫자나 기계와 같은 물건에 몰두하는 것으로 나타난다. 몸을 주기적으로 흔들거나, 빙글빙글 돌거나, 비트는 특정 행동은 ASD 환아가 다른 자극을 느끼는 것을 제한한다(McGuinness & Johnson, 2013).

감각 문제는 냄새, 소음 또는 빛에 대한 민감성뿐만 아니라, 식품 또는 의류에 병적으로 지속적인 애착을 보이는 문제로 나타난다(Iarocci & McDonald, 2006). 옷의 태그나 단추는 ASD 아동에게 큰 위험 원인이 될 수 있다.

정신지체는 ASD와 함께 발생할 수 있으나 유병률은 다를 수 있다. Chakrabarti와 Fombonne(2001)은 아동의 26%가 정신지체를 어느 정도 가지고 있지만, 전체적으로 ASD를 가진 아동은 정신지체보다 손상이 덜한 것을 발견했다.

ASD의 유병률은 10,000명당 116명이며(Baird et al., 2006), 이는 1980년대 초반과 비교하였을 때 20배 증가한 것이다(Kurita, 2006). 이러한 수치상의 증가가 더 나은 평

Clinical example: 자폐스펙트럼장애

하OO 군은 심각한 자폐증을 앓고 있는 7세 소년이다. 그는 약 2세에 진단을 받았는데, 진단을 받기 전부터 그의 어머니는 남편, 부모, 친척에게 아이의 문제를 말했지만 귀 기울여 듣는 사람은 없었다. 그의 어머니는 아들이 유아용 식탁의자에서 앞으로 고꾸라졌을 때 처음으로 이상이 있음을 인지했다. 이후 나머지 가족들이 점차 하군에게 무긴장성 발작이 있음을 인지하기 시작했다. 그의 사회적 발달 장애는 점점 더 분명해졌다. 그가 2년 6개월이 되었을 무렵, 문제가 있다는 것에 대하여 더 이상 의심할 여지가 없는 수준이었다. 그의 간질발작은 점점 심해져서 때로는 하루에 최대 50번도 넘게 발생했다. 때때로 그는 대발작을 일으키기도 했다. 부모는 발작을 멈추게 할 수 있는 유능한 의사를 찾기까지 몇 년이 걸렸다. 그동안 수많은 항경련제를 복용해왔지만, 160km 떨어진 한 도시의 소아신경과 전문의의 처방으로 발작을 끝낼 수 있었다. 이제 7세인 그는 특수교육을 받고 있고, 매일 학교에 가기를 기대하고 있다. 그는 또렷한 발음을 할 수 없어 의사소통을 위해 애쓰고 있으며, 그의 높은 음조의 목소리는 부모를 제외하고는 누구도 이해할 수 없는 수준이다. 그의 가족은 그의 행동들이 전형적인 자폐증 행동임을 알게 되었다(예: 몸을 주기적으로 흔드는 운동 상동증, 트럭과 같은 장난감에 대한 강한 집착, 불만족스러울 때 괴성을 지름). 그는 많은 약물을 처방받았지만, 현재는 비정형 항정신병 약물인 리스페리돈(risperidone) 한 가지만 복용하고 있다.

가방법, 변화하는 진단기준 또는 다른 요인들에 기인한 것인지의 여부는 아직 확실하지 않다(Bishop et al., 2008). 유행성 이하선염, 홍역, 풍진(MMR) 백신의 예방접종이 ASD를 일으킬 수 있다는 이론은 지지를 얻지 못하고 있다(Grigorenko, 2009). ASD는 유전적 요인과 생물학적 원인이 있는 질환으로 인식된다. 자폐증은 유전적 성향이 강한 행동장애로(Ronald et al., 2006), 유전자와 유전자 변형 이상을 ASD의 원인으로 보고 있다(Muhle et al., 2004).

(3) 간호

수많은 약물이 ASD 환자 치료에 사용되어 왔다. 예를 들어, 항우울제, 항조증약물, 항불안제, α-2 길항제 및 흥분제를 포함한 많은 약물이 자폐증 증상 치료에 사용된다. 자폐증 치료의 또 다른 주요 약물은 비정형 항정신병 약물이다. 도파민과 세로토닌 수용체를 모두 차단하여 이론적으로는 탁월한 치료 효과와 관리 가능한 부작용을 둘 다 허용하는 이중 작용이 있다. 이 범주에 포함되는 약물로는 아리피프라졸(aripiprazole), 리스페리돈(risperidone), 올란자핀(olanzapine), 쿠에티아핀(quetiapine) 및 지프라시돈(ziprasidone)이 있다. 정신증적 사고의 치료 외에도 비정형 항정신병 약물은 공격적인 행동, 짜증내는 행동, 틱, 다양한 자해 행동을 조절하는 데 사용된다. 투여량은 매우 적다. 신경학적 부작용이 전형적으로 나타난다. 정형 항정신병 약물이 때때로 공격적인 행동을 조절하기 위해 사용될 수 있지만, 역시 부작용의 가능성에 항상 주의해야 한다.

간호사는 자폐스펙트럼 대상 아동의 행동을 관찰하여 자해의 위험성은 없는지, 상호작용 기술과 같은 요구 수준에 대한 사정을 수행할 필요가 있다. 약물치료, 정신치료, 행동치료와 특수교육 등을 통한 간호중재를 실시하면서 결과를 기록하여 평가한다.

CRITICAL THINKING QUESTION

1. 앞에서 이미 언급했듯이, 아동기의 예방접종(MMR)이 자폐증을 유발한다는 것은 연구결과에서 뒷받침되지 않고 있다. 그러나 많은 부모들은 이러한 예방접종이 원인이라고 믿고 있기 때문에 자녀에게 예방접종하는 것을 거부하고 있다. 이 문제에 대한 과학적 근거는 무엇인가? 예방접종이 위험하다고 두려워하는 부모에게 예방접종의 중요성에 대해 어떻게 설명할 것인가?

2) 주의력결핍 과잉행동장애

(1) 진단

주의력결핍 과잉행동장애(attention-deficit/hyperactivity disorder, ADHD)는 가장 빈번하게 발생하는 아동기 정신질환이다. 보통 3~6세에 발병하지만, 초등학교 입학할 때까지는 진단을 내리지 않는다.

(2) 행동특성

ADHD는 중추신경계 기능의 미묘한 이상을 포함하는 복잡한 뇌 질환이다(Kielingetal et al., 2008). ADHD의 동반질병 이환율은 84% 이상으로 특정학습장애, 언어 장애, 발달성 협응 장애와 같은 다른 질환을 동반하는 경우가 많고, 2차적으로 정서 장애와 행동장애가 흔히 동반된다(Spencer, 2006). ADHD의 행동특성은 일관성이 없이 부산한 행동양상을 보이는 것이다. 일부 아동에게 있어서 부주의는 가장 주목할 만한 특징이며 과잉행동, 부주의, 반항행동이 모두 나타날 수 있다. 대부분의 아동은 과잉행동을 하거나 부주의하게 행동하기도 하고 반항적으로 행동한다. 특정 과제를 해야 되는 시간에 돌아다니거나 놀이나 과제를 할 때 지속적으로 주의집중을 하지 못하며, 타인의 말을 경청하지 않는것처럼 보이거나 과제와 활동을 순차적으로 처리하는 것에 종종 어려움을 보인다. 물건을 자주 분실하고, 지속적이면서 정신적인 노력을 요구하는 과제를 기피하고 싫어한다. 지나치게 수다스러운 말, 과도한 행동으로 인해 행동제어가 어렵고, 지나치게 타인을 방해하거나 결과를 고려하지 않고 중요한 결정을 하기도 한다. 교사의 지시를 따르지 않고 산만하여 자주 지적을 받으며 참을성이 없고 실수를 자주 한다. ADHD 진단을 위해서는 이 행동이 적어도 6개월 동안 지속되어야 하고, 12세 이전에 나타나며 학업적 · 사회적 문제 또는 가정에서 주목할 만한 문제가 나타나야 한다. 가장 좋은 치료계획에는 학부모와 교사의 관리와 이해가 포함되어야 한다. 많은 경우에 교육적 또는 행동적 중재가 부족하여 약물관리가 처음이자 유일한 개입이 되기도 한다.

(3) 원인

생물학적 요인

과다활동 양상을 보이는 아동 부모의 어린 시절에 대부분 과다활동을 보였다는 보고가 있다. 과다활동을 나타내는 형제가 있는 경우 다른 아동보다 과다활동 아동이 더 많고, 일란성 쌍생아가 이란성 쌍생아에서보다 발생률이 더 높다는 결과가 있다. 특정 신경전달물질 특히, 도파민과 노르에피네프린, 세로토닌의 결핍이 원인이라는 학설이 받아들여지고 있으나 계속 연구 중이다. 이러한 신경전달물질은 주의력 결여, 과다활동, 충동성, 기분과 공격성과 관련이 있다. 또한 양전자방출단층촬영검사에서 전두엽의 뇌혈류와 당대사가 감소되어 있고 뇌 자기공명검사에서 전두엽에 이상이 발견되어 신경해부학적 요인이 관련요인으로 추정되고 있다. 임신 중 산모의 흡연과 알코올 섭취, 조산이나 저체중 출산, 급속분만이나 지연분만, 주산기질식, 출생 후 뇌성마비, 발작, 외상으로 인한 또다른 CNS 기형, 감염이나 기타 신경학적 질환 등이 ADHD에 영향을 미치는 것으로 보고되고 있다.

사회심리적 요인

최근까지 사회심리적 요인은 ADHD 발병과 거의 연관되지 않는 것으로 보고되고 있다. 그러나 무질서하거나 혼란스러운 환경, 가족 평형의 붕괴, 높은 수준의 정신사회적 스트레스, 모계의 정신질환, 부계의 범죄 성향, 낮은 사회경제적 상태, 불안정한 위탁 양육을 받은 경우 등이 ADHD의 발생 위험을 증가시키는 것으로 보인다.

(4) 간호

ADHD 아동의 충동적인 행위로 인한 상해로부터 아동을 보호하기 위해 우선 아동이 안전한 환경에 있는지 확인하고, 부주의한 움직임과 과다활동으로 인해 손상을 입을 수 있는 환경으로부터 위험한 물건은 치우도록 한다. 손상위험에 처하게 하는 아동의 의도적인 행동이 있다면, 혐오적 강화요법을 통해 일부 행동은 수정될 수 있다.

짧은 주의집중으로 인한 역할수행의 어려움이 있다면, 주변 환경을 조정하여 주의를 끌만한 것이 없는 상태에서 과업에 노력할 수 있도록 하며 일대일로 도움을 제공한다. 과업의 시작은 단순하게 하고 명확한 지시를 내려주도록 한다. 필요하다면 언제든지 도움을 제공할 것이라는 확신을 줌과 동시에 아동에게 도움을 주는 것을 점차적으로 줄여나간다. 과업의 일부를 완수할 수 있도록 단기 목표를 설정하고, 각 단계를 끝낼 때마다 신체활동을 쉬도록 보상하여 긍정적인 강화를 통해 자존감을 높여준다.

타인을 방해하는 미성숙한 행동에는 수용할 수 없는 행동과 분리하여 아동자체를 받아들이고 있음을 전달함으로써 자기 가치감을 증가시킨다. 허용되는 행동과 그렇지 않은 행동에 대해 아동과 상의하고 허용될 수 없는 행위의 결과를 객관적인 태도로 설명해준다. 적절한 사회적 행동은 주로 또래들로부터의 긍정적이고 부정적 피드백을 통해 배우게 되므로, 아동에게 집단상황을 제공해준다.

ADHD 치료제로는 메틸페니데이트(methylphenidate), 지속성 메틸페니데이트(concerta), 아미노산 리신이 결합된 바이반스(vyvanse), 일반 덱스트로암페타민(dextroamphetamine), 암페타민 혼합물(adderall), 페몰린(pemoline)과 같은 여러 가지 흥분제가 포함된다. 이 약물들이 어떻게 주의력을 향상시키고 과잉행동을 감소시키는지 정확히 밝혀지지 않은 상태이나, 도파민과 노르아드레날린 시스템에 영향을 미치는 것으로 알려져 있다. 신경전달물질(주의력과 집중력이 집중되는 전두엽 부분)을 활성화시킴으로써 이 영역이 담당하는 기능(주의집중, 충동적 사고 조절, 정서적 안정 유지)을 수행하도록 하는 것으로 추측하고 있다. 특히 이 약물들은 아동 및 청소년에게 더 효과적이다.

다른 많은 약이 ADHD와 관련된 증상을 치료하기 위해 사용되고 있다. 일반적인 접근법은 클로니딘(clonidine) 또는 구안파신(guanfacine)과 같은 α-2 길항제로 ADHD를 치료한다. ADHD를 앓고 있는 많은 환자들에게 α-2 길항제가 효과적이며, 클로니딘은 충동적인 행동의 조절을 위해 처방된다.

간호사는 비효과적 충동 조절, 비효과적 역할수행 등과 같은 간호문제 조절을 위하여 약물치료, 인지행동치료, 지지적 정신치료 및 보호자에 대한 상담과 교육 등의 간호중재를 제공한다.

Clinical example: ADHD

이OO 군은 ADHD 진단을 받은 7세 소년이다. 그는 초등학교 1학년이며 추후 관리를 위해 학교에서 정신전문간호사에게 의뢰되었다. 그는 안절부절못하며 오랫동안 가만히 앉아있을 수 없었고, 수업시간에 통제할 수 없을 정도로 떠들며 학업 성적도 낮았다. 그는 아침에 메틸페니데이트 18mg 씩 복용하도록 처방받았다.
그의 아버지는 "저희 아이가 학교 생활도 약간 나아지고 다른 부분도 조금은 나아졌지만, 많은 변화는 없어요"라고 말했다. 그는 현재 성적이 매우 좋지 않아 과외를 받고 있다. 그는 부모와 함께 살며 2명의 형제가 있다. 형제 중 한 명도 그의 아버지와 이모처럼 ADHD를 앓고 있으며, 어머니는 다발성 경화증을 앓고 있다. 그의 아버지는 아들이 수면에 문제가 있어 밤에 안정을 취하지 못하는 것 같다고 말했다. 이군은 깔끔하게 옷을 입고 있었고, 간호사는 이 군의 말, 기분, 정동, 사고가 정상 범위에 있다고 기록하였다. 매일 아침 메틸페니데이트를 54mg/day로 증량하였고, 불면증 때문에 클로니딘(clonidine) 0.1mg/day이 추가되었다. 다른 제안사항은 없으며, 그의 아버지는 추후 관리를 위해 4주 후에 환아를 데리고 재방문하기로 하였다.

DSM-5 진단기준: 주의력결핍 과잉행동장애(ADHD)

A. 부주의 및 과다행동-충동성 증상이 6개 또는 그 이상 6개월 동안 지속되며, 이는 발달수준과 일치하지 않고 사회적 · 학업 및 직업적 기능에 직접적으로 부정적인 영향을 끼침.

부주의 증상	과다행동-충동성 증상
• 정밀한 일에 세심한 주의를 기울이지 못하거나, 학업 · 작업이나 다른 활동을 할 때 조심성이 없어 실수를 자주 한다. • 작업이나 놀이에 계속해서 집중하기 어렵다. • 다른 사람이 직접 말하는 것을 귀 기울여 듣지 않는 것 같다. • 지시대로 따라 하지 못하며 학업, 간단한 일이나 일터에서 직무를 자주 끝내지 못한다. • 작업 및 활동을 조직적으로 하기 어렵다. • 지속적인 정신력을 요하는 작업을 피하거나 싫어하거나 거부한다. • 작업이나 활동에 필요한 물건을 자주 잃어버린다. • 외부 자극으로 생각이 쉽게 흩어진다. • 일상적인 활동을 자주 잊어버린다.	• 손이나 발을 움직이거나 몸을 뒤트는 등 가만히 앉아 있지 못한다. • 어떤 장소에서 지나치게 뛰어다니거나 기어오르는 등 부적절한 행동을 한다. • 놀이나 여가활동을 평온하게 즐기지 못한다. • 계속하여 쉴 새 없이 움직인다. • 자주 지나치게 말을 많이 한다. • 질문이 다 끝나기도 전에 불쑥 대답한다. • 차례를 기다리지 못한다. • 다른 사람이 하는 일을 자주 방해하거나 간섭한다.

B. 과다행동-충동적 증상이나 부주의 증상으로 인한 장애가 12세 이전부터 나타나야 함.
C. 이런 증상으로 인한 장애가 2개 또는 그 이상의 환경(예: 학교 또는 일터와 집)에서 나타남.
D. 사회, 학업 또는 작업 기능에서 임상적으로 심각한 장애가 있다는 근거가 확실함.
E. 증상이 주로 전반적 발달장애, 조현병 또는 기타 정신질환의 관점에서 발생되는 것이 아니며, 다른 정신질환(예: 기분장애, 불안장애, 해리장애, 성격장애)에 의한 것이 아님.

출처: American Psychiatric Association (2013). Diagnostic and statistical manual of mental disorders (5th ed.). Arlington, Virginia: APA.

3) 반응성 애착장애

(1) 진단

애착(attachment)이란 양육자와 아동 간의 정서적 유대를 설명하는 용어이다. 과거 애착장애는 아동의 문제로 생각되었으며 소아정신장애 범주로 공식화된 것은 DSM-III(1980)에 반응성 애착장애(reactive attachment disorder, RAD)가 포함되면서부터다. DSM-IV까지 소아/청소년 정신장애에 포함되어 있었으나, 최근에는 성인에서도 반응성 애착장애가 나타난다는 보고에 따라 DSM-5에서는 외상 및 스트레스관련 장애에 포함하였다.

애착이 불안정하다고 하여 그 자체로 정신질환으로 보기보다는 하나의 위험요인으로 또는 다른 위험요인과 함께 있을 때 위험요인이 됨을 이해할 필요가 있다. 병적 양육환경을 원인적 요인으로 보는데, 병적 양육환경이란 기본적인 신체적, 정서적 욕구를 지속적으로 등한시하는 것이다. 양육자가 자주 변경되었을 경우나 친엄마에 의해 양육되는 환경에서라도 양육자의 우울로 인한 정서적 방치가 있었던 경우를 들 수 있다.

DSM-5 진단기준: 반응성 애착장애

A. 성인 양육자를 향한 억제되고 감정적으로 위축된 행동이 지속적인 형태로 나타나며, 아이는 고통을 받을 때 안락감을 전혀 찾지 않거나 최소한으로 찾고, 전혀 반응하지 않거나 최소한으로 반응함.

B. 다음의 삽화 중 지속적인 2가지 증상에 의해 사회적, 감정적 장애가 나타남.
1. 타인에 대한 최소한의 사회적, 감정적 반응성
2. 제한된 긍정적 정동
3. 성인 양육자와 위협적이지 않은 관계를 지속하는 동안에도 설명되지 않는 과민성, 슬픔 또는 두려움

C. 소아는 매우 불충분한 보살핌을 반복적으로 경험하는데, 성인 양육자가 주는 안락함, 자극, 애정에 대한 기본적인 감정적 욕구가 지속적으로 방치 또는 안정된 애착 형성이 저해되거나, 선택적 애착을 형성하는 데 심각하게 제한된 특이한 상황(아이와 양육자의 비율이 크게 차이나거나 아이가 너무 많은 환경)에서 지냄.

D. 진단기준이 자폐성 장애를 만족하지 않으며, 장애가 5세 이전에 명확하게 나타남(아이는 적어도 9개월 이상의 발달연령을 가지고 있음).

장애가 12개월 이상 나타나면, 특정형으로 지속형이라 한다.

출처: American Psychiatric Association (2013). Diagnostic and statistical manual of mental disorders (5th ed.). Arlington, Virginia: APA.

표 27-2 반응성 애착유형

낯선 상황	안정애착	회피애착	저항애착	혼란된 애착	통제행동
분리	불안해지거나 불안해지지 않을 수도 있으나, 탐색을 제한함	고통을 드러내지 않음	대단히 흥분함		
재결합	반갑게 만나고 만약 불안했던 경우라도 쉽게 진정됨	양육자를 무시하거나 피함	가까이 있는 것에 저항하거나 가까이 있는 것에 대한 요구와 양육자를 밀쳐내는 것의 양가적 혼합	비일관적인 임시적 행동(멍하고, 두려워하고, 별난 혹은 모순적 방식의 행동)	아동이 2가지 방식 중 하나로 양육자의 역할을 갖는 역할 전도 - 부정적: 으스대는, 오만한, 지시적 - 긍정적: 지나친 걱정
탐색	자유롭게 탐색함	사람과의 접촉을 물리치는 일에 몰입함	제한됨		
일반적 특성	안정, 신뢰, 정서적으로 표현함	조숙한 독립	양육자에 몰두함	양육자를 다루는 일관적 전략이 없음	
양육	영아의 요구에 대한 신속하고 적절하며 따뜻한 반응	가까이 있을 때 화를 내거나 불안정해지는 것과 결합된 거리두기	예측 불가능: 자신의 요구나 순간의 감정에 따라 반응함	영아에 대한 혼란스러운 단서 혹은 부적절한 반응	

출처: 이춘재 등(2006). 발달정신병리학. 박학사, 117.

(2) 행동특성

타인과 사회적 관계를 원활히 맺을 수 없는 아동은 다른 신체 또는 정신장애(지적장애나 자폐스펙트럼장애 등)가 없음에도 불구하고 정서 및 신체발달상 장애가 나타난다(이숙 등, 2017). RAD 아동의 애착유형을 확인한 연구에서 안정애착은 1명도 발견되지 않았고, 혼란된 애착은 61.5%로 가장 많았다(신의진 등, 1996).

반응성 애착장애 관련 국내 일 연구에서 치료자가 진료한 반응성 애착장애 환아 중 66%가 태어날 때부터 성향이 '유순'했다고 보고하였는데(이혜련, 2004), 반응성 애착장애 유발요인으로 타고난 성향에 대한 연구가 필요하다고 본 Zeanah(2004)의 견해와 일치한다. '유순하다'는 보호자의 주관적 평가는 외부 세계와 단절된 듯한 자폐적인 면일 수도 있고 조용한 겉모습이 실은 내면으로는 과도한 긴장일 수도 있다.

(3) 간호

간호사는 대상자의 양육환경과 신체 및 정서 상태를 파악하고 충분한 영양 제공 여부, 안위가 손상되지 않는지 등의 간호문제를 고려해야 하며 정상적 발달을 도울 수 있도록 환경을 조성해야 한다.

① 치료 환경 조성

부모 교육

애착에 관한 지식, 애착장애 진단 및 치료에 대한 자료를 개인, 집단 등의 방식으로 제공한다.

양육 상담

상담을 통해 적절한 양육 환경 조성을 돕고 부모와 자녀 사이의 애착을 향상시킬 수 있는 방안을 논의하고 실생활에서 실행해 보도록 한다.

구체적으로 안정적인 주 양육자를 선정하여 장기간 큰 변화 없이 환아가 양육될 수 있도록 하고, 엄마가 환아와 애착을 형성할 시간적 여력을 필요로 하는 경우 가사일에 대한 가족들 간의 분담이 필요할 수 있다. 양육방법에 관한 사례에 따라 구조화된 상담과 교육이 필요하다.

Clinical example: 반응성 애착장애

이OO 군은 반응성 애착장애로 진단받은 40개월 남자아이다. 애착유형검사에서 어머니가 방에서 나간 것을 안 후 큰 소리를 지르며 분노를 표현하였다. 그러나 어머니가 다시 방에 돌아왔을 때 회피하며 냉담한 반응을 보이는 혼란된 애착을 보였다.
그는 또래보다 언어발달이 늦고, 이름을 불러도 좀처럼 반응하지 않는다. 혼자서 자동차나 장난감을 일렬로 놓는 행동에 열중해 있으면 다른 장난감으로 관심을 유도하려고 해도 되지 않는다.
간호사는 어머니의 적절한 양육태도가 증가되도록 지지하기 위한 교육을 제공하였다. 어머니에게 우울증과 같은 정서적 어려움이 있지 않은지 확인할 수 있도록 안내하였다.

표 27-3 반응성 애착장애 환자에 대한 양육 방법 교육

구분	내용
안정감 증진	• 얼굴을 감싸는 형태로 꼭 끌어안아 주기 • 아이의 정서 상태를 공감해주는 말을 부드러운 목소리로 지속적으로 표현하기
식습관 개선	• 편식이 심한 경우 아이가 선호하는 음식을 위주로 식단을 마련하고 즐거운 분위기에서 주 양육자와 함께 식사하도록 하기 • 아이의 특성에 맞춰 조금씩 음식을 추가하거나 변형 시도하기
배변습관 개선	• 변비가 있는 경우 외출해서 변을 보는 경우에도 주 양육자가 편안하게 지켜봐 주고 칭찬과 격려 및 적절한 도움을 주기
수면위생	• 밤늦도록 잠을 안 자고 놀려고 하는 경우 애착장애 문제가 심한 경우라면 억지로 재우려하지 말고 안정적이며 조용한 놀이를 계속 함께 함으로써 애착 형성을 돕기 • 애착이 형성되면 수면 유도에 좋은 놀이하기(신체부위를 만져주거나 쓸어주기, 옛날이야기 들려주기 등을 통한 수면 유도)
부모 대상 치료	• 정신치료: 어머니의 심리검사, 성인애착검사를 실시하여 결과에 따라 엄마를 위한 개별적 치료를 제공함 • 약물치료: 불안, 우울장애가 심하거나 불면증 등의 증세가 심할 경우 • 부부치료: 부부 간 갈등이 심각하여 환아 치료에 진전을 보이기 힘든 경우 • 가족치료: 가족 갈등이 심하거나 가족 경계, 위계에 문제가 있는 경우 • 집단치료: 부모 지지집단을 구성하여 모임을 통해 경험을 나누고 도움을 받음

출처: 이혜련(2004). 반응성 애착장애의 치료. 소아 청소년 정신의학, 15(2), 132-142.

4) 탈억제성 사회관계장애

(1) 진단

탈억제성 사회관계장애(Disinhibited Social Engagement Disorder, DSED)의 원인으로 병적 양육환경인 경우가 있어 반응성 애착장애와 함께 애착장애의 하나로 이해되고 있는데, DSM-5에서는 각각 독립된 장애로 구분되어 있다. 상대적으로 낯선 사람에 대해 문화적으로 부적절하고 과도하게 친숙한 행동을 보여 반응성 애착장애에서 보여주는 문제와 정반대의 문제처럼 보인다. 그러나 반응성 애착장애도 병적 양육환경과 관련되어 있어 질환에 대한 이해와 간호에 있어 유사하다. 탈억제성 사회관계장애의 원인으로 사회적 태만이 제기된다. 즉, 물리적, 교육적, 의료적 필요를 제공하지 않은 방임을 소극적 태만행위라 하는데, 이러한 사회적 태만이 탈억제성 사회관계장애의 원인이 될 수 있다고 보는 것이다.

DSM-5 진단기준: 탈억제성 사회관계장애

언어장애

A. 아동이 낯선 성인에게 활발하게 접근하고 소통하면서 다음 중 2가지 이상으로 드러나는 행동 양식이 있다.
  1. 낯선 성인에게 접근하고 소통하는 데 주의가 약하거나 없음
  2. 과도하게 친숙한 언어적 또는 신체적 행동(문화적으로 허용되고 나이에 합당한 수준이 아님)
  3. 낯선 환경에서 성인 보호자와 모험을 감행하는 데 있어 경계하는 정도가 떨어지거나 부재함
  4. 낯선 성인을 따라가는 데 있어 주저함이 적거나 없음

B. 진단기준 A의 행동은 (주의력결핍 과잉행동장애의) 충동성에 국한되지 않고, 사회적으로 탈억제된 행동을 포함한다.

C. 아동이 불충분한 양육의 극단적인 양식을 경험했는 것이 다음 중 최소 한 가지 이상에서 분명하게 드러난다.
  1. 성인 보호자에 의해 충족되는 안락과 자극, 애정 등이 기본적인 감정적 요구에 대한 지속적인 결핍이 사회적 방임 또는 박탈의 형태로 나타남.
  2. 안정된 애착을 형성하는 기회를 제한하는 주 보호자의 반복적인 교체 (예: 위탁 보육에서의 잦은 교체)
  3. 선택적 애착을 형성하는 기회를 고도로(심각하게) 제한하는 독특한 구조의 양육 (예: 아동이 많고 보호자가 적은 기관)

D. 진단기준 C의 양육이 진단기준 A의 장애 행동에 대한 원인이 되는 것으로 추정된다.

E. 아동의 발달 연령이 최소 9개월 이상이어야 한다.

다음의 경우 명시할 것:

장애가 현재까지 12개월 이상 지속되어 왔다(지속성).

현재의 심각도를 명시할 것:

탈억제성 사회적 관계(유대감) 장애에서 아동이 장애의 모든 증상을 드러내며, 각각의 증상이 상대적으로 높은 수준을 나타낼 때 고도로 명시한다.

(2) 행동특성

아무에게나 매달리고 처음 본 사람에게도 과도하게 친근함을 표시한다. 낯선 사람을 경계하는 것은 아이들에게 정상적인 반응으로 아이를 위험한 환경으로부터 보호한다. 이러한 안전을 위한 경계심이 사라진 것으로 이것은 사회성이 좋은 것이 아니다. 대체로 2세 이전 극심한 사회적 태만과 관련하여 발병하고, 사회적 태만이 더 이상 없어도 증상이 지속될 수 있다. DSM-5에서 외상 및 스트레스 관련 장애로 구분하고 있는 만큼 외상적 경험(예: 성폭력)도 원인으로 볼 수 있다. 학대 받은 아동에서 PTSD와 함께 발병이 보고된 바 있다(Hinehaw-Fuselier et al., 1999). 고도의 사교적인 모습과 무차별적으로 친근함을 표시하는 행동 등으로 ADHD와 구별된다.

그 외 탈억제 사회관계장애의 원인은 잘 알려져 있지 않고 선천적인 기질의 차이로 추정된다. 선천적으로 외향성과 자극추구 기질을 타고나기 때문인 것으로 보기도 한다.

알지 못하는 어른들에게 접근하고 자신에게 끌어들이는 행동이 매우 두드러지는데, 어떤 아이들은 이러한 과정에서 위안을 얻으려고 애쓴다. 새로 알게된 사람을 "가장 친한 친구"로 표현하거나 자주 변하는 우정을 과시한다.

예후를 보면, 양육의 질이 문제행동을 조정하는 것으로 알려져 있어 양육에 대한 정보를 제공하는 것이 긍정적인 예후에 영향을 미친다. 때로 정상적인 양육환경에서도 청소년기까지 지속적인 징후를 보이기도 한다.

(3) 간호

반응성 애착장애의 원인이 공통적이기 때문에, 치료하는 방법도 다른 애착장애의 경우와 거의 동일하다. 즉, 한 명의 양육자와 친밀한 애착관계를 형성하는 데 초점을 맞춘다.

방임, 학대 등에 대한 과거력, 학대의 기간 등을 확인하여 태만의 경험, 심각한 외상성 경험 등의 심각성과 패턴에 대하여 확인해야 한다. 이전에 확인되진 않았던 의혹에 대한 부분에서부터 현재 치료에까지 적절한 확인과 기록이 이뤄져야 하고 필요시 법률적 조치가 취해질 수 있다.

반응성 애착장애와 탈억제성 사회관계장애를 위한 중재에서 가장 중요한 요소는 건강한 애착이 형성될 수 있도록 민감한 보살핌과 심리적 지원을 제공하는 것이다. 탈억제

성 사회관계장애는 애착에 문제가 있을 수도 있고 없을 수도 있다.

보살피지 않는 성인과의 접촉을 제한하는 것이 문제행동 개선에 도움이 될 수 있다. 직계 존속을 제외한 사람들에 대한 노출을 줄여 나간다. 사회문화적으로 어울리지 않는 행동에 대한 개입을 권고해야 한다.

Clinical example: 탈억제성 사회관계장애

일곱 살인 최OO 양은 동네 작은 가게의 주인아저씨 같은 남자 어른들에게 지나치게 상냥하다. 또는 택배기사처럼 처음 보는 사람에게도 안아주겠다며 먼저 다가가고 몸을 비비기도 하였으며 그런 후 과자를 달라고 요구하였다. 이러한 행동을 이상하게 생각한 최OO의 어머니는 아이와 함께 정신건강의학과 외래를 방문하였다. 정신건강의학과 의사와 면담을 통해 아이의 일관되고 상세한 묘사는 성폭행의 가능성을 의심할 수 있었다. 산부인과에 의뢰하여 검사 후 지속적인 성폭행을 당해온 것이 확인되었다.

5) 의사소통장애

(1) 진단

의사소통장애(communication disorder)는 학업성취도, 사회화, 자기관리에서 손상을 초래하는 언어기술 습득의 결함을 의미하는 것으로 언어장애(language disorder)와 발음장애(speech disorder)가 이에 해당된다. 언어장애는 상황에 맞는 적절한 어휘를 사용하거나 이해하는 데 장애를 초래한다. 대개 타인의 지시를 따르는 것이 불가능한 상황이 발견되면서 진단된다. 표현적 언어장애는 구두 혹은 수화 의사소통 기술의 발달 능력이 손상된 상태를 의미한다. 아동은 어휘 학습이 곤란하거나 완전하고 일관된 문장을 구사하기 어려워한다. 일부 아동은 2가지 문제가 혼합되어 나타나기도 하며, 타인을 이해할 수 없거나 스스로 적절한 의사소통을 할 수 없다. 이러한 장애는 정도에 따라 경증에서 중증까지 분류된다(National Institutes of Health, 2012). 발음장애는 말소리가 정확하지 않거나 이상한 소리로 대치되는 것이며, 이는 유창성과도 관련된다. 발음장애는 언어음 생성 수준이 아동의 연령과 발달단계에 맞지 않고, 이것이 신체적·구조적·신경학적 문제 또는 청력 손상의 결과에 기인한 것이 아닐 때 진단내려진다.

DSM-5 진단기준: 의사소통장애

언어장애

A. 이해 또는 표현하려는 기능의 결핍에 의해 여러 방식(즉, 구어, 문어, 수화 또는 다른 방식)에서 언어의 습득과 사용에 지속적인 어려움이 있음.
  1. 감소된 어휘(단어 지식 및 활용)
  2. 제한된 문장 구조(문법과 형태의 규칙에 따라 문장을 형성하기 위해 단어를 넣을 수 있는 능력)
  3. 대화의 장애 포함

B. 언어능력이 상당히 그리고 특정 가능할 정도로 나이에 비하여 낮으며, 이로 인해 효과적인 의사소통, 사회 참여, 학문적 성취 또는 직업적 수행 중 단일 또는 여러 기능상의 제한을 나타냄.

C. 증상은 발달의 초기 단계부터 발현됨.

발음장애

A. 말소리를 만드는 데 지속적인 장애로 인하여 명료한 음성이나 메시지의 언어적 소통을 방해하는 것임.

B. 이 장애는 효과적인 의사소통을 제한하며, 이로 인해 사회 참여, 학문적 성취 또는 직업적 수행 중 단일 또는 여러 기능상의 제한을 나타냄.

C. 증상은 발달의 초기 단계부터 발현됨.

D. 이러한 어려움은 뇌성마비, 구개열, 청각 상실, 외상성 뇌손상, 다른 의학적 또는 신경학적인 선천적·후천적인 상태에 의하지 않음.

유년기 발생 유창성장애(말더듬증)

A. 개인의 나이나 언어 숙련도에 부적절한 정상적인 말의 유창성과 말하는 시간 양상에서의 장애로서 오랜 기간 지속되고 다음 중 한 가지 또는 그 이상이 빈번하고 뚜렷하게 나타나는 것이 특징임.

B. 말하기에 대한 불안을 일으키거나 효과적인 의사소통, 사회참여, 학업적 성취 또는 직업적 수행 중 단일 또는 여러 기능상의 제한을 나타냄.

C. 증상은 발달의 초기 단계부터 발현됨(주: 후기 발명 사례는 성인기 발병 유창성장애로 진단됨).

D. 장애는 구음, 운동 또는 감각 장애, 신경학적 손상(예: 뇌졸중, 종양, 외상)에 의해 발현되지 않음.

사회적 의사소통장애

A. 지속적인 언어적, 비언어적 의사소통의 사회적 사용의 어려움으로 다음 모두로 나타남.
  1. 인사하기나 정보 공유와 같이 사회적 의도로 사회적 상황에 적절하게 의사소통을 활용하는 것의 어려움
  2. 놀이터와 교실에서는 다르게 말하는 것, 성인과 아동에게 다르게 말하는 것 그리고 과도하게 형식적인 언어 사용을 피하는 것 등의 상황이나 듣는 이의 요구에 맞게 의사소통을 바꾸는 능력의 손상
  3. 대화에서 순서를 따르거나 오해가 있을 때 고쳐 말하기, 언어적, 비언어적 신호를 사용하여 상호작용을 조절하는 것 등
  4. 대화를 하거나 이야기를 할 때 규칙을 따르기 어려움
  5. 명백하게 말해지지 않았거나(예: 추론하기) 문자 그대로가 아니거나 모호한 언어의 의미(예: 관용구, 유머, 은유, 해석에 따라 다양한 의미가 있는 경우)를 이해하기 어려움

B. 이 결함은 효과적인 의사소통, 사회참여, 사회관계, 학업 성취 또는 직업적 수행 중 단일 또는 여러 기능상의 제한을 나타냄.

C. 증상은 발달의 초기 단계부터 발현됨.

D. 증상은 다른 의학적 또는 신경학적 상태나 단어 구조와 문법 영역의 낮은 능력에 의하지 않음.

출처: American Psychiatric Association (2013). Diagnostic and statistical manual of mental disorders (5th ed.). Arlington, Virginia: APA.

(2) 행동특성

일반적으로 의사소통을 평가하는 2가지 하위 범주는 발음(speech; 구어)과 언어(language)다. 발음장애는 소리를 내는 발음 문제와 관련된다. 아동은 표준음을 생략하여 '신문'을 '시무'로 혹은 표준음을 다른 음으로 대치하여 '사과'를 '다과'로 발음하는 문제를 가질 수 있다. 이들은 소리를 비틀거나 더하거나 뺄 수도 있다. 모든 아동이 발음 문제의 가벼운 일시적 증상을 가질 수도 있지만, 발음장애는 아동의 의사소통 능력에 중대한 영향을 미쳐 대인관계를 결정하는 요인으로 작용한다. 어떤 아동은 언어나 발음의 문제는 없지만, 타인과의 관계에서 문제를 보일 수 있다(Tomblin et al., 2004). 사회적 의사소통장애(social communication disorder)는 아동이 타인과 사회적으로 상호작용하기 위해 언어적 · 비언어적 수단을 활용하는 데 문제를 겪는 것을 의미한다. 장애는 아동이 타인과 관계를 맺고자 시도하는 문자적인 의사소통에서 더욱 눈에 띈다.

(3) 간호

아동의 6%가 특정 종류의 의사소통장애를 가진다. 언어장애는 출생 시부터 있을 수도 있고 출생 이후에 나타날 수도 있다. 원인으로는 청력 상실, 신경학적 장애, 지체장애, 약물남용, 뇌손상, 구개 혹은 구순 파열, 성대 남용과 같은 신체 문제들이 포함된다. 그러나 정확한 원인이 알려져 있지 않는 것이 대부분이다. 자폐스펙트럼장애로 인한 증상과는 구분되어야 하고, 감별을 위해 청각장애, 신경학적 검사, 구강구조 검사 등을 확인한다. 대상자가 가지고 있는 간호문제에 따라 청각을 이용한 발음 훈련법을 적용할 수 있으며, 언어장애의 진전 상태를 고려하여 아동과 부모의 상호작용을 촉진시킬 수 있는 다양한 접근을 고려할 수 있다. 미국의 경우 장애학생 교육법(disabilities education act)에 의해 모든 주에서 3세까지의 영유아에게 조기개입서비스를 제공하고 있다(National Dissemination Center for Children with Disabilities, 2011). 서비스 제공자가 치료계획을 세우고 간호를 제공하기 위해 가족에게 접근한다. 또한 특별한 교육과 서비스는 3세부터 21세까지 개별적으로 이용할 수 있다.

Clinical example: 의사소통장애

5세인 오OO 군은 유치원 입학 후 또래들과 잘 어울리지 못하고 수업 중에도 노래 따라 부르기 프로그램에서 선생님의 지시에 따르지 않고 혼자 구석에 있는 경우가 많았다. 그의 어머니는 결혼을 위해 베트남에서 이주해 왔다. 어머니는 말수가 적은 편이고 한국어가 서툴렀다. 그의 조부모와 아버지는 아이가 말이 늦는 편이라며 대수롭지 않게 생각하고 있다. 또래 친구들은 그를 말도 잘 못하는 바보라며 놀리는 일이 빈번하다. 그의 가족은 예방접종을 위해 방문한 보건소에서 간호사에게 그의 발음 문제를 이야기하였다. 간호사는 아이가 정확하게 발음할 수 있도록 도움을 주는 언어치료사가 있다는 것과 함께 언어치료사를 만날 수 있는 상담센터 목록을 알려주었다.

6) 특정학습장애

(1) 진단

특정학습장애(learning disabilities, LD)란 듣기, 말하기, 읽기, 수학적으로 계산하기, 철자 쓰기 등에서 문제를 보이는 장애다. 각 경우에서 아동의 생활연령, 측정된 지능, 연령에 적합한 교육을 기준으로 볼 때 기대할 수 있는 학습능력보다 현저하게 낮다. 학습장애의 평생 유병률은 10%에 가깝다(Altarac & Saroha, 2007). 특정학습장애의 진단은 공인된 심리평가를 포함한 다면평가를 통해서 다른 정신질환의 맥락에서는 잘 설명되지 않을 때 이루어진다(American Academy of Pediatrics, 2012). 다시 말해, 특정학습장애는 신체 감각기관의 결함이나 지적장애, 발달신경학적 장애가 있으면 해당되지 않는다(임숙빈 등, 2017). 가족의 낮은 교육 수준, 빈곤, 남성은 학습장애와 관련된 요인으로 이해되고 있으나, 경제적 취약이나 교육의 기회가 제한된 결과로 학습 문제가 있는 경우는 포함하지 않는다(이춘재 등, 2006).

다른 임상적 장애와의 관련성을 살펴보면, ADHD 아동의 19~26%가 학습장애를 겪는 경향이 있다(이춘재 등, 2006). 취학 전 연령에서는 읽기, 쓰기 등의 장애 여부를 판단하기는 어려우며, 수학장애는 초등학교 5학년 정도가 될 때까지는 확진하기 어렵다(임숙빈 등, 2017).

DSM-5 진단기준: 특정학습장애

A. 학습하고 학업기술을 사용하는 데 어려움을 해결하기 위한 중재를 제공받았음에도 불구하고 읽기 · 쓰기 · 언어 · 수학 영역에서의 다음의 여러 가지 증상들 중 적어도 한 가지 증상이 6개월 동안 지속적으로 나타남.
  1. 부정확하거나 느리고 힘겨운 단어 읽기
  2. 읽은 것의 의미 이해가 어려움
  3. 철자의 문제
  4. 작문의 어려움
  5. 수감각, 단순 연산 암기
  6. 수학적 추론의 어려움

B. 해당 기초학습기술은 개인의 생활연령에 비해 현저하게 낮은 수준이며, 학업 · 직업 수행 및 일상생활의 기능상 제한을 받음.

C. 학습의 어려움이 있음(예: 시험 시간의 부족, 길고 복잡한 리포트를 짧은 마감 기한 내에 쓰는 것의 어려움, 과중한 학업 부담).

D. 학업적 어려움은 정신지체, 교정되지 않은 시력과 청력의 문제, 다른 정신 또는 신경학적 장애, 심리사회적 역경, 언어문제, 또는 부적절한 교육으로부터 기인하지 않음.

출처: American Psychiatric Association (2013). Diagnostic and statistical manual of mental disorders (5th ed.). Arlington, Virginia: APA.

(2) 행동특성

학습장애 중 난독증(dyslexia)으로 불리는 읽기장애(reading disabilities, RD)는 읽기의 정확성, 속도 또는 이해, 생활연령이나 측정된 지능 사이의 불일치 모델(discrepancy model)을 통해 진단을 고려한다. 불일치 모델은 학생이 성취할 것으로 기대되는 수준과 실제 성취하는 수준 사이의 차이를 진단의 기준으로 삼는 것이다. IQ 검사 결과와 비교하는 것이 바람직하며, 만약 IQ 검사 결과에 비해 학습의 성취 수준이 낮다면 학습장애의 가능성을 고려할 수 있다. 그러나 IQ와 성취의 불일치의 유의미한 기준에 대해서는 학자에 따라 차이가 있고(Shaw et al., 1995), 지능이 정상보다 낮더라도 읽기 학습의 정상적 과정에 어려움이 존재하는 경우도 있어 항상 불일치 모델이 적용되는 것은 아닌 점을 인식해야 한다. 쓰기표현장애는 철자법 오류를 보이며, 수학장애는 계산의 수학적 절차, 숫자의 의미, 크기, 관계의 이해에서 어려움을 보여 수학적 개념과 수식 적용에서 장애를 보이는 것이다(임숙빈 등, 2017).

학습장애 아동이 경험할 수 있는 정신건강 문제는 낮은 학업성취도로 인한 학업 중단이나 발달과업의 실패로 인하여 소외감이나 좌절감을 경험하는 것이 포함된다(홍강의, 2014). 또한 학교에 가는 것이 매우 당연하다는 것을 지속적으로 요구받는 상황에서 아무것도 할 수 없는 무력한 상태에 놓일 수 있고, 또래에게 인기가 없거나 공부를 열심히 하지 않는 게으른 아이라고 평가하는 부모와 선생님을 마주해야 하는 어려움은 이들을 충분히 우울하게 만든다(이춘재, 2006). 학습장애 아동은 장기간에 걸쳐 낮은 자존감, 사회화 기술의 부족, 높은 학교 중퇴 비율, 고용 획득과 유지의 어려움, 사회 적응의 어려움을 보이게 된다(Pierangolo & Giuliano, 2006).

(3) 간호

조기에 중재를 제공하는 것이 매우 효과적이다. 이러한 학습장애 유형에 해당하는 대다수의 학생들은 학교에서 장애학생 교육증진법(Disabilities Education Improvement Act)에 의해 보조 지원을 받을 수 있다. 이러한 지원은 진행 상태에 대한 주의 깊은 관찰, 특수교육 중재, 개별 교육 프로그램 확충을 포함한다. 이와 같은 적극적이고 개별적인 접근과 다양한 공학적 기술 활용은 학습을 적극적으로 도울 수 있으나, 탁월한 효과를 보이는 접근으로 꼽을 수 있는 방법은 부족한 현실이다. 다행스러운 점은 난독증을 가지고 있는 학생이 특정 과목에서 능력을 보이는 경우를 확인할 수 있다는 것이다(경제 17%, 과학 20%, 기술 22%, 인간과학 17%, 디자인 24%)(Zdzienski, 1998). 이처럼 학습장애를 보이는 학생의 강점 영역 탐색은 적절한 간호를 계획하는 데 근거가 된다.

Clinical example: 특정학습장애

주OO 양은 정상적인 지능의 5학년 아동이지만 수학 영역에서 기초적인 신술식의 징답을 쓰지 못하여 매우 낮은 학업 성취도를 보였다. 부모는 주 양이 성실하게 공부를 하지 않은 것이라고 생각하고 매우 엄격하게 훈육하였다. 그래서 저학년 때는 수학 과목 외에는 어느 정도의 성취를 보였지만, 4학년 때부터 좌절감, 자신감 저하, 시험 불안증을 호소하였다. 주 양과 그녀의 부모는 정신건강의학과 외래에 방문하여 지능검사, ADHD 검사, 정서상태에 대한 검사 등을 받고 특정학습장애의 진단을 받았다.

7) 품행장애

(1) 진단

품행장애(conduct disorder)는 다른 사람의 기본적 권리를 침해하고 사회적 규범이나 규칙을 반복적이고 지속적으로 위반하는 행동패턴을 나타내는 것이다(American Psychiatric Association, 2013). 흔히 신체적인 공격성이 나타나고 동료들과의 관계에서도 문제가 있다. 유병률은 1~10%로 추정되고, 남성에게서 2:1~4:1 정도로 더 많이 나타난다(Ursano et al., 2008). 아동기에 발병하는 하위 유형 대상자들 중 남아에게 더 많이 나타난다. 품행장애의 흔한 공존질환은 ADHD, 기분장애, 학습장애, 물질사용장애 등이다. 아동기 때부터 적대적 반항장애(oppositional defiant disorder, ODD)가 있을 수 있다. 보통 사춘기에 이르면 품행장애 진단을 내릴 수 있는 모든 증상들이 나타나고, 성인기가 되어 반사회적 성격장애로 발전하기 쉽다. Black과 Andreasen(2011)은 품행장애 남아의 40%, 여아의 25%가 성인이 되어 반사회적 성격장애로 진단받는다고 보고하였다.

DSM-5 진단기준: 품행장애

A. 다른 사람의 기본 권리나 나이에 적합한 사회기준이나 규율을 위반하는 행동양상이 반복적이고 지속적으로 나타남.
B. 사람과 동물에 대한 공격적 행동(7개), 재산 파괴 행동(2개), 거짓과 도둑질하는 행동(3개), 중대한 규칙을 위반하는 행동(3개) 등의 15개 증상들 중 3개 이상이 지난 12개월간 있으면서 최소한 한 항목은 지난 6개월 동안에 나타남.
  1. 사람과 동물에 대한 공격성(7개)
     - 사람을 괴롭히고 위협함
     - 자주 싸움을 걺
     - 타인을 해칠 수 있는 무기를 사용함
     - 사람을 잔인하게 대함
     - 동물을 잔인하게 대함
     - 피해자와 맞대면하여 눈 앞에서 도둑질을 함 (예: 노상강도, 소매치기, 강탈, 무장강도)
     - 다른 사람에게 성적 행위를 강요함
  2. 재산파괴(2개)
     - 고의로 불을 지름
     - 방화 이외에 다른 사람의 재산을 고의적으로 파괴함
  3. 거짓말, 도둑질(3개)
     - 다른 사람의 집, 건물 또는 자동차를 망가뜨림
     - 거짓말을 함
     - 눈을 피해 절도를 함
  4. 중대한 규칙 위반(3개)
     - 13세 이전부터 시작된 부모가 금지하는 외박
     - 가출
     - 13세 이전부터 시작된 무단결석
C. 이러한 행동장애가 사회, 학업 또는 작업 기능에 중대한 지장을 초래함.
D. 18세 이상이면 반사회적 성격장애의 진단기준에 맞지 않아야 함.

출처: American Psychiatric Association (2013). Diagnostic and statistical manual of mental disorders (5th ed.). Arlington, Virginia: APA.

(2) 행동특성

품행장애의 전형적인 증상은 타인의 권리를 침해하는 신체적 공격성이다. 행동패턴은 아동이 생활하는 모든 현장(집, 학교, 또래 간, 지역사회 등)에서 나타날 수 있다. 도둑질, 거짓말, 무단결석 등의 문제가 흔히 나타나며, 죄책감과 후회의 감정이 결여되어 있다. 성적 행위뿐만 아니라 흡연, 음주, 약물 남용 등이 또래보다 더 빨리 나타나며, 투사가 이들이 사용하는 흔한 방어기전이다. 타인의 의도를 적대적으로 해석하는 경향이 있으며, 자신에게 부정적인 결과가 초래되는 상황에서 더 분노를 느끼는 것으로 나타났다(한영옥, 1999).

낮은 자존감이 '터프가이' 이미지로 나타난다. 좌절에 대한 인내심이 부족하고, 화를 잘 내며, 분노가 자주 폭발한다. 불안과 우울 증상도 흔히 나타나며, 학업성취 수준은 연령이나 지능지수와 관계없이 낮을 수 있다. 품행장애 아동에게서 ADHD의 증상(주의력결핍, 충동성, 과잉행동)이 나타나는 경우를 흔히 볼 수 있다.

(3) 간호

품행장애로 입원한 청소년을 대상으로 행동문제 발생 이전 가족의 대처방식을 확인한 연구에서 구타와 폭력, 과잉통제, 무관심, 지나친 허용이 높았고 가족관계에서는 갈등과 소원함이 높았다(최명민, 2003). 품행장애는 예방이나 치료보다 조기중재가 효과적이라는 견해를 지지하는 연구도 있다. 폭력적 행동으로부터 타인을 보호하고, 수용할 수 없는 행동은 제한하며 행동치료를 통해 폭력을 감소시킬 수 있다. 적절한 사회기술을 가르치고 연습시키며, 필요에 따라 환자와 가족을 대상으로 하는 교육을 제공한다.

① 치료 프로그램

품행장애 환아의 치료 프로그램에 대한 보고는 주로 사례연구로 이루어져 왔다. 중재의 목표가 되는, 즉 수정하고자 하는 문제행동에 대한 치료 프로그램을 제공하여 그 효과를 확인하는 연구가 다수였다.

Clinical example: 품행장애

박OO 군은 초등학교 6학년으로 특별한 이유 없이 12층 아파트 복도에서 벽돌을 던져 이웃의 차량을 파손한 사실을 친구들에게 자랑 삼아 이야기하였고, 학교에서는 꾸중하는 담임교사를 향해 욕을 하기도 하였다. 수업시간에 집중하기 어려워하고 부산하며 큰 말소리를 내기도 하며 학업 성취도도 매우 낮았다. 그의 어머니는 담임교사와의 상담에서 박 군이 보여준 주의할 만한 사실들에 대하여 관심을 보이지 않으며, 크면 나아질 거라고 말하였다. 담임교사에 의해 위(Wee) 센터에 의뢰된 그는 학교의 지원으로 정신건강의학과 외래를 방문하였다. 의사는 그의 잦은 기분 변화와 수업에 집중하기 어려운 점에 대한 약물치료를 실시하였다. 또한 부모교육과 사회기술 훈련, 학업능력 증진을 위한 계획을 고려하였다.

표 27-4 품행장애의 문제행동과 치료프로그램

문제행동	프로그램	프로그램 효과
도벽행동	미술치료	아동: 억압된 감정을 해소하여 더 이상 도벽이 나타나지 않음 부모: 아동에 대한 깊은 이해를 통해 역기능성 상호작용이 변화됨
배변, 가출, 무단결석, 공격행동 습관 개선	음악치료	문제행동 감소, 사회성, 행동적 측면에서의 긍정적 향상
학교 적응 문제	집단상담	학교생활 적응력 향상
공격성, 파괴적 행동	가족치료	문제행동들의 감소와 가족의 문제 상황에 대한 대처양상의 효과적 변화
반사회성	집단상담	반사회성이 감소하고 도덕성이 향상됨

출처: 서석진(2011). 품행장애 아동과 청소년의 특성 및 중재 프로그램 분석 연구: 1990년 이후 국내연구를 중심으로. 정서행동장애연구, 27(3), 315-335.

8) 적대적 반항장애

(1) 진단

적대적 반항장애(oppositional defiant disorder, ODD)는 품행장애와 유사하나 폭력은 보이지 않으며 적대적 행동을 보이는 정신장애이다. 일반적인 연령과 발달 수준에서 관찰되는 것보다 빈번하게 지속적인 분노 정서와 반항 행위가 나타난다. 이로 인해 사회적·교육적·직업적으로 또는 다른 중요한 영역에서 기능수준의 장애가 오는 것을 특징으로 한다. 반항장애의 유병률은 표본 집단의 특성과 평가 방법에 따라 2~16% 정도로 매우 다양하게 보고되고 있다.

적대적 반항장애의 증상

행동적 증상

타인의 기본적 권리에 대해서는 심하게 위반하지 않으면서 권위자에 대한 반복되는 거부적, 도전적, 불복종적, 적대적 행동을 보인다. 구체적으로 지시를 거부하거나, 고집을 심하게 부리거나, 명령을 무시하고, 논쟁하고, 실수를 지적했을 때 받아들이지 못하는 양상으로 나타난다. 고의적으로 귀찮게 하거나 언어적 공격 양상은 보이지만 심한 공격성은 나타내지 않는다. 또한 지역사회나 학교에서는 이러한 행동이 비교적 잘 나타나지 않고, 주로 가정에서 그리고 잘 알고 지내는 어른이나 친구와의 관계에서 더 잘 나타난다. 대상자는 자신이 반항적이라고 생각하지 않고 불합리한 상황에 대한 정당한 반응이라고 생각한다.

정서적 증상

학령기 동안에는 자존감 저하, 정서적 불안정, 좌절에 대한 인내력 부족 등의 증상을 보인다.

사회적 증상

초기 아동기 동안에는 문제가 되는 기질이나(높은 반응성, 진정되기 어려움) 높은 운동성이 보고되고 있다. 또한 욕설을 하거나 술·담배·약물을 조기에 사용한다. 부모와 자식 사이의 관계가 심하게 악화되거나 악순환이 일어난다.

DSM-5 진단기준: 적대적 반항장애

A. 분노/과민한 기분, 논쟁적/반항적 행동 또는 보복적인 양상이 적어도 6개월 이상 지속되고, 다음 중 적어도 4가지 이상의 증상이 존재함. 이러한 증상은 형제나 자매가 아닌 적어도 한 명 이상의 다른 사람과의 상호작용에서 나타나야 함.

분노/과민한 기분

1. 자주 욱하고 쉽게 짜증을 냄
2. 자주 과민하고 쉽게 짜증을 냄
3. 자주 화를 내고 크게 분개함

논쟁적/ 반항적 행동

4. 권위자와의 잦은 논쟁, 아동이나 청소년의 경우는 성인과 논쟁함
5. 자주 적극적으로 권위자의 요구나 규칙을 무시하거나 거절함
6. 자주 고의적으로 타인을 귀찮게 함
7. 자주 자신의 실수나 잘못된 행동을 남의 탓으로 돌림

보복적 특성

8. 지난 6개월 안에 적어도 2차례 이상 악의에 차 있거나 앙심을 품음

주의점: 진단에 부합하는 행동의 지속성 및 빈도는 정상 범위 내에 있는 행동과 구별되어야 한다. 다른 언급이 없다면, 5세 이하의 아동인 경우에는 최소한 6개월 동안 거의 매일 상기 행동이 나타나야 한다. 5세 이상의 아동인 경우에는 6개월 동안 일주일에 최소한 1회 이상 상기 행동이 나타나야 한다(진단기준 a8). 이런 빈도에 대한 기준은 증상을 기술하기 위한 최소 기준을 제공한 것일 뿐이며, 반항적 행동이 동일한 발달 수준에 있고, 성별이나 문화적 배경이 같은 다른 사람들에게서 전형적으로 관찰되는 것보다 더 빈번하고 강도가 높은지와 같은 다른 요인들도 고려해야 한다.

B. 행동장애가 개인 자신에게, 또는 자신에게 직접적으로 관련 있는 사회적 맥락(예: 가족, 또래집단, 동료) 내에 있는 상대방에게 고통을 주며, 그 결과 사회적 · 학업적 · 직업적 또는 다른 중요한 기능영역에서 부정적인 영향을 줌.

C. 행동은 정신병적 장애, 물질사용장애, 우울장애 또는 양극성장애의 경과 중에만 국한되어 나타나지 않음. 또한 파괴적 기분조절 곤란장애(disruptive mood dysregulation disorder)의 진단기준을 충족하지 않아야 함.

출처: American Psychiatric Association (2013). Diagnostic and statistical manual of mental disorders (5th ed.). Arlington, Virginia: APA.

(2) 행동특성

적대적 반항장애는 품행장애와 유사하지만, 타인의 기본적 권리에 대해서는 심하게 침해하지는 않는다. 다만 권위를 가진 인물에 대해 비협조적이거나 반복적으로 거부적 태도와 같은 적대적 행동을 보인다. 논쟁을 많이 하는데, 이러한 행동은 다른 사람을 곤란하게 하는 방법으로 괴롭히는 행동이다. 타인의 권리를 심각하게 침해하는 반사회적 행동은 두드러지지 않는 것이 특징이다. 그러나 일부 학자들은 품행장애와 질적으로 다른 장애가 아니고 품행장애의 경한 형태로 간주하기도 한다.

(3) 간호

적대적 반항장애는 부정적 기질, 문제의 부정 및 근원적인 적대감으로 인하여 치료과정을 이행하지 않는 문제가 있을 수 있다. 또한 성장과 발달을 위한 활동에 참여를 거부하고 외부의 요구에 저항하기 때문에 성취수준이 낮을 수 있다. 이렇게 낮은 성취는 자아발달을 지연시키고 낮은 자존감을 형성하며 더욱 방어적 태도를 취하게 한다.

간호사는 라포형성을 통해 충분한 정서적 지지를 제공하여 건강한 상호작용을 학습하도록 도울 수 있다. 대상자의 흑백논리로 치료 행위뿐만 아니라 건강한 사회관계 형성이 어렵다면, 인지행동치료를 통해 역기능적인 신념을 자각하고 변화하도록 하는 것이 필요하다. 또한 분노 및 충돌 조절을 목표로 삼을 수 있다. 대상자의 흥미와 선호도를 고려하여 미술, 놀이, 그림책 등의 활용으로 정서를 표현하도록 도울 수 있다. 이러한 간호중재를 통해 대상자가 거절 없이 요법에 잘 참여하고 치료에 순응하도록 한다. 문제가 자신에게 있음을 알고 책임을 수용하며 다른 사람을 조종하지 않고 적절한 방식으로 타인과 상호작용할 때 긍정적으로 변화되었음을 기대할 수 있다.

Clinical example: 적대적 반항장애

초등학교 3학년 최OO 군은 아버지와 함께 상담소를 방문하였다. 대상자는 조모가 주로 양육하는데, 최 군의 아버지는 대상자가 심하게 대들고 반항하여 양육하는 것이 매우 힘들고 자주 다투게 된다고 이야기하였다. 담임교사의 면담 요청으로 학교에 찾아갔을 때, 대상자가 어른에 대한 적개심이 높아 담임교사에게 반말을 하고 주먹으로 때린 적이 있다고 들었다. 급우들이 게임을 하며 노는데 자신도 놀이에 끼워달라며 놀이판을 휘저었지만 급우들이 모두 자리를 떠나 버렸다는 이야기도 들었다고 하였다. 상담자는 최 군의 연령과 흥미 및 선호도를 고려하여 미술치료와 놀이치료를 통한 정서적 치료 작업과 인지행동 치료과정을 통한 비합리적 사고 교정 계획을 세웠다.

출처: 조성희, 김희수(2017). 이혼 가정의 적대적 반항장애 아동 사례 분석: 편부 가정의 초등학교 4학년 아동. 상담학연구: 사례 및 실제, 2(1), 69-84.

9) 운동장애(틱/투렛장애)

(1) 진단

틱장애(Tic disorder)는 갑작스럽고 빠르며 반복적, 비율동적, 상동적 움직임이나 소리를 내는 운동장애(motor disorder)의 하나이다. 투렛장애(tourette's disorder)는 2~7세 사이에 나타나서 현저한 고통과 사회 및 직업 기능의 중대한 손상을 초래하는 운동성·언어성 틱장애로 특징된다(American Academy of Pediatrics, 2012). 운동성 틱은 대개 머리를 포함하지만 몸체와 사지를 포함할 수도 있다. 틱은 시간이 경과함에 따라 위치, 빈도, 강도가 변할 수 있다. 기타 운동성 틱으로는 혀 내밀기, 만지기, 웅크리기, 깡충 뛰기, 건너뛰기, 뒤돌아 걷기, 보행 시 빙빙 돌기가 있다. 음성 틱은 자발적으로 나오는 단어나 소리를 포함한다. 입버릇이 상스럽고 외설스런 욕을 내뱉는 외설증 등의 특성은 10% 미만 정도로 나타난다. 틱장애 아동 및 청소년은 수치심으로 인해 낮은 자존감과 남의 시선을 의식하는 자의식을 형성하게 되고, 또래로부터 거부당할 수 있으며, 틱장애를 보이는 것에 대한 두려움으로 인해 공공장소에서 극히 행동이 제한적일 수 있다.

장애는 대개 영구적이지만 관해 시기가 나타날 수도 있다. 증상은 대개 청소년기에 감소되며, 때때로 성인 초기까지 사라지게 된다. 사례의 90%에서 가족력이 존재한다. 투렛장애는 대개 우울장애, 강박장애, 주의력결핍 과잉행동장애(ADHD)와 함께 나타난다(Flaherty, 2008). 중추신경계 자극은 틱의 강도를 증가시키기 때문에 ADHD 동반 아동에서 투약 시 주의 깊은 관찰이 필요하다.

DSM-5 분류: 운동장애

일과성 틱장애

A. 단일 또는 다발성 운동 및 또는 음성 틱이 있음.
B. 틱이 첫 발생 후 1년 이하로 있음.
C. 18세 이전에 발병함.
D. 장애가 어떤 물질(예: 코카인)의 생리학적 효과 때문이 아님.
E. 다른 의학적 상태(예: 헌팅턴 병, 바이러스성 뇌염 후 상태)에 의한 것이 아님.
F. 투렛장애나 지속적(만성) 운동 또는 음성 틱장애의 진단기준을 만족한 적이 없음.

지속적(만성) 운동 또는 음성 틱장애

A. 단일한 또는 다양한 운동 틱이나 음성 틱이 일정 기간 있으나 동시에 있는 것이 아님.

〈계속〉

B. 첫 발생 이후 1년 이상 지속되어야 하고, 증상은 증감을 반복할 수 있음.
C. 18세 이전에 발병함.
D. 약물이나 다른 의학적 상태에 의한 것이 아님.
E. 투렛장애의 진단기준을 만족한 적이 없음.

투렛장애

A. 다양한 운동 틱과 1개 또는 그 이상의 음성 틱이 존재하며, 2가지 틱이 반드시 동시에 나타날 필요는 없음.
B. 18세 이전에 발병함.
C. 첫 발병 후 1년 이상 지속되어야 하며, 증상은 증감을 반복할 수 있음.
D. 약물이나 다른 의학적 상태에 의한 것이 아님.

출처: American Psychiatric Association (2013). Diagnostic and statistical manual of mental disorders (5th ed.). Arlington, Virginia: APA.

(2) 행동특성

아동의 성장발달에 대한 핵심 특징은 대근육·소근육 운동기술과 조정 능력의 획득 여부이다. 훈련 능력, 새로운 과업에의 노출 여부, 경험, 환경은 운동 발달에서 제 기능을 하는 요소들이다. 기술발달의 손상이나 아동의 발달연령에서 기대되는 수준 이하의 조정능력, 학업 성취도와 일상활동을 저해할 정도의 중증도는 발달조정장애(developmental coordiantion disorder)의 특징이다. 기술발달 혹은 조정능력의 심각한 손상을 보이지만, 덜 심각한 손상 상태의 장애에서는 당혹감과 무능감으로 인해 특정 과업과 활동에 참여하는 것을 꺼려할 수도 있다.

(3) 간호

투렛장애 관련 틱을 치료하는 데 FDA에서 승인한 유일한 약물은 정형 항정신병 약물인 할로페리돌(haloperidol)과 피모자이드(pimozide)이다. 비정형 항정신병 약물인 아리피프라졸(aripiprazole)은 틱과 감정의 분출 조절을 위해 시험적으로 사용된다(Packer, 2011). 고혈압 치료제로 사용되는 α-2-아드레날 효능제인 염산클로니딘(clonidine hydrochloride)은 틱 치료를 위해 처방된다. 염산클로니딘은 항정신병 약물보다 덜 효과적이고 보다 느리게 작용하는 반면, 부작용이 적다. 항불안제인 클로나제팜(clonazepam)은 다른 약물의 보조제로 사용된다. 이 약물은 불안과 그에 따른 틱을 감소시키는 작용을 할 수 있다. 보툴리눔독소 A형[Botulinum Toxin Type A(Botox)] 주사제는 틱 관련 근육 활동을 진정시키는 데 사용된다.

행동요법은 틱의 발현을 감소시키는 것으로 알려져 왔다(Packer, 2011). 행동요법에서 주로 활용되는 형태는 통합적 틱 행동 중재이다. 이것은 상승하는 틱 충동을 대상자가 인식하도록 하고, 틱과 경쟁적으로 혹은 틱과 상반된 근육반응을 활용함으로써 작용한다.

뇌 심박조율기의 일종인 뇌심부자극(deep brain stimulation, DBS)은 기존의 치료가 실패했을 때 사용된다. 미세한 와이어(철사)는 뇌 발생 영역 안으로 삽입되어 전기 충격을 전달하는 작은 쇄골하 이식 장치를 연결한다. 뇌심부자극 사용 시 틱을 조절하기 위해 장치를 켤 수 있고 수면 시에는 장치를 끌 수 있다.

Clinical example: 운동장애

8세 차OO 군은 평소 안면을 찡그리면서 킁킁거리는 증상을 보여 왔는데, 때로는 증상을 억누를 수 없음을 경험하였다. 긴장하거나 스트레스 상황에서 증상은 더 악화되었고, 이로 인하여 반 친구들과의 관계는 진전되지 않았으며 가끔씩 외면당하기도 하였다. 일주일 전부터 그는 자신의 틱 증상으로 인한 반 친구들의 반응을 의식하면서 친구들에게 갑자기 소리를 지르는 행동을 보였다. 이에 담임교사는 교내 보건교사를 찾아 그의 심리적 지원을 요청하였다. 보건교사는 그와의 만남을 통해 무조건적인 수용과 긍정적 관심을 전달하면서 신뢰관계를 형성하였다. 이후 허용되는 행동과 그렇지 않은 행동에 대해 그와 상의하였고 허용될 수 없는 행동에 대한 결과를 객관적인 태도로 설명해 주었다. 담임교사에게는 그를 모둠 활동에 참여하게 하여 또래들이 주는 긍정적이거나 부정적인 피드백을 통해 적절한 사회적 행동을 배우도록 유도할 것을 설명해 주었다.

10) 지적장애

(1) 진단

기존에 정신지체(mental retardation)라 불렸던 장애로 지적장애의 유병률은 전체 인구의 약 1~2%로 추정되어 왔다. 지적장애의 역학은 주로 생리적, 심리사회적 혹은 둘 모두의 혼합으로 나타날 수 있다. 지적장애와 관련된 요인들로 유전, 임신이나 선천성 발달 문제, 환경 영향, 혹은 다른 의학적 조건 등이 포함된다.

유전적 요소들로는 취약 X 염색체증후군, 다운증후군 혹은 클라인펠트증후군(Klinefelter's syndrome)과 같은 염색체 장애, 페닐케톤뇨증과 같은 선천성 대사이상, 유전적 기형이 있다. 이러한 것들은 대략 5% 정도의 사례와 연관된다. 대략 10%는 임신 혹은 출생 시 문제와 관련되며, 영양불량, 만성적인 모체의 물질남용, 산모(모성) 감염, 그리고 임신중독증, 전치태반과 같은 임신 합병증 혹은 출생 시 뇌 외상을 포함한다. 게다가 20%까지의 사례는 사회화 및 언어

기술 발달을 부양하지 않는 빈곤한 사회적 환경이나 양육 관계의 부족과 같은 환경적 혹은 사회적 요소들의 결과로 나타난다. 지적장애 또한 자폐스펙트럼장애와 같은 다른 정신장애와 관련될 수도 있다.

DSM-5 진단기준: 지적장애

지적장애는 개념적 · 사회적 · 실행적 영역에서 지적기능과 적응기능 양쪽 모두 결함을 나타내는 발달적 시기에 출현하는 장애로 다음 3가지 기준이 반드시 충족되어야 함.

A. 임상적 평가와 표준화된 개인 지능검사에 의해 확인된 추론하기, 문제해결하기, 계획하기, 추상적 사고하기, 판단하기, 학교에서의 학습, 경험을 통한 학습과 같은 지적기능의 결함

B. 개인의 독립성과 사회적 책임감에 관한 발달적 표준과 사회문화적 표준에 충족되지 못하는 결과를 야기하는 적응기능에서의 결함. 지속적인 지원이 없을 경우 적응 결함에 의해 가정이나 학교, 일터에서 복합적인 환경에 걸친 의사소통하기, 사회적 참여하기, 독립적인 생활하기와 같은 일상적 활동에서 하나 이상의 기능이 제한된다.

C. 지적결함과 적응기능의 결함은 발달 시기 동안에 시작된다.

현재의 심각도 명시

경증

중등도

고도

최고도

출처: American Psychiatric Association (2013). Diagnostic and statistical manual of mental disorders (5th ed.). Arlington, Virginia: APA.

표 27-5 지적장애의 심각도에 따른 분류와 특성

수준(IQ)	특성
경도 (50~70)	전체 지적장애 중 약 86%, 6학년 수준의 학습능력 가능, 도움 제공 시 독립적으로 일상생활 가능, 사회적 기술 발달 가능
중등도 (35~49)	전체 지적장애 중 약 10%, 2학년 수준의 학습능력, 일부 행위만 독립적 수행 가능, 일상활동에서의 감독이 필요하며 사회적 관습 이행의 어려움, 일부 언어적 의사소통 제한
고도 (20~34)	전체 지적장애 중 약 3~4%, 일상생활에서의 기본적인 판단 및 의사결정 불가능, 밀착된 지도감독과 지속적인 도움 필요, 최소한의 언어적 기술, 감각-운동 기능의 결함
최고도 (20 미만)	전체 지적장애 중 약 1%, 학습이나 직업기술훈련 불가능, 독립적 기능 수행 불가능, 전적으로 지속적인 보호와 밀착된 지도 감독 필요, 극히 한정된 단어를 알아듣고 반응함

출처: Black, D. W., & Andreasen, N. C. (2011). Introductory textbook of psychiatry (5th ed.). Washington, DC: American Psychiatric Publishing.; Sadock, B. J., & Sadock, V. A. (2007). Synopsis of psychiatry: Behavioral sciences/clinical psychiatry (10th ed.). Philadelphia, PA: Lippincott Williams & Wilkins.; Ursano, A. M., Kartheiser, P. H., & Barnhill, L. J. (2008). Disorders usually first diagnosed in infancy, childhood, or adolescence. In R. E. Hales, S. C Yudofsky, & G. O. Gabbard (Eds.), Textbook of psychiatry (pp. 861-920).

(2) 행동특성

지적발달장애(intellectual development disorders)는 3가지 영역에서의 결함을 특징으로 하는 장애이다. 첫째, 지적 기능은 또래들과 비교 시 추론, 문제해결, 계획, 판단, 추상적 사고, 학업 능력에서 결함이 있다. 둘째, 사회화 기능은 의사소통과 언어, 해석과 사회적 단서에 대한 행동, 감정조절이 손상된 상태이다. 마지막으로, 일상생활의 실제적인 측면들이 연령에 적합한 행동관리, 학교나 직장에서의 기능 상태, 자기돌봄 수행에서의 결함에 의해 영향을 받는 것이다. 손상은 경증에서 중증의 범위까지 아동기 발달 시기 동안 두드러지게 나타나야 하며, 돌봄과 지원을 지속하기 위해서는 타인에 대한 개인의 의존도를 포함시켜야 한다(Carulla et al., 2011).

(3) 간호

간호사는 다양한 환경에서 지적장애 아동에게 서비스를 제공할 수 있다. 지적장애 아동은 학령기에 도달하면 조기중재 프로그램이나 공공 학교 프로그램에 의해 결정된 서비스를 통해 지역사회에서 돌봄을 제공받을 수 있다. 지적장애 아동을 위한 치료계획은 개별화되고 실제적이어야 하며, 아동의 잠재력을 보조하도록 고안된 중재를 활용해야 한다. 돌봄계획이 아동을 위해 개발된 것이라 해도 가족구성원 혹은 돌봄제공자를 아동의 지속적인 돌봄과정에 참여하도록 한다. 보조적 교육은 질병의 범주와 특성(개념적·사회적·실제적 결핍), 아동의 잠재력(가능성)에 대한 실제적인 사정에 따라 지속되어야 한다. 장기계획은 아동이 성인으로 성장해감에 따라 지속적인 돌봄 요구를 고려해야 한다.

Clinical example: 지적장애

고OO 양은 12세 중등도의 지적장애 환아로 또래에 비해 문제해결이나 학업 능력이 떨어지고, 대인관계의 어려움이 있다. 병동 내에서 독립적인 자가간호는 시도하지 않고 대부분 나이 많은 환자에게 의존하려는 모습을 보이고 있다. 담당간호사는 그녀의 역량 내에서 가능한 자가간호 영역을 확인하고 한 번에 하나씩 자가간호 활동을 수행하도록 하였다. 매번 단순하고 분명하게 설명하였으며, 그녀가 노력할 때마다 긍정적인 피드백을 제공하였다.

11) 배설장애

(1) 진단

배설장애(elimination disorders) 중 유뇨증(enuresis)은 소변을 조절할 것으로 기대되는 나이(대부분 2~3세에는 완료됨)를 지나서도 반복해서 불수의적으로 또는 비의도적으로 잠자리나 옷에 소변을 누는 것이다. 증상과 관련되는 의학적 질병이나 배뇨에 영향을 줄 수 있는 약물 때문에 생긴 것이 아닌 상태에서 3개월 동안 연속해서 일주일에 2번 이상 일어날 때 진단하게 된다(이춘재 등, 2006). 유뇨증은 소변 조절이 한 번도 성공적으로 훈련된 적이 없는 일차 유뇨증(primary enuresis)과 성공적으로 훈련되었다가 다시 소변을 보게 되는 이차 유뇨증(secondary enuresis)으로 분류된다.

DSM-5 진단기준: 배설장애

유뇨증

A. 잠자리와 옷에 반복되는 소변 보기(불수의적이든 의도적이든)
B. 그 행동이 적어도 3개월간 계속해서 일주일에 두 번씩 나타나거나 임상적으로 의미 있는 고통이나 손상이 사회적, 학업적(직업적), 다른 중요한 기능 영역에서 존재하는 것으로 나타나면 임상적으로 중요함.
C. 생활연령이 적어도 5세에 해당됨(또는 동일한 발달수준).
D. 그 행동은 물질(예: 이뇨제)로 인한 직접적 생리적 효과 또는 일반적인 의학적 질병(예: 당뇨병, 이분척추, 간질장애)으로 인한 것이 아님.

유형
- 야간 유뇨증만 있는 유형: 밤 시간에 잠자는 동안에만 소변이 나옴
- 주간 유뇨증만 있는 유형: 깨어 있는 시간 동안에만 소변이 나옴
- 야간 유뇨증과 주간 유뇨증이 같이 있는 유형: 위 두 유형의 혼합

유분증

A. 옷이나 이불 등에 반복적으로 대변을 봄.
B. 만 3세가 지나도 매주 1회 이상 대변을 못 가리는 경우가 3개월 이상 지속될 때 진단됨.
C. 다른 직접적 생리적 효과 또는 일반적인 의학적 질병에 의한 것이 아님.

출처: American Psychiatric Association (2013). Diagnostic and statistical manual of mental disorders (5th ed.). Arlington, Virginia: APA.

(2) 행동특성

유뇨증의 연령에 따른 발생 빈도를 살펴보면 5세 20%, 10세 5%, 12~14세 2%로 나타나는데, 이는 치료하지 않아도 유뇨증에서 '벗어나는' 경향이 있음을 보여준다(이춘재 등, 2006). 배변에 대하여 긴장하지 않고 편안한 상태에서 잘 가리고, 조급한 부모의 훈육으로 인한 심리적 부담을 갖는 경우는 늦게까지 가리지 못할 수 있다(임숙빈 등, 2017). 조급한 훈육, 적절한 개입의 부재가 문제의 원인이 된다. 사랑하는 관계 맥락에서 구조화되고 목표지향적인 배변훈련은 조기 방광조절을 증진시킨다. 반면, 적극적으로 움직이고 저항적이고 공격적인 영아에서는 지연된 배변훈련이 유뇨증의 가능성을 증가시킨다.

(3) 간호

유분증(encopresis)은 대소변가리기 훈련이 끝나는 시기라고 볼 수 있는 4세 이상에서 약물 또는 다른 의학적 상태와 관련 없는 상황에서 적절하지 않은 곳에 대변을 보는 일이 3개월 동안 연속해서 최소 월 1회 발생할 때 진단하게 된다. 잘못된 부모-자녀 관계, 분노나 적개심, 지적장애, 정신적 외상 등의 복합적 작용으로 인하여 발생할 수 있고 수년간 지속되기도 한다(임숙빈 등, 2017).

간호사는 배설장애의 주요 원인을 분석하여 적절한 중재를 시행한다. 행동요법으로 전자식 경보장치가 달린 기저귀 사용, 일정량의 수분을 마시게 한 후 가능한 오랫동안 소변을 참는 방광훈련, 고정된 배변시간 지키기 등을 적용할 수 있다. 또한 긴장과 처벌이 없는 가족 분위기 형성을 위한 가족교육이 도움이 된다.

Clinical example: 유뇨증

전OO 양은 9세의 여아로 연속적으로 3개월 동안 야간에 유뇨증을 보였다. 파자마 파티를 한다고 친구가 초대하였지만, 이불에 소변을 보게 될까봐 걱정하여 울었다. 크면 나아지겠지 하며 그동안 지켜보았던 부모는 그녀를 병원에 데리고 갔다. 정신건강의학과 임상의는 이미프라민(imipramine)이나 토프라닐(tofranil)과 같은 항우울제가 효과를 보이는 경우가 있다고 설명하면서 부작용으로 요정체가 있을 수 있다고 하였다. 수면 시 전자장치가 되어 있는 기저귀를 차거나 이불패드에 장치를 설치하여 소변을 보게 되면 벨이 울려서 아이를 깨우는 방식의 행동치료가 있다고 설명해 주었다.

12) 괴롭힘

(1) 진단

괴롭힘(bullying)은 피해자를 향한 학생들(1명 이상)의 반복적인 부정적 행위로 정의할 수 있다(Olweus, 2001). 보통 반복적이고 해를 끼치며 공격자와 피해자 사이 힘의 불균

형으로 체계적인 권력 남용을 수반한다(Nansel & Overpeck, 2003).

(2) 행동특성

연구에 따르면 피해자가 괴롭힘을 당할 원인은 전혀 없다. 개인, 가족, 동료, 학교 및 지역사회의 요소들이 괴롭힘의 피해자를 위험에 빠뜨릴 수 있다(Limber, 2000; Olweus, Limber, & Mihalic, 1999).

괴롭힘의 종류

- 언어적 괴롭힘이 가장 빈번한 유형으로 욕하기와 비하적인 발언이 가장 일반적이다(Stassen Berger, 2007). 인종과 성에 대한 비방이 언어폭력의 요소가 된다. 중상모략(악의적인 허위진술)과 욕하는 것이 가장 일반적인 괴롭힘 방법이다(Dussich & Maekoya, 2007).
- 관계형 괴롭힘은 피해자를 무시하는 것을 포함한다(Dussich & Maekoya, 2007). 목표는 동료 간의 공유관계를 파괴하는 것이며 남자보다 여자들 사이에서 더 일반적으로 나타난다(Raskauskas & Stoltz, 2004). 우회적인 성격을 갖기 때문에 부모와 교사는 관계형 괴롭힘을 인식하지 못할 수 있으나, 피해자는 격리와 굴욕을 경험하게 된다.
- 신체적인 괴롭힘은 가벼운 밀치기에서 화상 및 골절 등 큰 부상까지 다양하게 나타난다(Dussich & Maekoya, 2007). 학교에서 일어나는 명백한 신체적 공격은 학교에서 다루어질 수 있지만, 신체적 괴롭힘은 방과 후에 다른 장소에서도 일어난다.
- 사이버 폭력은 가장 최근에 발생한 괴롭힘의 한 종류이다. 사이버 불링 연구센터[Cyberbulling Research Center(http://cyberbullying.us)]는 미국 학생의 약 19.4%가 사이버 폭력을 경험하고 있다고 하였다(Hinduja & Patchin, 2010). 이러한 괴롭힘은 문자 메시지나 전자메일의 형태를 취할 수 있다. 허락 없이 게시된 사진(특히 부적절하거나 곤란한 사진), 전자메일, 문자 메시지 또는 SNS, 웹 사이트를 통해 유포되는 루머의 형태로 나타날 수 있다.

(3) 간호

괴롭힘을 완전히 예방할 수는 없지만, 간호사들은 괴롭힘이 일상적으로 발생할 수 있다는 사실을 이해함으로써 조치를 취할 수 있다(McGuinness, 2007). 또한 간호사들은 괴롭힘에 맞설 수 있어야 한다. 일부 학교에서는 괴롭힘과 관련하여 강경하게 대응하겠다고 하지만, 관련 정책들은 신체적 폭력에만 국한될 뿐 미묘한 관계나 사이버 폭력에 대해서는 언급하지 않을 수 있다. 간호사는 교사, 교직원, 부모에게 괴롭힘의 현실(빈도 및 유형)에 대해 교육할 수 있어야 한다. 이는 괴롭힘이 학교의 어느 곳에서나 일어날 수 있고, 막대한 피해를 입히며 궁극적으로 자살과 살인을 초래할 수 있기 때문이다. 따라서 괴롭힘에 관한 연구, 개입, 정책적 노력이 필요하고, 사회적 고정관념의 잠재적 영향을 고찰해야 한다(American Psychiatric Association, 2004). 괴롭힘 방지를 위한 개입의 방법(Olweus, 1993a; Olweus, 1993b; Olweus, Limber, & Mihalic, 1999; Whitney, Rivers, Smith, & Sharp, 1994)의 개발 및 적용이 필요하다. 이러한 프로그램은 학교나 지역사회의 문화적 특성과 활용의 효율성을 고려하여 확산되도록 해야 한다(American Psychiatric Association, 2004).

Clinical example: 괴롭힘으로 인한 자살시도

인천에서 동급생들에게 1년 넘게 '왕따'를 당한 여고생이 목을 매 자살을 시도한 사건이 발생하였으나, 이웃주민의 발견으로 미수에 그쳤다. A고등학교에 다니는 박OO 양(16세)은 같은 반 학생 4명으로부터 조직적으로 왕따를 당한 것으로 시교육청 조사 결과 밝혀졌다.
이들 4명의 학생은 박 양에게 외모 비하발언과 함께 욕설을 했으며, 같은 반 다른 친구들이 박 양에게 말조차 붙이지 못하게 하는 등 조직적으로 집단따돌림을 당하도록 했던 것으로 드러났다. 이에 박 양은 지난해 6월경 담임교사와 학생부장 교사에게 이 사실을 이야기했지만, 학교 측은 가해학생들이 상반된 주장을 한다는 이유로 박 양 학부모에게 경찰 신고를 권유했다. 경찰과 학부모가 동석한 자리에서 가해학생들은 자신들의 잘못을 인정하고 사과하는 모습을 보였으며, 경찰도 '처벌하기에는 경미한 사항'이라는 권유로 서로 화해하는 선에서 사건이 마무리되었다.
하지만 박 양 부모의 기대와 달리 가해학생들은 이후에도 지속적으로 박 양을 괴롭혔으며, 심지어는 2학년에 올라와서도 같은 반에 배정되면서 괴롭힘은 지속적으로 이뤄졌다. 참다 못 한 박 양은 지난달 31일 부모에게 "학교 다니기 싫다. 자퇴하고 싶다"고 말한 후 다음 날 학교에 가지 않았으며, 부모가 출근한 사이에 자택에서 자살을 시도하다가 이웃의 전화를 받고 집에 온 아버지에 의해 발견되었다.

출처: 뉴스1, 주영민기자(2013.4.15.)

STUDY NOTES

1. 아동 및 청소년기의 정신장애 발병은 정상적인 발달단계에 지장을 초래하고, 결과적으로 학업과 사회적 · 정서적 기능에 손상을 가져온다.
2. 자폐스펙트럼장애는 고정 관심사와 진단을 위한 반복적인 행동이 최소 2개 이상 나타나야 한다.
3. ADHD는 과잉행동, 부주의, 반항행동이 특징이며 약물치료, 인지행동치료, 지지적 정신치료, 보호자 상담과 교육이 적용된다.
4. 반응성 애착장애는 양육방법 사례에 따라 구조화된 상담과 교육이 필요하다.
5. 탈억제성 사회관계장애는 관련 외상을 확인하고 적절한 개입을 통해 주양육자와 주된 애착을 형성할 수 있도록 돕는다.
6. 읽기, 산수 또는 쓰기표현에서 문제를 보이는 특정학습장애는 학업중단과 같은 발달과업 실패 경험이 많으므로 조기 중재와 적극적, 개별적 접근이 필요하다.
7. 규칙 위반을 보이는 품행장애는 양육환경과 관련성이 높으며 변화를 원하는 문제행동에 대한 다양한 치료 프로그램을 적용하는 것이 필요하다.
8. 상동적 움직임이나 소리를 내는 운동장애는 증상에 따른 약물치료, 행동요법으로 문제를 감소시킬 수 있다.
9. 유전, 선천성 발달문제, 환경 영향 또는 다른 의학적 조건에서 발생하는 지적장애는 조기중재 적용과 성장에 따른 지속적 돌봄 요구가 고려된다.
10. 스스로 조절할 것으로 기대되는 나이가 지나서도 반복적 · 비의도적 배설장애를 보일 때 원인을 분석하여 행동요법과 가족교육 등을 제공한다.

참고문헌 REFERENCES

Abernethy, R. S., & Scholozman, S. C. (2008). An overview of the psychotherapies. In T.S. Tern, J. F. Rosenbaum, M. Fava, J. Biederman, S. L. Raych(Eds.), Massachusetts General Hospital comprehensive clinical psyhiatry (pp. 129–140). St. Louis, Mo: Mosby.

Ackley, B. J., & Ladwig, G. B. (2008). Nursing diagnosis handbook An evidence–based guide to planning care, St. Louis, MO: Mosby.

Altarac, M., & Saroha, E. (2007). Lifetime prevalence of learning disability among U.S. children, Pediatrics, 11, 9(suppl 1): 2, 77–83.

American Academy of Pediatrics. (2012). Learning, motor skills, and communication disorders. Retrieved from http://www.healthychildren.org/English/health–issues/conditions/adhd/Pages/Learning–Motor–Skills–and–Communication–Disorders.aspx

American Academy of Pediatircs. (2013). Diagnosing a learning disability. Retrieved from http://www.healthychildren.org/English/health–issues/conditions/learning–disabilities/Pages/Diagnosing–a–Learning–Disability aspx

American Academy of Pediatrics. (2012). Tics, Tourette's syndrome and OCD. Retrieved from http://www.healthychildren.org/English/health–issues/conditions/emotional–problems/Pages/Tics–Tourette–Syndrome–and OCD.aspx

American Nurses Association [ANA], American Psychiatric–Mental Health Nurses Assion APNAI, & International Society of Psychiatric–Mental Health Nurses [ISPN] (2007). Psychiatric mental health nursing: Scope and standards of practice. Silver Spring, MD: American Nurses Association.

American Psychiatric Association. (2013). DSM–5 table of contents. Retrieved from http://www.psychiatry.org/dsm5 Axline, V. (1969). Play therapy. New York, NY: Ballantine Books.

American Psychiatric Association. (2000). Diagnostic and statistical manual of mental disorders, test revision (4th ed.). Washington, D.C.: APA.

American Psychiatric Association. (2013). Diagnostic and statistical manual of mental disorders, test revision (5th ed.). Arlington, VA: APA.

American Psychiatric Association. (2004). APA Resolution on Bullying Among Children and Youth July 2004. from https://www.apa.org/topics/bullying/

Baird, G., et al. (2006). Prevalence of disorders of the autism spectrum in a population cohort of children in South Thames: The Special Needs and Autism Project (SNAP). Lancet, 368, 210 – 215.

Beebe, L. H., & Wyatt, T. H. (2009). Guided imagery & music: Using the bonny method to evoke emotion & access the unconscious. Journal of psychosocial Nursing and Mental Health Services, 47(1), 29–33.

Bellin, M., & Kovacs, P. (2006). Fostering resilience in siblings of youth with a chronic health condition: A review of the lterature. Health and Social Work, 31(3), 209–216.

Bishop, D. V., et al. (2008). Autism and diagnostic substitution: Evidence from a study of adults with a history of developmental language disorder. Developmental Medicine and Child Neurology, 50(5), 341–345.

Black, D. W., & Andreasen, N. C. (2011). Introductory textbook of psychiatry (5th ed.). Washington, DC: American Psychiatric Publishing.

Blakemore, S. J., Burnett, S., & Dahl, R. E. (2010). The role of puberty in the developing adolescent brain. Human Brain Mapping, 31(6), 926–933.

Bowers, L, Ross, J., Nijman, H., Muir–Cochrane, E., Noorthorn, E., & Stewart, D. (2012). The scope for replacing seclusion with time out in acute inpatient psychiatry in England. Journal of Advanced Nursing, 68(4), 826–835.

Brown, D. W., et al. (2009). Adverse childhood experiences and the risk of premature mortality. American Journal of Preventive Medicine, 37(5), 389–396.

Bulechek, G. M., Butcher, H. K., Dochterman, J. M., & Wagner, C. (2013). Nursing interventions classification (NIC) (6th ed). St. Louis, MO: Mosby.

Caldwell, R., Silver, N. C., & Strada, M. (2010). Substance abuse, familial factors and mental health: Exploring racial and ethnic differences among African American, Caucasian and Hispanic juvenile offenders. The American Journal of Family Therapy, 38(4), 310–321.

Carulla, L. S., et al. (2011). Intellectual development disorders: Towards a new name, definition and framework for "mental retardation/intellectual disability" in ICD–1. World Psychiatry, 10(3), 175–180.

Centers for Disease Control and Prevention. (2012). Prevalence of autism spectrumdisorders. Retrieved from http://www.cdc.govfmmwr/preview/mmwrhtml/ss6103al.htm?s cidss6103al_w

Centers for Disease Control and Prevention. (2012). Attention–deficit/hyperactivity disorder (ADHD). Retrieved from http://www.cdc.gov/ncbddd/adhd/data.html

Centers for Disease Control and Prevention. (2010). Summary health statistics for U.S. children: National Health Interview Survey, 2009. Retrieved from http://www.cdc.gov/nchs/data/series/sr 10/sr10 247 pdf

Centes for Disease Control and Prevention. (2009). Key findings: Trends in the prevalence of developmental disabilities in U.S. children, 1997–2008. Retrieved from http://www.cdc.govincbddfeaturesbirthdefects–dd–keyfindings.html

Center for Quality Assessment and Improvement in Mental Health. (2007). Quality Measure Inventory. Retrieved from http://www.cqaimh.org/index.html

Chakrabarti, S., & Fombonne, E. (2001). Pervasive developmental disorders in preschool children. JAMA, 285(24), 3093–3099.

Zeanah, C. H., et al. (2016). Practice parameter for the assessment and treatment of children and adolescents with reactive attachment disorder and disinhibited social engagement disorder. Journal of the American Academy of Child & Adolescent Psychiatry, 55(11), 990–1003.

Children's Defense Fund. (2011). The state of America's children 2011. Washington, DC: Author.

Costello, E. J., et al. (2003). Prevalence and development of psychiatric disorders in childhood and adolescence. Archives of General Psychiatry, 60(8), 837–844.

Dussich, J. P., & Maekoya, C. (2007). Physical child harm and bullying–related behaviors: A comparative study in Japan, South Africa, and the United States. International Journal of Offender Therapy and Comparative Criminology, 51(5), 495–509.

Evans, D., & Seligman, M. E. P. (2005). Introduction. In D. Evans, E. Foa, R. Gur, H. Hendin, C. O'Brien, M. Seligman, & B. T. Walsh. (Eds.), Treating and preventing adolescent mental health disorders. New York: Oxford University Press.

Fairbank, J. A., & Fairbank, D. W. (2009). Epidemiology of child traumatic stress. Current Psychiatry Reports, 11(4), 289–295.

Farrell, A., et al. (2007). Problematic situations in the lives of urban African American middle school students: A qualitative study. Journal of Research on Adolescence, 17(2), 413–454.

Flaherty, A. W. (2008). Movement disorders. In T. A. Stern, J. F. Rosenbaum, M. Fava, J. Biederman, & S.L. Rauch (Eds.), Massachusetts General Hospital comprehensive clinical psychiatry (pp. 1091–105). St. Louis, MO: Mosby.

Franzek, E. J., Sprangers, N., & Janssens, A. C. (2008). Prenatal exposure to the 1944–45 Dutch "hunger winter" and addiction later in life. Addiction, 103(3), 433–438.

Freud, A. (1965). Normality and pathology in childhood: Assessments of development. New York, NY: International Universities Press.

Gemelli, R. J. (2008). Normal child and adolescent development. In R. E. Hales, S. C. Yudofsky, & G. O. Gabbard (Eds.), Textbook of psychiatry (pp. 245–300) Washington, DC: American Psychiatric Publishing.

Geschwind, N., et al. (2010). Meeting risk with resilience: High daily life reward experience preserves mental health. Acta Psychiatrica Scandinavica, 122(2), 129–138.

Green, J. G., et al. (2010). Childhood adversities and adult psychiatric disorders in the national comorbidity survey replication I: Associations with first onset of DSM–IV disorders. Archives of General Psychiatry, 67(2), 113–

123.
Grigorenko, E. L. (2009). Pathogenesis of autism: A patchwork of genetic causes. Future Neurology, 4(5), 591–599.
Herdman, T. H. (Ed.), (2012). NANDA international nursing diagnoses: Definitions and classification 2012–2014. Oxford, UK: Wiley–Blackwell.
Hinduja, S., & Patchin, J. W. (2010). Bullying, cyberbullying, and suicide. Archives of Suicide Research, 14(3), 206–221.
Hinehaw–Fuselier, S., Boris, N., & Zeanah C. (1999). Reactive attachment disorder in maltreated twins. Infant Mental Health Journal, 20(1), 42–59.
Hirshfeld–Becker, D. R., et al. (2008). High risk studies and developmental antecedents of anxiety disorders. American Journal of Medical Genetics Part C, Seminars in Medical Genetics, 148C, 99.
Hyde, J., Mezulis, A., & Abramson, L. (2008). The ABCs of depression: Integrating affective, biological, and cognitive models to explain the emergence of the gender difference in depression. Psychological Review, 115(2), 291 – 313.
Iarocci, G., & McDonald, J. (2006). Sensory integration and the perceptual experience of persons with autism. Journal of Autism and Developmental Disorders, 36(1), 77 – 90.
International Society of Psychiatric Nurses. (2007). Practice parameters: Child and adolescent inpatient psychiatric treatment. Retrieved from http:/www.ispn–psych.org/docs/PracticeParameters.pdf
Jacob, M., & Storch, E. (2013). Pediatric obsessive–compulsive disorder: A review for nursing professionals. Journal of Child and Adolescent Psychiatric Nursing, 26(2), 138–148.
Kieling, C., et al. (2008). Neurobiology of attention deficit hyperactivity disorder. Child and Adolescent Psychiatric Clinics of North America, 17(2), 285–307.
Klein, M. (1955). The psychoanalytic play technique. American Journal of Orthopsychiatry, 25(2), 223–237.
Koro–Ljunberg, M., Bussing, R., Williamson, P, Wilder, J., & Mills, T. (2008). African American teenagers' stories of attention deficit hyperactivity disorder. Journal of Child and Family Studies, 17(4), 467–485.
Kurita, H. (2006). Disorders of the autism spectrum. Lancet, 368(9531), 179 – 181.
Lehne, R. A. (2010). Pharmacology for nursing care (7th ed.). Philadelphia, PA: Saunders.
Liu, J., & Graves, W. (2011). Childhood bullying: A review of constructs, concepts, and nursing implications. Public Health Nursing, 28(6), 556 – 568.
Lumey, L. H., & Van Poppel, F. W. (1994). The Dutch famine of 1944–45: Mortality and morbidity in past and present generations. Social History of Medicine, 7(2), 229–246.
Mancebo, M. C., et al. (2008). Juvenile–onset OCD: Clinical features in children, adolescents and adults. Acta Psychiatrica Scandinavica, 118(2), 149–159.
Masters, K. (2009). Risk management: Part 1: Seclusion and restraint. Audio Digest Psychiatry, 38(6), Retrieved from http://www.cme–ce–summaries.com/psychiatry/ps3806.html
McClellan, J., et al. (2007). Practice parameter for the treatment of children and adolescents with bipolar disorder. Journal of the American Academy of Child and Adolescent Psychiatry, 46(1), 107 – 125.
McGuinness, T. M. (2007). Dispelling the myths of bullying. Journal of Psychosocial Nursing and Mental Health Services, 45(10), 19 – 22.
McGuinness, T. M. (2009). Youth in the mental health void: Wraparound is one solution. Journal of Psychosocial Nursing and Mental Health Services, 47(6), 23–26.
McGuinness, T. (2010). Childhood adversities and adult health. Journal of Psychosocial Nursing and Mental Health Services, 48(8), 15–18.
McGuinness, T. M., Dyer, J., & Wade, E. (2012). Gender differences in adolescent depression. Journal of Psychosocial Nursing and Mental Health Services, 50(12), 17 – 20.
McGuinness, T. M., & Johnson, K. (2013). DSM–5 changes in the diagnosis of autism spectrum disorder. Journal of Psychosocial Nursing and Mental Health Services, 51(4), 17–19.
McNamara, R., et al. (2012). Interventions for youth at high risk for bipolar disorder and schizophrenia. Child and Adolescent Psychiatric Clinics of North America, 21(4), 739–751.
Merikangas, K. R., et al. (2010) Lifetime prevalence of mental disorders in adolescents: Results from the National Comor bidity Study Adolescent Supplements (NCS–A). Journal of the Academy of Child and Adolescent Psychiatry, 49(10), 980–989,
Merikangas, K. R., et al. (2010). Prevalence and treatment of mental disorders among US children in the 2001–2004 NHANES. Pediatrics, 125(1), 75–81.
Miller–Lewis, L., et al. (2013). Resource factors for mental health resilience in early childhood: An analysis with multiple methodologies. Child and Adolescent Psychiatry and Mental Health, 7(1), 1–23.
Moorhead, S., Johnson, M., Maas, M.L. & Swanson, E.

(2013). Nursing outcomes classification (NOC) (5th ed). St Louis, MO: Mosby.
Muhle, R., Trentacoste, S. V., & Rapin, I. (2004). The genetics of autism. Pediatrics, 113(5), 72–86.
Murthy, S., Mandl, K., & Bourgeois, F. (2013). Analysis of pediatric clinical drug trials for neuropsychiatric conditions. Pediatrics, 131(6), 1125 - 1131.
Nansel, T. R., & Overpeck, M. D. (2003). Operationally defining "bullying." Archives of Pediatrics & Adolescent Medicine, 157(11), 1135 - 1136.
Nansel, T. R., et al. (2001). Bullying behaviors among US youth: Prevalence and association with psychosocial adjustment. JAMA, 285(16), 2094 - 2100.
National Child Abuse and Neglect Data System. (2010). Child abuse and neglect statistics. Retrieved from http://www.childwelfare.gov/systemwide/statisticsA
National Dissemination Center for Children with Disabilities. (2011). Speech and language impairments. Retrieved from http://nichcy.org/disability/specific/speechlanguage
National Institute of Health. (2012). Speech and communication disorders. Retrieved from http://www.nlm.nih.gov/medlineplus/speechandcommunicationdisorders.html
National Institute on Drug Abuse. (2008). Preventing drug abuse among children and adolescents. Retrieved from http://www.nida.gov/Prevention/risk.html
O'Connor, M. J., & Paley, B. (2009). Psychiatric conditions associated with prenatal alcohol exposure. Developmental Disabilities Research Reviews, 15(3), 225–234.
Olweus, D. (1993a). Bullying at school: What we know and what we can do. Oxford, UK: Blackwell.
Olweus, D. (1993b). Victimization by peers: Antecedents and long–term outcomes. In K. H. Rubin & J. B. Asendorf (Eds.), Social withdrawal, inhibition, and shyness (pp. 315–341). Hillsdale, NJ: Erlbaum.
Olweus, D., Limber, S., & Mihalic, S. (1999). The Bullying Prevention Program. Blueprints for Violence Prevention. Boulder, CO: Center for the Study and Prevention of Violence.
Olweus, D. (2001). Peer harassment: A critical analysis and some important issues. In J. Juvonen & S. Graham (Eds.), Peer harassment in school: The plight of the vulnerable and the victimized (pp. 3 - 20). New York: Guilford.
Packer, L. E. (2011). Treatment of Tourette's syndrome. Retrieved from http://www.tourettesyndrome.net/disorders/tou rette%E2%80%99s–syndrome/treatment–of–tourettes–syndrome/.
Paintner, A., Williams, A., & Burd, L. (2012). Fetal alcohol spectrum disorders—Implications for child neurology, part 1: Prenatal exposure and dosimetry. Journal of Child Neurology, 27(2), 258–263.
Raskauskas, J., & Stoltz, A. D. (2004). Identifying and intervening in relational aggression. The Journal of School Nursing, 20(4), 209 - 215.
Perepletchikova, F., & Kazdin, A. Oppositional defiant disorder and conduct disorder. In K. Cheng & K. Myers (Eds.), Child and adolescent psychiatry: The essentials. Philadelphia, PA: Lippincott, Williams & Wilkins.
Pierangolo, R., & Giuliano, G. (2006). Learning disabilities: A practical approach to foundations, assessment, diagnosis and teaching. Boston, MA: Pearson, Allyn and Bacon.
Rockhill, C., et al. (2010). Anxiety disorders in children and adolescents. Current Problems in Pediatric and Adolescent Health Care, 40(4), 66–99.
Ronald, A., Happe, F., & Plomin, R. (2006). Genetic research into autism. Science, 311(5763), 952–952.
Rutter, M. (2006). Implications of resilience concepts for scientific understanding. The Annals of the New York Academy of Sciences, 1094(1), 1–12.
Sadock, B. J., & Sadock, V. A. (2007). Synopsis of psychiatry: Behavioral sciences/clinical psychiatry (10th ed.). Philadelphia, PA: Lippincott Williams & Wilkins.
Sadock, B. J., & Sadock, A. (2008). Kaplan&Sadock's concise textbook of clinical psychiatry (3rd ed.). Philadelphia, PA: Lippincott, Wllis & Wilkins.
Salisbury, A. L., Ponder, K. L., & Padbury, J. F. (2009). Fetal effects of psychoactive drugs. Clinics in Perinatology, 36(3), 595–619.
Shaw, S. F., Cullen, J. P., McGuire, J. M., & Brinckerhoff, L. C. (1995). Operationalizing a definition of learning disabilities. Journal of Learning Disabilities, 28(9), 586 - 597.
Simons Foundation Autism Research Initiative. (2012). Proposed DSM–5 criteria for autism spectrum disorders. https://sfari.org/news–and–opinion/news/2012/proposed–dsm–5–criteria–forautism–spectrum–disorders, Accessed 05.03.14.
Smoller, J. W., Sheidley, B. R., & Tsuang, M. T. (2008). Psychiatric genetics: Applications in clinical practice. Arlington, VA: American Psychiatric Publishing.
Spencer, T. J. (2006). ADHD and comorbidity in childhood. Journal of Clinical Psychiatry, 67(Suppl. 8), 27–31.
Stanbrook, M. B. (2014). Stopping cyberbullying requires a combined societal effort. www.cmaj.ca/site/misc/about.xhtml, Accessed 07.04.14.

Stassen Berger, K. (2007). Update on bullying at school: Science forgotten? Developmental Review, 27(1), 90–126.

Substance Abuse and Mental Health Services Administration. (2011). Leading change: A plan for SAMHSA's roles and actions 2011–2014. Retrieved from http://www.samhsa.gov/product/SMA11–4629.

Szoka, B. M., & Thierer, A. D. (2009). Cyberbullying legislation: Why education is preferable to regulation ISSRN Working Paper Series]. Retrieved from http://papers.ssrn.com/sol3/papers.cfm?abstract id 1422577

Thapar, A., et al. (2012). Depression in adolescence. Lancet, 379(9820), 1056–1067.

Tomblin, J. B., Zhang, X., Weiss, A., Catts, H., & Ellis Weismer, S. (2004). Dimensions of individual differences in communication skills among primary grade children. In M. L. Rice & S. F. Warren (Eds.), Developmental language disorders: From phenotypes to etiologies (pp. 53–76). Mahwah, NJ: Lawrence Erlbaunm.

Ursano, A. M., Kartheiser, P. H., & Barnhill, L. J. (2008). Disorders usually first diagnosed in infancy, chilhood, or adolescence. In R.E. Hales, S.C.Yudofsky & G.O.Gabbard (Eds.), Textbook of psychiatry (5th ed., pp. 861–920). Washington, DC: American Psychiatric Publishing.

Ursano, A. M., Kartheiser, P. H., & Barnhill, L. J. (2008). Disorders usually first diagnosed in infancy, childhood, or adolescence. In R. E. Hales, S. C Yudofsky, & G. O. Gabbard (Eds.), Textbook of psychiatry (pp. 861–920).

U.S. Department of Education, Office of Special Education Programs. (2007) U.S. Department of Education and Rehabilitative Services history: 25 years of progress in educating children with disabilities through IDEA. Retrieved from www.ed.gov/policy/speced/leg/idea/history.pdf

U.S. Department of Health & Human Services. (1999). Mental health: A report of the surgeon general. Rockville, MD: U.S. Department of Health& Huma Services, Center for Mental Health Services, National Institutes of Health. Retrieved from http://www.surgeongeneral.gov/library/mentalhealth/toc.html#chapter3

U.S. Department of Justice. (2010). Highlights of the 2008 national youth gang survey. Retrieved from http://www.ncjrs.gov/pdffilesl/ojjdp/229249.pdi

U.S. Food and Drug Administration. (2013). New pediatric labeling information database. http://www.accessdata.fda.gov/scripts/sda/ sdNavigation.cfm?filter=&sortColumn=14d&sd=labelingdatabase&displayAll=true, Accessed 05.03.14.

Vossekuil, B., et al. (2002). The final report and findings of the Safe School Initiative: Implications for the prevention of school attacks in the United States. United States Secret Service and United States Department of Education. http://www. secretservice.gov/ntac/ssi_final_report.pdf, Accessed 05.03.14.

Wang, J. (2009). School bullying among adolescents in the United States: Physical, verbal, relational, and cyber. Journal of Adolescent Health, 45(4), 368–375.

Warner, J. (2009, February 19). Children in the mental health void. The New York Times. http://warner.blogs.nytimes.com/2009/02/19/is–there–noplace–on–earth/?scp=1andsq=children%20in%20the%20voidandst=cse, Accessed 11.05.10.

Whitney, I., Rivers, I., Smith, P., & Sharp, S. (1994). The Sheffield project: methodology and findings. In P. Smith & S. Sharp (Eds.), School bullying: Insights and perspectives (pp. 20–56). London: Routledge.

Wu, P., et al. (2010). Trauma, posttraumatic stress symptoms, and alcohol–use initiation in children. Journal of Studies on Alcohol and Drugs, 71(3), 326–334.

Zalsman, G., Brent, D. A., & Weersing, V. R. (2006). Depressive disorders in childhood and adolescence: An overview: Epidemiology, clinical manifestation and risk factors. Child and Adolescent Psychiatric Clinics of North America, 15(4), 827–841.

Zdzienski, D. (1998). Dyslexia in Higher Education: An exploratory study of learning sepport, screening and diagnostic assessment.

Zeanah C. H., & Fox N. A.(2004). Temperament and attachment disorders. Journal of Clinical Child and Adolescent Psychology, 8(1), 101–109.

김성재 등(2016). 정신건강간호학. 정담미디어.

배은경(2014). 변화하는 정신건강패러다임: 아동청소년 정신건강서비스의 변천과 전망.

서석진(2011). 품행장애 아동과 청소년의 특성 및 중재 프로그램 분석 연구: 1990년 이후 국내연구를 중심으로. 정서행동장애연구, 27(3), 315–335.

서울시 소아청소년 정신건강증진센터(2007). 정신건강선별조사 척도집.

신의진, 이순행, 이경숙, 전여숙, 노경선, 민성길(1996). 반응성 애착장애 아동의 애착유형. 신경정신의학, 35(6), 1330–1338.

양수 등(2017). 정신건강간호학. 현문사.

이경희 등(2015). 정신건강간호학. 퍼시픽북스.

이경숙, 권유리, 신의진, 김태련(1996). 반응성 애착장애아동 어머니와 정상아동 어머니의 성격특성, 결혼관계, 사회적 지지에 관한 비교연구. 한국심리학회지, 9(1), 121–134.

이숙 등(2017). 정신건강간호학. 신광출판사.

이춘재 등(2006). 발달정신병리학. 박학사.
이혜련(2004). 반응성 애착 장애의 치료. 소아 청소년 정신의학, 15(2), 132-142.
임숙빈 등(2017). 정신간호총론 제7판. 수문사.
조성희, 김희수(2017). 이혼 가정의 적대적 반항장애 아동 사례 분석: 편부 가정의 초등학교 4학년 아동. 상담학연구: 사례 및 실제, 2(1), 69-84.
주영민(2013. 4.15). 인천 계양구 A고, '왕따' 학생 방치... "자살 시도 불렀다" from http://news1.kr/articles/?1090990,
최명민(2003). 품행장애 청소년 가족의 대처에 관한 연구. 한국아동복지학. 15, 137-169.
한영옥(1999). 품행장애 청소년의 사회정보처리과정에 관한 연구: 반사회적 행동에 미치는 영향-성격, 자아상 및 스트레스를 매개변인으로. 서울여자대학교 대학원, 박사학위 논문.
홍강의(2014). DSM-5에 준하여 새롭게 쓴 소아정신의학. 서울: 학지사.

GLOSSARY

A

abstinence syndrome(금단 증후군): 중독성 물질이 감소되거나 중단될 때 발생하는 신체적 징후와 증상; 금단 증상이라고도 함

abstract thinking(추상적 사고): 속담에서 의미를 찾아낼 수 있는 능력; 개념화하는 능력

abuse(남용): 사회 규범과 다르고 임상적으로 유의한 손상을 일으키는 물질의 과도한 사용

acetylcholine(ACh, 아세틸콜린): 아세틸코엔자임A와 콜린으로부터 콜린 아세틸트랜스퍼라제에 의해 합성된 신경전달물질; 이것은 말초 신경계의 근신경접합부, 교감 또는 부교감 신경계의 자율 신경절, 그리고 뇌신경 III, VII, IX 및 X를 포함한 부교감 후신경절 시냅스에서 발견됨; 또한 척수, 기저핵 및 대뇌피질의 수많은 부위에서 존재함; 피질 아세틸콜린은 주로 마이네르트 기저핵과 시상하부 근처의 중격 영역에서 합성됨

acrophobia(고소공포증): 높은 장소에 대한 두려움

acute stress disorder(급성 스트레스장애): 극심한 외상에 노출된 후 1개월 이내에 특징적인 불안, 해리 증상 및 기타 증상이 발생하는 정신장애

addiction(중독): 개인이 정신활성 물질의 사용을 통제할 수 없는 것을 나타내는 심리적, 생리적 증상

advocacy(옹호): 정신건강서비스를 개발, 향상 및 제공하기 위해 다른 사람들과 협상하는 것

affect(정동): 생각에 부가되는 정서적인 범주; 외부에서 관찰되는 감정, 기분, 정서적 느낌

  appropriate a.(적절한 정동): 생각, 사고 혹은 언어화와 일치하는 조화로운 정서적 어조

  blunted a.(둔마된, 둔화된 정동): 정동의 강도가 심하게 감소하여 나타나는 장애

  flat a.(편평한, 단조로운 정동): 정서적 표현의 징후가 거의 없거나 감소된 상태

  inappropriate a.(부적절한 정동): 생각 혹은 수반되는 말과 상응하지 못하는 정서적 어조

  labile a.(불안정한 정동): 외부 자극과 무관하게 빠르게 변화하는 정서적 어조

affective disorder(정동장애): 우울증과 조증의 연속선상의 기분장애를 특징으로 하는 정신장애

aggression(공격성): 분노, 격분, 적개심의 정서에 대응되는 강력한 언어적 또는 신체적 행동

agitation(초조): 심한 운동성 동요와 관련된 불안

agnosia(실인증, 인식불능증): 익숙한 물건을 인식하는 것에 대한 어려움; 기질적 뇌질환의 증상

agonist(작용제): 약리학에서 특정 수용체 유형에 작용하거나 수용체를 활성화시키는 물질

agoraphobia(광장공포증): 탈출이 어렵거나 당혹스러운 혹은 공황발작이 올 때 도움을 받을 수 없는 장소나 상황에 대한 두려움

agraphia(실서증): 쓰는 능력의 상실

AIDS dementia complex(에이즈치매증후군): HIV 감염에 의한 치매

akathisia(정좌불능증, 좌불안석증): 운동성 동요; 일반적으로 가만히 앉아 있지 못하는 것으로 표현되며, 특정 종류의 신경이완제에 의해 도파민이 차단되어 유발됨; 추체외로 부작용 중의 하나

alcoholic(알코올중독자): 반복적이고 과도한 음주가 가정, 직장 또는 사회적으로 문제가 되고, 불리한 결과가 있음에도 불구하고 지속적으로 음주하는 사람

Alcoholics Anonymous(AA, 익명의 알코올중독자 모임): 12단계 프로그램을 사용하여 알코올중독자가 금주를 실현하고 유지할 수 있도록 돕는 자조그룹; Al-Anon은 알코올중독자의 배우자를 도움; Ala-teen은 알코올중독자의 십대 자녀들을 도움

alertness(각성): 주변에 대한 지각과 주의

Alzheimer's disease(알츠하이머병): 알츠하이머 유형의 치매라고도 함; 치매의 가장 흔한 유형으로 기억상실, 실어증, 실행증, 실인증이 특징임; 반점과 신경원섬유매듭으로 나타나는 뇌조직의 점진적 악화와 관련된 치매를 일으키는 신경인지장애

ambivalence(양가감정): 동일한 사람이나 물건에 대해 동시에 반대되는 충동이나 감정을 갖는 것

amenorrhea(무월경): 월경을 하지 않음

amnesia(기억상실): 과거의 정보를 부분적으로 혹은 전체적으로 회상하지 못하는 것

  anterograde a.(전향적 기억상실): 최근의 기억을 상실하는 것으로 알츠하이머병의 초기 단계에서 나타남

  global a.(전반적인 기억상실): 모든 기억을 상실하는 것으로 알츠하이머병이 진행된 단계에서 나타남

  retrograde a.(후향적 기억상실): 과거의 기억을 상실하는 것으로 알츠하이머병의 후기 단계에서 나타남

  short-term a.(단기 기억상실): 알코올중독에서 관찰되는 일시적 기억상실

amygdala(편도체): 내분비 및 행동 기능과 관련된 내측두엽에 있는 핵의 집합체로서 식량과 수분 섭취, 욕동 행동을 유도하고 이러한 행동과 연결된 감정을 유발함; 동물 연구에서 편도체를 자극하면 방어, 분노 혹은 공격성이 나타남

anergia(무력증): 뇌화학, 해부학 또는 둘 모두의 변화로 인한 기운 상실

anger(분노): 욕망의 좌절감이나 개인의 필요를 충족하지 못하게 하는 위협에 대한 일반적인 정서적 반응

anhedonia(무쾌감증): 과거에 즐기던 활동이나 흥미에 대한 즐거움의 상실로 우울증과 조현병에서 나타남

anorexia nervosa(신경성 식욕부진증): 장기간에 걸쳐 음식섭취를 거부하여 쇠약, 무월경, 신체상에 대한 왜곡과 살이 찌는 것에 대해 극도의 두려움을 느끼는 것을 특징으로 하는 장애

antagonist(길항제): 약리학에서 수용체를 차단하는 물질

anticholinergic effect(항콜린성 효과): 아세틸콜린 수용체를 차단하는 약물에 의한 효과; 일반적인 항콜린성 효과로 구갈, 시력 저하, 변비, 요실금 등이 있음

antisocial personality disorder(반사회성 성격장애): 사회규범을 노골적으로 무시하는 보편적인 경향성의 본질적인 특성을 갖는 성격장애

anxiety(불안): 안정과 보안의 위협에 대한 보편적 인식의 결과로 신체적·심리적 증상이 동반되는 비특이적인 불쾌함과 불편한 느낌

anxiety disorders(불안장애): 불안이 일차적인 증상이거나 일차적 증상이 제거되었을 때에 인식되는 이차적 문제로 나타나는 증상 및 행동의 패턴

anxiolytic(항불안제): 불안을 완화시키는 약물

apathy(무감동): 느낌, 관심 또는 흥미의 부족; 때로 강렬한 감정을 피하기 위한 메커니즘 또는 무심함

aphasia(실어증): 단어를 찾는 것에 대한 어려움

motor a.(운동 실어증): 기질적 뇌장애의 결과로 단어를 이해할 수 있으나 말하는 능력이 손상된 상태

nominal a.(명칭 실어증): 적절한 순서로 올바른 단어를 찾는 것에 대한 어려움

sensory a.(감각 실어증): 단어의 의미를 이해하는 능력의 상실

apraxia(실행증, 행동상실증): 운동 기능의 상실이 없음에도 목적하는 운동이나 행위를 수행할 수 없는 증상

assault(폭행): 다른 사람에게 신체적·언어적으로 즉각적인 위협을 가하여 신체적 손상으로 나타나는 모든 행위

attention-deficit/hypersensitivity disorder(ADHD, 주의력결핍 과다행동장애): 부주의, 충동성, 과잉행동의 특징을 보이고, 아동기에 발병하는 비교적 흔한 정신장애

atypical depression(비정형 우울증): 젊은 사람들에게 더 자주 나타나는 우울증의 하위 유형; 비전형적인 증상(예: 식욕증가, 체중증가, 과잉수면)이 나타남

autism(자폐증): (1) 외부 현실에 대한 관심 없이 자기 자신에게 집착하는 정신증이 있는 사람이 스스로 만든 개인적인 세계 (2) 소아기에 나타나는 사회적 상호작용과 의사소통에서 현저하게 비정상적이거나 손상된 발달을 보이는 정신장애

autistic thinking(자폐적 사고): 종종 현실과 부합하지 않는, 내부의 개인적인 자극에서 파생된 사고, 관념, 욕망

autonomic nervous system(자율신경계): 내장, 심장, 혈관, 평활근 및 분비샘을 자극하는 말초신경계로 불수의적임; 교감신경계와 부교감신경계로 나뉨

avolition(무욕증): 심각한 수준의 동기 결여 상태

axon(축삭돌기): 신경세포에서 자극을 전달하는, 세포체에서 뻗어나오는 긴 돌기

B

basal galglia(기저핵): 미상핵, 조가비핵, 담창구를 포함하는 큰 핵으로 자발적인 움직임 조절에 관여함

battery(구타): 다른 사람의 몸이나 그 사람의 의복, 물건 등을 동의 없이 건드리는 것

behavior(행동): 관찰과 기록이 가능하고 측정 가능한 개인의 움직임

behavior therapy(행동치료): 대상자의 오래된 행동 양식을 변경하여, 행동을 수정하는 데 도움이 되는 치료방법

binge(폭식): 상대적으로 짧은 기간에 비정상적으로 많은 양의 음식을 섭취함

binge eating disorder(폭식장애): 개인이 다량의 음식을 일정 기간 동안 반복적으로 섭취하는 식이장애; 폭식은 제거 행위 없이 발생함

biofeedback(바이오피드백, 생체되먹이기): 신체 변화를 전달하는 기계의 사용; 불안을 줄이고 행동 반응을 수정하기 위해 사람을 훈련시키는 데 사용됨

bipolar disorder(양극성장애): 우울증 병력이 있거나 없는, 최소 1회 이상의 조증 삽화가 특징인 정동 혹은 기분 장애

bizarre(기이한): 외모, 생각, 스타일, 성격 또는 행동이 현저히 드물고 우스꽝스러운 경우

blackout(일시적 기억상실, 뇌정전): 술에 취한 사람이 사회적으로 기능하지만 기억을 하지 못하는 기간

blocking(차단): 일련의 생각에 대한 무의식적인 가로막음

blood–brain barrier(혈액–뇌 장벽): 신체 화학의 변동으로부터 뇌를 보호하는 관문; 혈액 내의 물질이 뇌에 들어가는 양과 속도를 조절함

borderline personality disorder(경계성 성격장애): 불안정한 자아상, 대인관계 및 감정의 기복이 심한 특징을 지닌 인격장애

bradykinesia(서동, 운동완서): 느리거나 지연되는 움직임

brainstem(뇌줄기, 뇌간): 대뇌피질과 척수에서 모든 정보를 전달하는 중요한 구조; 호흡을 담당하므로 생명유지에 필수적이고, 중간뇌, 다리뇌, 숨뇌로 구성되어 있음

bulimia(폭식증): 제거행동, 신체 모양과 체중에 대한 과도한 걱정이 동반된 반복적인 과식; 음식에 대한 탐욕스러운 갈망이 특징이며, 삽화 내에서 지속적인 식사와 종종 제거행동, 우울감, 자기 비하로 이어짐

bulimia nervosa(신경성 폭식증): 폭식, 보상(제거) 행동과 신체 모양과 체중에 대한 과도한 걱정을 특징으로 하는 식이장애; 음식에 대한 강한 갈망, 우울감, 자기비하 등이 동반됨

burnout(소진): 효율성이 감소되고 탈진된 상태

C

case management(사례관리): 비용–효율적인 방법으로 다양한 서비스를 사용하여 건강 수요를 충족시키는 협업 과정

catalepsy(강경증): 부동성이 지속적으로 유지되는 무의식의 상태

catatonia(긴장증): 심리적 원인으로 인한 부동성 상태

catatonic behavior(긴장증적 행동): 조현병과 같은 비기질적 장애의 운동이상

catecholamines(카테콜아민): 아미노산 티로신에서 파생된 것으로 도파민, 노르에피네프린, 에피네프린이 포함됨; 세로토닌과 히스타민을 포함하는 모노아민의 하위 카테고리로 카테콜아민과 그 합성물은 중추 및 말초 신경계에 널리 분포되어 있음

caudate(미상핵, 꼬리핵): 외측 뇌실의 전방각으로 튀어나온 기저핵

cerebral cortex(대뇌피질): 대뇌의 표면에 있는 회색 물질의 좁은 띠

child abuse(아동 학대): 어린이에게 가해지는 유해한 신체적, 정서적, 성적 또는 언어적 행동

cholinergics(콜린성 약물): 콜린 계통을 자극하는 물질; 말초신경계에서 축동, 타액과 호흡기 분비물의 생성을 증가시키고, 심박동을 느리게 하며, 위장 연동운동 및 소변 배출을 증가시킴

chorea(무도증): 춤을 가리키는 그리스어로 비자발적이고, 예측할 수 없으며, 무작위적인 몸통, 머리, 얼굴과 팔다리의 움직임을 특징으로 하는 운동과다장애

chromosome(염색체): 뉴클레오타이드 서열에 배열된 세포 DNA를 포함하고 있는 세포의 자기 복제 유전구조

circumstantiality(우원증, 우회사고): 어떠한 관념을 전달하는 데 사고가 지엽적인 것으로 흐르는 비효율적인 방식으로 결국 말하고자 하는 바에 도달함

clang associations(소리연상, 음연상, 음향연상): 말의 의미가 아닌 말소리에 의해 연상함으로써 사고의 흐름이 이어지는 말 패턴; 조현병에서 나타날 수 있는 증상 중의 하나

clarification(명료화): 직접적인 질문을 사용하여 대상자의 반응을 정의하는 의사소통 기술

claustrophobia(폐소공포증): 밀폐된 공간에 대한 강한 두려움

clinical depression(임상적 우울증): 기분장애로 정의되는 주요우울장애에 대한 또 다른 용어

clinical supervision(임상적 지도감독): 태도, 반응 및 치료실 내 환자의 갈등을 점검하고, 환자의 문제에 접근하는 새로운 방법을 모색하며, 그 방법을 찾는 정신간호사들 간의 공식적 회의

clonic(간대성): 근육의 강직과 이완이 서로 계속되는 상태

close–ended questions(폐쇄형 질문): 일반적으로 “예” 또는 “아니오” 반응을 이끌어내는 질문

clouding of consciousness(의식혼탁): 지각과 태도에 방해될 정도로 마음이 불완전하고 명료하지 않은 상태(예: 혼미)

codependency(공동의존, 동반의존): 중독자의 생활패턴으로 인해 스트레스를 받으면서도 집착하고, 궁극적으로는 그 사람에게 과도한 의존성을 보이는 관계 역동

cognition(인지): 알거나 인식하는 행위 또는 과정

cognitive disorders(인지장애): 의식, 기억 및 다른 사고과정에 영향을 미치는 장애

cognitive dissonance(인지 부조화): 동시

에 두 개의 반대되는 신념이 존재할 때 발생하는 상태

cognitive process(인지과정): 지각, 판단, 기억 및 추론을 하는 과정

coma(혼수): 망상활성계의 극단적인 자극으로도 반응이 나타나지 않는 침체된 의식의 상태

command hallucinations(명령환각): 환자에게 자신이나 다른 사람을 죽이는 것과 같은 특정 행동을 취하도록 지시하는 환각

communication(의사소통): 문화에 관계없이 모든 사람들이 생각하고 관계를 형성하는 과정

community meeting(지역사회 회의): 치료환경에서 개최되고, 공동체 구성원에 의한 공동 문제해결이 장려되는 회의

community mental health(지역사회 정신건강): 정신과 치료의 원칙을 지역사회와 대중에게 적용하는 것으로 지역주민의 정신건강을 유지하고, 정신질환을 예방하며, 치료가 시작되면 지지체계를 강화하는 것을 목표로 함

community worldview(공동체 세계관): 지역사회의 필요와 우려를 개인적인 것보다 중요하게 보는 세계관

comorbidity(공존이환): 서로 다른 의학적 및 정신적 문제가 동시에 존재하는 것

compulsion(강박행동): 통제할 수 없는 충동으로 인한 반복적인 행동이나 의식의 수행; 강박장애에서 집착(의도치 않은, 지속적인 사고)에 대한 반응일 수 있음; 행위나 의식은 불안을 줄이는 역할을 하고, 손 씻기, 청소 및 확인(예: 문 잠김 여부 확인) 등의 예가 있음

concrete communication(구체적 의사소통): 추상적으로 생각하여 의사소통할 수 없음

concrete thinking(구체적 사고): 은유적 의미를 고려하지 못하고 문자적 의미로 해석하는 사고방식

confabulation(작화증): 기억의 틈새를 상상하거나 실제가 아닌 경험을 무의식적으로 채우는 현상으로 화자는 현실적으로 이에 대한 근거가 없지만 실존했다고 믿음

confidentiality(비밀보장): 사적인 방식으로 대상자에 관한 정보를 다루는 것으로 대상자에 관한 정보를 기밀로 하고, 공개하는 경우 대상자의 승인이 필요함

confused status(혼란스러운 상태): 어리둥절하거나 당혹스럽거나 불투명한 상태

congruence(일관성): 일치하는 상태(예: 기분 일관성은 보이는 감정 상태가 그 사람의 실제 기분 또는 느낌과 연관이 있는 것)

consciousness(의식): 인식의 상태

conservator(보호자, 보호의무자): 정신과 치료에 동의하거나 거부할 권리를 포함한 중증 장애인의 업무를 조절하도록 법적으로 승인된 사람

conversion(전환): 실명 또는 마비와 같은 형태로 심리적 사건, 관념, 기억 또는 충동이 신체적 변화 또는 증상으로 표현되는 것

coping mechanism(대처기전, 대응기제): 스트레스 처리를 위한 모든 노력

corpus callosum(뇌량, 뇌들보): 대뇌 반구 사이의 주요 연결 및 통신 경로

cortisol(코르티솔): 탄수화물과 단백질 대사에 관여하고 부신피질에서 분비되는 글루코코르티코이드 호르몬

crisis(위기): 극심한 외상성 사건(예: 이혼, 실업)에 노출된 후, 대응기제 실패 및 지지 부족의 결과로 나타나는 4주에서 6주 사이의 심각한 정서적 와해

cultural awareness(문화 인식): 간호사가 자신의 문화적 편견을 점검하고 다른 개인, 집단 또는 공동체가 고유한 문화적 유사점 및 차이점을 갖고 있음을 인정하는 과정

cultural competence(문화적 유능성): 간호사가 문화적 인식, 지식 및 기술을 개발하여 대상자에게 효과적이고 양질의 의료 서비스를 제공하는 역량

cultural diversity(문화적 다양성): 문화집단의 다양성으로 성별, 사회 경제적 지위, 종교, 인종 및 민족을 포함할 수 있음

cultural negotiation(문화적 협상): 간호사가 문화적으로 적절한 개입을 발전시키기 위해 대상자의 문화적 신념체계를 다루는 능력

cultural preservation(문화적 보존): 간호사가 환자의 문화적 신념을 인정하고 가치를 두며 수용하는 능력

cultural repatterning(문화적 재구성): 간호사가 문화 보존 및 협상을 통합하여 대상자의 요구를 파악하고 예상 결과를 개발하며 결과 계획을 평가하는 능력

cultural values(문화적 가치): 시간에 따라 동일한 문화권의 사람들에게 적절한 것으로 받아들여진 문화와 관련된 독특한 개별적 신념의 표현

culturally diverse nursing care(문화적으로 다양한 간호): 문화적으로 유능한 의료를 제공하기 위한 간호 접근법

culture(문화): 일상생활과 기능을 위한 전제로서 사용되는 개인, 집단 또는 공동체의 신념, 가치 및 규범에 대한 내외적 표현

custodial care(관찰 간호): 정신질환에 대한 치료를 제공하지 않지만, 의료기관 내 위생 및 영양 요구를 관리하는 과정

cyclothymia(기분순환장애): 2년 이상 수차례의 경조증 삽화와 경한 우울 삽화가 반복되는 만성기분장애; 조증 삽화나 주요 우울 삽화의 기준은 만족시키지 못함

D

deinstitutionalization(탈원화): 대규모 병원 시설에서 지역사회 환경으로 치료 위치를 옮기는 것

delirium(섬망): 일반적으로 전신 건강상태 또는 물질에 의해 유발되는 의식 및 인지의 변화가 나타나는 장애; 보통 안절부절못함, 지남력 장애, 두려움이 동반되는 의식혼탁 등의 증상이 나타나고, 병의 경과가 가역적임

delusion(망상): 개인의 지성과 문화에 부합하지 않고, 이치에 맞지 않으며, 고정되고 잘못된 믿음

- **bizarre d.(기이한 망상)**: 터무니없는 내용의 망상
- **paranoid d.(편집망상)**: 피해망상으로 이어지는 지나친 의심
- **persecution d.(피해망상)**: 누군가에 의해 박해를 당하고 있다는 잘못된 믿음
- **reference d.(관계망상)**: 주변 다른 사람의 행동이 자신과 관련이 있다고 여기는 잘못된 믿음; 누군가 자신에 대해 이야기하고 있다는 잘못된 믿음은 관계사고에서 파생됨
- **somatic d.(신체망상)**: 신체의 기능을 포함하는 잘못된 믿음

dementia(치매): 장·단기의 기억상실 및 인지장애를 유발하는 장애; 일반적으로 점진적으로 발병하고 진행성의 경과를 보임

dendrites(수상돌기): 자극을 세포체로 전달하는 신경세포의 많은 돌출 구조물

denial(부정): 불쾌감을 주는 현실이나 위협을 무시하거나 인식하지 않는 회피; 적응적이거나 비적응적일 수 있는 무의식적인 방어기전

deoxyribonucleic acid(DNA, 디옥시리보핵산): 주로 세포핵에 위치하는 분자로 유전 정보를 암호화하여 담고 있음

dependence(의존): 금욕이나 금단 증상 또는 둘 다의 발생을 막기 위해 증가된 약물의 복용량이 필요한 상태

depersonalization(이인증): 자기 자신, 신체 부위, 신체 기능 또는 외부 환경(체외의 경험이 아닌)과 관련된 비현실적 또는 낯선 느낌

depression(우울): 기분이 가라앉거나 슬픈 상태

derailment(탈선): 사고의 단절은 없으나, 일련의 사고에서 점진적이거나 갑작스러운 이탈

derealization(비현실감): 외부세계가 이상하거나 낯설게 느껴지게 만드는 공간관계의 왜곡

devaluation(평가절하): 자기 자신의 부적절감에 방어하기 위해 다른 사람을 비판하는 것

dexamethasone suppression test(DST, 덱사메타손 억제 검사): 시상하부-뇌하수체-부신 축의 기능을 평가하는 임상적 우울증에 대한 진단검사

diencephalon(간뇌): 전뇌의 뒷부분으로 시상, 시상하부, 시상상부 및 시상후부가 포함됨

disinhibition(탈억제, 억제불능): 사회적으로 용납될 수 없는 충동이나 언행을 억제할 수 없는 상태(예: 부적절한 상황에서 더러운 농담을 함)

disoriented(지남력 장애가 있는): 시간, 장소 또는 사람에 대해 정확하게 인식하지 못하는 상태

displacement(전치): 감정을 자극하는 대상이나 사람으로부터 덜 위협적인 것으로 감정을 이동시키는 것으로 적응적이거나 비적응적일 수 있는 무의식적인 방어기전

dissociation(해리): (1) 고통스런 감정, 기억, 생각 또는 정체성의 의식적 인식의 제거 (2) 정신 또는 행동 과정을 사람의 의식 또는 정체성으로부터 극적으로 분리하는 것

dissociative reaction(해리 반응): 심각한 불안 때문에 개인이 자신의 삶의 일부를 의식적 인식에서 차단하는 과정

distractibility(주의산만): 주의집중할 수 없음

dopamine(도파민): 근육 운동과 감정에 영향을 미치는 뇌내 신경전달물질

double bind(이중구속): 개인의 삶에서 중요한 요구들이 충돌되는 것으로 두 가지를 모두 충족시킬 수 없는 상태

dysarthria(구음장애): 조음의 어려움

dyskinesia(운동장애): 신체 조정과 운동 활동의 장애로 보통 갑작스런 움직임이 발생함

dyslexia(난독증, 읽기곤란증): 문자를 읽는 데 어려움이 있는 증상

dysphagia(연하곤란증): 음식물을 삼키는 데 어려움이 있는 증상

dysphoria(불쾌감): 주요 우울증에서 나타나는 것과 비슷하지만, 덜 심각한 정동의 장애

dysthymia(기분부전장애): 주요우울장애와 유사하지만 덜 심각한 임상 증후군으로 최소 2년 이상 우울한 기분을 갖고 있는 만성 기분장애

dystonia(근육긴장이상): 자세, 보행 또는 안구운동을 조절하는 근육의 경직

E

echolalia(반향언어증, 메아리증): 다른 사람의 말을 반복하는 대화 양식으로 조현병 환자에서 나타날 수 있음

echopraxia(반향행동증, 동작모방증): 다른 사람의 신체 동작을 모방하는 증상

electroconvulsive therapy(ECT, 전기경련요법): 환자의 치료저항성 우울 증상을 완화시키기 위해 전기로 발작을 유도하는 데 사용되는 신체치료의 형태

emotion(감정): 정동, 기분과 관련된 심리적, 신체적 및 행동적 요소를 갖는 종합적인 느낌의 상태

empathy(공감): 대상자가 어떻게 느끼고 상황을 인식하는지에 관한 실재적인 이해

enkephalins(엔케팔린): 엔도르핀 계열의 아편양제제 유사 체내 신경펩티드로 통각, 미각, 후각, 각성, 감정적 행동, 시각, 청각, 신경호르몬 분비, 운동 조절, 수분 균형을 유지하는 역할을 함

environmental control(환경 조절): 인생에서 최적의 균형을 유지하는 데 도움이 되는 활동 및 업무를 계획하여 개인이 자연을 제어하는 능력

epilepsy(뇌전증): 발작을 주요 증상으로 하는 중추신경계 장애

ethnicity(민족성): 세대로 이어지는 공통의 사회·문화적 유산을 공유하는 집단의 특징

ethnocentrism(민족중심주의): 자신의 문화만을 인정하고 가치 있게 여기는 것

ethnophamacology(민족약학): 다양한 민족, 인종 및 문화적 집단에 기초한 약물유전학적, 약역학적 및 약동학적 영향에 관한 학문

etiology(병인론): 직접적인 요인 및 발생인자를 포함한 병의 원인에 관한 학문

euphoria(다행감): 고양되거나 행복한 느낌; 기분의 상승; 긴장감의 절대적 부재로 양극성장애의 조증 시기에 가장 눈에 띄는 감정 상태

euthymia(정상기분): 정상적인, 항상성의 기분 상태

excitement(흥분): 어떤 자극을 받아 기분이 상승되는 감정 또는 신체 상태

expansive mood(팽창된 기분): 고조되어 있는, 억제되지 않는 감정의 상태

extrapyramidal side effects(EPSE, 추체외로부작용): 항정신병약(신경이완제)이 추체외로에 영향을 주어 발생하는 비자발적인 근육 움직임. 정좌불능증, 운동불능, 근육긴장이상, 약물유발 파킨슨증 및 신경이완제 악성증후군이 포함됨

extrapyramidal system(추체외로계): 피라미드(자발적인 움직임 조절) 회로의 외곽으로 비자발적인 움직임을 조절함

eye contact(눈 맞춤): 상대방과 눈을 마주치는 것

F

faith(신념): 전통적으로 한 종교 공동체가 따르는 신조

family system(가족체계): 가족 구성원들이 복잡한 상호작용을 통해 서로에게 미치는 영향의 영역

fantasy(환상): 상상 속의 일련의 사건들로 어린 시절에 흔함; 대상자가 현실을 온전히 인식하는 한 적절함

fear(공포): 의식적으로 인식된, 현실적인 위험의 결과로서의 불안

feedback(피드백, 되먹이기): 누군가 말했거나 의미했던 것에 대한 다른 사람의 지각을 말로 표현하는 것으로 이 과정에는 적어도 두 사람이 필요함

flash backs(플래시백): 외상성 사건에 대한 인지적, 정서적, 신체적 재경험

flight of ideas(사고비약): 주제별로 빠르게 전환되고, 앞선 생각을 종결하지 않는 특징을 보이는 대화 양식으로 조증 상태에서 두드러짐

free association(자유연상): 치료 환경에서 마음에 떠오르는 모든 것을 말하는 것

fugue(둔주): 기억 상실과 함께 인격의 해리가 일어나는 기간

G

gait(보행): 걷기의 진행 방식

gamma-aminobutyric acid(GABA, 감마아미노부티르산): 전구체인 글루타민산으로부터 시트르산 회로를 통해 형성된 억제성 아미노산 신경전달물질. GABA 농도를 높이는 약물은 불안과 발작을 감소시킴

gender identity disorder(성정체성장애): 자신의 성별에 대한 심한 불편과 반대 성별에 대한 강하고 지속적인 인식을 갖는 정신장애

genes(유전자): 유전의 기본적인 물질적, 기능적 단위

genetic vulnerability(유전적 취약성): (1) 조상으로부터 물려받은, 행동 및 생물학적 특성에 대한 경향 (2) 정신질환 발생 위험이 증가하는 성향

globus pallidus(담창구, 창백핵): 조가비핵 안쪽에 위치한 회백질 구조로 외측 창백핵과 내측 창백핵으로 세분화됨

glutamate(글루타민산염): 뇌 전반에 수용체가 있는 중추신경계의 주요 흥분성 신경전달물질; *N*-메틸-D-aspartate (NMDA) 활성 채널의 글루타민산염 자극은 칼슘 이온의 과도한 유입과 활성 산소의 생성을 허용하며, 이는 뉴런의 사멸을 일으킬 수 있음

grand mal seizure(대발작): 의식소실과 경련이 있는 전신 발작의 유형

gray matter(회백질): 신경세포의 세포체와 수상돌기로 구성되어 있고 회백색을 띠는 중추신경조직의 부위

grimacing(찡그린 표정): 안면 근육의 수축으로 EPSE일 수 있음

H

half-life(반감기): 신체가 약물을 대사하고 배설하는 데 걸리는 시간으로 몇 분에서 몇 주까지 가능함

hallucination(환각): 실제 외부 자극과 관련되지 않은 잘못된 감각 지각; 청각, 시각, 후각, 미각 또는 촉각의 오감 중 하나로 나타날 수 있음

auditory h.(환청): '들리는 목소리' 또는 다른 사람들이 듣지 못하는 소리로 조현병에서 흔히 나타남; 소리는 어떤 종류의 송신기 또는 환자의 마음에서 오는 생각이나 목소리로 인식될 수 있고, 그 메시지는 비난, 의심 혹은 칭찬과 격려가 될 수 있음

tactile h.(환촉): 피부 또는 두피의 잘못된 감각 지각으로 일반적으로 알코올 금단 증상에서 나타남; 또한 암페타민, 환각제 및 대마초와 같은 특정 유형의 약물의 효과일 수 있음

visual h.(환시): 다른 사람들이 보지 못하는 '물건 보기'로 기질적 상태와 관련될 수 있음

here and now focus(지금-여기 초점): 대상자가 현재의 행동이 일상생활에 어떤 영향을 미치는지 이해하도록 돕는 것

holistic(전체론적): 전체 또는 온전함과 관련된

homeless(노숙자): 집이 없어 길이나 공원 등에 밖에서 잠을 사는 사람

hostile(적대적인): 파괴적인 행동으로 나타나는 강렬한 분노와 분개의 느낌

human immunodeficiency virus(HIV, 인간면역결핍바이러스): 후천성면역결핍증후군(acquired immunodeficiency syndrome, AIDS)의 원인균으로 인식되는 바이러스

Huntington's disease(헌팅턴병): 운동 및 인지적 변화를 포함하는 유전질환

hydrotherapy(수치료): 정신치료 목적으로 물을 이용하는 방법

hyperactivity(과잉행동): 불안하고 공격적이며 종종 파괴적인 활동으로 조증 상태에서 두드러짐

hypersomnia(과다수면): 비정상적으로 긴 수면

hypokinesia(과소활동): 감소된 활동 또는 지연(정신운동지연)으로 심리적 및 신체적 기능이 둔화됨

hypomania(경조증): 조증 삽화의 모든 특성을 보이지만 임상적으로 덜 심각한 상태

hypothalamus(시상하부): 식이 행동, 체온조절, 감정 표현 및 자율신경에 영향을 미치는 간뇌의 핵 집단

I

idealization(이상화): 타인을 완벽하게 보거나 높이 평가하는 등 과대평가하는 방어기전

ideas of reference(관계사고): 어떤 사건들이 특별한 의미를 갖는다고 느끼는 강박 관념적 경향(예: 웃고 있는 사람들을 보며 환자 자신을 비웃는 것으로 받아들임)

idiopathic(원인불명의): 알려진 원인이 없는

illogical thinking(비논리적 사고): 잘못된 결론이나 논리적 모순을 포함한 비합리적인 생각

illusion(착각): 유입된 감각 자극을 잘못 해석하는 것으로 알코올 금단이나 정신 착란 상태에서 관찰됨

incidence(발생률): 어떠한 조건이 발생하였을 때 일정 기간 동안 특정 질환이 새롭게 발생되는 사람의 계측치 비율

independence(독립성): 타인에게 요청하기보다는 스스로 행동을 취하는 성향

indoklon therapy(플루오로에틸 요법): 전기경련요법(ECT)과 유사한 경련치료로 경련은 전기적 자극보다 에테르에 의해 유발됨

informed consent(사전 동의): 환자에게 특정 치료의 효능, 부작용 및 발생 가능한 위험요인 등의 정보를 제공하고 동의를 얻는 것

insight(병식, 통찰력): 현재 자신이 병에 걸렸다는 자각; 생각이나 행동의 동기적 원천에 대한 인식

insomnia(불면증): 잠을 이루지 못하거나 수면 패턴이 망가진 상태

intellectual functioning(지적 기능): 적정 수준의 지식, 성향, 기억, 간단한 수학

방정식의 숙달 및 추상적 사고를 위한 능력

intellectualization(주지화): 무의식적 방어기전 중의 하나로 불안을 유발하는 문제를 피할 수 있는 정도까지 주제의 철학적 또는 이론적 근거를 과도하게 생각하는 것

involuntary commitment(강제 입원): 정신건강 치료에 동의할 수 있는 법적 능력을 가진 사람이 이를 거부하여 비자발적으로 국가에 의하여 치료를 위해 입원된 상태

ipsilateral(동측의): 같은 쪽의

irrational beliefs(비합리적 신념): 논리적이진 않지만 감정과 행동에 영향을 미치는 신념

J

judgment and comprehension(판단과 이해): 과거에 가졌던 논리나 기준 등에 따라 사리를 분별하여 해석한 지식이나 경험을 새로운 상황에서 회상하여 동원하고 통합하는 능력

K

kinesics(동작학): 비언어적 신체 동작에 관한 학문

Korsakoff's psychosis(코르사코프 정신증): 만성적이고 과도한 알코올 남용과 관련된 기억상실을 동반하는 기질적 정신장애

Kraepelin(크레펠린): 1896년 정신의학 분류체계를 시작한 독일의 정신과 의사로 '조발성 치매'라는 용어를 사용함

L

labile(불안정한): 빈도가 높고 극단적이거나 예측 불가능한 변화에 종속되는 분위기, 감정이나 행동의 상태

least restrictive alternative(최소한의 제한적 대안): 가능한 최소한의 제한 설정에서 필요한 치료 요구 사항을 제공하는 환경

Lewy bodies(루이소체): 파킨슨병 또는 치매일 때 신경멜라닌을 포함하는 뉴런에서 발견되는 호산구성 세포질 내포물

ligand(배위자): 다른 화학물질과 결합하여 더 큰 복합체를 형성하는 이온, 분자 또는 분자 그룹

limit setting(제한 설정): 개인이 보다 건설적으로 기능하도록 돕기 위해 설립된 규범을 유지하는 것

lipid solubility(지질용해도): 물질이 지방에 녹는 정도

lithium(리튬): 조울증의 치료 및 예방에 사용되는 요소 및 염

locus ceruleus(청색반점): 뇌교 뇌피개의 작은 뉴런('파란 점')으로 뇌의 노르에피네프린의 주요 공급원

loose association(연상 이완): 정신작용이 정상적으로 이루어지지 않는 상태로 전혀 관련이 없거나 연관성이 미약한 사고의 흐름 또는 대화 패턴이 나타남

M

magical thinking(주술 사고): 생각, 말 또는 행동이 마술적인 수단을 통해 사건을 유발하거나 예방할 수 있다는 생각

malingering(꾀병): 고의적으로 질병에 걸렸음을 가장하는 것

malpractice(의료과실): 전문직에 의한 과실; 간호사가 합리적으로 신중하게 지켜야 할 치료기준을 어겼을 때 발생하는 것으로 간호사를 상대로 민사 소송이 야기될 수 있음

mania(조증): 극심한 흥분, 과다 활동, 다행감, 그리고 과도하게 말이 많고 행동이 혼란스러운 정신 상태

medially(안쪽으로): 중간선 쪽으로

medulla oblongata(숨뇌, 연수): 길이 약 3cm의 뇌간의 가장 꼬리 부분으로 호흡을 조절하고 혀와 입천장에 신경 분포를 공급함

melancholic depression(멜랑콜리아형 우울증): 일반적으로 노인에게서 나타나는 우울증으로 종종 치매로 잘못 진단됨; 정신운동의 지체나 동요, 과도하거나 부적절한 죄책감, 심각한 식욕부진이나 체중 감소 등이 증상이 나타남

memory(기억): 두뇌에 저장된 정보가 나중에 회상되는 것

meninges(수막): 경막, 거미막, 연막으로 구성된 중추신경계의 외막

mental status examination(MSE, 정신상태사정): 외모, 행동, 운동, 언어, 의식, 기분, 인지, 지능, 반응, 견해 및 태도 등의 정보들을 통해 대상자의 정신상태를 파악하는 검사

mesocortical tract(중뇌피질 경로): 도파민성 경로로 흑색질 근처의 복측피개 영역으로부터 신피질, 특히 전두엽으로 투사됨; 동기 부여, 계획, 행동, 주의 및 사회적 행동에 관여함

mesolimbic tract(중뇌변연계 경로): 카테콜라민성 신경 경로로(주로 도파민성) 세포체는 중뇌의 복측피개 영역에 있고, 축삭돌기는 해마, 내후각 피질, 편도, 전방 대상회, 측좌핵, 다른 변연계로 투사됨

metabolic tolerance(대사 내성): 신체가 물질대사에서 보다 효율적일 때 발생하는 과정

midbrain(중뇌): 뇌간의 가장 전측 부분으로 대뇌수도관, 상측 및 하측 둔덕, 적색핵, 흑색질, 대뇌 다리 및 안구운동 및 활차 뇌신경핵과 같은 중요한 구조를 포함함

milieu management(환경 관리): 치료적 분위기 조성을 목적으로 환경을 관리하는 것

milieu therapy(환경치료): 그룹이나 개인의 기능을 최적화하기 위해 환경을 사용하는 치료적 접근

minority(소수집단): 사회, 종교, 민족, 직업 또는 인구의 대부분을 차지하는 그룹보다 수가 적은 집단

monoamine(모노아민): 하나의 아미노기를 포함하고 아미노산으로부터 유도되는 신경전달물질의 범주; 하위범주로 티로신으로부터 유도된 카테콜라민 및 트립토판에서 유래된 인돌아민 세로토닌이 포함됨; 히스타민도 모노아민으로 분류되지만 생화학적으로 다름

monoamine oxidase(모노아민 산화효소): 도파민, 노르에피네프린, 세로토닌과 같은 모노아민을 대사하는 효소

monoamine oxidase inhibitors(MAOIs, 모노아민 산화효소 억제제): 신진대사를 방해함으로써 특정 신경전달물질의 생체 이용률을 증가시키는 항우울제

mood(기분): 느낌과 감정을 통해 전시되는 개인 내면의 마음 상태

mood disorder(기분장애): 우울장애 및 양극성장애를 포함하는 DSM-5의 진단 범주

mutism(무언증, 함구증): 말하기를 거부함

N

narcissism(나르시시즘): 자아도취, 극단적인 자기중심성과 자기수용

narcotherapy(마취요법): 진정제(예: 아모바비탈)나 자극제(예: 메틸페니데이트)의 정맥 투여로 진정 상태를 유도하는 방법

National Institute of Mental Health(국립 정신건강연구소): 미국 정신건강 문제와 관련된 국립보건원(National Institutes of Health)의 정부 조직

naturopathy(자연요법): 질병 치료보다 건강 회복을 강조하는 접근으로 질병을 신체가 자연적으로 치유되는 과정에서의 변화 징후로 간주함; 식이요법, 동종요법, 침요법, 약초, 수치료, 물리치료법 등을 사용함

negativism(거부증): 모든 지시에 대한 이유 없는 저항을 보이는 증상

negligence(부주의, 태만): 합리적이고 신중한 사람이 그 상황에서 할 수 있는 일을 하지 못하는 것

neologism(신어조작증): 알 수 없는 단어의 생성으로 특징지어지는 음성 패턴으로 조현병의 일부 유형에서 관찰됨

neurocognitive disorders(신경인지장애): 영구적 뇌 손상이나 일시적인 뇌 기능장애로 인해 발생하는 정신기능장애로 인지기능, 감정, 동기에 영향을 미침

neurofibrillary tangle(신경원섬유매듭): 신경세포체 안에 위치한 비정상적인 필라멘트 물질 덩어리; 이러한 엉킴은 알츠하이머병을 비롯한 여러 뇌 질환에서 나타나며, 세포 골격 성분으로 구성됨

neuroleptic(신경이완제): 항정신병 약물

neuron(뉴런): 신경세포

neurotransmitter(신경전달물질): 뉴런 사이의 시냅스를 통해 신경자극의 전달을 촉진하는 화학물질로 신경계에서 발견됨(예: 노르에피네프린, 세로토닌, 도파민)

nihilistic ideas(허무 사고): 존재하지 않는 절망적인 생각

***N*-methyl-D-aspartate receptor(NMDA 수용체)**: 시냅스 가소성과 기억 기능을 조절하는 주요 메커니즘인 글루타민산염 수용체

noncompliance(불순응, 불이행): 처방대로 약을 복용하지 않음

nonviolence(비폭력): 언어적 또는 물리적 공격 이외의 방법으로 충돌 상황을 해결함

norepinephrine(노르에피네프린): 뇌교에 있는 청반 뉴런에서 합성되는 카테콜아민 신경전달물질로 이것의 결핍이 우울증과 관련됨

norepinephrine and dopamine reuptake inhibitors(NDRIs, 노르에피네프린과 도파민 재흡수 억제제): 도파민의 재흡수를 일차적으로 차단하는 유일한 항우울제

norm(표준): 주어진 치료 환경에서 예상되는 행동

nucleus accumbens(측중격핵): 미상핵과 조가비핵의 내측과 복측에 인접해 있는 핵으로 뉴런은 담창구와 흑질로 투사됨

nucleus basalis of Meynert(마이네르트 기저핵): 아세틸콜린 생산을 위한 주요 뇌 부위인 전측 교련 바로 아래 양측에 위치하는 핵으로 여기에서 나온 섬유는 대뇌피질로 퍼져 나감

nursing diagnosis(간호진단): 간호사가 중재할 수 있는 대상자의 잠재적 또는 실제적 문제나 질병에 대한 반응을 기술한 진단적 진술

O

objectivity(객관성): 개방적이고 편향되지 않고 정서적으로 대상자와 분리하여 사고하는 성향

obsession(강박사고): 합리적인 노력으로 의식에서 제거될 수 없는 정도의 미숙한 사고, 느낌 또는 충동의 병리적 지속성

obsessive-compulsive disorder(강박장애): 반복되는 강박관념(생각)과 불안을 감소시키기 위한 노력으로 강박행동이 번갈아 나타나는 정신장애

occupational therapy(작업치료): 일상생활의 활동을 통하여 정신장애가 있는 사람들이 가정과 직장에서 최대한의 기능과 독립성을 얻을 수 있도록 도와주는 치료법

oculogyric crisis(안구운동발작): 불수의적인 눈의 긴장성 근경련으로 보통 시선이 고정된 응시에서 위쪽으로 올라가고, 항정신병 약물에 의해 유발됨

olfactory(후각의): 냄새의 감각과 관련 있는

open posture(열린 자세): 팔을 교차시키지 않고 편안하면서도 세심한 자세로 상대방의 신뢰를 향상시킬 수 있음

open-ended statement(개방형 진술): 의사소통을 장려함으로써 대상자의 문제를 더 깊이 탐구하는 진술 또는 질문의 형태

openness(개방성): 조소 또는 비난의 두려움 없이 사람들이 자유롭게 생각과 감정을 표현할 수 있는 분위기

orientation(지남력): 사람, 장소 및 시간에 대한 의식적 인식

P

panic(공황): 성격과 기능의 혼란을 동반한 극도로 강렬한 급성 불안 상태

paranoia(편집증): 다른 사람들과 그들의 행동에 대한 극도의 부정적 의심을 갖는 증상

paranoid thinking(편집증적 사고): 피해망상 또는 투사적 행동 패턴을 이끄는 과잉의심적인 생각

parkinsonism(파킨슨증): 병리학적으로 흑색질에서 도파민성 뉴런의 소실이 나타나고, 임상적으로 다양한 운동 및 비운동성 증상과 징후를 보임

Parkinson's disease(파킨슨병): 원인을 알 수 없는 특발성 파킨슨증이라고도 함

partial seizure(부분 발작): 발작이 시작될 때 뇌의 한쪽 반구와 관련됨

passive aggression(수동공격성): 미묘하고 회피적인 방법을 통해 간접적으로 표현되는 분노

pedophilia(소아성애): 아이들과 관련된 강렬한 성적 흥분, 욕망, 행동, 환상 등을 가짐

perception(지각): 주변 감각기관의 자극을 따르는 대상 및 인간관계에 대한 인식

perseveration(보속증): 서로 다른 질문에 대한 응답으로 같은 단어나 생각이 반복되어 나타나는 음성 패턴

personal control(개인 통제): 자신의 최선의 이익, 치료 목표 또는 개인적 요구에 반하는 자기 충동을 제어하는 방식의 행동패턴

personality disorder(성격장애): 개인과 다른 사람들에게 파괴적인 영향을 미치는 과장되고, 유연하지 않으며, 지속되는 행동 패턴의 성격을 특징으로 하는 정신장애

pervasive developmental disorder(PDD, 전반적 발달장애): 여러 사회적 및 인지적 지연을 특징으로 하는 발달장애 중의 하나

pharmacodynamic tolerance(약동학적 내성): 주어진 약물 효과를 내기 위해 더 높은 혈중 농도가 필요할 때 나타나는 허용 오차

phobia(공포증): 특정 유형의 자극이나 상황에 대해 과장된 병리학적 두려움

phobic disorder(공포장애): 개인을 제대로 기능하지 못하게 만드는 심각한 공포적 행동 패턴을 보이는 정신장애로 두려워하는 물건이나 상황을 피함으로써 불안을 감소시킴

physical or emotional security(신체적 또는 정서적 안전감): 감정적, 언어적, 신체적인 공격으로부터 안전함을 느끼는 상태

postpartum depression(산후 우울증): 출산 후 30일 이내에 발생하는 산후기 우울증의 아형

posttraumatic stress disorder(PTSD, 외상후스트레스장애): 극심한 외상성 스트레스 요인에 노출된 후 특징적인 증상(예: 강렬한 두려움, 무력감, 사건의 재경험)을 보이는 정신장애

preconscious(전의식): 정신적 에너지를 투입하면 떠올릴 수 있는 의식의 영역

precursor(전구체): 화학 반응에서 최종 산물의 전 단계에 해당되는 물질

premorbid(병전 상태): 장애가 시작되기 전의 상태

prevalence(유병률): 인구집단에서 질병의 빈도를 추정한 비율

primary appraisal(일차 평가): 한 개인의 사건에 대한 일차적 판단

primary gain(일차적 이득): 장애의 증상을 통한 불안의 완화 또는 표현

privacy(사생활): 자기 자신과 타인을 위한 신체적, 정서적 공간의 허용

probable cause(상당한 근거): 합리적이고 지혜롭고 신중한 사람이 행동의 원인이 있다고 여길 수 있는 정도로 충분히 신뢰할만한 사실

process recording(과정기록): 간호사와 대상자의 구두 및 비언어적인 행동을 포함하여 가능한 한 대상자와의 만남을 거의 그대로 기록하는 것

projective identification(투사적 동일시): 자신의 감정 표현을 정당화하기 위해 감정을 다른 사람에게 배치하는 것을 특징으로 하는 방어기전

pseudodementia(가성 치매): 인지기능 저하를 특징으로 하는 우울 상태

psychiatric rehabilitation(정신재활): 가장 제한적인 환경에서 대상자의 최고 수준의 기능을 촉진하기 위한 방법

psychoeducation(정신교육): 지식이 있는 경우 사람들이 치료에 보다 효과적으로 참여할 수 있다는 관찰에 근거하여 대상자와 가족에게 정신장애, 치료법, 대처기술 및 자원에 대해 교육하는 전략

psychomotor retardation(정신운동지연): 현저히 느려진 말투와 신체 움직임

psychoneuroimmunology(정신신경면역학): 마음, 환경 및 신체기능, 특히 면역 시스템 기능의 상호작용에 초점을 맞춘 학문 분야

psychopathology(정신병리학): 정신장애로 이어지는 생물학적, 심리사회학적 과정에 대한 학문

psychosis(정신증): 심각한 사고장애와 다른 사람들과의 연관성 결여로 현실인식능력이 현저히 떨어지거나 불가능한 상태

psychosocial adversity(정신사회적 역경): 아동의 최적 발달을 지원하지 않는 빈곤, 실업 또는 과밀 생활환경과 같은 부정적인 환경 조건

psychotherapeutic management(정신치료적 중재): 정신과 간호사가 사용하는 3가지 기본 중재의 균형을 맞추는 데 초점을 둔 간호 모델: 간호사와-환자와의 치료적 관계, 정신 약리학, 환경 관리

psychotic depression(정신증적 우울증): 망상과 환각을 경험하는 우울증의 아형

psychotropic drugs(정신작용제, 향정신성 약물): 정신질환 치료에 사용되는 약물들

purge(의도적 구토): 자기유발 구토, 설사약, 이뇨제 또는 관장으로 소모되는 열량에 대한 보상

pyramidal system(추체계): 자발적인 움직임을 위한 운동체계

R

raphe nuclei(봉선핵, 솔기핵): 핵은 뇌줄기의 중심선을 따라 위치하는 핵으로 이 세포에서 세로토닌이 합성됨

reactive depression(반응성 우울증): 삶의 사건과 관련된 우울한 기분(예: 이혼, 실직)

reappraisal(재평가): 신규 또는 추가 정보가 주어진 후 이루어진 평가

receptor(수용체): 신경, 혈관 또는 근육의 정상적인 작용을 활성화하거나 억제하기 위해 화학 자극을 받는 신경막, 혈관 또는 근육에 있는 특화된 영역

recovery(회복): 미국의 약물남용 및 정신건강서비스청(SAMHSA)은 '개인이 건강과 삶의 질을 개선하고, 스스로 지시하는 삶을 살며, 모든 잠재력을 발휘하도록 노력하는 변화의 과정'으로 정의함

recreational therapist(오락치료사): 오락활동을 활용하여 환자가 일과 운동의 균형을 배울 수 있게 여가 활동이나 관심사를 찾도록 도와주는 치료자

religiosity(독실성): 종교적 관념이나 내용에 몰두하는 것

resiliency(회복탄력성): 지속적인 기능장애나 발달지연 없이 스트레스원을 견딜 수 있는 능력

restraint(억제): 환자 자신, 의료진 및 타 환자의 상해를 방지하기 위해 환자에게 가해지는 물리적 제어

reuptake(재흡수): 신경전달물질이 시냅스로 방출된 후 시냅스 전 뉴런으로 흡수될 때 발생하는 생리학적 과정

rigidity(경직): 뻣뻣하고 경직된 자세

S

schizophrenia(조현병): 환각, 망상 또는 둘 다를 특징으로 하는 증후군, 질병 또는 정신건강 장애; 증상은 일반적으로 개인의 성격 구조, 정동, 인지가 점진적으로 악화되고 파괴되는 것을 반영함

seasonal affective disorder(SAD, 계절성 정동장애): 늦가을 또는 겨울에 발생하고 봄까지 지속되는 우울장애의 아형

seclusion(격리): 보호 및 관찰을 위해 특별히 설계된 공간에 환자를 홀로 두는 것

secondary appraisal(이차 평가): 개인이 취할 수 있는 가능한 수행에 대한 평가

secondary gain(이차적 이득): 증상을 통해 현실적으로 얻게 되는 이익(예: 타인으로부터의 관심과 지원)

selective serotonin-norepinephrine reuptake inhibitors(SNRIs, 선택적 세로토닌-노르에피네프린 재흡수 억제제): 세로토닌과 노르에피네프린의 재흡수를 차단하는 기전의 항우울제

selective serotonin reuptake inhibitors (SSRIs, 선택적 세로토닌 재흡수 억제제): 항우울제의 한 종류로 세로토닌 재흡수의 강력한 차단제로서 시냅스에서 세로토닌 농도를 증가시킴

self-mutilation(자해): 압도적인 정서적 고통을 더 수용 가능한 육체적 고통으로 이동시킬 목적으로 자기 몸에 대해 고의적인 파괴행위를 가하는 것

serotonin(5-HT, 세로토닌): 아미노산인 트립토판으로부터 파생되는 인돌라민 계열의 모노아민 신경전달물질

shuffling gait(parkinsonian gait, 파킨슨 보행): 파킨슨병이나 항정신병 약물 부작용의 결과로 도파민 저장소가 차단되거나 고갈되어 나타나는 보행 방식

social organization(사회조직): 가족, 인종 또는 민족과 같은 특정 단위의 문화집단

social skills group(사회기술 그룹): 정신질환자가 사회적 상황에서 사람들을 대하는 기술을 배우고 훈련하며 발전시키는 데 도움이 되는 치료그룹

socialization skills(사회화 기술): 대인관계 주제를 다루는 데 필요한 기술(예: 자신의 행동에 대한 책임을 인정하고, 시선을 적절하게 사용하며, 공유 및 지지를 위해 다른 사람들과 상호작용하는 것)

somatic therapy(신체치료): 행동 변화를 일으키기 위해 생리학적 또는 물리적 개입을 사용하는 치료적 접근법(예: ECT)

somatization(신체화): 정신적 상태 또는 경험을 신체증상으로 옮겨 나타내는 것

spirituality(영성): 모든 창조물과의 관계에 대한 인식; 오감과 육체적 세계를 뛰어넘는 존재와 목적에 대한 인식; 의미와 소속감이 있으며 종종 종교를 포함함

splitting(분열): 자신과 타인의 좋고 나쁜 면을 통합할 수 없음; 자신과 다른 사람을 모두 좋은 것으로 또는 나쁜 것으로 봄

steady state(항정 상태): 약물의 혈청 농도가 일정하고 치료 수준에서 유지되는 항경련제 및 기타 요법에서 원하는 상태

step system(단계 시스템): 대상자가 진행 상황에 따라 권한과 책임을 얻는 과정

stereotyping(고정관념): 비슷한 문화, 인종, 민족 또는 다른 집단 사람들의 행동을 결정하는 확고한 의식이나 관념으로 잘 변하지 않는 특징이 있음

stereotypy(상동증): 지속적으로 신체 행동이나 말을 반복하는 증상

stressor(스트레스원): 개인이나 생물체가 도전, 위협 또는 피해로 인식하는 자극

striatum(선조체): 미상핵과 조가비핵을 포함하는 기저핵

substance-induced mood disorder(물질로 유발된 기분장애): 처방되거나 비처방된 약물 섭취로 인하여 독성 물질에 노출된 사람의 기분을 교란 또는 변화시켜 발생하는 장애

substantia nigra(흑질): 도파민이 합성되는 중뇌의 색소 부위

substrate(기질): 효소가 작용하는 재료나 물질

suicidal ideation(자살사고): 개인의 자해 행동이나 자기파괴에 대한 생각

suicidal plan(자살계획): 개인이 말로 표현하는 자해 또는 자기 파괴를 가하도록 고안된 구체적인 방법

suicide(자살): 스스로 죽음을 초래하는 것

synapse(시냅스): 두 뉴런 사이의 미세한 공간

T

tangentiality(사고 이탈): 목표 지향적 생각의 연관성을 갖지 못하는 상태로 원하는 지점에서 원하는 목표에 도달할 수 없음

tardive dyskinesia(지연성 운동장애): 일반적으로 항정신병 약물을 장기간 사용하는 경우 후반부에 나타나는 추체외로 증후군으로 얼굴 찡그림, 혀설의 움직임, 그리고 근긴장이상을 포함함; 회복되지 않을 수 있음

teamwork(팀워크, 협동작업): 환자 치료에 대한 공동의 목표를 달성하기 위해 의료진과 직원이 함께 협력하는 것

therapeutic communication(치료적 의사소통): 대상자의 요구에 초점을 맞추고 목표 지향적이며 대상자 중심의 의사소통 과정을 용이하게 하는 대화 및 비언어적 전략

therapeutic listening(치료적 경청): 대상자에게 초점을 맞춰 듣는 것

therapeutic milieu(치료적 환경): 환경 자체가 치료 가능한 방식으로 관리되는 것

thinking(사고): 사람의 발달 단계에 따라 논리적인 결론에 이르기 위해 생각, 기호 및 연상의 목표 지향적인 흐름을 따르는 과정

thought disorder(사고 장애): 연상의 이완, 신조어, 비논리적 구성과 결론으로

특징지어지는 사고 문제

time-out(타임아웃): 특정 상황에서 대상자를 해방시키는 것(예: 어린이가 자제력을 되찾도록 다른 사람과 마주보고 의자에 앉도록 지시하는 것)

tolerance(내성): 반복적인 약물 사용으로 인하여 약효가 감소하는 현상; 동일한 효과를 달성하기 위해서는 약물의 양을 늘려야 함

tonic(긴장성, 강직성): 지속적인 긴장 상태에 있는

transference(전이): 이전의 경험에 근거한 현재 상황에 대한 무의식적인 감정적 반응

transinstitutionalization(횡수용화): 탈원화의 산물로 정신질환자 케어가 구금시설, 감옥, 요양원, 보육 시설로 옮겨지는 것

tricyclic antidepressants(TCAs, 삼환계 항우울제): 시냅스 전 신경 세포로 노르에피네프린과 세로토닌의 재흡수를 막는 항우울제

tuberoinfundibular tract(결절누두 경로): 뇌하수체 줄기에 투사하는 시상하부의 아치형 핵에 있는 뉴런을 가진 도파민성 통로로 프로락틴의 분비를 조절함

tyramine(티라민): 아미노산 티로신에서 추출한 물질로 숙성된 치즈, 요구르트, 아보카도와 같은 식품에서 발견됨; 티라민 함유가 높은 식품은 MAOI로 치료받는 사람에게 고혈압 위기를 일으킬 수 있음

tyrosine(티로신): 도파민의 전구체 아미노산

U

unconscious(무의식): 억압되어 있고, 의지대로 회상할 수 없는 기억, 갈등, 경험 및 자료가 저장되어 있는 마음의 영역

undoing(취소): 이전에 했던 행동이나 생각을 반전시키기 위해 상징적으로 행동하는 방어기전으로 강박장애에서 흔함

unit norm(단위 규범): 주어진 치료 환경에 대해 예상되는 행동

V

validation(입증, 확인): 메시지 내용에 의문을 제기하여 개인의 의도를 확인하는 과정

vascular dementia(혈관성 치매): 무산소증, 허혈 및 속발성 경색을 초래하는 뇌로의 혈류 차단으로 인한 결과로 나타나는 치매

ventral tegmental area(VTA, 복측피개 영역): 흑질의 배내측과 적색핵의 복측 부위로 중뇌에 위치함; VTA의 핵은 도파민을 생산하고, 이 부위에서 나온 원심성 경로는 중피질과 중변연계의 경로를 포함함

ventricle(뇌실): 측뇌실(종뇌의 중앙부), 제3뇌실(시상 사이), 제4뇌실(뇌교와 숨뇌에서) 및 대뇌수도관(중뇌에서)을 포함하여 뇌척수액으로 채워진 연결된 시스템

vesicle(소낭): 시냅스 말단에서 존재하는 보관 주머니

voluntary commitment(자의 입원): 환자 또는 보호자가 정신과 치료를 요청하고 치료 신청서에 서명함으로써 자발적으로 입원하는 상황

W

Wernicke's area(베르니케 영역): 측두평면에 위치한 정교한 청각 연합 피질로 음성언어를 해석함

Wernicke's encephalopathy(베르니케 뇌증): 티아민 결핍에 의한 혼란과 안구 마비증으로 알코올중독 환자에게서 가장 흔함

white matter(백색질): 유수신경섬유로 구성된 뇌의 물질

withdrawal(위축, 금단): (1) 인식된 환경적 위협을 피하기 위해 내부로 돌리는 행위 또는 과정 (2) 중독성 물질의 중단에 대한 생리적 반응

word salad(말비빔): 단어 또는 구절의 일관되지 않은 혼합으로 특징지어지는 대화 패턴

한 글

ㄱ

ㄴ

ㄷ

영 문

A

B

C

D

E

F

G

H